第十八改正
日本薬局方
第一追補解説書
―条文・注・解説―

2022

株式会社 廣川書店

序　　文

　第十八改正日本薬局方第一追補は令和4年 12 月 12 日に施行されました.
　この第一追補では，一般試験法及び医薬品各条等について一部改訂が行われました．一般試験法では 3 試験法が新規に収載され，8 試験法が改正されました．医薬品各条では新たに 11 品目が収載され，82 品目について改正され，2 品目が削除されました．これらの改正に伴い，一般試験法中の標準品の項で，3 品目の標準品が新たに追加されました．更に，4 品目の参照紫外可視吸収スペクトルと 7 品目の参照赤外吸収スペクトルが新たに収載されました．これらの新規収載や改正はいずれも時代の進歩を速やかに反映させたものであります．
　本書においては，これまでと同様，これらの新規収載項目及び改正項目に対し，適切な注及び解説を付しましたので，本書を通して日本薬局方の理解と利用を高め，医薬品の適正使用に役立てられますよう望むものであります．

　　令和 5 年 1 月

　　　　　　　　　　　　　　　　　　　　日本薬局方解説書編集委員会

―――――――――― **本解説書の利用に際して** ――――――――――

　本書は第十八改正日本薬局方解説書の編纂方式に従って記載してあり，関連する箇所
については，（→解説書）を示した．

　一般試験法では，クロマトグラフィー総論，近赤外吸収スペクトル測定法，円偏光二
色性測定法の 3 試験法が新規に収載され，8 試験法が改正された．

　医薬品各条では，11 品目が新規に収載され，生薬等 43 品目を含む 82 品目で改正
がなされた．

日本薬局方解説書編集委員会

第十八改正日本薬局方第一追補解説書

═══════ 総 目 次 ═══════

厚生労働省告示第 355 号（令和 4 年 12 月 12 日）

まえがき ……………………………………………………… ix ～ xxvi

B. 一般試験法　改正事項 ……………………………… B-3 ～ 130

C. 医薬品各条　改正事項 ……………………………… C-3 ～ 129

D. 医薬品各条（生薬等）　改正事項 ………………… D-3 ～ 49

E. 参照紫外可視吸収スペクトル　改正事項 ………… E-3 ～ 6

　　参照赤外吸収スペクトル　改正事項 ……………… E-9 ～ 13

F. 参考情報　改正事項 ………………………………… F-5 ～ 45

I. 索　引（日本名，英名，ラテン名）………………… I-3 ～ 173

○厚生労働省告示第 355 号

　医薬品、医療機器等の品質、有効性及び安全性の確保等に関する法律
（昭和 35 年法律第 145 号）第 41 条第 1 項の規定に基づき、日本薬局方
（令和 3 年厚生労働省告示第 220 号）の一部を次のように改正する。

　　　令和 4 年 12 月 12 日

　　　　　　　　　　　　　　厚生労働大臣　　加藤　勝信

　（「次のよう」は省略し、この告示による改正後の日本薬局方の全文を
厚生労働省医薬・生活衛生局医薬品審査管理課及び地方厚生局並びに都道
府県庁に備え置いて縦覧に供するとともに、厚生労働省のホームページに
掲載する方法により公表する。）
　　　附　　則
　（適用期日）
1　この告示は、告示の日（次項及び第 3 項において「告示日」とい
　う。）から適用する。
　（経過措置）
2　この告示による改正前の日本薬局方（以下「旧薬局方」という。）に
　収められていた医薬品（この告示による改正後の日本薬局方（以下「新
　薬局方」という。）に収められているものに限る。）であって告示日にお
　いて現に医薬品、医療機器等の品質、有効性及び安全性の確保等に関す
　る法律第 14 条第 1 項の規定による承認を受けているもの（告示日の
　前日において、医薬品、医療機器等の品質、有効性及び安全性の確保等
　に関する法律第 14 条第 1 項の規定に基づき製造販売の承認を要しな
　いものとして厚生労働大臣の指定する医薬品等（平成 6 年厚生省告示
　第 104 号）により製造販売の承認を要しない医薬品として指定されて
　いる医薬品を含む。）については、令和 6 年 6 月 30 日までの間は、
　旧薬局方で定める基準（当該医薬品に関する部分に限る。）は新薬局方
　で定める基準とみなすことができるものとする。
3　新薬局方に収められている医薬品（旧薬局方に収められていたものを

除く。）であって告示日において現に医薬品、医療機器等の品質、有効性及び安全性の確保等に関する法律第 14 条第 1 項の規定による承認を受けている医薬品については、令和 6 年 6 月 30 日までの間は、新薬局方に収められていない医薬品とみなすことができるものとする。

（なお、「次のよう」とは、「一般試験法」から始まり、「参照赤外吸収スペクトル」までをいう。）

ま え が き

第十八改正日本薬局方は令和 3 年 6 月 7 日厚生労働省告示第 220 号をもって公布された.

その後, 令和 3 年 7 月に日本薬局方部会を開催し, 審議の結果, 日本薬局方の役割と性格, 作成方針, 作成方針に沿った第十九改正に向けての具体的な方策, 施行時期に関する事項を決定した.

日本薬局方は, 公衆衛生の確保に資するため, 学問・技術の進歩と医療需要に応じて, 我が国の医薬品の品質を適正に確保するために必要な規格・基準及び標準的試験法等を示す公的な規範書であり, 医薬品全般の品質を総合的に保証するための規格及び試験法の標準を示すとともに医療上重要とされた医薬品の品質等に係る判断基準を明確にする役割を有するとされた. また, その作成に当たって, 多くの医薬品関係者の知識と経験が結集されており, 関係者に広く活用されるべき公共の規格書としての性格を有するとともに, 国民に医薬品の品質に関する情報を公開し, 説明責任を果たす役割をもち, 加えて, 国際社会の中で, 医薬品の品質規範書として, 国レベルを越えた医薬品の品質確保に向け, 先進技術の活用及び国際的整合の推進に応分の役割を果たし, 貢献することとされた.

作成方針として, 保健医療上重要な医薬品を優先して収載することによる収載品目の充実, 最新の学問・技術の積極的導入による質的向上, 医薬品のグローバル化に対応した国際化の一層の推進, 必要に応じた速やかな部分改正及び行政によるその円滑な運用, 日本薬局方改正過程における透明性の確保及び日本薬局方の国内外への普及の「5 本の柱」が打ち立てられた. この基本的考えに立って, 関係部局等の理解と協力を得つつ, 各般の施策を講じ, 広く保健医療の場において, 日本薬局方が有効に活用されうるものとなるよう努めることとされた.

収載品目の選定については, 医療上の必要性, 繁用度又は使用経験等を指標に, 保健医療上重要な医薬品は可能な限り速やかな収載を目指すこととされた.

また, 第十九改正の時期は令和 8 年 4 月を目標とすることとされた.

日本薬局方の原案は, 独立行政法人医薬品医療機器総合機構に設置された総合委員会, 製法問題検討小委員会, 化学薬品委員会, 抗生物質委員会, 生物薬品委員会, 生薬等委員会, 医薬品添加物委員会, 理化学試験法委員会, 製剤委員会, 物性試験法委員会, 生物試験法委員会, 医薬品名称委員会, 国際調和検討委員会及び標準品委員会で検討されている. その他, 総合委員会, 生物薬品委員会, 医薬品添加物委員会及び製剤委

x　まえがき

員会の下に，それぞれワーキンググループが設置されている．

各委員会は各種改正の検討を開始した，検討事項のうち，一般試験法，医薬品各条，参照紫外可視吸収スペクトル及び参照赤外吸収スペクトルについては，令和 2 年 9 月から令和 4 年 6 月までの期間に検討を終了した分を，第十八改正日本薬局方の一部改正としてとりまとめることとした．

この期間に改正原案作成のために開催した委員会の回数は，総合委員会 17 回（ワーキンググループを含む），製法問題検討小委員会 1 回，化学薬品委員会 23 回，抗生物質委員会 4 回，生物薬品委員会 7 回，生薬等委員会 16 回，医薬品添加物委員会 13 回（ワーキンググループを含む），理化学試験法委員会 8 回，製剤委員会 17 回（ワーキンググループを含む），物性試験法委員会 6 回，生物試験法委員会 6 回，医薬品名称委員会 4 回，国際調和検討委員会 7 回，標準品委員会 3 回（ワーキンググループを含む）である．

なお，この改正の原案作成に当たっては，関西医薬品協会技術研究委員会，東京医薬品工業協会局方委員会，東京生薬協会，日本医薬品添加剤協会，日本家庭薬協会，日本漢方生薬製剤協会，日本香料工業会，日本生薬連合会，日本製薬工業協会，日本製薬団体連合会，日本 PDA 製薬学会，日本試薬協会，日本植物油協会，日本分析機器工業会，創包工学研究会等の協力を得た．

この一部改正原案は令和 4 年 7 月に日本薬局方部会で審議のうえ，同年 9 月に薬事・食品衛生審議会に上程され，報告された後，厚生労働大臣に答申された．日本薬局方部会長については，平成 23 年 1 月から令和 2 年 12 月まで橋田充が，令和 3 年 1 月から令和 4 年 12 月まで太田茂がその任に当たった．

この改正の結果，第十八改正日本薬局方第一追補の収載は 2042 品目となった．このうち改正により新たに収載したものが 11 品，削除した品目は 2 品である．

本改正の記載法の原則と改正の要旨は次のとおりである．

1. 日本薬局方の記載は口語体で横書きとし，常用漢字及び現代かなづかい，文部科学省学術用語集などに従うことを原則としたが，著しく誤解を招きやすいものについては常用漢字以外の漢字も用いた．

2. 薬品名，試薬名は原則として常用漢字及びかたかな書きとした．

3. 収載の順序は，告示，目次，まえがきに続いて，一般試験法，医薬品各条の順とし，更に医薬品各条の参照紫外可視吸収スペクトル，参照赤外吸収スペクトルを付し，終わりに参考情報，附録として第十八改正日本薬局方，第十八改正日本薬局方第一追補を合わせた索引を付した．

4. 医薬品各条，参照紫外可視吸収スペクトル及び参照赤外吸収スペクトルの配列順序は，原則として五十音順に従った．

5. 医薬品各条中の記載順序は，次によったが，必要のない項目は除いてある．

（1）　日本名　　　　　　　（2）　英名　　　　　　　　（3）　ラテン名（生薬関係

品目についてのみ記載
する.)
（ 4 ） 日本名別名
（ 5 ） 構造式
（ 6 ） 分子式及び分子量
（組成式及び式量）
（ 7 ） 化学名
（ 8 ） ケミカル・アブス
トラクツ・サービス
（CAS）登録番号

（ 9 ） 基原
（10） 成分の含量規定
（11） 表示規定
（12） 製法
（13） 製造要件
（14） 性状
（15） 確認試験
（16） 示性値
（17） 純度試験
（18） 意図的混入有害物質

（19） 乾燥減量，強熱減量
又は水分
（20） 強熱残分，灰分又は
酸不溶性灰分
（21） 製剤試験
（22） その他の特殊試験
（23） 定量法
（24） 貯法
（25） 有効期間
（26） その他

6. 医薬品の性状及び品質に関係のある示性値の記載の順序は，次によったが，必要
のない項目は除いてある.

（ 1 ） アルコール数
（ 2 ） 吸光度
（ 3 ） 凝固点
（ 4 ） 屈折率
（ 5 ） 浸透圧比
（ 6 ） 旋光度

（ 7 ） 構成アミノ酸
（ 8 ） 粘度
（ 9 ） pH
（10） 成分含量比
（11） 比重
（12） 沸点

（13） 融点
（14） 酸価
（15） けん化価
（16） エステル価
（17） 水酸基価
（18） ヨウ素価

7. 確認試験の記載の順序は，原則として次によった.

（ 1 ） 呈色反応
（ 2 ） 沈殿反応
（ 3 ） 分解反応
（ 4 ） 誘導体

（ 5 ） 可視，紫外，赤外吸
収スペクトル
（ 6 ） 核磁気共鳴スペクトル
（ 7 ） クロマトグラフィー

（ 8 ） 特殊反応
（ 9 ） 陽イオン
（10） 陰イオン

8. 純度試験の記載の順序は，原則として次によったが，必要のない項目は除いてある.

（ 1 ） 色
（ 2 ） におい
（ 3 ） 溶状
（ 4 ） 液性
（ 5 ） 酸
（ 6 ） アルカリ
（ 7 ） 塩化物
（ 8 ） 硫酸塩
（ 9 ） 亜硫酸塩
（10） 硝酸塩
（11） 亜硝酸塩
（12） 炭酸塩
（13） 臭化物

（14） ヨウ化物
（15） 可溶性ハロゲン化物
（16） チオシアン化物
（17） セレン
（18） 陽イオンの塩
（19） アンモニウム
（20） 重金属
（21） 鉄
（22） マンガン
（23） クロム
（24） ビスマス
（25） スズ
（26） アルミニウム

（27） 亜鉛
（28） カドミウム
（29） 水銀
（30） 銅
（31） 鉛
（32） 銀
（33） アルカリ土類金属
（34） ヒ素
（35） 遊離リン酸
（36） 異物
（37） 類縁物質
（38） 異性体
（39） 鏡像異性体

xii　ま　え　が　き

　(40)　ジアステレオマー　　(42)　残留溶媒　　　　　(44)　蒸発残留物

　(41)　多量体　　　　　　　(43)　その他の混在物　　(45)　硫酸呈色物

9. 一般試験法中，新たに追加した試験法は次のとおりである．

　(1)　2.00 クロマトグラ　　(2)　2.27 近赤外吸収ス　(3)　2.28 円偏光二色性
　　　　フィー総論　　　　　　　　　ペクトル測定法　　　　　測定法

10. 一般試験法中，改正した試験法は次のとおりである．

　(1)　2.01 液体クロマト　　(3)　2.22 蛍光光度法　　(6)　9.01 標準品
　　　　グラフィー　　　　　　(4)　2.58 粉末 X 線回折　(7)　9.41 試薬・試液
　(2)　2.02 ガスクロマト　　　　　測定法　　　　　　　(8)　9.42 クロマトグラ
　　　　グラフィー　　　　　　(5)　3.04 粒度測定法　　　　フィー用担体/充塡剤

11. 一般試験法中，新たに追加した標準品は次のとおりである．

　(1)　アナストロゾール標　(2)　テモゾロミド標準品　(3)　ブデソニド標準品
　　　　準品

12. 一般試験法中，削除した標準品は次のとおりである．

　(1)　ナルトグラスチム標準品

13. 一般試験法中，「9.01（2）国立感染症研究所が製造する標準品」から削り，
「9.01（1）別に厚生労働大臣が定めるところにより厚生労働大臣の登録を受けた者が
製造する標準品」へ加えた標準品は次のとおりである．

　(1)　アミカシン硫酸塩標　　　ン酸エステル標準品　(5)　ドキソルビシン塩酸
　　　　準品　　　　　　　　　(3)　セファクロル標準品　　　塩標準品
　(2)　クリンダマイシンリ　(4)　セファレキシン標準品

14. 医薬品各条中，新たに収載した品目は次のとおりである．

　(1)　アナストロゾール　　(6)　注射用テモゾロミド　(10)　柴胡桂枝乾姜湯エキス
　(2)　アナストロゾール錠　(7)　ビカルタミド錠　　　(11)　抑肝散加陳皮半夏エ
　(3)　オキシブチニン塩酸塩　(8)　ブデソニド　　　　　　　キス
　(4)　テモゾロミド　　　　(9)　ボグリボース口腔内
　(5)　テモゾロミドカプセル　　　崩壊錠

15. 医薬品各条中，改正した品目は次のとおりである．

　(1)　アムホテリシン B 錠　　（遺伝子組換え）　　　　　射液
　(2)　注射用アムホテリシ　(6)　インスリン　ヒト（遺　(9)　エタノール
　　　　ン B　　　　　　　　　　伝子組換え）注射液　　(10)　無水エタノール
　(3)　注射用アンピシリン　(7)　イソフェンインスリ　(11)　エポエチン　ベータ
　　　　ナトリウム・スルバク　　　ン　ヒト（遺伝子組換　　　（遺伝子組換え）
　　　　タムナトリウム　　　　　　え）水性懸濁注射液　(12)　塩化ナトリウム
　(4)　注射用イミペネム・　(8)　二相性イソフェンイ　(13)　エンビオマイシン硫
　　　　シラスタチンナトリウム　　　ンスリン　ヒト（遺伝　　　酸塩
　(5)　インスリン　ヒト　　　　子組換え）水性懸濁注　(14)　クロスカルメロース

ナトリウム

(15) サルポグレラート塩酸塩細粒

(16) ステアリン酸

(17) ステアリン酸マグネシウム

(18) 注射用スペクチノマイシン塩酸塩

(19) 注射用セフォペラゾンナトリウム・スルバクタムナトリウム

(20) 粉末セルロース

(21) コムギデンプン

(22) パラオキシ安息香酸エチル

(23) パラオキシ安息香酸ブチル

(24) パラオキシ安息香酸プロピル

(25) パラオキシ安息香酸メチル

(26) ヒプロメロースフタル酸エステル

(27) ブトロピウム臭化物

(28) ブロムヘキシン塩酸塩

(29) ベンジルアルコール

(30) ボグリボース錠

(31) ポリソルベート 80

(32) ホルモテロールフマル酸塩水和物

(33) D-マンニトール

(34) dl-メントール

(35) l-メントール

(36) モノステアリン酸グリセリン

(37) 黄色ワセリン

(38) 白色ワセリン

(39) インチンコウ

(40) ウコン

(41) ウワウルシ

(42) エンゴサク

(43) エンゴサク末

(44) ガイヨウ

(45) カンキョウ

(46) キョウニン

(47) 桂枝茯苓丸エキス

(48) コウボク

(49) ゴシツ

(50) 牛車腎気丸エキス

(51) 呉茱萸湯エキス

(52) ゴボウシ

(53) サンシシ

(54) サンシュユ

(55) シャカンゾウ

(56) ジャショウシ

(57) シャゼンソウ

(58) ショウキョウ

(59) ショウキョウ末

(60) ショウズク

(61) ショウマ

(62) 真武湯エキス

(63) センナ

(64) センナ末

(65) 無コウイ大建中湯エキス

(66) チョウジ

(67) チョウジ油

(68) チョウトウコウ

(69) 桃核承気湯エキス

(70) トウニン

(71) トウニン末

(72) ニガキ

(73) ニガキ末

(74) ニクズク

(75) 八味地黄丸エキス

(76) ハマボウフウ

(77) 半夏厚朴湯エキス

(78) ボウイ

(79) 麻黄湯エキス

(80) モクツウ

(81) ヤクチ

(82) ヤクモソウ

16. 医薬品各条中，純度試験の項中の一部の目を削除した品目は次のとおりである.

(1) アクラルビシン塩酸塩

(2) アクリノール水和物

(3) アザチオプリン

(4) アシクロビル

(5) アジスロマイシン水和物

(6) アスコルビン酸

(7) アズトレオナム

(8) L-アスパラギン酸

(9) アスピリン

(10) アスポキシシリン水和物

(11) アセタゾラミド

(12) 注射用アセチルコリン塩化物

(13) アセチルシステイン

(14) アセトアミノフェン

(15) アセトヘキサミド

(16) アセブトロール塩酸塩

(17) アセメタシン

(18) アゼラスチン塩酸塩

(19) アゼルニジピン

(20) アゾセミド

(21) アテノロール

xiv　ま え が き

(22)　アトルバスタチンカ
　　　ルシウム水和物
(23)　アドレナリン
(24)　アプリンジン塩酸塩
(25)　アフロクアロン
(26)　アマンタジン塩酸塩
(27)　アミオダロン塩酸塩
(28)　アミカシン硫酸塩
(29)　アミドトリゾ酸
(30)　アミトリプチリン塩
　　　酸塩
(31)　アミノ安息香酸エチル
(32)　アミノフィリン水和物
(33)　アムロジピンベシル
　　　酸塩
(34)　アモキサピン
(35)　アモキシシリン水和物
(36)　アモスラロール塩酸塩
(37)　アモバルビタール
(38)　アラセプリル
(39)　L-アラニン
(40)　アリメマジン酒石酸塩
(41)　亜硫酸水素ナトリウム
(42)　乾燥亜硫酸ナトリウム
(43)　アルガトロバン水和物
(44)　L-アルギニン
(45)　L-アルギニン塩酸塩
(46)　アルジオキサ
(47)　アルプラゾラム
(48)　アルプレノロール塩
　　　酸塩
(49)　アルプロスタジル注
　　　射液
(50)　アルベカシン硫酸塩
(51)　アレンドロン酸ナト
　　　リウム水和物
(52)　アロチノロール塩酸塩

(53)　アロプリノール
(54)　安息香酸
(55)　安息香酸ナトリウム
(56)　安息香酸ナトリウム
　　　カフェイン
(57)　アンチピリン
(58)　無水アンピシリン
(59)　アンピシリン水和物
(60)　アンピシリンナトリ
　　　ウム
(61)　アンピロキシカム
(62)　アンベノニウム塩化物
(63)　アンモニア水
(64)　アンレキサノクス
(65)　イオウ
(66)　イオタラム酸
(67)　イオトロクス酸
(68)　イオパミドール
(69)　イオヘキソール
(70)　イコサペント酸エチル
(71)　イセパマイシン硫酸塩
(72)　イソクスプリン塩酸塩
(73)　イソソルビド
(74)　イソニアジド
(75)　l-イソプレナリン塩
　　　酸塩
(76)　イソプロピルアンチ
　　　ピリン
(77)　イソマル水和物
(78)　L-イソロイシン
(79)　イダルビシン塩酸塩
(80)　70%一硝酸イソソル
　　　ビド乳糖末
(81)　イドクスウリジン
(82)　イトラコナゾール
(83)　イフェンプロジル酒
　　　石酸塩

(84)　イブジラスト
(85)　イブプロフェン
(86)　イブプロフェンピコ
　　　ノール
(87)　イプラトロピウム臭
　　　化物水和物
(88)　イプリフラボン
(89)　イミダプリル塩酸塩
(90)　イミペネム水和物
(91)　イリノテカン塩酸塩
　　　水和物
(92)　イルソグラジンマレ
　　　イン酸塩
(93)　イルベサルタン
(94)　インジゴカルミン
(95)　インダパミド
(96)　インデノロール塩酸塩
(97)　インドメタシン
(98)　ウベニメクス
(99)　ウラピジル
(100)　ウリナスタチン
(101)　ウルソデオキシコ
　　　ール酸
(102)　ウロキナーゼ
(103)　エカベトナトリウ
　　　ム水和物
(104)　エコチオパートヨ
　　　ウ化物
(105)　エスタゾラム
(106)　エストリオール
(107)　エタクリン酸
(108)　エダラボン
(109)　エタンブトール塩
　　　酸塩
(110)　エチオナミド
(111)　エチゾラム
(112)　エチドロン酸二ナ

トリウム
(113) L-エチルシステイン塩酸塩
(114) エチルセルロース
(115) エチレフリン塩酸塩
(116) エチレンジアミン
(117) エデト酸カルシウムナトリウム水和物
(118) エデト酸ナトリウム水和物
(119) エテンザミド
(120) エトスクシミド
(121) エトドラク
(122) エトポシド
(123) エドロホニウム塩化物
(124) エナラプリルマレイン酸塩
(125) エノキサシン水和物
(126) エバスチン
(127) エパルレスタット
(128) エピリゾール
(129) エピルビシン塩酸塩
(130) エフェドリン塩酸塩
(131) エプレレノン
(132) エペリゾン塩酸塩
(133) エメダスチンフマル酸塩
(134) エモルファゾン
(135) エリスロマイシン
(136) エリブリンメシル酸塩
(137) 塩化亜鉛
(138) 塩化カリウム
(139) 塩化カルシウム水和物
(140) 塩化ナトリウム

(141) 塩酸
(142) 希塩酸
(143) エンタカポン
(144) エンビオマイシン硫酸塩
(145) オキサゾラム
(146) オキサピウムヨウ化物
(147) オキサプロジン
(148) オキシテトラサイクリン塩酸塩
(149) オキシドール
(150) オキシブプロカイン塩酸塩
(151) オキセサゼイン
(152) オクスプレノロール塩酸塩
(153) オザグレルナトリウム
(154) オフロキサシン
(155) オメプラゾール
(156) オーラノフィン
(157) オルシプレナリン硫酸塩
(158) オルメサルタンメドキソミル
(159) オロパタジン塩酸塩
(160) カイニン酸水和物
(161) ガチフロキサシン水和物
(162) 果糖
(163) 果糖注射液
(164) カドララジン
(165) カナマイシン一硫酸塩
(166) カナマイシン硫酸塩
(167) 無水カフェイン

(168) カフェイン水和物
(169) カプトプリル
(170) ガベキサートメシル酸塩
(171) カベルゴリン
(172) 過マンガン酸カリウム
(173) カモスタットメシル酸塩
(174) β-ガラクトシダーゼ（アスペルギルス）
(175) β-ガラクトシダーゼ（ペニシリウム）
(176) カルテオロール塩酸塩
(177) カルバゾクロムスルホン酸ナトリウム水和物
(178) カルバマゼピン
(179) カルビドパ水和物
(180) カルベジロール
(181) L-カルボシステイン
(182) カルメロース
(183) カルメロースカルシウム
(184) カルメロースナトリウム
(185) クロスカルメロースナトリウム
(186) カルモナムナトリウム
(187) カルモフール
(188) カンデサルタンシレキセチル
(189) カンレノ酸カリウム
(190) キシリトール
(191) キタサマイシン酒

xvi まえがき

石酸塩
(192) キナプリル塩酸塩
(193) キニーネエチル炭酸エステル
(194) キニーネ硫酸塩水和物
(195) 金チオリンゴ酸ナトリウム
(196) グアイフェネシン
(197) グアナベンズ酢酸塩
(198) グアネチジン硫酸塩
(199) クエチアピンフマル酸塩
(200) 無水クエン酸
(201) クエン酸水和物
(202) クエン酸ナトリウム水和物
(203) クラブラン酸カリウム
(204) クラリスロマイシン
(205) グリクラジド
(206) グリシン
(207) グリセリン
(208) 濃グリセリン
(209) クリノフィブラート
(210) グリベンクラミド
(211) グリメピリド
(212) クリンダマイシン塩酸塩
(213) クリンダマイシンリン酸エステル
(214) グルコン酸カルシウム水和物
(215) グルタチオン
(216) L-グルタミン
(217) L-グルタミン酸
(218) クレボプリドリン

ゴ酸塩
(219) クレマスチンフマル酸塩
(220) クロカプラミン塩酸塩水和物
(221) クロキサシリンナトリウム水和物
(222) クロキサゾラム
(223) クロコナゾール塩酸塩
(224) クロスポビドン
(225) クロチアゼパム
(226) クロトリマゾール
(227) クロナゼパム
(228) クロニジン塩酸塩
(229) クロピドグレル硫酸塩
(230) クロフィブラート
(231) クロフェダノール塩酸塩
(232) クロベタゾールプロピオン酸エステル
(233) クロペラスチン塩酸塩
(234) クロペラスチンフェンジゾ酸塩
(235) クロミフェンクエン酸塩
(236) クロミプラミン塩酸塩
(237) クロモグリク酸ナトリウム
(238) クロラゼプ酸二カリウム
(239) クロラムフェニコール
(240) クロラムフェニコ

ールコハク酸エステルナトリウム
(241) クロラムフェニコールパルミチン酸エステル
(242) クロルジアゼポキシド
(243) クロルフェニラミンマレイン酸塩
(244) d-クロルフェニラミンマレイン酸塩
(245) クロルフェネシンカルバミン酸エステル
(246) クロルプロパミド
(247) クロルプロマジン塩酸塩
(248) クロルヘキシジン塩酸塩
(249) クロルマジノン酢酸エステル
(250) 軽質無水ケイ酸
(251) 合成ケイ酸アルミニウム
(252) 天然ケイ酸アルミニウム
(253) ケイ酸アルミン酸マグネシウム
(254) メタケイ酸アルミン酸マグネシウム
(255) ケタミン塩酸塩
(256) ケトコナゾール
(257) ケトチフェンフマル酸塩
(258) ケトプロフェン
(259) ケノデオキシコール酸
(260) ゲファルナート

まえがき xvii

(261) ゲフィチニブ
(262) ゲンタマイシン硫酸塩
(263) 硬化油
(264) コポビドン
(265) コリスチンメタンスルホン酸ナトリウム
(266) コレスチミド
(267) サイクロセリン
(268) 酢酸
(269) 氷酢酸
(270) 酢酸ナトリウム水和物
(271) サッカリン
(272) サッカリンナトリウム水和物
(273) サラゾスルファピリジン
(274) サリチル酸
(275) サリチル酸ナトリウム
(276) サリチル酸メチル
(277) ザルトプロフェン
(278) サルブタモール硫酸塩
(279) サルポグレラート塩酸塩
(280) 酸化亜鉛
(281) 酸化マグネシウム
(282) ジアゼパム
(283) シアナミド
(284) ジエチルカルバマジンクエン酸塩
(285) シクラシリン
(286) シクロスポリン
(287) ジクロフェナクナトリウム

(288) シクロペントラート塩酸塩
(289) シクロホスファミド水和物
(290) ジスチグミン臭化物
(291) L-シスチン
(292) L-システイン
(293) L-システイン塩酸塩水和物
(294) ジスルフィラム
(295) ジソピラミド
(296) シタグリプチンリン酸塩水和物
(297) シタラビン
(298) シチコリン
(299) ジドブジン
(300) ジドロゲステロン
(301) シノキサシン
(302) ジヒドロエルゴトキシンメシル酸塩
(303) ジピリダモール
(304) ジフェニドール塩酸塩
(305) ジフェンヒドラミン
(306) ジフェンヒドラミン塩酸塩
(307) ジブカイン塩酸塩
(308) ジフルコルトロン吉草酸エステル
(309) シプロフロキサシン
(310) シプロフロキサシン塩酸塩水和物
(311) シプロヘプタジン塩酸塩水和物
(312) ジフロラゾン酢酸エステル
(313) ジベカシン硫酸塩

(314) シベレスタットナトリウム水和物
(315) シベンゾリンコハク酸塩
(316) シメチジン
(317) ジメモルファンリン酸塩
(318) ジメルカプロール
(319) 次没食子酸ビスマス
(320) ジモルホラミン
(321) 臭化カリウム
(322) 臭化ナトリウム
(323) 酒石酸
(324) 硝酸銀
(325) 硝酸イソソルビド
(326) ジョサマイシン
(327) ジョサマイシンプロピオン酸エステル
(328) シラザプリル水和物
(329) シラスタチンナトリウム
(330) ジラゼプ塩酸塩水和物
(331) ジルチアゼム塩酸塩
(332) シルニジピン
(333) シロスタゾール
(334) シロドシン
(335) シンバスタチン
(336) 乾燥水酸化アルミニウムゲル
(337) 水酸化カリウム
(338) 水酸化カルシウム
(339) 水酸化ナトリウム
(340) スクラルファート水和物
(341) ステアリン酸
(342) ステアリン酸カル

xviii　まえがき

シウム
(343)　ステアリン酸ポリ
　　オキシル 40
(344)　ステアリン酸マグ
　　ネシウム
(345)　ストレプトマイシ
　　ン硫酸塩
(346)　スピラマイシン酢
　　酸エステル
(347)　スリンダク
(348)　スルタミシリント
　　シル酸塩水和物
(349)　スルチアム
(350)　スルバクタムナト
　　リウム
(351)　スルピリド
(352)　スルピリン水和物
(353)　スルファメチゾール
(354)　スルファメトキサ
　　ゾール
(355)　スルファモノメト
　　キシン水和物
(356)　スルフイソキサゾ
　　ール
(357)　スルベニシリンナ
　　トリウム
(358)　スルホブロモフタ
　　レインナトリウム
(359)　生理食塩液
(360)　セチリジン塩酸塩
(361)　セトチアミン塩酸
　　塩水和物
(362)　セトラキサート塩
　　酸塩
(363)　セファクロル
(364)　セファゾリンナト
　　リウム

(365)　セファゾリンナト
　　リウム水和物
(366)　セファトリジンプ
　　ロピレングリコール
(367)　セファドロキシル
(368)　セファレキシン
(369)　セファロチンナト
　　リウム
(370)　セフェピム塩酸塩
　　水和物
(371)　セフォジジムナト
　　リウム
(372)　セフォゾプラン塩
　　酸塩
(373)　セフォタキシムナ
　　トリウム
(374)　セフォチアム塩酸塩
(375)　セフォチアム　ヘ
　　キシチル塩酸塩
(376)　セフォテタン
(377)　セフォペラゾンナ
　　トリウム
(378)　セフカペン　ピボ
　　キシル塩酸塩水和物
(379)　セフジトレン　ピ
　　ボキシル
(380)　セフジニル
(381)　セフスロジンナト
　　リウム
(382)　セフタジジム水和物
(383)　セフチゾキシムナ
　　トリウム
(384)　セフチブテン水和物
(385)　セフテラム　ピボ
　　キシル
(386)　セフトリアキソン
　　ナトリウム水和物

(387)　セフピラミドナト
　　リウム
(388)　セフピロム硫酸塩
(389)　セフブペラゾンナ
　　トリウム
(390)　セフポドキシム
　　プロキセチル
(391)　セフミノクスナト
　　リウム水和物
(392)　セフメタゾールナ
　　トリウム
(393)　セフメノキシム塩
　　酸塩
(394)　セフロキサジン水
　　和物
(395)　セフロキシム　ア
　　キセチル
(396)　セラセフェート
(397)　ゼラチン
(398)　精製ゼラチン
(399)　精製セラック
(400)　白色セラック
(401)　L-セリン
(402)　結晶セルロース
(403)　粉末セルロース
(404)　セレコキシブ
(405)　ゾニサミド
(406)　ゾピクロン
(407)　ソルビタンセスキ
　　オレイン酸エステル
(408)　ゾルピデム酒石酸塩
(409)　D-ソルビトール
(410)　D-ソルビトール液
(411)　ダウノルビシン塩
　　酸塩
(412)　タウリン
(413)　タクロリムス水和物

まえがき xix

(414) タゾバクタム
(415) ダナゾール
(416) タムスロシン塩酸塩
(417) タモキシフェンクエン酸塩
(418) タランピシリン塩酸塩
(419) タルチレリン水和物
(420) 炭酸カリウム
(421) 沈降炭酸カルシウム
(422) 炭酸水素ナトリウム
(423) 乾燥炭酸ナトリウム
(424) 炭酸ナトリウム水和物
(425) 炭酸マグネシウム
(426) 炭酸リチウム
(427) ダントロレンナトリウム水和物
(428) タンニン酸ジフェンヒドラミン
(429) チアプリド塩酸塩
(430) チアマゾール
(431) チアミラールナトリウム
(432) チアミン塩化物塩酸塩
(433) チアミン硝化物
(434) チアラミド塩酸塩
(435) チオペンタールナトリウム
(436) 注射用チオペンタールナトリウム
(437) チオリダジン塩酸塩
(438) チオ硫酸ナトリウム水和物
(439) チクロピジン塩酸塩
(440) チザニジン塩酸塩

(441) チニダゾール
(442) チペピジンヒベンズ酸塩
(443) チメピジウム臭化物水和物
(444) チモロールマレイン酸塩
(445) L-チロシン
(446) ツロブテロール
(447) ツロブテロール塩酸塩
(448) テイコプラニン
(449) テオフィリン
(450) テガフール
(451) デキサメタゾン
(452) デキストラン 40
(453) デキストラン 70
(454) デキストラン硫酸エステルナトリウムイオウ 5
(455) デキストラン硫酸エステルナトリウムイオウ 18
(456) デキストリン
(457) デキストロメトルファン臭化水素酸塩水和物
(458) テトラカイン塩酸塩
(459) テトラサイクリン塩酸塩
(460) デヒドロコール酸
(461) 精製デヒドロコール酸
(462) デヒドロコール酸注射液
(463) デフェロキサミンメシル酸塩

(464) テプレノン
(465) デメチルクロルテトラサイクリン塩酸塩
(466) テモカプリル塩酸塩
(467) テルビナフィン塩酸塩
(468) テルブタリン硫酸塩
(469) テルミサルタン
(470) デンプングリコール酸ナトリウム
(471) ドキサゾシンメシル酸塩
(472) ドキサプラム塩酸塩水和物
(473) ドキシサイクリン塩酸塩水和物
(474) ドキシフルリジン
(475) トコフェロール
(476) トコフェロール酢酸エステル
(477) トコフェロールニコチン酸エステル
(478) トスフロキサシントシル酸塩水和物
(479) ドセタキセル水和物
(480) トドララジン塩酸塩水和物
(481) ドネペジル塩酸塩
(482) ドパミン塩酸塩
(483) トフィソパム
(484) ドブタミン塩酸塩
(485) トブラマイシン
(486) トラニラスト
(487) トラネキサム酸
(488) トラピジル
(489) トラマドール塩酸塩
(490) トリアゾラム

xx　まえがき

(491)　トリアムシノロン
(492)　トリアムシノロン
　　アセトニド
(493)　トリアムテレン
(494)　トリエンチン塩酸塩
(495)　トリクロホスナト
　　リウム
(496)　トリクロルメチア
　　ジド
(497)　L-トリプトファン
(498)　トリヘキシフェニ
　　ジル塩酸塩
(499)　ドリペネム水和物
(500)　トリメタジオン
(501)　トリメタジジン塩
　　酸塩
(502)　トリメトキノール
　　塩酸塩水和物
(503)　トリメブチンマレ
　　イン酸塩
(504)　ドルゾラミド塩酸塩
(505)　トルナフタート
(506)　トルブタミド
(507)　トルペリゾン塩酸塩
(508)　L-トレオニン
(509)　トレハロース水和物
(510)　トレピブトン
(511)　ドロキシドパ
(512)　トロキシピド
(513)　トロピカミド
(514)　ドロペリドール
(515)　ドンペリドン
(516)　ナイスタチン
(517)　ナテグリニド
(518)　ナドロール
(519)　ナファゾリン硝酸塩
(520)　ナファモスタット

　　メシル酸塩
(521)　ナフトピジル
(522)　ナブメトン
(523)　ナプロキセン
(524)　ナリジクス酸
(525)　ニカルジピン塩酸塩
(526)　ニコチン酸
(527)　ニコチン酸アミド
(528)　ニコモール
(529)　ニコランジル
(530)　ニザチジン
(531)　ニセリトロール
(532)　ニセルゴリン
(533)　ニトラゼパム
(534)　ニトレンジピン
(535)　ニフェジピン
(536)　乳酸
(537)　L-乳酸
(538)　乳酸カルシウム水
　　和物
(539)　L-乳酸ナトリウム液
(540)　L-乳酸ナトリウム
　　リンゲル液
(541)　無水乳糖
(542)　乳糖水和物
(543)　尿素
(544)　ニルバジピン
(545)　ノスカピン
(546)　ノルゲストレル
(547)　ノルトリプチリン
　　塩酸塩
(548)　ノルフロキサシン
(549)　バカンピシリン塩
　　酸塩
(550)　白糖
(551)　バクロフェン
(552)　バシトラシン

(553)　パズフロキサシン
　　メシル酸塩
(554)　パニペネム
(555)　バメタン硫酸塩
(556)　パラアミノサリチ
　　ル酸カルシウム水和物
(557)　パラオキシ安息香
　　酸エチル
(558)　パラオキシ安息香
　　酸ブチル
(559)　パラオキシ安息香
　　酸プロピル
(560)　パラオキシ安息香
　　酸メチル
(561)　バラシクロビル塩
　　酸塩
(562)　パラフィン
(563)　流動パラフィン
(564)　軽質流動パラフィン
(565)　L-バリン
(566)　バルサルタン
(567)　パルナパリンナト
　　リウム
(568)　バルビタール
(569)　バルプロ酸ナトリ
　　ウム
(570)　ハロキサゾラム
(571)　パロキセチン塩酸
　　塩水和物
(572)　ハロペリドール
(573)　バンコマイシン塩
　　酸塩
(574)　パンテチン
(575)　パントテン酸カル
　　シウム
(576)　精製ヒアルロン酸
　　ナトリウム

まえがき　xxi

(577)　ピオグリタゾン塩酸塩
(578)　ビオチン
(579)　ビカルタミド
(580)　ピコスルファートナトリウム水和物
(581)　ビサコジル
(582)　L-ヒスチジン
(583)　L-ヒスチジン塩酸塩水和物
(584)　ビソプロロールフマル酸塩
(585)　ピタバスタチンカルシウム水和物
(586)　ヒドララジン塩酸塩
(587)　ヒドロキシエチルセルロース
(588)　ヒドロキシジン塩酸塩
(589)　ヒドロキシジンパモ酸塩
(590)　ヒドロキシプロピルセルロース
(591)　低置換度ヒドロキシプロピルセルロース
(592)　ヒドロクロロチアジド
(593)　ヒドロコタルニン塩酸塩水和物
(594)　ヒドロコルチゾン酪酸エステル
(595)　ヒドロコルチゾンリン酸エステルナトリウム
(596)　ピブメシリナム塩酸塩
(597)　ヒプロメロース

(598)　ヒプロメロース酢酸エステルコハク酸エステル
(599)　ヒプロメロースフタル酸エステル
(600)　ピペミド酸水和物
(601)　ピペラシリン水和物
(602)　ピペラシリンナトリウム
(603)　ピペラジンアジピン酸塩
(604)　ピペラジンリン酸塩水和物
(605)　ビペリデン塩酸塩
(606)　ビホナゾール
(607)　ピマリシン
(608)　ヒメクロモン
(609)　ピモジド
(610)　ピラジナミド
(611)　ピラルビシン
(612)　ピランテルパモ酸塩
(613)　ピリドキサールリン酸エステル水和物
(614)　ピリドキシン塩酸塩
(615)　ピリドスチグミン臭化物
(616)　ピルシカイニド塩酸塩水和物
(617)　ピレノキシン
(618)　ピレンゼピン塩酸塩水和物
(619)　ピロ亜硫酸ナトリウム
(620)　ピロキシカム
(621)　ピンドロール
(622)　ファモチジン
(623)　ファロペネムナト

リウム水和物
(624)　フィトナジオン
(625)　フェキソフェナジン塩酸塩
(626)　フェニトイン
(627)　注射用フェニトインナトリウム
(628)　L-フェニルアラニン
(629)　フェニルブタゾン
(630)　フェネチシリンカリウム
(631)　フェノバルビタール
(632)　フェノフィブラート
(633)　フェルビナク
(634)　フェロジピン
(635)　フェンタニルクエン酸塩
(636)　フェンブフェン
(637)　ブクモロール塩酸塩
(638)　フシジン酸ナトリウム
(639)　ブシラミン
(640)　ブスルファン
(641)　ブチルスコポラミン臭化物
(642)　ブテナフィン塩酸塩
(643)　ブドウ酒
(644)　ブドウ糖
(645)　精製ブドウ糖
(646)　ブドウ糖水和物
(647)　フドステイン
(648)　ブトロピウム臭化物
(649)　ブナゾシン塩酸塩
(650)　ブピバカイン塩酸塩水和物
(651)　ブフェトロール塩酸塩

xxii　ま　え　が　き

(652)　ブプラノロール塩酸塩
(653)　ブプレノルフィン塩酸塩
(654)　ブホルミン塩酸塩
(655)　ブメタニド
(656)　フラジオマイシン硫酸塩
(657)　プラステロン硫酸エステルナトリウム水和物
(658)　プラゼパム
(659)　プラゾシン塩酸塩
(660)　プラノプロフェン
(661)　プラバスタチンナトリウム
(662)　フラビンアデニンジヌクレオチドナトリウム
(663)　フラボキサート塩酸塩
(664)　プランルカスト水和物
(665)　プリミドン
(666)　フルオロウラシル
(667)　フルオロメトロン
(668)　フルコナゾール
(669)　フルジアゼパム
(670)　フルシトシン
(671)　フルスルチアミン塩酸塩
(672)　フルタミド
(673)　フルトプラゼパム
(674)　フルドロコルチゾン酢酸エステル
(675)　フルニトラゼパム
(676)　フルフェナジンエナント酸エステル
(677)　フルボキサミンマレイン酸塩
(678)　フルラゼパム塩酸塩
(679)　プルラン
(680)　フルルビプロフェン
(681)　ブレオマイシン塩酸塩
(682)　ブレオマイシン硫酸塩
(683)　フレカイニド酢酸塩
(684)　プレドニゾロン
(685)　プレドニゾロンリン酸エステルナトリウム
(686)　プロカイン塩酸塩
(687)　プロカインアミド塩酸塩
(688)　プロカテロール塩酸塩水和物
(689)　プロカルバジン塩酸塩
(690)　プログルミド
(691)　プロクロルペラジンマレイン酸塩
(692)　フロセミド
(693)　プロチオナミド
(694)　ブロチゾラム
(695)　プロチレリン
(696)　プロチレリン酒石酸塩水和物
(697)　プロパフェノン塩酸塩
(698)　プロピベリン塩酸塩
(699)　プロピレングリコール
(700)　プロブコール
(701)　プロプラノロール塩酸塩
(702)　フロプロピオン
(703)　プロベネシド
(704)　ブロマゼパム
(705)　ブロムフェナクナトリウム水和物
(706)　ブロムヘキシン塩酸塩
(707)　プロメタジン塩酸塩
(708)　フロモキセフナトリウム
(709)　ブロモクリプチンメシル酸塩
(710)　ブロモバレリル尿素
(711)　L-プロリン
(712)　ベカナマイシン硫酸塩
(713)　ベクロメタゾンプロピオン酸エステル
(714)　ベザフィブラート
(715)　ベタキソロール塩酸塩
(716)　ベタネコール塩化物
(717)　ベタヒスチンメシル酸塩
(718)　ベタミプロン
(719)　ベタメタゾン
(720)　ベタメタゾンジプロピオン酸エステル
(721)　ベニジピン塩酸塩
(722)　ヘパリンカルシウム
(723)　ヘパリンナトリウム
(724)　ヘパリンナトリウム注射液
(725)　ペプロマイシン硫酸塩
(726)　ベポタスチンベシ

まえがき　xxiii

ル酸塩
(727)　ペミロラストカリ
　　ウム
(728)　ベラパミル塩酸塩
(729)　ペルフェナジン
(730)　ペルフェナジンマ
　　レイン酸塩
(731)　ベルベリン塩化物
　　水和物
(732)　ベンジルペニシリ
　　ンカリウム
(733)　ベンジルペニシリ
　　ンベンザチン水和物
(734)　ベンズブロマロン
(735)　ベンセラジド塩酸塩
(736)　ペンタゾシン
(737)　ペントキシベリン
　　クエン酸塩
(738)　ペントバルビター
　　ルカルシウム
(739)　ペンブトロール硫
　　酸塩
(740)　ホウ酸
(741)　ホウ砂
(742)　ボグリボース
(743)　ホスホマイシンカ
　　ルシウム水和物
(744)　ホスホマイシンナ
　　トリウム
(745)　ポビドン
(746)　ポビドンヨード
(747)　ホモクロルシクリ
　　ジン塩酸塩
(748)　ポラプレジンク
(749)　ボリコナゾール
(750)　ポリスチレンスル
　　ホン酸カルシウム

(751)　ポリスチレンスル
　　ホン酸ナトリウム
(752)　ポリソルベート 80
(753)　ホリナートカルシ
　　ウム水和物
(754)　ポリミキシン B
　　硫酸塩
(755)　ホルモテロールフ
　　マル酸塩水和物
(756)　マニジピン塩酸塩
(757)　マプロチリン塩酸塩
(758)　マルトース水和物
(759)　D-マンニトール
(760)　ミグリトール
(761)　ミグレニン
(762)　ミクロノマイシン
　　硫酸塩
(763)　ミコナゾール
(764)　ミコナゾール硝酸塩
(765)　ミゾリビン
(766)　ミチグリニドカル
　　シウム水和物
(767)　ミデカマイシン
(768)　ミデカマイシン酢
　　酸エステル
(769)　ミノサイクリン塩
　　酸塩
(770)　ムピロシンカルシ
　　ウム水和物
(771)　メキシレチン塩酸塩
(772)　メキタジン
(773)　メグルミン
(774)　メクロフェノキサ
　　ート塩酸塩
(775)　メサラジン
(776)　メストラノール
(777)　メダゼパム

(778)　L-メチオニン
(779)　メチクラン
(780)　メチラポン
(781)　dl-メチルエフェド
　　リン塩酸塩
(782)　メチルジゴキシン
(783)　メチルセルロース
(784)　メチルドパ水和物
(785)　メチルプレドニゾ
　　ロンコハク酸エステル
(786)　メテノロンエナン
　　ト酸エステル
(787)　メテノロン酢酸エ
　　ステル
(788)　メトキサレン
(789)　メトクロプラミド
(790)　メトプロロール酒
　　石酸塩
(791)　メトホルミン塩酸塩
(792)　メドロキシプロゲ
　　ステロン酢酸エステル
(793)　メトロニダゾール
(794)　メナテトレノン
(795)　メピチオスタン
(796)　メピバカイン塩酸塩
(797)　メフェナム酸
(798)　メフルシド
(799)　メフロキン塩酸塩
(800)　メペンゾラート臭
　　化物
(801)　メルカプトプリン
　　水和物
(802)　メルファラン
(803)　メロペネム水和物
(804)　モサプリドクエン
　　酸塩水和物
(805)　モノステアリン酸

アルミニウム

(806) モンテルカスタナトリウム

(807) 薬用石ケン

(808) 薬用炭

(809) ユビデカレノン

(810) ヨウ化カリウム

(811) ヨウ化ナトリウム

(812) ラクツロース

(813) ラタモキセフナトリウム

(814) ラニチジン塩酸塩

(815) ラノコナゾール

(816) ラフチジン

(817) ラベタロール塩酸塩

(818) ラベプラゾールナトリウム

(819) ランソプラゾール

(820) リシノプリル水和物

(821) L-リシン塩酸塩

(822) L-リシン酢酸塩

(823) リスペリドン

(824) リセドロン酸ナトリウム水和物

(825) リゾチーム塩酸塩

(826) リドカイン

(827) リトドリン塩酸塩

(828) リバビリン

(829) リファンピシン

(830) リボスタマイシン硫酸塩

(831) リボフラビン酪酸エステル

(832) 硫酸亜鉛水和物

(833) 硫酸アルミニウムカリウム水和物

(834) 硫酸カリウム

(835) 硫酸鉄水和物

(836) 硫酸バリウム

(837) 硫酸マグネシウム水和物

(838) リルマザホン塩酸塩水和物

(839) リンゲル液

(840) リンコマイシン塩酸塩水和物

(841) 無水リン酸水素カルシウム

(842) リン酸水素カルシウム水和物

(843) リン酸水素ナトリウム水和物

(844) リン酸二水素カルシウム水和物

(845) レナンピシリン塩酸塩

(846) レバミピド

(847) レバロルファン酒石酸塩

(848) レボドパ

(849) レボフロキサシン水和物

(850) レボホリナートカルシウム水和物

(851) レボメプロマジンマレイン酸塩

(852) L-ロイシン

(853) ロキサチジン酢酸エステル塩酸塩

(854) ロキシスロマイシン

(855) ロキソプロフェンナトリウム水和物

(856) ロサルタンカリウム

(857) ロスバスタチンカルシウム

(858) ロフラゼプ酸エチル

(859) ロベンザリットナトリウム

(860) ロラゼパム

(861) 黄色ワセリン

(862) 白色ワセリン

(863) ワルファリンカリウム

17. 医薬品各条中，削除した品目は次のとおりである.

（1） ナルトグラスチム(遺伝子組換え) （2） 注射用ナルトグラスチム(遺伝子組換え)

18. 参照紫外可視吸収スペクトル中，新たに収載した品目は次のとおりである.

（1） アナストロゾール （3） テモゾロミド

（2） オキシブチニン塩酸塩 （4） ブデソニド

19. 参照赤外吸収スペクトル中，新たに収載した品目は次のとおりである.

（1） アナストロゾール ナトリウム （6） 黄色ワセリン

（2） オキシブチニン塩酸塩 （4） テモゾロミド （7） 白色ワセリン

（3） クロスカルメロース （5） ブデソニド

第十八改正日本薬局方第一追補の作成に従事した者は，次のとおりである．

浅井由美	足利太可雄	芦澤一英	安部美里
阿部康弘	天倉吉章	荒戸照世	有賀直樹
五十嵐良明	池田浩二	池戸真吾	池松靖人
石井明子	石田誠一	石田正登	泉谷悠介
市川浩之	市瀬浩志	伊豆津健一	伊藤美千穂
伊藤亮一	井上貴之	後田修	内田恵理子
内山奈穂子	江村誠	大神泰孝	大久保恒夫
◎太田茂	大村浩一	大屋賢司	小川潔
小川徹	奥田章博	奥田晴宏	小椋康光
小栗一輝	落合雅樹	小野田洋	小尾原栄
改田直樹	柿沼清香	片山博仁	加藤くみ子
加藤洋	香取典子	川合保	川口正美
河野徳昭	川原信夫	川原崎芳彦	神本敏弘
木内文之	菊池裕	北島昭人	橘髙敦史
木下英治	木下充弘	木村宣貴	楠英樹
楠瀬直人	工藤由起子	久保田清	熊坂謙一
栗原正明	黒岩祐貴	黒川洵子	小出達夫
合田幸広	光地理香	五島隆志	小後藤玉美
小浜亜以	小比田英機	小松かつ子	近藤誠三
近藤涼	齋藤秀之	齋藤嘉朗	酒井英二
坂本知昭	佐々木裕子	佐藤恭子	佐藤浩二
三田智文	志田静夏	篠崎陽子	柴﨑恵子
柴田寛子	嶋澤るみ子	下川さゆり	正見さおり
正田卓司	白鳥誠	代田修	杉本聡
杉本智潮	杉本直樹	鈴木茂生	鈴木紀行
鈴木幹雄	鈴木良二	須藤浩孝	田岡裕佳子
髙井良彰	高尾正樹	髙谷和広	髙野昭人
田上貴臣	高柳庸一郎	竹内尚	竹内洋文
竹田智子	竹林憲司	多田稔	只木晋一
田中智之	田中正一	田中理恵	谷本剛翼
張紅燕	辻厳一郎	津田重城	津田翼吾
土屋絢子	常弘昌太	出水庸介	徳岡庄吾
徳本廣子	豊田秀誠	中岡恭平	中川晋作
仲川勉也	中南雲賢	中川ゆかり	中子真由美
中野達也	並河島由	成相亮介	信原寛二
野口修治			袴田秀樹

理彦郎　瑠克太真　尻　花　博晃　淳　長谷川　貴い景彦　則あ泰征　井園口澤　橋林原樋　志子則治　高昌美賢　袴塚　

彦郎央潔　克太真　日向野　日　深　林　矢向水間　佑昌啓啓　司朗達充　樹

花林　日向野　平田原　福藤井　藤前川本　増丸本山　三村橋林　森安山田　山本米持

理彦郎央潔　子子夫人子豊生悦　まき子京直卓隆美崇眞裕　潔

博晃樹司朗達充　誠一久生子正充世　浩幸　◎本政　○本間

深井野　深澤井　深藤古　前川浦　松三澤　宮室井　森山　山山根　吉渡邊

秀輔　紀祐利和　光信弘毅　玉隆貴美子　隆哲栄嘉代匠

早川林樋深藤渕前松三宮室森山山吉渡
塚川口澤井野川浦澤崎井部口根田邊
高昌美賢秀晋直隆正久仁茂ゑみ子寛英
志子則治輔也之也匡史隆志一治幸二

◎日本薬局方部会長　　○日本薬局方部会長代理

第十八改正
日本薬局方
第一追補

〔B〕一 般 試 験 法

＝＝ 目　　次 ＝＝

2.00	クロマトグラフィー総論	3
2.01	液体クロマトグラフィー	34
2.02	ガスクロマトグラフィー	52
2.22	蛍光光度法	61
2.27	近赤外吸収スペクトル測定法	69
2.28	円偏光二色性測定法	83
2.58	粉末Ｘ線回折測定法	89
3.04	粒度測定法	101
9.01	標準品	106
9.41	試薬・試液	107
9.42	クロマトグラフィー用担体/充塡剤	130

クロマトグラフィー総論　　B-3

一般試験法　改正事項

一般試験法の部　2.01　液体クロマトグラフィーの前に次の一条を加える.

2.00　クロマトグラフィー総論

　本試験法は，三薬局方での調和合意に基づき規定した試験法である.

　なお，三薬局方で調和されていない部分のうち，調和合意において，調和の対象とされた項中非調和となっている項の該当箇所は「◆　◆」で，調和の対象とされた項以外に日本薬局方が独自に規定することとした項は「◇　◇」で囲むことにより示す.

　三薬局方の調和合意に関する情報については，独立行政法人医薬品医療機器総合機構のウェブサイトに掲載している.

1.　はじめに

　クロマトグラフィーの分離技術は多段階の分離法であり，試料の組成成分は固定相と移動相の2相間に分配される(注1).　固定相は，固体，又は固体やゲルに支持された液体である.　固定相はカラムに充塡されたり，層状に塗布されたり，又は膜などとして配置される.　移動相は，ガス，液体，又は超臨界流体である.　分離は吸着，質量分布（分配），イオン交換などに基づき，また，大きさ，質量，体積などの分子の物理化学的特性の違いによって行われる.　本法では，共通のパラメーターの定義と計算方法，及び一般に適用できるシステム適合性の必要条件を記載する.　◇液体クロマトグラフィーのシステム適合性は，本法の規定のほか，液体クロマトグラフィー〈2.01〉に記載の規定を適用することができる.◇　分離の原理，装置，測定方法は，対応する一般試験法に記載する.

2.　定義

　医薬品各条におけるシステム適合性と適否の判定基準は，以下に定義されるパラメーターを使用して設定される.　装置によっては，SN比と分離度のようなパラメーターは，装置メーカーの提供するソフトウェアを使って計算する.　使用者には，そのソフトウェアで使われている計算方法が日本薬局方の規定と同等のものであることを確認し，もしそうでなければ，必要な補正を行う責任がある.

クロマトグラム

　時間，又は容量に対して検出器の応答，溶出液中の濃度，又は溶出液中の濃度の測定に使われる他の量を，グラフ又は他の図で表したものである(注2).　理想的なクロマトグラムは，ベースライン上にガウス型ピークの連続として示される（図2.00-

---

日本薬局方の医薬品の適否は，その医薬品各条の規定，通則，生薬総則，製剤総則及び一般試験法の規定によって判定する.（通則5参照）

1). 注3

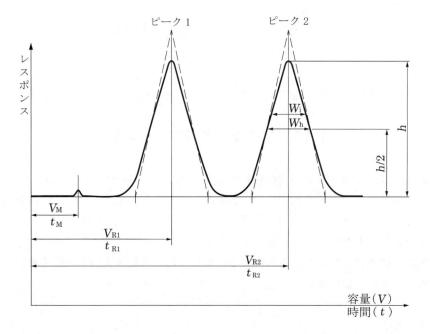

V_M：ホールドアップボリューム

t_M：ホールドアップタイム

V_{R1}：ピーク1の保持容量

t_{R1}：ピーク1の保持時間

V_{R2}：ピーク2の保持容量

t_{R2}：ピーク2の保持時間

W_h：ピーク高さの中点におけるピーク幅

W_i：変曲点におけるピーク幅

h：ピーク高さ

$h/2$：ピーク高さの中点

図 2.00-1

分配係数（K_0）

サイズ排除クロマトグラフィーでは，特定のカラムにおけるある成分の溶出特性は，次式で求められる分配係数によって与えられる．

$$K_0 = \frac{t_R - t_0}{t_t - t_0}$$

t_R：保持時間

t_0：カラムに保持されない成分の保持時間

t_t：完全浸透する成分の保持時間

グラジエント遅延容量（dwell volume）（D）（V_Dとも呼ばれる）

　グラジエント遅延容量は，移動相の混合箇所からカラムの入口までの間の容量である．次の手順によって決定できる．

カラム：クロマトグラフィーのカラムを適切なキャピラリーチューブ（例えば1 m × 0.12 mm）に交換する．

移動相：

　移動相A：水

　移動相B：0.1 vol％のアセトンを含む水

時間 （分）	移動相A （vol％）	移動相B （vol％）
0〜20	100 → 0	0 → 100
20〜30	0	100

流量：十分な背圧が得られるように設定する（例えば2 mL/分）．

検出：紫外可視吸光光度計265 nm

吸光度が50％増加するときの時間$t_{0.5}$（分）を決定する（図2.00-2）．

$$D = t_D \times F$$

t_D：$t_{0.5} - 0.5\,t_G$（分）

t_G：あらかじめ決めたグラジエント時間（20分）

F：流量（mL/分）

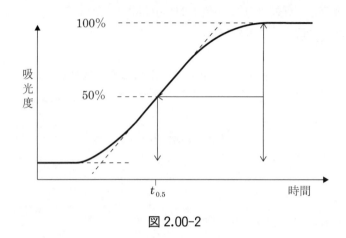

図 2.00-2

注：適用可能なところでは，この測定の試料注入部にはオートサンプラーが用いられ，そのときグラジエント遅延容量にはインジェクションループの容量も含まれる．

ホールドアップタイム（t_M）

カラムに保持されない成分の溶出に必要な時間（図 2.00-1 でベースラインの目盛りは分又は秒）．

サイズ排除クロマトグラフィーでは，カラムに保持されない成分の保持時間（t_0）という．

ホールドアップボリューム（V_M）

カラムに保持されない成分の溶出に必要な移動相の液量．

V_M は次式により，ホールドアップタイムと mL/分で表された流量（F）から計算する．

$$V_M = t_M \times F$$

サイズ排除クロマトグラフィーでは，カラムに保持されない成分の保持容量（V_0）という．

ピーク

単一成分（又は，二つ若しくはそれ以上の分離されない成分）がカラムから溶出されたときに，検出器の応答を記録したクロマトグラムの一部分．

ピークレスポンスは，ピーク面積又はピーク高さ（h）によって表される．

ピークバレー比（p/v）

ピークバレー比は，二つのピークのベースライン分離が達成されないとき，システム適合性の適合要件の一つとして利用される（図 2.00-3）．

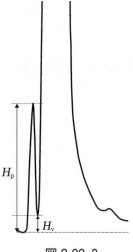

図 2.00-3

$$p/v = \frac{H_p}{H_v}$$

H_p：マイナーピークの基線からの高さ
H_v：マイナーピークとメジャーピークの分離曲線の最下点（ピークの谷）の基線からの高さ

理論段高さ（H）（同義語：理論段相当高さ（HETP））注4
カラムの長さ（L）（μm）と理論段数（N）の比.

$$H = \frac{L}{N}$$

理論段数（N）
カラム性能（カラム効率）を示す数値．用いる技術によるものの，恒温，イソクラティック，又は等密度の条件下で得られたデータによってのみ，次式により理論段数として求めることができる．ここで，t_R と w_h は同じ単位で表される．

$$N = 5.54 \left(\frac{t_R}{w_h}\right)^2$$

t_R：被検成分のピークの保持時間
w_h：ピーク高さの中点におけるピーク幅（$h/2$）

理論段数は，被検成分はもちろん，カラム，カラム温度，移動相，保持時間によっ

ても変化する．

換算理論段高さ（h）
　理論段高さ（H）（μm）と粒子径（d_p）（μm）の比．

$$h = \frac{H}{d_p}$$

相対保持比（R_{rel}）
　相対保持比は，薄層クロマトグラフィーで用いられており，標準成分の移動距離に対する被検成分の移動距離の比として求められる（図2.00-4）．

$$R_{\mathrm{rel}} = b/c$$

　　　a：移動相の移動距離
　　　b：被検成分の移動距離
　　　c：標準成分の移動距離

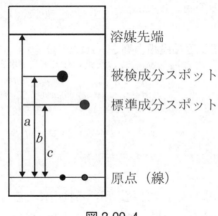

図2.00-4

保持比（r）
　保持比は，次式により概算する．

$$r = \frac{t_{\mathrm{Ri}} - t_{\mathrm{M}}}{t_{\mathrm{Rst}} - t_{\mathrm{M}}}$$

　　　t_{Ri}：被検成分ピークの保持時間
　　　t_{Rst}：標準成分のピークの保持時間（通常試験される成分に対応するピーク）

t_M：ホールドアップタイム

ホールドアップタイムでの補正なしの保持比（r_G），又は相対保持時間（RRT）

次式により計算する.

$$r_G = \frac{t_{Ri}}{t_{Rst}}$$

別に規定するもののほか，医薬品各条に示す保持比の値は，ホールドアップタイムでの補正なしの保持比である.

相対保持時間（RRT）

ホールドアップタイムでの補正なしの保持比を参照.

分離度（R_S） （注5）

二つの成分のピーク間の分離度（図 2.00-1）は，次式により計算する.

$$R_S = \frac{1.18(t_{R2} - t_{R1})}{w_{h1} + w_{h2}}$$

t_{R1}, t_{R2}：それぞれのピークの保持時間. ただし $t_{R2} > t_{R1}$

w_{h1}, w_{h2}：それぞれのピークの高さの中点におけるピーク幅

◇なお，ピークが完全に分離するとは，分離度 1.5 以上を意味する. ベースライン分離ともいう.◇

デンシトメトリーを用いた定量的な薄層クロマトグラフィーでは，保持時間の代わりに，移動距離を用いて次式により，二つの成分のピーク間の分離度を計算する.

$$R_S = \frac{1.18a(R_{F2} - R_{F1})}{w_{h1} + w_{h2}}$$

R_{F1}, R_{F2}：それぞれのピークの R_f 値. ただし $R_{F2} > R_{F1}$

w_{h1}, w_{h2}：それぞれのピークの高さの中点におけるピーク幅

a：原線から溶媒先端までの移動距離

R_f 値（R_F）

R_f 値は，薄層クロマトグラフィーで用いられており，試料を載せた点からスポットの中心までの距離と，同じプレート上で試料を載せた点から溶媒先端までの移動距離の比である（図 2.00-4）.

B- 10 　　一般試験法　改正事項

$$R_\mathrm{F} = \frac{b}{a}$$

　　　　b：被検成分の移動距離
　　　　a：溶媒先端の移動距離

保持係数（k）注6

　保持係数（質量分布比（D_m）又はキャパシティーファクター（k'）としても知られる）は以下のように定義されている．

$$k = \frac{固定相に存在する成分量}{移動相に存在する成分量} = K_\mathrm{C}\frac{V_\mathrm{S}}{V_\mathrm{M}}$$

　　　　K_C：分配係数（又は平衡分配係数 equilibrium distribution coefficient としても知られる）
　　　　V_S：固定相の容量
　　　　V_M：移動相の容量

　被検成分の保持係数は，次式によりクロマトグラムから求められる．

$$k = \frac{t_\mathrm{R} - t_\mathrm{M}}{t_\mathrm{M}}$$

　　　　t_R：保持時間
　　　　t_M：ホールドアップタイム

保持時間（t_R）

　試料の注入から溶出した試料の最大ピークまでの経過時間（図 2.00-1，基線のスケールは，分又は秒）．

保持容量（V_R）注7

　ある成分が，溶出するために必要な移動相の容量．保持容量は，保持時間と流量（F：mL/分）を用いて次式により計算する．

$$V_\mathrm{R} = t_\mathrm{R} \times F$$

カラムに保持されない成分の保持時間（t_0）

サイズ排除クロマトグラフィーにおいて，ゲルの最大孔より分子サイズが大きな成分の保持時間（図2.00-5）．

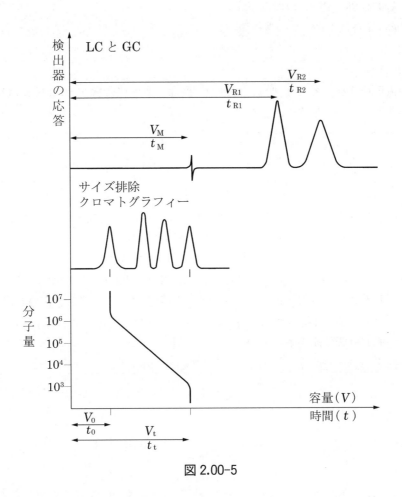

図2.00-5

カラムに保持されない成分の保持容量（V_0）

サイズ排除クロマトグラフィーにおいて，最大ゲル孔より分子サイズが大きな成分の保持容量．カラムに保持されない成分の保持時間と流量（F：mL/分）を用いて次式により計算する．

$$V_0 = t_0 \times F$$

分離係数（α） 注8

隣り合う二つのピークから計算された保持比（通常は，分離係数は，常に1より大きい）．

$$\alpha = k_2 / k_1$$

k_1：最初のピークの保持係数
k_2：2番目のピークの保持係数

SN比（S/N）

短い時間間隔で生じるノイズは，定量の精度及び真度に影響する．SN比は次式により計算する．

$$S/N = \frac{2H}{h}$$

H：標準溶液から得られたクロマトグラム中の被検成分のピーク高さ（図2.00-6）．ピークの頂点から，ピーク高さの中点におけるピーク幅の20倍に相当する範囲で測定し外挿された基線までの高さ

h：ブランクを注入後に得られたノイズ幅（図2.00-7）．標準溶液から得られたクロマトグラム中，ピーク高さの中点におけるピーク幅の20倍に相当する範囲で測定する．可能ならば，標準溶液でピークが観察されるのと同じ位置で測定する．

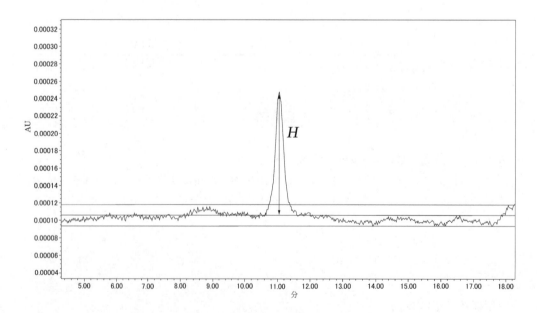

図2.00-6　標準溶液のクロマトグラム

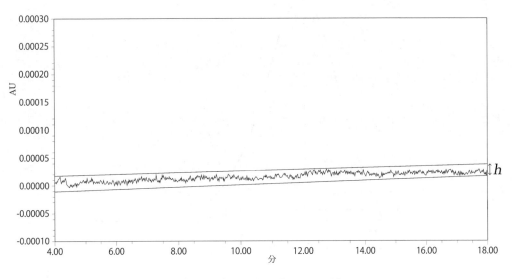

図 2.00-7　ブランクのクロマトグラム

　溶媒や試薬，移動相，試料マトリックス，ガスクロマトグラフィーの温度プログラムに由来するピークの影響で，ピークの高さの中点におけるピーク幅の 20 倍に相当する範囲での基線が得られない場合は，ピークの高さの中点におけるピーク幅の少なくとも 5 倍に相当する範囲で基線を求めてもよい．

シンメトリー係数（A_S） 注9

　あるピークのシンメトリー係数（アシンメトリー係数又はテーリング係数としても知られる）（図 2.00-8）は，次式により計算する．

$$A_S = \frac{w_{0.05}}{2d}$$

　　$w_{0.05}$：ピーク高さの 1/20 の高さにおけるピーク幅
　　d：ピーク頂点から下ろした垂線と，ピーク高さの 1/20 の高さにおけるピーク立ち上がり側の端までの距離

　$A_S = 1$ はシンメトリーであることを意味する．$A_S > 1.0$ のときは，ピークはテーリングしている．$A_S < 1.0$ のときは，ピークがリーディングしている．

B-14　一般試験法　改正事項

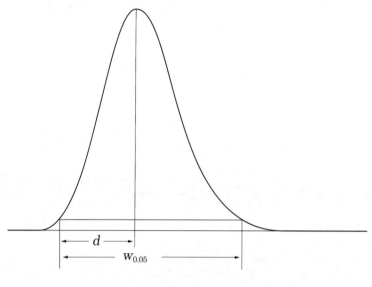

図 2.00-8

システムの再現性

　レスポンスの再現性は，標準溶液を連続して3回以上注入し，次式により計算して得られた相対標準偏差（%RSD）により表される．

$$\%\mathrm{RSD} = \frac{100}{\overline{y}} \sqrt{\frac{\Sigma (y_i - \overline{y})^2}{n-1}}$$

　　y_i：ピーク面積，ピーク高さ，又は内標準法によるピーク面積比の測定値
　　$\overline{y}$：測定値の平均値
　　n：測定回数

完全浸透する成分の保持時間（t_t）（Total mobile phase time（t_t））

　サイズ排除クロマトグラフィーにおいて，ゲルの最小孔径よりも分子サイズが小さな成分の保持時間（図 2.00-5）．

完全浸透する成分の保持容量（V_t）（Total mobile phase volume（V_t）） 注10

　サイズ排除クロマトグラフィーにおいて，ゲルの最小孔径よりも分子サイズが小さな成分の保持容量．完全浸透する成分の保持時間と流量（F）（mL/分）を用いて次式により計算する．

$$V_t = t_t \times F$$

3. システム適合性

　本項の規定は，液体クロマトグラフィー及びガスクロマトグラフィーのみに適用する．

　使用する装置の構成要素が，純度試験等や定量を行うのに必要な性能を有していることの適格性を示されなければならない．

　システム適合性試験は，クロマトグラフィーのシステムが適切な性能を維持していることを確認するために不可欠である．理論段数，保持係数（質量分布比），システムの再現性，SN 比，シンメトリー係数，分離度／ピークバレー比が，クロマトグラフィーシステムの性能評価に用いられることがある．医薬品各条に記載の複雑なクロマトグラフィープロファイルの場合（例えば，生物薬品）には，視覚的なプロファイルの比較が，システム適合性試験として用いられる．

　クロマトグラフィーに影響を与える因子として以下のようなものがある．
- ・移動相の組成及び温度
- ・移動相の水溶性成分のイオン強度及び pH
- ・流量，カラムの大きさ，カラム温度，圧力
- ・支持体のタイプ（粒子型，モノリス型など），粒子径又は孔サイズ，空隙率，比表面積などの固定相の特性
- ・逆相，及び固定相の他の表面修飾，（エンドキャッピングや炭素含有率などの）化学的な修飾の程度

保持時間及び保持比に関する情報が医薬品各条に記載されることがある．保持比に適用される基準は定められていない．

　クロマトグラフィーを用いた当該試験全体を通してシステム適合性の要件に適合していることが必要である．システム適合性が示されなければ，サンプルの分析は認められない．

　◇システム適合性に次の項目を設けるとき，別に規定するもののほか，各項目は以下に示す要件が満たされていなければならない．◇

システムの再現性―有効成分又は添加剤の定量

　有効成分又は添加剤の定量において，それらの純物質の目標含量が100％で，システムの再現性の要件が規定されていない場合には，標準溶液の繰り返し注入（$n = 3$～6）により算出される最大許容相対標準偏差（$\%RSD_{max}$）の限度値が定められている．

　ピークレスポンスの最大許容相対標準偏差は，表2.00-1に示す適切な値を超えてはならない．

$$\%RSD_{max} = \frac{KB\sqrt{n}}{t_{90\%,\,n-1}}$$

B-16　一般試験法　改正事項

K：$K = \dfrac{0.6}{\sqrt{2}} \times \dfrac{t_{90\%,5}}{\sqrt{6}}$ より得られる定数（0.349），ここで $\dfrac{0.6}{\sqrt{2}}$ は $B = 1.0$ のとき，注入回数6回で必要となる相対標準偏差（パーセント）

B：(医薬品各条で規定されている上限 － 100)%

n：標準溶液の繰り返し注入回数（$3 \leqq n \leqq 6$）

$t_{90\%,n-1}$：90パーセント確率水準におけるスチューデントの t 値（両側検定，自由度 $n-1$）

表 2.00-1　最大許容相対標準偏差（定量）

	注入回数 n			
	3	4	5	6
B（%）	最大許容相対標準偏差 RSD（%）			
2.0	0.41	0.59	0.73	0.85
2.5	0.52	0.74	0.92	1.06
3.0	0.62	0.89	1.10	1.27

B =（医薬品各条中の含量規格の上限 － 100)%

システムの感度

　システムの感度を表すためにシグナルノイズ比（SN比）が用いられる．定量限界（SN比 10 に相当）は報告の閾値以下である．

ピークの対称性

　別に規定するもののほか，純度試験等や定量に用いるピークのシンメトリー係数（テーリング係数）は 0.8 〜 1.8 である．

4.　クロマトグラフィー条件の調整

　記載されているクロマトグラフィー条件は，医薬品各条作成時に既にバリデートされている．

　クロマトグラフィーによる試験において，根本的に医薬品各条に規定する試験方法を変更することなく，種々のパラメーターを調整することができる範囲を以下に示す．示されている範囲外への変更には，分析法の再バリデーションが必要である．

　複数パラメーターの調整は分析システムに対して累積的な影響を及ぼしうるため，使用者はその影響を適切に評価し，十分なリスクアセスメントを行わなければならない．分離パターンがプロファイルとして示されている場合は，特に重要である．

　いかなる調整も医薬品各条に規定する試験方法に基づいて行わなければならない．

　医薬品各条に規定する試験を行う際に，いかなる調整においても追加の検証試験が必要となるだろう．調整後の医薬品各条に規定する試験方法の適合性を検証するために，変更によって影響を受ける可能性のある関連する分析性能特性を評価する必要が

ある.

　以下に示す要件に従って医薬品各条に規定する試験方法を調整したとき，適切な再バリデーションを行うことなく更なる調整を行うことは許容されない.

　システム適合性基準への適合は，試験条件が，純度試験等や定量を実施するために十分な性能を示すように設定されているかどうかを確認するために必要とされる.

　グラジエント溶離（液体クロマトグラフィー）及び温度プログラム（ガスクロマトグラフィー）における試験条件の調整は，イソクラティック溶離（液体クロマトグラフィー）及び恒温条件（ガスクロマトグラフィー）における試験条件の調整より難しい. なぜならば，それらの調整によりあるピークの位置が，異なるグラジエントステップ，あるいは異なる溶出温度に移行することにより，近接したピークが部分的若しくは完全に重なる，あるいは溶出順が逆転するといった可能性があり，ピークの同定の間違いやピークの見落とし，ピーク位置が規定された溶出時間を越えることが起こるようになる.

　◇生物薬品の試験では，ペプチドマップ法，糖鎖試験法，及び分子不均一性に関する試験のように，液体クロマトグラフィーで得られた分離パターンをプロファイルとして適否の判定基準に設定することがある. このような試験法においては，本項に示す方法を適用できない場合がある.◇

　◇生薬等は本項の対象外とする.◇

4.1. 液体クロマトグラフィー：イソクラティック溶離
カラムパラメーターと流量

・固定相：置換基の変更は認められない（例えば，C18 が C8 に変更されるなど）. 固定相のその他の物理化学的特性，つまりクロマトグラフィー用担体，表面修飾，化学修飾の程度は類似していなければならない. 全多孔性粒子カラムから表面多孔性粒子カラムへの変更は，上記要件が満たされている場合には許容される.

・カラムの大きさ（粒子径及び長さ）：カラムの粒子径や長さは，カラムの長さ（L）と粒子径（d_p）の比が一定のまま，又は，規定された L/d_p の比率の -25％から $+50$％の間の範囲に変更することができる.

・全多孔性粒子から表面多孔性粒子の粒子径を調整する場合：全多孔性粒子から表面多孔性粒子の粒子径を調整する場合は，理論段数（N）が規定されたカラムの -25％から $+50$％の範囲にあれば，他の L と d_p の組み合わせも使用することができる. システム適合性の要件に適合し，管理すべき不純物の選択性と溶出順が同等であることが示されれば，これらの変更は認められる.

・内径：粒子径やカラム長の変更がない場合に，カラム内径を調整する場合があるかもしれない.

　より小さな粒子径，又は，より小さなカラム内径への試験条件の変更により，ピークボリュームがより小さくなる場合には，装置配管，検出器のセル容量，サンプリング速度及び注入量のような要因によりカラム外拡散を最小にすることが必要なことが

あり注意が必要である.

粒子径を変更するときには，流量の調整が◇必要となることがあるかもしれない◇．粒子径のより小さいカラムでは，同じ性能（換算理論段高さにより評価された）を得るために，より高い線速度が必要となるからである．流量は，カラムの内径と粒子径の両方の変更により，次式に従って◇変更可能である◇．

$$F_2 = F_1 \times [(d_{c2}{}^2 \times d_{p1}) / (d_{c1}{}^2 \times d_{p2})]$$

F_1：医薬品各条の流量（mL/分）
F_2：調整された流量（mL/分）
d_{c1}：医薬品各条のカラムの内径（mm）
d_{c2}：使用するカラムの内径（mm）
d_{p1}：医薬品各条の粒子径（μm）
d_{p2}：使用するカラムの粒子径（μm）

イソクラティック分離において，粒子径を 3 μm 以上から 3 μm 未満へ変更するとき，20％を上回ってカラム性能が低下しないならば，線速度（流量の調整により）を更に増加させることが認められる．同様に，粒子径を 3 μm 未満から 3 μm 以上へ変更するとき，20％を上回ってのカラム性能の低下を避けるために，線速度（流量）を更に減少させることが認められる．

カラムの大きさの変更による調整後，更に流量の ± 50％の変更が許容される．

・カラムの温度：別に規定するもののほか，規定される操作温度の±10℃．

本試験法のシステム適合性と，クロマトグラフィー条件の調整で記載されている許容範囲内で，更なる試験条件（移動相，温度，pH など）の変更が必要となることがあるかもしれない．

移動相

・組成：マイナーな溶媒成分の量は，相対的に±30％まで調整できる．例えば，移動相の 10％の微量組成について，相対的な 30％の調整は 7 ～ 13％の範囲となる．移動相の 5％の微量組成について，相対的な 30％の調整は 3.5 ～ 6.5％の範囲となる．絶対的な 10％以上の成分組成の変更は行われない．微量成分は $(100/n)$％以下のものからなり，n は移動相の構成要素の総数である．

・移動相の水系組成の pH：別に規定するもののほか，±0.2 pH 単位

・移動相の緩衝液組成の塩濃度：±10％

・流量：カラムの大きさに変更がない場合，±50％までの流量の調整が認められる．

検出波長：変更することはできない．

注入量：カラムの大きさを変更する場合，注入量の調整は次式が利用できる．

クロマトグラフィー総論　　B- *19*

$$V_{\text{inj2}} = V_{\text{inj1}} \, (L_2 \, d_{c2}{}^2) \big/ (L_1 \, d_{c1}{}^2)$$

V_{inj1}：医薬品各条の注入量（μL）
V_{inj2}：調整した注入量（μL）
L_1：医薬品各条のカラムの長さ（cm）
L_2：新たなカラムの長さ（cm）
d_{c1}：医薬品各条のカラムの内径（mm）
d_{c2}：新たなカラムの内径（mm）

　上記の式は，全多孔性粒子カラムから表面多孔性粒子カラムへの変更に適用できない場合があるかもしれない．

　カラムの大きさを変更しない場合でも，システム適合性の判定基準が確立された許容限度値内であれば注入量は変更することができる．注入量を減少させる場合は，ピークレスポンスの検出（限界）及び再現性に特に注意が必要である．注入量の増加は，特に，変更後も測定すべきピークの直線性と分離度が十分に満たされている場合に限り許容される．

4.2.　液体クロマトグラフィー：グラジエント溶離

　グラジエントシステムにおける試験条件の変更はイソクラティックシステムの場合より慎重さが求められる．

カラムパラメーターと流量

・固定相：置換基の変更は認められない（例えば，C18 が C8 に変更されるなど）．固定相のその他の物理化学的特性，つまりクロマトグラフィー用担体，表面修飾，化学修飾の程度は類似していなければならない．全多孔性粒子カラムから表面多孔性粒子カラムへの変更は，上記要件が満たされている場合には許容される．

・カラムの大きさ（粒子径及び長さ）：カラムの粒子径や長さは，カラムの長さ（L）と粒子径（d_p）の比が一定のまま，又は，規定された L/d_p の比率の−25％から＋50％の間の範囲に変更することができる．

　全多孔性粒子から表面多孔性粒子の粒子径を調整する場合：本試験法及び医薬品各条に示されるシステム適合性に使用される個々のピークで $(t_R/w_h)^2$ が規定されたカラムの−25％から＋50％の範囲にあれば，他の L と d_p の組み合わせも使用することができる．

　システム適合性の要件に適合し，管理すべき不純物の選択性と溶出順が同等であることが示されれば，これらの変更は認められる．

・内径：粒子径やカラム長の変更がない場合に，カラム内径を調整する場合があるかもしれない．

　より小さな粒子径，又は，より小さなカラム内径への試験条件の変更により，ピークボリュームがより小さくなる場合には，装置配管，検出器のセル容量，サンプリン

グ速度及び注入量のような要因により，カラム外拡散を最小にすることが必要なことがあり注意が必要である．

　粒子径を変更するときには，流量の調整が◇必要となることがあるかもしれない◇．粒子径のより小さいカラムでは，同じ性能（換算理論段高さにより評価された）を得るために，より高い線速度が必要となるからである．流量は，カラムの内径と粒子径の両方の変更により，次式に従って◇変更可能である◇．

$$F_2 = F_1 \times [(d_{c2}{}^2 \times d_{p1}) / (d_{c1}{}^2 \times d_{p2})]$$

　　　F_1：医薬品各条の流量（mL/分）
　　　F_2：変更後の流量（mL/分）
　　　d_{c1}：医薬品各条のカラムの内径（mm）
　　　d_{c2}：使用するカラムの内径（mm）
　　　d_{p1}：医薬品各条のカラム粒子径（μm）
　　　d_{p2}：使用するカラム粒子径（μm）

　カラムの大きさを変えること，すなわちカラム容量の変更は，選択性をコントロールするグラジエント容量に影響する．カラム容量に比例してグラジエント容量を変え，グラジエント条件をカラム容量に合わせて調整する．これは全ての各グラジエント容量に適用する．グラジエント容量は，グラジエント時間 t_G と流量 F の積であるため，グラジエント条件のそれぞれの時間を，カラム容量に対するグラジエント容量の比（$L \times d_c{}^2$）が一定になるように変更する．ここで，変更したグラジエント時間 t_{G2} は元のグラジエント時間 t_{G1}，流量及びカラムの大きさから次式で計算できる．

$$t_{G2} = t_{G1} \times (F_1 / F_2)[(L_2 \times d_{c2}{}^2) / (L_1 \times d_{c1}{}^2)]$$

　ここで，グラジエント溶離の条件の変更には次の3段階の変更が必要である．
(1) L/d_p で示されるカラムの長さ及び粒子径の変更，
(2) 粒子径とカラムの内径の変更による流量の変更，そして，
(3) カラムの長さ，内径及び流量の変更による各グラジエントの時間の変更である．
　この条件の例を次に示す．

クロマトグラフィー総論　　B‒21

変数	元の条件	変更した条件	備考
カラムの長さ（L）（mm）	150	100	ユーザーの選択
カラムの内径（d_c）（mm）	4.6	2.1	ユーザーの選択
粒子径（d_p）（μm）	5	3	ユーザーの選択
L/d_p	30.0	33.3	(1)
流量（mL/分）	2.0	0.7	(2)
グラジエント調整因子（t_{G2}/t_{G1}）		0.4	(3)
グラジエント条件			
B（%）	時間（分）	時間（分）	
30	0	0	
30	3	$(3 \times 0.4) = 1.2$	
70	13	$[1.2 + (10 \times 0.4)] = 5.2$	
30	16	$[5.2 + (3 \times 0.4)] = 6.4$	

(1) L/d_p が−25〜＋50％の範囲内の11％増加

(2) $F_2 = F_1 [(d_{c2}^2 \times d_{p1})/(d_{c1}^2 \times d_{p2})]$ を用いて計算

(3) $t_{G2} = t_{G1} \times (F_1/F_2)[(L_2 \times d_{c2}^2)/(L_1 \times d_{c1}^2)]$ を用いて計算

・カラムの温度：別に規定するもののほか，規定した試験条件の±5℃

　本試験法のシステム適合性とクロマトグラフィー条件の調整で記載されている許容範囲内で，更なる試験条件（移動相，温度，pHなど）の変更が，必要となることがあるかもしれない．

移動相

・組成／グラジエント：移動相の組成及びグラジエントは次の場合に変更できる．

　　（ⅰ）　システム適合性の要件に適合していること．

　　（ⅱ）　主なピークが元の条件で得られた保持時間の±15％の範囲内で溶離している．ただし，これはカラムの大きさを変更した場合は適用できない．

　　（ⅲ）　移動相の組成及びグラジエントが，最初のピークが十分に保持され，最後のピークが溶出されるものであること．

・移動相の水系組成のpH：別に規定するもののほか，±0.2pH単位

・移動相の緩衝液組成の塩濃度：±10％

　システム適合性の要件に適合しない場合は，グラジエント遅延容量を検討するかカラムを変えることが望ましい場合がある．

グラジエント遅延容量

使用する装置構成によっては，規定した分離能，保持時間及び保持比が著しく変わることがある．このようなことが起こるのは，グラジエント遅延容量が変化しているためかもしれない．医薬品各条においては，分析法を開発した際の装置と実際に使用する装置のグラジエント遅延容量の違いを考慮して，グラジエントを開始する前にイソクラティックのステップを加えることで，グラジエント勾配の調整を行うのが望ましい．その使用する装置のイソクラティックのステップ長さを決めるのは試験者の責任において行う．医薬品各条の作成段階で用いたグラジエント遅延容量が医薬品各条に記載されている場合は，グラジエントの勾配表に記載された時間（t 分）は次式で計算した時間（t_c 分）に置き換えても構わない．

$$t_c = t - (D - D_0)/F$$

D：グラジエント遅延容量（mL）
D_0：分析法開発時のグラジエント遅延容量（mL）
F：流量（mL/分）

イソクラティックのステップを用いないで分析法バリデーションを行った場合は，グラジエント勾配の調整を行う目的で導入されたイソクラティックのステップを省略できる．
検出波長：変更できない．
注入量：カラムの大きさを変更する場合，注入量の調整には次式が利用できる．

$$V_{inj2} = V_{inj1} (L_2 d_{c2}^2)/(L_1 d_{c1}^2)$$

V_{inj1}：医薬品各条の注入量（μL）
V_{inj2}：調整した注入量（μL）
L_1：医薬品各条のカラムの長さ（cm）
L_2：新たなカラムの長さ（cm）
d_{c1}：医薬品各条のカラムの内径（mm）
d_{c2}：新たなカラムの内径（mm）

上記の式は全多孔性粒子カラムから表面多孔性粒子カラムへの変更には適用できない場合があるかもしれない．
カラムの大きさを変更しない場合でも，システム適合性の要件が確立された許容限度値内であれば注入量は変更することができる．注入量を減少させる場合は，ピークレスポンスの検出（限界）及び再現性に特に注意が必要である．注入量の増加は，特に，変更後も測定すべきピークの直線性と分離度が十分に満たされている場合に限り

許容される.

4.3. ガスクロマトグラフィー

カラムパラメーター

・固定相：
　粒子径：最大50％まで減らすことができ，増やすことはできない（充塡カラム）.
　膜厚：−50〜＋100％（キャピラリーカラム）
・カラムの大きさ
　長さ：−70〜＋100％
　内径：±50％
・カラムの温度：±10％
・温度プログラム：温度の調整は上述の通り許容される.昇温速度と各温度の保持時間の調整は±20％まで許容される.

流量：±50％
　上記の調整は，システム適合性の要件に適合し，管理すべき不純物の選択性と溶出順が同等であることが示されれば，許容される.

注入量及びスプリット比：システム適合性の要件が確立された許容限度値内であれば注入量及びスプリット比は変更することができる.注入量を減少させる場合又はスプリット比を増加させる場合は，ピークレスポンスの検出（検出限界）及び再現性に特に注意が必要である.注入量の増加又はスプリット比の減少は，特に，変更後も測定すべきピークの直線性と分離度が十分に満たされている場合に限り許容される.

注入口温度及び静的ヘッドスペースにおけるトランスファーライン温度の条件：分解や濃縮が起こらない場合は±10℃

5. 定量
　以下のような定量試験法が，一般試験法や医薬品各条に適用される.

5.1. 外部標準法

検量線法

　被検成分の標準物質を用いて，直線性が示される範囲内で複数濃度の標準溶液を調製し，一定量を注入する.

　得られたクロマトグラムから，標準物質の濃度を横軸に，ピーク面積又はピーク高さを縦軸にプロットして検量線を得る.検量線は通例直線回帰で得られる.次に，試料溶液を医薬品各条に規定された方法で調製する.検量線を得た方法と同じ操作条件下で，クロマトグラフィーを行い，被検成分のピーク面積又はピーク高さを測定し，被検成分量を検量線から読み取るか，計算する.

一点検量法

　医薬品各条では，通例，検量線の直線範囲で，ある濃度の標準溶液と，標準溶液の

濃度に近い濃度の試料溶液を調製し，同じ操作条件でクロマトグラフィーを行い，得られたレスポンスを比較して，被検成分量を求める．

この方法では，注入操作などの全ての試験操作は，同じ条件で実施されなければならない．

5.2. 内標準法

検量線法

内標準法では，被検成分に近い保持時間を有し，クロマトグラム上の他の全てのピークと完全に分離する安定な物質を内標準物質として選ぶ．

一定量の内標準物質と標準被検試料を段階的に加えて，数種の標準溶液を調製する．それぞれの標準溶液の一定量を注入して得られたクロマトグラムから，内標準物質に対する標準被検成分のピーク面積又はピーク高さの比を求める．これらの比を縦軸に，標準被検成分量又は内標準物質量に対する標準被検成分量の比を横軸にとり，検量線を作成する．この検量線は，通例，直線回帰で得られる．

次に医薬品各条に規定する方法に従って，検量線の作成に用いる，同量の内標準物質を含む試料溶液を調製する．検量線を作成したときと同じ条件でクロマトグラフィーを行い，内標準物質に対する，被検成分ピーク面積又はピーク高さの比を求め，検量線から被検成分量を求める．

一点検量法

医薬品各条では，通例，検量線が直線となる濃度範囲の一つの標準溶液及びこれに近い濃度の試料溶液を調製し，いずれにも一定量の内標準物質を加え，同一の条件でクロマトグラフィーを行い，得られた比を比較して，被検成分量を求める．

5.3. 面積百分率法

ピークの直線性が示されれば，医薬品各条では被検成分のパーセント含量は，溶媒，試薬，移動相又は試料マトリックスから生じるピークや，判別限界又は報告の閾値以下のピークを除いた，全てのピークの面積の総和に対する，それぞれのピーク面積の百分率で求められる．

6. その他の留意事項

6.1. 検出器の応答

検出器の感度は，検出器に入る移動相中の物質の単位濃度又は単位質量あたりのシグナル出力である．相対的な検出器の応答係数（通例，レスポンス係数と呼ぶ）は，ある物質の標準物質に対する検出感度を表す．感度係数は，応答係数の逆数である．類縁物質試験では，医薬品各条に示された感度係数は常に適用される（すなわち，応答係数が 0.8 ～ 1.2 の範囲外の場合）．

6.2. 妨害ピーク

溶媒，試薬，移動相，試料マトリックスに由来するピークは除外する．

6.3. ピークの測定

主ピークから完全には分離しない不純物のピークの積分は，通例，タンジェントス

キムによる（図 2.00-9）．注11

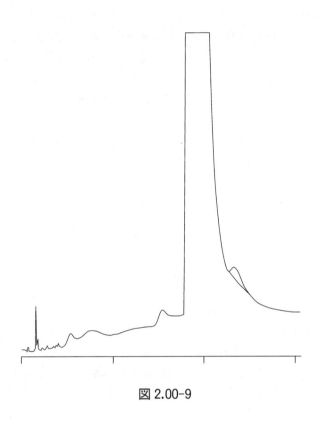

図 2.00-9

6.4. 報告の閾値

　類縁物質試験において不純物の総量が規定されている場合や，ある不純物に対して定量的な評価が規定されている場合は，適切な報告の閾値及びピーク面積を積分するための適切な条件を設定することが重要になる．そのような試験では，報告の閾値，つまり，不純物量がその値を超えると報告が必要とされる限度値は，一般に 0.05％である．

──────── 注 ────────

- 注1　解説「1．クロマトグラフィー」参照．
- 注2　解説「2．クロマトグラムと保持値」参照．
- 注3　解説「3．ピーク幅のひろがり」参照．
- 注4　解説「3．ピーク幅のひろがり」参照．
- 注5　解説「4．分離度」参照．
- 注6　解説「2．クロマトグラムと保持値」参照．

B-26　　一般試験法　改正事項

注7　解説「2．クロマトグラムと保持値」参照.

注8　解説「4．分離度」参照.

注9　シンメトリー係数はピークの対称性を表す指標でテーリングピークとリーディングピークがある．テーリングとは，クロマトグラム上のピークの形が正規分布型から外れて，ピークが保持時間の長いほうに尾を引く現象である．その逆の場合をリーディングという．いずれも試料に対して固定相，移動相の選択が適切であり，かつカラムが均一に充填されているときは起こりにくい．テーリングの程度を表すのには，この試験法で用いられる方法のほかに次のような方法がある．その一つは，ピーク高さのベースラインから10％のところにおける，前半のピーク幅をa，後半のピーク幅をbとしたとき，a／bを％で表してテーリングの程度を示すもので，テーリングファクター（tailing factor）と呼ばれる．もう一つは，テーリングの程度を（a＋b）／2aで表すもので，Ettreの非対称ファクター（asymmetry factor）という.

注10　2.05 サイズ排除クロマトグラフィーを参照.

注11　タンジェントスキム法（テーリング処理法）のほかにバーティカルスキム法（垂直分割処理法）がある.

──────── 解　説 ────────

Chromatography USP , Chromatographic separation techniques EP

1.　クロマトグラフィー

クロマトグラフィーとは，分離しようとする目的物質（成分）が，表面積の大きい固定された一つの相（固定相）と，この固定相を通るか又は沿って流れる他の一つの相（移動相）との2相間に分配されることによって分けられる物理的な分離法である．移動相が，液体，気体のいずれか，また固定相として液体と固体のどちらを用いるかの選択によって次の4種のクロマトグラフィーに分類される（なお，薄層クロマトグラフィー及びろ紙クロマトグラフィー共に液体クロマトグラフィーの一種であり，それぞれに固定相を液体あるいは固体とする場合がある）.

移動相	名称（略号）		固定相	名称（略号）
液体	液体クロマトグラフィー liquid chromatography（LC）	{	液体	液液クロマトグラフィー liquid-liquid chromatography（LLC）
			固体	液固クロマトグラフィー liquid-solid chromatography（LSC）
気体	ガスクロマトグラフィー gas chromatography（GC）	{	液体	気液クロマトグラフィー gas-liquid chromatography（GLC）
			固体	気固クロマトグラフィー gas-solid chromatography（GSC）

クロマトグラフィー総論　　B-27

　固定相が液体である LLC 及び GLC いずれの場合も，目的物質は，移動相と，担体に固定された固定相液体との間の分配率の差により分離される．したがって LLC 及び GLC の分離モードは分配であり，この二者は分配クロマトグラフィーと呼ばれる．一方，物理的な吸着性を持ち多孔性で表面積の大きい粉体や粒体を固定相とする LSC 及び GSC では，目的物質は固定相への吸着力の差により分離されるので，これらは吸着クロマトグラフィーと呼ばれる．しかし実際には分配か吸着の一つの機構だけが働いているわけではなく，二つの分離機構が重なって分離が進行しており，画然と区別できない場合も多いので，二つを一緒にして分配吸着クロマトグラフィーとして取り扱われている．

　液体クロマトグラフィーを分離モードにより大別すると分配，吸着，イオン交換，サイズ排除，アフィニティーである．また，用いる固定相の分離モードによって分配吸着クロマトグラフィーが独自の名称で呼ばれている．それらを以下に簡単に説明する．

- イオン交換クロマトグラフィー（ion-exchange chromatography，IEC）：陽あるいは陰イオン交換体を固定相とし，移動相には酸や塩基又は緩衝液などの水溶液を用い，試料イオンのイオン交換体への静電的な相互作用の差に基づいて分離が行われる．核酸関連化合物，タンパク質，アミノ酸及び有機酸などの分離に用いられる．
- イオンクロマトグラフィー（ion chromatography）：IEC の 1 種で無機イオンの分離に用いられる．電気伝導度検出器を用いる場合には，イオン交換カラムの後に置かれたサプレッサーカラムによりイオン交換を行うことにより，移動相のバックグラウンドを低下させると共に，目的イオンを当量伝導度の高いイオンに変換した後検出する．
- イオン排除クロマトグラフィー（ion-exclusion chromatography）：試料中の強電解質をイオン交換基（固定相）によって静電的に排除し，イオン交換樹脂体（固定相）に疎水性相互作用により保持される弱酸や非電解質成分を分離する．
- 塩析クロマトグラフィー（salting-out chromatography）：イオン交換樹脂カラムを用い，非電解質の分離を行う．
- イオン対クロマトグラフィー（ion pair chromatography）：イオン性化合物を，第四級アンモニウムイオンあるいはアルキル硫酸などの対イオンによりイオン対を形成させて，非極性化合物として分配クロマトグラフィーにより分離する．
- ゲルクロマトグラフィー（gel chromatography）：三次元網目構造を持った多孔性の非イオン性ゲルを固定相に用いた場合，試料成分は，分子量あるいは形など分子サイズの大小によってゲルの細孔への保持（浸透性）に差を生じるので，ふるいにかけるように分子を分離できる．本法は，分子ふるいクロマトグラフィー（molecular sieve chromatography），立体排除クロマトグラフィー（steric exclusion chromatography）など種々な名称で呼ばれており，JIS K 0124-1994 ではサイズ排除クロマトグラフィーとしている．ゲルクロマトグラフィーは，水溶性物質を水性溶媒を用い分離す

るゲルろ過クロマトグラフィー（gel filtration chromatography, GFC）と，非水溶性物質を有機溶媒を用い分離するゲル浸透クロマトグラフィー（gel permeation chromatography, GPC）に分けられる．

・アフィニティークロマトグラフィー（affinity chromatography）：特定の生体高分子と親和性のある物質を担体に化学的に結合させたものを固定相として用い，固定相に対する特異的相互作用の差によって目的物質を分離する方法である．

なお，分配クロマトグラフィーにおいて，極性が大きい液体を固定相に用い，固定相よりも極性の小さい溶媒を移動相として用いる方法を順相（normal phase）クロマトグラフィーと呼ぶ．また，極性が小さい液体を固定相に用い，極性がより大きい溶媒を移動相に用いる場合を逆相（reversed phase）クロマトグラフィーと呼ぶ．逆相クロマトグラフィーは，医薬品の分析などに現在広く用いられている．

2. クロマトグラムと保持値

カラムから溶出してくる各試料成分の濃度変化を縦軸に，カラムに試料を導入してからの時間を横軸にとって描いた図1のような曲線を，クロマトグラム（chromatogram）という．この図は2成分を含む試料のクロマトグラムである．試料がカラムに導入されてから，成分が溶離するまでの時間を保持時間（retention time）といい，t_Rで表す．図1のt_{R1}，t_{R2}はそれぞれ成分1と2の保持時間である．またt_Mはホールドアップタイムと呼ばれ，固定相に全く保持されない成分の保持時間，すなわち移動相がカラムを通過する時間である（液体クロマトグラフィーでは，固定相への親和性が移動相より弱い溶媒を注入して，ベースラインの乱れを観測することによって求められる．また，ガスクロマトグラフィーでは，試料と共に空気を注入して最初に得られる小さなピークを観測するまでの時間として求められる）．保持時間は実験の条件を一定にすれば物質に固有である．t_Rからt_Mを引いた時間を調整保持時間（adjusted retention time）という．

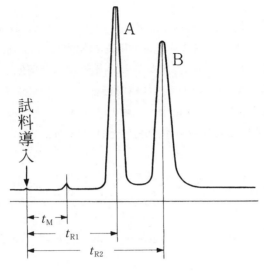

図1　2成分のクロマトグラム

　移動相の流量を F (mL/min) とすると，F に t_R を掛けた値を保持容量（保持体積，retention volume）といい，V_R で表す．

$$V_R = t_R F \tag{1}$$

V_R は液体クロマトグラフィーではそのまま物質の保持容量として取り扱われる．一方，ガスクロマトグラフィーではカラム内における圧力勾配による流量の補正が必要であるので，V_R は未補正保持容量（uncorrected retention volume）と呼ばれる．そして (2) 式で示される圧力勾配補正因子（pressure gradient correction factor）j を V_R に掛けたもの（V_R^0）を圧力補正保持容量（corrected retention volume）という．

$$j = \frac{\frac{3}{2}\left[\left(\frac{p_1}{p_0}\right)^2 - 1\right]}{\left(\frac{p_1}{p_0}\right)^3 - 1} \tag{2}$$

　　　p_1：カラム入口の圧力，p_0：カラム出口の圧力

　またガスクロマトグラフィーでは調整保持時間に F を掛けたもの $[F(t_R - t_M)]$ を空間補正保持容量（adjusted retention volume）といい，これに圧力勾配補正因子を掛けたもの（V_N）を全補正保持容量（net retention volume）という．

$$V_N = Fj(t_R - t_M) \tag{3}$$

B-30   一般試験法　改正事項

F に t_M を掛けた値（mL）は，ホールドアップボリューム（hold-up volume）と呼ばれ，V_m で表す．V_m はカラム内の充塡剤の間隙の体積（interstitial volume）に，試料導入口からカラムまでと，カラムの出口から検出器までの体積〔これをデッドボリューム（dead volume）という〕を加えた体積である．

　カラムに導入された物質が，固定相と移動相に分布して平衡に達しているとき，固定相と移動相に存在する物質のモル濃度をそれぞれ M_S, M_M とすれば，その比 K_c は，

$$K_c = M_S / M_M \tag{4}$$

で表され，分布係数（distribution coefficient）又は分配係数（partition coefficient）と呼ばれる．

　いま物質が占める固定相と移動相の体積を v_S, v_M とすれば，固定相には $M_S v_S$ モルの，移動相には $M_M v_M$ モルの物質が存在する．したがって，体積比 v_S/v_M の二つの相に存在する物質の物質量の比 k は（5）式で示される．

$$k = \frac{M_S}{M_M} \frac{v_S}{v_M} = K_c \frac{v_S}{v_M} \tag{5}$$

ところで，固定相の充塡が均一であれば，上の体積比は，固定相の全体積 V_S と，移動相の体積 V_M の比に等しい．したがって k は

$$k = K_c \frac{V_S}{V_M} = \frac{M_S}{M_M} \frac{V_S}{V_M} = \frac{\text{固定相中の物質量}}{\text{移動相中の物質量}} \tag{6}$$

となる．（6）式で定義される k を，保持係数（retention factor），キャパシティーファクター k'（capacity factor），質量分布比 D_m（mass distribution ratio）などいろいろな名称で呼ばれる．

　カラムに導入された n モルの物質は，その $k/(1+k)$ モルが固定相に，$n/(1+k)$ モルが移動相に存在し，分配吸着によって，固定相から移動相へ，移動相から固定相へ，また固定相から移動相へという移動を繰り返しながら，順次カラムを通過して溶出される．この過程において，移動相から固定相へ移動している間は，物質はカラムを通過していないが，時間だけは経過しており，移動相に存在している時間だけ物質がカラムを通過している．したがって，n モルの物質がカラムを通過するためには，移動相がカラムを通過するに要する時間（t_M）の（$1+k$）倍だけの時間が必要である．これから

$$t_R = t_M (1 + k) \tag{7}$$

という関係が導かれる.

液体クロマトグラフィーでは, (1), (7) 式を用いて V_R を (8) 式のように表すことができる.

$$V_R = Ft_M (1 + k) \tag{8}$$

Ft_M はカラム中移動相の体積であるから

$$V_R = V_M(1 + k) \tag{9}$$

したがって (9) 式は (6) 式の代入で (10) 式で表され,

$$V_R = V_M + K_c V_S \tag{10}$$

保持容量は分配係数に比例することがわかる.

3. ピーク幅の広がり

クロマトグラム上のピークは, もし固定相への分配がなければ棒グラフのような形になるはずである. しかし実際には, ピークの形はガウス曲線で表されるような山型をしている. このようにピーク幅が広がる原因には, 通常の拡散 (ordinary diffusion) と呼ばれ, 導入された物質が固定相と移動相への分配平衡を繰り返しながらカラムの出口に移っていく, クロマトグラフィー本来の現象である渦流拡散 (eddy diffusion), 固定相における分子分散, 固定相中にある物質移動の抵抗, 移動相中における物質移動の抵抗, 停滞した移動相中の拡散移動などが考えられる. これらについて順次説明するが, その前にまずピーク幅を説明する.

ピーク幅 (peak width, W) とは, ピークの両側の変曲点における接線とベースラインとの二つの交点間の間隔のことである. 混合物の各成分を分析するとき, ピーク幅が広くなって隣接ピークと重なり合うと, 分離が不完全になる. したがって, ピーク幅を広げる原因をよく知って, できるだけピーク幅が広くならないような実験条件を求めなければならない.

van Deemter はカラム効率を示す理論段高さ H を移動相の線速度 v の関数として次の式で表した.

$$H = A + \frac{B}{v} + Cv \tag{11}$$

本式で A は充塡剤粒子の間の複雑な迷路における物質の渦流効果で移動相の流速とは直接には関係しない．そろった粒度の充塡剤を緊密にカラムに充塡することでこの効果を小さくすることができる．B は主として移動相における物質のカラム軸方向の拡散効果で，B/v は線速度の小さいほど影響が大きいことを示している．細かい粒子を充塡するとこの効果は小さくなる．C はカラム断面における物質の移動相－固定相間の分配平衡の遅れであり，線速度の大きいほど Cv も大きくなる．このため固定相は担体表面に薄く均一に分布しているものがよい．

(11) 式を理論段高さと線速度の関係で示すと，図2のようになる．A，B，C の実数を求めることは多少困難であるが，線速度と理論段数を実験的に求めることは容易であり，少なくとも図2に示される実験結果から，そのカラムにおける移動相の最適線速度，すなわち流量が探し出せる．

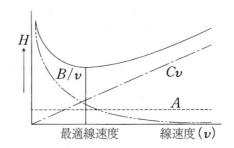

図2　線速度と HETP に関する van Deemter プロット

4. 分離度

クロマトグラフィーは混合物中の各成分の分離を目的にしているので，成分が分離できたかどうかを調べ，もし分離できていなければ実験条件を検討しなければならない．二つの成分が分離されたかどうかを表すパラメータを分離度 (resolution) といい，R_S で表す．

いま図3において成分1と2の保持時間を t_{R1}，t_{R2} とし，ピークの中点におけるピーク幅（時間で表したもの）を W_{h1}，W_{h2} とすれば，R_S は (12) 式で示される．

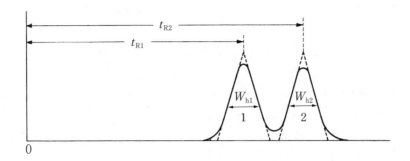

図 3　2 成分の分離度

$$R_\mathrm{S} = 1.18 \frac{t_{R2} - t_{R1}}{W_{h1} + W_{h2}} \tag{12}$$

2 つのピークの分離状態を評価する指標には，分離度のほかに分離係数 α がある．

$$\alpha = \frac{k_2}{k_1}$$

　k_1：成分 1 の保持係数
　k_2：成分 2 の保持係数

分離度，分離係数，保持係数，理論段数の間には次の関係式が成り立つ．

$$R_\mathrm{S} = \frac{1}{4}\sqrt{N}\,\frac{\alpha - 1}{\alpha}\,\frac{k}{1+k} \tag{13}$$

　ガスクロマトグラフィーでは，k の値が一般に 20 以上であるので $k \approx 1+k$ とおける．したがって分離を良くするには，N を大きくしてピーク幅を狭くするとか，α が大きいような充填剤を用いて，一方のピークを他方のピークに対して相対的に移動させることが必要である．
　液体クロマトグラフィーでは，k の値は一般に 1～10 であるので，k は $1+k$ より小さく，R_S はガスクロマトグラフィーの場合より小さい．R_S を大きくするには，N を大きくすることと α を大きくすることが必要である．

B- 34　　一般試験法　改正事項

一般試験法の部　2.01　液体クロマトグラフィーの条を次のように改める.

2.01　液体クロマトグラフィー

液体クロマトグラフィーは，適当な固定相を用いて作られたカラムに試料混合物を注入し，移動相として液体を用い，固定相に対する保持力の差を利用してそれぞれの成分に分離し，分析する方法であり，液体試料又は溶液にできる試料に適用でき，物質の確認，純度の試験又は定量などに用いる.（注1）

1.　装置

通例，移動相送液用ポンプ，試料導入装置，カラム，検出器及び記録装置からなり（注2），必要に応じて移動相組成制御装置，カラム恒温槽，反応試薬送液用ポンプ及び化学反応槽などを用いる．ポンプは，カラム及び連結チューブなどの中に移動相及び反応試薬を一定流量で送ることができるものである（注3）．試料導入装置は，一定量の試料を再現性よく装置に導入するものである（注4）．カラムは，一定の大きさにそろえた液体クロマトグラフィー用充塡剤を内面が平滑で不活性な金属などの管に均一に充塡したものである．なお，充塡剤の代わりに固定相を管壁に保持させたものを用いることができる（注5）．検出器は，試料の移動相とは異なる性質を検出するもので，紫外又は可視吸光光度計，蛍光光度計，示差屈折計，電気化学検出器，化学発光検出器，電気伝導度検出器（導電率検出器）及び質量分析計などがあり，通例，数μg以下の試料に対して濃度に比例した信号を出すものである（注6）．記録装置は，検出器により得られる信号の強さを記録するものである．必要に応じて記録装置としてデータ処理装置を用いてクロマトグラム，保持時間，又は成分定量値などを記録あるいは出力させることができる（注7）．移動相組成制御装置は，段階的制御（ステップワイズ方式）と濃度勾配制御（グラジエント方式）があり，移動相組成を制御できるものである.（注8）

2.　操作法

装置をあらかじめ調整した後，医薬品各条に規定する試験条件の検出器，カラム，移動相を用い，移動相を規定の流量で流し，カラムを規定の温度で平衡にした後（注9），医薬品各条に規定する量の試料溶液又は標準溶液を試料導入装置を用いて試料導入部より注入する．分離された成分を検出器により検出し，記録装置を用いてクロマトグラムとして記録させる．分析される成分が検出器で検出されるのに適した吸収，蛍光などの物性を持たない場合には，適当な誘導体化を行い検出する．誘導体化は，通例，プレカラム法又はポストカラム法による.

3.　確認及び純度の試験（注10）

本法を確認試験に用いる場合，試料の被検成分と標準被検成分の保持時間が一致すること，又は試料に標準被検試料を添加しても試料の被検成分のピークの形状が崩れないことを確認する．なお，被検成分の化学構造に関する知見が同時に得られる検出

液体クロマトグラフィー　　B-35

器が用いられる場合，保持時間の一致に加えて，化学構造に関する情報が一致することにより，より特異性の高い確認を行うことができる．

　本法を純度試験に用いる場合，通例，試料中の混在物の限度に対応する濃度の標準溶液を用いる方法，又は面積百分率法により試験を行う．別に規定するもののほか，試料の異性体比は面積百分率法により求める．

　面積百分率法は，クロマトグラム上に得られた各成分のピーク面積の総和を100とし，それに対するそれぞれの成分のピーク面積の比から組成比を求める．ただし，正確な組成比を得るためには混在物の主成分に対する感度係数によるピーク面積の補正を行う．

4.　定量

4.1.　内標準法

　内標準法においては，一般に，被検成分になるべく近い保持時間を持ち，いずれのピークとも完全に分離する安定な物質を内標準物質として選ぶ．医薬品各条に規定する内標準物質の一定量に対して標準被検試料を段階的に加えて数種の標準溶液を調製する．この一定量ずつを注入して得られたクロマトグラムから，内標準物質のピーク面積又はピーク高さに対する標準被検成分のピーク面積又はピーク高さの比を求める．この比を縦軸に，標準被検成分量，又は内標準物質量に対する標準被検成分量の比を横軸にとり，検量線を作成する．この検量線は，通例，原点を通る直線となる．次に医薬品各条に規定する方法で同量の内標準物質を加えた試料溶液を調製し，検量線を作成したときと同一条件でクロマトグラムを記録させ，その内標準物質のピーク面積又はピーク高さに対する被検成分のピーク面積又はピーク高さの比を求め，検量線を用いて被検成分量を求める．

　医薬品各条では，通例，上記の検量線が直線となる濃度範囲に入る一つの標準溶液及びこれに近い濃度の試料溶液を調製し，医薬品各条で規定するそれぞれの量につき，同一条件で液体クロマトグラフィーを行い被検成分量を求める．(注11)

4.2.　絶対検量線法

　標準被検試料を段階的にとり，標準溶液を調製し，この一定量ずつを正確に，再現性よく注入する．得られたクロマトグラムから縦軸に標準被検成分のピーク面積又はピーク高さ，横軸に標準被検成分量をとり，検量線を作成する．この検量線は，通例，原点を通る直線となる．次に医薬品各条に規定する方法で試料溶液を調製する．次に検量線を作成したときと同一条件でクロマトグラムを記録させ，被検成分のピーク面積又はピーク高さを測定し，検量線を用いて被検成分量を求める．

　医薬品各条では，通例，上記の検量線が直線となる濃度範囲に入る一つの標準溶液及びこれに近い濃度の試料溶液を調製し，医薬品各条で規定するそれぞれの量につき，同一条件で液体クロマトグラフィーを行い被検成分量を求める．この方法は，注入操作など測定操作の全てを厳密に一定の条件に保って行う．(注12)

5.　ピーク測定法

通例，次の方法を用いる．

5.1. ピーク高さ測定法

（i）　ピーク高さ法：ピークの頂点から記録紙の横軸へ下ろした垂線とピークの両裾を結ぶ接線（基線）との交点から頂点までの長さを測定する．(注13)

（ii）　自動ピーク高さ法：検出器からの信号をデータ処理装置を用いてピーク高さとして測定する．

5.2. ピーク面積測定法

（i）　半値幅法：ピーク高さの中点におけるピーク幅にピーク高さを乗じる．(注14)

（ii）　自動積分法：検出器からの信号をデータ処理装置を用いてピーク面積として測定する．(注15)

6. システム適合性

　システム適合性は，クロマトグラフィーを用いた試験法には不可欠の項目であり，医薬品の試験に使用するシステムが，当該の試験を行うのに適切な性能で稼働していることを一連の品質試験ごとに確かめることを目的としている．システム適合性の試験方法と適合要件は，医薬品の品質規格に設定した試験法の中に規定されている必要がある．規定された適合要件を満たさない場合には，そのシステムを用いて行った品質試験の結果を採用してはならない．

　システム適合性は，基本的に「システムの性能」及び「システムの再現性」で評価されるが，純度試験においてはこれらに加えて「検出の確認」が求められる場合がある．適切な場合には，クロマトグラフィー総論〈2.00〉に規定のシステム適合性の項目により評価することもできる．ただし，本法とクロマトグラフィー総論〈2.00〉を組み合わせることはできない．

6.1. 検出の確認

　純度試験において，対象とする不純物等のピークがその規格限度値レベルの濃度で確実に検出されることを確認することによって，使用するシステムが試験の目的を達成するために必要な性能を備えていることを検証する．

　定量的試験では，通例，「検出の確認」の項を設け，規格限度値レベルの溶液を注入したときのレスポンスの幅を規定して，限度値付近でレスポンスが直線性を持つことを示す．なお，限度試験のように，規格限度値と同じ濃度の標準溶液を用いて，それとの比較で試験を行う場合や，限度値レベルでの検出が「システムの再現性」などで確認できる場合には「検出の確認」の項は設けなくてもよい．

6.2. システムの性能

　被検成分に対する特異性が担保されていることを確認することによって，使用するシステムが試験の目的を達成するために必要な性能を備えていることを検証する．

　定量法では，原則として，被検成分と分離確認用物質（基本的には，隣接するピークが望ましい）との分離度，及び必要な場合には，溶出順で規定する．純度試験では，原則として，被検成分と分離確認用物質（基本的には，隣接するピークが望まし

い）との分離度及び溶出順で規定する．また，必要な場合には，シンメトリー係数を併せて規定する．ただし，適当な分離確認用物質がない場合には，被検成分の理論段数やシンメトリー係数で規定しても差し支えない．

6.3. システムの再現性

標準溶液あるいはシステム適合性試験用溶液を繰返し注入したときの被検成分のレスポンスのばらつきの程度（精度）が試験の目的にかなうレベルにあることを確認することによって，使用するシステムが試験の目的を達成するために必要な性能を備えていることを検証する．

システムの再現性の許容限度値は，通例，繰返し注入における被検成分のレスポンスの相対標準偏差（RSD）として規定する．試料溶液の注入を始める前に標準溶液の注入を繰り返す形だけでなく，標準溶液の注入を試料溶液の注入の前後に分けて行う形や試料溶液の注入の間に組み込んだ形でシステムの再現性を確認してもよい．

繰返し注入の回数は6回を原則とするが，グラジエント法を用いる場合や試料中に溶出が遅い成分が混在する場合など，1回の分析に時間がかかる場合には，6回注入時とほぼ同等のシステムの再現性が担保されるように，達成すべきばらつきの許容限度値を厳しく規定することにより，繰返し注入の回数を減らしてもよい．

システムの再現性の許容限度値は，当該試験法の適用を検討した際のデータと試験に必要とされる精度を考慮して，適切なレベルに設定する．

7. 試験条件の変更に関する留意事項

医薬品各条の試験条件のうち，カラムの内径及び長さ，充塡剤の粒径（モノリス型カラムの場合は孔径），カラム温度，移動相の組成比，移動相の緩衝液組成，移動相のpH，移動相のイオン対形成剤濃度，移動相の塩濃度，切替え回数，切替え時間，グラジエントプログラム及びその流量，誘導体化試薬の組成及び流量，移動相の流量並びに反応時間及び化学反応槽温度は，適切に分析性能の検証を行った上で一部変更することができる．ただし，生薬等については，システム適合性の規定に適合することをもって分析性能の検証に代えることができる．

8. 用語

クロマトグラフィー総論〈2.00〉の定義に従う．

9. 注意（注16）

標準被検試料，内標準物質，試験に用いる試薬及び試液は測定の妨げとなる物質を含まないものを用いる．

注

注1　液体クロマトグラフィー Liquid Chromatography は，一般には移動相が液体であるクロマトグラフィーの全てをいうので，従来のカラムクロマトグラフィー，薄層クロマトグラフィー，ろ紙クロマトグラフィーを含むが，この試験法でいう液体クロマトグラフィーは高速液体クロマトグラフィー High Performance Liquid

Chromatography (HPLC) を指している.
　本法は,すぐれた分離効率と再現性を持つ分離分析法であって,なんらかの溶媒に溶解するものであれば,常温付近で迅速かつ鋭敏な定性・定量分析ができる.
　注2　一般的な液体クロマトグラフの概略を図1に示す.この図に示されているもののほか,移動相組成制御装置(グラジエント装置),カラム恒温槽,デガッサーなど必要に応じて用いる.

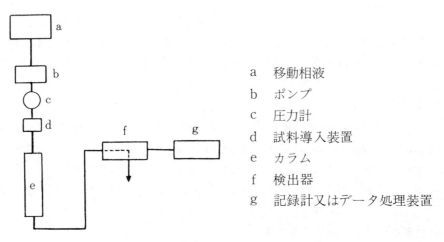

a　移動相液
b　ポンプ
c　圧力計
d　試料導入装置
e　カラム
f　検出器
g　記録計又はデータ処理装置

図1　液体クロマトグラフの概略

　注3　移動相送液用ポンプは高圧下,精度の良い安定な流量が得られるものであることが必要であり,脈流が少なく,接液部の材質が移動相により侵されないことや移動相の交換が容易であることなどの条件も満たすことが望ましい.圧力計は移動相送液中のカラムの入口圧を示すものであり,移動相の送液が安定に行われているのを確認する.
　注4　試料導入装置(インジェクター)は,本法において絶対検量線法が,その簡便性から多用されることを考慮して,一定量の試料溶液を再現性よく導入できる装置を用いるとされた.試料溶液の導入量は通常1〜100 μLであるが,オンカラム濃縮などのため,更に多量の試料を導入する装置もある.試料溶液はマイクロシリンジやサンプルループで計量し,導入する.試料導入装置に求められる性能としては,正確さ,良好な再現性,カラム圧以上の耐圧性を持ち,試料溶液の拡散を防止でき,更に装置に残った試料による後続の試料の汚染が少ないことがあげられる.これらの条件を満たす代表的なものは,バルブループ方式である.これらは種々の一定容積を有するサンプルループを交換することによって導入量を変えられ,ポンプの送液を停止することなく試料溶液を導入できる.バルブループ方式は,通常六方バルブの切りかえによって,流路変更を行うもので,あらかじめ試料を計量管(サンプルループ)に注

入しておき，バルブの切りかえによって計量管内の試料をカラムに導入する．また計量管体積の一部にマイクロシリンジで計量した試料を注入することによって，計量管の体積までの任意の量の試料が導入できる．六方バルブループ方式のインジェクターを図2に示す．

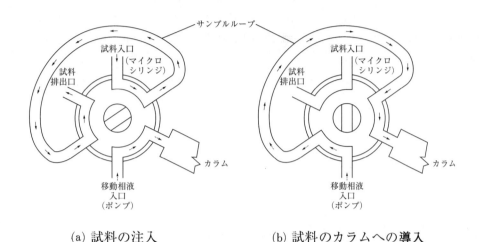

(a) 試料の注入　　　　　　　　(b) 試料のカラムへの導入

図2　試料導入装置（六方バルブループ方式）の概略

[注5]　分析用カラムは，内径によって汎用カラム（内径3～12 mm），セミミクロカラム（内径1～3 mm），ミクロカラム（内径1 mm以下）に分けられる．前二者は長さ0.3～100 cmの不活性で内面平滑な金属製のカラム管に，分離用充塡剤を詰めたものであり，ミクロカラムは長さ5～50 cmの不活性な金属又は合成樹脂製の管に分離用充塡剤を詰めたもの，又は管壁に固定相となるものを保持させたものである．

全多孔性型あるいは，表面多孔性型の担体粒子の表面を種々の官能基で修飾した充塡剤が広く用いられている．主な担体粒子として多孔性シリカゲルあるいは有機系ポーラスポリマーがある．多孔性シリカゲルはそのまま充塡剤となるが，一方その表面のシラノール基にアルキルクロロシランを反応させて，Si–O–Si–アルキル結合とした多孔性化学結合型シリカゲルは熱にも加水分解にも安定であり，分配クロマトグラフィーの充塡剤として最も広く用いられている．例えばオクタデシルトリクロロシランを反応させて製造されたオクタデシルシリル（ODS）化シリカゲルなどがこれに属する．

ポーラスポリマー（多孔質合成高分子の総称）としてはポリスチレンが最も一般的であるが，アクリル酸メチル，アクリル酸エチル，メタアクリル酸メチル，酢酸ビニルなどの重合体及び2種類以上のモノマーの共重合体もある．またポーラスポリマーにカルボキシ基，アルコール性水酸基などを導入した充塡剤もある．

B- 40   一般試験法　改正事項

近年，従来の粒子充塡剤に加え，モノリス型カラムが用いられている．網目状の骨格からなる一体型の多孔質シリカが PEEK 樹脂等で被覆されている．分離に影響するモノリス型シリカの"孔径"が，粒子充塡剤の"粒子径"に相当する．

充塡剤には種類が多く，かつ市販品にはいろいろな名称が付いている [1,2]．

溶離液として使うことができる液体は，(1)充塡剤に対して不活性，(2)試料を変質することなく溶解する，(3)検出器の作動に適している，(4)試料の分離に適しているものでなければならない．溶離液中の塵埃は，孔径 0.45 μm のメンブランフィルターを通して除く．

非水性の溶離液を調製する場合には，JIS K 0124-1994「高速液体クロマトグラフ分析通則」のクロマトグラフィーに関係する溶媒特性表が参考になる．

カラム管の材質に要求される性質は，耐圧性，耐腐食性及び内壁の滑らかさである．現在，一般に使用されている材質は，ステンレス鋼，ガラス，テフロンである．ステンレス鋼は耐圧性及び耐食性にすぐれているが，酸性で腐食性の強い溶媒には使用できない．ガラス及びテフロンはカラムの内径が小さい場合は耐圧性が高く，耐食性や内壁の滑らかさでは，ステンレス鋼よりもすぐれている．カラム管の内径は一般にイオン交換クロマトグラフィー，分配・吸着クロマトグラフィーでは小さく，排除クロマトグラフィーでは大きい．

カラム恒温槽は，任意の一定温度（常温〜150℃程度）に保つための加熱部及び温度測定機構で構成されている．温度制御機構の精度は，50℃付近において ±0.5℃でなければならない．

注6　検出には，分析目的に応じた検出器を用いる．代表的な HPLC 用検出器を表1に示す．このうちよく用いられているのは，紫外吸光光度計である．紫外部に吸収のないものには示差屈折計を用いる．質量分析計も用いられるようになってきた．フレームイオン化検出器は，カラム分離した有機化合物をメタンに誘導して水素炎イオン化検出器で検出する．なおこのほか，金属元素の定性定量用の発光分光分析装置も検出器として用いられている．

注7　記録計として，ストリップチャート式ペン書き自動平衡記録計を用いる場合には次の性能が必要である．スパン電圧：1 mV 又は 10 mV；応答速度：フルスケールの 0〜95％を走行する時間が 1 秒以下；記録紙送り速度：5 mm/min を含む多段変速；不感帯：フルスケールの 0.2％以内．ただし，データ処理装置でクロマトグラムを描画すると共に，保持時間，ピーク面積値又は定量値などを同時表示するものには上記の記録計は不要である．

注8　付属装置　高速液体クロマトグラフには機種によって次の付属装置を備えるものがある．

液体クロマトグラフィー　　B- 41

表1　検出器の試料感度，セル容量例

	試　料　感　度	セル容量（μL）
紫外可視吸光光度計	5×10^{-10} g mL^{-1}	$3 \sim 10$
蛍光光度計	1×10^{-11} g mL^{-1}	$3 \sim 10$
示差屈折計	5×10^{-7} g mL^{-1}	2
化学発光検出器	1×10^{-11} g mL^{-1}	$3 \sim 10$
電気化学検出器	1×10^{-9} g mL^{-1}	10
電気伝導度検出器	1×10^{-8} g mL^{-1}	1.5
質量分析計	1×10^{-10} g mL^{-1}	—
熱吸収計	1×10^{-9} g s^{-1}	9
フレームイオン化検出器	1×10^{-8} g s^{-1}	—

　グラジエント装置，流量計測装置，恒温槽温度プログラム装置，流量プログラム装置，フラクションコレクタ，リサイクル分析用切換えバルブ，化学反応槽，データ処理装置．

　注9　カラムが平衡になっていることは標準試料を数回繰り返し分析し，一定の t_{R} が得られることで確認できる．

　注10　定性分析は，同一条件下で測定した未知試料と標準試料の保持値（保持時間，保持容量，相対保持時間）を比較して行う．この場合，一つのピークは，必ずしも一つの成分に対応するとはかぎらないので，固定相の変更，溶離液の種類を変えるなど分離条件を変えて測定するか，又は次の定性手法を併用して確かめる．例えば，検出器にフォトダイオードアレイを用いれば，特定波長で検出したピークの紫外可視吸収スペクトルが同時に検出できるので，保持時間の一致に加えて，化学構造に関する情報の一致によって特異性の高い定性分析が可能になる．

　本来クロマトグラフィーは分離分析であって，ピークの保持値は分析条件により変化する相対的なものであるから，これによって定性分析を行うことはできない．しかし，日常的な分析の実態からいえば，研究的なものとか，よほどの例外的なものを除き，分析試料の種類，由来などはある範囲内に限定されるものであり，データの蓄積があれば，保持値の比較によってかなり高い確度で定性を行うことができる．実際に，ほとんどの分析はこの方法によって行われている．しかし，この場合も上に述べたクロマトグラフィーの特性を意識し，このような定性は，ある確率のもとで行われているものであることを忘れてはならない．

　化学反応を用いることができるのは液体クロマトグラフィーの利点である．ガスクロマトグラフィーにおける試料の誘導体化はオフラインによる前処理が通常であるが，液体クロマトグラフィーでは自動反応装置を分析装置の中に組み込むことができる．この場合，試薬による反応を，試料がカラムに流入する前に行わせる方法と，カ

ラム溶出液について行わせる方法がある．前者をプレカラム誘導体化（pre-column derivatization）又はプレラベル法，後者をポストカラム誘導体化（post-column derivatization）又はポストラベル法という．ポストラベル法は，カラムと検出器の間に反応コイルが入るのでピークの拡散のおそれがあり，プレラベル法にはそれはない．しかし，プレラベル法では反応試薬によるカラムの汚染，溶離液の性状の変化など種々問題があることから，最近はポストラベル法によるシステムが多く用いられている．

化学反応による方法としては，アミノ酸分析におけるニンヒドリン化（比色）が早くから行われており，最近はアミン類や糖類の発蛍光反応が多用されている．キレート試薬による金属イオンの発色の応用も検討されている．

試料中の全成分のクロマトグラムが得られる場合は各成分の組成を％表示することができる．この方法を面積百分率法という．成分の検出感度が類似する場合は簡単にピーク面積の比から求めることができるが，正確には相対感度の補正を行う．

今，試料を構成する各成分の等量混合物を準備し，そのピーク面積 A_1, A_2, $\cdots A_n$ を求めると，次のようにある成分を基準としてグラム当たりの面積すなわち相対感度を知ることができる．

ピーク面積	A_1, A_2, $\cdots A_n$
相対感度（面積/g）	1, A_2/A_1, $\cdots A_n/A_1$
単位面積当たり成分量（g/面積）	1, A_1/A_2, $\cdots A_1/A_n$

相対感度の逆数で求めた単位面積当たり成分量もまた相対値である．

組成未知試料のクロマトグラムが $A_1{}'$, $A_2{}'$, $\cdots A_n{}'$ のピーク面積を示したとすれば，任意の成分の組成百分率は次のように計算できる．

$$成分 A_i の\% = \frac{A_i{}'\left(\dfrac{A_1}{A_i}\right)}{A_1{}' + A_2{}'\left(\dfrac{A_1}{A_2}\right) \cdots + A_n{}'\left(\dfrac{A_1}{A_n}\right)} \times 100$$

[注11] 内標準法では，被検成分の純物質（X）の既知量（M_X）に，内標準物質（S）の既知量（M_S）を加えた混合試料のクロマトグラムを記録し，ピーク面積を測定する．横軸に M_X と M_S の比（M_X/M_S）をとり，縦軸に X のピーク面積（A_X）と S のピーク面積（A_S）の比（A_X/A_S）をとって図3のような検量線を作成する．このとき，内標準物質には，そのピークが被検成分のピークの位置になるべく近く，試料中の他の成分ピークとも完全に分離する安定な物質を選ぶ．またカラムに導入する混合試料の量は，各クロマトグラムで内標準物質のピークが同じ程度の大きさになるようにする．

試料の既知量（m）に対して内標準物質の既知量（n）を，検量線の範囲内に入るように適当に加えて均一に混合し，内標準物質のピークが検量線作成の際とほぼ同じ大きさになるように導入量を加減し，同一条件のもとでクロマトグラムを記録する．

クロマトグラムから被検成分のピーク面積（A'_X）と内標準物質のピーク面積（A'_S）の比 $y = (A'_X/A'_S)$ を求め，次に検量線から，被検成分量（M'_X）と内標準物質量（M'_S）の比 $x = (M'_X/M'_S)$ を求めて，次の式により含有率 C（％）を算出する．

ピーク面積の代わりにピーク高さを用いてもよい．

$$C（％）= \frac{x \times n}{m} \times 100$$

適当な内標準物質が得られない場合には，被検成分追加法によって定量することができる．

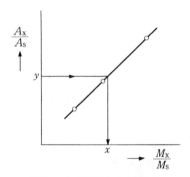

図3　内標準法の検量線

注12　絶対検量線法では，被検成分の純物質の既知量を段階的に導入し，クロマトグラムを記録して，ピーク面積（又はピーク高さ）を測定する．次に成分量を横軸に，ピーク面積（又はピーク高さ）を縦軸にとって図4のように検量線を作成する．

同一条件のもとで試料を導入し，クロマトグラムを記録し，ピーク面積（又はピーク高さ）から検量線によって被検成分の量を求め，試料中の含有率を算出する．この方法は，全測定操作を厳密に一定条件のもとで行わなければならない．

一般には数点をとって検量線を作成するが，あらかじめ，原点を通る直線性が確かめられていれば，既知量の導入を1点だけとし，単位ピーク面積（又はピーク高さ）当たりの成分量（補正係数）を算出し，定量値を求めてもよい．医薬品各条では，通例，直線性を確かめたうえで1濃度だけの標準液を用いた方法で定量を行っている．

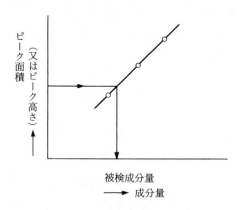

図4　絶対検量線法の検量線

注13　被検成分のピークは左右対称であることが望ましいが，ときには多少すそを引くピークしか得られない場合がある．これらのピークの高さは通例，図5に示した高さを測定する．幅の狭いピークでは面積の測定よりも，この方法で行うほうが，簡便で時間もかからない．ただし，面積を利用する場合よりも検量線の直線性を示す範囲が狭い傾向がある．

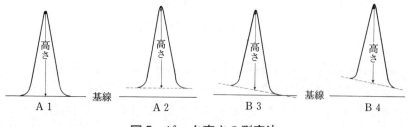

図5　ピーク高さの測定法

　　　A1．対称なピークで両すそが基線まで戻る．
　　　A2．対称ピークであるが，両すそが基線まで戻らない．
　　　B3．不対称ピークで一方のすそが基線まで戻る．
　　　B4．不対称ピークで両方のすそが基線まで戻らない．

注14　図6のように，ピーク高さ（h）の中央から記録紙の横軸に平行線を描き，ピークによって切られる線分を半値幅（$W_{1/2}$）とし，これにピーク高さ（h）を乗じたものをピーク面積（A）とする．ただしこの方法は，著しいテーリングなどが認められるピークには適用しない．

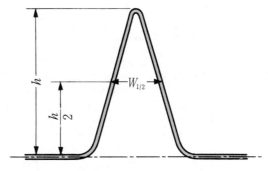

図6 半値幅法によるピーク面積の測定

注15 データ処理装置の電子カウンターによってピークの出始めから終わりまで刻々の信号強度を積算する．

注16 特に規定されている場合を除き，溶媒など液体クロマトグラフィー用として特別な品質のものを用いる必要は必ずしもないが，適切な品質の試薬を用いる．

[文 献]
1) 日本分析化学会関東支部編：高速液体クロマトグラフ分析（改訂版），産業図書（1985）
2) 日本分析化学会関東支部編：高速液体クロマトグラフィーハンドブック，丸善（1985）

――――― 解 説 ―――――

Chromatography [USP]，Liquid Chromatography [EP]

クロマトグラフィー全般に関する原理や用語の解説は，2.00 クロマトグラフィー総論を参照していただきたい．

1. 液体クロマトグラフィー／質量分析法（LC/MS）

図7に概略図を示した液体クロマトグラフィー／質量分析法（LC/MS）は，液体クロマトグラフィーで分離した試料を直接質量分析計に導入して質量分析を行うものであり，液体クロマトグラフィーの高い分離能と質量分析法のすぐれた構造解析能力を兼ね備えた分析手法である[1)~3)]．LC/MSでは，LCカラムから溶出される物質のマススペクトルを連続的に測定しており，得られたデータをコンピュータで処理することにより，任意の保持時間におけるマススペクトル，任意のイオンの時間的変化を記録したマスクロマトグラム及び1回ごとの測定で検出された総イオンの時間的変化を記録したトータルイオンクロマトグラム（Total Ion Chromatogram，TIC．手法はトータルイオンクロマトグラフィーと呼ぶ）など目的に応じた形で取り出すことができる（図8）．マススペクトルは，目的成分の構造解析や同定・確認に有用であり，マスクロマトグラムは目的成分の検索に，また，TICはデータの全体像の把握にそ

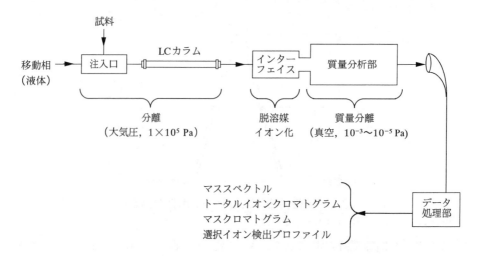

図7 液体クロマトグラフィー/質量分析法の概略図

れぞれ使うことができる．また，選択イオン検出法（Selected Ion Monitoring, SIM．得られるクロマトグラムを選択イオン検出プロファイル又は SIM プロファイルと呼ぶ）と呼ばれる測定手法がある．この方法は，目的化合物由来の複数個のイオンを測定前に選択し，そのイオンのみの強度を連続的に記録し，クロマトグラムを得る方法であり，一見するとマスクロマトグラムと同じである．しかしながら，SIM は数種類のイオンを検出するためだけに質量分析部が使われるため，マスクロマトグラフィーに比べて測定の繰り返し時間を短く設定できるため，図9に示すようにクロマトグラム上のサンプリングポイントが多くなり，通常の UV 検出 LC クロマトグラムに近いピークが得られるとともに，マスクロマトグラフィーの 10 〜 100 倍の検出感度を得ることができる．したがって，精度の高い高感度定性定量分析が可能になる．

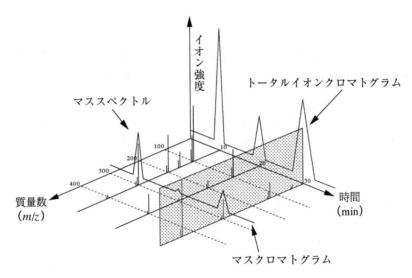

図8　LS/MS から得られる情報

LCクロマトグラム/UV　　マスクロマトグラム　　選択イオン検出プロファイル
　　　　　　　　　　　　　　　　　　　　　　選択反応検出プロファイル

・：サンプリングポイント

図9　マスクロマトグラフィーと選択イオン検出法のサンプリングポイントの比較

　質量分析部に分析管2本直列に配置した装置を用いる液体クロマトグラフィー／タンデムマススペクトロメトリー（Liquid Chromatography/Tandem Mass Spectrometry, LC/MS/MS ともいう）という測定法がある．タンデムマススペクトロメトリーには，ある特定のプリカーサーイオン（前駆イオン）から生成した全てのイオン（プロダクトイオン）を検出するプロダクトイオンスキャン，ある特定のプロダクトイオンを生成するプリカーサーイオンを検出するプリカーサーイオンスキャン及び特定の中性分子を解離するプリカーサーイオンを検出するコンスタントニュートラルロススキャンの三つの測定方法がある．このなかでプロダクトイオンスキャンの測定頻度が高いと思われるので，ここではこれについて述べる．この測定方法は，1番目の分析管をイオン種などの選択した特定のイオンのみを通過させ，通過したイオンを1番目と2番目の分析管の間に設置した衝突箱で，アルゴンなどの不活性ガスの分子に衝突させて開裂させた後に，2番目の分析管で質量分析してスペクトルを得

るものである．1番目の分析管で選択されるイオンをプリカーサーイオン，衝突箱で
生成するイオン及びそのスペクトルを，プロダクトイオン及びタンデムマススペクト
ル（MS/MSスペクトルともいう）と呼ぶ．この方法は，1番目の分析管で測定の妨
害となるようなイオンが除かれ，衝突箱で測定化合物に由来するプロダクトイオンの
みが生成されるため，バックグラウンドが少なく，構造情報を多く含んだ良質なスペ
クトルが得られる．また，2番目の分析管を，ちょうどLC/MSのSIMのように特定
のプロダクトイオンのみを通過させるように設定してクロマトグラムを得る測定法が
あり，これを選択反応検出法（Selected Reaction Monitoring, SRM．得られるクロマ
トグラムを選択反応検出プロファイル又はSRMプロファイルと呼ぶ）という．タン
デムマススペクトロメトリーが測定可能な質量分析計には，四重極型／四重極型，磁
場型／磁場型，磁場型／四重極型，磁場型／飛行時間型，イオントラップ型などがあ
る．

　LC/MS装置は，液体クロマトグラフ及び質量分析計のほかに，この両者を結合す
るLC/MSインターフェイスから構成される．LC分析では，カラム分離された試料
は，移動相と共に検出器に導入されるが，LC/MSの場合は試料を移動相と共に質量
分析計に直接導入すると，移動相が瞬時に揮発し，質量分析を行うのに必要な真空状
態（$10^{-3} \sim 10^{-5}$ Pa）を保つことができなくなる．したがって，LC/MSでは，試料と
共に導入された移動相を除去すると同時に，試料分子をイオン化し，気相中に取り出
して質量分析計へ送り込むことができるインターフェイスが必要となる．

　現在，このようなインターフェイスとして，フリット−高速原子衝撃イオン化
（Frit Fast Atom Bombardment Ionization, Frit-FAB）．サーモスプレーイオン化
（Thermospray Ionization, TSP），パーティクルビームイオン化（Particle Beam
Ionization, PB），エレクトロスプレーイオン化（Electrospray Ionization, ESI），イ
オンスプレーイオン化（Ionspray Ionization, ISP），大気圧化学イオン化法
（Atmospheric Pressure Chemical Ionization, APCI）などの方式がある．これらは，
それぞれ異なったイオン化法を採用しているため，同じ試料を分析してもインターフ
ェイスによって検出感度やイオン強度比に違いが生じる場合がある．したがって，分
析の目的や試料の物理化学的性質を考慮して装置を選択する必要がある．上述のイン
ターフェイスのなかで，ESI（ISPを含む）及びAPCIが，現在のところ，感度，安
定性ともにすぐれていると評価されている．これら二つの方式は，大気圧下でイオン
化が行われるので，大気圧イオン化（Atmospheric Pressure Ionization, API）と呼ば
れている．

　Fennらが実用化したESIの原理は，次のように考えられている[4,5]．キャピラリー
の先端から溶媒の蒸発を促進するための窒素ガスと共に試料溶液を大気圧下のESI
イオン源中に噴霧する．キャピラリーの先端は3〜5kVの高電圧が印加されている
ので，正又は負に帯電した微細な液滴が生じる．液滴は空中を飛行するうちに溶媒の
蒸発により小さくなり，同符号どうしのイオン反発力が働き，その力が表面張力より

大きくなり，臨界点に達してクーロン反発により複数個の液滴に分裂する．この分裂が繰り返され，イオン化された試料分子1個を含む粒子が生成される．この生成したイオン粒子は細孔を通じて質量分析部に導かれる（図10）．

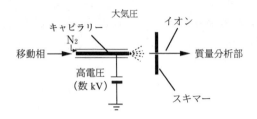

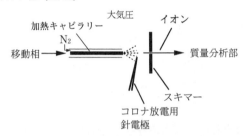

図10　エレクトロスプレーイオン化及び大気圧化学イオン化の基本原理図

ESIは他のイオン化法に比べて，フラグメントイオンの生成は少ないが，高極性，不揮発性，高分子量の化合物をイオン化することができ，しかも，$[M + H]^{n+}$や$[M - H]^{m-}$のような多価イオンを生成するために分子量10万以上の化合物のマススペクトルの測定も可能である．その利点をいかしたアミノ酸，ヌクレオシド，ヌクレオチド，抗生物質，核酸，糖，オリゴペプチド，タンパク質，イオン性化合物など高極性化合物の高分子化合物への応用例が多い．

Horningらによって開発されたAPCIは，大気圧下でコロナ放電によってイオン化する化学イオン化（Chemical Ionization, CI）の1種である（図10）[6,7]．300〜400℃に加熱されたキャピラリーの先端から試料溶液を窒素ガスと共に大気圧下のAPCIイオン源中に噴霧すると，コロナ放電により溶媒がイオン化され，生成した溶媒イオンは試料分子とイオン分子反応を起こし，試料分子をイオン化する．イオンは細孔を通じて質量分析部に導かれる．

APCIは，試料溶液の加熱噴霧を行うので，熱に弱い化合物の分析には不向きで，更に，ESIのような多価イオンの生成も期待できない．しかし，ESIではイオン化できないような分子量1000以下のアミノ酸，ステロイド，アルカロイド，ヌクレオシド，抗生物質，糖，ビタミン，ペプチド，農薬などの低極性，中極性化合物の分析に

適し,ESIよりもフラグメントイオンが多い.

　質量分析部は,磁場型,四重極型,イオントラップ型,飛行時間型などがあり,それぞれ特徴があるので,目的によって使い分けられている.磁場型は,イオンの精密質量を測定することができるので,イオンの元素組成を決定することができるが,装置が大型で,高価である.飛行時間型は,理論的には質量の測定範囲に制限はなく,分子量の大きな化合物の測定に向いているが,分解能はやや低い.一方,四重極型及びイオントラップ型は磁場型のように精密質量を測定することはできないが,扱いやすく比較的安価であるために,現在のところLC/MS装置に最も多く用いられている.

　四重極型質量分析計は,平行な4本の電極に直流と高周波を重ね合わせた電圧±$(U + V\cos\omega t)$(Uは直流電圧,Vは高周波交流電圧)をかけて電場をつくり,イオンをm/zに従って分離する(図11).イオン源より四重極に導かれたイオンは,高周波電場中を振動しながら進み,特定のm/zに対応したイオンのみが安定な振動をして検出器に到達し,検出される.ほかのイオンは振動が大きくなり電極に衝突し,検出器まで到達しない.四重極型質量分析計で測定されるイオンの質量は,次式のように電極に与える交流電圧(V)と高周波(f)により決まる.

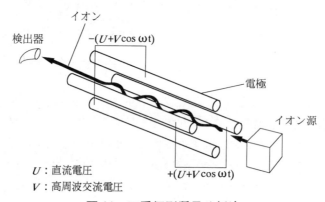

図11　四重極型質量分析法

$$m/z = k \frac{V}{r^2 f^2}$$

　　　　　V:交流電圧,f:高周波,r:電極間距離
したがって,これらを徐々に変化させることにより,質量分離が可能となる.

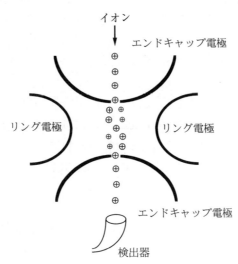

図12 イオントラップ型質量分析法

　イオントラップ型は，ドーナツ状のリング電極とこれをふさぐような形の1対のエンドキャップ電極からなり（図12），これらに交流電圧をかけることにより，電極の間にイオンは振動しながら閉じ込められる．その後，電圧を変化させることにより，イオンを放出し，質量分離する．上述の四重極型では，特定のm/zに対応したイオンのみが安定な振動をして検出器に到達し検出されるが，ほかのイオンは振動が大きくなり電極に衝突し，検出器まで到達しない．しかし，イオントラップ型は安定な振動を示すイオンは全て電極間に封じ込められ，不安定な振動を示すイオンのみが電極から放出され，検出器に到達する．したがって，電極にかけられた電圧を徐々に変化することにより，質量分離が可能となる．イオントラップ型は特定のイオンを電極間に封じ込め，衝突解離を繰り返し起こすことができるので，装置を2台結合することなく，すなわち，1台のイオントラップ型質量分析計でタンデムマススペクトロメトリーが実施可能である．

　イオン検出部には，二次電子増倍管，アレー検出器，光電子増倍管，高感度変換ダイノード検出器などが用いられている．

　一般的にLC/MSでは，不揮発性の酸，塩基，塩を含んだ移動相を使用することはできない．そこで，メタノール-水あるいはアセトニトリル-水の混液に，ギ酸（0.5％以下），酢酸（2％以下），トリフルオロ酢酸（TFA, 0.2％以下），酢酸アンモニウム及びギ酸アンモニウム（0.03 M以下）を添加したものが使用される．また，試験溶液中に不揮発性の酸，塩基，塩が含まれている場合には，それらがイオン源のなかに蓄積したり，あるいはキャピラリーの目詰まりを引き起こしたりして，測定不能となるおそれがあるので，それらを除去したほうがよい．

B- 52　　一般試験法　改正事項

1)　丹羽利充編：最新のマススペクトロメトリー，化学同人（1995）
2)　原田健一ら編：LC/MS の実際，天然物の分離と構造決定，講談社サイエンティフィク（1996）
3)　上野民夫ら編：バイオロジカルマススペクトロメトリー，東京化学同人（1997）
4)　Yamashita, M., *et al.*：*J. Phys. Chem.* **88**, 4451（1984）
5)　Yamashita, M., *et al.*：*J. Phys. Chem.* **88**, 4671（1984）
6)　Horning, E. C., *et al.*：*Anal. Chem.* **45**, 936（1973）
7)　Carroll, D. I., *et al.*：*Anal. Chem.* **47**, 2369（1975）

一般試験法の部　2.02　ガスクロマトグラフィーの条を次のように改める.

2.02　ガスクロマトグラフィー

　ガスクロマトグラフィーは，適当な固定相を用いて作られたカラムに，試料混合物を注入し，移動相として気体（キャリヤーガス）を用い，固定相に対する保持力の差を利用してそれぞれの成分に分離し，分析する方法であり，気体試料又は気化できる試料に適用でき，物質の確認，純度の試験又は定量などに用いる. （注1）

1.　装置

　通例，キャリヤーガス導入部及び流量制御装置，試料導入装置，カラム，カラム恒温槽，検出器及び記録装置からなり，必要ならば燃焼ガス，助燃ガス及び付加ガスなどの導入装置並びに流量制御装置，ヘッドスペース用試料導入装置などを用いる. （注2）キャリヤーガス導入部及び流量制御装置は，キャリヤーガス（注3）を一定流量でカラムに送るもので，通例，調圧弁，流量調節弁及び圧力計などで構成される. 試料導入装置は，一定量の試料を正確に再現性よくキャリヤーガス流路中に導入するための装置で，充塡カラム用とキャピラリーカラム用がある. なお，キャピラリーカラム用試料導入装置には，分割導入方式と非分割導入方式の装置がある. 通例，カラムは（注4），充塡カラム及びキャピラリーカラムの2種類に分けられる. 充塡カラムは（注5），一定の大きさにそろえたガスクロマトグラフィー用充塡剤を不活性な金属，ガラス又は合成樹脂などの管に均一に充塡したものである（注6）. なお，充塡カラムのうち，内径が1 mm 以下のものは，充塡キャピラリーカラム（マイクロパックドカラム）ともいう. キャピラリーカラムは，不活性な金属，ガラス，石英又は合成樹脂などの管の内面にガスクロマトグラフィー用の固定相を保持させた中空構造のものである. カラム恒温槽は，必要な長さのカラムを収容できる容積があり，カラム温度を一定の温度に保つための温度制御機構を持つものである. 検出器は，カラムで分離された成分を検出するもので，アルカリ熱イオン化検出器，炎光光度検出器，質量分析

計，水素炎イオン化検出器，電子捕獲検出器，熱伝導度検出器などがある．記録装置は検出器により得られる信号の強さを記録するものである．

2. 操作法

別に規定するもののほか，次の方法による．装置をあらかじめ調整した後（注7），医薬品各条に規定する試験条件の検出器，カラム及びキャリヤーガスを用い，キャリヤーガスを一定流量で流し，カラムを規定の温度で平衡にした後，医薬品各条に規定する量の試料溶液又は標準溶液を試料導入装置を用いて系内に注入する．分離された成分を検出器により検出し，記録装置を用いてクロマトグラムとして記録させる．（注8）

3. 確認及び純度の試験

本法を確認試験に用いる場合，試料の被検成分と標準被検成分の保持時間が一致すること又は試料に標準被検試料を添加しても，試料の被検成分のピークの形状が崩れないことを確認する．（注9）

本法を純度試験に用いる場合，通例，試料中の混在物の限度に対応する濃度の標準溶液を用いる方法，又は面積百分率法により試験を行う．別に規定するもののほか，試料の異性体比は面積百分率法により求める．

面積百分率法は，クロマトグラム上に得られた各成分のピーク面積の総和を 100 とし，それに対するそれぞれの成分のピーク面積の比から組成比を求める．ただし，正確な組成比を得るためには，混在物の主成分に対する感度係数によるピーク面積の補正を行う．

4. 定量（注10）

通例，内標準法によるが，適当な内標準物質が得られない場合は絶対検量線法による．定量結果に対して被検成分以外の成分の影響が無視できない場合は標準添加法による．

4.1. 内標準法

内標準法においては，一般に，被検成分になるべく近い保持時間を持ち，いずれのピークとも完全に分離する安定な物質を内標準物質として選ぶ．医薬品各条に規定する内標準物質の一定量に対して標準被検試料を段階的に加えて数種の標準溶液を調製する．この一定量ずつを注入して得られたクロマトグラムから，内標準物質のピーク面積又はピーク高さに対する標準被検成分のピーク面積又はピーク高さの比を求める．この比を縦軸に，標準被検成分量，又は内標準物質量に対する標準被検成分量の比を横軸にとり，検量線を作成する．この検量線は，通例，原点を通る直線となる．次に医薬品各条に規定する方法で同量の内標準物質を加えた試料溶液を調製し，検量線を作成したときと同一条件でクロマトグラムを記録させ，その内標準物質のピーク面積又はピーク高さに対する被検成分のピーク面積又はピーク高さの比を求め，検量線を用いて被検成分量を求める．

医薬品各条では，通例，上記の検量線が直線となる濃度範囲に入る一つの標準溶液

B- 54　一般試験法　改正事項

及びこれに近い濃度の試料溶液を調製し，医薬品各条で規定するそれぞれの量につき，同一条件でガスクロマトグラフィーを行い被検成分量を求める．

4.2. 絶対検量線法

標準被検試料を段階的にとり，標準溶液を調製し，この一定量ずつを正確に再現性よく注入する．得られたクロマトグラムから縦軸に標準被検成分のピーク面積又はピーク高さ，横軸に標準被検成分量をとり，検量線を作成する．この検量線は，通例，原点を通る直線となる．次に医薬品各条に規定する方法で試料溶液を調製する．次に検量線を作成したときと同一条件でクロマトグラムを記録させ，被検成分のピーク面積又はピーク高さを測定し，検量線を用いて被検成分量を求める．

医薬品各条では，通例，上記の検量線が直線となる濃度範囲に入る一つの標準溶液及びこれに近い濃度の試料溶液を調製し，医薬品各条で規定するそれぞれの量につき，同一条件でガスクロマトグラフィーを行い被検成分量を求める．この方法は全測定操作を厳密に一定の条件に保って行う．(注11)

4.3. 標準添加法

試料の溶液から 4 個以上の一定量の液を正確にとる．このうちの 1 個を除き，採取した液に被検成分の標準溶液を被検成分の濃度が段階的に異なるように正確に加える．これらの液及び先に除いた 1 個の液をそれぞれ正確に一定量に希釈し，それぞれ試料溶液とする．この液の一定量ずつを正確に再現性よく注入して得られたクロマトグラムから，それぞれのピーク面積又はピーク高さを求める．それぞれの試料溶液に加えられた被検成分の濃度を算出し，横軸に標準溶液の添加による被検成分の増加量，縦軸にピーク面積又はピーク高さをとり，グラフにそれぞれの値をプロットし，関係線を作成する．関係線の横軸との交点と原点との距離から被検成分量を求める．なお，本法は，絶対検量線法で被検成分の検量線を作成するとき，検量線が，原点を通る直線であるときに適用できる．また，全測定操作を厳密に一定の条件に保って行う．(注12)

5. ピーク測定法

通例，次の方法を用いる．

5.1. ピーク高さ測定法

（ⅰ）ピーク高さ法：ピークの頂点から記録紙の横軸へ下ろした垂線とピークの両裾を結ぶ接線（基線）との交点から頂点までの長さを測定する．

（ⅱ）自動ピーク高さ法：検出器からの信号をデータ処理装置を用いてピーク高さとして測定する．

5.2. ピーク面積測定法

（ⅰ）半値幅法：ピーク高さの中点におけるピーク幅にピーク高さを乗じる．

（ⅱ）自動積分法：検出器からの信号をデータ処理装置を用いてピーク面積として測定する．

6. システム適合性

液体クロマトグラフィー〈2.01〉のシステム適合性の規定を準用する．

7. 試験条件の変更に関する留意事項

医薬品各条の試験条件のうち，カラムの内径及び長さ，充塡剤の粒径，固定相の濃度又は厚さ，カラム温度，昇温速度，キャリヤーガスの種類及び流量，スプリット比は，適切に分析性能の検証を行った上で一部変更することができる．ただし，生薬等については，システム適合性の規定に適合することをもって分析性能の検証に代えることができる．また，ヘッドスペース用試料導入装置及びその操作条件は，規定の方法以上の真度及び精度が得られる範囲内で変更できる．

8. 用語

クロマトグラフィー総論〈2.00〉の定義に従う．

9. 注意

標準被検試料，内標準物質，試験に用いる試薬及び試液は測定の妨げとなる物質を含まないものを用いる．

注

[注1] ガスクロマトグラフィー (gas chromatography, GC) はすぐれた分離能を有するため，液体クロマトグラフィー (liquid chromatography, LC) と共に物質の分離分析に広く用いられている．GC装置はLC装置より約20年前に完成され，その操作の簡便迅速性，高分離能，高感度と高い再現性のため，物質の確認，純度の試験又は定量に広く利用されている．なお理論そのほかについては，液体クロマトグラフィー〈2.01〉(LC) の解説にGCを含めたクロマトグラフィー全般が詳しく説明してあるのでそれを参照されたい．

[注2] ガスクロマトグラフの構成は，複雑化，多機能化しているが，基本的構成は図1に示すとおりである．

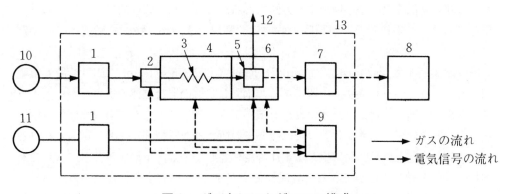

図1 ガスクロマトグラフの構成

B-56 一般試験法 改正事項

1	ガス流量制御部	2	試料導入装置	3	カラム
4	恒 温 槽	5	検 出 器	6	検出器槽
7	応答制御部	8	記 録 部	9	温度制御部
10	キャリヤーガス源	11	燃料その他のガス源	12	ガ ス 出 口
13	ガスクロマトグラフ本体

(1) キャリヤーガス流量制御部は，キャリヤーガスの量を調節し，かつ安定に保つための部分で，調圧弁，流量調節弁，圧力計などからなる.

(2) 試料導入部 溶液試料は一般に GC 用マイクロシリンジを用いて試料導入部から注入される. 気体試料は専用のガス導入装置を用いるか，ガスタイトシリンジを用いる. また固体試料には固体試料導入装置が考案されている.

試料の注入量は検出器の感度と特性，固定相液体の濃度及び試料の性状又は溶液の濃度によって異なるが，一般にガス体では 0.5 〜数 mL，溶液では 0.1 〜数 10 μL である.

試料導入部の温度は，導入された溶液試料が瞬間的に気化されるように，一般には恒温槽の温度より 20 〜 30℃高い一定温度に設定される. しかし，成分によっては温度が高いと分解が起こり再現性が悪くなることがあるので，この点に注意しながら最適温度条件を選ぶようにする.

(3) 恒温槽 通例，電熱加熱空気浴式で，設定した一定温度になるように電気的に制御されており，約 400℃まで加熱できる. しかし，250℃以上では液相及びカラムパッキングの耐熱性に注意する. 気化温度が広範囲にわたる成分の分離分析には一定速度で温度を上昇させるプログラム方式（昇温装置）が用いられる.

(4) 検出器 数種の検出器が市販されており，それぞれ特徴がある.

a) 熱伝導度検出器（thermal conductivity detector, TCD）：キャリヤーガス（水素又はヘリウム）のみが通る標準側セルとキャリヤーガス及び試料ガスが通る試料セルとの間の熱伝導度の差を検出する方法である. この方法は原理的に熱伝導度の差の記録であるので有機物及び無機物一般に広く利用できるが，特に高感度とはいえない.

b) 水素炎イオン化検出器（hydrogen flame ionization detector, FID）：最も広範囲に使用されている高感度検出器である. 水素と空気の混合気体の炎のなかに，キャリヤーガス（通例，窒素）で運ばれた有機物が入ると，炎のなかで有機物は熱分解する. このとき炭素はイオン化し，炎に接して設置された電極間にイオン電流が流れるので，この変化を負荷回路に生じる電圧の変化として増幅，記録することによって有機物の濃度を知ることができる. 有機物でも C-H 結合を有する化合物のみが信号を生じる. したがってカルボニル基の炭素や無機ガスには感度がない. 検出感度は熱伝導度検出器の約 1000 〜 10000 倍程度（CH_4 として約 10 ng 以上）である.

c) 電子捕獲イオン化検出器（electron capture detector, ECD）：有機ハロゲン化

合物などの超微量分析（ng以下）に用いられるが，放射性同位元素の取扱い者の免許を必要とする．しかし，放射線源を用いない検出器も開発されている．

検出器内の^{3}H（トリチウム）又は^{63}Ni（ニッケル63）からでたβ線は不活性のキャリヤーガス（例えば，高純度窒素）と衝突して熱電子を生じる．この熱電子を親電子性の大きい分子が捕獲し，負の分子イオンを形成する．この分子イオンの質量は，イオン化したキャリヤーガス分子よりも大きいので，その移動速度はより小さい．したがって電極に到達するのが遅れ，イオン電流が減少する．このイオン電流の減少は親電子性分子の濃度が低いときには濃度に比例する．したがって，FIDのような広範囲な比例性はない．この検出器の応答特性は特異的で，電子親和性の原子を含む化合物でも化合物の種類又は構造の違いによって大きい差がある場合がある．

d）　炎光光度検出器（flame photometric detector, FPD）：硫黄及びリン化合物に対する高感度な選択的検出器である．過剰水素と空気のフレーム中で生じる硫黄やリンのラジカルの発光強度を測定するものである．

e）　アルカリ熱イオン化検出器（flame thermionic detector, FTID）：陰極側に非揮発性のケイ酸ルビジウムを含んだガラスビーズを置き，赤熱し，水素・空気炎で送られた含窒素，含リン化合物に対して選択的に応答するものである．超高感度で検出下限はカフェイン約1×10^{-13} g N/s，マラチオン約1×10^{-14} g P/sで広範囲の直線的な応答が得られる．

f）　その他：発光分光検出器，電導度検出器，イオン電極検出器，放射線検出器，光イオン化検出器などが報告されている．

g）　ガスクロマトグラフ・質量分析計（GC-MS）：GCにMSを連結したもので，微量成分の分子量（物質の同定）及び質量の測定ができる．

（5）　検出器槽は検出器を収容し，検出器とカラムからの配管をカラム温度又はそれ以上の温度に保つための加熱機構を持つものである．

燃焼方式の検出器を収容する場合は，燃料ガスを槽内に滞留させないような構造にする．また放射性同位元素を内蔵する検出器を収容するものには，過熱防止機構を設置する．

装置によっては，恒温槽と検出器槽とが同一であるものもある．

（6）　温度制御部は，試料気化室，恒温槽及び検出器槽の温度をそれぞれ独立に又は一部を共通に，適切な温度に設定，保持するためのものである．また，必要に応じてそれらの温度を表示できる機構のものである．

（7）　応答制御部は，検出器で得られた信号応答を，記録計に適当な大きさとして伝送する部分で，ガスクロマトグラフの調整，運転上必要な機能を制御できるものとする．

（8）　記録計については，液体クロマトグラフィー〈2.01〉 注7 参照．

（9）　付属装置　ガスクロマトグラフには，以上のほか必要に応じ，次の付属装置を備える．

B-58　一般試験法　改正事項

昇温分析用温度制御装置，データ処理装置，自動試料導入装置，キャリヤーガス流路切換装置など．

注3　キャリヤーガス，燃料ガス及び助燃ガスには表1に示すようなものを用いる．

表1　キャリヤーガスなど一覧

検出器の種類	キャリヤーガス	燃料ガス	助燃ガス	ガスの純度
熱伝導度検出器	水素，ヘリウム，窒素，アルゴンなど	――	――	>99.9%
水素炎イオン化検出器	窒素，ヘリウムなど	水素	酸素，空気	>99.9%
電子捕獲検出器	窒素，ヘリウムなど	――	――	>99.99%
炎光光度検出器	窒素など	水素	酸素，空気	>99.9%
アルカリ熱イオン化検出器	窒素，ヘリウムなど	水素	酸素，空気	>99.9%

注4　カラムには，充塡カラム，中空毛管カラム（open capillary column），充塡毛管カラム（packed capillary column）の3種類がある．

充塡カラムは内径2～6 mm，長さ0.5～20 mの不活性な金属又はガラス若しくは合成樹脂のカラムに分離用充塡剤を詰めたものである．

中空毛管カラムは内径0.1～0.5 mm，長さ10～200 mの不活性な金属又はガラス若しくは石英のカラムの内面に固定相液体を保持したものである．

充塡毛管カラムは内径0.5～1.0 mm，長さ0.5～5 mの不活性な金属又はガラス若しくは石英のカラムに分離用充塡剤を詰めたものである．

近年では，分離能に優れる中空毛管カラム（単にキャピラリーカラムと呼ばれることが多い）が汎用されている．なおカラムにはこのほかに分取用の大型のカラムがある．

注5　充塡剤には，吸着型と分配型の2種類があり，使用するカラムの内径によって，表2に示す粒度のものを用いる．

ガスクロマトグラフィー　　B-59

表2　充填剤の粒径

カラムの内径 mm	充填剤の粒径範囲 μm
0.5〜1.0	74〜 88（200〜170 メッシュ）
2	125〜149（120〜100 メッシュ）
3	149〜177（100〜 80 メッシュ）
4	177〜250（ 80〜 60 メッシュ）
5〜6	250〜590（ 60〜 30 メッシュ）

　吸着型充填剤には，シリカゲル，活性炭，アルミナ，合成ゼオライトなどを用いる．
　分配型充填剤は，担体の表面に固定相液体の薄い膜を保持させたものである．担体
には，試料及び固定相液体に対して不活性な，ケイソウ土，耐火れんが，ガラス，石
英，合成樹脂などの粉体が用いられる．固定相液体には，分析の目的に適した分離性
能を持ち，かつ安定に使用できるものを用いる．表3に固定相液体の例をあげる．

表3　固定相液体の例

固定相液体	化　合　物	使用可能温度範囲(℃)	分　析　対　象　物　質
Squalane	分枝飽和炭化水素	20〜100	脂肪族炭化水素
SE-30	ポリメチルシロキサン	50〜350	高沸点の脂肪族炭化水素
Apiezon-L	分枝飽和炭化水素混合物	50〜350	高沸点の脂肪族炭化水素
DC-550	フェニルメチルポリシロキサン	−20〜250	高沸点炭化水素
DOP	フタル酸ジオクチルエステル	20〜160	炭化水素，アルコール，エステル
QF-1	フルオロシリコーン	〜250	高沸点化合物
TTP	リン酸トリトリル	20〜125	
XE-60	β-シアノエチルメチルポリシロキサン	0〜250	高沸点化合物，ステロイド
PEG 20M	ポリエチレングリコール	60〜225	アルコール，エステル，ケトン，アルデヒド
PEG 1000	ポリエチレングリコール	40〜150	アルコール，エステル，ケトン，アルデヒド
DEGA	ジエチレングリコールアジピン酸エステル	0〜200	アルコール，エステル

　なお，固定相液体保持量は質量百分率（％）などで表される．質量百分率は，固定相
液体の質量を，固定相液体の質量と担体の質量の和で割って100を掛けたものであ

る.

充塡剤には，このほかに，ポーラスポリマー充塡剤がある．これは，有機高分子で耐熱性が 200 〜 350℃のものである．

注6　カラムに充塡剤を充塡するには，まずカラムの内部をよく洗浄して，乾燥させ，一端をガラスウールでふさぐ．次にカラムに振動を与えるか，又は減圧で吸引しながら，充塡剤を均一に，かつ密に充塡し，他端もガラスウールでふさぐ．こうして調製したカラムは，用いた充塡剤の最高使用温度付近で，少なくとも数時間，ヘリウム又は窒素を流しながら空焼きを行う．空焼きが終了後，空隙が生じたら再び上の方法で充塡剤を追加し，再度空焼きを行う．こうして充塡剤を追加しなくてもよくなるまで充塡を繰り返す．

注7　一般に装置に付属している使用説明書に基づいて確認調整される．次の諸点に特に留意する．(1) 試料導入部及び流路内汚染，(2) 検出器の汚染，(3) 記録計-増幅器の作動の確認．装置の整備不良はクロマトグラムの形状からも判別できることが多い．

注8　この記載は GC に最もよく用いられる液体又は固体試料の溶液を対象としたものである．試料を溶かすには有機溶媒が用いられ，水はカラム充塡剤を劣化させるので用いない．標準溶液は定量分析のための検量線を作成するために調製した数段階の濃度の標準被検成分の溶液で，これから得られる検量線は一般に直線でなければならない．

試料溶液は，前述の検量線が直線性を示す範囲内の成分濃度になるような調製法が各条に記載されている．

溶液試料は GC 用マイクロシリンジを用いて試料導入部から注入されるが，気体試料については試料の送入方法が異なり，各条にその方法を詳細に記載してあり，標準試料の調製については用器の項に器具及び操作法が述べられている（→計量器・用器注・解説）．固体試料を直接に GC を行うには固体試料導入装置を必要とするが，その適用例は 日局 にはない．

液の注入量が 1 〜 3 μL の場合が最も多く，5 〜 10 μL の GC 用マイクロシリンジが用いられるが，TCD では 100 μL シリンジが用いられる．5, 10, 25, 100 μL の GC 用マイクロシリンジが市販されている．常に液漏れ，ガス漏れに注意する．

注9　保持時間（t_R）は GC 条件が一定であれば物質固有の値を示すので，標準物質の t_R との一致から確認に利用されるが，信頼性の高いものではない．そこで，(1) 異質の充塡剤で再び GC を行う，(2) 試料，標準物質を同じ反応で誘導体化して GC を行う，(3) 検出器の検出特性を利用する，などにより信頼性が向上される．しかし，最終の同定には GC/MS によるスペクトルの一致が要求される．GC により成分を分取し，赤外吸収スペクトルを測定する方法もよい．

注10　クロマトグラムのピークは試料成分が少量のとき，左右対称の良好なピークが得られ，そのピーク高さ，ピーク面積は成分量と一定の比例関係が成立するので，

各成分に相当する標準物質を用いて検量線をあらかじめ作成しておけば定量できる．

ガスクロマトグラフィーは分離分析であるので，各成分のピークが十分分離され，かつ左右対称であることが望ましい．したがって定量分析に当たって気–固クロマトグラフィーでは吸着剤の選択，気–液クロマトグラフィーでは，保持体及び固定相液体の選択を慎重に行い，更にカラムの長さ，キャリヤーガスの流量，及び試料導入部，カラム，検出器の温度の設定などについて十分考慮して定める必要がある．

注11 適当な内標準物質がない場合には本法を利用する．しかし，操作条件の僅かな変動が大きく影響するので条件を厳密に一定にして行わねばならない．

被検成分の標準物質の絶対量とそのピーク面積又はピーク高さから検量線を作成する．被検成分の標準物質を段階的にいくつか正確に量り，それぞれ一定容量とし，それぞれの一定量を注入する．試料についても全く同じ条件で操作する．

ガス体の場合は数 mL と比較的多く，ガスビュレットを用い一定温度で操作すれば正確な量を注入できるが，液体では，例えば 10 µL のシリンジで 5 µL，25 µL のシリンジで 10 ～ 15 µL を正確に注入するが，内標準法には及ばない．

注12 この方法は定量結果に対して原試料のマトリックスの影響が無視できないときに適用する．標準溶液の添加量は被検成分を添加した試料溶液のピーク面積が原試料溶液中の被検成分のピーク面積の 2 倍程度以内になるようにする．理論的にはピーク面積の代わりにピーク高さを用いることもできる．

―――― 解　説 ――――

Chromatography USP , Gas Chromatography EP

一般試験法の部　2.22　蛍光光度法の条を次のように改める．

2.22　蛍光光度法

蛍光光度法は，蛍光物質の溶液に特定波長域の励起光を照射するとき，放射される蛍光の強度を測定する方法である．この方法はリン光物質にも適用される．注1

蛍光強度 F は，希薄溶液では，溶液中の蛍光物質の濃度 c 及び層長 l に比例する．注2

$$F = kI_0\,\phi\,\varepsilon\,cl$$

　　k：比例定数
　　I_0：励起光の強さ
　　ϕ：蛍光量子収率又はリン光量子収率

B-62　　一般試験法　改正事項

$$蛍光量子収率又はリン光量子収率$$
$$= \frac{蛍光量子又はリン光量子の数}{吸収した光量子の数}$$

ε：励起光の波長におけるモル吸光係数

1. 装置

通例，分光蛍光光度計を用いる．

光源としてはキセノンランプ，レーザー，アルカリハライドランプなど励起光を安定に放射するものを用いる．蛍光測定には，通例，層長 1 cm × 1 cm の四面透明で無蛍光の石英製セルを用いる．(注3)

2. 操作法

励起スペクトルは，分光蛍光光度計の蛍光波長を適切な波長に固定しておき，励起波長を変化させて試料溶液の蛍光強度を測定し，励起波長と蛍光強度との関係を示す曲線を描くことによって得られる．また，蛍光スペクトルは，適切な波長に固定した励起光を蛍光物質の希薄溶液に照射して得られる蛍光を，少しずつ異なった波長で測定し，波長と蛍光強度との関係を示す曲線を描くことによって得られる．必要ならば，装置の分光特性を加味したスペクトルの補正を行う．(注4)

蛍光強度は，通例，蛍光物質の励起及び蛍光スペクトルの極大波長付近において測定するが，蛍光強度は僅かな条件の変化に影響されるので比較となる標準の溶液を用いる．(注5)

別に規定するもののほか，医薬品各条に規定する方法で調製した標準溶液及び試料溶液並びに対照溶液につき，次の操作を行う．励起波長及び蛍光波長を規定する測定波長に固定し，次にゼロ点を合わせた後，標準溶液を入れた石英セルを試料室の光路に置き，蛍光強度が 60 ～ 80 %目盛りを示すように調整する．次に，試料溶液及び対照溶液の蛍光強度（%目盛り）を同じ条件で測定する．波長幅は，特に規定するもののほか適当に定める．

3. 注意

蛍光強度は溶液の濃度，温度，pH，溶媒又は試薬の種類及びそれらの純度などによって影響されることが多い．(注6)

──────── 注 ────────

注1　蛍光及びリン光は，物質が電磁波（→ 紫外可視吸光度測定法〈2.24〉，解説）を吸収し，それよりも波長の長い光を放射する現象である．この場合，前者を励起光という．蛍光及びリン光の発光機構については解説を参照．

注2　蛍光強度は励起光の強さ I_0，蛍光又はリン光の量子収率 ϕ，励起波長におけるモル吸光係数 ε 及びモル濃度 c に比例する．この式の誘導及びこの式が低濃度の場

蛍光光度法　　B- 63

合にのみ成立することについては解説を参照.

[注3]　分光蛍光光度計の構成を解説の図3に示す. 光源としては, 可視部から紫外領域にわたる連続スペクトルを持ち, 輝度の高い励起光を与えるキセノンランプが普通用いられている. 蛍光光度法では入射光に対して直角方向に放射された蛍光が測定される. 四面が同じサイズで, 透明である無蛍光の石英製角セルが指定されている. ガラスは紫外線を吸収するのでガラスセルは使用できない. また, 液体クロマトグラフィーでの溶出液の蛍光強度の検出には石英製の細管がフローセルとして用いられている. 検出器としては光電子増倍管が使われている.

[注4]　蛍光光度法では, 励起スペクトルと蛍光スペクトルの二つのスペクトルが関わっている. 励起モノクロメーター（分光器）及び蛍光モノクロメーターは, それぞれ励起光及び蛍光から単色光を取り出す. 励起スペクトルは, 蛍光モノクロメーターを蛍光極大波長に設定し, 励起光を全波長にわたって変化させて蛍光強度を測定する（このような操作を全波長掃引という）ことによって得られる. また, 蛍光スペクトルは, 励起モノクロメーターを励起スペクトルの極大波長に設定し, 蛍光モノクロメーターを全波長掃引することによって得られる. しかし, 光源のエネルギー, 検出部の感度が波長によって違うため, こうして得られたスペクトルは機器の特性を含んだ見かけのもので, 真のスペクトルを得るには補正が必要である.

励起スペクトルの補正にはローダミンBのエチレングリコール溶液を用いた光量子計（単位時間当たりの光量子数に比例した蛍光を発する）によって光量の強度曲線を描かせ, 光源の波長による強度の変化を算出して行う. 得られた真の励起スペクトルは, 蛍光量子収率の変わらない範囲で吸収スペクトルと一致する.

蛍光スペクトルの補正はスペクトル既知の標準物質（2-ナフトール, キニーネ硫酸塩, 3-アミノフタルイミドなど）の溶液のスペクトルを描かせ, 真のスペクトルと比較して検出部の感度の波長による変化を算出して行う. 市販の分光蛍光光度計には正確な励起及び蛍光スペクトルを得るための装置が付属しているものがある. また, この補正を行わなかった場合には, スペクトルに未補正と付記する.

励起スペクトル及び蛍光スペクトルの極大波長にそれぞれのモノクロメーターを合わせると最高感度で蛍光分析ができる. このような理由から, 蛍光光度法による分析では必ず励起波長と蛍光波長が併記されることになっている.

[注5]　[日局]において蛍光光度法は主として含量試験に用いられている. 蛍光光度法は, 他の分光学的な方法に比べて物理的条件の変化や共存物質の影響を強く受けやすい. また, 蛍光光度法（特に, 発蛍光反応を行った場合）では, 対照液自身が蛍光を発することが多い. このため, 試料溶液, 含量既知の標準溶液及び対照溶液を調製し, それぞれの蛍光強度 F_T, F_S, F_B を測定し, $\dfrac{F_T - F_B}{F_S - F_B}$ と標準溶液中の含量から試料溶液中の含量を算出する方法がとられることが多い. 標準溶液としては, 定量しようとしている物質の標準品の溶液に, 試料と同じ操作を加えたものを用いる. 標準品が得難いか不安定な場合には, 定量しようとしている物質に蛍光特性の近い, 安定で純

B- 64 　一般試験法　改正事項

度の高い物質の溶液を，定量しようとしている物質との蛍光強度の対応をはっきりさせた上で用いることもある．こうした標準溶液としては，キニーネの 0.05 mol/L 硫酸溶液，フルオレセインナトリウムの水溶液などがある．

[注6]　蛍光強度に影響を与える要因は次のようなものが挙げられる．

(1)　濃度　蛍光強度が濃度に比例するのは，吸光度測定の場合に比べてはるかに低濃度領域に限られる．εcl が 0.05 を超えると，濃度と蛍光強度の比例性は成立しなくなり，蛍光強度は小さくなる．このような蛍光の減少を濃度消光と呼ぶ．この理由については解説を参照．

(2)　クエンチャー　蛍光は僅かな量の汚染物質によっても消光しやすい．消光作用のある物質をクエンチャーと呼ぶ．クエンチャーによる測定試料の汚染を避けるための細心の注意が必要である．クエンチャーとしては器具の汚れ，溶媒中の不純物，ゴムやコルク栓の破片などが挙げられる．したがって，使用する溶媒に注意し，器具はよく洗浄し，ゴム栓やコルク栓を避けてガラス共栓やテフロン製の栓を用いるなどの配慮が必要である．特に消光を起こしやすいものの例として常磁性イオン，特に $3d$ 軌道が電子で満たされていない Fe(Ⅲ)，Ni(Ⅱ)，Cr(Ⅲ)，Cu(Ⅱ)，Co(Ⅱ)がある．また，酸素によるクエンチングもしばしば見られるので，溶媒は使用に先立って窒素ガスを吹き込んで酸素を除く．

(3)　温度　蛍光は一般に温度の上昇と共に減少する傾向がある．蛍光強度を厳密に測定する必要のあるときは，セルホルダーに恒温水を循環させる装置などを用いて，測定時の溶液の温度を一定に保つ．

(4)　溶媒の影響　蛍光体分子と溶媒との静電的相互作用，水素結合，電荷移動，疎水結合などで蛍光強度が変動することがある．また，溶液の pH も蛍光に大きく影響する場合が多い．例えば，モルヒネとコデインは共に 355 nm に蛍光ピークを示すが，アルカリ性溶液中ではモルヒネ（フェノール性水酸基を持つ）の蛍光は消失する．その他，溶媒由来のラマン散乱光が蛍光とは異なる光として観察されることがあるので注意が必要である．

(5)　光　蛍光物質は光で分解するものが多いので，操作中に強い光にさらすことのないように注意しなければならない．測定の際にも，試料に不必要に長く励起光を照射することは避けるべきである．

(6)　吸着　蛍光物質が容器壁などに吸着して異常性を示すことがあるので注意しなければならない．

――――――― 解　説 ―――――――

Fluorescence spectroscopy [USP]，Fluorimetry [EP]

物質が吸収したエネルギーを光として放出する現象をルミネッセンス luminescence という．ルミネッセンスは，光が放出される電子状態の差によって蛍光とリン光に分けられている．また，与えられるエネルギーによって光ルミネッセンス，熱ルミネッ

蛍光光度法　　B- 65

センス，化学ルミネッセンス，放射線ルミネッセンスなどに分類されている．蛍光光度法で使われているのは有機化合物の光ルミネッセンスである．

　蛍光光度法は医学・薬学領域で感度の高い分析法として広く用いられている分光法であるが，光の本質，モノクロメーター，ランベルト-ベールの法則など，分光学の基礎的事項は紫外可視吸光度測定法〈2.24〉を参照されたい．

蛍光とリン光の発光機構

　分子が光を吸収して電子的に励起状態に遷移した場合，その励起エネルギーは分子の振動エネルギーに変換され，衝突により他の分子に移行したり，光の形で再放射されるなどの機構によって失われる．図1は光の再放射が起こる二つの様式を示している．つまり，電子的基底状態のほかに二つの電子的励起状態である励起一重項状態と励起三重項状態があり，各状態に七つの振動エネルギー準位（$v = 0 \sim 6$）があると考えられている．また，光の吸収・放射を伴う遷移（放射遷移）は実線の矢印で，伴わない遷移（無放射遷移 radiationless transition）は破線の矢印で示されている．一般に，電子状態は，電子対のスピンが逆平行の場合には一重項，平行の場合には三重項と呼ばれている．蛍光 fluorescence は，励起一重項状態から基底一重項状態へ遷移（より包括的にはスピン多重度が同じ状態間の遷移）する際に放射される光である．また，励起一重項状態から励起三重項状態へ無放射遷移した後，この状態から基底一重項状態へ遷移する際に放射される光がリン光 phosphorescence である．励起一重項状態の寿命は極めて短く，10^{-8} 秒程度である．これに対して励起三重項状態の寿命は 10^{-4} 秒から 30 秒と比較的長い．これは，三重項状態がリン光や無放射遷移によって基底一重項状態に遷移する確率が低いからである．

励起スペクトルと蛍光スペクトル

　光を吸収して生じる励起一重項状態は高い振動エネルギー準位（図1では $v' = 6$ の場合が示されている）をとっているが，この振動エネルギーは蛍光を放射する前に他分子との衝突により急速に失われる（無放射遷移：$v' = 6\cdots\cdots \rightarrow v' = 0$）．したがって，蛍光は励起一重項状態の最低振動エネルギー準位（$v' = 0$）から基底状態における各振動エネルギー準位（$v'' = 6\cdots\cdots$）の間で起こる．そのため蛍光として放射される光のエネルギーは吸収した光のそれよりも小さい．すなわち，吸収した光の波長よりも長い波長の光が蛍光として放射されることになる（ストークスの法則）．蛍光物質の吸収スペクトルの測定では，透過光と蛍光とを別々に観察することはできないので，蛍光は吸収帯全体の形に影響を及ぼす．しかし，蛍光は 360 度方向に放射されるので，入射光に対して直角方向に放射される光を分光することによって蛍光スペクトル fluorescence spectrum を得ることができる．励起スペクトル excitation spectrum と蛍光スペクトルは互いにほぼ鏡像関係になることが多い．

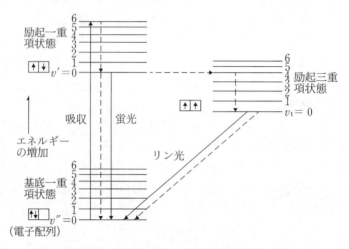

図 1　蛍光とリン光の発光機構

蛍光光度法による定量分析

　蛍光現象は，葉酸やリボフラビンの確認試験のように定性分析にも使われているが，その高い感度を利用して主として定量分析に用いられている．条文に示されている，蛍光強度と蛍光物質の濃度を関係づける式は次のように誘導される．

　いま，モル濃度 c の蛍光物質溶液をセルに入れ，励起光を照射するとき，入射光の強さを I_0，透過光の強さを I とすれば，光の吸収についてランベルト-ベールの法則が成り立ち，

$$I = I_0 e^{-\varepsilon c l} \tag{1}$$

となる．したがって，吸収された光の強さは

$$I_0 - I = I_0 (1 - e^{-\varepsilon c l}) \tag{2}$$

となる．c が低くて測定試料自身による蛍光の吸収が無視できる場合には蛍光強度 F は吸収された励起光の強さに比例する．

$$F = k\phi(I_0 - I) = kI_0\phi(1 - e^{-\varepsilon c l}) \tag{3}$$

$e^{-\varepsilon c l}$ を展開すると，

$$1 + \frac{(-\varepsilon c l)}{1} + \frac{(-\varepsilon c l)^2}{2 \times 1} + \frac{(-\varepsilon c l)^3}{3 \times 2 \times 1} + \cdots\cdots$$

となるので，
式 (3) は

$$F = kI_0 \phi \left(\varepsilon cl - \frac{(\varepsilon cl)^2}{2!} + \frac{(\varepsilon cl)^3}{3!} - \cdots\cdots \right) \tag{4}$$

いま，測定試料溶液が十分希薄である場合には，（4）式の第二項以降の値はごく小さくなるので

$$F \fallingdotseq kI_0 \phi \varepsilon cl \tag{5}$$

が得られる．εcl は吸光度で，式（5）は条文に挙げられている式である．c が大きくなると，式（4）における 2 乗項以降が無視できなくなる．また，測定試料自身による蛍光の吸収も無視できなくなる．したがって，式（5）は成立しなくなる．通常比例関係から 1% までのずれを許容するとすると $\varepsilon cl < 0.02$ の範囲とされている．

蛍光量子収率 fluorescence quantum yield の絶対値の測定はキニーネ硫酸塩などについて報告されているが，極めて面倒である．二つの物質の量子収率の相対値は蛍光スペクトルの測定によって簡単に求められるから，一方の値が既知であれば他方の値を知ることができる．二つの試料を同じ分光光度計で励起波長，スリット幅，温度などを同じにして蛍光スペクトルをとり，補正して真のスペクトルを描く．別にその励起波長におけるモル吸光係数 ε_1，ε_2 を測定する．スペクトル曲線下の面積 A_1，A_2，蛍光物質の濃度 c_1，c_2，蛍光量子収率を ϕ_1，ϕ_2，溶媒の屈折率 n_1，n_2 とすると式（6）が成立する．標準として硫酸キニーネの 0.05 mol/L 硫酸溶液（20℃における蛍光量子収率 0.55）がよく用いられている．

$$\frac{\phi_1}{\phi_2} = \frac{A_1}{A_2} \times \frac{\varepsilon_2 c_2 \ (n_1)^2}{\varepsilon_1 c_1 \ (n_2)^2} \tag{6}$$

一般にある現象が，その発現に対して阻害的に働く種々の作用によって抑制されることをクエンチング quenching という．蛍光光度法では，この言葉は蛍光強度が弱まること（消光）の意味に使われている．

有機蛍光体の化学構造

特に強い蛍光を発する物質を蛍光体又は蛍光物質 phosphor という．蛍光体には，微量の銀を含む硫化亜鉛（α 線の測定），微量のタリウムを含むヨウ化ナトリウム（γ 線の測定）など無機蛍光体とアントラセン，フルオレセインなどに代表される有機蛍光体がある．有機蛍光体が備えているべき化学構造上の条件は，分子全体が共役系からなり，平面構造をとっていることである．アミノ基，水酸基及びそれらのアルキル誘導体のような電子供与基は蛍光を増大させる．他方，カルボキシ基，ニトロ基，ハロゲンのような電子求引基は蛍光を減少させる．また，発色団に関して共平面的な環形成は蛍光を著しく増大させることがある．例えば，フェノールフタレインは蛍光体ではないが，これに環構造を一つ増やしたフルオレセインは代表的な蛍光体である．また，ベンゾピレン（強い発がん性物質）などの芳香族多環状炭化水素は強い

蛍光性を持っているので蛍光光度法で感度よく検出することができる．次に代表的な蛍光物質であるフルオレセイン，エオシンなど5種の構造式を示す．

フェノールフタレイン
（0.1mol/L 水酸化ナトリウム中）

フルオレセイン
（0.1mol/L 水酸化ナトリウム中）

エオシン
（0.1mol/L 水酸化ナトリウム中）

ローダミンB
（エチルアルコール中）

キニーネ硫酸塩水和物
（希硫酸中）

ベンゾ[*a*]ピレン
（有機溶媒中）

装　置

　分光蛍光光度計 spectrofluorometer も分光光度計の一種で，光源，励起光モノクロメーター，試料セル，蛍光モノクロメーター及び検出器より構成されている．図2にその基本構成を示す．他の分光光度計と大きく異なることは，励起光モノクロメーターと蛍光モノクロメーターの二つのモノクロメーター（→ 注4 ）を使っていることである．蛍光は試料から全方向へ放射されるので，蛍光モノクロメーターは励起光に対して直角方向に配置されている．簡易な蛍光測定用機器として，光源に水銀ランプ，モノクロメーターの代わりにフィルターを用いた蛍光光度計 fluorophotometer がある．

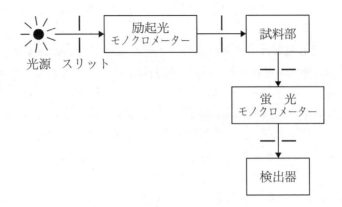

図2　分光蛍光光度計の構成

分析化学における蛍光光度法

エチニルエストラジオール，強心性ステロイド配糖体などは蛍光体の化学構造上の特性を満たしている．日局では，これらの薬品そのものは液体クロマトグラフィーで定量しているが，これらの錠剤の含量均一性試験や溶出試験に蛍光光度法が適用されている．

分析化学上の蛍光光度法の主な利点はその高感度性で，紫外可視吸光度測定法の約1000倍の高感度を持つ．したがって，この方法は液体クロマトグラフィーの検出法として血液，尿，及び他の生体試料中の薬物やその代謝物の定量に応用されている．蛍光を発しない物質や蛍光強度が弱い物質でも適当な化学反応を用いて，蛍光団 fluorophor と呼ばれている官能基を導入することにより蛍光物質に変えて分析されることが多い．リン光は減衰時間が長いので励起光を消して測定できる．したがって，この方法は迷光による妨害がなく，ときには蛍光分析の更に1000倍の高感度が得られる．

一般試験法の部　2.26　ラマンスペクトル測定法の次に次の二条を加える．

2.27　近赤外吸収スペクトル測定法

近赤外吸収スペクトル測定法は，試料による近赤外領域における光の吸収スペクトルを測定し，その解析を行うことにより，物質の定性的又は定量的評価を行うための分光学的方法の一つである．

近赤外線は，可視光線と赤外線の間にあって，通例，750〜2500 nm（13333〜4000 cm^{-1}）の波長（又は波数）範囲の光を指す．近赤外線の吸収は，主として赤外

領域 2500 〜 25000 nm（4000 〜 400 cm^{-1}）における基準振動の倍音又は結合音による振動によって生じ，特に水素原子が関与する O−H，N−H，C−H，S−H による吸収が主である． (注1)

近赤外域における吸収は，赤外域における基準振動による吸収よりもはるかに弱い．また，近赤外線は，可視光線と比較して長波長であることから，光は粉体を含む固体試料中，数 mm の深さまで侵入することができる (注2)．この過程で吸収される光のスペクトル変化（透過光又は反射光）より，試料に関わる物理的及び化学的知見が得られることから，本法は，非破壊分析法としても広く活用されている．

近赤外吸収スペクトル測定法は，既存の確立された分析法に代えて，迅速かつ非破壊的な分析法として用いられるものであり，この分析法を品質評価試験法として管理に用いる場合，既存の分析法を基準として比較試験を行うことにより，その同等性を確認しておく必要がある．

本法を応用し，原薬及び製剤中の有効成分，添加剤又は水分について，定性的又は定量的評価を行うことができる．また，結晶形，結晶化度，粒子径などの物理的状態の評価に用いることもできる．さらに光ファイバーを用いることにより，装置本体から離れた場所にある試料について，サンプリングを行うことなくスペクトル測定が可能であることから，医薬品の製造工程管理をオンライン（又はインライン）で行うための有力な手段としても活用することができる．

1. 装置

近赤外分光光度計には，主として分散型近赤外分光光度計及びフーリエ変換近赤外分光光度計がある． (注3)

1.1. 分散型近赤外分光光度計

装置は，光源部，試料部，分光部，測光部，信号処理部，データ処理部及び表示・記録・出力部より構成されている．光源には，ハロゲンランプ，タングステンランプ，発光ダイオードなど，近赤外線を高輝度かつ安定に放射するものが用いられる．試料部は，試料セル及び試料ホルダーより構成される．光ファイバー及びコリメーターなどより構成される光ファイバー部を有する装置においては，分光光度計本体から離れた場所に設置された試料部に光を伝送する機能が付与されている．光ファイバーの材質としては，通例，石英が用いられる．

分光部は，分散素子 (注4) を用いて必要とする波長の光を取り出すためのものであり，スリット，ミラー，分散素子から構成されている．測光部は，検出器及び増幅器で構成されている．検出器としては，半導体検出器のほか，光電子増倍管も用いられる．半導体検出器による検出方法としては，通例，単一素子による検出が行われるが，複数の素子を用いたアレイ型検出器が用いられることもあり，これにより複数波長（又は波数）の光の同時検出が可能となる．信号処理部では，増幅器の出力信号から測定に必要な信号を分離し，出力する．信号処理方式にはアナログ処理及びデジタル処理がある．

1.2. フーリエ変換近赤外分光光度計

装置の構成は，分光測光部及び信号処理部を除き，基本的に 1.1. の分散型装置の構成と同様である．

分光測光部は，干渉計，サンプリング信号発生器，検出器，増幅器，A/D 変換器などで構成される．信号処理部については，分散型装置で要求される機能に加え，得られた干渉波形（インターフェログラム）をフーリエ変換により吸収スペクトルへ読み替える機能が付与されている．

2. 測定法

近赤外吸収スペクトル測定法には透過法，拡散反射法及び透過反射法の 3 種の測定法がある．測定法の選択は，試料の形状及び用途に依存し，例えば，粉体を含む固体試料には透過法又は拡散反射法が，液体試料には透過法又は透過反射法が用いられる．装置の測定モードなどを選択し，設定する．

2.1. 透過法

透過法では，光源からの光が試料を通過する際の入射光強度の減衰の度合いを透過率 T（％）又は吸光度 A として表す．

本法は，液体又は溶液試料に適用される方法であり，石英ガラスセル，フローセルなどに注入し，層長 1 ～ 5 mm 程度で測定する．また，粉体を含む固体試料に対しても適用可能であり，拡散透過法ともよばれる．この場合，試料の粒度，表面状態などにより透過光強度は変化することから，適切な層長の選択が重要となる．(注5)

2.2. 拡散反射法

拡散反射法では，試料から広い立体角範囲に放射する反射光強度 I と対照となる物質表面からの反射光強度 I_r との比を反射率 R（％）として表す．近赤外線は，粉体を含む固体試料中，数 mm の深さまで侵入し，その過程で透過，屈折，反射，散乱を繰り返し，拡散するが，この拡散光の一部は再び試料表面から放射され，検出器に捕捉される．通例，反射率の逆数の対数を波長（又は波数）に対してプロットすることにより，拡散反射吸光度（A_r）のスペクトルが得られる．

本法は，粉体を含む固体試料に適用される方法であり，測定に際して，プローブなどの拡散反射装置 (注6) が必要となる．

2.3. 透過反射法

透過反射法は，透過法と反射法を組み合わせたものである．透過反射率 T^*（％）を測定する場合，ミラーを用いて試料を透過した光を再反射させる．光路長は試料厚さの 2 倍にする．一方，対照光は，鏡面で反射して検出器に入る反射光を用いる．ただし，本法を懸濁試料に適用する場合，ミラーの代わりに拡散反射する粗面を持つ金属板又はセラミック反射板などが用いられる．(注7)

本法は，粉体を含む固体試料，液体試料及び懸濁試料に適用される方法である．固体試料に適用する場合，試料厚さを調節する必要があるが，通例，検出器の直線性と SN 比が最良となる吸光度で 0.1 ～ 2（透過率で 79 ～ 1 ％）となるように調節する．

B- 72　　一般試験法　改正事項

なお，粉体試料に適用する場合，粉体の粒度に応じて適切な層長を持つセルを選択する必要がある．

3.　スペクトルに影響を与える要因

近赤外吸収スペクトル測定法を適用しようとするとき，特に定量的な分析においては，スペクトルに影響を与える要因として，以下の事項に留意する必要がある．

（ⅰ）　測定条件：試料温度が数℃違うとスペクトルに有意な変化（例えば，波長シフト）を生ずることがある．特に試料が水分を含む場合，注意する必要がある．また，試料中の水分又は残留溶媒及び測定環境中の水分（湿度）も近赤外領域の吸収帯に有意な影響を与える可能性がある．

試料の厚さは，スペクトル変化の要因であり，一定の厚さに管理する必要がある．さらに，固体又は粉体試料の測定においては，試料の充塡状態がスペクトルに影響を与える可能性があるため，試料のセルへの充塡にあたっては，一定量を一定手順により充塡するよう注意する必要がある．　注8

試料は，サンプリング後の時間経過又は保存に伴って化学的，物理的又は光学的性質に変化が生じる可能性があるため，検量線作成の際には，試験室でのオフライン測定とするか，又は製造工程でのオンライン（又はインライン）測定とするかなど，測定までの時間経過を十分に考慮して検量線用試料を調製するなどの注意が必要である．

（ⅱ）　試料特性：物理的，化学的又は光学的に不均一な試料の場合，比較的大きな光束（beam size）を用いるか，複数試料又は同一試料の複数点を測定するか，又は粉砕するなどして，試料の平均化を図る必要がある．また，粉末試料では，粒径，充塡の度合い，表面の粗さなどもスペクトルに影響を与える．結晶構造の変化（結晶多形）もスペクトルに影響を与えるため，複数の結晶形が存在する場合，検量線用の標準的な試料についても分析対象となる試料と同様な多形分布を持つように注意する必要がある．

4.　装置性能の管理

4.1.　波長（又は波数）の正確さ

装置の波長（又は波数）の正確さは，吸収ピークの波長（又は波数）が確定された適切な物質，例えば，ポリスチレン，希土類酸化物の混合物（ジスプロシウム／ホルミウム／エルビウム（1：1：1））注9又は水蒸気などの吸収ピークと装置の指示値との偏りから求める．通例，次の3ピーク位置付近での許容差は下記のとおりとする．ただし，適用する用途に応じて，適切な許容差を設定することができる．

1200 ± 1 nm（8300 ± 8 cm^{-1}）

1600 ± 1 nm（6250 ± 6 cm^{-1}）

2000 ± 1.5 nm（5000 ± 4 cm^{-1}）

ただし，基準として用いる物質により吸収ピークの位置が異なるので，上記3ピークに最も近い波長（又は波数）位置の吸収ピークを選んで適合性を評価する．例え

ば，希土類酸化物の混合物は 1261 nm（7930 cm^{-1}），1681 nm（5949 cm^{-1}），1971 nm（5074 cm^{-1}）に特徴的な吸収ピークを示す．

波数分解能の高いフーリエ変換分光光度計では 1368.6 nm（7306.7 cm^{-1}）の水蒸気の吸収ピークを用いることができる．

なお，妥当性が確認できれば，ほかの物質を基準として用いることもできる．

4.2. 分光学的直線性

異なる濃度で炭素を含浸させた板状のポリマー（Carbon-doped polymer standards）など適当な標準板を用いて分光学的直線性の評価を行うことができる．ただし，直線性の確認のためには，反射率 10 ～ 90％の範囲内の少なくとも 4 濃度レベルの標準板を用いる必要がある（注10）．また，吸光度 1.0 以上での測定が想定される場合，反射率 2％又は 5％の標準板のいずれか又は両標準板を追加する必要がある．

これらの標準板につき，波長 1200 nm（8300 cm^{-1}），1600 nm（6250 cm^{-1}）及び 2000 nm（5000 cm^{-1}）付近の位置における吸光度を測定し，この値をそれぞれの標準板に付与されている各波長（又は波数）での吸光度に対してプロットするとき，得られる直線の勾配は，通例，1.00 ± 0.05，縦軸切片は 0.00 ± 0.05 の範囲内にあることを確認する．ただし，適用する用途に応じて，適切な許容差を設定することができる．

5. 定性又は定量分析への応用

近赤外吸収スペクトルの解析法としては，通常，ケモメトリックスの手法を用いて解析を行うが，検量線法などの一般的な分光学的手法が適用可能であればこれを用いてもよい．ケモメトリックスは，通例，化学データを数量化し，情報化するための数学的手法及び統計学的手法を指すが，近赤外吸収スペクトル測定法におけるケモメトリックスとしては，種々の多変量解析法が用いられ，目的に合わせて選択する．また，ケモメトリックスの手法を用いて分析法を確立しようとする場合，近赤外吸収スペクトルの特徴を強調すること及びスペクトルの複雑さや吸収バンドの重なりの影響を減ずるために，スペクトルの一次若しくは二次微分処理又は正規化（Normalization）などの数学的前処理を行うことは，重要な手順の一つとなる．

近赤外吸収スペクトル測定法では，確立された後の分析法の性能を維持管理することが重要であり，継続的かつ計画的な保守点検作業が必要とされる．また，製造工程又は原料などの変更及び装置の主要部品の交換などに伴う変更管理又は再バリデーションの実施などに関する適切な評価手順が用意されているか留意が必要である．（注11）

5.1. 定性分析

分析対象となる各物質について，許容される範囲のロット間変動を含んだリファレンスライブラリーを作成し，ケモメトリックスの手法を用いて分析法を確立した後，定性的評価を行う．標準スペクトルとの比較やバリデートされたケモメトリックスソフトウェアなどを用いた方法により，同一性を確認することができる．また，吸収バ

B- 74   一般試験法　改正事項

ンドによる同定を行うこともできる．（注12）

　なお，多変量解析法としては波長相関法，残差平方和法，距離平方和法などの波長（又は波数）又は吸光度などを変数とする直接的な解析法のほか，主成分分析などの前処理をした後に適用される因子分析法，クラスター分析法，判別分析法及びSIMCA（Soft independent modeling of class analogy）などの多変量解析法もある．

　また，近赤外吸収スペクトル全体を一つのパターンとみなし，多変量解析法の適用により得られるパラメーター又は分析対象成分に特徴的な波長（又は波数）でのピーク高さをモニタリングの指標とすることにより，原薬又は製剤の製造工程管理に利用することもできる．

5.2.　定量分析

　定量分析は，通例，試料群のスペクトルと既存の確立された分析法によって求められた分析値との関係から，ケモメトリックスの手法を用いて，定量モデルを求め，換算方程式によって，測定試料中の各成分濃度や物性値を算出する．定量モデルを求めるためのケモメトリックスの手法には，重回帰分析法及び PLS（Partial least squares）回帰分析法などがある．

　試料の組成が単純な場合，濃度既知の検量線作成用試料を用いて，ある特定波長（又は波数）における吸光度又はこれに比例するパラメーターと濃度との関係をプロットして検量線とし，これを用いて試料中の分析対象成分の濃度を算出できることもある（検量線法）．

──────── 注 ────────

　注1　近赤外領域では双極子モーメントに変化が起こる赤外活性をもつ基準振動の結合音及び倍音を検出するため，分子の非調和性が大きい C-H，O-H，N-H，S-H による吸収が主に観察される．

　注2　近赤外光は（中）赤外光と比較して長波長であり，近赤外領域で観察される倍音のモル吸光係数は赤外で観察される基準振動のモル吸光係数と比べて小さい．このため，近赤外光は粉体を含む固体試料に数 mm 程度侵入する．

　注3　このほかに干渉フィルターを用いた干渉フィルター型近赤外分光光度計がある．

　注4　分散素子としてプリズム回折格子のほか，音響光学素子（AOTF），液晶チューナブルフィルター（LCTF）などがある．

　注5　錠剤など厚みのある固形試料では，測定範囲によっては透過光が得られないことがある．この場合，試料を切削して薄くすることで透過光が得られることがある．

　注6　拡散反射装置として，光源からの近赤外光を試料に照射するための光ファイバーと試料からの拡散反射光を検出器に導入するための光ファイバーを束ねたプローブが用いられることが多い．

近赤外吸収スペクトル測定法　　B-75

注7　一般に，近赤外光を反射する金属板が用いられることが多い．透過反射の場合，光路長は倍になる．

注8　例えば，近赤外測定用のバイアル瓶に粉末試料を充塡する場合，バイアル瓶の底部を軽くたたくことなど（タッピング）で粉末の空隙が埋まり，吸光度のばらつきを小さくすることができる．

注9　1261 nm（7930 cm^{-1} 付近），1681 nm（5949 cm^{-1} 付近），1971 nm（5074 cm^{-1} 付近）の位置に鋭いピークを与えることから，これらの吸収ピークを基準波長として，波長精度の確認に用いている．

注10　通例，反射率10%，20%，40%，80% の標準板を用いる．これらの標準板を用いた時の吸光度は，それぞれ 1.0，0.7，0.4，0.1 に相当する．

注11　原材料の供給元の変更，場合によってはロット間におけるスペクトルのわずかなばらつきがケモメトリックスの手法を用いた際の予測精度に影響を与えることがある．スペクトルの変動要因を含む測定データを蓄積することでケモメトリックスにおける予測精度は向上する．このため，定期的に検量モデルの再構築を行う．

注12　近赤外スペクトルでは，C−H，N−H，O−H などの基準振動の結合音及び倍音を観察するため，多くの吸収が複雑に重なり合っているが，例えば，2次微分処理（波形分離）を行うことで，重なり合った吸収を分離することができる．これらの吸収は基準振動の吸収位置に関連付けられる結合音及び倍音に観察されるため，分析種の化学構造から由来する官能基を帰属することができる．したがって，分析種の赤外吸収（基準振動）との比較は帰属において有用な情報を得ることができる．一般に，結合音は伸縮振動，変角振動などの和として，倍音は基準振動の波長（波数）の整数倍として得られるが，倍音では振動の非調和性が影響するため，一般に，基準振動の整数倍の位置よりも長波長（低波数）の位置に観察される．

──────── 解　説 ────────

近赤外吸収スペクトル測定法は，日米欧医薬品規制調和国際会議（ICH）Q8 の概念の導入に伴い，プロセス解析工学（Process Analytical Technology，PAT）による品質管理体制の運用における有望な分析法のひとつとして製薬分野で注目されてきた．また，第十五改正日本薬局方第二追補から参考情報として近赤外吸収スペクトル測定法が収載された．近赤外吸収スペクトル測定法は，多くの固形試料を迅速かつ非破壊で測定できるだけでなく，光学ファイバープローブを用いて分光器本体から離れた場所にある試料の遠隔測定が可能である．したがって，製薬分野では，工程管理を含めた製造及び品質管理現場で，導入のしやすい分析法であり，品質規格・基準のためのオフラインでの分析法として利用されるばかりではなく，プロセス解析ツールのひとつとしての応用研究が進められている．さらには，製薬分野において注目されている連続生産など，オンライン測定によるリアルタイム解析が要求される製造工程での活用が期待されている．

B-76　一般試験法　改正事項

　近赤外光は，波長がおよそ 800 〜 2500 nm（波数では 12500 〜 4000 cm^{-1}）の電磁波（光）であり，赤外領域と可視領域の中間に位置している．近赤外吸収スペクトル測定法は，この領域における光の吸収あるいは発光に基づく分光法であり，主に中赤外（MIR）領域で得られる分子の基準振動（伸縮振動及び変角振動）の倍音あるいは結合音に相当する吸収スペクトルを観察する．これらの近赤外領域で観察される結合音及び倍音は，主として C–H，O–H，N–H などの X–H 結合の非調和性により生じるものであり，これらは分析種の化学構造を反映する分子振動情報として非常に有用である．しかしながら，結合の非調和性は水素結合などの分子間相互作用の影響を強く受ける．すなわち，周囲の分子環境によりスペクトルが影響を受けることがあり，この現象が吸収の帰属をはじめとするスペクトル解析を難しくする要因となる．特に水素結合によるバンド幅の広がりや非常に多数の倍音，結合音への遷移の重なりにより，バンド幅の広い非常に複雑なスペクトルが得られることがある．一方，測定対象が固形試料の場合には，粒度（粒径），硬さ（密度），充塡密度などの物理的情報も含んでいる．このような近赤外領域の電磁波がもつ分光学的特性から，近赤外吸収スペクトルの解析には，ケモメトリックス（多変量解析）や 2 次元相関分光法のような情報を引き出すための方法が採用されることが多く，近赤外吸収スペクトル測定法の様々な分野での普及発展に伴いこれらの手法に関する研究も活発に行われている．このように近赤外吸収スペクトルは，吸収ピークのオーバーラップや周囲の分子環境により影響を受けるために，その扱いが難しい半面，周囲の分子環境の変化などを鋭敏に捉えることが可能であり，振動分光・分子科学研究においては非常に魅力的な分析ツールのひとつであるといえる．

装　置

　一般的な近赤外分光器の光学系として，フーリエ変換タイプと分散タイプに分けることができる．基本的には，中赤外分光器と同じ光学系で構成され，光源（ランプ）をハロゲンランプに，また，ビームスプリッター及び窓板をフッ化カルシウム（CaF$_2$）に，そして検出器をインジウム・ガリウム・ヒ素（InGaAs）検出器に切換えることで，中赤外領域と近赤外領域と両領域にわたって測定できる装置も多い．現在，市販されている近赤外分光器の多くでフーリエ変換タイプが採用されているが，フーリエ変換タイプでは，マイケルソン干渉計を用いて発生した干渉波をフーリエ変換することでスペクトルを得る分光器で，測定に要する時間が短く，検出器に到達する光源のエネルギーが約 50 ％と効率的であること，また多波長での時間変化を測定できるなどの優れた特徴をもつ．加えて波長（又は波数）の精度が分散タイプに比べて高い．一方で，分散タイプの場合は，グレーティングを用いて分光し，スリットを用いて選択的に分光した波長の光を利用するため，検出器に到達するエネルギーがフーリエ変換タイプと比べてかなり少なくなる．しかしながら固定波長での測定が可能な特徴をもち，高次倍音領域においてフーリエ変換タイプと比較して高い S/N 比で

吸収スペクトルが得られるという利点も併せもつことが多い．また，一般に分散タイプはフーリエ変換タイプと比較して測定に時間を要するが，フォトダイオードアレイ形式の検出器の採用により，短時間（1秒程度）で高精度，高感度の分光測定を行う近赤外分光器や，単素子でも回折格子を高速で動かすことで，短時間で測定できる近赤外分光器が開発されており，分散タイプにおける測定に時間を要するというデメリットは将来的に解消される可能性もある．またフーリエ変換タイプあるいは分散タイプ以外に AOTF（Acousto-Optic Tunable Filter，音響光学可変波長フィルター）などの光学素子を利用した分光器もある．

測定法

1. 透過法

分光法として，透過法は最も一般的な測定法であり，試料に吸収されずに透過した近赤外光を検出する．澄明な液体試料のほか，フィルム状試料，粒子状も含めた粉末試料などの測定に用いられることが多い．固体試料では，赤外吸収スペクトル測定法と同様に臭化カリウムなどの塩に混ぜてディスク状に圧縮成型して測定することがある．これらの塩の光の透過範囲は広く，例えば，臭化カリウムの透過範囲は，40000 〜 350 cm^{-1}，塩化カリウムは 40000 〜 500 cm^{-1} であり，近赤外光の波数範囲 12500 〜 4000 cm^{-1} を十分にカバーする．一般に，近赤外領域での吸収係数は，赤外領域での値と比較して 1/10 〜 1/50 であるため，近赤外吸収スペクトル測定用の試料は赤外吸収スペクトル測定用の試料と比較して厚みを増やす必要がある．ディスクに製した試料及びフィルム状試料においては，表面が平滑な場合，厚みによっては干渉縞が現れることがある．液体試料の場合は，通常，液体セルを用いて測定する．セルの材質は，赤外吸収スペクトル測定法と同様に，臭化カリウム，塩化ナトリウム，セレン化亜鉛などの材質のセルを用いて測定する．また，近赤外領域では，耐久性に優れた石英をセルの材質として使用できる．

2. 反射法

(1) 拡散反射・反射法

試料に吸収，散乱，反射されながら，ある程度，試料内部に浸透し，再び試料表面に戻ってくる近赤外光を検出する方法である．透過法では適切な吸収強度を得るために，試料の厚さ，分散濃度の調整が不可欠であるのに対して，試料表面での反射光又は拡散反射光を得るため，試料をそのまま前処理なしに測定することが可能である．拡散反射光は試料を透過中に一部吸収され，試料の吸収特性を含んだ光として検出される．このスペクトルには，試料の吸収係数のほか，屈折率及び反射率が複雑にかかわっているため，純粋な吸収スペクトルとはいえない．しかしながら，試料の調製をほとんど行わずにスペクトルを測定できることは拡散反射法の最大の利点である．また，光学ファイバーを用いることで，遠隔的にスペクトルを測定することも可能であることから，測定点と分光器が離れた位置に設置して製造ラインなどにおける工程管

理用の分析装置としても活用されている．ファイバー束で伝達された近赤外光を試料に照射し，試料からの拡散反射光をファイバー束で集光して検出部へ伝達する．通例，光源からの NIR 光の伝達用のファイバーと拡散反射光を集光するファイバーが束ねられている．このファイバープローブの先端を試料に近づけて照射し，拡散反射されてくる NIR 光をプローブ先端で集光して分光光度計に導入することで簡便に近赤外吸収スペクトルの測定を行うことが可能である．

その他に反射法のひとつとして，プリズムを用いて，プリズム界面にわずかに潜り込んで反射する光（エバネセント波）を得る減衰全反射（Attenuated Total Reflection：ATR）測定法がある．ATR 法では，近赤外領域で観察される結合音及び倍音の吸収係数が基準音振動に比べて格段に小さく，近赤外領域で十分な S/N 比をもつ ATR スペクトルの測定は困難である．このため，ATR 法は通常，近赤外吸収スペクトルの測定に用いない．

(2) 透過反射法

近赤外光が試料を透過し，ミラーや金属板等の近赤外光を反射する素材により反射した近赤外光が再び試料を透過する近赤外光を検出する方法であり，透過法と反射法が組み合わされた方法である．透過率 T（％）を測定する場合，一般に，ミラーなどを用いて試料を透過した近赤外光を反射させて，再度試料を透過した近赤外光を検出する．この方法は，粉末を含む固体試料，液体試料ならびに懸濁試料に適用される．固体試料に適用する場合は試料の厚みを調節する必要があるが，通例，検出器の直線性と S/N 比が良好となる条件で得た吸光度が 0.1 〜 2（透過率で 79 〜 1％）となるように調節する．なお，粒度の大きな粉末試料を測定する場合には，粒度に応じて適切な層長をもつセルを選択する必要がある．

スペクトルに影響を与える要因

近赤外吸収スペクトル測定法では，分析種の定性及び定量的な分析に適用することがあるが，特に定量的な分析に適用する場合には，スペクトルに影響を与える要因について留意しなければならない．

近赤外吸収スペクトルは，周囲の分子環境により強く影響を受け，非常に多数の倍音，結合音への遷移の重なりにより，バンド幅の広い非常に複雑なスペクトルを示すことがある．また，粉末などの固形試料の場合には，粒度（粒径），硬さ（密度），充填密度などの物理的情報も含むスペクトルが得られることがあり，この現象を利用した造粒工程における粒度解析などへの応用も試みられている．

一般的な近赤外吸収スペクトル測定法に関する成書では，試料の前処理としてすり混ぜによる粉末化後の測定を推奨していることが多い．これは，試料における近赤外光の散乱を抑え，スペクトルの再現性を得るためには有効な前処理である．しかしながら，PAT などのプロセス解析では固形試料を非破壊で測定することを目的に近赤外吸収スペクトル測定法を導入ことが多く，これらの場合では試料の粒径分布などが

近赤外吸収スペクトル測定法　　B- 79

スペクトルに影響を与えることを考慮して測定・スペクトル解析系を構築する必要がある.

　また, 試料の温度が異なると, 試料中の分子の運動性が影響を受けるため, 例えば, ピーク位置のシフトなど, スペクトルに有意な変化が生じることがある. また, 試料の厚みはスペクトルが変化する要因となるため, 一定の厚さに管理することが望ましい. 粉末試料では, セルなどにおける充塡状態がスペクトルに影響を与える可能性があるため, 試料のセルへの充塡においては, 一定量を一定手順により充塡することが重要である. 例えば, セルの底部を軽くたたいてタッピング操作を行って試料粉末の空隙を減らすことで再現性のよいスペクトルの取得が可能となる.

　物理的, 化学的又は光学的に不均一な試料では, 近赤外光の照射部位, あるいは照射面積によってスペクトルが影響を受けることがある. このような場合, 照射面積を大きくする (大きな光束 (ビームサイズ) を用いる), 複数試料あるいは同一試料でその複数箇所を測定する, また試料を粉砕・微粉化することで得られるスペクトルの平均化を図ることができる. そのほか, 粉末試料では粒子径, 結晶多形などがスペクトルに影響を与える可能性がある.

装置性能の管理・保守
1.　波長 (又は波数) の正確さ

　近赤外分光器における波長 (又は波数) の正確さは, 吸収ピークの波長 (又は波数) が既知の材料を用いて行う. 例えば, ポリスチレン, 希土類酸化物の混合物 (ジスプロシウム / ホルミウム / エルビウム (1:1:1) などの吸収ピークと分光器が示す波長 (又は波数) から正確さ (両波長 (波数) の差 (偏り)) を評価する. また, 水蒸気の吸収ピークを用いることもある. 日本薬局方では, $1200 \pm 1\,nm$ ($8300 \pm 8\,cm^{-1}$), $1600 \pm 1\,nm$ ($6250 \pm 4\,cm^{-1}$), $2000 \pm 1.5\,nm$ ($5000 \pm 4\,cm^{-1}$) 3つのピーク位置について, 波長 (又は波数) の正確性を評価することを規定している. ただし, 基準として用いる材料により吸収ピークの位置が異なるので, 前述した3つの吸収ピークに近い位置に観察される波長 (又は波数) の吸収ピークを用いて適合性を評価することでよい. 因みに波数分解能が高いフーリエ変換赤外分光器では, $1368.6\,nm$ ($7306.7\,cm^{-1}$) の水蒸気の吸収ピークを用いることができる.

2.　分光学的直線性

　分光学的直線性の評価は, 炭素を含侵させた板状のポリマー (Carbon-doped polymer standards) などの適切な標準 (反射) 板を用いて行うことができる. 標準 (反射) 板は, 反射率10〜90％の範囲内で少なくとも4水準を用いることが要求されているが, 吸光度1.0以上での測定が見込まれる場合には, 反射率2％又は5％の標準 (反射) 板のどちらか, 又はその両方を追加する必要がある. これらの標準 (反射) 板を用いて波長 $1200\,nm$ ($8300\,cm^{-1}$), $1600\,nm$ ($6250\,cm^{-1}$) 及び $2000\,nm$ ($5000\,cm^{-1}$) 付近における吸光度を測定し, 各標準 (反射) 板に付与されている吸光

B-80　　一般試験法　改正事項

度に対してプロットするときに，得られる一次回帰式の勾配は，1.00 ± 0.05，縦軸切片は 0.00 ± 0.05 の範囲内にあることを確認する．ただし，適用する用途，例えば，錠剤中の有効成分の含量測定に用いるのか，あるいは工程中の原薬合成工程のモニター手法のひとつとして生成物の半定量的確認に用いるなどのように，適用する用途や要求される定量精度に応じて，適切な許容幅を設定することができる．

定性又は定量分析への応用

近赤外吸収スペクトルの解析法としては，通常，ケモメトリックス（多変量解析）の手法を用いて解析を行うことが多いが，検量線などの一般的な分光学的手法（単変量解析）が適用可能であれば，これを用いてもよい．近赤外吸収スペクトル測定法では，測定試料による吸収がブロードなバンドとしてスペクトルに表れる．このバンドには分子の結合音や倍音が含まれる．さらに，試料の厚みや密度といった物理的な要素がスペクトルのベースラインに反映されやすいという特徴ももつことから，一般に近赤外吸収スペクトルは複雑な形状になる．近赤外吸収スペクトル測定法の解析では，濃度をはじめとする様々な変量による相互作用を受けて複雑な形状となったスペクトルを対象とするため，意味のある情報を得るには多変量解析法が有効である．

近赤外吸収スペクトルは，試料に連続する波長（又は波数）の光を照射したときに測定される吸光度をプロットして得られる数値の集合（離散的データ）であり，このような数値データは行列として取り扱うことができる．また，スペクトルは一般的にひとつの図（チャート）として得られるが，これは各波数に対する吸光度の集合であり，ひとつの試料の吸光度を 1 行とすることで，多くの試料を測定した場合でもひとつの行列に表記することができる．このように，スペクトルを行列に変換することで，多変量のデータとして取り扱うことが可能になる．

ケモメトリックスとは，通例，化学データを数量化し，情報化するための数学的手法及び統計学的手法を指す．近赤外吸収スペクトル測定法におけるケモメトリックスとしては，種々の多変量解析の手法（アルゴリズム）を目的に合わせて選択する．また，ケモメトリックスを用いて分析法を確立しようとする場合，近赤外吸収スペクトルの特徴を強調すること，ならびにスペクトルの複雑さや吸収バンドの重なりの影響を減じるために，スペクトルの一次あるいは二次微分処理（Derivatization），または正規化（Normalization）などの数学的前処理（スペクトル前処理）を行うことは重要な手順のひとつとなる．

ケモメトリックスを用いて確立した定性・定量分析では，例えば，製造工程又は原料などの変更などで生じる可能性がある，わずかなスペクトルの違いが数学的・統計的予測精度に影響を与えることがある．このため，確立した後も分析法の性能を維持管理することが重要である．継続的かつ計画的なケモメトリックス分析手法の保守点検作業が必要である．

分光法の解析では，定性目的と定量目的で用いられる多変量解析法の種類が異な

る．定性目的では，主に主成分分析（Principal Component Analysis，PCA）が用いられることが多い．一方，定量目的では，古典的最小二乗（Classical Least Squares Regression，CLS）法，主成分回帰（Principal Component Regression，PCR）法，重回帰分析（Multiple Regression Analysis，MRA）法，ならびに部分最小二乗回帰（Partial Least Squares Regression，PLS）法などが主に用いられる．

1. 定性分析

通常，分析種について，許容される範囲のロット変動を含んだリファレンスライブラリーを作成し，ケモメトリックスの手法を用いて分析法を確立した後に定性的評価を行うことが多い．標準スペクトルとの比較やバリデートされたケモメトリックスソフトウェアなどを用いた方法により，同一性を確認することができる．また，分析種の化学構造に特徴的な吸収バンドによる同定を行うことができる．近赤外吸収スペクトルでは，主に C-H，O-H，N-H などの X-H 結合に関する基準振動（基準音）の結合音あるいは倍音を観察するが，多くは伸縮振動と変角振動の結合音，あるいは伸縮振動又は変角振動の倍音である．このため，（中）赤外（$4000 \sim 400 \ cm^{-1}$）で得られるスペクトルに含まれる基準振動（基準音）から，近赤外吸収バンドの帰属を行うことも可能である．最近の分子科学研究の発展により，近赤外吸収バンドの帰属に関する情報を含む成書がいくつも出版されており，近赤外吸収バンドの帰属も容易になっている．

定性分析では，波長相関法，残差平方和法，距離平方和法などの波長（又は波数）又は吸光度などを変数とする直接的な解析法のほか，主成分分析などの前処理をしたのちに適用される因子分析法，クラスター分析法，判別分析法及び SIMCA（Soft independent modeling of class analogy）などの多変量解析法もある．また，近赤外吸収スペクトル全体をパターンとみなし，多変量解析法の適用により得られるパラメータ又は分析種に特徴的な波長（又は波数）でのピーク高さをモニタリングの指標とすることにより，原薬又は製剤の製造工程管理に利用することもできる．

定性分析で代表的に用いられる多変量解析のひとつに主成分分析（PCA）がある．その特徴は，膨大なデータから集合の特性を見出し，データを分類しやすくする点にある．集団で最もバラつきが大きい方向（情報の欠落を最小にする方向）に最初に軸を引き，これを第一主成分（PC1）とする．PC1 のみでは他のばらつきの情報が失われるため，PC1 に直交して集団の重心を通る軸を引き，これを第二主成分（PC2）とする．PC1 と PC2 を設定したら，PC1 が水平となるように座標を変換することで，各軸の情報がスコアに変換される．このスコアに変換された座標系の図をスコアプロットという．このスコアプロットの分布は各データ間の類似度を示すため，位置関係から集合のデータを分類することは容易である．

このように，PCA では集団のばらつきに着目して軸を引くことから，情報の損失を最小限に抑えつつもデータ分類が容易になる．一方，スコアに物理的な意味が付加されるとは限らない点に注意が必要である．

2. 定量分析

　定量分析は，通例，試料群のスペクトルと既存の確立された分析法によって求められた分析値との関係から，ケモメトリックスの手法を用いて，定量モデル（検量モデル）を求め，換算方程式によって，測定試料中の各成分濃度や物性値を算出する．定量モデル（検量モデル）を構築する手法として古典的最小二乗（CLS）法や，ケモメトリックスの手法として，PCR法，MRA法及びPLS法などがある．

　CLS法とは，スペクトルの各波数における吸光度を試料に含有する各成分スペクトルの和で表すスペクトル検量モデルである．各成分のスペクトルは濃度に比例するというLambert-Beer則に基づいている．CLSは濃度とモル吸光係数の積であり，一般に，「A＝Cε＋E（A：スペクトル行列，C：濃度行列，ε：モル吸光係数行列，E：誤差行列）」と表すことができる．CLSでは，誤差Eが最小となるようにモル吸光係数εを算出するため，濃度Cは試料に含有する全ての成分の濃度がわかっていなければならない．このように，CLSではLambert-Beer則に基づいたモデルのため物理的な意味が明確になっており，含有成分の純品スペクトルが得られる点が利点となる．一方，吸収を示す全成分の濃度が既知でなければならず，含有される成分数を誤るとモデルの精度が低下する点が欠点となる．また，含有成分の一部が反応するなどしてピークシフトが起こる試料もスペクトル形状が変化するため，モデルに用いることができない点に注意が必要である．

　PCR法とは，一般的によく用いられるスペクトル検量モデルで，PCAによって求めたスコアを用いて分析種の濃度を見積もる．分析種の濃度を算出するには，通常，逆最小二乗法（Inverse Least Squares Regression，ILS）を用いる．ILSでは，試料に含まれる分析種の濃度がスペクトルの吸光度に比例するというモデルを用いており，CLSの項で示した式のスペクトル行列と濃度行列を入れ替えた関係式で表されることから，逆Lambert-Beer則ともいわれている．関係式は，「C＝AP＋E（C：濃度行列，A：スペクトル行列，P：検量係数行列（＝ε^{-1}），E：誤差行列）」で表される．

　ILSでは，CLSと同様に誤差Eが最小となるように検量係数Pを算出するが，定量の対象としない分析種の濃度情報は必要としない．一方で，必要なスペクトルの数が測定範囲の数よりも多くなければ検量モデルは成立しない．PCRでは，ILSにおける"スペクトル数×測定範囲数"で構成されたスペクトル行列を，"スペクトル数×主成分スコア"に置き換えて検量モデルを作成する．これにより，スペクトル行列がILSを成立する条件を常に満たし，さらにPCAの特性を活かすことでスペクトル全体の情報を用いる多変量解析法の特徴を活かすことができる．

　このように，PCRではPCAの特徴からスペクトル全体の情報を利用でき，ILSの特徴から目的成分の濃度情報がわかれば検量モデルが作成できる点が利点となる．一方，ノイズが大きい（S/N比が悪い）スペクトルの解析では，モデルの精度が低下することが欠点となる．この欠点をある程度回避できる方法として，PLSが知られ

ている.

PLS法とは，濃度情報に対して強い相関を持つ特徴を反復計算から求め，得られたスコアを用いて含有成分の濃度を回帰する検量モデルである．PLSはPCRと同様に，得られたスコアからILSを用いるモデルであるが，スコアの求め方に違いがある．PCRでは，データ集団で最もばらつきが大きい方向に軸をもつが，PLSでは，最も相関が高くなる方向に軸をもつ．PLSでは，スペクトルと濃度を独立してモデル化することで，それぞれの誤差を独立させて扱うことが特徴である．このため，PCRに比べてランダムなノイズ成分の影響を受けにくく，高い相関が得られやすいことが利点として挙げられる．しかしながら，スペクトルの強度が濃度に対して非線形的に変化するような場合には，PCRよりも悪い相関を示すことがあること，また過剰な数の主成分を使って得られた回帰モデルの相関が低下するオーバーフィットと呼ばれる現象が発生することがあるため注意を要する．

以上，定性分析と定量分析によく用いられる検量モデルの構築方法の概要を示した．特に，多変量解析法を用いる場合には，各手法の特性を把握した上で，最適な方法を選択することが基本的な考え方となる．

2.28　円偏光二色性測定法

円偏光二色性測定法は，光学活性な化合物の光の吸収波長領域において，左右円偏光の吸収度合いが異なる現象（円偏光二色性）を利用して，光学活性物質の構造解析，構造確認，鏡像異性体やジアステレオマーとの識別などに用いられる方法である．(注1)

本法では，円偏光二色性は，以下のように左右円偏光の吸光度の差として実測される．

$$\varDelta A = A_L - A_R$$

$\varDelta A$：左右円偏光の吸光度の差
A_L：左円偏光に対する吸光度
A_R：右円偏光に対する吸光度

また，左右円偏光に対するモル吸光係数の差をモル円二色性として以下のように表すことができる．

$$\varDelta \varepsilon = \varepsilon_L - \varepsilon_R = \frac{\varDelta A}{c \times l}$$

$\Delta\varepsilon$：モル円二色性 $[(\text{mol/L})^{-1}\cdot\text{cm}^{-1})]$

ε_L：左円偏光に対するモル吸光係数 $[(\text{mol/L})^{-1}\cdot\text{cm}^{-1}]$

ε_R：右円偏光に対するモル吸光係数 $[(\text{mol/L})^{-1}\cdot\text{cm}^{-1}]$

c：溶液中の光学活性物質の濃度（mol/L）

l：層長（cm）

さらに，以下の単位も円偏光二色性を示す単位として使用することができる．

異方性因子（g factor）：

$$g = \frac{\Delta\varepsilon}{\varepsilon}$$

ε：モル吸光係数

モル楕円率 molar ellipticity：

装置によっては楕円率（°）を単位として円偏光二色性を表す⓶．そのような場合は，モル楕円率 $[\theta]$ は以下の式を用いて計算される．

$$[\theta] = \frac{\theta}{10 \times c \times l}$$

$[\theta]$：モル楕円率（°・cm²/dmol）

θ：装置により算出される楕円率の値（m°）

c：溶液中の光学活性物質の濃度（mol/L）

l：層長（cm）

モル楕円率は以下の式によりモル円二色性と関連付けられる．⓷

$$[\theta] = 2.303\,\Delta\varepsilon\,\frac{4500}{\pi} \approx 3300\,\Delta\varepsilon$$

モル円二色性やモル楕円率は，しばしばペプチドやタンパク質，核酸の分析に用いられる．この場合，モル濃度（c）の算出には分子量を単量体当たりの残基数で除した平均残基分子量が用いられる．

$$平均残基分子量 = \frac{分子量}{アミノ酸残基数又はヌクレオチド残基数}$$

円偏光二色性測定法　　B- 85

平均残基分子量は，ペプチドやタンパク質の場合は 100 ～ 120（一般的には 115），核酸の場合はナトリウム塩として約 330 である．

1.　装置

円二色性分光光度計を用いる（注4）．光源には，キセノンランプが用いられる．光源からの光は，水晶プリズムを装備したダブルモノクロメーターにより分光と同時に偏光され，単色直線偏光となる．モノクロメーター出口のスリットで，異常光を排除する．単色直線偏光は，光弾性変調器を通過することにより，一定の周波数で左右円偏光に交互に変調され試料に照射される．

検体試料を通過した光は，光電子増倍管に達したのち，二つの電気信号に分けられ増幅される．一つは，直流信号 V_{DC} で，これは試料の光吸収を反映する．もう一つは，試料に円偏光二色性がある場合に生じる光弾性変調器の変調周波数と同じ周波数の交流信号 V_{AC} である．交流信号の位相が円偏光二色性の符号（＋あるいは－）を示し，振幅の大きさが円偏光二色性の強度を示す．ここで，V_{AC}/V_{DC} は，左右円偏光の吸光度の差 ΔA に比例する．通常，円二色性分光光度計で測定される波長範囲は，170 ～ 800 nm 程度であるが，より広い波長範囲を測定可能な装置もある．

2.　測定法

温度，波長，層長，試料濃度を設定し，測定する．試料を適切な溶媒に溶解し，セルに入れ測定する（注5）．試料調製では，不純物のスペクトルへの影響，濃度による試料の構造変化，溶媒自身の吸収，試料構造への溶媒の影響の有無を確認しておく．試料セルの光路長，特に光路長が短い際には注意が必要である．さらに，試料による光の吸収は検出器へ届くシグナルの低下を招く可能性があるため，留意が必要である．

2.1.　確認試験

モル円二色性又はモル楕円率が最大となる波長と共に，モル円二色性又はモル楕円率を規定する．確認しようとする物質の規定した最大波長におけるモル円二色性又はモル楕円率が，この規定に合致するとき，同一性を確認することができる．又は，試料のスペクトルと確認しようとする物質の参照スペクトル又は標準品のスペクトルを比較し，両者のスペクトルが同一波長のところに同様の強度のモル円二色性又はモル楕円率を与えるとき，互いの同一性を確認することができる．

2.2.　二次構造の解析

ペプチドやタンパク質においては，特異的なスペクトルが遠紫外部に現れる．約 250 nm 以下のスペクトルを測定することにより，ペプチドやタンパク質の二次構造を推定することができる．さらに，近紫外部のスペクトルにより三次元構造について推定することもできる．ただし，円偏光二色性測定では分子全体の平均的な性質を観察していることに留意が必要である．α ヘリックス構造では，一般に 208 nm，222 nm に負の極大，191 ～ 193 nm に正の極大が，β シート構造では 216 ～ 218 nm に負の極大，195 ～ 200 nm に正の極大が，不規則構造では 195 ～ 200 nm に負の極

大が現れる （注6）. 円偏光二色性スペクトルから，二次構造の割合を解析する手法には，計算式を用いる手法，データベースより求める手法がある．多変量解析により算出することもできる．いずれの手法を用いた場合も，算出に用いた方法を試験法に明記する．

3. 装置性能の確認

波長校正された装置により，$\varDelta \varepsilon$ が既知である円偏光二色性の測定に適した品質を有する試料を用いて確認する．

3.1. 円偏光二色性の正確さ

$\varDelta \varepsilon$ が既知である物質，例えばイソアンドロステロン，d-カンファスルホン酸アンモニウムなどを用いて校正する（機器メーカーの推奨品を用いてもよい）．イソアンドロステロンを用いる場合は，イソアンドロステロン 10.0 mg を正確に量り，エタノール（99.5）に溶かし，正確に 10 mL とする．層長 10 mm のセルを用いて，調製した溶液の円偏光二色性スペクトルを 280 nm から 360 nm まで測定するとき，304 nm における$\varDelta \varepsilon$ は+3.3 である．

3.2. 変調の直線性

$\varDelta \varepsilon$ が既知である物質，例えばd-カンファスルホン酸アンモニウムなどを用いて校正する（機器メーカーの推奨品を用いてもよい）．d-カンファスルホン酸アンモニウムを用いる場合は，d-カンファスルホン酸アンモニウム 6.0 mg を正確に量り，水に溶かし，正確に 10 mL とする．層長 1 mm のセルを用いて，調製した溶液の円偏光二色性スペクトルを 185 nm から 340 nm まで測定するとき，290.5 nm における$\varDelta \varepsilon$ は+2.2 ～+2.5 である．192.5 nm における$\varDelta \varepsilon$ は−4.3 ～−5 である．（注7）

──────── 注 ────────

[注1] 光はあらゆる方向に振動する光が含まれている．振動面がらせん状に回転しながら進行する光を円偏光という．光の進行方向に向かって，時計と同じ方向に回転する変更を右（まわり）の円偏光，時計と反対方向にまわる偏光を左（まわりの）円偏光という．直線偏光は強度の等しい左右の円偏光の重なり合ったものと考えることができる．強度が異なる場合は，楕円偏光になる（図1）．光学活性物質は，左右の円偏光に対する吸収の度合いが異なる．つまり，左右の円偏光に対する吸光係数が異なる（図1）．この現象を円偏光二色性（circular dichroism, CD）または単に円二色性と呼ぶ．

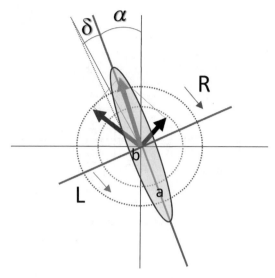

図1　円二色性と楕円偏光

[注2]　図1の楕円の短軸bと長軸aの比（楕円率）より定義される角度δを用いて楕円偏光を表すことができる．

$\tan \delta = b/a$

通常，円二色性（CD）スペクトルの縦軸は楕円率の波長依存性をプロットしたものになっている．

[注3]　モル楕円率とモル円二色性は近似的に下記の式で関係づけられる．

$[\theta] = 2.303 \Delta\varepsilon\, 4500\pi \approx 3300 \Delta\varepsilon$

[注4]　装置の概略図を図2に示す．

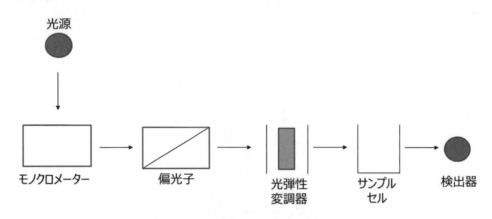

図2　円二色性分光光度計の概略図

[注5]　セルの材質は石英製で，セルの形状に対応したセルホルダが用意されている．汎用されるセルは円筒型石英セルで，様々な光路長のセルがある．透過面を傷付けないように注意する．試料の高次構造の温度変化等を調べる際は，ペルチェセルホルダを用いることができる．

[注6]　試験法に記された3つの主要な2次構造（ヘリックス，シート，ランダムコイル）以外にも，例えばβ-turn構造では約226 nm付近で負の極大を示す．図3は，β-turn構造を有するシクロスポリンAのCDスペクトルである．

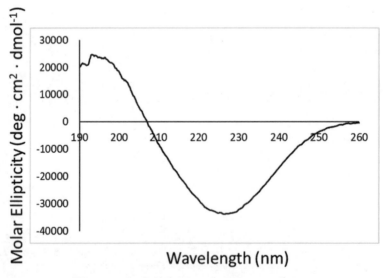

図3　シクロスポリンAのCDスペクトル

[注7]　層長10 mmのセルを使用することもできるが，低波長域でのノイズが増大する可能性がある．

粉末X線回折測定法　　B-89

文献

濱口浩三，武貞啓子　著：タンパク質の旋光性（4版），学会出版センター（1998）

——————　解　説　——————

Circular dichroism　EP

円偏光二色性は，タンパク質医薬品，ペプチド医薬品，核酸医薬品，低分子化学合成医薬品の特性解析に主として利用されている．ペプチドやタンパク質は光学活性なアミノ酸が発色団となるペプチド結合により連なっているため，それらの高次構造の違いが円偏光二色性スペクトルに影響を与える．また，近紫外円偏光二色性分析により 300 nm 前後でのトリプトファン残基の確認等，芳香族アミノ酸の確認に用いられる例もある．一方，核酸も，その構成単位が，発色団である塩基と不斉中心を有する糖との結合によるため，円偏光二色性が観察され，らせん構造等の解析に利用可能である．低分子化学合成医薬品の化学構造の解析にも用いられている．

一般試験法の部　2.58　粉末X線回折測定法の条を次のように改める．

2.58　粉末X線回折測定法

本試験法は，三薬局方での調和合意に基づき規定した試験法である．

なお，三薬局方で調和されていない部分のうち，調和合意において，調和の対象とされた項中非調和となっている項の該当箇所は「◆　◆」で，調和の対象とされた項以外に日本薬局方が独自に規定することとした項は「◇　◇」で囲むことにより示す．

三薬局方の調和合意に関する情報については，独立行政法人医薬品医療機器総合機構のウェブサイトに掲載している．

◇粉末X線回折測定法は，粉末試料にX線を照射し，その物質中の電子を強制振動させることにより生じる干渉性散乱X線による回折強度を，各回折角について測定する方法である．◇

化合物の全ての結晶相は特徴的なX線回折パターンを示す注1．X線回折パターンは，微結晶（粒子内の結晶性領域）又はある程度の大きさの結晶片からなる無配向化した結晶性粉末から得られる．単位格子の種類と大きさに依存した回折線の角度，主として原子の種類と配列並びに試料中の選択配向に依存した回折線の強度，及び測定装置の解像力と微結晶の大きさ，歪み及び試料の厚さに依存した回折線の形状の3種類の情報が，通例，X線回折パターンから得られる．

回折線の角度及び強度の測定は，結晶物質の結晶相の同定などの定性的及び定量的な相分析に用いられる注2．また，非晶質と結晶の割合の評価も可能である[1]．粉

末X線回折測定法は，他の分析試験方法と比べ，非破壊的な測定法である（試料調製は，試料の無配向を保証するための粉砕に限られる）．粉末X線回折測定は，低温・低湿又は高温・高湿のような特別な条件においても可能である．(注3)

1. 原理

X線回折はX線と原子の電子雲との間の相互作用の結果生じる．原子配列に依存して，弾性散乱X線に干渉が生じる．干渉は回折した二つのX線波の行路差が波長の整数倍異なる場合に強められる．この選択的条件はブラッグの法則と呼ばれ，ブラッグの式（次式）により表される（図2.58-1）．

$$2d_{hkl} \sin\theta_{hkl} = n\lambda$$

X線の波長 λ は，通例，連続する結晶格子面間の距離又は面間隔 d_{hkl} と同程度の大きさである．θ_{hkl} は入射X線と格子面群との間の角度であり，$\sin\theta_{hkl}$ は連続する結晶格子面間の距離又は面間隔 d_{hkl} と反比例の関係となる．

単位格子軸に関連して，格子面の方向と間隔はミラー指数（hkl）により規定される．これらの指数は，結晶面が単位格子軸と作る切片の逆数の最も小さい整数である．単位格子の大きさは，軸長 a, b, c とそれぞれの軸間の角度 α, β, γ により与えられる．特定の平行な hkl 面の組の格子面間隔は d_{hkl} により表される．それぞれの格子面の同系列の面は $1/n$（n は整数）の面間隔を持ち，nh, nk, nl 面による高次の

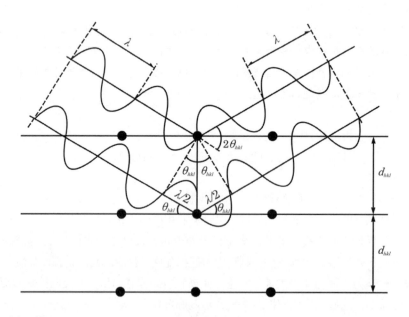

図2.58-1　ブラッグの法則に基づいた結晶によるX線回折

粉末X線回折測定法　　B-91

回折を示す．結晶のあらゆる組の格子面は，特定のλに対応するブラッグ回折角θ_{hkl}を有する．

　粉末試料が多結晶の場合，いずれの角度θ_{hkl}においてもブラッグの法則で示される回折が可能となる方向を向いている微結晶が存在する[2]．一定の波長のX線に対して，回折ピーク（回折線，反射又はブラッグ反射とも呼ばれる）の位置は結晶格子（d-間隔）の特性を示し，それらの理論的強度は結晶学的な単位格子の内容（原子の種類と位置）に依存し，回折線形状は結晶格子の完全性や結晶の大きさに依存する．これらの条件の下で，回折ピーク強度は，原子配列，原子の種類，熱運動及び構造の不完全性や測定装置特性などにより決められる．回折強度は構造因子，温度因子，偏光因子，多重度因子，ローレンツ因子，及び微小吸収因子などの多くの因子にも依存する．回折パターンの主要な特徴は，2θの位置，ピーク高さ，ピーク面積及びピーク形状（例えば，ピークの幅や非対称性，あるいは解析関数や経験的な表現法などにより示される）である．ある物質の異なる五つの固体相で認められた粉末X線パターンの例を図2.58-2に示す．

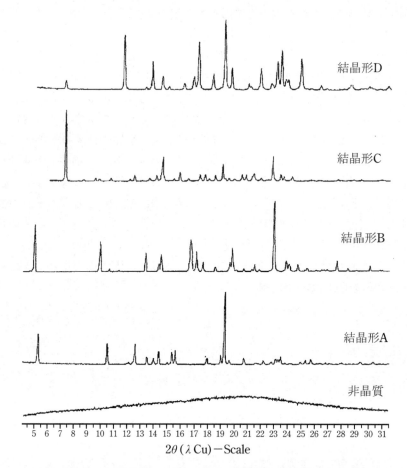

図 2.58-2　ある物質の異なる五つの固体相で認められた粉末
X線パターン（結晶形 A–D の強度は規格化してある）

　粉末X線回折測定では回折ピークに加えてある程度のバックグラウンドが発生し，ピークに重なって観察される．試料調製方法に加え，試料ホルダー，空気，試料及び装置による散漫散乱や，検出器のノイズ，X線管から発生する連続X線など，装置側の要因もバックグラウンドの原因となる．バックグラウンドを最小限にし，照射時間を延長することによってピーク対バックグラウンド比を増加させることができる．

2. 装置

2.1. 装置の構成

　粉末X線回折測定は，通例，粉末回折計か粉末カメラを用いる（注4）．粉末回折計は，一般的に五つの主要な部分から構成されている．それらはX線源，入射光の単色化，平行化や集束のための光学系，ゴニオメーター，回折光の単色化，平行化や集束のための光学系及び検出器から構成される．別にX線回折測定装置には，通例，データの収集及びデータ処理システムが必要であり，これらは装備されている．

相の同定，定量分析，格子パラメーターの測定など，分析目的に応じて，装置の異なる配置や性能レベルが必要となる．粉末回折パターンを測定するための最も簡単な装置は粉末カメラである．通例，写真フィルムにより検出するが，光子検出器が組み込まれたブラッグ−ブレンターノ集中法光学系が開発されている．ブラッグ−ブレンターノ集中法光学系は現在広く使用されているので，以下に簡潔に記載する．

装置の配置は，水平又は垂直な $\theta/2\theta$ の配置，若しくは垂直な θ/θ の配置とすることができる．いずれの配置においても，入射X線ビームは試料面と θ の角度をなし，回折X線ビームは試料面とは θ の角度をなすが，入射X線ビームの方向とは 2θ の角度をなす．基本配置の一例を図 2.58-3 に示す．X線管から放射された発散ビーム（一次ビーム）はソーラースリットと発散スリットを通過し，平らな試料面に入射する．試料中の適切に配向している微結晶により，2θ の角度に回折された全てのX線は，受光スリットの一本の線に集束する．二組目のソーラースリットと散乱スリットは，受光スリットの前か後のいずれかに設置される．受光スリットは，通例，0次元検出器が用いられるときにのみ利用される．X線管の線焦点軸と受光スリット軸はゴニオメーター軸から等距離に設定される．X線は，通例，シンチレーション計数管や密閉ガス比例計数管のような検出器により求められるが，現在では位置敏感型半導体検出器やハイブリッド型光子計数検出器がより広く利用されている．受光スリットと検出器は組み合わされており，焦点円の接線方向に動く．$\theta/2\theta$ 走査では，ゴニオメーターは試料と検出器を同軸方向に回転させるが，試料は検出器の半分の回転速度で回転する．試料面は焦点円の接線方向と同一となる．ソーラースリットはビームの軸方向発散を制限し，回折線の形状に部分的に影響を与える．

回折計は透過配置でも使用できる．この方法の利点は選択配向の影響を抑えられることである．約 0.5 〜 2 mm 径のキャピラリーが微量試料の測定に使用される．

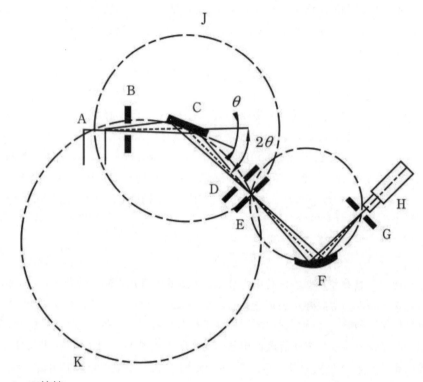

A：X線管
B：発散スリット
C：試料
D：反拡散スリット
E：受光スリット
F：モノクロメーター
G：検出器側受光スリット
H：検出器
J：回折計円
K：焦点円

図 2.58-3　ブラッグ−ブレンターノ集中法光学系の配置図

2.2. X線放射

　実験室では，X線は熱電子効果により放出された電子を高電圧による強い電場で加速し金属陽極に衝突させることによって得られる．電子の多くの運動エネルギーは熱に変換されるため，X線管の機能を保持させるためには，陽極の十分な冷却が必要となる．回転対陰極や最適化されたX線光学系を用いると，20〜30倍の輝度が得られる．もう一つの方法として，X線フォトンはシンクロトロンのような大規模施設においても発生される．

　高電圧で作動しているX線管から発生するX線のスペクトルは，多色放射（制動

放射X線又は白色X線）の連続的なスペクトル（バックグラウンド）と陽極の種類によって決まる特性X線からなり，X線回折測定には，通例，特性X線のみが用いられる．X線回折に用いられる主な放射線源には，銅，モリブデン，鉄，コバルト，銀，クロムを陽極とする真空管が用いられる．有機物のX線回折測定においては，通例，銅やモリブデンのX線が用いられる．使用するX線の選定は，試料の吸収特性と試料中に存在する原子由来の蛍光発光の可能性も考慮して行う．粉末X線回折に使用するX線は，通例，陰極から発生する$K\alpha$線である．したがって，発生したX線から$K\alpha$線以外の全ての成分を除去し，X線ビームを単色化しなければならない．単色化は，通例，X線管より放出される$K\alpha$線及び$K\beta$線の波長の間に吸収端を有する金属フィルターを$K\beta$フィルターとして用いて行われる．フィルターは，通例，単色X線管と試料の間に置かれる．単色X線ビームを得るより一般的な方法としては，大きなモノクロメーター用結晶（通例，モノクロメーターと呼ばれる）を用いることである．この結晶は試料の前又は後に設置され，$K\alpha$線及び$K\beta$線による特性X線ピークを異なる角度に回折させることにより，一つの回折ピークのみを検出器に入射させる．特殊なモノクロメーターの使用により，$K\alpha_1$線と$K\alpha_2$線を分離することも可能である．ただし，フィルターやモノクロメーターを用いて単色ビームを得る際，その強度及び効率は低下する．$K\alpha$線及び$K\beta$線を分離するもう一つの方法は，湾曲X線ミラーを使用することであり，これによって単色化，焦点合わせ，平行化を同時に行うことができる．

2.3. 放射線防護

人体のいかなる部分へのX線の暴露も健康に有害である．したがって，X線を使用する際には，当該作業者及びその周辺にいる人を保護するための適切な予防措置を講じることが必要である．放射線防護についての必要な訓練やX線暴露水準の許容限度は，労働安全衛生法で定められている．

3. 試料の調製と取付け

粉末試料の調製と試料ホルダーへの適切な充塡は，得られるデータの質に重大な影響を与えるので，特に粉末X線回折測定法では重要な操作となる[3]．ブラッグ－ブレンターノ集中法光学系の装置を用いた場合における試料調製及び充塡に起因する主なエラーの要因を以下に示す．

3.1. 試料の調製 (注5)

一般的には，多くの結晶粒子の形態は試料ホルダー中で試料に選択配向性を与える傾向がある．粉砕により微細な針状晶又は板状晶が生成する場合には，この傾向は特に顕著となる．試料中の選択配向は種々の反射強度に影響を与え，その結果，完全な無配向な試料で予測される反射に比べ，ある場合には強く，ある場合には弱く観察される．幾つかの手法が微結晶の配向のランダム化（結果として選択配向が最小になる）のために用いられるが，最良で最も簡便な方法は，粒子径を小さくすることである．微結晶の最適数は，回折装置の配置，必要な解像度及び試料によるX線ビーム

の減衰の程度に依存する．相の同定であれば，通例，50 μm 程度の粒子径によって十分な結果が得られる．しかしながら，過度の粉砕（粒子径が約 0.5 μm 以下となる場合）は，線幅の広がりや下記のような，試料の性質の重大な変化の原因となることがある．

　（ⅰ）　乳鉢，乳棒，ボールなどの粉砕装置から発生する粒子による試料の汚染
　（ⅱ）　結晶化度の低下
　（ⅲ）　他の多形への固相転移
　（ⅳ）　化学的分解
　（ⅴ）　内部応力の発現
　（ⅵ）　固体反応

　したがって，未粉砕試料の回折パターンと粉砕した粒子径の小さい試料の回折パターンを比較することが望ましい．得られた粉末 X 線回折パターンが利用目的に十分に適合するならば，粉砕操作は不要である．試料中に複数の相が存在し，特定の大きさの粒子を得るためふるいを用いた場合には，組成が初期状態から変化している可能性があることに注意すべきである．

4.　装置性能の管理

　ゴニオメーターと入射及び回折 X 線ビーム光学装置には，調整を必要とする多くの部分がある．調整の程度や誤調整は，粉末 X 線回折の測定結果の質に直接影響する．したがって，系統誤差を最小限にするために，検出器で最適な X 線強度が得られるように光学系及び機械システムなど，回折装置の種々の部分を注意深く調整しなければならない．回折装置の調整に際して，最大強度かつ最大解像度を探すことは容易ではない．したがって，手順どおりに調整を行い最適条件を求める必要がある．回折装置には多くの配置方法があり，個々の装置は特別な調整方法を必要とする．

　回折装置全体の性能は，標準物質，例えばシリコンや α-アルミナの粉末を用いて定期的に試験及び検査をしなければならない．この場合，認証された標準物質の使用が望ましいが，分析の種類によっては他の特定の標準物質を使用することもできる．

5.　定性分析（相の同定）注6

　粉末 X 線回折による未知試料中の各相の同定は，通例，基準となる物質について実験的に又は計算により求められる回折パターンと，試料による回折パターンとの視覚的あるいはコンピューターによる比較に基づいて行われる．標準パターンは，理想的には特性が明確な単一相であることが確認された試料について測定されたものでなければならない．多くの場合，この方法によって回折角 2θ 又は面間隔 d 及び相対強度から結晶性化合物を同定することができる．コンピューターを用いた未知試料回折パターンと標準データとを比較する場合，ある程度の 2θ 範囲の回折パターン全体か，あるいは回折パターンの主要部分を用いるか，いずれかの方法により行われる．例えば，それぞれの回折パターンから得られた面間隔 d 及び標準化した強度 I_{norm} の表，いわゆる (d, I_{norm}) 表は，その結晶性物質の指紋に相当するものであり，デー

タベースに収載されている単一相試料の (d, I_{norm}) 表と比較対照することができる.

　CuKα線を用いた多くの有機結晶の測定では，できるだけ0°付近から少なくとも30°までの2θの範囲で回折パターンを記録するのが，通例，適切である．同一結晶形の試料と基準となる物質との間の2θ回折角は，0.2°以内で一致すると期待される．しかしながら，試料と基準となる物質間の相対的強度は選択配向効果のためかなり変動することがある．転移しやすい水和物や溶媒和物は，単位格子の大きさが変化することが知られており，その場合回折パターン上，ピーク位置のシフトが生じる．これらの物質では，0.2°を超える2θ位置のシフトが予期されることから，0.2°以内というピーク位置の許容幅は適用しない．その他の無機塩類等の試料については，2θ測定範囲を30°以上に拡大する必要がある．一般的には，単一相試料の粉末X線回折データベースに収載されている，10本以上の強度の大きな反射を測定すれば十分である．

　以下のように，相を同定することがしばしば困難であるか，あるいは不可能な場合がある．

（ⅰ）　結晶化していない物質，あるいは非晶質物質
（ⅱ）　同定すべき成分が質量分率で少量（通例，10%未満）
（ⅲ）　著しい選択配向性を示す
（ⅳ）　当該相がデータベースに収載されていない
（ⅴ）　固溶体の生成
（ⅵ）　単位格子を変化させる不規則構造の存在
（ⅶ）　多数の相からなる
（ⅷ）　単位格子の変形
（ⅸ）　異なる相での構造類似性の存在

6.　定量分析 (注7)

　対象とする試料が最大一つの非晶質を含む複数の相からなっている場合，各結晶相の割合又は非晶相の割合（容積比又は質量比）を求めることは多くの場合可能である．定量分析は積分強度，複数の個々の回折線のピーク高さ又は全体のパターンに基づいて行われる[4]．これらの積分強度，ピーク高さ，全体のパターンは対応する基準となる物質の値と比較される．ここで基準となる物質は，単一の相又は混合物である．試料調製（試料中では全ての相が均一に分散していることと各相の粒子径が適切であることが測定結果の真度と精度に必須である）とマトリックス効果が定量分析における問題点である．通常，固体試料中の10%程度の結晶相を定量することが可能であり，最適の条件が整えば，10%より少量の結晶相を定量することも可能である．

6.1.　多形試料

　二つの多形相aとbからなる試料で，相aの割合F_aは定量的に次式で示される.

$$F_a = \frac{1}{1 + K(I_b/I_a)}$$

この値は 2 相の強度比の測定と定数 K の値を得ることにより求められる．K は二つの純粋な多形相の絶対強度比 I_{oa}/I_{ob} であり，標準試料の測定から求められる．

6.2. 標準試料を用いる方法

定量分析に用いられる方法には，外部標準法，内部標準法，スパイキング法（標準添加法）がある．

外部標準法は最も一般的な方法であり，測定しようとする混合物の X 線回折パターンや各ピーク強度を，標準試料の混合物を用いて測定した場合と比較する．構造が明らかであれば，構造モデルの理論強度と比較して求めることもできる．

内部標準法では，測定しようとする試料と回折パターンが重ならず粒子径や X 線吸収係数が同等な内部標準となる物質が，マトリックス効果による誤差を少なくするために使用される．既知量の内部標準となる物質を試料及び各標準試料の混合物に添加する．これらの条件の下では，ピーク強度と濃度との間に直線関係が成り立つ．内部標準法では回折強度を正確に測定する必要がある．

スパイキング法（標準添加法）では，未知濃度の相 a を含む混合物に純粋な相 a を一定量加える．添加量の異なる幾つかの試料を調製し，強度対濃度プロットを作成するとき，x 軸のマイナスの切片が元の試料中の相 a の濃度となる．

7. 非晶質と結晶の割合の評価

結晶と非晶質の混合物では，結晶相と非晶相の割合を幾つかの方法で求めることができる．試料の性質によって使用する方法を選択する．

（ⅰ） 試料が異なる複数の結晶成分と一つの非晶質成分からなる場合は，各結晶相の量は適切な標準試料を用いることにより求められ，非晶質の量はその差により間接的に推定される．

（ⅱ） 試料が同じ元素組成の一つの結晶成分と一つの非晶質成分からなる場合，1 相性あるいは 2 相性の混合物であっても，結晶相の量（結晶化度）は回折パターンの三つの面積を測定することで評価できる．

A：試料中の結晶成分からの回折による全ピーク面積
B：領域 A を除く，回折パターン下部の全面積
C：バックグラウンドノイズの面積（空気による散乱，蛍光，装置などによる）

これらの面積を測定することにより，およその結晶化度は次式により求められる．

結晶化度（%）$= 100A/(A + B - C)$

粉末X線回折測定法　　B-99

本法は結晶化度を得る絶対的な方法ではなく，一般的には，比較の目的にのみ利用可能である点に注意すべきである．ルーランド法のような，より精巧な方法を用いることもある．

8. 単結晶構造解析

一般的に結晶構造は単結晶を用いて得られたX線回折データから決定される．しかしながら，有機結晶では格子パラメーターが比較的大きく，対称性が低く，通常は散乱特性が極めて低いため，その構造解析を行うことは容易ではない．ある物質の結晶構造が既知である場合は，対応する粉末X線回折パターンの計算が可能であり，相の同定に利用可能な選択配向性のない標準粉末X線回折パターンが得られる．

1) 結晶構造の決定・精密化，結晶相の結晶学的純度の測定，結晶組織の評価など，結晶性医薬品に適用可能な粉末X線回折法の応用例はほかにも多く存在するが，ここでは詳述しない．

2) X線回折測定のための「理想的な」粉末は，無配向化した多数の小球状粒子（干渉回折する結晶性領域）である．微結晶数が十分多数であれば，いかなる回折方位でも再現性のある回折パターンが得られる．

3) 同様に，温度，湿度などの影響で，測定中に試料の性質変化が認められることがある．

4) もし，全ての成分の結晶構造が既知の場合，リートベルト（Rietveld）法により高精度の定量分析が可能である．成分構造が既知ではない場合，ポーリー（Pawley）法又は最小二乗法を用いることができる．

──────── 注 ────────

注1　X線回折パターンは，通例，横軸を回折角，縦軸を回折強度で表す．回折角の違いは基本的に単位格子の違いを，相対回折強度の違いは，基本的に単位格子中の原子配置の違いを表している．そのため，各化合物の各結晶形のX線回折パターンは固有かつ特徴的となる．一方，単結晶X線構造解析により結晶構造が決定されていれば，その格子定数および原子座標から粉末X線回折パターンが計算できるので，結晶形の比較や同定に利用することができる．ただし，単結晶X線構造解析は100Kなどの超低温でデータ測定が行われて構造決定されている場合があり，その格子定数は室温の粉末結晶試料のものと，通例，わずかに異なるため，X線回折ピークの2θ値に違いが生じることがあるので，注意を要する．

注2　結晶多形および溶媒和結晶間では，溶解度，溶解速度の違いによりバイオアベイラビリティが異なる場合や，経時的な安定性が異なる場合があることが知られている．結晶多形および溶媒和結晶は固有の特徴的なX線回折パターンを示すが，異なる結晶多形又は溶媒和結晶間のX線回折パターンの差は非常に小さいこともあるので，その判定は注意深く行わねばならない．

B- *100* 一般試験法 改正事項

注3 熱的な構造変化を検討するために，試料の加熱・冷却装置を利用することができ，示差走査熱量測定と同時に粉末X線回折測定を行える装置も開発されている．また，試料部の温湿度コントロールを行う付属装置も開発され，湿度による結晶形の変化も測定可能となっている．

注4 回折計を用いた方法以外に，粉末カメラを用いた写真法が知られている．しかし，後者は現在ではほとんど用いられていない．

注5 粉末X線回折測定法に用いる試料は無配向化して用いるべきであるが，無配向化するためには試料を粉砕して微細化する必要がある．しかしながら，試料の物性によっては粉砕・微細化により結晶性が低下する場合がある．この場合，測定試料の結晶性を低下させず，完全に無配向化することは困難となる．この現象は，粉砕時間を変えた試料の粉末X線回折測定結果を比較することで確認できる．微細化した粉末試料を成形する場合，粉砕粒子の表面電荷により選択配向が生じることがある．この場合も測定試料を完全に無配向化することは困難となる．この現象は，充填量を変化させ，成形時の圧力を変えた試料の粉末X線回折測定結果を比較することにより確認できる．

注6 標準品が入手可能であれば，同一の装置を用いて同一条件下で測定することが望ましい．同定にはJCPDSデータを利用することができる．回折角は測定に用いたX線の波長に依存するので，通例，面間隔を比較に用いる．有機化合物に関して回折角の走査範囲を0°付近から40°とし，また，同一結晶形の相対強度の差は20％以内で同一であるとしている．一方，測定試料によっては，選択配向，粉砕による結晶性の低下，ロット間による晶癖の違い，選択的劈開などが原因となって，同一結晶間でも相対強度の差が20％より大きくなる場合がまれに生じる．

注7 粉末試料の結晶性物質では，完全な微細結晶領域と非晶質が混在しているとする二相モデル（二相説）が知られている．USPでは本モデルに従って固体物質を結晶質，非晶質および混合物に分類している．一方，ある種の格子欠陥を含む結晶格子ではX線回折パターンに鋭い回折ピークとバックグラウンドに寄与する回折効果が同時に生じる．そこで，完全な結晶領域から非晶質領域へ連続的に変化する中間構造を持つ中間体が存在するとする一相モデル（結晶欠陥説）も知られている．結晶化度の測定法には，Hermansの方法[1]およびRulandの方法[2]などが用いられる．結晶多形の混合物中の定量では，あらかじめそれぞれの標準試料を種々の割合で含む混合試料の特徴的なピーク強度から作成した検量線を用いる方法と，内標準物質を用いる方法が知られている．

文献

1) Hermans, P. H., *et al.* ：*J. Appl. Phys.* **19**，491（1948）
2) W. Ruland：*Acta Cryst.* **14**，1180（1961）

粒 度 測 定 法 B- *101*

─────── 解 説 ───────

Characterisation of Crystalline and Partially Crystalline Solids by X-Ray Powder Diffraction (XRPD) USP EP

　X線回折測定法の医薬品分野での利用は，単結晶を用いた結晶構造決定すなわち単結晶X線構造解析法と，粉末試料を用いて結晶多形や溶媒和結晶の同定，判定，定量，結晶性の評価，結晶化度の測定などを行う粉末X線回折測定法に大別できる．

　粉末X線回折測定法は，1916年ドイツのDebyeとScherrerにより，また，1917年アメリカのHullにより考案された．古くは粉末カメラを用いた写真法によって測定が行われたが，20世紀半ばごろ，ディフラクトメーター法による装置が市販されるようになり急速に普及した．現在ではX線検出器として一次元あるいは二次元半導体検出器が広く用いられるようになっており，短時間で高精度の測定が可能となっている．

　本測定法は，薬物の結晶性粉末に関する評価に極めて有用で，最も信頼できる測定技術である．薬物の結晶形や結晶性は医薬品の溶解性，吸収性，安定性，製造性などに影響することが知られており，本測定法を用いて測定試料の結晶形や結晶状態を規定できるので，品質評価において物質構造面から貴重な情報を得ることができる．なお，粉末X線回折測定においては，X線照射中，不適切に使用すると健康障害が生じる怖れがあるが，入手可能な測定装置では，通例，安全装置が完備しており，被曝量0で安全に測定を実施することができる．

　X線回折理論に関しては，本測定法で得られるデータを正しく解釈するのに必要な知識であるため，十分に理解しておくことが望ましい．詳細は多くの参考書籍が出版されている[1~3]ので，それらを参照されたい．

1)　中井泉，泉富士夫 編著：粉末X線解析の実際（第3版）　朝倉書店（2021）
2)　大場茂，植草秀裕 著：X線結晶構造解析入門　化学同人（2014）
3)　桜井敏雄 著：X線結晶解析　裳華房（1967）

　　一般試験法の部　3.04　粒度測定法の条　2.1．操作以降を次のように改める．

3.04　粒度測定法

2.1．操作
2.1.1．試験用ふるい

　本試験に用いるふるいは，各条中で別に規定するもののほか，表3.04-1に示すものを用いる．

　ふるいは，試料中の全粒子径範囲をカバーできるように選択する．ふるい目開き面

B-*102*　一般試験法　改正事項

積の$\sqrt{2}$級数を持つ一群のふるいを用いるのがよい．これらのふるいは，最も粗いふるいを最上段に，最も細かいふるいを最下段にして組み立てる．試験用ふるいの目開きの表示には，μm 又は mm を用いる［注：ふるい番号は表中で換算する場合のみに用いる］．試験用ふるいはステンレス網製であるが，真鍮製又は他の適切な不活性の網であってもよい．

表 3.04-1　関係する範囲における標準ふるいの目開き寸法

ISO 公称ふるい番号			USP ふるい番号	推奨される USP ふるい (microns)	EP ふるい番号	日本薬局方ふるい番号
主要寸法	補助寸法					
R20/3	R20	R40/3				
11.20 mm	11.20 mm	11.20 mm			11200	
	10.00 mm					
		9.50 mm				
	9.00 mm					
8.00 mm	8.00 mm	8.00 mm				
	7.10 mm					
		6.70 mm				
	6.30 mm					
5.60 mm	5.60 mm	5.60 mm			5600	3.5
	5.00 mm					
		4.75 mm				4
	4.50 mm					
4.00 mm	4.00 mm	4.00 mm	5	4000	4000	4.7
	3.55 mm					
		3.35 mm	6			5.5
	3.15 mm					
2.80 mm	2.80 mm	2.80 mm	7	2800	2800	6.5
	2.50 mm					
		2.36 mm	8			7.5
	2.24 mm					
2.00 mm	2.00 mm	2.00 mm	10	2000	2000	8.6
	1.80 mm					
		1.70 mm	12			10
	1.60 mm					
1.40 mm	1.40 mm	1.40 mm	14	1400	1400	12
	1.25 mm					
		1.18 mm	16			14
	1.12 mm					
1.00 mm	1.00 mm	1.00 mm	18	1000	1000	16
	900 μm					
		850 μm	20			18
	800 μm					
710 μm	710 μm	710 μm	25	710	710	22
	630 μm					
		600 μm	30			26

	560 μm					
500 μm	500 μm	500 μm	35	500	500	30
	450 μm					
		425 μm	40			36
	400 μm					
355 μm	355 μm	355 μm	45	355	355	42
	315 μm					
		300 μm	50			50
	280 μm					
250 μm	250 μm	250 μm	60	250	250	60
	224 μm					
		212 μm	70			70
	200 μm					
180 μm	180 μm	180 μm	80	180	180	83
	160 μm					
		150 μm	100			100
	140 μm					
125 μm	125 μm	125 μm	120	125	125	119
	112 μm					
		106 μm	140			140
	100 μm					
90 μm	90 μm	90 μm	170	90	90	166
	80 μm					
		75 μm	200			200
	71 μm					
63 μm	63 μm	63 μm	230	63	63	235
	56 μm					
		53 μm	270			282
	50 μm					
45 μm	45 μm	45 μm	325	45	45	330
	40 μm					
		38 μm			38	391

2.1.1.1. 試験用ふるいの校正

ISO 3310-1[2] に準じて行う. ふるいは使用前に著しい歪みや破断がないか, また, 特に網面と枠の接合部についても注意深く検査しておく. 網目の平均目開きや目開きの変動を評価する場合には, 目視で検査してもよい. また, 212 ～ 850 μm の範囲内にある試験用ふるいの有効目開きを評価する際には, 標準ガラス球を代用してもよい. 各条中で別に規定するもののほか, ふるいの校正は調整された室温と環境相対湿度下で行う.

2.1.1.2. ふるいの洗浄

理想的には, 試験用ふるいはエアー・ジェット又は液流中でのみ洗浄すべきである. もし, 試料が網目に詰まったら, 最終手段として注意深く緩和なブラッシングを行ってもよい.

2.1.2. 測定用試料

特定の物質について各条中に試料の質量が規定されていない場合には, 試料のかさ密度に応じて 25 ～ 100 g の試料を用い, 直径 200 mm 又は 203 mm (8インチ)

B-*104* 一般試験法 改正事項

注1 のふるいを用いる．直径 75 mm 又は 76 mm（3 インチ）注2 のふるいを用いる場合は，試料量は 200 mm 又は 203 mm 注1 ふるいの場合の約 1/7 とする．正確に量った種々の質量の試料（例えば，25, 50, 100 g）を同一時間ふるい振とう機にかけ，試験的にふるい分けることによって，この試料に対する最適質量を決定する〔注：25 g の試料と 50 g の試料において同じような試験結果が得られ，100 g の試料が最も細かいふるいを通過したときの質量百分率が 25 g 及び 50 g の場合に比べて低ければ，100 g は多すぎる〕．10 ～ 25 g の試料しか用いることができない場合には，同じふるいリスト（表 3.04-1）に適合した直径のより小さい試験用ふるいを代用してもよいが，この場合には終点を決定し直さねばならない．場合によっては，更に小さい質量（例えば，5 g 未満）について測定する必要があるかも知れない．かさ密度が小さい試料，又は主として直径が極めて近似している粒子からなる試料については，ふるいの過剰な目詰まりを避けるために，200 mm 又は 203 mm 注1 ふるいでは試料の質量は 5 g 未満でなければならないこともある．特殊なふるい分け法の妥当性を確認する際には，ふるいの目詰まりの問題に注意しておく．

　試料が湿度変化によって著しい吸湿又は脱湿を起こしやすい場合には，試験は適度に湿度調整された環境下で行わねばならない．同様に，帯電することが知られている試料の場合には，このような帯電が分析に影響しないことを保証するために，注意深く観察しておかねばならない．この影響を最小限にするために，軽質無水ケイ酸又は酸化アルミニウムのような帯電防止剤を 0.5 ％レベルで添加してもよい．上に述べたいずれの影響も除去できなければ，これに代わる粒子径測定法を選択しなければならない．

2.1.3. 振とう法

　幾つかの異なった機構に基づくふるい振とう装置が市販されており，これらの全てがふるい分けに利用できる．しかしながら，試験中の個々の粒子に作用する力の種類や大きさが機種間で異なるため，振とう法が異なると，ふるい分けや終点の決定において異なった結果を生じる．機械的振とう法又は電磁振とう法，及び垂直方向の振動あるいは水平方向の円運動を行わせることができる方法，又は，タッピング又はタッピングと水平方向の円運動を並行させる方法などが利用できる．気流中での粒子の飛散を利用してもよい．測定結果には，用いた振とう法と振とうに関係するパラメーター（これらを変化させることができる場合には）を記載しておかねばならない．

2.1.4. 終点の決定

　ふるい分けは，いずれのふるいについても，ふるい上質量変化が直前の質量に対して 5 ％（75 mm 又は 76 mm 注2 ふるいの場合には 10 ％）又は 0.1 g 以下となったとき，終了する．所定のふるいの上の残留量が全試料質量の 5 ％未満となった場合には，終点は，そのふるい上の質量変化を直前の質量に対して 20 ％以下まで引き上げる．各条中に別に規定するもののほか，いずれかのふるい上に残留した試料量が全試料質量の 50 ％を超えた場合には，ふるい分けを繰り返す．このふるいと，元の組ふ

粒度測定法　B- 105

るいの中でこれより粗い目開きを持つふるいとの中間にあるふるい，すなわち，一群の組ふるいから削除された ISO シリーズのふるいを追加する．

2.2.　ふるい分け法

2.2.1.　機械的振とう法（乾式ふるい分け法）

　各ふるいの風袋質量を 0.1 g まで量る．質量を正確に量った試料を最上段のふるいの上に置き，蓋をする．組ふるいを 5 分間振とうする．試料の損失がないように組ふるいから各段のふるいを注意深く外す．各ふるいの質量を再度量り，ふるい上の試料質量を測定する．同様にして，受け皿内の試料質量も測定する．ふるいを再度組み合わせ，更に 5 分間振とうする．先に述べたように各ふるいを外し，質量を量る．これらの操作を終点規格に適合するまで繰り返す（終点の決定の項を参照）．ふるい分けを終了した後，全損失量を計算する．全損失量は元の試料質量の 5 ％以下である．

　新たな試料を用いてふるい分けを繰り返すが，このときは先に用いた繰り返し回数に対応する合計時間を 1 回のふるい分け時間とする．このふるい分け時間が終点決定のための必要条件に適合していることを確認する．一つの試料についてこの終点の妥当性が確認されている場合は，粒子径分布が正常な変動範囲内にあれば，以後のふるい分けには一つの固定したふるい分け時間を用いてもよい．

　いずれかのふるいの上に残留している粒子が単一粒子ではなく凝集体であり，機械的乾式ふるい分け法を用いても良好な再現性が期待できない場合には，他の粒子径測定法を用いる．

2.2.2.　気流中飛散法（エアー・ジェット法及びソニック・シフター法）

　気流を用いた種々の市販装置がふるい分けに利用されている．1 回の時間で 1 個のふるいを用いるシステムをエアー・ジェット法という．本法は乾式ふるい分け法において述べたのと同じ一般的なふるい分け法を用いているが，典型的な振とう機構の代わりに標準化されたエアー・ジェットを用いている．本法で粒子径分布を得るためには，最初に最も細かいふるいから始め，個々のふるいごとに一連の分析をする必要がある．エアー・ジェット法では，しばしば通常の乾式ふるい分け法で用いられているものより細かい試験用ふるいを用いる．本法は，ふるい上残分又はふるい下残分のみを必要とする場合には，より適している．

　ソニック・シフター法では組ふるいを用いる．この場合，試料は所定のパルス数（回 / 分）で試料を持ち上げ，その後再びふるいの網目まで戻すように垂直方向に振動する空気カラム内に運ばれる．ソニック・シフター法を用いる場合は，試料量を 5 g まで低減する必要がある．

　エアー・ジェット法とソニック・シフター法は，機械的ふるい分け法では意味のある分析結果が得られない粉体や顆粒について有用である．これらの方法は，気流中に粉体を適切に分散できるかどうかということに大きく依存している．粒子の付着傾向がより強い場合や，特に帯電傾向を持つ試料の場合には，ふるい分け範囲の下限付近

B-*106*　一般試験法　改正事項

（＜75 μm）で本法を用いると，良好な分散性を達成するのは困難である．上記の理由により，終点の決定は特に重大である．また，ふるい上の試料が単一粒子であり，凝集体を形成していないことを確認しておくことは極めて重要である．

2.3.　結果の解析

個々のふるい上及び受け皿中に残留している試料の質量に加えて，試験記録には全試料質量，全ふるい分け時間，正確なふるい分け法及び変数パラメーターに関する値を記載しておかねばならない．試験結果は積算質量基準分布に変換すると便利である．また，分布を積算ふるい下質量基準で表示するのが望ましい場合には，用いたふるい範囲に全試料が通過するふるいを含めておく．いずれかの試験ふるいについて，ふるい分け中にふるい上に残留している試料の凝集体の生成が確認された場合は，ふるい分け法は意味がない．

[1]　粒子径測定，試料量及びデータ解析に関するその他の情報は，例えば，ISO 9276において利用できる．

[2]　ISO 3310-1, Test sieves − Technical requirements and testing − Part 1: Test sieves of metal wire cloth.

──────── 注 ────────

日局 18 までは，直径 200 mm は，ISO 規格，直径 76 mm は，ASTM 規格で混在していたため，両規格を併記することになった．

注1　200 mm は，200 mm/203 mm（8 インチ）に変更された．
注2　76 mm（3 インチ）は，75 mm/76 mm（3 インチ）に変更された．

一般試験法の部　9.01　標準品の条（1）の項に次のように加える．

9.01　標準品

アナストロゾール標準品
テモゾロミド標準品
ブデソニド標準品

同条（1）の項の次を削る．

ナルトグラスチム標準品

試薬・試液　　B– *107*

同条（2）の項の次を削り，（1）に加える．

アミカシン硫酸塩標準品
クリンダマイシンリン酸エステル標準品
セファクロル標準品
セファレキシン標準品
ドキソルビシン塩酸塩標準品

一般試験法の部　9.41　試薬・試液の条次の項を次のように改める．

9.41　試薬・試液

アミグダリン，定量用　$C_{20}H_{27}NO_{11}$　アミグダリン，薄層クロマトグラフィー用．ただし，以下の定量用 1 又は定量用 2（qNMR 純度規定）の試験に適合するもの．なお，定量用 1 はデシケーター（シリカゲル）で 24 時間乾燥して用いる．定量用 2 は定量法で求めた含量で補正して用いる．

1）定量用 1

吸光度〈*2.24*〉　$E_{1\,cm}^{1\%}$（263 nm）：5.2 〜 5.8（脱水物に換算したもの 20 mg，メタノール，20 mL）．ただし，別途水分〈*2.48*〉を測定しておく（5 mg，電量滴定法）．

純度試験　類縁物質　本品 5 mg を移動相 10 mL に溶かし，試料溶液とする．この液 1 mL を正確に量り，移動相を加えて正確に 100 mL とし，標準溶液とする．試料溶液及び標準溶液 10 µL ずつを正確にとり，次の条件で液体クロマトグラフィー〈*2.01*〉により試験を行う．それぞれの液の各々のピーク面積を自動積分法により測定するとき，試料溶液のアミグダリン以外のピークの合計面積は，標準溶液のアミグダリンのピーク面積より大きくない．

　試験条件
　　検出器，カラム，カラム温度，移動相及び流量は「桂枝茯苓丸エキス」の定量
　　　法（3）の試験条件を準用する．
　　面積測定範囲：アミグダリンの保持時間の約 3 倍の範囲
　システム適合性
　　検出の確認：標準溶液 1 mL を正確に量り，移動相を加えて正確に 20 mL とす
　　　る．この液 10 µL から得たアミグダリンのピーク面積が，標準溶液のアミグ
　　　ダリンのピーク面積の 3.5 〜 6.5％になることを確認する．
　　システムの性能：標準溶液 10 µL につき，上記の条件で操作するとき，アミグ
　　　ダリンのピークの理論段数及びシンメトリー係数は，それぞれ 5000 段以

上，1.5 以下である．

システムの再現性：標準溶液 10 μL につき，上記の条件で試験を 6 回繰り返すとき，アミグダリンのピーク面積の相対標準偏差は 1.5% 以下である．

2）定量用 2（qNMR 純度規定）

ピークの単一性　本品 1 mg を薄めたメタノール（1 → 2）5 mL に溶かし，試料溶液とする．試料溶液 10 μL につき，次の条件で液体クロマトグラフィー〈2.01〉により試験を行い，アミグダリンのピークの頂点及び頂点の前後でピーク高さの中点付近の 2 時点を含む少なくとも 3 時点以上でのピークの吸収スペクトルを比較するとき，スペクトルの形状に差がない．

試験条件

カラム，カラム温度，移動相及び流量は「桂枝茯苓丸エキス」の定量法（3）の試験条件を準用する．

検出器：フォトダイオードアレイ検出器（測定波長：210 nm，スペクトル測定範囲：200 ～ 400 nm）

システム適合性

システムの性能：試料溶液 10 μL につき，上記の条件で操作するとき，アミグダリンのピークの理論段数及びシンメトリー係数は，それぞれ 5000 段以上，1.5 以下である．

定量法　ウルトラミクロ化学はかりを用い，本品 5 mg 及び核磁気共鳴スペクトル測定用 DSS-d_6 1 mg をそれぞれ精密に量り，核磁気共鳴スペクトル測定用重水素化ジメチルスルホキシド 1 mL に溶かし，試料溶液とする．この液を外径 5 mm の NMR 試料管に入れ，核磁気共鳴スペクトル測定用 DSS-d_6 を qNMR 用基準物質として，次の試験条件で核磁気共鳴スペクトル測定法（〈2.21〉及び〈5.01〉）により，^{1}H NMR を測定する．qNMR 用基準物質のシグナルを δ 0 ppm とし，δ 6.03 ppm 付近のシグナルの面積強度 A（水素数 1 に相当）を算出する．

アミグダリン（$C_{20}H_{27}NO_{11}$）の量（%）
$$= M_S \times I \times P / (M \times N) \times 2.0388$$

M：本品の秤取量（mg）

M_S：核磁気共鳴スペクトル測定用 DSS-d_6 の秤取量（mg）

I：核磁気共鳴スペクトル測定用 DSS-d_6 のシグナルの面積強度を 9.000 としたときの面積強度 A

N：A に由来するシグナルの水素数

P：核磁気共鳴スペクトル測定用 DSS-d_6 の純度（%）

試験条件

装置：^{1}H 共鳴周波数 400 MHz 以上の核磁気共鳴スペクトル測定装置

測定対象とする核：^{1}H

デジタル分解能：0.25 Hz 以下

観測スペクトル幅：$-5 \sim 15$ ppm を含む 20 ppm 以上

スピニング：オフ

パルス角：90°

^{13}C 核デカップリング：あり

遅延時間：繰り返しパルス待ち時間 60 秒以上

積算回数：8 回以上

ダミースキャン：2 回以上

測定温度：20 〜 30℃の一定温度

システム適合性

検出の確認：試料溶液につき，上記の条件で測定するとき，δ 6.03 ppm 付近のシグナルの SN 比は 100 以上である．

システムの性能：試料溶液につき，上記の条件で測定するとき，δ 6.03 ppm 付近のシグナルについて，明らかな混在物のシグナルが重なっていないことを確認する．

システムの再現性：試料溶液につき，上記の条件で測定を 6 回繰り返すとき，面積強度 A の qNMR 用基準物質の面積強度に対する比の相対標準偏差は 1.0％以下である．

アルブチン，定量用 $C_{12}H_{16}O_7$ アルブチン，薄層クロマトグラフィー用．ただし，以下の定量用 1 又は定量用 2（qNMR 純度規定）の試験に適合するもの．なお，定量用 1 は乾燥（減圧，シリカゲル，12 時間）して用い，定量用 2 はあらかじめ臭化ナトリウム飽和溶液で 20 〜 25℃，相対湿度 57 〜 60％に調湿したデシケーター内で 24 時間放置した後，20 〜 25℃，相対湿度 45 〜 60％の条件下で量り，定量法で求めた含量で補正して用いる．

1）定量用 1

吸光度〈*2.24*〉 $E^{1\%}_{1\,cm}$（280 nm）：70 〜 76（4 mg，水，100 mL）．ただし，デシケーター（減圧，シリカゲル）で 12 時間乾燥したもの．

純度試験 類縁物質 本品 1 mg を水 2.5 mL に溶かし，試料溶液とする．この液 1 mL を正確に量り，水を加えて正確に 100 mL とし，標準溶液とする．試料溶液及び標準溶液 10 μL ずつを正確にとり，次の条件で液体クロマトグラフィー〈*2.01*〉により試験を行う．それぞれの液の各々のピーク面積を自動積分法により測定するとき，試料溶液のアルブチン以外のピークの合計面積は，標準溶液のアルブチンのピーク面積より大きくない．

試験条件

検出器：紫外吸光光度計（測定波長：280 nm）

B- *110*　　一般試験法　改正事項

　　カラム：内径 4.6 mm，長さ 15 cm のステンレス管に 5 µm の液体クロマトグ
　　　ラフィー用オクタデシルシリル化シリカゲルを充塡する．

　　カラム温度：20℃付近の一定温度

　　移動相：水 / メタノール /0.1 mol/L 塩酸試液混液（94：5：1）

　　流量：アルブチンの保持時間が約 6 分になるように調整する．

　　面積測定範囲：溶媒のピークの後からアルブチンの保持時間の約 3 倍の範囲

　システム適合性

　　検出の確認：標準溶液 1 mL を正確に量り，水を加えて正確に 20 mL とする．
　　　この液 10 µL から得たアルブチンのピーク面積が，標準溶液のアルブチンの
　　　ピーク面積の 3.5 ～ 6.5％になることを確認する．

　　システムの性能：本品，ヒドロキノン及び没食子酸一水和物 1 mg ずつを水
　　　2 mL に溶かす．この液 10 µL につき，上記の条件で操作するとき，アルブ
　　　チン，ヒドロキノン，没食子酸の順に溶出し，それぞれの分離度は 1.5 以上
　　　である．

　　システムの再現性：標準溶液 10 µL につき，上記の条件で試験を 6 回繰り返
　　　すとき，アルブチンのピーク面積の相対標準偏差は 1.5％以下である．

2) 定量用 2（qNMR 純度規定）

ピークの単一性　本品 1 mg を水 2.5 mL に溶かし，試料溶液とする．試料溶液
10 µL につき，次の条件で液体クロマトグラフィー〈*2.01*〉により試験を行い，ア
ルブチンのピークの頂点及び頂点の前後でピーク高さの中点付近の 2 時点を含む
少なくとも 3 時点以上でのピークの吸収スペクトルを比較するとき，スペクトル
の形状に差がない．

　試験条件

　　検出器：フォトダイオードアレイ検出器（測定波長：280 nm，スペクトル測
　　　定範囲：220 ～ 400 nm）

　　カラム：内径 4.6 mm，長さ 15 cm のステンレス管に 5 µm の液体クロマトグ
　　　ラフィー用オクタデシルシリル化シリカゲルを充塡する．

　　カラム温度：20℃付近の一定温度

　　移動相：水 / メタノール /0.1 mol/L 塩酸試液混液（94：5：1）

　　流量：アルブチンの保持時間が約 6 分になるように調整する．

　システム適合性

　　システムの性能：本品，ヒドロキノン及び没食子酸一水和物 1 mg ずつを水
　　　2 mL に溶かす．この液 10 µL につき，上記の条件で操作するとき，アルブ
　　　チン，ヒドロキノン，没食子酸の順に溶出し，それぞれの分離度は 1.5 以上
　　　である．

定量法　ウルトラミクロ化学はかりを用い，核磁気共鳴スペクトル測定用 1,4-
BTMSB-d_4 1 mg 及びあらかじめ臭化ナトリウム飽和溶液で 20 ～ 25℃，相対湿度

試薬・試液　　B- *111*

57 〜 60％ に調湿したデシケーター内で 24 時間放置した本品 5 mg を 20 〜 25℃，相対湿度 45 〜 60％の条件下でそれぞれ精密に量り，核磁気共鳴スペクトル測定用重水素化メタノール 1 mL に溶かし，試料溶液とする．この液を外径 5 mm の NMR 試料管に入れ，核磁気共鳴スペクトル測定用 1,4-BTMSB-d_4 を qNMR 用基準物質として，次の試験条件で核磁気共鳴スペクトル測定法（〈*2.21*〉及び〈*5.01*〉）により，^{1}H NMR を測定する．qNMR 用基準物質のシグナルを δ 0 ppm とし，δ 6.44 ppm 及び δ 6.71 ppm 付近のそれぞれのシグナルの面積強度 A_1（水素数 2 に相当）及び面積強度 A_2（水素数 2 に相当）を算出する．

アルブチン（$C_{12}H_{16}O_7$）の量（％）
$= M_S \times I \times P / (M \times N) \times 1.2020$

M：本品の秤取量（mg）

M_S：核磁気共鳴スペクトル測定用 1,4-BTMSB-d_4 の秤取量（mg）

I：核磁気共鳴スペクトル測定用 1,4-BTMSB-d_4 のシグナルの面積強度を 18.000 としたときの各シグナルの面積強度 A_1 及び A_2 の和

N：A_1 及び A_2 に由来する各シグナルの水素数の和

P：核磁気共鳴スペクトル測定用 1,4-BTMSB-d_4 の純度（％）

試験条件
　装置：^{1}H 共鳴周波数 400 MHz 以上の核磁気共鳴スペクトル測定装置
　測定対象とする核：^{1}H
　デジタル分解能：0.25 Hz 以下
　観測スペクトル幅：−5 〜 15 ppm を含む 20 ppm 以上
　スピニング：オフ
　パルス角：90°
　^{13}C 核デカップリング：あり
　遅延時間：繰り返しパルス待ち時間 60 秒以上
　積算回数：8 回以上
　ダミースキャン：2 回以上
　測定温度：20 〜 30℃の一定温度
システム適合性
　検出の確認：試料溶液につき，上記の条件で測定するとき，δ 6.44 ppm 及び δ 6.71 ppm 付近の各シグナルの SN 比は 100 以上である．
　システムの性能：試料溶液につき，上記の条件で測定するとき，δ 6.44 ppm 及び δ 6.71 ppm 付近のシグナルについて，明らかな混在物のシグナルが重なっていないことを確認する．また，試料溶液につき，上記の条件で測定す

B-*112*　　一般試験法　改正事項

るとき，各シグナル間の面積強度比 A_1/A_2 は，0.99 〜 1.01 である．

システムの再現性：試料溶液につき，上記の条件で測定を 6 回繰り返すとき，面積強度 A_1 又は A_2 の qNMR 用基準物質の面積強度に対する比の相対標準偏差は 1.0% 以下である．

[6]-ギンゲロール，定量用　$C_{17}H_{26}O_4$　［6]-ギンゲロール，薄層クロマトグラフィー用．ただし，以下の試験に適合するもの．なお，本品は定量法で求めた含量で補正して用いる．

ピークの単一性　本品 5 mg をメタノール 5 mL に溶かし，試料溶液とする．試料溶液 10 μL につき，次の条件で液体クロマトグラフィー〈*2.01*〉により試験を行い，［6]-ギンゲロールのピークの頂点及び頂点の前後でピーク高さの中点付近の 2 時点を含む少なくとも 3 時点以上でのピークの吸収スペクトルを比較するとき，スペクトルの形状に差がない．

試験条件

カラム，カラム温度，移動相及び流量は「半夏厚朴湯エキス」の定量法（3）の試験条件を準用する．

検出器：フォトダイオードアレイ検出器（測定波長：282 nm，スペクトル測定範囲：220 〜 400 nm）

システム適合性

システムの性能：試料溶液 10 μL につき，上記の条件で操作するとき，［6]-ギンゲロールのピークの理論段数及びシンメトリー係数は，それぞれ 5000 段以上，1.5 以下である．

定量法　ウルトラミクロ化学はかりを用い，本品 5 mg 及び核磁気共鳴スペクトル測定用 1,4-BTMSB-d_4 1 mg をそれぞれ精密に量り，核磁気共鳴スペクトル測定用重水素化メタノール 1 mL に溶かし，試料溶液とする．この液を外径 5 mm の NMR 試料管に入れ，核磁気共鳴スペクトル測定用 1,4-BTMSB-d_4 を qNMR 用基準物質として，次の試験条件で核磁気共鳴スペクトル測定法（〈*2.21*〉及び〈*5.01*〉）により，^{1}H NMR を測定する．qNMR 用基準物質のシグナルを δ 0 ppm とし，δ 3.56 ppm 及び δ 6.52 ppm 付近のそれぞれのシグナルの面積強度 A_1（水素数 3 に相当）及び A_2（水素数 1 に相当）を算出する．

［6]-ギンゲロール（$C_{17}H_{26}O_4$）の量（%）
$$= M_S \times I \times P / (M \times N) \times 1.2997$$

M：本品の秤取量（mg）

M_S：核磁気共鳴スペクトル測定用 1,4-BTMSB-d_4 の秤取量（mg）

I：核磁気共鳴スペクトル測定用 1,4-BTMSB-d_4 のシグナルの面積強度を 18.000 としたときの各シグナルの面積強度 A_1 及び A_2 の和

試薬・試液　　B-113

N：A_1及びA_2に由来する各シグナルの水素数の和

P：核磁気共鳴スペクトル測定用 1,4-BTMSB-d_4 の純度（％）

試験条件

装置：^{1}H 共鳴周波数 400 MHz 以上の核磁気共鳴スペクトル測定装置

測定対象とする核：^{1}H

デジタル分解能：0.25 Hz 以下

観測スペクトル幅：−5 〜 15 ppm を含む 20 ppm 以上

スピニング：オフ

パルス角：90°

^{13}C 核デカップリング：あり

遅延時間：繰り返しパルス待ち時間 60 秒以上

積算回数：8 回以上

ダミースキャン：2 回以上

測定温度：20 〜 30℃の一定温度

システム適合性

検出の確認：試料溶液につき，上記の条件で測定するとき，δ 3.56 ppm 及びδ 6.52 ppm 付近の各シグナルの SN 比は 100 以上である．

システムの性能：試料溶液につき，上記の条件で測定するとき，δ 3.56 ppm 及び δ 6.52 ppm 付近のシグナルについて，明らかな混在物のシグナルが重なっていないことを確認する．また，試料溶液につき，上記の条件で測定するとき，各シグナル間の面積強度比 $(A_1/3)/A_2$ は，それぞれ 0.99 〜 1.01 である．

システムの再現性：試料溶液につき，上記の条件で測定を 6 回繰り返すとき，面積強度 A_1 又は A_2 の qNMR 用基準物質の面積強度に対する比の相対標準偏差は 1.0％以下である．

抗ウロキナーゼ血清 「ウロキナーゼ」でウサギを免疫して得た抗血清で，以下の性能試験に適合するもの．−20℃以下に保存する．

性能試験 カンテン 1.0 g を pH 8.4 のホウ酸・水酸化ナトリウム緩衝液 100 mL に加温して溶かし，シャーレに液の深さが約 2 mm になるように入れる．冷後，直径 2.5 mm の 2 個の穴をそれぞれ 6 mm の間隔で 3 組作る．各組の一方の穴に本品 10 μL を入れ，他方の穴に，「ウロキナーゼ」に生理食塩液を加えて 1 mL 中に 30000 単位を含むように調製した液 10 μL，ヒト血清 10 μL 及びヒト尿 10 μL を別々に入れ，一夜静置するとき，本品とウロキナーゼの間に明瞭な 1 本又は 2 本の沈降線を生じ，本品とヒト血清との間及び本品とヒト尿との間に沈降線を生じない．

ジフェニルスルホン，定量用 $C_{12}H_{10}O_2S$ 白色の結晶又は結晶性の粉末で，ジメチ

B- *114* 一般試験法 改正事項

ルスルホキシドに溶ける.

本品は定量法で求めた含量で補正して用いる.

確認試験 本品につき,定量法を準用するとき,δ 7.65 ppm 付近に三重線様の 4 水素分のシグナル,δ 7.73 ppm 付近に三重線様の 2 水素分のシグナル,δ 7.99 ppm 付近に二重線様の 4 水素分のシグナルを示す.

ピークの単一性 本品 10 mg をメタノール 100 mL に溶かす.この液 10 mL にメタノールを加えて 100 mL とし,試料溶液とする.試料溶液 10 μL につき,次の条件で液体クロマトグラフィー〈*2.01*〉により試験を行い,ジフェニルスルホンのピークの頂点及び頂点の前後でピーク高さの中点付近の 2 時点を含む少なくとも 3 時点以上でのピークの吸収スペクトルを比較するとき,スペクトルの形状に差がない.

　試験条件

　　カラム,カラム温度,移動相及び流量は「ソヨウ」の定量法の試験条件を準用する.

　　検出器:フォトダイオードアレイ検出器（測定波長:234 nm,スペクトル測定範囲:220 ～ 400 nm）

　システム適合性

　　システムの性能:(*E*)-アサロン 1 mg 及び薄層クロマトグラフィー用ペリルアルデヒド 1 mg を試料溶液に溶かし,50 mL とする.この液 10 μL につき,上記の条件で操作するとき,ジフェニルスルホン,ペリルアルデヒド,(*E*)-アサロンの順に溶出し,それぞれの分離度は 1.5 以上である.

　ただし,ジフェニルスルホン（$C_{12}H_{10}O_2S$）の量（%）が 99.5 ～ 100.5％に入るものは,ピークの単一性は不要とする.

定量法 ウルトラミクロ化学はかりを用い,本品 5 mg 及び核磁気共鳴スペクトル測定用 DSS-d_6 1 mg をそれぞれ精密に量り,核磁気共鳴スペクトル測定用重水素化ジメチルスルホキシド 2 mL に溶かし,試料溶液とする.この液を外径 5 mm の NMR 試料管に入れ,核磁気共鳴スペクトル測定用 DSS-d_6 を qNMR 用基準物質として,次の試験条件で核磁気共鳴スペクトル測定法（〈*2.21*〉及び〈*5.01*〉）により,^{1}H NMR を測定する.qNMR 用基準物質のシグナルを δ 0 ppm とし,δ 7.64 ～ 7.74 ppm 及び δ 7.98 ～ 8.01 ppm 付近のシグナルの面積強度 A_1（水素数 6 に相当）及び A_2（水素数 4 に相当）を算出する.

　　ジフェニルスルホン（$C_{12}H_{10}O_2S$）の量（%）
　　　$= M_S \times I \times P / (M \times N) \times 0.9729$

　　　　M:本品の秤取量（mg）
　　　　M_S:核磁気共鳴スペクトル測定用 DSS-d_6 の秤取量（mg）

I：核磁気共鳴スペクトル測定用 DSS-d_6 のシグナルの面積強度を 9.000 とし
　　　たときの各シグナルの面積強度 A_1 及び A_2 の和

　N：A_1 及び A_2 に由来する各シグナルの水素数の和

　P：核磁気共鳴スペクトル測定用 DSS-d_6 の純度（%）

試験条件
　装置：^{1}H 共鳴周波数 400 MHz 以上の核磁気共鳴スペクトル測定装置
　測定対象とする核：^{1}H
　デジタル分解能：0.25 Hz 以下
　観測スペクトル幅：−5 〜 15 ppm を含む 20 ppm 以上
　スピニング：オフ
　パルス角：90°
　^{13}C 核デカップリング：あり
　遅延時間：繰り返しパルス待ち時間 60 秒以上
　積算回数：8 回以上
　ダミースキャン：2 回以上
　測定温度：20 〜 30℃の一定温度

システム適合性
　検出の確認：試料溶液につき，上記の条件で測定するとき，δ 7.64 〜
　　　7.74 ppm 及び δ 7.98 〜 8.01 ppm 付近のシグナルの SN 比は 100 以上であ
　　　る．
　システムの性能：試料溶液につき，上記の条件で測定するとき，δ 7.64 〜
　　　7.74 ppm 及び δ 7.98 〜 8.01 ppm 付近のシグナルについて，明らかな混在
　　　物のシグナルが重なっていないことを確認する．また，試料溶液につき，上
　　　記の条件で測定するとき，各シグナル間の面積強度比 $(A_1/6)/(A_2/4)$ は，
　　　0.99 〜 1.01 である．
　システムの再現性：試料溶液につき，上記の条件で測定を 6 回繰り返すとき，
　　　面積強度 A_1 又は A_2 の qNMR 用基準物質の面積強度に対する比の相対標準
　　　偏差は 1.0% 以下である．

シャゼンシ，薄層クロマトグラフィー用　[医薬品各条，「シャゼンシ」ただし，次の
試験に適合するもの]

確認試験

(1)　本品の細末 1 g をとり，メタノール 3 mL を加え，水浴上で 3 分間加温する．
冷後，遠心分離し，上澄液を試料溶液とする．この液につき，薄層クロマトグラフ
ィー〈2.03〉により試験を行う．試料溶液 10 μL を薄層クロマトグラフィー用シリ
カゲルを用いて調製した薄層板にスポットする．次にアセトン／酢酸エチル／水／
酢酸（100）混液（10：10：3：1）を展開溶媒として約 10 cm 展開した後，薄層板

B- *116*　　一般試験法　改正事項

を風乾する．これに4-メトキシベンズアルデヒド・硫酸試液を均等に噴霧し，105
℃で10分間加熱するとき，以下と同等のスポットを認める．

R_f 値	スポットの色及び形状
0 付近	ごく暗い青の強いスポット
0.08 付近	ごく暗い青のスポット
0.1 ～ 0.2 付近	ごく暗い青のリーディングしたスポット
0.25 付近	濃い青の強いスポット （プランタゴグアニジン酸に相当）
0.35 付近	暗い灰みの青の強いスポット （ゲニポシド酸に相当）
0.45 付近	灰みの黄みを帯びた緑の弱いスポット
0.50 付近	濃い黄緑の強いスポット （ベルバスコシドに相当）
0.6 付近	薄い青の弱いスポット
0.85 付近	濃い青のスポット
0.9 ～ 0.95 付近	灰みの青のテーリングしたスポット

(2)　(1)で得た試料溶液につき，(1)の方法を準用する．ただし，展開溶媒に酢酸
エチル / 水 / ギ酸混液 (6：1：1) を用いて試験を行うとき，以下と同等のスポッ
トを認める．

R_f 値	スポットの色及び形状
0 付近	黄緑みの暗い灰色のスポット
0.05 付近	暗い灰みの黄緑の弱いスポット
0.2 付近	暗い緑の弱いスポット
0.25 付近	暗い赤みの紫の強いスポット （ゲニポシド酸に相当）
0.35 付近	あざやかな青の弱いスポット
0.4 ～ 0.45 付近	くすんだ緑みの青の弱いテーリングしたスポット
0.45 付近	濃い黄緑の強いスポット （ベルバスコシドに相当）
0.5 付近	濃い青の強いスポット （プランタゴグアニジン酸に相当）
0.95 付近	暗い灰みの青緑の強いスポット
0.97 付近	暗い灰みの青緑のスポット

[6]-ショーガオール，定量用　$C_{17}H_{24}O_3$　[6]-ショーガオール，薄層クロマトグラフ

試薬・試液 B- *117*

ィー用．ただし，以下の試験に適合するもの．なお，本品は定量法で求めた含量で補正して用いる．

ピークの単一性 本品 5 mg をアセトニトリル／水混液（2：1）10 mL に溶かし，試料溶液とする．試料溶液 10 μL につき，次の条件で液体クロマトグラフィー〈*2.01*〉により試験を行い，［6］-ショーガオールのピークの頂点及び頂点の前後でピーク高さの中点付近の 2 時点を含む少なくとも 3 時点以上でのピークの吸収スペクトルを比較するとき，スペクトルの形状に差がない．

試験条件

カラム，カラム温度，移動相及び流量は「無コウイ大建中湯エキス」の定量法（2）の試験条件を準用する．

検出器：フォトダイオードアレイ検出器（測定波長：225 nm，スペクトル測定範囲：220 ～ 400 nm）

システム適合性

システムの性能：試料溶液 10 μL につき，上記の条件で操作するとき，［6］-ショーガオールのピークの理論段数及びシンメトリー係数は，それぞれ 5000 段以上，1.5 以下である．

定量法 ウルトラミクロ化学はかりを用い，本品 5 mg 及び核磁気共鳴スペクトル測定用 1,4-BTMSB-d_4 1 mg をそれぞれ精密に量り，核磁気共鳴スペクトル測定用重水素化メタノール 1 mL に溶かし，試料溶液とする．この液を外径 5 mm の NMR 試料管に入れ，核磁気共鳴スペクトル測定用 1,4-BTMSB-d_4 を qNMR 用基準物質として，次の試験条件で核磁気共鳴スペクトル測定法（〈*2.21*〉及び〈*5.01*〉）により，^{1}H NMR を測定する．qNMR 用基準物質のシグナルを δ 0 ppm とし，δ 3.57 ppm 付近のシグナルの面積強度 A（水素数 3 に相当）を算出する．

［6］-ショーガオール（$C_{17}H_{24}O_3$）の量（％）
$= M_S \times I \times P / (M \times N) \times 1.2202$

M：本品の秤取量（mg）

M_S：核磁気共鳴スペクトル測定用 1,4-BTMSB-d_4 の秤取量（mg）

I：核磁気共鳴スペクトル測定用 1,4-BTMSB-d_4 のシグナルの面積強度を 18.000 としたときの面積強度 A

N：A に由来するシグナルの水素数

P：核磁気共鳴スペクトル測定用 1,4-BTMSB-d_4 の純度（％）

試験条件

装置：^{1}H 共鳴周波数 400 MHz 以上の核磁気共鳴スペクトル測定装置

測定対象とする核：^{1}H

B- *118* 一般試験法 改正事項

デジタル分解能：0.25 Hz 以下

観測スペクトル幅：−5 〜 15 ppm を含む 20 ppm 以上

スピニング：オフ

パルス角：90°

^{13}C 核デカップリング：あり

遅延時間：繰り返しパルス待ち時間 60 秒以上

積算回数：8 回以上

ダミースキャン：2 回以上

測定温度：20 〜 30℃の一定温度

システム適合性

検出の確認：試料溶液につき，上記の条件で測定するとき，δ 3.57 ppm 及び δ 6.37 〜 6.43 ppm 付近の各シグナルの SN 比は 100 以上である．

システムの性能：試料溶液につき，上記の条件で測定するとき，δ 3.57 ppm 及び δ 6.37 〜 6.43 ppm 付近のシグナルについて，明らかな混在物のシグナルが重なっていないことを確認する．また，試料溶液につき，上記の条件で δ 3.57 ppm 及び δ 6.37 〜 6.43 ppm 付近のそれぞれのシグナルの面積強度 A （水素数 3 に相当）及び面積強度 A_1（水素数 2 に相当）を測定するとき，各シグナル間の面積強度比（$A/3$)/($A_1/2$）は，0.99 〜 1.01 である．

システムの再現性：試料溶液につき，上記の条件で測定を 6 回繰り返すとき，面積強度 A の qNMR 用基準物質の面積強度に対する比の相対標準偏差は 1.0％以下である．

シンドビスウイルス トガウイルス科の RNA ウイルスで，ニワトリ胚細胞初代培養又はニワトリ胚線維芽細胞由来の株化細胞（ATCC CRL-12203 など）培養で増殖させる．同細胞培養上でプラーク数を測定し，1×10^8 PFU/mL 以上のものを用いる．

デヒドロコリダリン硝化物，定量用 $C_{22}H_{24}N_2O_7$ デヒドロコリダリン硝化物，薄層クロマトグラフィー用．ただし，以下の定量用 1 又は定量用 2（qNMR 純度規定）の試験に適合するもの．なお，定量用 1 はデシケーター（シリカゲル）で 1 時間以上乾燥して用いる．定量用 2 は定量法で求めた含量で補正して用いる．

1）定量用 1

吸光度〈*2.24*〉 $E^{1\%}_{1\,cm}$（333 nm）：577 〜 642（3 mg，水，500 mL）．ただし，デシケーター（シリカゲル）で 1 時間以上乾燥したもの．

純度試験 類縁物質 本品 5.0 mg を移動相 10 mL に溶かし，試料溶液とする．この液 1 mL を正確に量り，移動相を加えて正確に 100 mL とし，標準溶液とする．試料溶液及び標準溶液 5 μL ずつを正確にとり，次の条件で液体クロマトグラフィー〈*2.01*〉により試験を行う．それぞれの液の各々のピーク面積を自動積分法により測定するとき，試料溶液のデヒドロコリダリン以外のピークの合計面積は，標準溶

試薬・試液　　B- 119

液のデヒドロコリダリンのピーク面積より大きくない.

　試験条件

　　カラム，カラム温度，移動相及び流量は「エンゴサク」の定量法の試験条件を準用する.

　　検出器：紫外吸光光度計（測定波長：230 nm）

　　面積測定範囲：硝酸のピークの後からデヒドロコリダリンの保持時間の約3倍の範囲

　システム適合性

　　検出の確認：標準溶液1 mLを正確に量り，移動相を加えて正確に20 mLとする.この液5 μLから得たデヒドロコリダリンのピーク面積が，標準溶液のデヒドロコリダリンのピーク面積の3.5〜6.5％になることを確認する.

　　システムの性能：本品1 mg及びベルベリン塩化物水和物1 mgを水／アセトニトリル混液（20：9）20 mLに溶かす.この液5 μLにつき，上記の条件で操作するとき，ベルベリン，デヒドロコリダリンの順に溶出し，その分離度は1.5以上である.

　　システムの再現性：標準溶液5 μLにつき，上記の条件で試験を6回繰り返すとき，デヒドロコリダリンのピーク面積の相対標準偏差は1.5％以下である.

2）定量用2（qNMR 純度規定）

ピークの単一性　本品1 mgをメタノール／希塩酸混液（3：1）2 mLに溶かし，試料溶液とする.試料溶液5 μLにつき，次の条件で液体クロマトグラフィー〈2.01〉により試験を行い，デヒドロコリダリンのピークの頂点及び頂点の前後でピーク高さの中点付近の2時点を含む少なくとも3時点以上でのピークの吸収スペクトルを比較するとき，スペクトルの形状に差がない.

　試験条件

　　カラム，カラム温度，移動相及び流量は「エンゴサク」の定量法の試験条件を準用する.

　　検出器：フォトダイオードアレイ検出器（測定波長：230 nm，スペクトル測定範囲：220〜400 nm）

　システム適合性

　　システムの性能：本品1 mg及びベルベリン塩化物水和物1 mgを水／アセトニトリル混液（20：9）20 mLに溶かす.この液5 μLにつき，上記の条件で操作するとき，ベルベリン，デヒドロコリダリンの順に溶出し，その分離度は1.5以上である.

定量法　ウルトラミクロ化学はかりを用い，本品5 mg及び核磁気共鳴スペクトル測定用 DSS-d_6 1 mgをそれぞれ精密に量り，核磁気共鳴スペクトル測定用重水素化ジメチルスルホキシド1 mLに溶かし，試料溶液とする.この液を外径5 mmの

B- 120　　一般試験法　改正事項

NMR 試料管に入れ，核磁気共鳴スペクトル測定用 DSS-d_6 を qNMR 用基準物質として，次の試験条件で核磁気共鳴スペクトル測定法（〈2.21〉及び〈5.01〉）により，^{1}H NMR を測定する．qNMR 用基準物質のシグナルを δ 0 ppm とし，δ 7.42 ppm 付近のシグナルの面積強度 A（水素数 1 に相当）を算出する．

デヒドロコリダリン硝化物（$C_{22}H_{24}N_2O_7$）の量（％）
= $M_S \times I \times P / (M \times N) \times 1.9096$

M：本品の秤取量（mg）
M_S：核磁気共鳴スペクトル測定用 DSS-d_6 の秤取量（mg）
I：核磁気共鳴スペクトル測定用 DSS-d_6 のシグナルの面積強度を 9.000 としたときの面積強度 A
N：A に由来するシグナルの水素数
P：核磁気共鳴スペクトル測定用 DSS-d_6 の純度（％）

試験条件
装置：^{1}H 共鳴周波数 400 MHz 以上の核磁気共鳴スペクトル測定装置
測定対象とする核：^{1}H
デジタル分解能：0.25 Hz 以下
観測スペクトル幅：−5 〜 15 ppm を含む 20 ppm 以上
スピニング：オフ
パルス角：90°
^{13}C 核デカップリング：あり
遅延時間：繰り返しパルス待ち時間 60 秒以上
積算回数：8 回以上
ダミースキャン：2 回以上
測定温度：20 〜 30℃の一定温度
システム適合性
検出の確認：試料溶液につき，上記の条件で測定するとき，δ 7.42 ppm 付近のシグナルの SN 比は 100 以上である．
システムの性能：試料溶液につき，上記の条件で測定するとき，δ 7.42 ppm 付近のシグナルについて，明らかな混在物のシグナルが重なっていないことを確認する．
システムの再現性：試料溶液につき，上記の条件で測定を 6 回繰り返すとき，面積強度 A の qNMR 用基準物質の面積強度に対する比の相対標準偏差は 1.0% 以下である．
デヒドロコリダリン硝化物，薄層クロマトグラフィー用　$C_{22}H_{24}N_2O_7$　黄色の結晶又

試薬・試液　B- 121

は結晶性の粉末である．メタノールにやや溶けにくく，水又はエタノール（99.5）
に溶けにくい．融点：約240℃（分解）．

純度試験　類縁物質　本品5.0 mgを水／メタノール混液（1:1）1 mLに溶かし，
試料溶液とする．この液0.5 mLを正確に量り，水／メタノール混液（1:1）を加
えて正確に50 mLとし，標準溶液とする．これらの液につき，薄層クロマトグラ
フィー〈*2.03*〉により試験を行う．試料溶液及び標準溶液5 μLずつを薄層クロマ
トグラフィー用シリカゲルを用いて調製した薄層板にスポットし，速やかにメタノ
ール／酢酸アンモニウム溶液（3→10）／酢酸（100）混液（20:1:1）を展開溶
媒として約10 cm展開した後，薄層板を風乾する．これに噴霧用ドラーゲンドル
フ試液を均等に噴霧し，風乾後，亜硝酸ナトリウム試液を均等に噴霧するとき，試
料溶液から得た主スポット以外のスポットは，標準溶液から得たスポットより濃く
ない．

パラオキシ安息香酸ベンジル　$C_{14}H_{12}O_3$　白色の微細な結晶又は結晶性の粉末であ
る．本品はエタノール(95)に溶けやすく，水に極めて溶けにくい．

融点〈*2.60*〉　109 〜 114℃

含量　99.0％以上．　**定量法**　本品約1 gを精密に量り，1 mol/L 水酸化ナトリウ
ム液20 mLを正確に加え，約70℃で1時間加熱した後，速やかに氷冷する．この
液につき，過量の水酸化ナトリウムを第二変曲点まで0.5 mol/L 硫酸で滴定
〈*2.50*〉する（電位差滴定法）．同様の方法で空試験を行う．

$$1 \text{ mol/L 水酸化ナトリウム液 } 1 \text{ mL} = 228.2 \text{ mg } C_{14}H_{12}O_3$$

ヒルスチン，定量用　$C_{22}H_{28}N_2O_3$　ヒルスチン，薄層クロマトグラフィー用．ただ
し，以下の定量用1又は定量用2（qNMR純度規定）の試験に適合するもの．な
お，定量用2は定量法で求めた含量で補正して用いる．

1）定量用1

吸光度〈*2.24*〉　$E_{1 \text{ cm}}^{1\%}$（245 nm）：354 〜 389 ［脱水物に換算したもの5 mg，メタノ
ール／希酢酸混液（7:3），500 mL］．

純度試験　類縁物質　本品5 mgをメタノール／希酢酸混液（7:3）100 mLに溶
かし，試料溶液とする．この液1 mLを正確に量り，メタノール／希酢酸混液（7:
3）を加えて正確に50 mLとし，標準溶液とする．試料溶液及び標準溶液20 μLず
つを正確にとり，次の条件で液体クロマトグラフィー〈*2.01*〉により試験を行う．
それぞれの液の各々のピーク面積を自動積分法により測定するとき，試料溶液のヒ
ルスチン以外のピークの合計面積は，標準溶液のヒルスチンのピーク面積より大き
くない．

　試験条件

　　検出器，カラム，カラム温度，移動相及び流量は「チョウトウコウ」の定量法

B– 122   一般試験法　改正事項

の試験条件を準用する.

面積測定範囲：溶媒のピークの後からヒルスチンの保持時間の約 1.5 倍の範囲

システム適合性

検出の確認：標準溶液 1 mL を正確に量り，メタノール / 希酢酸混液（7：3）を加えて正確に 20 mL とする. この液 20 μL から得たヒルスチンのピーク面積が，標準溶液のヒルスチンのピーク面積の 3.5 ～ 6.5% になることを確認する.

システムの性能：定量用リンコフィリン 1 mg をメタノール / 希酢酸混液（7：3）20 mL に溶かす. この液 5 mL にアンモニア水(28) 1 mL を加え，50℃で 2 時間加熱，又は還流冷却器を付けて 10 分間加熱する. 冷後，反応液 1 mL を量り，メタノール / 希酢酸混液（7：3）を加えて 5 mL とする. この液 20 μL につき，上記の条件で操作するとき，リンコフィリン以外にイソリンコフィリンのピークを認め，リンコフィリンとイソリンコフィリンの分離度は 1.5 以上である.

システムの再現性：標準溶液 20 μL につき，上記の条件で試験を 6 回繰り返すとき，ヒルスチンのピーク面積の相対標準偏差は 1.5% 以下である.

2）定量用 2（qNMR 純度規定）

ピークの単一性　本品 1 mg をメタノール / 希酢酸混液（7：3）20 mL に溶かし，試料溶液とする. 試料溶液 20 μL につき，次の条件で液体クロマトグラフィー〈2.01〉により試験を行い，ヒルスチンのピークの頂点及び頂点の前後でピーク高さの中点付近の 2 時点を含む少なくとも 3 時点以上でのピークの吸収スペクトルを比較するとき，スペクトルの形状に差がない.

試験条件

カラム，カラム温度，移動相及び流量は「チョウトウコウ」の定量法の試験条件を準用する.

検出器：フォトダイオードアレイ検出器（測定波長：245 nm，スペクトル測定範囲：220 ～ 400 nm）

システム適合性

システムの性能：定量用リンコフィリン 1 mg をメタノール / 希酢酸混液（7：3）20 mL に溶かす. この液 5 mL にアンモニア水(28) 1 mL を加え，50℃で 2 時間加熱，又は還流冷却器を付けて 10 分間加熱する. 冷後，反応液 1 mL を量り，メタノール / 希酢酸混液（7：3）を加えて 5 mL とする. この液 20 μL につき，上記の条件で操作するとき，リンコフィリン以外にイソリンコフィリンのピークを認め，リンコフィリンとイソリンコフィリンの分離度は 1.5 以上である.

定量法　ウルトラミクロ化学はかりを用い，本品 5 mg 及び核磁気共鳴スペクトル測定用 1,4-BTMSB-d_4 1 mg をそれぞれ精密に量り，核磁気共鳴スペクトル測定用

試薬・試液　　B- *123*

重水素化アセトン 1 mL に溶かし，試料溶液とする．この液を外径 5 mm の NMR 試料管に入れ，核磁気共鳴スペクトル測定用 1,4-BTMSB-d_4 を qNMR 用基準物質として，次の試験条件で核磁気共鳴スペクトル測定法（〈*2.21*〉及び〈*5.01*〉）により，^{1}H NMR を測定する．qNMR 用基準物質のシグナルを δ 0 ppm とし，δ 6.70 〜 6.79 ppm 付近のシグナルの面積強度 A（水素数 2 に相当）を算出する．

ヒルスチン（$C_{22}H_{28}N_2O_3$）の量（％）

$= M_S \times I \times P / (M \times N) \times 1.6268$

M：本品の秤取量（mg）

M_S：核磁気共鳴スペクトル測定用 1,4-BTMSB-d_4 の秤取量（mg）

I：核磁気共鳴スペクトル測定用 1,4-BTMSB-d_4 のシグナルの面積強度を 18.000 としたときのシグナルの面積強度 A

N：A に由来するシグナルの水素数

P：核磁気共鳴スペクトル測定用 1,4-BTMSB-d_4 の純度（％）

試験条件

　装置：^{1}H 共鳴周波数 400 MHz 以上の核磁気共鳴スペクトル測定装置

　測定対象とする核：^{1}H

　デジタル分解能：0.25 Hz 以下

　観測スペクトル幅：−5 〜 15 ppm を含む 20 ppm 以上

　スピニング：オフ

　パルス角：90°

　^{13}C 核デカップリング：あり

　遅延時間：繰り返しパルス待ち時間 60 秒以上

　積算回数：8 回以上

　ダミースキャン：2 回以上

　測定温度：20 〜 30℃の一定温度

システム適合性

　検出の確認：試料溶液につき，上記の条件で測定するとき，δ 6.70 〜 6.79 ppm 付近のシグナルの SN 比は 100 以上である．

　システムの性能：試料溶液につき，上記の条件で測定するとき，δ 6.70 〜 6.79 ppm 付近のシグナルについて，明らかな混在物のシグナルが重なっていないことを確認する．

　システムの再現性：試料溶液につき，上記の条件で測定を 6 回繰り返すとき，面積強度 A の qNMR 用基準物質の面積強度に対する比の相対標準偏差は 1.0％以下である．

B- *124*　一般試験法　改正事項

リンコフィリン，定量用　$C_{22}H_{28}N_2O_4$　リンコフィリン，薄層クロマトグラフィー用．ただし，以下の定量用1又は定量用2（qNMR純度規定）の試験に適合するもの．なお，定量用2は定量法で求めた含量で補正して用いる．

1）定量用1

吸光度〈*2.24*〉　$E_{1\,cm}^{1\%}$（245 nm）：473～502［5 mg，メタノール／希酢酸混液（7：3），500 mL］．

純度試験　類縁物質　本品5 mgをメタノール／希酢酸混液（7：3）100 mLに溶かし，試料溶液とする．この液1 mLを正確に量り，メタノール／希酢酸混液（7：3）を加えて正確に100 mLとし，標準溶液とする．試料溶液及び標準溶液20 μLずつを正確にとり，次の条件で液体クロマトグラフィー〈*2.01*〉により試験を行う．それぞれの液の各々のピーク面積を自動積分法により測定するとき，試料溶液のリンコフィリン以外のピークの合計面積は，標準溶液のリンコフィリンのピーク面積より大きくない．

　　試験条件

　　　検出器，カラム，カラム温度，移動相及び流量は「チョウトウコウ」の定量法の試験条件を準用する．

　　　面積測定範囲：溶媒のピークの後からリンコフィリンの保持時間の約4倍の範囲

　　システム適合性

　　　検出の確認：標準溶液1 mLを正確に量り，メタノール／希酢酸混液（7：3）を加えて正確に20 mLとする．この液20 μLから得たリンコフィリンのピーク面積が，標準溶液のリンコフィリンのピーク面積の3.5～6.5％になることを確認する．

　　　システムの性能：試料溶液5 mLにアンモニア水（28）1 mLを加え，50℃で2時間加熱，又は還流冷却器を付けて10分間加熱する．冷後，反応液1 mLを量り，メタノール／希酢酸混液（7：3）を加えて5 mLとする．この液20 μLにつき，上記の条件で操作するとき，リンコフィリン以外にイソリンコフィリンのピークを認め，リンコフィリンとイソリンコフィリンの分離度は1.5以上である．

　　　システムの再現性：標準溶液20 μLにつき，上記の条件で試験を6回繰り返すとき，リンコフィリンのピーク面積の相対標準偏差は1.5％以下である．

2）定量用2（qNMR純度規定）

ピークの単一性　本品1 mgをメタノール／希酢酸混液（7：3）100 mLに溶かし，試料溶液とする．試料溶液20 μLにつき，次の条件で液体クロマトグラフィー〈*2.01*〉により試験を行い，リンコフィリンのピークの頂点及び頂点の前後でピーク高さの中点付近の2時点を含む少なくとも3時点以上でのピークの吸収スペクトルを比較するとき，スペクトルの形状に差がない．

試薬・試液　B-125

試験条件

カラム，カラム温度，移動相及び流量は「チョウトウコウ」の定量法の試験条件を準用する．

検出器：フォトダイオードアレイ検出器（測定波長：245 nm，スペクトル測定範囲：220 〜 400 nm）

システム適合性

システムの性能：本品 1 mg をメタノール / 希酢酸混液（7：3）20 mL に溶かす．この液 5 mL にアンモニア水（28）1 mL を加え，50℃で 2 時間加熱，又は還流冷却器を付けて 10 分間加熱する．冷後，反応液 1 mL を量り，メタノール / 希酢酸混液（7：3）を加えて 5 mL とする．この液 20 μL につき，上記の条件で操作するとき，リンコフィリン以外にイソリンコフィリンのピークを認め，リンコフィリンとイソリンコフィリンの分離度は 1.5 以上である．

定量法　ウルトラミクロ化学はかりを用い，本品 5 mg 及び核磁気共鳴スペクトル測定用 1,4-BTMSB-d_4 1 mg をそれぞれ精密に量り，核磁気共鳴スペクトル測定用重水素化アセトン 1 mL に溶かし，試料溶液とする．この液を外径 5 mm の NMR 試料管に入れ，核磁気共鳴スペクトル測定用 1,4-BTMSB-d_4 を qNMR 用基準物質として，次の試験条件で核磁気共鳴スペクトル測定法（〈2.21〉及び〈5.01〉）により，^{1}H NMR を測定する．qNMR 用基準物質のシグナルを δ 0 ppm とし，δ 6.60 ppm 及び δ 6.73 ppm 付近のそれぞれのシグナルの面積強度 A_1（水素数 1 に相当）及び A_2（水素数 1 に相当）を算出する．

リンコフィリン（$C_{22}H_{28}N_2O_4$）の量（％）
= $M_S \times I \times P / (M \times N) \times 1.6974$

M：本品の秤取量（mg）

M_S：核磁気共鳴スペクトル測定用 1,4-BTMSB-d_4 の秤取量（mg）

I：核磁気共鳴スペクトル測定用 1,4-BTMSB-d_4 のシグナルの面積強度を 18.000 としたときの各シグナルの面積強度 A_1 及び A_2 の和

N：A_1 及び A_2 に由来する各シグナルの水素数の和

P：核磁気共鳴スペクトル測定用 1,4-BTMSB-d_4 の純度（％）

試験条件

装置：^{1}H 共鳴周波数 400 MHz 以上の核磁気共鳴スペクトル測定装置

測定対象とする核：^{1}H

デジタル分解能：0.25 Hz 以下

観測スペクトル幅：−5 〜 15 ppm を含む 20 ppm 以上

B- *126*　一般試験法　改正事項

スピニング：オフ

パルス角：90°

^{13}C 核デカップリング：あり

遅延時間：繰り返しパルス待ち時間 60 秒以上

積算回数：8 回以上

ダミースキャン：2 回以上

測定温度：20 ～ 30℃の一定温度

システム適合性

検出の確認：試料溶液につき，上記の条件で測定するとき，δ 6.60 ppm 及び δ 6.73 ppm 付近の各シグナルの SN 比は 100 以上である．

システムの性能：試料溶液につき，上記の条件で測定するとき，δ 6.60 ppm 及び δ 6.73 ppm 付近のシグナルについて，明らかな混在物のシグナルが重なっていないことを確認する．また，試料溶液につき，上記の条件で測定するとき，各シグナル間の面積強度比 A_1/A_2 は 0.99 ～ 1.01 である．

システムの再現性：試料溶液につき，上記の条件で測定を 6 回繰り返すとき，面積強度 A_1 又は A_2 の qNMR 用基準物質の面積強度に対する比の相対標準偏差は 1.0％以下である．

ロガニン，定量用　$C_{17}H_{26}O_{10}$　ロガニン，薄層クロマトグラフィー用．ただし，以下の試験に適合するもの．なお，本品は定量法で求めた含量で補正して用いる．

ピークの単一性　本品 2 mg を移動相 5 mL に溶かし，試料溶液とする．試料溶液 10 μL につき，次の条件で液体クロマトグラフィー〈*2.01*〉により試験を行い，ロガニンのピークの頂点及び頂点の前後でピーク高さの中点付近の 2 時点を含む少なくとも 3 時点以上でのピークの吸収スペクトルを比較するとき，スペクトルの形状に差がない．

試験条件

カラム，カラム温度，移動相及び流量は「牛車腎気丸エキス」の定量法（1）の試験条件を準用する．

検出器：フォトダイオードアレイ検出器（測定波長：238 nm，スペクトル測定範囲：220 ～ 400 nm）

システム適合性

システムの性能：試料溶液 10 μL につき，上記の条件で操作するとき，ロガニンのピークの理論段数及びシンメトリー係数は，それぞれ 5000 段以上，1.5 以下である．

定量法　ウルトラミクロ化学はかりを用い，本品 5 mg 及び核磁気共鳴スペクトル測定用 1,4-BTMSB-d_4 1 mg をそれぞれ精密に量り，核磁気共鳴スペクトル測定用重水素化メタノール 1 mL に溶かし，試料溶液とする．この液を外径 5 mm の NMR 試料管に入れ，核磁気共鳴スペクトル測定用 1,4-BTMSB-d_4 を qNMR 用基

試薬・試液　　B- *127*

準物質として，次の試験条件で核磁気共鳴スペクトル測定法（〈*2.21*〉及び
〈*5.01*〉）により，^{1}H NMR を測定する．qNMR 用基準物質のシグナルを δ 0 ppm と
し，δ 7.14 ppm 付近のシグナルの面積強度 A（水素数 1 に相当）を算出する．

　　　ロガニン（$C_{17}H_{26}O_{10}$）の量（％）
　　　　= $M_S × I × P／(M × N)$ × 1.7235

　　　M：本品の秤取量（mg）
　　　M_S：核磁気共鳴スペクトル測定用 1,4-BTMSB-d_4 の秤取量（mg）
　　　I：核磁気共鳴スペクトル測定用 1,4-BTMSB-d_4 のシグナルの面積強度を
　　　　18.000 としたときの面積強度 A
　　　N：A に由来するシグナルの水素数
　　　P：核磁気共鳴スペクトル測定用 1,4-BTMSB-d_4 の純度（％）

　試験条件
　　装置：^{1}H 共鳴周波数 400 MHz 以上の核磁気共鳴スペクトル測定装置
　　測定対象とする核：^{1}H
　　デジタル分解能：0.25 Hz 以下
　　観測スペクトル幅：−5 〜 15 ppm を含む 20 ppm 以上
　　スピニング：オフ
　　パルス角：90°
　　^{13}C 核デカップリング：あり
　　遅延時間：繰り返しパルス待ち時間 60 秒以上
　　積算回数：8 回以上
　　ダミースキャン：2 回以上
　　測定温度：20 〜 30℃の一定温度
　システム適合性
　　検出の確認：試料溶液につき，上記の条件で測定するとき，δ 5.02 ppm 及び
　　　δ 7.14 ppm 付近の各シグナルの SN 比は 100 以上である．
　　システムの性能：試料溶液につき，上記の条件で測定するとき，δ 5.02 ppm
　　　及び δ 7.14 ppm 付近のシグナルについて，明らかな混在物のシグナルが重
　　　なっていないことを確認する．また，試料溶液につき，上記の条件で δ
　　　5.02 ppm 及び δ 7.14 ppm 付近のそれぞれのシグナルの面積強度 A_1（水素数
　　　1 に相当）及び面積強度 A（水素数 1 に相当）を測定するとき，各シグナル
　　　間の面積強度比 A_1/A は，0.99 〜 1.01 である．
　　システムの再現性：試料溶液につき，上記の条件で測定を 6 回繰り返すとき，
　　　面積強度 A の qNMR 用基準物質の面積強度に対する比の相対標準偏差は

B- *128*　　一般試験法　改正事項

　　　1.0％以下である.

　一般試験法の部　9.41　試薬・試液の条に次の項を加える.

9.41　試薬・試液

1,4-ジアミノブタン　$C_4H_{12}N_2$　白色～僅かに薄い黄色の粉末又は塊，又は無色～薄い黄色の澄明な液である.

　注　1,4-ジアミノブタンの融点は室温付近（27℃前後）である.

テモゾロミド　$C_6H_6N_6O_2$　［医薬品各条］

ノオトカトン，薄層クロマトグラフィー用　$C_{15}H_{22}O$　白色～薄い黄色の結晶又は結晶性の粉末である.　メタノール，エタノール（99.5）又はヘキサンに極めて溶けやすく，水にほとんど溶けない.

　確認試験　本品につき，赤外吸収スペクトル測定法〈*2.25*〉の臭化カリウム錠剤法により測定するとき，波数 2950 cm^{-1}，1670 cm^{-1} 及び 898 cm^{-1} 付近に吸収を認める.

　純度試験　類縁物質　本品 2 mg をヘキサン 2 mL に溶かし，試料溶液とする.　この液 1 mL を正確に量り，ヘキサンを加えて正確に 20 mL とし，標準溶液とする.　これらの液につき，薄層クロマトグラフィー〈*2.03*〉により試験を行う.　試料溶液及び標準溶液 10 μL ずつにつき，「ヤクチ」の確認試験を準用し，試験を行うとき，試料溶液から得た R_f 値 0.35 付近の主スポット以外のスポットは，標準溶液から得たスポットより濃くない.

薄層クロマトグラフィー用ノオトカトン　ノオトカトン，薄層クロマトグラフィー用を参照.

四酢酸鉛　$Pb(CH_3COO)_4$　白色～微褐色の粉末である.　融点：約 176℃（分解）.

四酢酸鉛・フルオレセインナトリウム試液　四酢酸鉛の酢酸（100）溶液（3 → 100）5 mL 及びフルオレセインナトリウムのエタノール（99.5）溶液（1 → 100）2.5 mL に，ジクロロメタンを加えて 100 mL とする.　用時調製する.

リン酸塩緩衝液，pH 3.2　リン酸二水素ナトリウム二水和物溶液（1 → 250）900 mL にリン酸溶液（1 → 400）100 mL を加え，リン酸又は水酸化ナトリウム試液を加えて pH 3.2 に調整する.

リン酸カリウム三水和物　$K_3PO_4 \cdot 3H_2O$　白色の結晶性の粉末又は粉末で，水に溶けやすい.　本品の水溶液（1 → 100）の pH は 11.5 ～ 12.5 である.

　確認試験

　(1)　本品の水溶液（1 → 20）は，カリウム塩の定性反応（3）〈*1.09*〉を呈する.

　(2)　本品の水溶液（1 → 20）は，リン酸塩の定性反応（1）〈*1.09*〉を呈する.

試薬・試液　　B- *129*

一般試験法の部　9.41　試薬・試液の条の次の項を削る.

9.41　試薬・試液

ウサギ抗ナルトグラスチム抗体

ウサギ抗ナルトグラスチム抗体試液

ウシ血清アルブミン試液，ナルトグラスチム試験用

還元緩衝液，ナルトグラスチム試料用

緩衝液，ナルトグラスチム試料用

継代培地，ナルトグラスチム試験用

洗浄液，ナルトグラスチム試験用

ナルトグラスチム試験用ウシ血清アルブミン試液

ナルトグラスチム試験用継代培地

ナルトグラスチム試験用洗浄液

ナルトグラスチム試験用ブロッキング試液

ナルトグラスチム試験用分子量マーカー

ナルトグラスチム試験用力価測定培地

ナルトグラスチム試料用還元緩衝液

ナルトグラスチム試料用緩衝液

ナルトグラスチム用ポリアクリルアミドゲル

フロイント完全アジュバント

ブロッキング試液，ナルトグラスチム試験用

分子量マーカー，ナルトグラスチム試験用

ポリアクリルアミドゲル，ナルトグラスチム用

力価測定培地，ナルトグラスチム試験用

B- 130　　一般試験法　改正事項

一般試験法の部　9.42　クロマトグラフィー用担体 / 充塡剤の条に次の項を加える.

9.42　クロマトグラフィー用担体 / 充塡剤

液体クロマトグラフィー用オクタデシルシリル基及びオクチルシリル基を結合した多
　孔質シリカゲル　オクタデシルシリル基及びオクチルシリル基を結合した多孔質シ
　リカゲル，液体クロマトグラフィー用　を参照.
液体クロマトグラフィー用ポリアミンシリカゲル　ポリアミンシリカゲル，液体クロ
　マトグラフィー用　を参照.
オクタデシルシリル基及びオクチルシリル基を結合した多孔質シリカゲル，液体クロ
　マトグラフィー用　オクタデシルシリル基及びオクチルシリル基を結合した多孔質
　シリカゲルで，液体クロマトグラフィー用に製造したもの.
ポリアミンシリカゲル，液体クロマトグラフィー用　液体クロマトグラフィー用に製
　造したもの.

第十八改正日本薬局方第一追補
〔C〕医薬品各条目次

各条横断的改正（純度試験中の一部項
目の削除）‥‥‥‥‥‥‥‥‥ 3

ア

アナストロゾール ‥‥‥‥‥‥‥ 23
アナストロゾール錠 ‥‥‥‥‥‥ 28
アムホテリシン B 錠 ‥‥‥‥‥ 31
注射用アムホテリシン B ‥‥‥‥ 32
注射用アンピシリンナトリウム・
スルバクタムナトリウム ‥‥‥ 32

イ

注射用イミペネム・シラスタチンナト
リウム ‥‥‥‥‥‥‥‥‥‥ 33
インスリン　ヒト（遺伝子組換え）‥‥
‥‥‥‥‥‥‥‥‥‥‥‥ 34
インスリン　ヒト（遺伝子組換え）注
射液 ‥‥‥‥‥‥‥‥‥‥ 37
イソフェンインスリン　ヒト（遺伝子
組換え）水性懸濁注射液 ‥‥‥ 37
二相性イソフェンインスリン　ヒト
（遺伝子組換え）水性懸濁注射液
‥‥‥‥‥‥‥‥‥‥‥‥ 39

エ

エタノール ‥‥‥‥‥‥‥‥‥ 40
無水エタノール ‥‥‥‥‥‥‥ 40
エポエチン　ベータ（遺伝子組換え）
‥‥‥‥‥‥‥‥‥‥‥‥ 41
塩化ナトリウム ‥‥‥‥‥‥‥ 42
エンビオマイシン硫酸塩 ‥‥‥‥ 43

オ

オキシブチニン塩酸塩 ‥‥‥‥‥ 44

カ

クロスカルメロースナトリウム ‥‥ 50

サ

サルポグレラート塩酸塩細粒 ‥‥‥ 52

ス

ステアリン酸 ‥‥‥‥‥‥‥‥ 54
ステアリン酸マグネシウム ‥‥‥ 55
注射用スペクチノマイシン塩酸塩 ‥ 58

セ

注射用セフォペラゾンナトリウム・
スルバクタムナトリウム ‥‥‥ 58
粉末セルロース ‥‥‥‥‥‥‥ 59

テ

テモゾロミド ‥‥‥‥‥‥‥‥ 61
テモゾロミドカプセル ‥‥‥‥‥ 67
注射用テモゾロミド ‥‥‥‥‥ 72
コムギデンプン ‥‥‥‥‥‥‥ 75

ナ

ナルトグラスチム（遺伝子組換え）
‥‥‥‥‥‥‥‥‥‥‥‥ 76
注射用ナルトグラスチム（遺伝子組換
え）‥‥‥‥‥‥‥‥‥‥ 76

ハ

パラオキシ安息香酸エチル	76
パラオキシ安息香酸ブチル	79
パラオキシ安息香酸プロピル	83
パラオキシ安息香酸メチル	86

ヒ

ビカルタミド錠	89
ヒプロメロースフタル酸エステル	92

フ

ブデソニド	93
ブトロピウム臭化物	103
ブロムヘキシン塩酸塩	103

ヘ

ベンジルアルコール	104

ホ

ボグリボース錠	104
ボグリボース口腔内崩壊錠	105
ポリソルベート 80	109
ホルモテロールフマル酸塩水和物	114

マ

D-マンニトール	120

メ

dl-メントール	124
l-メントール	124

モ

モノステアリン酸グリセリン	125

ワ

黄色ワセリン	125
白色ワセリン	127

医薬品各条　改正事項

医薬品各条の部において，次のとおり純度試験の項中の一部の目を削り，以降を繰り上げる．

医薬品各条名	純度試験において削除する項目
アクラルビシン塩酸塩	重金属
アクリノール水和物	重金属
アザチオプリン	重金属，ヒ素
アシクロビル	重金属
アジスロマイシン水和物	重金属
アスコルビン酸	重金属
アズトレオナム	重金属
L-アスパラギン酸	重金属
アスピリン	重金属
アスポキシシリン水和物	重金属，ヒ素
アセタゾラミド	重金属
注射用アセチルコリン塩化物	重金属
アセチルシステイン	重金属
アセトアミノフェン	重金属，ヒ素
アセトヘキサミド	重金属
アセブトロール塩酸塩	重金属，ヒ素
アセメタシン	重金属
アゼラスチン塩酸塩	重金属，ヒ素
アゼルニジピン	重金属
アゾセミド	重金属
アテノロール	重金属
アトルバスタチンカルシウム水和物	重金属
アドレナリン	重金属
アプリンジン塩酸塩	重金属
アフロクアロン	重金属
アマンタジン塩酸塩	重金属，ヒ素
アミオダロン塩酸塩	重金属
アミカシン硫酸塩	重金属
アミドトリゾ酸	重金属，ヒ素
アミトリプチリン塩酸塩	重金属
アミノ安息香酸エチル	重金属
アミノフィリン水和物	重金属

日本薬局方の医薬品の適否は，その医薬品各条の規定，通則，生薬総則，製剤総則及び一般試験法の規定によって判定する．（通則５参照）

C-4 医薬品各条 改正事項

医薬品各条名	純度試験において削除する項目
アムロジピンベシル酸塩	重金属
アモキサピン	重金属
アモキシシリン水和物	重金属, ヒ素
アモスラロール塩酸塩	重金属
アモバルビタール	重金属
アラセプリル	重金属
L-アラニン	重金属
アリメマジン酒石酸塩	重金属, ヒ素
亜硫酸水素ナトリウム	重金属
乾燥亜硫酸ナトリウム	重金属
アルガトロバン水和物	重金属, ヒ素
L-アルギニン	重金属
L-アルギニン塩酸塩	重金属, ヒ素
アルジオキサ	重金属
アルプラゾラム	重金属
アルプレノロール塩酸塩	重金属, ヒ素
アルプロスタジル注射液	重金属
アルベカシン硫酸塩	重金属
アレンドロン酸ナトリウム水和物	重金属
アロチノロール塩酸塩	重金属
アロプリノール	重金属, ヒ素
安息香酸	重金属
安息香酸ナトリウム	重金属, ヒ素
安息香酸ナトリウムカフェイン	重金属, ヒ素
アンチピリン	重金属
無水アンピシリン	重金属, ヒ素
アンピシリン水和物	重金属, ヒ素
アンピシリンナトリウム	重金属, ヒ素
アンピロキシカム	重金属
アンベノニウム塩化物	重金属
アンモニア水	重金属
アンレキサノクス	重金属
イオウ	ヒ素
イオタラム酸	重金属, ヒ素
イオトロクス酸	重金属
イオパミドール	重金属
イオヘキソール	重金属
イコサペント酸エチル	重金属, ヒ素
イセパマイシン硫酸塩	重金属
イソクスプリン塩酸塩	重金属
イソソルビド	重金属, ヒ素
イソニアジド	重金属, ヒ素
l-イソプレナリン塩酸塩	重金属
イソプロピルアンチピリン	重金属, ヒ素
イソマル水和物	重金属
L-イソロイシン	重金属, ヒ素

医薬品各条名	純度試験において削除する項目
イダルビシン塩酸塩	銀
70%一硝酸イソソルビド乳糖末	重金属
イドクスウリジン	重金属
イトラコナゾール	重金属
イフェンプロジル酒石酸塩	重金属
イブジラスト	重金属
イブプロフェン	重金属，ヒ素
イブプロフェンピコノール	重金属
イプラトロピウム臭化物水和物	重金属，ヒ素
イプリフラボン	重金属，ヒ素
イミダプリル塩酸塩	重金属
イミペネム水和物	重金属，ヒ素
イリノテカン塩酸塩水和物	重金属
イルソグラジンマレイン酸塩	重金属
イルベサルタン	重金属
インジゴカルミン	ヒ素
インダパミド	重金属
インデノロール塩酸塩	重金属，ヒ素
インドメタシン	重金属，ヒ素
ウベニメクス	重金属
ウラピジル	重金属
ウリナスタチン	重金属
ウルソデオキシコール酸	重金属，バリウム
ウロキナーゼ	重金属
エカベトナトリウム水和物	重金属
エコチオパートヨウ化物	重金属
エスタゾラム	重金属，ヒ素
エストリオール	重金属
エタクリン酸	重金属，ヒ素
エダラボン	重金属
エタンブトール塩酸塩	重金属，ヒ素
エチオナミド	重金属，ヒ素
エチゾラム	重金属
エチドロン酸二ナトリウム	重金属，ヒ素
L-エチルシステイン塩酸塩	重金属
エチルセルロース	重金属
エチレフリン塩酸塩	重金属
エチレンジアミン	重金属
エデト酸カルシウムナトリウム水和物	重金属
エデト酸ナトリウム水和物	重金属，ヒ素
エテンザミド	重金属，ヒ素
エトスクシミド	重金属，ヒ素
エトドラク	重金属
エトポシド	重金属
エドロホニウム塩化物	重金属，ヒ素
エナラプリルマレイン酸塩	重金属

C-6　医薬品各条　改正事項

医薬品各条名	純度試験において削除する項目
エノキサシン水和物	重金属，ヒ素
エバスチン	重金属
エパルレスタット	重金属
エピリゾール	重金属，ヒ素
エピルビシン塩酸塩	重金属
エフェドリン塩酸塩	重金属
エプレレノン	重金属
エペリゾン塩酸塩	重金属
エメダスチンフマル酸塩	重金属
エモルファゾン	重金属，ヒ素
エリスロマイシン	重金属
エリブリンメシル酸塩	重金属
塩化亜鉛	重金属，ヒ素
塩化カリウム	重金属，ヒ素
塩化カルシウム水和物	重金属，ヒ素，バリウム
塩化ナトリウム	重金属
塩酸	重金属，ヒ素，水銀
希塩酸	重金属，ヒ素，水銀
エンタカポン	重金属
エンビオマイシン硫酸塩	重金属，ヒ素
オキサゾラム	重金属，ヒ素
オキサピウムヨウ化物	重金属
オキサプロジン	重金属，ヒ素
オキシテトラサイクリン塩酸塩	重金属
オキシドール	重金属，ヒ素
オキシブプロカイン塩酸塩	重金属
オキセサゼイン	重金属
オクスプレノロール塩酸塩	重金属，ヒ素
オザグレルナトリウム	重金属
オフロキサシン	重金属
オメプラゾール	重金属
オーラノフィン	重金属，ヒ素
オルシプレナリン硫酸塩	重金属
オルメサルタン　メドキソミル	重金属
オロパタジン塩酸塩	重金属
カイニン酸水和物	重金属，ヒ素
ガチフロキサシン水和物	重金属
果糖	重金属，ヒ素
果糖注射液	重金属，ヒ素
カドララジン	重金属
カナマイシン一硫酸塩	重金属，ヒ素
カナマイシン硫酸塩	重金属，ヒ素
無水カフェイン	重金属
カフェイン水和物	重金属
カプトプリル	重金属，ヒ素
ガベキサートメシル酸塩	重金属，ヒ素

医薬品各条　改正事項　　C-7

医薬品各条名	純度試験において削除する項目
カベルゴリン	重金属
過マンガン酸カリウム	ヒ素
カモスタットメシル酸塩	重金属，ヒ素
β-ガラクトシダーゼ(アスペルギルス)	重金属，ヒ素
β-ガラクトシダーゼ(ペニシリウム)	重金属，ヒ素
カルテオロール塩酸塩	重金属，ヒ素
カルバゾクロムスルホン酸ナトリウム水和物	重金属
カルバマゼピン	重金属
カルビドパ水和物	重金属
カルベジロール	重金属
L-カルボシステイン	重金属，ヒ素
カルメロース	重金属
カルメロースカルシウム	重金属
カルメロースナトリウム	重金属，ヒ素
クロスカルメロースナトリウム	重金属
カルモナムナトリウム	重金属，ヒ素
カルモフール	重金属
カンデサルタン　シレキセチル	重金属
カンレノ酸カリウム	重金属，ヒ素
キシリトール	重金属，ヒ素，ニッケル
キタサマイシン酒石酸塩	重金属
キナプリル塩酸塩	重金属
キニーネエチル炭酸エステル	重金属
キニーネ硫酸塩水和物	重金属
金チオリンゴ酸ナトリウム	重金属，ヒ素
グアイフェネシン	重金属，ヒ素
グアナベンズ酢酸塩	重金属
グアネチジン硫酸塩	重金属
クエチアピンフマル酸塩	重金属
無水クエン酸	重金属
クエン酸水和物	重金属
クエン酸ナトリウム水和物	重金属，ヒ素
クラブラン酸カリウム	重金属，ヒ素
クラリスロマイシン	重金属
グリクラジド	重金属
グリシン	重金属，ヒ素
グリセリン	重金属
濃グリセリン	重金属
クリノフィブラート	重金属，ヒ素
グリベンクラミド	重金属
グリメピリド	重金属
クリンダマイシン塩酸塩	重金属
クリンダマイシンリン酸エステル	重金属，ヒ素
グルコン酸カルシウム水和物	重金属，ヒ素

C-8　　医薬品各条　改正事項

医薬品各条名	純度試験において削除する項目
グルタチオン	重金属，ヒ素
L-グルタミン	重金属
L-グルタミン酸	重金属
クレボプリドリンゴ酸塩	重金属
クレマスチンフマル酸塩	重金属，ヒ素
クロカプラミン塩酸塩水和物	重金属
クロキサシリンナトリウム水和物	重金属，ヒ素
クロキサゾラム	重金属，ヒ素
クロコナゾール塩酸塩	重金属
クロスポビドン	重金属
クロチアゼパム	重金属，ヒ素
クロトリマゾール	重金属，ヒ素
クロナゼパム	重金属
クロニジン塩酸塩	重金属，ヒ素
クロピドグレル硫酸塩	重金属
クロフィブラート	重金属，ヒ素
クロフェダノール塩酸塩	重金属
クロベタゾールプロピオン酸エステル	重金属
クロペラスチン塩酸塩	重金属
クロペラスチンフェンジゾ酸塩	重金属
クロミフェンクエン酸塩	重金属
クロミプラミン塩酸塩	重金属，ヒ素
クロモグリク酸ナトリウム	重金属
クロラゼプ酸二カリウム	重金属，ヒ素
クロラムフェニコール	重金属
クロラムフェニコールコハク酸エステルナトリウム	重金属
クロラムフェニコールパルミチン酸エステル	重金属，ヒ素
クロルジアゼポキシド	重金属
クロルフェニラミンマレイン酸塩	重金属
d-クロルフェニラミンマレイン酸塩	重金属
クロルフェネシンカルバミン酸エステル	重金属，ヒ素
クロルプロパミド	重金属
クロルプロマジン塩酸塩	重金属
クロルヘキシジン塩酸塩	重金属，ヒ素
クロルマジノン酢酸エステル	重金属，ヒ素
軽質無水ケイ酸	重金属
合成ケイ酸アルミニウム	重金属，ヒ素
天然ケイ酸アルミニウム	重金属，ヒ素
ケイ酸アルミン酸マグネシウム	重金属
メタケイ酸アルミン酸マグネシウム	重金属
ケタミン塩酸塩	重金属，ヒ素
ケトコナゾール	重金属
ケトチフェンフマル酸塩	重金属

医薬品各条　改正事項　　C-9

医薬品各条名	純度試験において削除する項目
ケトプロフェン	重金属
ケノデオキシコール酸	重金属，バリウム
ゲファルナート	重金属
ゲフィチニブ	重金属
ゲンタマイシン硫酸塩	重金属
硬化油	重金属
コポビドン	重金属
コリスチンメタンスルホン酸ナトリウム	重金属，ヒ素
コレスチミド	重金属
サイクロセリン	重金属
酢酸	重金属
氷酢酸	重金属
酢酸ナトリウム水和物	重金属，ヒ素
サッカリン	重金属
サッカリンナトリウム水和物	重金属
サラゾスルファピリジン	重金属，ヒ素
サリチル酸	重金属
サリチル酸ナトリウム	重金属，ヒ素
サリチル酸メチル	重金属
ザルトプロフェン	重金属，ヒ素
サルブタモール硫酸塩	重金属
サルポグレラート塩酸塩	重金属，ヒ素
酸化亜鉛	鉛，ヒ素
酸化マグネシウム	重金属
ジアゼパム	重金属
シアナミド	重金属
ジエチルカルバマジンクエン酸塩	重金属
シクラシリン	重金属，ヒ素
シクロスポリン	重金属
ジクロフェナクナトリウム	重金属，ヒ素
シクロペントラート塩酸塩	重金属
シクロホスファミド水和物	重金属
ジスチグミン臭化物	重金属
L-シスチン	重金属
L-システイン	重金属
L-システイン塩酸塩水和物	重金属
ジスルフィラム	重金属，ヒ素
ジソピラミド	重金属，ヒ素
シタグリプチンリン酸塩水和物	重金属
シタラビン	重金属
シチコリン	重金属，ヒ素
ジドブジン	重金属
ジドロゲステロン	重金属
シノキサシン	重金属
ジヒドロエルゴトキシンメシル酸塩	重金属

C- 10　　医薬品各条　改正事項

医薬品各条名	純度試験において削除する項目
ジピリダモール	重金属，ヒ素
ジフェニドール塩酸塩	重金属，ヒ素
ジフェンヒドラミン	重金属
ジフェンヒドラミン塩酸塩	重金属
ジブカイン塩酸塩	重金属
ジフルコルトロン吉草酸エステル	重金属
シプロフロキサシン	重金属
シプロフロキサシン塩酸塩水和物	重金属
シプロヘプタジン塩酸塩水和物	重金属
ジフロラゾン酢酸エステル	重金属
ジベカシン硫酸塩	重金属
シベレスタットナトリウム水和物	重金属
シベンゾリンコハク酸塩	重金属，ヒ素
シメチジン	重金属，ヒ素
ジメモルファンリン酸塩	重金属，ヒ素
ジメルカプロール	重金属
次没食子酸ビスマス	ヒ素，銅，鉛，銀
ジモルホラミン	重金属
臭化カリウム	重金属，ヒ素，バリウム
臭化ナトリウム	重金属，ヒ素，バリウム
酒石酸	重金属，ヒ素
硝酸銀	ビスマス，銅及び鉛のうち銅，鉛（本試験法の名称をビスマスとする.）
硝酸イソソルビド	重金属
ジョサマイシン	重金属
ジョサマイシンプロピオン酸エステル	重金属
シラザプリル水和物	重金属
シラスタチンナトリウム	重金属，ヒ素
ジラゼプ塩酸塩水和物	重金属，ヒ素
ジルチアゼム塩酸塩	重金属，ヒ素
シルニジピン	重金属
シロスタゾール	重金属
シロドシン	重金属
シンバスタチン	重金属
乾燥水酸化アルミニウムゲル	重金属，ヒ素
水酸化カリウム	重金属
水酸化カルシウム	重金属，ヒ素
水酸化ナトリウム	重金属，水銀
スクラルファート水和物	重金属，ヒ素
ステアリン酸	重金属
ステアリン酸カルシウム	重金属
ステアリン酸ポリオキシル40	重金属
ステアリン酸マグネシウム	重金属
ストレプトマイシン硫酸塩	重金属，ヒ素
スピラマイシン酢酸エステル	重金属
スリンダク	重金属，ヒ素

医薬品各条 改正事項 C-11

医薬品各条名	純度試験において削除する項目
スルタミシリントシル酸塩水和物	重金属
スルチアム	重金属，ヒ素
スルバクタムナトリウム	重金属
スルピリド	重金属
スルピリン水和物	重金属
スルファメチゾール	重金属，ヒ素
スルファメトキサゾール	重金属，ヒ素
スルファモノメトキシン水和物	重金属，ヒ素
スルフイソキサゾール	重金属
スルベニシリンナトリウム	重金属，ヒ素
スルホブロモフタレインナトリウム	重金属，ヒ素
生理食塩液	重金属，ヒ素
セチリジン塩酸塩	重金属
セトチアミン塩酸塩水和物	重金属
セトラキサート塩酸塩	重金属，ヒ素
セファクロル	重金属，ヒ素
セファゾリンナトリウム	重金属，ヒ素
セファゾリンナトリウム水和物	重金属
セファトリジンプロピレングリコール	重金属，ヒ素
セファドロキシル	重金属
セファレキシン	重金属，ヒ素
セファロチンナトリウム	重金属，ヒ素
セフェピム塩酸塩水和物	重金属
セフォジジムナトリウム	重金属，ヒ素
セフォゾプラン塩酸塩	重金属，ヒ素
セフォタキシムナトリウム	重金属，ヒ素
セフォチアム塩酸塩	重金属，ヒ素
セフォチアム　ヘキセチル塩酸塩	重金属，ヒ素
セフォテタン	重金属
セフォペラゾンナトリウム	重金属，ヒ素
セフカペン　ピボキシル塩酸塩水和物	重金属
セフジトレン　ピボキシル	重金属
セフジニル	重金属
セフスロジンナトリウム	重金属，ヒ素
セフタジジム水和物	重金属
セフチゾキシムナトリウム	重金属，ヒ素
セフチブテン水和物	重金属
セフテラム　ピボキシル	重金属
セフトリアキソンナトリウム水和物	重金属，ヒ素
セフピラミドナトリウム	重金属
セフピロム硫酸塩	重金属，ヒ素
セフブペラゾンナトリウム	重金属，ヒ素
セフポドキシム　プロキセチル	重金属
セフミノクスナトリウム水和物	重金属，ヒ素
セフメタゾールナトリウム	重金属，ヒ素
セフメノキシム塩酸塩	重金属，ヒ素

C- 12　　医薬品各条　改正事項

医薬品各条名	純度試験において削除する項目
セフロキサジン水和物	重金属
セフロキシム　アキセチル	重金属
セラセフェート	重金属
ゼラチン	重金属，ヒ素
精製ゼラチン	重金属，ヒ素
精製セラック	重金属
白色セラック	重金属
ʟ-セリン	重金属
結晶セルロース	重金属
粉末セルロース	重金属
セレコキシブ	重金属
ゾニサミド	重金属
ゾピクロン	重金属
ソルビタンセスキオレイン酸エステル	重金属
ゾルピデム酒石酸塩	重金属
ᴅ-ソルビトール	重金属，ヒ素，ニッケル
ᴅ-ソルビトール液	重金属，ヒ素，ニッケル
ダウノルビシン塩酸塩	重金属
タウリン	重金属
タクロリムス水和物	重金属
タゾバクタム	重金属
ダナゾール	重金属
タムスロシン塩酸塩	重金属
タモキシフェンクエン酸塩	重金属
タランピシリン塩酸塩	重金属，ヒ素
タルチレリン水和物	重金属
炭酸カリウム	重金属，ヒ素
沈降炭酸カルシウム	重金属，ヒ素，バリウム
炭酸水素ナトリウム	重金属，ヒ素
乾燥炭酸ナトリウム	重金属
炭酸ナトリウム水和物	重金属
炭酸マグネシウム	重金属，ヒ素
炭酸リチウム	重金属，ヒ素，バリウム
ダントロレンナトリウム水和物	重金属
タンニン酸ジフェンヒドラミン	重金属
チアプリド塩酸塩	重金属
チアマゾール	重金属，ヒ素，セレン
チアミラールナトリウム	重金属
チアミン塩化物塩酸塩	重金属
チアミン硝化物	重金属
チアラミド塩酸塩	重金属，ヒ素
チオペンタールナトリウム	重金属
注射用チオペンタールナトリウム	重金属
チオリダジン塩酸塩	重金属，ヒ素
チオ硫酸ナトリウム水和物	重金属，ヒ素
チクロピジン塩酸塩	重金属，ヒ素

医薬品各条　改正事項　　C- 13

医薬品各条名	純度試験において削除する項目
チザニジン塩酸塩	重金属
チニダゾール	重金属，ヒ素
チペピジンヒベンズ酸塩	重金属，ヒ素
チメピジウム臭化物水和物	重金属
チモロールマレイン酸塩	重金属
L-チロシン	重金属
ツロブテロール	重金属
ツロブテロール塩酸塩	重金属
テイコプラニン	重金属，ヒ素
テオフィリン	重金属，ヒ素
テガフール	重金属，ヒ素
デキサメタゾン	重金属
デキストラン40	重金属，ヒ素
デキストラン70	重金属，ヒ素
デキストラン硫酸エステルナトリウムイオウ5	重金属，ヒ素
デキストラン硫酸エステルナトリウムイオウ18	重金属，ヒ素
デキストリン	重金属
デキストロメトルファン臭化水素酸塩水和物	重金属
テトラカイン塩酸塩	重金属
テトラサイクリン塩酸塩	重金属
デヒドロコール酸	重金属，バリウム
精製デヒドロコール酸	重金属，バリウム
デヒドロコール酸注射液	重金属
デフェロキサミンメシル酸塩	重金属，ヒ素
テプレノン	重金属
デメチルクロルテトラサイクリン塩酸塩	重金属
テモカプリル塩酸塩	重金属
テルビナフィン塩酸塩	重金属
テルブタリン硫酸塩	重金属，ヒ素
テルミサルタン	重金属
デンプングリコール酸ナトリウム	重金属
ドキサゾシンメシル酸塩	重金属
ドキサプラム塩酸塩水和物	重金属，ヒ素
ドキシサイクリン塩酸塩水和物	重金属
ドキシフルリジン	重金属
トコフェロール	重金属
トコフェロール酢酸エステル	重金属
トコフェロールニコチン酸エステル	重金属，ヒ素
トスフロキサシントシル酸塩水和物	重金属，ヒ素
ドセタキセル水和物	重金属
トドララジン塩酸塩水和物	重金属，ヒ素
ドネペジル塩酸塩	重金属

C-14   医薬品各条　改正事項

医薬品各条名	純度試験において削除する項目
ドパミン塩酸塩	重金属，ヒ素
トフィソパム	重金属，ヒ素
ドブタミン塩酸塩	重金属
トブラマイシン	重金属
トラニラスト	重金属
トラネキサム酸	重金属，ヒ素
トラピジル	重金属，ヒ素
トラマドール塩酸塩	重金属
トリアゾラム	重金属
トリアムシノロン	重金属
トリアムシノロンアセトニド	重金属
トリアムテレン	重金属，ヒ素
トリエンチン塩酸塩	重金属
トリクロホスナトリウム	重金属，ヒ素
トリクロルメチアジド	重金属，ヒ素
L-トリプトファン	重金属，ヒ素
トリヘキシフェニジル塩酸塩	重金属
ドリペネム水和物	重金属
トリメタジオン	重金属
トリメタジジン塩酸塩	重金属
トリメトキノール塩酸塩水和物	重金属
トリメブチンマレイン酸塩	重金属，ヒ素
ドルゾラミド塩酸塩	重金属
トルナフタート	重金属
トルブタミド	重金属
トルペリゾン塩酸塩	重金属
L-トレオニン	重金属，ヒ素
トレハロース水和物	重金属
トレピブトン	重金属
ドロキシドパ	重金属，ヒ素
トロキシピド	重金属
トロピカミド	重金属
ドロペリドール	重金属
ドンペリドン	重金属
ナイスタチン	重金属
ナテグリニド	重金属
ナドロール	重金属
ナファゾリン硝酸塩	重金属
ナファモスタットメシル酸塩	重金属
ナフトピジル	重金属
ナブメトン	重金属
ナプロキセン	重金属，ヒ素
ナリジクス酸	重金属
ニカルジピン塩酸塩	重金属
ニコチン酸	重金属
ニコチン酸アミド	重金属

医薬品各条　改正事項　　C-15

医薬品各条名	純度試験において削除する項目
ニコモール	重金属，ヒ素
ニコランジル	重金属
ニザチジン	重金属
ニセリトロール	重金属，ヒ素
ニセルゴリン	重金属
ニトラゼパム	重金属，ヒ素
ニトレンジピン	重金属
ニフェジピン	重金属，ヒ素
乳酸	重金属
ʟ-乳酸	重金属
乳酸カルシウム水和物	重金属，ヒ素
ʟ-乳酸ナトリウム液	重金属，ヒ素
ʟ-乳酸ナトリウムリンゲル液	重金属
無水乳糖	重金属
乳糖水和物	重金属
尿素	重金属
ニルバジピン	重金属
ノスカピン	重金属
ノルゲストレル	重金属
ノルトリプチリン塩酸塩	重金属，ヒ素
ノルフロキサシン	重金属，ヒ素
バカンピシリン塩酸塩	重金属，ヒ素
白糖	重金属
バクロフェン	重金属，ヒ素
バシトラシン	重金属
パズフロキサシンメシル酸塩	重金属
パニペネム	重金属
バメタン硫酸塩	重金属，ヒ素
パラアミノサリチル酸カルシウム水和物	重金属，ヒ素
パラオキシ安息香酸エチル	重金属
パラオキシ安息香酸ブチル	重金属
パラオキシ安息香酸プロピル	重金属
パラオキシ安息香酸メチル	重金属
バラシクロビル塩酸塩	重金属，パラジウム
パラフィン	重金属
流動パラフィン	重金属
軽質流動パラフィン	重金属
ʟ-バリン	重金属，ヒ素
バルサルタン	重金属
パルナパリンナトリウム	重金属
バルビタール	重金属
バルプロ酸ナトリウム	重金属
ハロキサゾラム	重金属，ヒ素
パロキセチン塩酸塩水和物	重金属
ハロペリドール	重金属

C-16 医薬品各条 改正事項

医薬品各条名	純度試験において削除する項目
バンコマイシン塩酸塩	重金属
パンテチン	重金属, ヒ素
パントテン酸カルシウム	重金属
精製ヒアルロン酸ナトリウム	重金属
ピオグリタゾン塩酸塩	重金属
ビオチン	重金属, ヒ素
ビカルタミド	重金属
ピコスルファートナトリウム水和物	重金属, ヒ素
ビサコジル	重金属
L-ヒスチジン	重金属
L-ヒスチジン塩酸塩水和物	重金属
ビソプロロールフマル酸塩	重金属
ピタバスタチンカルシウム水和物	重金属
ヒドララジン塩酸塩	重金属
ヒドロキシエチルセルロース	重金属
ヒドロキシジン塩酸塩	重金属
ヒドロキシジンパモ酸塩	重金属, ヒ素
ヒドロキシプロピルセルロース	重金属
低置換度ヒドロキシプロピルセルロース	重金属
ヒドロクロロチアジド	重金属
ヒドロコタルニン塩酸塩水和物	重金属
ヒドロコルチゾン酪酸エステル	重金属
ヒドロコルチゾンリン酸エステルナトリウム	重金属, ヒ素
ピブメシリナム塩酸塩	重金属, ヒ素
ヒプロメロース	重金属
ヒプロメロース酢酸エステルコハク酸エステル	重金属
ヒプロメロースフタル酸エステル	重金属
ピペミド酸水和物	重金属, ヒ素
ピペラシリン水和物	重金属
ピペラシリンナトリウム	重金属, ヒ素
ピペラジンアジピン酸塩	重金属
ピペラジンリン酸塩水和物	重金属, ヒ素
ビペリデン塩酸塩	重金属, ヒ素
ビホナゾール	重金属
ピマリシン	重金属
ヒメクロモン	重金属, ヒ素
ピモジド	重金属, ヒ素
ピラジナミド	重金属
ピラルビシン	重金属
ピランテルパモ酸塩	重金属, ヒ素
ピリドキサールリン酸エステル水和物	重金属, ヒ素
ピリドキシン塩酸塩	重金属
ピリドスチグミン臭化物	重金属, ヒ素

医薬品各条名	純度試験において削除する項目
ピルシカイニド塩酸塩水和物	重金属
ピレノキシン	重金属
ピレンゼピン塩酸塩水和物	重金属
ピロ亜硫酸ナトリウム	重金属
ピロキシカム	重金属
ピンドロール	重金属，ヒ素
ファモチジン	重金属
ファロペネムナトリウム水和物	重金属
フィトナジオン	重金属
フェキソフェナジン塩酸塩	重金属
フェニトイン	重金属
注射用フェニトインナトリウム	重金属
L-フェニルアラニン	重金属，ヒ素
フェニルブタゾン	重金属，ヒ素
フェネチシリンカリウム	重金属，ヒ素
フェノバルビタール	重金属
フェノフィブラート	重金属
フェルビナク	重金属
フェロジピン	重金属
フェンタニルクエン酸塩	重金属
フェンブフェン	重金属，ヒ素
ブクモロール塩酸塩	重金属，ヒ素
フシジン酸ナトリウム	重金属
ブシラミン	重金属，ヒ素
ブスルファン	重金属
ブチルスコポラミン臭化物	重金属
ブテナフィン塩酸塩	重金属
ブドウ酒	ヒ素
ブドウ糖	重金属
精製ブドウ糖	重金属
ブドウ糖水和物	重金属
フドステイン	重金属，ヒ素
ブトロピウム臭化物	重金属
ブナゾシン塩酸塩	重金属
ブピバカイン塩酸塩水和物	重金属
ブフェトロール塩酸塩	重金属
ブプラノロール塩酸塩	重金属，ヒ素
ブプレノルフィン塩酸塩	重金属
ブホルミン塩酸塩	重金属，ヒ素
ブメタニド	重金属，ヒ素
フラジオマイシン硫酸塩	重金属，ヒ素
プラステロン硫酸エステルナトリウム水和物	重金属
プラゼパム	重金属，ヒ素
プラゾシン塩酸塩	重金属
プラノプロフェン	重金属

C-18　医薬品各条　改正事項

医薬品各条名	純度試験において削除する項目
プラバスタチンナトリウム	重金属
フラビンアデニンジヌクレオチドナトリウム	重金属，ヒ素
フラボキサート塩酸塩	重金属，ヒ素
プランルカスト水和物	重金属，ヒ素
プリミドン	重金属
フルオロウラシル	重金属，ヒ素
フルオロメトロン	重金属
フルコナゾール	重金属
フルジアゼパム	重金属
フルシトシン	重金属，ヒ素
フルスルチアミン塩酸塩	重金属
フルタミド	重金属
フルトプラゼパム	重金属
フルドロコルチゾン酢酸エステル	重金属
フルニトラゼパム	重金属
フルフェナジンエナント酸エステル	重金属
フルボキサミンマレイン酸塩	重金属
フルラゼパム塩酸塩	重金属
プルラン	重金属
フルルビプロフェン	重金属
ブレオマイシン塩酸塩	銅
ブレオマイシン硫酸塩	銅
フレカイニド酢酸塩	重金属
プレドニゾロン	セレン
プレドニゾロンリン酸エステルナトリウム	重金属
プロカイン塩酸塩	重金属
プロカインアミド塩酸塩	重金属，ヒ素
プロカテロール塩酸塩水和物	重金属
プロカルバジン塩酸塩	重金属
プログルミド	重金属，ヒ素
プロクロルペラジンマレイン酸塩	重金属
フロセミド	重金属
プロチオナミド	重金属，ヒ素
ブロチゾラム	重金属
プロチレリン	重金属
プロチレリン酒石酸塩水和物	重金属，ヒ素
プロパフェノン塩酸塩	重金属
プロピベリン塩酸塩	重金属
プロピレングリコール	重金属
プロブコール	重金属
プロプラノロール塩酸塩	重金属
フロプロピオン	重金属
プロベネシド	重金属，ヒ素
ブロマゼパム	重金属

医薬品各条　改正事項　　C- 19

医薬品各条名	純度試験において削除する項目
ブロムフェナクナトリウム水和物	重金属
ブロムヘキシン塩酸塩	重金属
プロメタジン塩酸塩	重金属
フロモキセフナトリウム	重金属，ヒ素
ブロモクリプチンメシル酸塩	重金属
ブロモバレリル尿素	重金属，ヒ素
L-プロリン	重金属
ベカナマイシン硫酸塩	重金属，ヒ素
ベクロメタゾンプロピオン酸エステル	重金属
ベザフィブラート	重金属
ベタキソロール塩酸塩	重金属，ヒ素
ベタネコール塩化物	重金属
ベタヒスチンメシル酸塩	重金属
ベタミプロン	重金属
ベタメタゾン	重金属
ベタメタゾンジプロピオン酸エステル	重金属
ベニジピン塩酸塩	重金属
ヘパリンカルシウム	重金属，バリウム
ヘパリンナトリウム	バリウム
ヘパリンナトリウム注射液	バリウム
ペプロマイシン硫酸塩	銅
ベポタスチンベシル酸塩	重金属
ペミロラストカリウム	重金属
ベラパミル塩酸塩	重金属，ヒ素
ペルフェナジン	重金属
ペルフェナジンマレイン酸塩	重金属，ヒ素
ベルベリン塩化物水和物	重金属
ベンジルペニシリンカリウム	重金属，ヒ素
ベンジルペニシリンベンザチン水和物	重金属，ヒ素
ベンズブロマロン	重金属
ベンセラジド塩酸塩	重金属
ペンタゾシン	重金属，ヒ素
ペントキシベリンクエン酸塩	重金属，ヒ素
ペントバルビタールカルシウム	重金属
ペンブトロール硫酸塩	重金属，ヒ素
ホウ酸	重金属，ヒ素
ホウ砂	重金属，ヒ素
ボグリボース	重金属
ホスホマイシンカルシウム水和物	重金属，ヒ素
ホスホマイシンナトリウム	重金属，ヒ素
ポビドン	重金属
ポビドンヨード	重金属，ヒ素
ホモクロルシクリジン塩酸塩	重金属
ポラプレジンク	鉛
ボリコナゾール	重金属
ポリスチレンスルホン酸カルシウム	重金属，ヒ素

C- 20　医薬品各条　改正事項

医薬品各条名	純度試験において削除する項目
ポリスチレンスルホン酸ナトリウム	重金属，ヒ素
ポリソルベート80	重金属
ホリナートカルシウム水和物	重金属
ポリミキシンB硫酸塩	重金属
ホルモテロールフマル酸塩水和物	重金属
マニジピン塩酸塩	重金属，ヒ素
マプロチリン塩酸塩	重金属
マルトース水和物	重金属，ヒ素
D-マンニトール	重金属
ミグリトール	重金属
ミグレニン	重金属
ミクロノマイシン硫酸塩	重金属
ミコナゾール	重金属，ヒ素
ミコナゾール硝酸塩	重金属，ヒ素
ミゾリビン	重金属
ミチグリニドカルシウム水和物	重金属
ミデカマイシン	重金属
ミデカマイシン酢酸エステル	重金属
ミノサイクリン塩酸塩	重金属
ムピロシンカルシウム水和物	工程由来の無機塩類
メキシレチン塩酸塩	重金属
メキタジン	重金属
メグルミン	重金属
メクロフェノキサート塩酸塩	重金属，ヒ素
メサラジン	重金属
メストラノール	重金属，ヒ素
メダゼパム	重金属，ヒ素
L-メチオニン	重金属，ヒ素
メチクラン	重金属，ヒ素
メチラポン	重金属，ヒ素
dl-メチルエフェドリン塩酸塩	重金属
メチルジゴキシン	ヒ素
メチルセルロース	重金属
メチルドパ水和物	重金属，ヒ素
メチルプレドニゾロンコハク酸エステル	重金属，ヒ素
メテノロンエナント酸エステル	重金属
メテノロン酢酸エステル	重金属
メトキサレン	重金属，ヒ素
メトクロプラミド	重金属，ヒ素
メトプロロール酒石酸塩	重金属
メトホルミン塩酸塩	重金属
メドロキシプロゲステロン酢酸エステル	重金属
メトロニダゾール	重金属
メナテトレノン	重金属

医薬品各条　改正事項　　C- 21

医薬品各条名	純度試験において削除する項目
メピチオスタン	重金属
メピバカイン塩酸塩	重金属
メフェナム酸	重金属，ヒ素
メフルシド	重金属，ヒ素
メフロキン塩酸塩	重金属，ヒ素
メペンゾラート臭化物	重金属，ヒ素
メルカプトプリン水和物	重金属
メルファラン	重金属，ヒ素
メロペネム水和物	重金属
モサプリドクエン酸塩水和物	重金属
モノステアリン酸アルミニウム	重金属
モンテルカストナトリウム	重金属
薬用石ケン	重金属
薬用炭	重金属，ヒ素
ユビデカレノン	重金属
ヨウ化カリウム	重金属，ヒ素，バリウム
ヨウ化ナトリウム	重金属
ラクツロース	重金属，ヒ素
ラタモキセフナトリウム	重金属，ヒ素
ラニチジン塩酸塩	重金属，ヒ素
ラノコナゾール	重金属
ラフチジン	重金属
ラベタロール塩酸塩	重金属
ラベプラゾールナトリウム	重金属
ランソプラゾール	重金属，ヒ素
リシノプリル水和物	重金属
L-リシン塩酸塩	重金属，ヒ素
L-リシン酢酸塩	重金属
リスペリドン	重金属
リセドロン酸ナトリウム水和物	重金属，ヒ素
リゾチーム塩酸塩	重金属
リドカイン	重金属
リトドリン塩酸塩	重金属
リバビリン	重金属，ヒ素
リファンピシン	重金属，ヒ素
リボスタマイシン硫酸塩	重金属，ヒ素
リボフラビン酪酸エステル	重金属
硫酸亜鉛水和物	重金属，ヒ素
硫酸アルミニウムカリウム水和物	重金属，ヒ素
硫酸カリウム	重金属，ヒ素
硫酸鉄水和物	重金属，ヒ素
硫酸バリウム	重金属，ヒ素
硫酸マグネシウム水和物	重金属，ヒ素
リルマザホン塩酸塩水和物	重金属
リンゲル液	重金属，ヒ素
リンコマイシン塩酸塩水和物	重金属

C- 22　　医薬品各条　改正事項

医薬品各条名	純度試験において削除する項目
無水リン酸水素カルシウム	重金属
リン酸水素カルシウム水和物	重金属
リン酸水素ナトリウム水和物	重金属
リン酸二水素カルシウム水和物	重金属
レナンピシリン塩酸塩	重金属，ヒ素
レバミピド	重金属
レバロルファン酒石酸塩	重金属
レボドパ	重金属，ヒ素
レボフロキサシン水和物	重金属
レボホリナートカルシウム水和物	重金属，白金
レボメプロマジンマレイン酸塩	重金属
L-ロイシン	重金属，ヒ素
ロキサチジン酢酸エステル塩酸塩	重金属
ロキシスロマイシン	重金属
ロキソプロフェンナトリウム水和物	重金属
ロサルタンカリウム	重金属
ロスバスタチンカルシウム	重金属
ロフラゼプ酸エチル	重金属，ヒ素
ロベンザリットナトリウム	重金属，ヒ素
ロラゼパム	重金属，ヒ素
黄色ワセリン	重金属，ヒ素
白色ワセリン	重金属，ヒ素
ワルファリンカリウム	重金属

アナストロゾール　　C-23

医薬品各条の部　アトロピン硫酸塩注射液の条の次に次の二条を加える.

⑱アナストロゾール

Anastrozole

$C_{17}H_{19}N_5$：293.37

2,2′-[5-(1H-1,2,4-Triazol-1-ylmethyl)benzene-1,3-diyl]bis(2-methylpropanenitrile)

[120511-73-1]

　　本品は定量するとき，アナストロゾール（$C_{17}H_{19}N_5$）98.0～102.0％を含む.

性　状　本品は白色の結晶性の粉末又は粉末である.

　　本品はアセトニトリルに極めて溶けやすく，メタノール又はエタノール（99.5）に溶けやすく，水に極めて溶けにくい.

　　本品は結晶多形が認められる.

確認試験

　（1）　本品のメタノール溶液（1→50000）につき，紫外可視吸光度測定法〈2.24〉により吸収スペクトルを測定し，本品のスペクトルと本品の参照スペクトル又はアナストロゾール標準品について同様に操作して得られたスペクトルを比較するとき，両者のスペクトルは同一波長のところに同様の強度の吸収を認める.

　（2）　本品につき，赤外吸収スペクトル測定法〈2.25〉の臭化カリウム錠剤法により試験を行い，本品のスペクトルと本品の参照スペクトル又はアナストロゾール標準品のスペクトルを比較するとき，両者のスペクトルは同一波数のところに同様の強度の吸収を認める.

純度試験　類縁物質　本品約50 mgを精密に量り，液体クロマトグラフィー用アセトニトリル10 mLを加え，超音波処理して溶かした後，移動相Aを加えて正確に25 mLとし，試料溶液とする．別にアナストロゾール標準品約50 mgを精密に量り，液体クロマトグラフィー用アセトニトリル10 mLを加え，超音波処理して溶かした後，移動相Aを加えて正確に25 mLとする．この液1 mLを正確に量り，

日本薬局方の医薬品の適否は，その医薬品各条の規定，通則，生薬総則，製剤総則及び一般試験法の規定によって判定する．（通則5参照）

C‑24　アナストロゾール
──────────

移動相 A を加えて正確に 100 mL とし，標準溶液とする．試料溶液及び標準溶液
10 μL ずつを正確にとり，次の条件で液体クロマトグラフィー〈2.01〉により試験
を行う．試料溶液の類縁物質のピーク面積 A_T 及び標準溶液のアナストロゾールの
ピークの面積 A_S を自動積分法により測定し，次式により計算するとき，試料溶液
のアナストロゾールに対する相対保持時間約 0.63 の類縁物質 A 及び相対保持時間
約 2.2 の類縁物質 B はそれぞれ 0.2％以下，その他の個々の類縁物質は 0.1％以下
であり，その他の類縁物質の合計量は 0.2％以下，類縁物質の合計量は 0.5％以下
である．(注1)

$$類縁物質の量（％）= M_S/M_T \times A_T/A_S$$

　　M_S：アナストロゾール標準品の秤取量（mg）
　　M_T：本品の秤取量（mg）

試験条件
　　検出器，カラム，カラム温度，移動相 A，移動相 B，移動相の送液及び流量は
　　　定量法の試験条件を準用する．
　　面積測定範囲：試料溶液注入後 40 分間
システム適合性
　　検出の確認：標準溶液 1 mL を正確に量り，移動相 A を加えて正確に 20 mL
　　　とする．この液 10 μL から得たアナストロゾールのピーク面積が，標準溶液
　　　のアナストロゾールのピーク面積の 3 ～ 7％になることを確認する．
　　システムの性能：標準溶液 10 μL につき，上記の条件で操作するとき，アナス
　　　トロゾールのピークの理論段数及びシンメトリー係数は，それぞれ 1500 段
　　　以上，1.4 以下である．
　　システムの再現性：標準溶液 10 μL につき，上記の条件で試験を 6 回繰り返
　　　すとき，アナストロゾールのピーク面積の相対標準偏差は 2.0％以下であ
　　　る．
水　分〈2.48〉　0.3％以下（50 mg，電量滴定法）．
強熱残分〈2.44〉　0.1％以下（1 g）．
定　量　法　本品及びアナストロゾール標準品約 25 mg ずつを精密に量り，それぞれ
　　に液体クロマトグラフィー用アセトニトリル 20 mL を加えて超音波処理して溶か
　　し，移動相 A を加えて正確に 50 mL とし，試料溶液及び標準溶液とする．試料溶
　　液及び標準溶液 10 μL ずつを正確にとり，次の条件で液体クロマトグラフィー
　　〈2.01〉により試験を行い，それぞれの液のアナストロゾールのピーク面積 A_T 及
　　び A_S を測定する．

アナストロゾール C-25

アナストロゾール（$C_{17}H_{19}N_5$）の量（mg）$= M_S \times A_T / A_S$

M_S：アナストロゾール標準品の秤取量（mg）

試験条件
　　検出器：紫外吸光光度計（測定波長：215 nm）
　　カラム：内径 3.2 mm，長さ 10 cm のステンレス管に 5 μm の液体クロマトグラフィー用オクタデシルシリル基及びオクチルシリル基を結合した多孔質シリカゲル（注2）を充塡する．
　　カラム温度：25℃付近の一定温度
　　移動相A：水／液体クロマトグラフィー用メタノール／液体クロマトグラフィー用アセトニトリル／トリフルオロ酢酸混液（1200：600：200：1）
　　移動相B：液体クロマトグラフィー用メタノール／水／液体クロマトグラフィー用アセトニトリル／トリフルオロ酢酸混液（900：800：300：1）
　　移動相の送液：移動相A及び移動相Bの混合比を次のように変えて濃度勾配制御する．

注入後の時間 （分）	移動相A （vol%）	移動相B （vol%）
0 ～ 10	100	0
10 ～ 40	100 → 0	0 → 100

　　流量：毎分 0.75 mL（アナストロゾールの保持時間約 6 分）（注3）
　システム適合性
　　システムの性能：標準溶液 10 μL につき，上記の条件で操作するとき，アナストロゾールのピークの理論段数及びシンメトリー係数は，それぞれ 1200 段以上，1.4 以下である．
　　システムの再現性：標準溶液 10 μL につき，上記の条件で試験を 6 回繰り返すとき，アナストロゾールのピーク面積の相対標準偏差は 1.0％以下である．
貯　法　容器　密閉容器．
その他
　類縁物質 A：
　2-[3-(1-Cyanoethyl)-5-(1H-1,2,4-triazol-1-ylmethyl)phenyl]-2-methylpropanenitrile

C- 26　　アナストロゾール

類縁物質 B：

2,3-Bis[3-(2-cyanopropan-2-yl)-5-(1H-1,2,4-triazol-1-ylmethyl)phenyl]-2-methylpropanenitrile

―――――― 注・解説 ――――――

劇

注1　類縁物質 A 及び類縁物質 B は製造工程副生成物として混在することが予想される．それぞれ USP と同様に 0.2% 以下である．

注2　カラム充塡剤は USP では Octylsilane and octadecylsilane groups chemically bonded to porous silica particles, 5 μm in diameter と記載されているため，それに準じた記載になっている．

注3　グラジェント法においては原則として設定流量を記載するが，アナストロゾールの保持時間が変動することがあったため，参考に保持時間も示している．

本質　429 その他の腫瘍用薬，アロマターゼ阻害剤

名称　anastrozole INN；α,α,α',α'-tetramethyl-5-(1H-1,2,4-triazol-1-ylmethyl)-m-benzenediacetonitrile

Anastrozole EP；2,2'-[5-(1H-1,2,4-Triazol-1-ylmethyl)benzene-1,3-diyl]bis(2-methylpropanenitrile)

Anastrozole USP；1,3-Benzenediacetonitrile, α,α,α',α'-tetramethyl-5-(1H-1,2,4-triazol-1-ylmethyl)-

アナストロゾール　C-27

[来歴]　欧米においてアロマターゼ阻害薬としてアミノグルテチミドが知られていたが．臨床経験から，重篤な副作用や副腎に対する影響のない製剤の開発が望まれていた．英国ゼネカ社（現 アストラゼネカ社）は強力で選択的なトリアゾール系第3世代アロマターゼ阻害薬であるアナストロゾールを発見，開発した．本邦では2000年12月に輸入承認を受けている．Meiji Seika ファルマ株式会社はアロマターゼ阻害によるエストロゲン生成を抑制し，閉経後ホルモン受容体陽性乳癌の治療剤の開発を企画し，アナストロゾール錠1 mg「明治」を2012年12月に発売した．

[製法][1]

2,2'-(5-methyl-
m-phenylene)bis-
(2-methyl-
propionitrile)

1. *N*-bromosuccinimide
2. sodium 1,2,4-triazolide

Anastrozole

1) ICI : *EP Pat*. 296,749 (1988)

[動態・代謝]　閉経後健康女性にアナストロゾール1 mgを空腹時単回経口投与したとき，速やかに吸収され，投与後2時間以内に最高血漿中濃度17.8 ng/mLに達し，血中半減期は約56時間であった．また，反復投与（1日1回1 mg）による血中濃度推移は，投与後7〜10日目まで上昇し，その後ほぼ一定であった．定常状態における蓄積率は3〜4であった[1]．閉経後健康女性にアナストロゾールの放射能標識体10 mgを単回経口投与したとき，主要代謝物はトリアゾール，グルクロン酸抱合体，アナストロゾール水酸化物のグルクロン酸抱合体であった．また336時間後までに，70%以上が尿中に排泄された．さらに本剤の約75%以上が肝代謝を受けて消失すると考えられた（英国データ）．ヒト血漿タンパク結合率は40%（*in vitro*）．本剤は *in vitro* 試験においてCYP1A2，CYP2C9及びCYP3A4の活性を阻害したが，アンチピリン，ワルファリン及びタモキシフェンとの相互作用を検討する臨床試験において，その阻害能は本剤の臨床使用において問題となるものではないことが確認された[2,3]．（参考）ラット及びイヌでは1 mg/kg以上の用量で酵素誘導作用が認められているが，外国人閉経後乳癌患者に本剤1日1回1 mg或いは10 mg（計508例）を長期投

C-28 アナストロゾール錠

与（投与期間の中央値 142 日間，最長 534 日間）した臨床試験において，定常状態における本剤の最小血漿中濃度を評価した結果，酵素誘導は認められなかった．

1) Nomura, Y., *et al.* : *Clin. Drug Invest.* **20**, 357 (2000)

2) Grimm, S. W. and Dyroff, M. C. : *Drug Metab. Dispos.* **25**, 598 (1972)

3) Dowsett, M., *et al.* : *Eur. J. Cancer* **34** (S1), abs.100, S39 (1998)

[薬効薬理] アロマターゼを選択的に阻害することにより，アンドロゲンからのエストロゲン生成を阻害し，乳癌細胞の増殖を抑制する．

[副作用] 重大なものとして，皮膚粘膜眼症候群（Stevens-Johnson 症候群），アナフィラキシー，血管浮腫，蕁麻疹，肝障害，間質性肺炎，血栓塞栓症がある．頻度の高いものとしては，肝機能検査値の異常，関節痛などがあり，その他，性器出血などに注意が必要である．

[適用] 閉経後乳癌に対して，1 日 1 回 1 mg を経口投与する．

[服薬指導] (1) 眠気があらわれることがあるので，自動車の運転や機械の操作の際には注意するよう指導する．(2) 妊婦または妊娠している可能性のある婦人には投与禁忌のため，妊娠の有無を確認する．(3) 授乳中の婦人には授乳を避けるように指導する．

[製 剤] 錠：劇処

劇処アナストロゾール錠

Anastrozole Tablets

本品は定量するとき，表示量の 95.0 ～ 105.0 ％に対応するアナストロゾール（$C_{17}H_{19}N_5$：293.37）を含む．注1

製 法 本品は「アナストロゾール」をとり，錠剤の製法により製する．

確認試験 本品を粉末とし，「アナストロゾール」8 mg に対応する量をとり，ジエチルエーテル 10 mL を加え，超音波処理した後，孔径 0.45 μm 以下のメンブランフィルターでろ過する．ろ液に赤外吸収スペクトル用臭化カリウム 0.40 g を加えた後，ジエチルエーテルを蒸発させる．残留物につき，赤外吸収スペクトル測定法〈2.25〉の臭化カリウム錠剤法により測定するとき，波数 3100 cm^{-1}，2980 cm^{-1}，2240 cm^{-1}，1606 cm^{-1}，1502 cm^{-1}，1359 cm^{-1}，1206 cm^{-1}，1139 cm^{-1}，876 cm^{-1}，763 cm^{-1}，713 cm^{-1} 及び 680 cm^{-1} 付近に吸収を認める．

製剤均一性〈6.02〉 次の方法により含量均一性試験を行うとき，適合する．

本品 1 個をとり，水／液体クロマトグラフィー用アセトニトリル／トリフルオロ酢酸混液（1000：1000：1）8 mL を加え，超音波処理して錠剤が完全に崩壊す

アナストロゾール錠　　C-29

るまでよく振り混ぜる．1 mL 中にアナストロゾール（$C_{17}H_{19}N_5$）約 0.1 mg を含む液となるように水 / 液体クロマトグラフィー用アセトニトリル / トリフルオロ酢酸混液（1000：1000：1）を加えて正確に V mL とする．この液を孔径 0.45 μm 以下のメンブランフィルターでろ過し，初めのろ液 3 mL を除き，次のろ液を試料溶液とする．以下定量法を準用する．

アナストロゾール（$C_{17}H_{19}N_5$）の量（mg）
$= M_S \times A_T / A_S \times V / 500$

M_S：アナストロゾール標準品の秤取量（mg）

溶 出 性〈*6.10*〉　試験液に水 1000 mL を用い，パドル法により，毎分 50 回転で試験を行うとき，本品の 15 分間の溶出率は 80% 以上である．

　本品 1 個をとり，試験を開始し，規定された時間に溶出液 10 mL 以上をとり，孔径 0.45 μm 以下のメンブランフィルターでろ過する．初めのろ液 3 mL 以上を除き，次のろ液 V mL を正確に量り，1 mL 中にアナストロゾール（$C_{17}H_{19}N_5$）約 1.0 μg を含む液となるように水を加えて正確に V' mL とし，試料溶液とする．別にアナストロゾール標準品約 50 mg を精密に量り，液体クロマトグラフィー用アセトニトリル 20 mL を加え，超音波処理して溶かし，水を加えて正確に 250 mL とする．この液 5 mL を正確に量り，水を加えて正確に 100 mL とする．この液 10 mL を正確に量り，水を加えて正確に 100 mL とし，標準溶液とする．試料溶液及び標準溶液 100 μL ずつを正確にとり，次の条件で液体クロマトグラフィー〈*2.01*〉により試験を行い，それぞれの液のアナストロゾールのピーク面積 A_T 及び A_S を測定する．

アナストロゾール（$C_{17}H_{19}N_5$）の表示量に対する溶出率（%）
$= M_S \times A_T / A_S \times V' / V \times 1 / C \times 2$ (注2)

M_S：アナストロゾール標準品の秤取量（mg）
C：1 錠中のアナストロゾール（$C_{17}H_{19}N_5$）の表示量（mg）

試験条件
　検出器，カラム，カラム温度は「アナストロゾール」の定量法の試験条件を準用する．
　移動相：水 / 液体クロマトグラフィー用アセトニトリル / トリフルオロ酢酸混液（700：300：1）
　流量：アナストロゾールの保持時間が約 7 分になるように調整する．

C-30　アナストロゾール錠

システム適合性

システムの性能：パラオキシ安息香酸メチル 15 mg 及びアナストロゾール標準品 50 mg を量り，液体クロマトグラフィー用アセトニトリル 20 mL を加え，超音波処理して溶かし，水を加えて 250 mL とする．この液 5 mL を量り，水を加えて 100 mL とする．この液 10 mL を量り，水を加えて 100 mL とし，システム適合性試験用溶液とする．システム適合性試験用溶液 100 μL につき，上記の条件で操作するとき，パラオキシ安息香酸メチル，アナストロゾールの順に溶出し，その分離度は 4 以上である．

システムの再現性：システム適合性試験用溶液 100 μL につき，上記の条件で試験を 6 回繰り返すとき，アナストロゾールのピーク面積の相対標準偏差は 1.5% 以下である．

定 量 法　本品 20 個以上をとり，その質量を精密に量り，粉末とする．アナストロゾール（$C_{17}H_{19}N_5$）約 10 mg に対応する量を精密に量り，水／液体クロマトグラフィー用アセトニトリル／トリフルオロ酢酸混液（1000：1000：1）80 mL を加え，超音波処理して溶かし，水／液体クロマトグラフィー用アセトニトリル／トリフルオロ酢酸混液（1000：1000：1）を加えて正確に 100 mL とする．この液を孔径 0.45 μm 以下のメンブランフィルターでろ過し，初めのろ液 3 mL を除き，次のろ液を試料溶液とする．別にアナストロゾール標準品約 50 mg を精密に量り，水／液体クロマトグラフィー用アセトニトリル／トリフルオロ酢酸混液（1000：1000：1）50 mL を加え，超音波処理して溶かし，水／液体クロマトグラフィー用アセトニトリル／トリフルオロ酢酸混液（1000：1000：1）を加えて正確に 100 mL とする．この液 10 mL を正確に量り，水／液体クロマトグラフィー用アセトニトリル／トリフルオロ酢酸混液（1000：1000：1）を加えて正確に 50 mL とし，標準溶液とする．試料溶液及び標準溶液 10 μL ずつを正確にとり，次の条件で液体クロマトグラフィー〈*2.01*〉により試験を行い，それぞれの液のアナストロゾールのピーク面積 A_T 及び A_S を測定する．

アナストロゾール（$C_{17}H_{19}N_5$）の量（mg）
　＝ $M_S × A_T / A_S × 1/5$

M_S：アナストロゾール標準品の秤取量（mg）

試験条件

検出器，カラム，カラム温度は「アナストロゾール」の定量法の試験条件を準用する．

移動相：水／液体クロマトグラフィー用メタノール／液体クロマトグラフィー用アセトニトリル／トリフルオロ酢酸混液（7000：2000：1000：7）

アムホテリシンB錠　　C-*31*

　　流量：アナストロゾールの保持時間が約15分になるように調整する．
　システム適合性
　　システムの性能：パラオキシ安息香酸エチル30 mg及びアナストロゾール標
　　　準品50 mgを量り，水／液体クロマトグラフィー用アセトニトリル／トリ
　　　フルオロ酢酸混液（1000：1000：1）50 mLを加え，超音波処理して溶か
　　　し，水／液体クロマトグラフィー用アセトニトリル／トリフルオロ酢酸混液
　　　（1000：1000：1）を加えて100 mLとする．この液10 mLを量り，水／液
　　　体クロマトグラフィー用アセトニトリル／トリフルオロ酢酸混液（1000：
　　　1000：1）を加えて50 mLとし，システム適合性試験用溶液とする．システ
　　　ム適合性試験用溶液10 μLにつき，上記の条件で操作するとき，パラオキシ
　　　安息香酸エチル，アナストロゾールの順に溶出し，その分離度は4以上で
　　　ある．
　　システムの再現性：システム適合性試験用溶液10 μLにつき，上記の条件で試
　　　験を6回繰り返すとき，アナストロゾールのピーク面積の相対標準偏差は
　　　1.5％以下である．
貯　法　容器　気密容器．

──────── 注・解説 ────────

（→ アナストロゾール）
　劇処
　注1　本品は，通例1 mg錠である．USP では，90～110％と規定されている．
　注2　アナストロゾール（$C_{17}H_{19}N_5$）の表示量に対する溶出率（％）＝ $M_S × A_T／A_S$
$× V'／V × 1／C × 1000$（mL）／1 × 1／250（mL）× 5（mL）／100（mL）× 10
（mL）／100（mL）× 100

医薬品各条の部　アムホテリシンB錠の条製剤均一性の項を次のように改める．

劇処アムホテリシン B 錠

製剤均一性〈*6.02*〉　質量偏差試験を行うとき，適合する（*T*：別に規定する）．　注1
──────── 注・解説 ────────

（→ アムホテリシンB）
　劇処
　注1　アムホテリシンB錠の製剤均一性は，18局まで*T*：105.0％として質量偏差
試験が規定されていた．しかし*T*値は個別製品での妥当性に基づき設定されるもの

C-32　注射用アンピシリンナトリウム・スルバクタムナトリウム

―――――――――――――――――――――――――――――――――――――

であることから，「T：別に規定する」に 18局 第一追補から改正された.

医薬品各条の部　注射用アムホテリシン B の条製剤均一性の項を次のように改める.

⬛⬛注射用アムホテリシン B

製剤均一性〈*6.02*〉　質量偏差試験を行うとき，適合する（T：別に規定する）． 注1

―――――――――――― 注・解説 ――――――――――――

（→　アムホテリシン B）

⬛⬛

注1 　注射用アムホテリシン B の製剤均一性は，18 局まで T：105.0 ％として質量偏差試験が規定されていた．しかし T 値は個別製品での妥当性に基づき設定されるものであることから，「T：別に規定する」に 18局 第一追補から改正された.

医薬品各条の部　注射用アンピシリンナトリウム・スルバクタムナトリウムの条製剤均一性の項を次のように改める.

⬛注射用アンピシリンナトリウム・スルバクタムナトリウム

製剤均一性〈*6.02*〉　次の方法により含量均一性試験を行うとき，適合する（T：別に規定する）． 注1
　　本品 1 個をとり，1 mL 中にアンピシリン（$C_{16}H_{19}N_3O_4S$）5 mg(力価)を含む液となるように移動相に溶かし，正確に V mL とする．この液 5 mL を正確に量り，内標準溶液 5 mL を正確に加えた後，移動相を加えて 50 mL とし，試料溶液とする．以下定量法を準用する.

　　アンピシリン（$C_{16}H_{19}N_3O_4S$）の量［mg(力価)］
　　　　＝ $M_{S1} \times Q_{Ta} / Q_{Sa} \times V / 10$
　　スルバクタム（$C_8H_{11}NO_5S$）の量［mg(力価)］
　　　　＝ $M_{S2} \times Q_{Tb} / Q_{Sb} \times V / 10$

　　　M_{S1}：アンピシリン標準品の秤取量［mg(力価)］
　　　M_{S2}：スルバクタム標準品の秤取量［mg(力価)］

注射用イミペネム・シラスタチンナトリウム　C- 33

内標準溶液　パラオキシ安息香酸の移動相溶液（1 → 1000）

———————— 注・解説 ————————

㊡

注1　注射用アンピシリンナトリウム・スルバクタムナトリウムの製剤均一性は，18局まで T：105.0％として含量均一性試験が規定されていた．しかし T 値は個別製品での妥当性に基づき設定されるものであることから，「T：別に規定する」に 18局 第一追補から改正された．

医薬品各条の部　注射用イミペネム・シラスタチンナトリウムの条製剤均一性の項を次のように改める．

㊡注射用イミペネム・シラスタチンナトリウム

製剤均一性〈*6.02*〉　次の方法により含量均一性試験を行うとき，適合する（T：別に規定する）．注1

本品 1 個をとり，その内容物の全量を生理食塩液に溶かし，正確に 100 mL とする．「イミペネム水和物」約 25 mg(力価)に対応する容量 V mL を正確に量り，pH 7.0 の 0.1 mol/L 3-(N-モルホリノ)プロパンスルホン酸緩衝液を加えて正確に 50 mL とし，試料溶液とする．以下定量法を準用する．

イミペネム（$C_{12}H_{17}N_3O_4S$）の量［mg(力価)］
　$= M_{SI} \times A_{TI} / A_{SI} \times 100 / V$
シラスタチン（$C_{16}H_{26}N_2O_5S$）の量（mg）
　$= M_{SC} \times A_{TC} / A_{SC} \times 100 / V \times 0.955$

M_{SI}：イミペネム標準品の秤取量［mg(力価)］
M_{SC}：脱水及び脱エタノール物に換算した定量用シラスタチンアンモニウムの秤取量（mg）

———————— 注・解説 ————————

（→ イミペネム水和物）

㊡

注1　注射用イミペネム・シラスタチンナトリウムの製剤均一性は，18局まで T：104.0％として含量均一性試験が規定されていた．しかし T 値は個別製品での妥

C- 34 インスリン ヒト（遺伝子組換え）

当性に基づき設定されるものであることから，「T：別に規定する」に 18局 第一追補から改正された．

　　医薬品各条の部　インスリン　ヒト（遺伝子組換え）の条確認試験の項及び定量法の項を次のように改める．

Ⓢインスリンヒト（遺伝子組換え）

確認試験　本品適量を 1 mL 中に 2.0 mg を含む液となるように 0.01 mol/L 塩酸試液に溶かし，試料原液とする．別にインスリンヒト標準品を 1 mL 中に 2.0 mg を含む液となるように 0.01 mol/L 塩酸試液に溶かし，標準原液とする．これらの液 500 μL をそれぞれ清浄な試験管にとり，それらに pH 7.5 のヘペス緩衝液 2.0 mL 及び V8 プロテアーゼ酵素試液 400 μL を加え，25℃で 6 時間反応した後，硫酸アンモニウム緩衝液 2.9 mL を加えて反応を停止し，試料溶液及び標準溶液とする．試料溶液及び標準溶液 50 μL につき，次の条件で液体クロマトグラフィー〈2.01〉により試験を行い，両者のクロマトグラムを比較するとき，同一の保持時間のところに同様のピークを認める．注1

　試験条件
　　検出器：紫外吸光光度計（測定波長：214 nm）
　　カラム：内径 4.6 mm，長さ 10 cm のステンレス管に 3 μm の液体クロマトグラフィー用オクタデシルシリル化シリカゲルを充塡する．
　　カラム温度：40℃付近の一定温度
　　移動相：A 液－水 / 硫酸アンモニウム緩衝液 / アセトニトリル混液(7：2：1)
　　　　　　B 液－水 / アセトニトリル / 硫酸アンモニウム緩衝液混液(2：2：1)
　　試料注入後 60 分間に A 液 /B 液混液（9：1）から A 液 /B 液混液（3：7）となるように直線的勾配で移動相 B 液の割合を増加させながら送液し，次の 5 分間で B 液 100％となるように直線的勾配で B 液の割合を増加させ，更にその後 5 分間は B 液を送液する．
　　流量：毎分 1.0 mL
　システム適合性
　　システムの性能：標準溶液 50 μL につき，上記の条件で操作するとき，溶媒ピーク直後に溶出するピークの後に溶出する，これより大きな最初の二つのピークのシンメトリー係数はそれぞれ 1.5 以下であり，その分離度は 3.4 以上である．

定 量 法　本操作は速やかに行う．本品約 7.5 mg を精密に量り，0.01 mol/L 塩酸試液に溶かし，正確に 5 mL とし，試料溶液とする．別にインスリンヒト標準品を表

インスリン　ヒト（遺伝子組換え）　　C–35

示単位に従い 1 mL 中にヒトインスリン約 40 インスリン単位を含む液となるように 0.01 mol/L 塩酸試液に正確に溶かし，標準溶液とする．試料溶液及び標準溶液 20 µL ずつを正確にとり，次の条件で液体クロマトグラフィー〈2.01〉により試験を行う．試料溶液のヒトインスリンのピーク面積 A_{TI} 及びヒトインスリンのピークに対する相対保持時間約 1.3 のデスアミド体のピーク面積 A_{TD}，並びに標準溶液のヒトインスリンのピーク面積 A_{SI} 及びデスアミド体のピーク面積 A_{SD} を測定する．
（注2）

ヒトインスリン（$C_{257}H_{383}N_{65}O_{77}S_6$）の量（インスリン単位 /mg）
　　= $M_S / M_T \times (A_{TI} + A_{TD}) / (A_{SI} + A_{SD}) \times 5$

M_T：乾燥物に換算した本品の秤取量（mg）
M_S：標準溶液 1 mL 中のヒトインスリンの量（インスリン単位）

試験条件
　　検出器：紫外吸光光度計（測定波長：214 nm）
　　カラム：内径 4.6 mm，長さ 15 cm のステンレス管に 5 µm の液体クロマトグラフィー用オクタデシルシリル化シリカゲルを充塡する．
　　カラム温度：40℃付近の一定温度
　　移動相：pH 2.3 のリン酸・硫酸ナトリウム緩衝液 / 液体クロマトグラフィー用アセトニトリル混液（3：1）．なお，ヒトインスリンの保持時間が 10 ～ 17 分になるように移動相組成の混合比を調整する．
　　流量：毎分 1.0 mL
　システム適合性
　　システムの性能：ヒトインスリンデスアミド体含有試液 20 µL につき，上記の条件で操作するとき，ヒトインスリン，デスアミド体の順に溶出し，その分離度は 2.0 以上で，ヒトインスリンのピークのシンメトリー係数は 1.8 以下である．
　　システムの再現性：標準溶液 20 µL につき，上記の条件で試験を 6 回繰り返すとき，ヒトインスリンのピーク面積の相対標準偏差は 1.6 ％以下である．

─────── 注・解説 ───────

🔊
注1　peptide mapping による確認試験である．V8 protease は glutamic acid の C 末端側を特異的に切断する protease である．V8 protease をヒトインスリンに作用させると，A 鎖の 4 及び 17 残基目の C 末端側，B 鎖の 13 及び 21 残基目の C 末端側の 4 箇所で切断され，4 種の peptide fragment を生じる（図 1）．この 4 種のペプチド

C-36　インスリン　ヒト（遺伝子組換え）

を液体クロマトグラフィーで分析し，その保持時間を同様に処理したヒトインスリン標準品から得た各 peptide の保持時間と比較して確認する．ウシ及びブタのインスリンも臨床使用されるが，これらの構造はヒトインスリンと僅かに異なる（→ インスリン 構造）．この違いは peptide mapping で完全に区別できる．日本薬局方インスリンヒト標準品の充填形態が凍結乾燥に変更されることに伴い，標準溶液の調製方法から秤量操作が削除された．

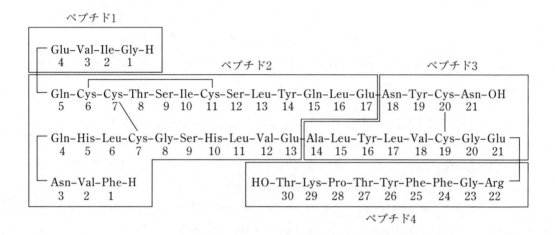

図1　ヒトインスリンの4種のペプチドフラグメント

注2　本品が苛酷条件にさらされても，液体クロマトグラフィーで検出されるヒトインスリンのピーク面積と生物活性との間に相関があることが確認されたので[1]，液体クロマトグラフィーでのピーク面積を標準品のそれと比較することでインスリン単位を求めている．デスアミド体も未変化体とほぼ同じ生物活性を有することから，ヒトインスリンとデスアミド体の両方のピーク面積の和で含量（力価）を算出している．日本薬局方インスリンヒト標準品の充填形態が凍結乾燥に変更されることに伴い，標準溶液の調製方法から秤量操作が削除された．また，計算式が変更され，インスリンヒト標準品の表示単位，溶解に用いた 0.01 mol/L 塩酸試液の量及び秤取量が削除され，「標準溶液 1 mL 中のヒトインスリンの量（インスリン単位）」が追加された．

文献　1）森本和滋ら：医薬品研究 **26**, 404 (1995)

イソフェンインスリン　ヒト（遺伝子組換え）水性懸濁注射液　　C- 37

医薬品各条の部　インスリン　ヒト（遺伝子組換え）注射液の条定量法の項を次のように改める．

劇処インスリン　ヒト（遺伝子組換え）注射液

定 量 法　本品 10 mL を正確に量り，6 mol/L 塩酸試液 40 μL を正確に加える．この液 2 mL を正確に量り，0.01 mol/L 塩酸試液を加えて正確に 5 mL とし，試料溶液とする．以下「インスリン　ヒト（遺伝子組換え）」を準用する．注1

本品 1 mL 中のヒトインスリン（$C_{257}H_{383}N_{65}O_{77}S_6$）の量（インスリン単位）
$= M_S \times (A_{TI} + A_{TD}) / (A_{SI} + A_{SD}) \times 1.004 \times 5 / 2$

M_S：標準溶液 1 mL 中のヒトインスリンの量（インスリン単位）

──────── 注・解説 ────────

劇処

注1　インスリン 1 単位は，空腹ウサギの血糖値を 45 mg/dL（2.5 mM）に低下させる量と定義されている．インスリン製剤は，100 単位 /mL の溶液として供給されており，ヒトインスリン標準品 1 mg 当たりの力価は 26.0 インスリン単位である．日本薬局方インスリンヒト標準品の充填形態が凍結乾燥に変更されることに伴い，計算式からインスリンヒト標準品の秤取量，表示単位，及び溶解に用いた 0.01 mol/L 塩酸試液の量が削除され，「標準溶液 1 mL 中のヒトインスリンの量（インスリン単位）」が追加された．

医薬品各条の部　イソフェンインスリン　ヒト（遺伝子組換え）水性懸濁注射液の条純度試験の項（2）の目及び定量法の項（1）の目を次のように改める．

劇処イソフェンインスリン　ヒト（遺伝子組換え）水性懸濁注射液

純度試験

（2）　溶存インスリンヒト　注1　本品を遠心分離し，上澄液を試料溶液とする．別にインスリンヒト標準品を 1 mL 中に約 1.0 インスリン単位を含む液となるように 0.01 mol/L 塩酸試液に正確に溶かし，標準溶液とする．試料溶液及び標準溶液 20 μL ずつを正確にとり，次の条件で液体クロマトグラフィー〈2.01〉により試験を行う．それぞれの液のインスリンヒトのピーク面積 A_T 及び A_S を自動積分法により測定し，次式により溶存するインスリンヒトの量を求めるとき，1 mL 当たり

C-38　　イソフェンインスリン　ヒト（遺伝子組換え）水性懸濁注射液

0.5 インスリン単位以下である．

溶存するインスリンヒトの量（インスリン単位 /mL）
$$= M_S \times A_T \big/ A_S$$

M_S：標準溶液 1 mL 中のインスリンヒトの量（インスリン単位）

試験条件
定量法（1）の試験条件を準用する．
システム適合性
システムの性能：インスリンヒトデスアミド体含有試液 20 μL につき，上記の条件で操作するとき，インスリンヒト，デスアミド体の順に溶出し，その分離度は 2.0 以上であり，インスリンヒトのピークのシンメトリー係数は 1.6 以下である．
システムの再現性：標準溶液 20 μL につき，上記の条件で試験を 4 回繰り返すとき，インスリンヒトのピーク面積の相対標準偏差は 6.0％以下である．

定 量 法

（1）　インスリンヒト　注2　本品を穏やかに振り混ぜ，10 mL を正確に量り，6 mol/L 塩酸試液 40 μL を正確に加える．この液 2 mL を正確に量り，0.01 mol/L 塩酸試液を加えて正確に 5 mL とし，試料溶液とする．以下「インスリンヒト（遺伝子組換え）」の定量法を準用する．

本品 1 mL 中のインスリンヒト（$C_{257}H_{383}N_{65}O_{77}S_6$）の量（インスリン単位）
$$= M_S \times (A_{TI} + A_{TD}) \big/ (A_{SI} + A_{SD}) \times 1.004 \times 5 \big/ 2$$

M_S：標準溶液 1 mL 中のインスリンヒトの量（インスリン単位）

──────── 注・解説 ────────

劇処
注1　懸濁注射液の中で，インスリンヒトは，ほとんどが沈殿して存在しているが，一部が溶液中に存在する．溶液中に単量体で存在するインスリンの量は，製剤投与後のインスリンの血中濃度推移に影響するため，定量法と同じ逆相クロマトグラフィーを用いた試験により，その上限を規定している．日本薬局方インスリンヒト標準品の充塡形態が凍結乾燥に変更されることに伴い，計算式からインスリンヒト標準品の秤取量，表示単位，溶解に用いた 0.01 mol/L 塩酸試液の量が削除され，「標準溶液 1 mL 中のインスリンヒトの量（インスリン単位）」が追加された．

二相性イソフェンインスリン　ヒト（遺伝子組換え）水性懸濁注射液　　　C-39

注2　インスリンヒトでは，液体クロマトグラフィーで検出されるインスリンヒトのピーク面積と生物活性に相関があることが確認されている．本品においても，液体クロマトグラフィーでのインスリンヒトのピーク面積とインスリンヒト標準品のピーク面積を比較することで，インスリンヒトの含量を求めている．デスアミド体も目的物質とほぼ同じ生物活性を有することから，インスリンヒトとそのデスアミド体を有効成分と考え，両方の面積の和をもとに，含量（インスリン単位）が算出される．日本薬局方インスリンヒト標準品の充塡形態が凍結乾燥に変更されることに伴い，計算式からインスリンヒト標準品の秤取量，表示単位，及び溶解に用いた0.01 mol/L塩酸試液の量が削除され，「標準溶液1 mL中のインスリンヒトの量（インスリン単位）」が追加された．

医薬品各条の部　二相性イソフェンインスリン　ヒト（遺伝子組換え）水性懸濁注射液の条定量法の項（1）の目を次のように改める．

⃝劇 ⃝処 二相性イソフェンインスリン　ヒト（遺伝子組換え）水性懸濁注射液

定 量 法

（1）　インスリンヒト　注1　本品を穏やかに振り混ぜ，10 mLを正確に量り，6 mol/L塩酸試液40 μLを正確に加える．この液2 mLを正確に量り，0.01 mol/L塩酸試液を加えて正確に5 mLとし，試料溶液とする．以下「インスリンヒト（遺伝子組換え）」の定量法を準用する．

本品1 mL中のインスリンヒト（$C_{257}H_{383}N_{65}O_{77}S_6$）の量（インスリン単位）
$= M_S \times (A_{TI} + A_{TD})/(A_{SI} + A_{SD}) \times 1.004 \times 5/2$

M_S：標準溶液1 mL中のインスリンヒトの量（インスリン単位）

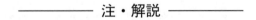

⃝劇 ⃝処
注1　本製剤は，添加物として酸化亜鉛を含有している．亜鉛はインスリンの6量体形成に必要であり，本品ではインスリン単位あたりの亜鉛含量（亜鉛10～40 μg/インスリン単位）が規定されている．日本薬局方インスリンヒト標準品の充塡形態が凍結乾燥に変更されることに伴い，計算式からインスリンヒト標準品の秤取量，表示単位，及び溶解に用いた0.01 mol/L塩酸試液の量が削除され，「標準溶液1 mL中のインスリンヒトの量（インスリン単位）」が追加された．

医薬品各条の部　エタノールの条冒頭の国際調和に関する記載，貯法の項及び有効期間の項を次のように改める．

エ タ ノ ー ル

　本医薬品各条は，三薬局方での調和合意に基づき規定した医薬品各条である．

　なお，三薬局方で調和されていない部分のうち，調和合意において，調和の対象とされた項中非調和となっている項の該当箇所は「◆　◆」で，調和の対象とされた項以外に日本薬局方が独自に規定することとした項は「◇　◇」で囲むことにより示す．

　三薬局方の調和合意に関する情報については，独立行政法人医薬品医療機器総合機構のウェブサイトに掲載している．

貯　法
　保存条件　遮光して保存する．
　◇容器　気密容器．◇ 注1
◇有効期間　ガラス製の容器以外を用いる場合，別に規定するもののほか，製造後 24 箇月．◇ 注1

─────── 注・解説 ───────

注1　日米欧三薬局方検討会議での国際調和に伴い， 日局 の独自規定部分について◇ ◇が加筆された．

医薬品各条の部　無水エタノールの条冒頭の国際調和に関する記載，貯法の項及び有効期間の項を次のように改める．

無 水 エ タ ノ ー ル

　本医薬品各条は，三薬局方での調和合意に基づき規定した医薬品各条である．

　なお，三薬局方で調和されていない部分のうち，調和合意において，調和の対象とされた項中非調和となっている項の該当箇所は「◆　◆」で，調和の対象とされた項以外に日本薬局方が独自に規定することとした項は「◇　◇」で囲むことにより示す．

　三薬局方の調和合意に関する情報については，独立行政法人医薬品医療機器総合機構のウェブサイトに掲載している．

貯　法

保存条件　遮光して保存する．
◇容器　気密容器．◇注1
◇**有効期間**　ガラス製の容器以外を用いる場合，別に規定するもののほか，製造後 24 箇月．◇注1

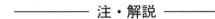

注1　日米欧三薬局方検討会議での国際調和に伴い，日局 の独自規定部分について◇ ◇が加筆された．

医薬品各条の部　エポエチン　ベータ（遺伝子組換え）の条確認試験の項（1）の目を次のように改める．

生物劇 エポエチン　ベータ（遺伝子組換え）

確認試験

（1）　本品及びエポエチンベータ標準品の適量をとり，それぞれ適切な方法で脱塩を行い，必要ならば水を加えてタンパク質の濃度が約 1 mg/mL になるように調製し，試料溶液及び標準溶液とする．試料溶液及び標準溶液につき，次の条件でキャピラリー電気泳動を行うとき，試料溶液及び標準溶液から得た各々のピークの電気浸透流のピークに対する相対移動時間は等しく，同様の泳動パターンを示す．

　試験条件

　　検出器：紫外吸光光度計（測定波長：214 nm）

　　カラム：内径 50 μm，長さ約 110 cm のシリカキャピラリー（有効長約 100 cm，適切なアルカリ溶液で洗浄後，泳動液で前処理する）注1

　　泳動液：塩化ナトリウム 0.58 g，トリシン 1.79 g 及び無水酢酸ナトリウム 0.82 g を水に溶かし，100 mL とし，これを泳動原液とする．別に尿素 42 g を水 50 mL に溶かし，泳動原液 10 mL 及び 1 mol/L 1,4-ジアミノブタン 注2 溶液 250 μL を加え，更に水を加えて 100 mL とし，薄めた無水酢酸（1 → 20）を加えて pH 5.6 に調整し，0.45 μm メンブランフィルターでろ過する．

　　泳動温度：35℃付近の一定温度

　　泳動条件：泳動電圧（約 17kV の印加電圧），泳動時間（100 分）注3

　　試料溶液及び標準溶液の注入：15 秒間（加圧法：10.3 kPa）

　　ピーク検出範囲：試料注入後 100 分間

　システム適合性

C-42　塩化ナトリウム

システムの性能：標準溶液につき，上記の条件で操作するとき，エポエチンベータの主要なピークを 4 本以上検出する．最初に検出する主要なピークと次に検出する主要なピークの分離度は 0.8 以上である．

システムの再現性：標準溶液につき，上記の条件で試験を 3 回繰り返すとき，エポエチンベータ由来のピークの前に検出される電気浸透流のピークに対して，最初に検出する主要なピークの相対移動時間の相対標準偏差は 2％以下である．

──────── 注・解説 ────────

(生物) (劇)

[注1]　[18局] までは，シリカキャピラリー にアミノ基を化学的に被覆したキャピラリーが使用されていたが，[18局] 第一追補での改正により，シリカキャピラリーをアルカリ溶液で洗浄し，1,4-ジアミノブタンを含む泳動液で前処理したものとなった．それに伴い，試験条件も変更された．

[注2]　1,4-ジアミノブタンは，一般的に，タンパク質とキャピラリー内面との相互作用を抑制するために泳動液に添加される．キャピラリー内面のシラノールと相互作用することにより電気浸透流も弱くなる．

[注3]　キャピラリー入口側が正極，出口側が負極である．

1) European Pharmacopoeia 10.0, ERYTHROPOIETIN CONCENTRATED SOLUTION, 2540-2544.

2) Boucher S, Kane A and Girard M. Qualitative and quantitative assessment of marketed erythropoiesis-stimulating agents by capillary electrophoresis. *J. Pharm. Biomed. Anal.* **71**, 207 (2021)

医薬品各条の部　塩化ナトリウムの条確認試験の項を次のように改める．

塩 化 ナ ト リ ウ ム

確認試験

(1)　本品の水溶液（1 → 20）はナトリウム塩の定性反応（2）〈*1.09*〉を呈する．

[注1]

(2)　本品の水溶液（1 → 20）は塩化物の定性反応（2）〈*1.09*〉を呈する．[注2]

──────── 注・解説 ────────

[注1]　塩化ナトリウム各条は国際調和品目の一つであり，炎色反応による確認試験の削除が他局から提案された．[日局] 一般試験法 定性反応〈*1.09*〉のナトリウム塩の

エンビオマイシン硫酸塩　　C-43

項には，(1) 炎色反応試験と，(2) ヘキサヒドロキソアンチモン(V)酸カリウムとの反応による白色沈殿の形成を確認する2つの試験法が記載されている．ナトリウム塩の確認には，より特異性の高い (2) の試験法で充分なことから，日局 もこの提案を受け入れ，記載が変更された．

注2　日局 一般試験法 定性反応〈1.09〉の塩化物の項には，(1) 加熱したときに発生する塩素ガスによるヨウ化カリウムデンプン紙の青変反応と，(2) 塩化銀の沈殿形成を確認する2つの試験法が記載されている．(2) の試験法は EP 及び USB にも規定があり，国際調和された確認試験法として採用された．これに伴い，記載が変更された．

　　医薬品各条の部　エンビオマイシン硫酸塩の条成分含量比の項を次のように改める．

エンビオマイシン硫酸塩

成分含量比 注1　本品約 50 mg を水に溶かし 注2，100 mL とし，試料溶液とする．試料溶液 5 μL につき，次の条件で液体クロマトグラフィー〈2.01〉により試験を行い，自動積分法によりツベラクチノマイシン N 及びツベラクチノマイシン O（ツベラクチノマイシン N に対する相対保持時間約 1.2）のピーク面積 A_{T1} 及び A_{T2} を測定するとき，$A_{T2}/(A_{T1}+A_{T2})$ は 0.090～0.150 である．

　試験条件
　　検出器：紫外吸光光度計（測定波長：254 nm）
　　カラム：内径 4.6 mm，長さ 25 cm のステンレス管に 3 μm の液体クロマトグラフィー用オクタデシルシリル化シリカゲルを充填する．
　　カラム温度：40℃付近の一定温度
　　移動相：水／トリフルオロ酢酸混液（1000：1）
　　流量：ツベラクチノマイシン N の保持時間が約 15 分になるように調整する．
　システム適合性
　　システムの性能：試料溶液 5 μL につき，上記の条件で操作するとき，ツベラクチノマイシン N，ツベラクチノマイシン O の順に溶出し，その分離度は 3 以上である．
　　システムの再現性：試料溶液 5 μL につき，上記の条件で試験を 6 回繰り返すとき，ツベラクチノマイシン N のピーク面積の相対標準偏差は 2.0％以下である．

C- 44　　オキシブチニン塩酸塩

────── 注・解説 ──────

注1　従来の液体クロマトグラフィーにおいて移動相に用いていた有害性物質1,4-ジオキサンを用いない分析法への変更である.

注2　本品（エンビオマイシン硫酸塩）について，従来使用していた量1 gを50 mgに低減している.

医薬品各条の部　オキシドールの条の次に次の一条を加える.

オキシブチニン塩酸塩

Oxybutynin Hydrochloride

及び鏡像異性体

$C_{22}H_{31}NO_3$・HCl：393.95
4-(Diethylamino)but-2-yn-1-yl (2RS)-2-cyclohexyl-2-hydroxy-2-phenylacetate monohydrochloride
[1508-65-2]

本品を乾燥したものは定量するとき，オキシブチニン塩酸塩（$C_{22}H_{31}NO_3$・HCl）98.0〜101.0％を含む.

性　状　本品は白色の結晶性の粉末である.

　　本品は水又はエタノール（99.5）に溶けやすい.

　　本品の水溶液（1→50）は旋光性を示さない.

確認試験

（1）　本品の水溶液（3→100000）につき，紫外可視吸光度測定法〈2.24〉により吸収スペクトルを測定し，本品のスペクトルと本品の参照スペクトルを比較するとき，両者のスペクトルは同一波長のところに同様の強度の吸収を認める.

（2）　本品を乾燥し，赤外吸収スペクトル測定法〈2.25〉の塩化カリウム錠剤法により試験を行い，本品のスペクトルと本品の参照スペクトルを比較するとき，両者

のスペクトルは同一波数のところに同様の強度の吸収を認める．(注1)

(3) 本品の水溶液（1 → 50）は塩化物の定性反応〈1.09〉を呈する．

融 点〈2.60〉 124 〜 129℃

純度試験 類縁物質 本品50 mgを移動相10 mLに溶かし，試料溶液とする．この液1 mLを正確に量り，移動相を加えて正確に200 mLとし，標準溶液とする．試料溶液及び標準溶液10 μLずつを正確にとり，次の条件で液体クロマトグラフィー〈2.01〉により試験を行う．それぞれの液の各々のピーク面積を自動積分法により測定するとき，試料溶液のオキシブチニンに対する相対保持時間約1.6の類縁物質Aのピーク面積は，標準溶液のオキシブチニンのピーク面積の3倍より大きくなく，試料溶液のオキシブチニン及び上記以外のピークの面積は，標準溶液のオキシブチニンのピーク面積の1/5より大きくない．また，試料溶液のオキシブチニン及び類縁物質A以外のピークの合計面積は，標準溶液のオキシブチニンのピーク面積より大きくない．ただし，類縁物質Aのピーク面積は自動積分法で求めた面積に感度係数2.3を乗じた値とする．(注2)

試験条件
　検出器：紫外吸光光度計（測定波長：210 nm）
　カラム：内径3.9 mm，長さ15 cmのステンレス管に5 μmの液体クロマトグラフィー用オクチルシリル化シリカゲルを充塡する．
　カラム温度：25℃付近の一定温度
　移動相：リン酸二水素カリウム3.4 g及びリン酸水素二カリウム4.36 gを水に溶かし，1000 mLとする．この液490 mLに液体クロマトグラフィー用アセトニトリル510 mLを加える．
　流量：オキシブチニンの保持時間が約15分になるように調整する．
　面積測定範囲：オキシブチニンの保持時間の約2倍の範囲

システム適合性
　検出の確認：標準溶液2 mLを正確に量り，移動相を加えて正確に20 mLとする．この液10 μLから得たオキシブチニンのピーク面積が，標準溶液のオキシブチニンのピーク面積の7 〜 13％になることを確認する．
　システムの性能：標準溶液10 μLにつき，上記の条件で操作するとき，オキシブチニンのピークの理論段数及びシンメトリー係数は，それぞれ5000段以上，1.5以下である．
　システムの再現性：標準溶液10 μLにつき，上記の条件で試験を6回繰り返すとき，オキシブチニンのピーク面積の相対標準偏差は2.0％以下である．

乾燥減量〈2.41〉 3.0％以下（0.5 g，105℃，4時間）．

強熱残分〈2.44〉 0.1％以下（1 g）．

定 量 法 本品を乾燥し，その約0.5 gを精密に量り，無水酢酸／酢酸（100）混液（7：3）70 mLに溶かし，0.1 mol/L過塩素酸で滴定〈2.50〉する（電位差滴定法）．

C-46　オキシブチニン塩酸塩

同様の方法で空試験を行い，補正する.

　　0.1 mol/L 過塩素酸 1 mL ＝ 39.40 mg C$_{22}$H$_{31}$NO$_3$・HCl

貯　法
保存条件　遮光して保存する.
容器　気密容器.
その他
類縁物質 A：
4-(Diethylamino)but-2-yn-1-yl (2R)-2-(cyclohex-3-en-1-yl)-2-cyclohexyl-2-hydroxyacetate

4-(Diethylamino)but-2-yn-1-yl (2S)-2-(cyclohex-3-en-1-yl)-2-cyclohexyl-2-hydroxyacetate

──────── 注・解説 ────────

注1　局外規では臭化カリウム錠剤法であったが，塩交換の可能性を考慮し，塩化カリウム錠剤法に変更した.
注2　局外規の TLC 法から HPLC 法に変更した. HPLC の試験条件はヨーロッパ薬局方と同じであり，類縁物質 A，その他の個々の類縁物質及び類縁物質 A 以外の類縁物質の総量の規格はそれぞれ 1.5% 以下，0.10% 以下及び 0.5% 以下となり，ヨーロッパ薬局方と同じである.

本質　251 泌尿器官用剤

オキシブチニン塩酸塩　　C- 47

名称　oxybutynin INN；4-diethylamino-2-butynyl α-cyclohexyl-α-phenylglycollate

Oxybutynin Hydrochloride EP；4-(Diethylamino)but-2-ynyl (RS)-2-cyclohexyl-2-hydroxy-2-phenylacetate hydrochloride

Oxybutynin Chloride USP；Benzeneacetic acid, α-cyclohexyl-α-hydroxy, 4-(diethylamino)-2-butynyl ester hydrochloride,（±）

来歴　オキシブチニン塩酸塩はアミノアセチレン類に属するグリコール類のブチルエステル誘導体で 1963 年に合成された．米国において 1975 年に抗ムスカリン作用と平滑筋弛緩作用を持つ経口の排尿障害治療剤として発売された．本邦では 1988 年 3 月に神経因性膀胱等に伴う頻尿，尿意切迫感，尿失禁を改善する薬剤として発売された．その後，経口剤で見られる口内乾燥や便秘，霧視等などの抗コリン性副作用の低減を目的として経皮吸収型製剤が開発され，2013 年 3 月に久光製薬株式会社が「ネオキシテープ 73.5 mg」の製造販売承認を取得，同年 6 月に発売した．

製法[1]

(1)

HC≡C–CH$_2$–O–CO–C(OH)(cyclohexyl)(phenyl) + (CH$_2$O)$_x$ + (H$_3$C–CH$_2$)$_2$NH ⟶ Oxybutynin

　α-cyclohexylphenylglycolic acid propargyl ester　　paraform-aldehyde　　diethylamine

Oxybutynin —HCl→ Oxybutynin Hydrochloride

(2)

H$_3$C–O–CO–C(OH)(cyclohexyl)(phenyl) + (H$_3$C–CH$_2$)$_2$N–CH$_2$–C≡C–CH$_2$–O–CO–CH$_3$ —NaOCH$_3$→ Oxybutynin

　α-cyclohexylphenylglycolic acid methyl ester　　1-acetoxy-4-diethylamino-2-butyne

Oxybutynin —HCl→ Oxybutynin Hydrochloride

1) Mead Johnson：*GB Pat*. 940,540 (1961)

動態・代謝　〔錠剤〕健常成人男子にオキシブチニン塩酸塩 2 ～ 9 mg を単回経口投与したとき，速やかに吸収され，血漿中濃度は約 0.7 時間後に最高に達し，その半減

C-48　オキシブチニン塩酸塩

期は約1時間であった[1]. 健常成人男子にオキシブチニン塩酸塩2～6 mgを1日3回5日間反復経口投与したとき，血漿中濃度は0.5時間後に最高に達し，投与後4時間で血漿中から消失した. 各投与量群とも投与2回目以降の血漿中オキシブチニンの濃度推移は，第1回投与後と類似していた. また，5日間の反復投与試験において蓄積を思わせる変化も認められなかった[2]. （参考）雄ラットに標識オキシブチニン23.4μCi/mg/kgを単回経口投与し，臓器，組織中の放射能濃度を測定した. 雌については肝臓及び生殖器について測定した. 雄ラットで特に高濃度を示したのは消化器系，肝臓及び腎臓であり，雌の肝臓も高濃度であった. 低濃度を示したのは中枢神経系，脂肪，筋肉，骨及び睾丸，雌の卵巣及び子宮であった[3]. （参考）雄ラットに標識オキシブチニン23.4μCi/mg/kg 1日1回7日間連続経口投与し，単回投与時と同様に放射能を測定した結果，高濃度を示したのは肝臓，腸及び腎臓で，中枢神経系は低濃度であった. また，単回投与の結果と同様，蓄積を示した臓器はみられなかった[3]. 健常成人男子にオキシブチニン塩酸塩6 mgを経口投与したとき，尿中代謝物としてシクロヘキサン環の水酸化，エステル加水分解，脱エチル反応による代謝物が数種同定されている[4]. 代謝（〔テープ〕参照）健常成人男子にオキシブチニン塩酸塩3 mg及び9 mgを単回投与した結果，投与後短時間の内に排泄され（ピークは0～4時間），48時間後に投与量の8.2％及び22.2％が尿中に排泄された[4]. 健常成人男子にオキシブチニン塩酸塩1回3 mg，1日3回5日間連続投与した結果，最終投与後62時間迄に総投与量の27.4％が尿中に排泄された[4]. 〔テープ〕健康成人男女に本剤（オキシブチニン塩酸塩として73.5 mg）を下腹部に24時間単回貼付したとき，オキシブチニン及び活性代謝物である N-デスエチルオキシブチニン（DEO）の血漿中濃度はそれぞれ貼付後18.0及び24.0時間に最高に達し，C_{max} は5.2及び5.0 ng/mLであり，剥離後の半減期はそれぞれ15.3及び15.4時間であった. 本剤を腰部及び大腿部に貼付したとき，オキシブチニンの AUC_{0-t} は下腹部貼付時に比べ腰部で約1.37倍，大腿部で約1.48倍に上昇した. 健康成人男性にオキシブチニン塩酸塩52.5及び105 mgを含有する経皮製剤を下腹部に1日1回7日間反復貼付したとき，オキシブチニン及びDEOの薬物動態パラメータ（$AUC_{0-23.5}$ 及び C_{max}）は，52.5 mgと105 mgとの間で線形であると考えられた. また，反復貼付時は2回目貼付時よりほぼ定常状態に達した. 過活動膀胱患者に本剤（オキシブチニン塩酸塩として73.5 mg）を下腹部，腰部，大腿部のいずれかに1日1回52週間反復貼付したときの平均血漿中オキシブチニン及びDEO濃度は，貼付後12，28及び52週でそれぞれほぼ一定であった. また，過活動膀胱患者における血漿中濃度はおおむね健康成人における単回貼付時の薬物動態から予測される範囲内であり，両者の体内動態は大きく異ならないと考えられた. （参考）SD系雄性ラットの背部皮膚に［^{14}C］オキシブチニン塩酸塩を含有する経皮製剤を48時間単回貼付したとき，放射能は組織に広く分布し，その中で特に貼付部位皮膚，ハーダー腺，白色脂肪及び肝臓で高濃度を示した. 製剤剥離後，各組織の放射能濃度は血漿中放射能濃度と同様に減少した. また，反復貼付による投

与部位皮膚への蓄積性も認められなかった．ヒト血漿タンパク結合率はオキシブチニン及び DEO のいずれも 99% 以上（血漿中濃度 400 ng/mL）である[5]（*in vitro*）．オキシブチニンは主に肝臓で代謝され，活性代謝物である DEO などに代謝される．また，ヒト肝ミクロゾームを用いた検討により，オキシブチニンの代謝には主に CYP3A4 及び CYP3A5 が関与している[6,7]．健康成人男性にオキシブチニン塩酸塩 52.5 mg を含有する経皮製剤を下腹部に 1 日 1 回 7 日間反復貼付したとき，貼付開始後 144 〜 168 時間（貼付 7 回目）の尿中排泄率（オキシブチニン及び 4 種の代謝物）は，投与量に対して 1.4% であった．また，その内訳は 3.8% がフェニルシクロヘキシルグリコール酸，30.8% が 4-水酸化 *N*-デスエチルオキシブチニン，65.4% が 4-水酸化フェニルシクロヘキシルグリコール酸であり，オキシブチニン及び DEO はほとんどみられなかった．105 mg を含有する経皮製剤貼付時においても同様の傾向が認められた．

1) 岸本　孝ら：基礎と臨床 **20**，1343（1986）
2) 岸本　孝ら：基礎と臨床 **20**，1353（1986）
3) 秋本義雄ら：医薬品研究 **15**，519（1984）
4) 篠崎　豊ら：薬物動態 **1**，341（1986）
5) Mizushima, H., *et al.*：*Xenobiotica* **37**, 59（2007）
6) Lukkari, E., *et al.*：*Pharmacol. Toxicol.* **82**, 161（1998）
7) Yaïch, M., *et al.*：*Pharmacogenetics* **8**, 449（1998）

薬効薬理　膀胱平滑筋において，カルシウム拮抗作用により細胞外カルシウムの細胞内への流入を阻害し，細胞内カルシウムの細胞外への流出を促進する．また，抗ムスカリン作用により骨盤神経より遊離されるアセチルコリンに拮抗する．これらの作用により膀胱の過緊張を抑制することで初発尿意量および最大膀胱容量を増大させる．

副作用　重大なものとして，血小板減少，麻痺性イレウス，尿閉がある．頻度の高いものとしては，口渇などがあり，その他，便秘，胃部不快感，排尿困難，目のかすみ，認知機能障害，抑うつなどに注意が必要である．

相互作用　本剤は主として肝の薬物代謝酵素 CYP3A4 により代謝される．［併用注意］(1) 抗コリン剤，三環系抗うつ剤，フェノチアジン系薬剤，モノアミン酸化酵素阻害剤：口渇，便秘，排尿困難，目のかすみ等の副作用が増強されるおそれがある．（抗コリン作用が増強されるおそれがある．）(2) CYP3A4 を阻害する薬剤（ケトコナゾール，イトラコナゾール等）：口内乾燥，便秘，排尿困難等があらわれるおそれがある．（これらの薬剤は CYP3A4 を強力に阻害し，併用により本剤の血中濃度が上昇する可能性がある．）

適用　神経因性膀胱，不安定膀胱（無抑制収縮を伴う過緊張性膀胱状態）による頻尿，尿意切迫感，尿失禁に対して，1 回 2 〜 3 mg を 1 日 3 回，経口投与する．なお，過活動膀胱における尿意切迫感，頻尿および切迫性尿失禁に対しては別途用法用量が設定されている．

C-50 クロスカルメロースナトリウム

――――――――――――――――――――――――――

[服薬指導] (1) 視調節障害，眠気があらわれることがあるので，自動車の運転など危険を伴う機械を操作する際には注意するよう指導する．(2) 授乳中の婦人には授乳を避けるように指導する．

[製 剤] 錠

医薬品各条の部　クロスカルメロースナトリウムの条確認試験の項を次のように改める．

クロスカルメロースナトリウム

確認試験

(1)　本品につき，赤外吸収スペクトル測定法〈2.25〉の臭化カリウム錠剤法により試験を行い，本品のスペクトルと本品の参照スペクトルを比較するとき，両者のスペクトルは同一波数のところに同様の強度の吸収を認める．ただし，本品のスペクトルにおいて，波数 1750 cm^{-1} 付近の吸収は本品の参照スペクトルとの比較に用いない．(注1)

(2)　本品 1 g にメチレンブルー溶液（1 → 250000）100 mL を加え，よくかき混ぜて放置するとき，青色綿状の沈殿を生じる．(注2)

(3)　強熱残分の残留物 0.1 g を水 2 mL に溶かし，炭酸カリウム溶液（3 → 20）2 mL を加え，沸騰するまで加熱するとき，沈殿は生じない (注3)．この液にヘキサヒドロキソアンチモン（V）酸カリウム試液 4 mL を加え (注4)，沸騰するまで加熱する．次に必要ならばガラス棒で試験管の内壁をこすりながら，氷水中で冷却するとき，白色の結晶性の沈殿を生じる．(注5)

同条純度試験の項（1）の目を削り，（2）の目を（1），（3）の目を（2）とし，次のように改める．

純度試験

♦(1)　塩化ナトリウム及びグリコール酸ナトリウム　本品中の塩化ナトリウム及びグリコール酸ナトリウムの量の和は換算した乾燥物に対し 0.5％以下である．
(注6)

（ⅰ）　塩化ナトリウム　本品約 5 g を精密に量り，水 50 mL 及び過酸化水素（30）5 mL を加え，時々かき混ぜながら水浴上で 20 分間加熱する．冷後，水 100 mL 及び硝酸 10 mL を加え，0.1 mol/L 硝酸銀液で滴定〈2.50〉する（電位差滴定法）．同様の方法で空試験を行い，補正する．

クロスカルメロースナトリウム　　C-51

0.1 mol/L 硝酸銀液 1 mL = 5.844 mg NaCl

（ⅱ）　グリコール酸ナトリウム　本品約 0.5 g を精密に量り，酢酸（100）2 mL 及び水 5 mL を加え，15 分間かき混ぜる．アセトン 50 mL をかき混ぜながら徐々に加えた後，塩化ナトリウム 1 g を加えて 3 分間かき混ぜ，あらかじめ少量のアセトンで湿らせたろ紙を用いてろ過する．残留物をアセトン 30 mL でよく洗い，洗液はろ液に合わせ，更にアセトンを加えて正確に 100 mL とし，試料原液とする．別にグリコール酸 0.100 g を正確に量り，水に溶かし，正確に 200 mL とする．この液 0.5 mL，1 mL，2 mL，3 mL 及び 4 mL ずつを正確に量り，水を加えてそれぞれ正確に 5 mL とし，更に酢酸（100）5 mL 及びアセトンを加えて正確に 100 mL とし，標準原液（1），標準原液（2），標準原液（3），標準原液（4）及び標準原液（5）とする．試料原液，標準原液（1），標準原液（2），標準原液（3），標準原液（4）及び標準原液（5）2 mL ずつを正確に量り，それぞれ水浴中で 20 分間加熱し，アセトンを蒸発する．冷後，2,7-ジヒドロキシナフタレン試液 5 mL を正確に加えて混和した後，更に 2,7-ジヒドロキシナフタレン試液 15 mL を加えて混和し，容器の口をアルミホイルで覆い，水浴中で 20 分間加熱する．冷後，硫酸を加えて正確に 25 mL とし，混和し，試料溶液，標準溶液（1），標準溶液（2），標準溶液（3），標準溶液（4）及び標準溶液（5）とする．別に水／酢酸（100）混液（1：1）10 mL にアセトンを加えて正確に 100 mL とする．この液 2 mL を正確に量り，以下試料原液と同様に操作し，空試験液とする．試料溶液，標準溶液（1），標準溶液（2），標準溶液（3），標準溶液（4）及び標準溶液（5）につき，空試験液を対照として，紫外可視吸光度測定法〈2.24〉により試験を行い，波長 540 nm における吸光度 A_T，A_{S1}，A_{S2}，A_{S3}，A_{S4} 及び A_{S5} を測定する．標準溶液から得た検量線を用いて試料原液 100 mL 中のグリコール酸の量 X（g）を求め，次式によりグリコール酸ナトリウムの量を求める．

グリコール酸ナトリウムの量（％）= $X／M$ × 100 × 1.289

M：乾燥物に換算した本品の秤取量（g）◆

◆(2)　水可溶物　本品約 10 g を精密に量り，水 800 mL に分散させ，最初の 30 分間は 10 分ごとに 1 分間かき混ぜる．沈降が遅ければ，更に 1 時間放置する．この液を吸引ろ過又は遠心分離する．ろ液又は上澄液約 150 mL の質量を精密に量る．この液を乾固しない程度に加熱濃縮し，更に 105℃ で 4 時間乾燥し，残留物の質量を精密に量る．次式により水可溶物の量を求めるとき，1.0 ～ 10.0 ％ である．(注7)

水可溶物の量（％）= $100M_3 (800 + M_1)／M_1M_2$

C-52　サルポグレラート塩酸塩細粒

　　　M_1：乾燥物に換算した本品の秤取量（g）
　　　M_2：ろ液又は上澄液約 150 mL の量（g）
　　　M_3：残留物の量（g）◆

　　同条強熱残分の項及び貯法の項を次のように改める.

強熱残分〈2.44〉　14.0 ～ 28.0 %（1 g，乾燥物換算）.
◆貯　法　容器　気密容器.◆
──────── 注・解説 ────────

　注1　置換度により波数 1750 cm^{-1} 付近の吸収強度が変動することがあるため，当該領域の吸収はスペクトルの比較に用いない.
　注2　この綿状の沈殿物は吸着力が強く，メチレンブルーによってよく染色され，水で洗っても脱色しない.
　注3　炭酸カリウム溶液を加えたアルカリ条件下で生じる沈殿は，カルシウムやマグネシウムの水酸化物である. ナトリウムの定性反応の判定に支障をきたすほどのカルシウムやマグネシウムが含まれないことを確認するための操作であり，沈殿物が生じない程度の濁りであれば許容される.
　注4　「ヘキサヒドロアンチモン(V)酸カリウム」が「ヘキサヒドロキソアンチモン(V)酸カリウム」に訂正された.
　注5　ナトリウムとヘキサヒドロキソアンチモン(V)酸カリウムの反応物である Na[Sb(OH)$_6$] が白色の結晶性の沈殿として生じる.
　注6　遊離の Na$^+$，グリコール酸（HOCH$_2$CO$_2$H）の混在を NaCl，グリコール酸ナトリウムとして規制している.
　注7　NF 及び EP では 10.0 % 以下と規定されている.

　　医薬品各条の部　サルポグレラート塩酸塩細粒の条製剤均一性の項及び定量法の項を次のように改める.

サルポグレラート塩酸塩細粒

製剤均一性〈6.02〉　注1　分包品は，次の方法により含量均一性試験を行うとき，適合する.
　　本品 1 包をとり，内容物の全量を取り出し，移動相 4V/5 mL を加え，超音波処理により粒子を小さく分散させた後，1 mL 中にサルポグレラート塩酸塩

サルポグレラート塩酸塩細粒　　C-53

（$C_{24}H_{31}NO_6 \cdot HCl$）約 1 mg を含む液となるように移動相を加えて正確に V mL とし，遠心分離する．上澄液 5 mL を正確に量り，移動相を加えて正確に 50 mL とし，試料溶液とする．以下定量法を準用する．

サルポグレラート塩酸塩（$C_{24}H_{31}NO_6 \cdot HCl$）の量（mg）注2
$$= M_S \times A_T / A_S \times V / 50$$

M_S：脱水物に換算したサルポグレラート塩酸塩標準品の秤取量（mg）

定 量 法 注1　本品を粉末とし，サルポグレラート塩酸塩（$C_{24}H_{31}NO_6 \cdot HCl$）約 0.25 g に対応する量を精密に量り，移動相 200 mL を加え，超音波処理により粒子を小さく分散させる．この液に移動相を加えて正確に 250 mL とし，遠心分離する．上澄液 5 mL を正確に量り，移動相を加えて正確に 50 mL とし，試料溶液とする．別にサルポグレラート塩酸塩標準品（別途「サルポグレラート塩酸塩」と同様の方法で水分〈2.48〉を測定しておく）約 50 mg を精密に量り，移動相を加えて正確に 50 mL とする．この液 5 mL を正確に量り，移動相を加えて正確に 50 mL とし，標準溶液とする．試料溶液及び標準溶液 10 μL ずつを正確にとり，次の条件で液体クロマトグラフィー〈2.01〉により試験を行い，それぞれの液のサルポグレラートのピーク面積 A_T 及び A_S を測定する．

サルポグレラート塩酸塩（$C_{24}H_{31}NO_6 \cdot HCl$）の量（mg）注3
$$= M_S \times A_T / A_S \times 5$$

M_S：脱水物に換算したサルポグレラート塩酸塩標準品の秤取量（mg）

試験条件
　「サルポグレラート塩酸塩」の定量法の試験条件を準用する．
システム適合性
　システムの性能：標準溶液 10 μL につき，上記の条件で操作するとき，サルポグレラートのピークの理論段数及びシンメトリー係数は，それぞれ 5000 段以上，1.8 以下である．
　システムの再現性：標準溶液 10 μL につき，上記の条件で試験を 6 回繰り返すとき，サルポグレラートのピーク面積の相対標準偏差は 1.0 % 以下である．

———————— 注・解説 ————————

注1　製剤均一性及び定量法の液体クロマトグラフィーにおいて，従来用いていた

C-54　ステアリン酸

内標準物質（パラオキシ安息香酸イソプロピル）を用いない試験法への変更である.
[注2]　計算式＝M_S (mg) $\times A_T/A_S \times V$ (mL) $\times 1/50$ (mL)
[注3]　計算式＝M_S (mg) $\times A_T/A_S \times 250$ (mL) $\times 1/50$ (mL)

医薬品各条の部　ステアリン酸の条凝固点の項を次のように改める.

ステアリン酸

凝 固 点　装置は内径約25 mm，長さ約150 mmの試験管を，内径約40 mm，長さ約160 mmの試験管の内側に取り付けた構造を持つものからなる. 内側試験管は栓をし，その栓には最小目盛りが0.2℃，全長約175 mmの温度計を水銀球◆の上端◆が試験管の底から約15 mmの位置にくるように固定する. 内側試験管の栓は，更に下端に外径約18 mmの輪が直角に取り付けられたガラス製又は他の適切な材料からなるかき混ぜ棒を通す穴を開けたものとする. 1 Lのビーカーの中央に上記のようにジャケットを取り付けた構造を持つ内側試験管を取り付け，そのビーカーには，適切な冷却液を上部から20 mm以内まで満たす. 試料をあらかじめ加温して溶かし，内側試験管に温度計の水銀球が十分にかくれるまで入れ，急速に冷却し，おおよその凝固点を求める. 内側試験管をおおよその凝固点よりも約5℃高い温度の浴に入れ，最後の少量の結晶のほかは全て溶けるまで放置する. ビーカーに予想した凝固点よりも5℃低い温度の水又は飽和食塩水を満たし，内側試験管を外側試験管に取り付ける. 幾らかの種結晶が存在することを確認し，結晶が析出し始めるまで十分にかき混ぜる. 結晶が析出する際の最高温度を読み取り，凝固点とする.

　また，凝固点測定法〈2.42〉に規定する装置も使用できる. 試料をあらかじめ加温して溶かし，試料容器Bの標線Cまで入れ，浸線付温度計Fの浸線Hを試料のメニスカスに合わせた後，急速に冷却し，おおよその凝固点を求める. 試料容器Bをおおよその凝固点よりも約5℃高い温度の浴に入れ，最後の少量の結晶のほかは全て溶けるまで放置する. Dに予想した凝固点よりも5℃低い温度の水又は飽和食塩水を満たし，BをAに取り付ける. 幾らかの種結晶が存在することを確認し，結晶が析出し始めるまで十分にかき混ぜる. 結晶が析出する際の最高温度を読み取り，凝固点とする. [注1]

　凝固点は，ステアリン酸50は53〜59℃，ステアリン酸70は57〜64℃及びステアリン酸95は64〜69℃である.

───── 注・解説 ─────

[注1]　これまでは日局独自に，凝固点測定法〈2.42〉に規定する装置も使用できることとしていたが，国際調和の合意に基づき，記載が改められた.

ステアリン酸マグネシウム　C-55

医薬品各条の部　ステアリン酸マグネシウムの条を次のように改める．

ステアリン酸マグネシウム

Magnesium Stearate

本医薬品各条は，三薬局方での調和合意に基づき規定した医薬品各条である．

なお，三薬局方で調和されていない部分のうち，調和合意において，調和の対象とされた項中非調和となっている項の該当箇所は「◆　◆」で，調和の対象とされた項以外に日本薬局方が独自に規定することとした項は「◇　◇」で囲むことにより示す．

三薬局方の調和合意に関する情報については，独立行政法人医薬品医療機器総合機構のウェブサイトに掲載している．

本品は植物又は動物由来の固体混合脂肪酸のマグネシウム塩で，主としてステアリン酸マグネシウム及びパルミチン酸マグネシウムからなる．

本品は定量するとき，換算した乾燥物に対し，マグネシウム（Mg：24.31）4.0〜5.0％を含む．

◆性　状　本品は白色の軽くてかさ高い粉末で，なめらかな感触があり，皮膚につきやすく，においはないか，又は僅かに特異なにおいがある．

本品は水又はエタノール（99.5）にほとんど溶けない．◆

確認試験　本品 5.0 g を丸底フラスコにとり，過酸化物を含まないジエチルエーテル 50 mL，希硝酸 20 mL 及び水 20 mL を加え，振り混ぜた後，還流冷却器を付けて完全に溶けるまで加熱する．冷後，フラスコの内容物を分液漏斗に移し，振り混ぜた後，放置して水層を分取する．ジエチルエーテル層は水 4 mL ずつで 2 回抽出し，抽出液を先の水層に合わせる．この抽出液を過酸化物を含まないジエチルエーテル 15 mL で洗った後，50 mL のメスフラスコに移し，水を加えて 50 mL とし，試料溶液とする．試料溶液 1 mL にアンモニア試液 1 mL を加えるとき，白色の沈殿を生じ，塩化アンモニウム試液 1 mL を追加するとき，沈殿は溶ける．さらにリン酸水素二ナトリウム十二水和物溶液（3→25）1 mL を追加するとき，白色の結晶性の沈殿を生じる．（注1）

純度試験

（1）酸又はアルカリ　本品 1.0 g に新たに煮沸して冷却した水 20 mL を加え，振り混ぜながら水浴上で 1 分間加熱し，冷後，ろ過する．このろ液 10 mL にブロモチモールブルー試液 0.05 mL を加える．この液に液の色が変わるまで 0.1 mol/L 塩酸又は 0.1 mol/L 水酸化ナトリウム液を滴加するとき，その量は 0.05 mL 以下である．

C- 56　　ステアリン酸マグネシウム

（2）　塩化物〈1.03〉　確認試験で得た試料溶液 10.0 mL に希硝酸 1 mL 及び水を加えて 50 mL とする（注2）．これを検液とし，試験を行う．比較液には 0.02 mol/L 塩酸 1.4 mL を加える（0.1％以下）．

（3）　硫酸塩〈1.14〉　確認試験で得た試料溶液 6.0 mL につき試験を行う．比較液には 0.02 mol/L 硫酸 3.0 mL を加える．ただし，検液及び比較液には塩化バリウム試液 3 mL ずつを加える（1.0％以下）．（注3）

乾燥減量〈2.41〉　6.0％以下（2 g，105℃，恒量）．

◆**微生物限度**〈4.05〉　本品 1 g 当たり，総好気性微生物数の許容基準は 10^3 CFU，総真菌数の許容基準は 5×10^2 CFU である．また，サルモネラ及び大腸菌を認めない．◆

ステアリン酸・パルミチン酸含量比　本品 0.10 g を還流冷却器を付けた小さなコニカルフラスコにとる．三フッ化ホウ素・メタノール試液 5.0 mL を加えて振り混ぜ，溶けるまで約 10 分間加熱する．冷却器からヘプタン 4 mL を加え，10 分間加熱する．冷後，塩化ナトリウム飽和溶液 20 mL を加えて振り混ぜ，放置して液を二層に分離させる．分離したヘプタン層を，あらかじめヘプタンで洗った約 0.1 g の無水硫酸ナトリウムを通して別のフラスコにとる．この液 1.0 mL を 10 mL のメスフラスコにとり，ヘプタンを加えて 10 mL とし，試料溶液とする．試料溶液 1 μL につき，次の条件でガスクロマトグラフィー〈2.02〉により試験を行う．試料溶液のステアリン酸メチルのピーク面積 A 及び全ての脂肪酸エステルのピークの合計面積 B を測定し，本品の脂肪酸分画中のステアリン酸の比率（％）を次式により計算する．

$$\text{ステアリン酸の比率（％）} = A / B \times 100$$

同様に，本品中に含まれるパルミチン酸の比率（％）を計算する．ステアリン酸メチルのピーク面積及びステアリン酸メチルとパルミチン酸メチルのピークの合計面積は，全ての脂肪酸エステルのピークの合計面積の，それぞれ 40％以上及び 90％以上である．

試験条件

検出器：水素炎イオン化検出器

カラム：内径 0.32 mm，長さ 30 m のフューズドシリカ管の内面に厚さ 0.5 μm でガスクロマトグラフィー用ポリエチレングリコール 15000-ジエポキシドを被覆したもの．

カラム温度：注入後 2 分間 70℃に保ち，その後，毎分 5℃で 240℃まで昇温し，240℃を 5 分間保持する．

注入口温度：220℃付近の一定温度

検出器温度：260℃付近の一定温度

キャリヤーガス：ヘリウム

流量：毎分 2.4 mL

スプリットレス

◇面積測定範囲：溶媒のピークの後から 41 分まで.◇

システム適合性

◇検出の確認：◇ガスクロマトグラフィー用ステアリン酸及びガスクロマトグ
ラフィー用パルミチン酸それぞれ約 50 mg を，還流冷却器を付けた小さな
コニカルフラスコにとる．三フッ化ホウ素・メタノール試液 5.0 mL を加え
て振り混ぜ，以下試料溶液と同様に操作し，システム適合性試験用溶液とす
る．◇システム適合性試験用溶液 1 mL を正確に量り，ヘプタンを加えて正
確に 10 mL とする．この液 1 mL を正確に量り，ヘプタンを加えて正確に
10 mL とする．さらに，この液 1 mL を正確に量り，ヘプタンを加えて正確
に 10 mL とする．この液 1 μL から得たステアリン酸メチルのピーク面積
が，システム適合性試験用溶液のステアリン酸メチルのピーク面積の 0.05
～ 0.15％になることを確認する.◇

システムの性能：システム適合性試験用溶液 1 μL につき，上記の条件で操作
するとき，ステアリン酸メチルに対するパルミチン酸メチルの相対保持時間
は約 0.9 であり，その分離度は 5.0 以上である．

システムの再現性：システム適合性試験用溶液につき，上記の条件で試験を 6
回繰り返すとき，パルミチン酸メチル及びステアリン酸メチルのピーク面積
の相対標準偏差は 3.0％以下である．また，ステアリン酸メチルのピーク面
積に対するパルミチン酸メチルのピーク面積の比の相対標準偏差は 1.0％以
下である．

定 量 法　本品約 0.5 g を精密に量り，250 mL のフラスコにとり，これにエタノー
ル（99.5）/ 1-ブタノール混液（1：1）50 mL，アンモニア水（28）5 mL，pH 10
の塩化アンモニウム緩衝液 3 mL，0.1 mol/L エチレンジアミン四酢酸二水素二ナト
リウム液 30.0 mL 及びエリオクロムブラック T 試液 1 ～ 2 滴を加え，振り混ぜる．
この液が澄明になるまで 45 ～ 50℃で加熱し，冷後，過量のエチレンジアミン四酢
酸二水素二ナトリウムを 0.1 mol/L 硫酸亜鉛液で液の青色が紫色に変わるまで滴定
〈*2.50*〉する．同様の方法で空試験を行う．

0.1 mol/L エチレンジアミン四酢酸二水素二ナトリウム液 1 mL
= 2.431 mg Mg

◆**貯 法**　容器　気密容器.◆

C- 58　注射用セフォペラゾンナトリウム・スルバクタムナトリウム

──────── 注・解説 ────────

注1　国際調和の合意に基づき，リン酸水素二ナトリウム十二水和物溶液の調製法
について記載が整備された．

注2　国際調和の合意に基づき，試料溶液の調製法について記載が整備された．

注3　国際調和の合意に基づき，色の比較液の調製法について記載が整備された．

　医薬品各条の部　注射用スペクチノマイシン塩酸塩の条製剤均一性の項を次のよう
に改める．

処注射用スペクチノマイシン塩酸塩

製剤均一性〈6.02〉　質量偏差試験を行うとき，適合する（T：別に規定する）．注1

──────── 注・解説 ────────

（→　スペクチノマイシン塩酸塩）

処

注1　注射用スペクチノマイシン塩酸塩の製剤均一性は，18局まで T：107.5％と
して質量偏差試験が規定されていた．しかし T 値は個別製品での妥当性に基づき設定
されるものであることから，「T：別に規定する」に 18局 第一追補から改正された．

　医薬品各条の部　注射用セフォペラゾンナトリウム・スルバクタムナトリウムの条
製剤均一性の項を次のように改める．

処注射用セフォペラゾンナトリウム・スルバクタムナトリウム

製剤均一性〈6.02〉　質量偏差試験を行うとき，適合する（T：別に規定する）．注1

──────── 注・解説 ────────

（→　セフォペラゾンナトリウム，スルバクタムナトリウム）

処

注1　注射用セフォペラゾンナトリウム・スルバクタムナトリウムの製剤均一性
は，18局まで T：105.0％ として質量偏差試験が規定されていた．しかし T 値は個別
製品での妥当性に基づき設定されるものであることから，「T：別に規定する」に
18局 第一追補から改正された．

粉末セルロース　　C- 59

医薬品各条の部　粉末セルロースの条を次のように改める.

粉 末 セ ル ロ ー ス

Powdered Cellulose

[9004-34-6, セルロース]

　本医薬品各条は, 三薬局方での調和合意に基づき規定した医薬品各条である.
　なお, 三薬局方で調和されていない部分のうち, 調和合意において, 調和の対象
とされた項中非調和となっている項の該当箇所は「◆　　◆」で, 調和の対象とされ
た項以外に日本薬局方が独自に規定することとした項は「◇　　◇」で囲むことによ
り示す.
　三薬局方の調和合意に関する情報については, 独立行政法人医薬品医療機器総合
機構のウェブサイトに掲載している.

　本品は繊維性植物からパルプとして得たα-セルロースを, ◇必要に応じて, 部
分的加水分解などの◇処理を行った後, 精製し, 機械的に粉砕したものである.
(注1)
　◆本品には平均重合度を範囲で表示する.◆
◆性　状　本品は白色の粉末である.
　本品は水, エタノール (95) 又はジエチルエーテルにほとんど溶けない.◆

確認試験
(1)　塩化亜鉛 20 g 及びヨウ化カリウム 6.5 g を水 10.5 mL に溶かし, ヨウ素 0.5 g
を加えて 15 分間振り混ぜる. この液 2 mL 中に本品約 10 mg を時計皿上で分散す
るとき, 分散物は青紫色を呈する. (注2)
◇(2)　本品 30 g に水 270 mL を加え, かき混ぜ機を用いて高速度 (毎分 18000 回
転以上) で 5 分間かき混ぜた後, その 100 mL を 100 mL のメスシリンダーに入
れ, 1 時間放置するとき, 液は分離し, 上澄液と沈殿を生じる.◇(注3)
(3)　本品約 0.25 g を精密に量り, 125 mL の三角フラスコに入れ, 水 25 mL 及び
1 mol/L 銅エチレンジアミン試液 25 mL をそれぞれ正確に加える. 以下「結晶セル
ロース」の確認試験 (3) を準用して試験を行うとき, 平均重合度 P は 440 より大
きく, ◆かつ表示範囲内である.◆(注4)
pH〈2.54〉　本品 10 g に水 90 mL を加え, 時々振り混ぜながら, 1 時間放置すると
　き, 上澄液の pH は 5.0 〜 7.5 である.
純度試験
(1)　水可溶物　本品 6.0 g に新たに煮沸して冷却した水 90 mL を加え, 10 分間

C-60   粉末セルロース

時々振り混ぜた後，ろ紙を用いて吸引ろ過し，初めのろ液 10 mL を除き，次のろ液を必要ならば再び同じろ紙を用いて吸引ろ過し，澄明なろ液 15.0 mL を質量既知の蒸発皿にとる．内容物を焦がさないように蒸発乾固し，残留物を 105℃ で 1 時間乾燥し，デシケーター中で放冷した後，質量を量るとき，その量は 15.0 mg 以下である（1.5%）．同様の方法で空試験を行い，補正する．

(2)　ジエチルエーテル可溶物　本品 10.0 g を内径約 20 mm のクロマトグラフィー管に入れ，過酸化物を含まないジエチルエーテル 50 mL をこのカラムに流す．溶出液をあらかじめ乾燥した質量既知の蒸発皿中で蒸発乾固する．残留物を 105℃ で 30 分間乾燥し，デシケーター中で放冷した後，質量を量るとき，残留物は 15.0 mg 以下である（0.15%）．同様の方法で空試験を行い，補正する．

乾燥減量〈2.41〉　6.5% 以下（1 g，105℃，3 時間）．

強熱残分〈2.44〉　0.3% 以下（1 g，乾燥物換算）．

◆微生物限度〈4.05〉　本品 1 g 当たり，総好気性微生物数の許容基準は 10^3 CFU，総真菌数の許容基準は 10^2 CFU である．また，大腸菌，サルモネラ，緑膿菌及び黄色ブドウ球菌を認めない．◆

◆貯　法　容器　気密容器．◆

─────── 注・解説 ───────

注1　本品は α-セルロースを機械的に分解したものであり，鉱酸で分解した結晶セルロースより平均重合度は大きい．構造式は結晶セルロースと同様で，セルロースと変わるところはなく，分子式は $(C_6H_{10}O_5)_n$ で表される（→ 結晶セルロース 注1）．

注2　（→ 結晶セルロース 注3）

注3　本試験は結晶セルロースとの区別である．

注4　本品は α-セルロースを機械的に分解したものであるので，その重合度は結晶セルロースより大きく，重合度も広く分布している．表示規定は非調和項目であるため，「◆　　◆」で示されている．

テモゾロミド　　C-61

医薬品各条の部　テモカプリル塩酸塩錠の条の次に次の三条を加える.

㊙テモゾロミド

Temozolomide

$C_6H_6N_6O_2$：194.15

3-Methyl-4-oxo-3,4-dihydroimidazo[5,1-*d*][1,2,3,5]tetrazine-8-carboxamide
[*85622-93-1*]

　　本品は定量するとき，テモゾロミド（$C_6H_6N_6O_2$）98.0 〜 102.0％を含む.　㊟1

性　状　本品は白色〜微紅色又は淡黄褐色の結晶性の粉末又は粉末である.

　　ジメチルスルホキシドにやや溶けにくく，水又はアセトニトリルに溶けにくく，エタノール（99.5）に極めて溶けにくい.

　　融点：180℃（分解）.

　　本品は結晶多形が認められる.

確認試験

（1）　本品の水溶液（1 → 100000）につき，紫外可視吸光度測定法〈*2.24*〉により吸収スペクトルを測定し，本品のスペクトルと本品の参照スペクトル又はテモゾロミド標準品について同様に操作して得られたスペクトルを比較するとき，両者のスペクトルは同一波長のところに同様の強度の吸収を認める.

（2）　本品につき，赤外吸収スペクトル測定法〈*2.25*〉の臭化カリウム錠剤法により試験を行い，本品のスペクトルと本品の参照スペクトル又はテモゾロミド標準品のスペクトルを比較するとき，両者のスペクトルは同一波数のところに同様の強度の吸収を認める.　もし，これらのスペクトルに差を認めるときは，本品をアセトニトリルに溶かした後，アセトニトリルを蒸発し，残留物を乾燥したものにつき，同様の試験を行う.　㊟2

純度試験

（1）　類縁物質　定量法の試料溶液を試料溶液とする.　この液 1 mL を正確に量り，ジメチルスルホキシドを加えて正確に 100 mL とし，標準溶液とする.　試料溶液及び標準溶液 10 µL ずつを正確にとり，次の条件で液体クロマトグラフィー〈*2.01*〉

C-62 テモゾロミド

により試験を行う．それぞれの液の各々のピーク面積を自動積分法により測定するとき，試料溶液のテモゾロミドに対する相対保持時間約 0.4 の類縁物質 E のピーク面積は，標準溶液のテモゾロミドのピーク面積の 1/5 より大きくなく，試料溶液の相対保持時間約 0.5 の類縁物質 D のピーク面積は，標準溶液のテモゾロミドのピーク面積の 1/2 より大きくなく，試料溶液のテモゾロミド及び上記以外のピークの面積は，標準溶液のテモゾロミドのピーク面積の 1/10 より大きくない．また，試料溶液のテモゾロミド以外のピークの合計面積は，標準溶液のテモゾロミドのピーク面積の 4/5 より大きくない．ただし，類縁物質 E のピーク面積は自動積分法で求めた面積に感度係数 0.63 を乗じた値とする．

　試験条件

　　検出器，カラム，カラム温度，移動相及び流量は定量法の試験条件を準用する．

　　面積測定範囲：溶媒ピークの後からテモゾロミドの保持時間の約 3 倍の範囲

　システム適合性

　　システムの性能は定量法のシステム適合性を準用する．

　　検出の確認：標準溶液 1 mL を正確に量り，ジメチルスルホキシドを加えて正確に 20 mL とする．この液 10 μL から得たテモゾロミドのピーク面積が，標準溶液のテモゾロミドのピーク面積の 3.5 ～ 6.5 ％になることを確認する．

　　システムの再現性：標準溶液 10 μL につき，上記の条件で試験を 6 回繰り返すとき，テモゾロミドのピーク面積の相対標準偏差は 2.0 ％以下である．

(2)　残留溶媒　別に規定する．(注3)

水　分〈2.48〉　0.4 ％以下（0.5 g，電量滴定法）．

強熱残分〈2.44〉　0.1 ％以下（1 g）．

定　量　法　本品及びテモゾロミド標準品約 25 mg ずつを精密に量り，それぞれにジメチルスルホキシド 20 mL を加え，振り混ぜて溶かし，更にジメチルスルホキシドを加えて正確に 25 mL とし，試料溶液及び標準溶液とする．試料溶液及び標準溶液 10 μL ずつを正確にとり，次の条件で液体クロマトグラフィー〈2.01〉により試験を行い，それぞれの液のテモゾロミドのピーク面積 A_T 及び A_S を測定する．

$$テモゾロミド（C_6H_6N_6O_2）の量（mg）＝ M_S \times A_T / A_S$$

　　M_S：テモゾロミド標準品の秤取量（mg）

　試験条件

　　検出器：紫外吸光光度計（測定波長：270 nm）

　　カラム：内径 4.6 mm，長さ 15 cm のステンレス管に 5 μm の液体クロマトグラフィー用オクタデシルシリル化シリカゲルを充塡する．

テモゾロミド　　C-63

カラム温度：25℃付近の一定温度

移動相：酢酸（100）5 mL に水 1000 mL を加えた液 24 容量にメタノール 1 容
量を加えた液 1000 mL に 1-ヘキサンスルホン酸ナトリウム 0.94 g を溶か
す．

流量：テモゾロミドの保持時間が約 9.5 分になるように調整する．

システム適合性

システムの性能：試料溶液 5 mL をとり，0.1 mol/L 塩酸試液 5 mL を加え，水
浴上で 1 時間加熱した後，4℃に冷却する．この液 10 μL につき，上記の条
件で操作するとき，テモゾロミドとテモゾロミドに対する相対保持時間約
1.4 のピークの分離度は 2.5 以上であり，テモゾロミドのピークのシンメト
リー係数は 1.9 以下である．

システムの再現性：標準溶液 10 μL につき，上記の条件で試験を 6 回繰り返
すとき，テモゾロミドのピーク面積の相対標準偏差は 1.0 % 以下である．

貯　法　容器　密閉容器（防湿包装）． 注4

その他

類縁物質 E：

3,7-Dihydro-4*H*-imidazo[4,5-*d*][1,2,3]triazin-4-one

類縁物質 D：

4-Diazo-4*H*-imidazole-5-carboxamide

──────── 注・解説 ────────

毒

注1　EP 及び USP は脱水物換算しているが，水分値が低値であることから脱
水物換算しない．

注2　結晶多形が認められるが，3189 cm^{-1} 付近の吸収の有無で他の結晶形と識別

C- 64   テモゾロミド

が可能である.

注3   ICHQ3C の限度値を超える溶媒があるため,「別に規定する」とされた.

注4   乾燥剤を入れているため,密閉容器(防湿包装)とされた.

本質   421 アルキル化剤

名称   temozolomide INN;3,4-dihydro-3-methyl-4-oxoimidazo[5,1-d]-as-tetrazine-8-carboxamide

Temozolomide EP;3-Methyl-4-oxo-3,4-dihydroimidazo[5,1-d][1,2,3,5]tetrazine-8-carboxamide

Temozolomide USP;Imidazo[5,1-d]-1,2,3,5-tetrazine-8-carboxamide, 3,4-dihydro-3-methyl-4-oxo-

来歴   テモゾロミドはアルキル化剤に分類されるイミダゾテトラジン誘導体で,シェリング・プラウ社(現 Merck Sharp & Dohme Corp., a subsidiary of Merck & Co. Inc., Whitehouse Station, N.J., U.S.A.)により開発された抗悪性腫瘍剤である.米国では 1999 年 8 月に再発難治性の退形成性星細胞腫(AA)の治療薬として,2005 年 3 月には初発の膠芽腫(GBM)に対する放射線との併用療法が承認された.また欧州では 1999 年に再発又は進行した GBM や AA に対する単独療法が,2005 年 6 月に初発の GBM に対する放射線との併用療法がそれぞれ承認された.本邦では 2006 年 7 月に悪性神経膠腫治療薬として承認された.

製法

(1)[1〜5]

N-(2-amino-1,2-dicyano-vinyl)form-amidine

5-amino-imidazole-4-carboxamide [I]

5-diazo-imidazole-4-carboxamide [II]

Temozolomide

テモゾロミド　　C- 65

(2)[6]

[I] ＋ [Ⅲ] $\xrightarrow{\text{TEA, CH}_3\text{CN}}$ 5-amino-1-(N-methylcarbamoyl)-imidazole-4-carboxamide $\xrightarrow[\text{tartaric acid}]{\text{NaNO}_2,\ \text{H}_2\text{O}}$ Temozolomide

TEA = triethylamine

(3)[7,8]

[Ⅱ] ＋ $H_3C-\underset{\underset{CH_3}{|}}{\overset{\overset{CH_3}{|}}{Si}}-NCO$ $\xrightarrow{\text{CH}_3\text{CN}}$ 3,4-dihydro-4-oxo-imidazo[5,1-d]-1,2,3,5-tetrazine-8-carboxamide $\xrightarrow[\text{dimethyl sulfate}]{\text{TEA, DMSO}}$ Temozolomide

trimethylsilyl isocyanate

1) Cancer Res. Compaing Technol. : *US Pat.* 5,260,291 （1993）
2) May & Baker Ltd., : *DE Pat.* 3,231,255 （1982）
3) Baig, G. U. and Stevens, M. F. G. : *J. Chem. Soc., Perkin Trans. 1,* **1981**, 1424
4) Shealy, Y. F., *et al.* : *J. Org. Chem.* **26**, 2396 （1961）
5) Stevens, M. F. G., *et al.* : *J. Med. Chem.* **27**, 196 （1984）
6) Wang, Y., *et al.* : *J. Org. Chem.,* **62**, 7288 （1997）; *J. Chem. Soc., Chem. Commun.* **1997**, 363
7) Wang, Y. and Stevens M. F. G. : *Bioorg. Med. Chem. Lett.* **6**, 185 （1996）
8) Wang, Y., *et al.* : *J. Chem. Soc., Chem. Commun.* **1994**, 1687

動態・代謝　悪性神経膠腫患者にテモゾロミド錠100 mg 2錠（テモゾロミドとして200 mg）を空腹時単回経口投与したとき，テモゾロミドの血漿中濃度は0.92時間

C-66　テモゾロミド

で最高血漿中濃度 7.67 μg/mL となり，半減期は 2.14 時間，AUC_{0-8} は 20.51 μg・hr/mL であった．（→ テモゾロミドカプセル）

[薬効薬理]　テモゾロミドは生体内で生理的 pH で非酵素的にメチルトリアゼン誘導体 MTIC（5-[(1Z)-3-Methyltriaz-1-en-1-yl]-1H-imidazole-4-carboxamide）に変換され，また，脳内に到達したテモゾロミドおよび MTIC は悪性神経膠腫細胞内で速やかに活性体のメチルジアゾニウムイオンに分解される．メチルジアゾニウムイオンは，DNA のグアニン塩基をメチル化することが推定されている．DNA のメチル化（アルキル化剤として作用）は細胞に対し毒性を起こすことで腫瘍細胞の増殖を抑制することが示されている．なお，テモゾロミドは未変化体として血液-脳関門を通過することが確認されており，テモゾロミドの効果には，未変化体として標的（腫瘍）部位に移行した後に生成される MTIC と循環血流を介して標的部位に移行する MTIC の両方が関与すると考えられる．

MTIC

[副作用]　重大なものとして，骨髄抑制，貧血，ニューモシスチス肺炎，感染症，間質性肺炎，脳出血，アナフィラキシー，肝障害，中毒性表皮壊死融解症（Toxic Epidermal Necrolysis：TEN），皮膚粘膜眼症候群（Stevens-Johnson 症候群）がある．

　　　頻度の高いものとしては，倦怠感，頭痛，肝機能検査値の異常，悪心，嘔吐などの消化器症状，疲労などがあり，その他，（放射線照射併用時）脱毛，発疹などに注意が必要である．

[適用]　初発の悪性神経膠腫に対して，放射線療法との併用にて，1 日 1 回 75 mg/m² （体表面積）を連日 42 日間経口投与し，4 週間休薬する．その後，単独にて，1 日 1 回 150 mg/m² を連日 5 日間経口投与し，23 日間休薬する．この 28 日を 1 クールとし，次クールでは 1 回 200 mg/m² に増量することができる．再発の悪性神経膠腫に対して，1 日 1 回 150 mg/m² を連日 5 日間経口投与し，23 日間休薬する．この 28 日を 1 クールとし，次クールでは 1 回 200 mg/m² に増量することができる．再発または難治性のユーイング肉腫に対して，イリノテカンとの併用にて，1 日 1 回 100 mg/m² を連日 5 日間経口投与し，16 日間以上休薬する．これを 1 クールとし，投与を反復する．また，点滴静注も行う．

[服薬指導]　(1) 妊婦または妊娠している可能性のある婦人には投与禁忌のため，

テモゾロミドカプセル　　C-67

妊娠の有無を確認する．(2) 授乳中の婦人には授乳を避けるように指導する．［カプセル剤］(1) 空腹時に服用するよう指導する．(2) カプセルは開けず，また，かみ砕かずに十分量の水とともに服用するよう指導する．(3) カプセルの内容物が身体に付着した場合は，速やかに洗浄するよう指導する．

　　製剤　カプセル 毒 処，注射 毒 処

　　配合変化　［注射剤］他の注射剤との配合または混注は行わないこと．生理食塩液とは同じ点滴ラインで投与できるが，ブドウ糖注射液とは投与しないこと．その他の注射剤との適合性試験は実施していないため，同じ点滴ラインを用いた同時投与は行わないこと．

毒 処 テモゾロミドカプセル

Temozolomide Capsules

　　本品は定量するとき，表示量の95.0 〜 105.0％に対応するテモゾロミド（$C_6H_6N_6O_2$：194.15）を含む．注1

製　法　本品は「テモゾロミド」をとり，カプセル剤の製法により製する．

確認試験　定量法で得た試料溶液及び標準溶液 20 μL につき，次の条件で液体クロマトグラフィー〈2.01〉により試験を行うとき，試料溶液及び標準溶液から得た主ピークの保持時間は等しい．また，それらのピークの吸収スペクトルは同一波長のところに同様の強度の吸収を認める．

　　試験条件

　　　カラム，カラム温度，移動相及び流量は定量法の試験条件を準用する．

　　　検出器：フォトダイオードアレイ検出器（測定波長：270 nm，スペクトル測定範囲：210 〜 400 nm）

　　システム適合性

　　　システムの性能は定量法のシステム適合性を準用する．

純度試験　類縁物質　定量法の試料溶液を試料溶液とする．この液 1 mL を正確に量り，ジメチルスルホキシドを加えて正確に 100 mL とし，標準溶液とする．試料溶液及び標準溶液 20 μL ずつを正確にとり，次の条件で液体クロマトグラフィー〈2.01〉により試験を行い，それぞれの液の各々のピーク面積を自動積分法により測定するとき，試料溶液のテモゾロミドに対する相対保持時間約 0.4 の類縁物質 E のピーク面積は，標準溶液のテモゾロミドのピーク面積の 3/5 より大きくなく，試料溶液の相対保持時間約 1.4 の類縁物質 CA のピーク面積は，標準溶液のテモゾロミドのピーク面積より大きくなく，試料溶液のテモゾロミド及び上記以外のピー

C- 68 テモゾロミドカプセル

クの面積は，標準溶液のテモゾロミドのピーク面積の 1/5 より大きくない．また，
試料溶液のテモゾロミド以外のピークの合計面積は，標準溶液のテモゾロミドのピ
ーク面積の 1.2 倍より大きくない．ただし，類縁物質 E 及び類縁物質 CA のピーク
面積は自動積分法で求めた面積にそれぞれ感度係数 0.63 及び 0.30 を乗じた値とす
る．(注2)

　試験条件
　　　検出器，カラム，カラム温度，移動相及び流量は「テモゾロミド」の定量法の
　　　　試験条件を準用する．
　　　面積測定範囲：溶媒ピークの後からテモゾロミドの保持時間の約 3 倍の範囲
　　システム適合性
　　　システムの性能は定量法のシステム適合性を準用する．
　　　検出の確認：標準溶液 2 mL を正確に量り，移動相を加えて正確に 20 mL とす
　　　　る．この液 20 μL から得たテモゾロミドのピーク面積が，標準溶液のテモゾ
　　　　ロミドのピーク面積の 7 〜 13％になることを確認する．
　　　システムの再現性：標準溶液 20 μL につき，上記の条件で試験を 6 回繰り返
　　　　すとき，テモゾロミドのピーク面積の相対標準偏差は 2.0％以下である．

製剤均一性〈*6.02*〉　質量偏差試験又は次の方法による含量均一性試験のいずれかを
行うとき，これに適合する．

　　本品 1 個をとり，1 mL 中にテモゾロミド（$C_6H_6N_6O_2$）約 1 mg を含む液となる
ように移動相 V mL を正確に加え，カプセルが完全に崩壊するまで振り混ぜる．さ
らに内容物が分散するまで振り混ぜた後，10 分間遠心分離し，上澄液を孔径
0.45 μm のメンブランフィルターでろ過する．初めのろ液 3 mL を除き，次のろ液
10 mL を正確に量り，移動相を加えて正確に 100 mL とし，試料溶液とする．以下
定量法を準用する．

$$\text{テモゾロミド（}C_6H_6N_6O_2\text{）の量（mg）}$$
$$= M_S \times A_T / A_S \times V / 25$$

　　　M_S：テモゾロミド標準品の秤取量（mg）

溶 出 性〈*6.10*〉　試験液に水 900 mL を用い，回転バスケット法により，毎分 100
回転で試験を行うとき，本品の 30 分間の Q 値は 80％である．

　　本品 1 個をとり，試験を開始し，規定された時間に，溶出液 10 mL 以上をとり，
孔径 0.8 μm 以下のメンブランフィルターでろ過する．初めのろ液 3 mL 以上を除
き，次のろ液 V mL を正確に量り，1 mL 中にテモゾロミド（$C_6H_6N_6O_2$）約 22 μg
を含む液となるように水を加えて V'mL とし，試料溶液とする．別にテモゾロミド
標準品約 22 mg を精密に量り，水に溶かし，正確に 100 mL とする．この液 10 mL

テモゾロミドカプセル C-69

を正確に量り，水を加えて正確に 100 mL とし，標準溶液とする．試料溶液及び標準溶液につき，紫外可視吸光度測定法〈2.24〉により試験を行い，波長 328 nm における吸光度 A_T 及び A_S を測定する．

テモゾロミド（$C_6H_6N_6O_2$）の表示量に対する溶出率（％）
$= M_S \times A_T / A_S \times V' / V \times 1 / C \times 90$

M_S：テモゾロミド標準品の秤取量（mg）
C：1 カプセル中のテモゾロミド（$C_6H_6N_6O_2$）の表示量（mg）

定量法 本品 10 個をとり，移動相を加え，カプセルが完全に崩壊するまで振り混ぜる．さらに内容物が分散するまで振り混ぜた後，1 mL 中にテモゾロミド（$C_6H_6N_6O_2$）約 1 mg を含む液となるように移動相を加えて正確に V mL とする．この液を 10 分間遠心分離し，上澄液を孔径 0.45 μm のメンブランフィルターでろ過する．初めのろ液 3 mL を除き，次のろ液 10 mL を正確に量り，移動相を加えて正確に 100 mL とし，試料溶液とする．別にテモゾロミド標準品約 25 mg を精密に量り，移動相 200 mL を加え，超音波処理して溶かした後，移動相を加えて正確に 250 mL とし，標準溶液とする．試料溶液及び標準溶液 20 μL ずつを正確にとり，次の条件で液体クロマトグラフィー〈2.01〉により試験を行い，それぞれの液のテモゾロミドのピーク面積 A_T 及び A_S を測定する．

本品 1 個中のテモゾロミド（$C_6H_6N_6O_2$）の量（mg）
$= M_S \times A_T / A_S \times V / 250$

M_S：テモゾロミド標準品の秤取量（mg）

試験条件
「テモゾロミド」の定量法の試験条件を準用する．
システム適合性
システムの性能：テモゾロミド 10 mg を移動相 25 mL に溶かす．この液に 0.1 mol/L 塩酸試液 25 mL を加え，80℃で 4 時間放置した後，4℃に冷却後保存する．この液 20 μL につき，上記の条件で操作するとき，テモゾロミドと類縁物質 CA の分離度は 2.5 以上であり，テモゾロミドのピークのシンメトリー係数は 1.9 以下である．
システムの再現性：標準溶液 20 μL につき，上記の条件で試験を 6 回繰り返すとき，テモゾロミドのピーク面積の相対標準偏差は 1.0％以下である．
貯　法 容器 気密容器．

C-70　テモゾロミドカプセル

その他

　　類縁物質 E は「テモゾロミド」のその他を準用する.

　　類縁物質 CA：

5-Amino-1*H*-imidazole-4-carboxamide

──────── 注・解説 ────────

（→ テモゾロミド）

🈯🈯

注1　本剤には 1 カプセル中 20 mg，100 mg を含有する製剤がある．　USP では，90.0 〜 110.0% と規定されている.

注2　製剤にて特異的に増加する類縁物質 CA が新たに追加された.

動態・代謝　(1) 悪性神経膠腫の再発患者に本剤 150 mg/m^2 又は 200 mg/m^2 を空腹時に 1 日 1 回 5 日間反復経口投与したときのテモゾロミドの最高血中濃度到達時間（t_{max}）は，投与 1 日目で 1.42 時間，0.58 時間，投与 5 日目では 0.96 時間，0.92 時間であった．$t_{1/2}\lambda z$ はいずれも約 2 時間であった．この時の代謝物 MTIC (5-[(1*Z*)-3-Methyltriaz-1-en-1-yl]-1*H*-imidazole-4-carboxamide) の t_{max} は，投与 1 日目で 1.42 時間，0.75 時間，投与 5 日目では 1.08 時間，0.92 時間であった．血漿中 MTIC 濃度は未変化体濃度と平行して推移し，t_{max} 及び $t_{1/2}\lambda z$ は未変化体とほぼ同じであり，AUC は未変化体の約 2% であった．また，未変化体及び MTIC ともに反復投与による蓄積性は認められなかった[1]．また，進行性癌患者（外国人）に 100，150，200，250，500，750 又は 1000 mg/m^2 を単回経口投与したとき，血漿中未変化体濃度の C_{max} 及び AUC は用量に比例して上昇し，体内動態の線形性が認められた[2),3)]．(2) 肝機能障害患者（軽度及び中等度）（肝細胞癌患者，外国人）に本剤 150 mg/m^2 を単回経口投与したとき，血漿中未変化体及び MTIC 濃度は肝機能正常患者と差を認めなかった．(3) 腎機能障害患者　各種進行性癌患者（外国人）を対象とした本剤の第 I 相及び第 II 相試験で得られた総計 445 名の血漿中未変化体濃度データを用いた母集団薬物動態解析の結果，テモゾロミドのクリアランスとクレアチニンクリアランスの間には関連性が認められなかった．(4) 小児の進行性癌患者（3 〜 17 歳，外国人）に本剤 100，120，160，200 又は 240 mg/m^2 を空腹時に 1 日 1 回 5 日間反復経口投与したとき，投与 5 日目の血漿中未変化体濃度の t_{max} は 1.3 〜 1.9

時間，$t_{1/2}\lambda z$ は 1.4 ～ 1.8 時間であり，C_{max} 及び AUC はいずれも投与量に比例して上昇した．200 mg/m^2 投与群の AUC について同用量投与時の成人と比較すると，小児で成人の約 1.4 倍高値を示した[4]．**(5)** 食事・併用薬の影響＜食事の影響＞進行性癌患者（外国人）に本剤 200 mg/m^2 を 2 × 2 クロスオーバー法により食後（高脂肪食）又は空腹時に単回経口投与したとき，食後投与において t_{max} が約 1 時間（1.07 時間から 2.25 時間に）遅延し，C_{max} 及び AUC はそれぞれ約 32％及び 9％低下した[3]．＜胃内 pH の影響＞進行性癌患者（12 名，外国人）に本剤 150 mg/m^2 を 1 日 1 回 5 日間反復経口投与し，併用薬としてラニチジンの 150 mg を 1 日 2 回経口投与したとき，本薬の体内動態にはラニチジン併用と非併用で変化がなく，本剤の吸収及び薬物動態に対する胃内 pH 上昇とラニチジンによる影響はほとんどないことが示唆された．＜クリアランスに及ぼす併用薬の影響＞各種進行性癌患者（外国人）を対象とした本剤の第 I 相及び第 II 相試験で得られた総計 359 名の血漿中未変化体濃度データを用いた母集団薬物動態解析の結果，バルプロ酸との併用ではクリアランスが約 4.7％低下したが，デキサメタゾン，フェニトイン，フェノバルビタール，カルバマゼピン，H$_2$ 受容体拮抗薬，オンダンセトロン又はプロクロルペラジンとの併用により影響を受けなかった．**(6)** ＜クリアランスに及ぼす生体側の影響因子＞各種進行性癌患者（外国人）を対象とした本剤の第 I 相及び第 II 相試験で得られた総計 359 名の血漿中未変化体濃度データを用いた母集団薬物動態解析の結果，テモゾロミドのクリアランスは体のサイズ（体表面積，体重）及び性別（女性は男性より 5％程度クリアランスが低下した）による影響を受けるが，年齢（19 ～ 78 歳），喫煙，総タンパク，アルブミン，総ビリルビン，Al-P，AST（GOT），ALT（GPT）及びクレアチニンクリアランスによる影響を受けなかった．**(7)** 薬物速度論的パラメータ（本剤 200 mg/m^2 投与）：吸収速度定数 3.0hr^{-1}，消失速度定数：テモゾロミド 0.342hr^{-1}，MTIC 0.359hr^{-1}，クリアランス（CL/F）：2.27 ～ 2.37 mL/min/kg，分布容積（Vz/F）：0.395 ～ 0.415 L/kg．**(8)** 進行性癌患者（外国人）に本剤 200 mg/m^2 を単回経口投与したとき，絶対バイオアベイラビリティはほぼ 100％であった[5]．**(9)** 進行性癌患者（外国人）に ^{14}C-テモゾロミド 200 mg を空腹時に単回経口投与したとき，放射能の血漿タンパク結合率（*in vivo*）は 12 ～ 16％であった[6]．**(10)** 神経膠腫患者（外国人）に本剤 75 mg/m^2 を放射線治療との併用により 1 日 1 回 42 ～ 49 日間反復経口投与したとき（23 名）及び 200 mg/m^2 を 1 日 1 回 5 日間反復経口投与したとき（32 名），脳脊髄液中への未変化体の移行が認められ，脳脊髄液 / 血漿の AUC 比はそれぞれ 20.6％及び 20.3％であった[7]．また脳転移を有する悪性黒色腫患者（1 名，外国人）に本剤 150 mg/m^2 を空腹時に 1 日 1 回 5 日間反復経口投与したとき，脳脊髄液中未変化体濃度は血漿中濃度とほぼ平行して推移し，脳脊髄液 / 血漿の AUC 比は約 30％であった．**(11)** テモゾロミドの主要な生体内変換は，テトラジン環の 4 位のカルボニル基における pH 依存的な加水分解と脱炭酸による MTIC への変換と，続いて起こる AIC（5-amino-1*H*-imidazole-4-carboxamide）への分解であり，

C-72　　注射用テモゾロミド

このMTICからAICへの分解過程でDNAのアルキル化分子であるメチルジアゾニウムイオンが産生される．その他にはテモゾロミドの副次的な代謝物として8位カルボン酸代謝物であるTMA（3-Methyl-4-oxo-3,4-dihydroimidazo[5,1-*d*][1,2,3,5]-tetrazine-8-carboxylic acid）の生成が認められているが，TMAは血漿中には検出されず，尿中にわずかに排泄される程度であった．(12)進行性癌患者（外国人）に^{14}C-テモゾロミド200 mgを単回経口投与したとき，投与後7日間で尿及び糞中にそれぞれ投与した放射能の約37％及び約0.8％が回収された．

1) Aoki, T., *et al.*：*Int. J. Clin. Oncol.* **12**, 341（2007）
2) Rudek, M. A., *et al.*：*Pharmacotherapy* **24**, 16（2004）
3) Brada, M., *et al.*：*Br. J. Cancer* **81**, 1022（1999）
4) Estlin, E. J.：*Br. J. Cancer* **78**, 652（1998）
5) Newlands, E. S., *et al.*：*Br. J. Cancer* **65**, 287（1992）
6) Baker, S. D., *et al.*：*Clin. Cancer Res.* **5**, 309（1999）
7) Ostermann, S., *et al.*：*Clin. Cancer Res.* **10**, 3728（2004）

毒処注射用テモゾロミド

Temozolomide for Injection

本品は用時溶解して用いる注射剤である．

本品は定量するとき，表示量の95.0～105.0％に対応するテモゾロミド（$C_6H_6N_6O_2$：194.15）を含む．注1

製　法　本品は「テモゾロミド」をとり，注射剤の製法により製する．

性　状　本品は白色～微紅色又は淡黄褐色の粉末である．

確認試験　定量法の試料溶液及び標準溶液75 μLにつき，次の条件で液体クロマトグラフィー〈2.01〉により試験を行うとき，試料溶液及び標準溶液から得た主ピークの保持時間は等しい．また，それらのピークの吸収スペクトルは同一波長のところに同様の強度の吸収を認める．

試験条件
　カラム，カラム温度，移動相及び流量は「テモゾロミド」の定量法の試験条件を準用する．
　検出器：フォトダイオードアレイ検出器（測定波長：270 nm，スペクトル測定範囲：210～400 nm）
システム適合性
　システムの性能は定量法のシステム適合性を準用する．

注射用テモゾロミド　　C−73

pH　別に規定する.

純度試験　類縁物質　定量法の試料溶液を試料溶液とする.この液1mLを正確に量り,移動相を加えて正確に100mLとし,標準溶液とする.試料溶液及び標準溶液75μLずつを正確にとり,次の条件で液体クロマトグラフィー〈2.01〉により試験を行う.それぞれの液の各々のピーク面積を自動積分法により測定するとき,試料溶液のテモゾロミドに対する相対保持時間約0.4の類縁物質Eのピーク面積は,標準溶液のテモゾロミドのピーク面積の2/5より大きくなく,試料溶液の相対保持時間約1.4の類縁物質IAのピーク面積は,標準溶液のテモゾロミドのピーク面積より大きくなく,試料溶液のテモゾロミド及び上記以外のピークの面積は,標準溶液のテモゾロミドのピーク面積の1/5より大きくない.また,試料溶液のテモゾロミド以外のピークの合計面積は,標準溶液のテモゾロミドのピーク面積より大きくない.ただし,類縁物質E及び類縁物質IAのピークの面積は自動積分法で求めた面積にそれぞれ感度係数0.63及び0.29を乗じた値とする.(注2)

　試験条件

　　検出器,カラム,カラム温度,移動相及び流量は「テモゾロミド」の定量法の試験条件を準用する.

　　面積測定範囲:溶媒ピークの後からテモゾロミドの保持時間の約3倍の範囲

　システム適合性

　　システムの性能:定量法のシステム適合性を準用する.

　　検出の確認:定量法で得た標準溶液5mLを正確に量り,移動相を加えて正確に200mLとする.この液2mLを正確に量り,移動相を加えて正確に100mLとする.この液75μLにつき,上記の条件で操作するとき,テモゾロミドのピークのSN比は10以上である.

　　システムの再現性:標準溶液75μLにつき,上記の条件で試験を6回繰り返すとき,テモゾロミドのピーク面積の相対標準偏差は2.0%以下である.

水　分〈2.48〉　本品の「テモゾロミド」100mgに対応する量をとり,メタノール40mLを正確に加え,内容物を溶かした後,その2mLを正確に量り,電量滴定法により試験を行うとき,1.0%以下である.同様の方法で空試験を行い,補正する.

エンドトキシン〈4.01〉　0.75EU/mg未満.

製剤均一性〈6.02〉　質量偏差試験を行うとき,適合する.(T値:別に規定する)

不溶性異物〈6.06〉　第2法により試験を行うとき,適合する.

不溶性微粒子〈6.07〉　試験を行うとき,適合する.

無　菌〈4.06〉　メンブランフィルター法により試験を行うとき,適合する.

定　量　法　本品につき,テモゾロミド（$C_6H_6N_6O_2$）500mgに対応する個数をとり,それぞれの内容物を水に溶かし,各々の容器は水で洗い,洗液は先の液に合わせた後,水を加えて正確に200mLとする.この液5mLを正確に量り,移動相を加えて正確に100mLとし,試料溶液とする.別にテモゾロミド標準品約31mgを精密

C- 74　　注射用テモゾロミド

に量り，移動相を加えて正確に 50 mL とする．この液 10 mL を正確に量り，移動相を加えて正確に 50 mL とし，標準溶液とする．試料溶液及び標準溶液 75 µL ずつを正確にとり，次の条件で液体クロマトグラフィー〈2.01〉により試験を行い，それぞれの液のテモゾロミドのピーク面積 A_T 及び A_S を測定する．

テモゾロミド（$C_6H_6N_6O_2$）の量（mg）
　　＝ $M_S \times A_T / A_S \times 16$

　　M_S：テモゾロミド標準品の秤取量（mg）

試験条件
　「テモゾロミド」の定量法の試験条件を準用する．
システム適合性 注3
　　システムの性能：テモゾロミド 1 mg に移動相/0.1 mol/L 塩酸試液混液
　　　（1：1）を加えて 10 mL とし，80℃で約 4 時間加熱した後，約 4℃に冷却する．
　　　この液に移動相を加えて 25 mL とする．この液 75 µL につき，上記の条件
　　　で操作するとき，テモゾロミドと類縁物質 IA の分離度は 2.5 以上であり，
　　　テモゾロミドのピークのシンメトリー係数は 1.9 以下である．
　　システムの再現性：標準溶液 75 µL につき，上記の条件で試験を 6 回繰り返
　　　すとき，テモゾロミドのピーク面積の相対標準偏差は 1.0 ％以下である．
貯　法　保存条件 2 ～ 8℃で保存する．
　　　　容器　密封容器．
その他
　　類縁物質 E は「テモゾロミド」のその他を準用する．
　　類縁物質 IA：
　　5-Amino-1H-imidazole-4-carboxamide

──────　注・解説　──────

（→ テモゾロミド）

毒 処
注1　本品は，通例，1 バイアル中に 100 mg のテモゾロミドを含有する．
注2　類縁物質 IA の感度係数は，添加剤の影響によりテモゾロミドカプセルの感

コムギデンプン　　C-75

度係数と異なり 0.30 である.

注3　システムの性能では，分解物を生成させるために加熱操作を行う.

動態・代謝　中枢神経系悪性腫瘍患者（外国人）にテモゾロミド注射剤 150 mg/m²を静脈内投与（90 分間持続注入）したとき，血漿中未変化体は 90 分で最高濃度 7.44 µg/mL となり，半減期は 1.81 時間，AUC_{0-t} は 23.4 µg・hr/mL であり，活性代謝物 MTIC（5-[(1Z)-3-Methyltriaz-1-en-1-yl]-1H-imidazole-4-carboxamide）は 90 分で最高血漿中濃度 320 ng/mL となり，半減期は 1.80 時間，AUC_{0-t} は 941 ng・hr/mL であった[1].　(→ テモゾロミドカプセル)

　　1) Diez, B. D., *et al.*：*Cancer Chemother. Pharmacol.* **65**, 727（2010）

　　医薬品各条の部　コムギデンプンの条純度試験の項（5）の目を次のように改める.

コ ム ギ デ ン プ ン

純度試験

（5）　総タンパク質　本品約 3 g を精密に量り，ケルダールフラスコに入れ，分解促進剤（硫酸カリウム 100 g，硫酸銅(Ⅱ)五水和物 3 g 及び酸化チタン(Ⅳ) 3 g の混合物を粉末としたもの）4 g を加え，フラスコの首に付着した試料を少量の水で洗い込み 注1，更にフラスコの内壁に沿って硫酸 25 mL を加え，振り混ぜる. フラスコを初め徐々に加熱し，次にフラスコの首で硫酸が液化する程度にフラスコの上部が過熱しないよう注意しながら昇温する. このとき硫酸の過剰な消失を防ぐため，例えば，フラスコの口を 1 本の短い枝が付いたガラス球などを用いて緩く蓋をする. 液が澄明となり，フラスコの内壁に炭化物を認めなくなったとき 注2，加熱をやめる. 冷後，水 25 mL を注意しながら加えて固形物を溶かし，再び冷却する. フラスコを，あらかじめ水蒸気を通じて洗った蒸留装置に連結する. 受器には 0.01 mol/L 塩酸 25 mL を正確に量り，適量の水を加え，冷却器の下端をこの液に浸す. 漏斗から空試験と同量の水酸化ナトリウム溶液（21 → 50）を加え，直ちにピンチコック付きゴム管のピンチコックを閉じ，水蒸気を通じて留液約 40 mL を得るまで蒸留する. 冷却器の下端を液面から離し，更にしばらく蒸留を続けた後，少量の水でその部分を洗い込み 注3，過量の塩酸を 0.025 mol/L 水酸化ナトリウム液で滴定〈*2.50*〉する（指示薬：メチルレッド・メチレンブルー試液 3 滴）. このとき，滴定の終点は液の赤紫色が灰青色を経て，緑色に変わるときとする. 同様の方法で空試験を行う. ただし，漏斗から加える水酸化ナトリウム溶液（21 → 50）は，フラスコ内の液が帯青緑色から暗褐色又は黒色に変わるのに十分

C- 76　　パラオキシ安息香酸エチル

な量とする.

窒素の量（%）＝（$a - b$）× 0.035／M

M：本品の秤取量（g）
a：空試験における 0.025 mol/L 水酸化ナトリウム液の消費量（mL）
b：本品の試験における 0.025 mol/L 水酸化ナトリウム液の消費量（mL）
総タンパク質は 0.3%［窒素（N：14.01）として 0.048%（窒素からタンパク質への換算係数は 6.25 を用いる）］以下である.

────── 注・解説 ──────

注1　本操作は国際調和されたため，18局 で付されていた白菱は削除された.
注2　本操作は国際調和されたため，18局 で付されていた白菱は削除された.
注3　本操作は国際調和されたため，18局 で付されていた白菱は削除された.

医薬品各条の部　ナルトグラスチム（遺伝子組換え）の条を削る.

医薬品各条の部　注射用ナルトグラスチム（遺伝子組換え）の条を削る.

医薬品各条の部　パラオキシ安息香酸エチルの条を次のように改める.

パラオキシ安息香酸エチル

Ethyl Parahydroxybenzoate

$C_9H_{10}O_3$：166.17
Ethyl 4-hydroxybenzoate
［*120-47-8*］

パラオキシ安息香酸エチル　　C-77

　本医薬品各条は，三薬局方での調和合意に基づき規定した医薬品各条である．
　なお，三薬局方で調和されていない部分のうち，調和合意において，調和の対象とされた項中非調和となっている項の該当箇所は「◆　　◆」で，調和の対象とされた項以外に日本薬局方が独自に規定することとした項は「◇　　◇」で囲むことにより示す．
　三薬局方の調和合意に関する情報については，独立行政法人医薬品医療機器総合機構のウェブサイトに掲載している．

　本品は定量するとき，パラオキシ安息香酸エチル（$C_9H_{10}O_3$）98.0 〜 102.0 ％を含む．

◆性　状　本品は無色の結晶又は白色の結晶性の粉末である．
　本品はメタノール，エタノール（95）又はアセトンに溶けやすく，水に極めて溶けにくい．◆（注1）

確認試験（注2）　本品につき，赤外吸収スペクトル測定法〈2.25〉の臭化カリウム錠剤法により試験を行い，本品のスペクトルと本品の参照スペクトル又はパラオキシ安息香酸エチル標準品のスペクトルを比較するとき，両者のスペクトルは同一波数のところに同様の強度の吸収を認める．

融　点〈2.60〉　115 〜 118℃（注3）

純度試験

（1）　溶状　本品 1.0 g をエタノール（95）に溶かして 10 mL とするとき，液は澄明で，液の色はエタノール（95）又は次の比較液より濃くない．
　　比較液：塩化コバルト（Ⅱ）の色の比較原液 5.0 mL，塩化鉄（Ⅲ）の色の比較原液 12.0 mL 及び硫酸銅（Ⅱ）の色の比較原液 2.0 mL をとり，薄めた希塩酸（1 → 10）を加えて 1000 mL とする．

（2）　酸　(1)の液 2 mL にエタノール（95）3 mL を加えた後，新たに煮沸して冷却した水 5 mL 及びブロモクレゾールグリーン・水酸化ナトリウム・エタノール試液 0.1 mL を加える．この液に液の色が青色に変化するまで 0.1 mol/L 水酸化ナトリウム液を加えるとき，その量は 0.1 mL 以下である．

（3）　類縁物質　本品 50.0 mg をメタノール 2.5 mL に溶かした後，移動相を加えて正確に 50 mL とする．この液 10 mL を正確に量り，移動相を加えて正確に 100 mL とし，試料溶液とする．この液 1 mL を正確に量り，移動相を加えて正確に 20 mL とする．この液 1 mL を正確に量り，移動相を加えて正確に 10 mL とし，標準溶液とする．試料溶液及び標準溶液 10 μL ずつを正確にとり，次の条件で液体クロマトグラフィー〈2.01〉により試験を行う．それぞれの液の各々のピーク面積を自動積分法により測定するとき，試料溶液のパラオキシ安息香酸エチルに対する相対保持時間約 0.5 のパラオキシ安息香酸のピーク面積は，標準溶液のパラオキシ安息香酸エチルのピーク面積より大きくない（0.5 ％）．ただし，パラオキシ安息香酸のピー

C- 78　　パラオキシ安息香酸エチル

ク面積は自動積分法により求めた面積に感度係数 1.4 を乗じた値とする．また，試
料溶液のパラオキシ安息香酸エチル及びパラオキシ安息香酸以外のピークの面積
は，標準溶液のパラオキシ安息香酸エチルのピーク面積より大きくない（0.5％）．
また，試料溶液のパラオキシ安息香酸エチル以外のピークの合計面積は，標準溶液
のパラオキシ安息香酸エチルのピーク面積の 2 倍より大きくない（1.0％）．ただ
し，標準溶液のパラオキシ安息香酸エチルのピーク面積の 1/5 以下のピークは計
算しない（0.1％）．

　　試験条件
　　　　検出器，カラム，カラム温度，移動相及び流量は定量法の試験条件を準用す
　　　　る．
　　　　面積測定範囲：パラオキシ安息香酸エチルの保持時間の 4 倍の範囲
　　システム適合性 (注4)
　　　　システムの性能は定量法のシステム適合性を準用する．
　　　　◇検出の確認：標準溶液 2 mL を正確に量り，移動相を加えて正確に 10 mL と
　　　　　する．この液 10 μL から得たパラオキシ安息香酸エチルのピーク面積が，標
　　　　　準溶液のパラオキシ安息香酸エチルのピーク面積の 14 ～ 26％になることを
　　　　　確認する．◇
　　　　◇システムの再現性：標準溶液 10 μL につき，上記の条件で試験を 6 回繰り返
　　　　　すとき，パラオキシ安息香酸エチルのピーク面積の相対標準偏差は 2.0％以
　　　　　下である．◇

強熱残分〈*2.44*〉　0.1％以下（1 g）．

定 量 法　本品及びパラオキシ安息香酸エチル標準品約 50 mg ずつを精密に量り，
　　それぞれメタノール 2.5 mL に溶かし，移動相を加えて正確に 50 mL とする．それ
　　ぞれの液 10 mL を正確に量り，それぞれに移動相を加えて正確に 100 mL とし，試
　　料溶液及び標準溶液とする．試料溶液及び標準溶液 10 μL ずつを正確にとり，次の
　　条件で液体クロマトグラフィー〈*2.01*〉により試験を行い，それぞれの液のパラオ
　　キシ安息香酸エチルのピーク面積 A_T 及び A_S を測定する．

　　　　　パラオキシ安息香酸エチル（$C_9H_{10}O_3$）の量（mg）
　　　　　　$= M_S \times A_T / A_S$

　　　　　　M_S：パラオキシ安息香酸エチル標準品の秤取量（mg）

　　試験条件
　　　　検出器：紫外吸光光度計（測定波長：272 nm）
　　　　カラム：内径 4.6 mm，長さ 15 cm のステンレス管に 5 μm の液体クロマトグ
　　　　　ラフィー用オクタデシルシリル化シリカゲルを充塡する．

◇カラム温度:35℃付近の一定温度.◇(注5)
移動相:メタノール/リン酸二水素カリウム溶液(17→2500)混液(13:7)
流量:毎分1.3 mL

システム適合性
　システムの性能:本品,パラオキシ安息香酸メチル及びパラオキシ安息香酸それぞれ5 mgを移動相に溶かし,正確に100 mLとする.この液1 mLを正確に量り,移動相を加えて正確に10 mLとした液10 μLにつき,上記の条件で操作するとき,パラオキシ安息香酸,パラオキシ安息香酸メチル,パラオキシ安息香酸エチルの順に溶出し,パラオキシ安息香酸エチルに対するパラオキシ安息香酸及びパラオキシ安息香酸メチルの相対保持時間は約0.5及び約0.8であり,パラオキシ安息香酸メチルとパラオキシ安息香酸エチルの分離度は2.0以上である.
　システムの再現性:標準溶液10 μLにつき,上記の条件で試験を6回繰り返すとき,パラオキシ安息香酸エチルのピーク面積の相対標準偏差は0.85%以下である.

◆貯　法　容器　密閉容器.◆

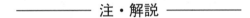
――――― 注・解説 ―――――

注1　純度試験の類縁物質試験や定量法が本品をメタノールに溶解する方法に改められたため,メタノールに対する溶解性を規定した.
注2　確認試験は国際調和されたものになった.
注3　融点による確認試験が削除されたことから,融点を示性値として設定した.
注4　検出の確認とシステムの再現性は日本薬局方の独自規定である.
注5　カラム温度は日本薬局方の独自規定である.

医薬品各条の部　パラオキシ安息香酸ブチルの条を次のように改める.

パラオキシ安息香酸ブチル

Butyl Parahydroxybenzoate

C- 80　　パラオキシ安息香酸ブチル

$C_{11}H_{14}O_3$：194.23

Butyl 4-hydroxybenzoate

[94-26-8]

　本医薬品各条は，三薬局方での調和合意に基づき規定した医薬品各条である．

　なお，三薬局方で調和されていない部分のうち，調和合意において，調和の対象とされた項中非調和となっている項の該当箇所は「◆　◆」で，調和の対象とされた項以外に日本薬局方が独自に規定することとした項は「◇　◇」で囲むことにより示す．

　三薬局方の調和合意に関する情報については，独立行政法人医薬品医療機器総合機構のウェブサイトに掲載している．

　本品は定量するとき，パラオキシ安息香酸ブチル（$C_{11}H_{14}O_3$）98.0 ～ 102.0 ％を含む．

◆性　状　本品は無色の結晶又は白色の結晶性の粉末である．

　本品はメタノールに極めて溶けやすく，エタノール（95）又はアセトンに溶けやすく，水にほとんど溶けない．◆注1

確認試験　注2　本品につき，赤外吸収スペクトル測定法〈2.25〉の臭化カリウム錠剤法により試験を行い，本品のスペクトルと本品の参照スペクトル又はパラオキシ安息香酸ブチル標準品のスペクトルを比較するとき，両者のスペクトルは同一波数のところに同様の強度の吸収を認める．

融　点〈2.60〉　68 ～ 71℃　注3

純度試験

(1)　溶状　本品1.0 g をエタノール（95）に溶かして 10 mL とするとき，液は澄明で，液の色はエタノール（95）又は次の比較液より濃くない．

　　比較液：塩化コバルト（Ⅱ）の色の比較原液 5.0 mL，塩化鉄（Ⅲ）の色の比較原液 12.0 mL 及び硫酸銅（Ⅱ）の色の比較原液 2.0 mL をとり，薄めた希塩酸（1 → 10）を加えて 1000 mL とする．

(2)　酸　(1)の液 2 mL にエタノール（95）3 mL を加えた後，新たに煮沸して冷却した水 5 mL 及びブロモクレゾールグリーン・水酸化ナトリウム・エタノール試液 0.1 mL を加える．この液に液の色が青色に変化するまで 0.1 mol/L 水酸化ナトリウム液を加えるとき，その量は 0.1 mL 以下である．

(3)　類縁物質　本品 50.0 mg をメタノール 2.5 mL に溶かした後，移動相を加えて正確に 50 mL とする．この液 10 mL を正確に量り，移動相を加えて正確に 100 mL とし，試料溶液とする．この液 1 mL を正確に量り，移動相を加えて正確に 20 mL とする．この液 1 mL を正確に量り，移動相を加えて正確に 10 mL とし，標準溶液とする．試料溶液及び標準溶液 10 μL ずつを正確にとり，次の条件で液体クロマト

パラオキシ安息香酸ブチル　　C- 81

グラフィー〈*2.01*〉により試験を行う．それぞれの液の各々のピーク面積を自動積分法により測定するとき，試料溶液のパラオキシ安息香酸ブチルに対する相対保持時間約 0.1 のパラオキシ安息香酸のピーク面積は，標準溶液のパラオキシ安息香酸ブチルのピーク面積より大きくない（0.5％）．ただし，パラオキシ安息香酸のピーク面積は自動積分法により求めた面積に感度係数 1.4 を乗じた値とする．また，試料溶液のパラオキシ安息香酸ブチル及びパラオキシ安息香酸以外のピークの面積は，標準溶液のパラオキシ安息香酸ブチルのピーク面積より大きくない（0.5％）．また，試料溶液のパラオキシ安息香酸ブチル以外のピークの合計面積は，標準溶液のパラオキシ安息香酸ブチルのピーク面積の 2 倍より大きくない（1.0％）．ただし，標準溶液のパラオキシ安息香酸ブチルのピーク面積の 1/5 以下のピークは計算しない（0.1％）．

　　試験条件

　　　検出器，カラム，カラム温度，移動相及び流量は定量法の試験条件を準用する．

　　　面積測定範囲：パラオキシ安息香酸ブチルの保持時間の 1.5 倍の範囲

　　システム適合性 注4

　　　システムの性能は定量法のシステム適合性を準用する．

　　　◇検出の確認：標準溶液 2 mL を正確に量り，移動相を加えて正確に 10 mL とする．この液 10 μL から得たパラオキシ安息香酸ブチルのピーク面積が，標準溶液のパラオキシ安息香酸ブチルのピーク面積の 14 ～ 26％になることを確認する．◇

　　　◇システムの再現性：標準溶液 10 μL につき，上記の条件で試験を 6 回繰り返すとき，パラオキシ安息香酸ブチルのピーク面積の相対標準偏差は 2.0％以下である．◇

強熱残分〈*2.44*〉　0.1％以下（1 g）．

定　量　法　本品及びパラオキシ安息香酸ブチル標準品約 50 mg ずつを精密に量り，それぞれメタノール 2.5 mL に溶かし，移動相を加えて正確に 50 mL とする．それぞれの液 10 mL を正確に量り，それぞれに移動相を加えて正確に 100 mL とし，試料溶液及び標準溶液とする．試料溶液及び標準溶液 10 μL ずつを正確にとり，次の条件で液体クロマトグラフィー〈*2.01*〉により試験を行い，それぞれの液のパラオキシ安息香酸ブチルのピーク面積 A_T 及び A_S を測定する．

　　　パラオキシ安息香酸ブチル（$C_{11}H_{14}O_3$）の量（mg）
　　　　＝ $M_S \times A_T / A_S$

　　　M_S：パラオキシ安息香酸ブチル標準品の秤取量（mg）

C-82　パラオキシ安息香酸ブチル

試験条件
　　検出器：紫外吸光光度計（測定波長：272 nm）
　　カラム：内径 4.6 mm，長さ 15 cm のステンレス管に 5 μm の液体クロマトグ
　　　ラフィー用オクタデシルシリル化シリカゲルを充塡する．
　　カラム温度：35℃付近の一定温度
　　移動相：リン酸二水素カリウム溶液（17 → 2500）／メタノール混液（1：1）
　　流量：毎分 1.3 mL
　システム適合性
　　システムの性能：本品，パラオキシ安息香酸プロピル及びパラオキシ安息香酸
　　　それぞれ 5 mg を移動相に溶かし，正確に 100 mL とする．この液 1 mL を
　　　正確に量り，移動相を加えて正確に 10 mL とし，システム適合性試験用溶
　　　液（1）とする．別にパラオキシ安息香酸イソブチル 5 mg を移動相に溶か
　　　し，正確に 100 mL とする．この液 0.5 mL を正確に量り，標準溶液を加え
　　　て正確に 50 mL とし，システム適合性試験用溶液（2）とする．システム適
　　　合性試験用溶液（1）及びシステム適合性試験用溶液（2）それぞれ 10 μL
　　　につき，上記の条件で操作するとき，パラオキシ安息香酸，パラオキシ安息
　　　香酸プロピル，パラオキシ安息香酸イソブチル，パラオキシ安息香酸ブチル
　　　の順に溶出し，パラオキシ安息香酸ブチルに対するパラオキシ安息香酸，パ
　　　ラオキシ安息香酸プロピル及びパラオキシ安息香酸イソブチルの保持時間の
　　　比は約 0.1，約 0.5 及び約 0.9 であり，パラオキシ安息香酸プロピルとパラ
　　　オキシ安息香酸ブチルの分離度は 5.0 以上であり，パラオキシ安息香酸イソ
　　　ブチルとパラオキシ安息香酸ブチルの分離度は 1.5 以上である．
　　システムの再現性：標準溶液 10 μL につき，上記の条件で試験を 6 回繰り返
　　　すとき，パラオキシ安息香酸ブチルのピーク面積の相対標準偏差は 0.85 ％
　　　以下である．
◆貯　法　容器　密閉容器．◆

──────── 注・解説 ────────

注1　純度試験の類縁物質試験や定量法が本品をメタノールに溶解する方法に改め
られたため，メタノールに対する溶解性を規定した．
注2　確認試験は国際調和されたものになった．
注3　融点による確認試験が削除されたことから，融点を示性値として設定した．
注4　検出の確認とシステムの再現性は日本薬局方の独自規定である．

パラオキシ安息香酸プロピル　C- 83

医薬品各条の部　パラオキシ安息香酸プロピルの条を次のように改める．

パラオキシ安息香酸プロピル

Propyl Parahydroxybenzoate

$C_{10}H_{12}O_3$：180.20
Propyl 4-hydroxybenzoate
［94-13-3］

　本医薬品各条は，三薬局方での調和合意に基づき規定した医薬品各条である．
　なお，三薬局方で調和されていない部分のうち，調和合意において，調和の対象とされた項中非調和となっている項の該当箇所は「◆　◆」で，調和の対象とされた項以外に日本薬局方が独自に規定することとした項は「◇　◇」で囲むことにより示す．
　三薬局方の調和合意に関する情報については，独立行政法人医薬品医療機器総合機構のウェブサイトに掲載している．

　本品は定量するとき，パラオキシ安息香酸プロピル（$C_{10}H_{12}O_3$）98.0 〜 102.0 ％を含む．
◆性　状　本品は無色の結晶又は白色の結晶性の粉末である．
　本品はメタノール，エタノール（95）又はアセトンに溶けやすく，水に極めて溶けにくい．◆注1
確認試験　注2　本品につき，赤外吸収スペクトル測定法〈2.25〉の臭化カリウム錠剤法により試験を行い，本品のスペクトルと本品の参照スペクトル又はパラオキシ安息香酸プロピル標準品のスペクトルを比較するとき，両者のスペクトルは同一波数のところに同様の強度の吸収を認める．
融　点〈2.60〉　96 〜 99℃　注3
純度試験
　（1）溶状　本品 1.0 g をエタノール（95）に溶かして 10 mL とするとき，液は澄明で，液の色はエタノール（95）又は次の比較液より濃くない．
　　比較液：塩化コバルト（Ⅱ）の色の比較原液 5.0 mL，塩化鉄（Ⅲ）の色の比較原液

C- 84   パラオキシ安息香酸プロピル

12.0 mL 及び硫酸銅(Ⅱ)の色の比較原液 2.0 mL をとり，薄めた希塩酸 (1→10) を加えて 1000 mL とする．

(2)　酸　(1)の液 2 mL にエタノール (95) 3 mL を加えた後，新たに煮沸して冷却した水 5 mL 及びブロモクレゾールグリーン・水酸化ナトリウム・エタノール試液 0.1 mL を加える．この液に液の色が青色に変化するまで 0.1 mol/L 水酸化ナトリウム液を加えるとき，その量は 0.1 mL 以下である．

(3)　類縁物質　本品 50.0 mg をメタノール 2.5 mL に溶かした後，移動相を加えて正確に 50 mL とする．この液 10 mL を正確に量り，移動相を加えて正確に 100 mL とし，試料溶液とする．この液 1 mL を正確に量り，移動相を加えて正確に 20 mL とする．この液 1 mL を正確に量り，移動相を加えて正確に 10 mL とし，標準溶液とする．試料溶液及び標準溶液 10 μL ずつを正確にとり，次の条件で液体クロマトグラフィー〈2.01〉により試験を行う．それぞれの液の各々のピーク面積を自動積分法により測定するとき，試料溶液のパラオキシ安息香酸プロピルに対する相対保持時間約 0.3 のパラオキシ安息香酸のピーク面積は，標準溶液のパラオキシ安息香酸プロピルのピーク面積より大きくない (0.5％)．ただし，パラオキシ安息香酸のピーク面積は自動積分法により求めた面積に感度係数 1.4 を乗じた値とする．また，試料溶液のパラオキシ安息香酸プロピル及びパラオキシ安息香酸以外のピークの面積は，標準溶液のパラオキシ安息香酸プロピルのピーク面積より大きくない (0.5％)．また，試料溶液のパラオキシ安息香酸プロピル以外のピークの合計面積は，標準溶液のパラオキシ安息香酸プロピルのピーク面積の 2 倍より大きくない (1.0％)．ただし，標準溶液のパラオキシ安息香酸プロピルのピーク面積の 1/5 以下のピークは計算しない (0.1％)．

　試験条件
　　検出器，カラム，カラム温度，移動相及び流量は定量法の試験条件を準用する．
　　面積測定範囲：パラオキシ安息香酸プロピルの保持時間の 2.5 倍の範囲
　システム適合性 注4
　　システムの性能は定量法のシステム適合性を準用する．
　　◇検出の確認：標準溶液 2 mL を正確に量り，移動相を加えて正確に 10 mL とする．この液 10 μL から得たパラオキシ安息香酸プロピルのピーク面積が，標準溶液のパラオキシ安息香酸プロピルのピーク面積の 14 ～ 26％になることを確認する．◇
　　◇システムの再現性：標準溶液 10 μL につき，上記の条件で試験を 6 回繰り返すとき，パラオキシ安息香酸プロピルのピーク面積の相対標準偏差は 2.0％ 以下である．◇

強熱残分〈2.44〉　0.1％以下（1 g）．

定 量 法　本品及びパラオキシ安息香酸プロピル標準品約 50 mg ずつを精密に量り，

パラオキシ安息香酸プロピル　　C-85

それぞれメタノール 2.5 mL に溶かし，移動相を加えて正確に 50 mL とする．それ
ぞれの液 10 mL を正確に量り，それぞれに移動相を加えて正確に 100 mL とし，試
料溶液及び標準溶液とする．試料溶液及び標準溶液 10 μL ずつを正確にとり，次の
条件で液体クロマトグラフィー〈2.01〉により試験を行い，それぞれの液のパラオ
キシ安息香酸プロピルのピーク面積 A_T 及び A_S を測定する．

　　　パラオキシ安息香酸プロピル（$C_{10}H_{12}O_3$）の量（mg）
　　　＝ $M_S \times A_T / A_S$

　　　M_S：パラオキシ安息香酸プロピル標準品の秤取量（mg）

試験条件
　　検出器：紫外吸光光度計（測定波長：272 nm）
　　カラム：内径 4.6 mm，長さ 15 cm のステンレス管に 5 μm の液体クロマトグ
　　　ラフィー用オクタデシルシリル化シリカゲルを充塡する．
　　◇カラム温度：35℃付近の一定温度。注5
　　移動相：メタノール／リン酸二水素カリウム溶液（17 → 2500）混液（13：7）
　　流量：毎分 1.3 mL
システム適合性
　　システムの性能：本品，パラオキシ安息香酸エチル及びパラオキシ安息香酸そ
　　　れぞれ 5 mg を移動相に溶かし，正確に 100 mL とする．この液 1 mL を正
　　　確に量り，移動相を加えて正確に 10 mL とした液 10 μL につき，上記の条
　　　件で操作するとき，パラオキシ安息香酸，パラオキシ安息香酸エチル，パラ
　　　オキシ安息香酸プロピルの順に溶出し，パラオキシ安息香酸プロピルに対す
　　　るパラオキシ安息香酸及びパラオキシ安息香酸エチルの相対保持時間は約
　　　0.3 及び約 0.7 であり，パラオキシ安息香酸エチルとパラオキシ安息香酸プ
　　　ロピルの分離度は 3.0 以上である．
　　システムの再現性：標準溶液 10 μL につき，上記の条件で試験を 6 回繰り返
　　　すとき，パラオキシ安息香酸プロピルのピーク面積の相対標準偏差は 0.85
　　　％以下である．
◆貯　法　容器　密閉容器．◆

──────── 注・解説 ────────

注1　純度試験の類縁物質試験や定量法が本品をメタノールに溶解する方法に改め
られたため，メタノールに対する溶解性を規定した．
注2　確認試験は国際調和されたものになった．
注3　融点による確認試験が削除されたことから，融点を示性値として設定した．

C- 86　　パラオキシ安息香酸メチル

注4　検出の確認とシステムの再現性は日本薬局方の独自規定である.
注5　カラム温度は日本薬局方の独自規定である.

医薬品各条の部　パラオキシ安息香酸メチルの条を次のように改める.

パラオキシ安息香酸メチル

Methyl Parahydroxybenzoate

$C_8H_8O_3$：152.15

Methyl 4-hydroxybenzoate

［99-76-3］

本医薬品各条は，三薬局方での調和合意に基づき規定した医薬品各条である.

　なお，三薬局方で調和されていない部分のうち，調和合意において，調和の対象とされた項中非調和となっている項の該当箇所は「◆　◆」で，調和の対象とされた項以外に日本薬局方が独自に規定することとした項は「◇　◇」で囲むことにより示す.

　三薬局方の調和合意に関する情報については，独立行政法人医薬品医療機器総合機構のウェブサイトに掲載している.

　本品は定量するとき，パラオキシ安息香酸メチル（$C_8H_8O_3$）98.0 ～ 102.0％を含む.

◆性　状　本品は無色の結晶又は白色の結晶性の粉末である.

　本品はメタノール，エタノール（95）又はアセトンに溶けやすく，水に溶けにくい.◆注1

確認試験　注2　本品につき，赤外吸収スペクトル測定法〈2.25〉の臭化カリウム錠剤法により試験を行い，本品のスペクトルと本品の参照スペクトル又はパラオキシ安息香酸メチル標準品のスペクトルを比較するとき，両者のスペクトルは同一波数のところに同様の強度の吸収を認める.

融　点〈2.60〉　125 ～ 128℃　注3

パラオキシ安息香酸メチル　　C- 87

純度試験

(1)　溶状　本品 1.0 g をエタノール（95）に溶かして 10 mL とするとき，液は澄明で，液の色はエタノール（95）又は次の比較液より濃くない．

比較液：塩化コバルト（Ⅱ）の色の比較原液 5.0 mL，塩化鉄（Ⅲ）の色の比較原液 12.0 mL 及び硫酸銅（Ⅱ）の色の比較原液 2.0 mL をとり，薄めた希塩酸（1→10）を加えて 1000 mL とする．

(2)　酸　(1)の液 2 mL にエタノール（95）3 mL を加えた後，新たに煮沸して冷却した水 5 mL 及びブロモクレゾールグリーン・水酸化ナトリウム・エタノール試液 0.1 mL を加える．この液に液の色が青色に変化するまで 0.1 mol/L 水酸化ナトリウム液を加えるとき，その量は 0.1 mL 以下である．

(3)　類縁物質　本品 50.0 mg をメタノール 2.5 mL に溶かした後，移動相を加えて正確に 50 mL とする．この液 10 mL を正確に量り，移動相を加えて正確に 100 mL とし，試料溶液とする．この液 1 mL を正確に量り，移動相を加えて正確に 20 mL とする．この液 1 mL を正確に量り，移動相を加えて正確に 10 mL とし，標準溶液とする．試料溶液及び標準溶液 10 μL ずつを正確にとり，次の条件で液体クロマトグラフィー〈2.01〉により試験を行う．それぞれの液の各々のピーク面積を自動積分法により測定するとき，試料溶液のパラオキシ安息香酸メチルに対する相対保持時間約 0.6 のパラオキシ安息香酸のピーク面積は，標準溶液のパラオキシ安息香酸メチルのピーク面積より大きくない（0.5％）．ただし，パラオキシ安息香酸のピーク面積は自動積分法により求めた面積に感度係数 1.4 を乗じた値とする．また，試料溶液のパラオキシ安息香酸メチル及びパラオキシ安息香酸以外のピークの面積は，標準溶液のパラオキシ安息香酸メチルのピーク面積より大きくない（0.5％）．また，試料溶液のパラオキシ安息香酸メチル以外のピークの合計面積は，標準溶液のパラオキシ安息香酸メチルのピーク面積の 2 倍より大きくない（1.0％）．ただし，標準溶液のパラオキシ安息香酸メチルのピーク面積の 1/5 以下のピークは計算しない（0.1％）．

試験条件

検出器，カラム，カラム温度，移動相及び流量は定量法の試験条件を準用する．

面積測定範囲：パラオキシ安息香酸メチルの保持時間の 5 倍の範囲

システム適合性　注4

システムの性能は定量法のシステム適合性を準用する．

◇検出の確認：標準溶液 2 mL を正確に量り，移動相を加えて正確に 10 mL とする．この液 10 μL から得たパラオキシ安息香酸メチルのピーク面積が，標準溶液のパラオキシ安息香酸メチルのピーク面積の 14 ～ 26％になることを確認する．◇

◇システムの再現性：標準溶液 10 μL につき，上記の条件で試験を 6 回繰り返

C- 88   パラオキシ安息香酸メチル

すとき，パラオキシ安息香酸メチルのピーク面積の相対標準偏差は 2.0 % 以下である．◇

強熱残分〈*2.44*〉　0.1 % 以下（1 g）.

定 量 法　本品及びパラオキシ安息香酸メチル標準品約 50 mg ずつを精密に量り，それぞれメタノール 2.5 mL に溶かし，移動相を加えて正確に 50 mL とする．それぞれの液 10 mL を正確に量り，それぞれに移動相を加えて正確に 100 mL とし，試料溶液及び標準溶液とする．試料溶液及び標準溶液 10 μL ずつを正確にとり，次の条件で液体クロマトグラフィー〈*2.01*〉により試験を行い，それぞれの液のパラオキシ安息香酸メチルのピーク面積 A_T 及び A_S を測定する．

パラオキシ安息香酸メチル（$C_8H_8O_3$）の量（mg）
　　= $M_S \times A_T / A_S$

M_S：パラオキシ安息香酸メチル標準品の秤取量（mg）

試験条件
　　検出器：紫外吸光光度計（測定波長：272 nm）
　　カラム：内径 4.6 mm，長さ 15 cm のステンレス管に 5 μm の液体クロマトグラフィー用オクタデシルシリル化シリカゲルを充塡する．
　　◇カラム温度：35℃付近の一定温度．◇注5
　　移動相：メタノール / リン酸二水素カリウム溶液（17 → 2500）混液（13：7）
　　流量：毎分 1.3 mL
システム適合性
　　システムの性能：本品及びパラオキシ安息香酸それぞれ 5 mg を移動相に溶かし，正確に 100 mL とする．この液 1 mL を正確に量り，移動相を加えて正確に 10 mL とした液 10 μL につき，上記の条件で操作するとき，パラオキシ安息香酸，パラオキシ安息香酸メチルの順に溶出し，パラオキシ安息香酸メチルに対するパラオキシ安息香酸の相対保持時間は約 0.6 であり，その分離度は 2.0 以上である．
　　システムの再現性：標準溶液 10 μL につき，上記の条件で試験を 6 回繰り返すとき，パラオキシ安息香酸メチルのピーク面積の相対標準偏差は 0.85 % 以下である．

◆**貯 法**　容器　密閉容器．◆

───────── 注・解説 ─────────

注1　純度試験の類縁物質試験や定量法が本品をメタノールに溶解する方法に改められたため，メタノールに対する溶解性を規定した．

ビカルタミド錠　C-89

注2　確認試験は国際調和されたものになった.
注3　融点による確認試験が削除されたことから，融点を示性値として設定した.
注4　検出の確認とシステムの再現性は日本薬局方の独自規定である.
注5　カラム温度は日本薬局方の独自規定である.

医薬品各条の部　ビカルタミドの条の次に次の一条を加える.

劇処 ビ カ ル タ ミ ド 錠

Bicalutamide Tablets

　本品は定量するとき，表示量の95.0～105.0％に対応するビカルタミド
($C_{18}H_{14}F_4N_2O_4S$：430.37) を含む.

製　法　本品は「ビカルタミド」をとり，錠剤の製法により製する.

確認試験　本品を粉末とし，「ビカルタミド」5 mgに対応する量をとり，メタノール
250 mLを加え，よく振り混ぜた後，孔径0.45 μm以下のメンブランフィルターで
ろ過する．ろ液10 mLにメタノールを加えて20 mLとした液につき，紫外可視吸
光度測定法〈2.24〉により吸収スペクトルを測定するとき，波長269～273 nmに
吸収の極大を示す. 注1

製剤均一性〈6.02〉　質量偏差試験又は次の方法による含量均一性試験のいずれかを
行うとき，適合する. 注2

　本品1個をとり，水10 mLを加えて錠剤が崩壊するまで振り混ぜる．次に，テ
トラヒドロフラン80 mLを加えて超音波処理した後，テトラヒドロフランを加え
て正確に100 mLとし，孔径0.45 μmのメンブランフィルターでろ過する．初めの
ろ液1 mLを除き，次のろ液 V mLを正確に量り，1 mL中にビカルタミド
($C_{18}H_{14}F_4N_2O_4S$) 約8 μgを含む液となるようにラウリル硫酸ナトリウム溶液
($3 \rightarrow 200$) を加えて正確に V' mLとし，試料溶液とする．別にビカルタミド標準
品（別途「ビカルタミド」と同様の条件で乾燥減量〈2.41〉を測定しておく）約
16 mgを精密に量り，テトラヒドロフラン2 mLに溶かし，ラウリル硫酸ナトリウ
ム溶液 ($3 \rightarrow 200$) を加えて正確に200 mLとする．この液5 mLを正確に量り，
ラウリル硫酸ナトリウム溶液 ($3 \rightarrow 200$) を加えて正確に50 mLとし，標準溶液と
する．試料溶液及び標準溶液につき，紫外可視吸光度測定法〈2.24〉により試験を
行い，測定波長270 nmにおける吸光度 A_T 及び A_S を測定する.

　　ビカルタミド ($C_{18}H_{14}F_4N_2O_4S$) の量（mg）
　　　$= M_S \times A_T / A_S \times V' / V \times 1/20$

C- 90　　ビカルタミド錠

　　　M_S：乾燥物に換算したビカルタミド標準品の採取量（mg）

溶 出 性〈*6.10*〉　試験液にラウリル硫酸ナトリウム溶液（3→200）1000 mL を用
い，パドル法により，毎分 50 回転で試験を行うとき，本品の 45 分間の溶出率は
80％以上である．（注3）
　　本品 1 個をとり，試験を開始し，規定された時間に溶出液 10 mL 以上をとり，
孔径 0.45 μm 以下のメンブランフィルターでろ過する．初めのろ液 1 mL 以上を除
き，次のろ液 V mL を正確に量り，1 mL 中にビカルタミド（$C_{18}H_{14}F_4N_2O_4S$）約
8 μg を含む液となるように試験液を加えて正確に V' mL とし，試料溶液とする．
別にビカルタミド標準品（別途「ビカルタミド」と同様の条件で乾燥減量〈*2.41*〉
を測定しておく）約 16 mg を精密に量り，テトラヒドロフラン 2 mL に溶かし，試
験液を加えて正確に 200 mL とする．この液 5 mL を正確に量り，試験液を加えて
正確に 50 mL とし，標準溶液とする．試料溶液及び標準溶液につき，紫外可視吸
光度測定法〈*2.24*〉により試験を行い，測定波長 270 nm における吸光度 A_T 及び
A_S を測定する．

　　　ビカルタミド（$C_{18}H_{14}F_4N_2O_4S$）の表示量に対する溶出率（％）
　　　　$= M_S \times A_T / A_S \times V' / V \times 1 / C \times 50$

　　　M_S：乾燥物に換算したビカルタミド標準品の秤取量（mg）
　　　C：1 錠中のビカルタミド（$C_{18}H_{14}F_4N_2O_4S$）の表示量（mg）

定 量 法　本品 20 個以上をとり，その質量を精密に量り，粉末とする．ビカルタミ
ド（$C_{18}H_{14}F_4N_2O_4S$）約 50 mg に対応する量を精密に量り，テトラヒドロフラン
50 mL を加え，超音波処理した後，テトラヒドロフランを加えて正確に 100 mL と
する．この液を孔径 0.45 μm 以下のメンブランフィルターでろ過し，初めのろ液
1 mL を除き，次のろ液 4 mL を正確に量り，内標準溶液 5 mL を正確に加え，更に
移動相を加えて 50 mL とし，試料溶液とする．別にビカルタミド標準品（別途
「ビカルタミド」と同様の条件で乾燥減量〈*2.41*〉を測定しておく）約 25 mg を精
密に量り，テトラヒドロフランに溶かし，正確に 50 mL とする．この液 4 mL を正
確に量り，内標準溶液 5 mL を正確に加え，更に移動相を加えて 50 mL とし，標準
溶液とする．試料溶液及び標準溶液 10 μL につき，次の条件で液体クロマトグラフ
ィー〈*2.01*〉により試験を行い，内標準物質のピーク面積に対するビカルタミドの
ピーク面積の比 Q_T 及び Q_S を求める．

ビカルタミド（$C_{18}H_{14}F_4N_2O_4S$）の量（mg）
= $M_S \times Q_T / Q_S \times 2$

M_S：乾燥物に換算したビカルタミド標準品の秤取量（mg）

内標準溶液　パラオキシ安息香酸プロピルの移動相溶液（1 → 3500）
試験条件
　検出器：紫外吸光光度計（測定波長：270 nm）
　カラム：内径4.6 mm，長さ12.5 cmのステンレス管に3 μmの液体クロマトグラフィー用オクタデシルシリル化シリカゲルを充塡する．
　カラム温度：50℃付近の一定温度
　移動相：水／テトラヒドロフラン／アセトニトリル混液（13：4：3）
　流量：ビカルタミドの保持時間が約7分になるように調整する．
システム適合性
　システムの性能：標準溶液10 μLにつき，上記の条件で操作するとき，内標準物質，ビカルタミドの順に溶出し，その分離度は7以上である．
　システムの再現性：標準溶液10 μLにつき，上記の条件で試験を6回繰り返すとき，内標準物質のピーク面積に対するビカルタミドのピーク面積の比の相対標準偏差は1.0％以下である．
貯　法　容器　密閉容器．

―――― 注・解説 ――――

（→ ビカルタミド）

劇処
注1　吸収スペクトルの波形は，「ビカルタミド」の参照スペクトルが参考になる．
注2　質量偏差試験及び含量均一性試験が規定されている．ただし，質量偏差試験は，一般試験法　製剤均一性試験法に記載のある条件を満たした製剤が対象になる．
注3　試験液の界面活性剤として，ラウリル硫酸ナトリウムの使用が規定された．
　また，本試験法の試験液量は，日本薬局方各条の溶出性として一般的な900 mLではなく1000 mLが規定された．このことについては，（独）医薬品医療機器総合機構における日本薬局方収載原案に関する意見募集（令和3年9月分　その2）にて，趣旨説明が示されている．その中に，溶出試験の試験液量に係る国内外の薬局方の状況のほか，試験実施に係る留意事項の記載があるため，是非，参照されたい．

C-92　　ヒプロメロースフタル酸エステル

医薬品各条の部　ヒプロメロースフタル酸エステルの条冒頭の国際調和に関する記載，性状の項及び粘度の項を次のように改める．

ヒプロメロースフタル酸エステル

　本医薬品各条は，三薬局方での調和合意に基づき規定した医薬品各条である．
　なお，三薬局方で調和されていない部分のうち，調和合意において，調和の対象とされた項中非調和となっている項の該当箇所は「◆　◆」で，調和の対象とされた項以外に日本薬局方が独自に規定することとした項は「◇　◇」で囲むことにより示す．
　三薬局方の調和合意に関する情報については，独立行政法人医薬品医療機器総合機構のウェブサイトに掲載している．

◆**性　状**　本品は白色の粉末又は粒である．
　本品は水，アセトニトリル又はエタノール（99.5）にほとんど溶けない．
　本品はメタノールとジクロロメタンの質量比で1：1の混液（注1）又はエタノール（99.5）／アセトン混液（1：1）を加えるとき，粘稠性のある液となる．
　本品は水酸化ナトリウム試液に溶ける．◆

粘　度〈*2.53*〉　本品を105℃で1時間乾燥し，その10 gをとり，メタノールとジクロロメタンの質量比で1：1の混液（注2）90 gを加え，かき混ぜた後，更に振り混ぜて溶かし，20 ± 0.1℃で第1法により試験を行うとき，表示粘度の80 〜 120％である．

　同条純度試験（2）の目を削り，（3）の目を（2）とし，次のように改める．

純度試験
（2）フタル酸　本品約0.2 gを精密に量り，アセトニトリル約50 mLを加え，超音波処理を行って部分的に溶かした後，水10 mLを加え，再び超音波処理を行って溶かし，冷後，アセトニトリルを加えて正確に100 mLとし，試料溶液とする．別にフタル酸約12.5 mgを精密に量り，アセトニトリル約125 mLを加え，かき混ぜて溶かした後，水25 mLを加え，次にアセトニトリルを加えて正確に250 mLとし，標準溶液とする．試料溶液及び標準溶液10 μLずつを正確にとり，次の条件で液体クロマトグラフィー〈*2.01*〉により試験を行う．それぞれの液のフタル酸のピーク面積A_T及びA_Sを測定するとき，フタル酸（$C_8H_6O_4$：166.13）の量は1.0％以下である．

$$フタル酸の量（％）＝ M_S/M_T × A_T/A_S × 40$$

M_S：フタル酸の秤取量（mg）

M_T：脱水物に換算した本品の秤取量（mg）

試験条件

検出器：紫外吸光光度計（測定波長：235 nm）

カラム：内径 4.6 mm，長さ 25 cm のステンレス管に 3 ～ 10 μm の液体クロマトグラフィー用オクタデシルシリル化シリカゲルを充填する．

カラム温度：20℃付近の一定温度

移動相：0.1％トリフルオロ酢酸／アセトニトリル混液（9：1）

流量：毎分約 2.0 mL

システム適合性

◇システムの性能：標準溶液 10 μL につき，上記の条件で操作するとき，フタル酸のピークの理論段数及びシンメトリー係数は，それぞれ 2500 段以上，1.5 以下である．◇

システムの再現性：標準溶液 10 μL につき，上記の条件で試験を 5 回繰り返すとき（注3），フタル酸のピーク面積の相対標準偏差は 1.0％以下である．

———————— 注・解説 ————————

注1 質量比の混液であることを明確にする記載となった．

注2 質量比の混液であることを明確にする記載となった．

注3 調和合意に基づき，6 回を 5 回に修正．

医薬品各条の部　ブチルスコポラミン臭化物の条の次に次の一条を加える．

劇 ブ デ ソ ニ ド

Budesonide

及びC*位エピマー

C- 94　　ブデソニド

$C_{25}H_{34}O_6：430.53$

16α,17-[(1*RS*)-Butylidenebis(oxy)]-11β,21-dihydroxypregna-1,4-diene-3,20-

dione

[*51333-22-3*]

　　本品は定量するとき，換算した乾燥物に対し，ブデソニド（$C_{25}H_{34}O_6$）98.0 〜

102.0％を含む.

性　状　本品は白色〜微黄白色の結晶又は結晶性の粉末である. (注1) (注2)

　　本品はメタノールにやや溶けやすく，アセトニトリル又はエタノール（99.5）に

やや溶けにくく，水にほとんど溶けない.

　　旋光度　$[α]_D^{25}$：＋102 〜＋109°（0.25 g，メタノール，25 mL，100 mm）.

　　融点：約240℃（分解）.

確認試験

（1）　本品のメタノール溶液（1 → 40000）につき，紫外可視吸光度測定法〈*2.24*〉

により吸収スペクトルを測定し，本品のスペクトルと本品の参照スペクトル又はブ

デソニド標準品について同様に操作して得られたスペクトルを比較するとき，両者

のスペクトルは同一波長のところに同様の強度の吸収を認める.

（2）　本品につき，赤外吸収スペクトル測定法〈*2.25*〉の臭化カリウム錠剤法によ

り試験を行い，本品のスペクトルと本品の参照スペクトル又はブデソニド標準品の

スペクトルを比較するとき，両者のスペクトルは同一波数のところに同様の強度の

吸収を認める.

純度試験　類縁物質　本操作は光を避け，遮光した容器を用いて行う. 本品50 mg

をアセトニトリル15 mLに溶かし，pH 3.2のリン酸塩緩衝液を加えて50 mLと

し，試料溶液とする. 試料溶液20 μLにつき，次の条件で液体クロマトグラフィー

〈*2.01*〉により試験を行う. 試料溶液の各々のピーク面積を自動積分法により測定

し，面積百分率法によりそれらの量を求めるとき，ブデソニドの二つのピークのう

ち，先に溶出するピーク（エピマー B）に対する相対保持時間約0.1及び約0.95

の類縁物質 A 及び類縁物質 L のピークの量はそれぞれ0.2％以下，相対保持時間約

0.63及び約0.67の類縁物質 D のピークの量の和，並びに相対保持時間約2.9及び

約3.0の類縁物質 K のピークの量の和は，それぞれ0.2％以下であり，ブデソニド

及び上記以外のピークの量は0.1％以下である. また，ブデソニド以外のピークの

合計量は0.5％以下である. ただし，類縁物質 D 及び類縁物質 K のピーク面積は

自動積分法で求めた面積にそれぞれ感度係数1.8及び1.3を乗じた値とする. (注3)

(注4)

　　試験条件

　　　検出器，カラム，カラム温度及び流量は定量法の試験条件を準用する.

ブデソニド　　C-95

移動相A：pH 3.2のリン酸塩緩衝液/液体クロマトグラフィー用アセトニト
リル/エタノール（99.5）混液（34：16：1）

移動相B：pH 3.2のリン酸塩緩衝液/液体クロマトグラフィー用アセトニト
リル混液（1：1）

移動相の送液：移動相A及び移動相Bの混合比を次のように変えて濃度勾配
制御する．

注入後の時間 （分）	移動相A （vol%）	移動相B （vol%）
0 ～ 38	100	0
38 ～ 50	100 → 0	0 → 100
50 ～ 60	0	100

面積測定範囲：溶媒のピークの後から注入後60分まで

システム適合性

検出の確認：試料溶液1 mLを正確に量り，pH 3.2のリン酸塩緩衝液/アセト
ニトリル混液（17：8）を加えて正確に10 mLとする．この液1 mLを正確
に量り，pH 3.2のリン酸塩緩衝液/アセトニトリル混液（17：8）を加えて
正確に100 mLとし，システム適合性試験用溶液とする．システム適合性試
験用溶液20 μLにつき，上記の条件で操作するとき，ブデソニドの二つのピー
クのうち後に溶出するピーク（エピマーA）のSN比は10以上である．

システムの性能：システム適合性試験用溶液20 μLにつき，上記の条件で操作
するとき，ブデソニドの二つのピークの分離度は1.5以上である．

乾燥減量〈*2.41*〉　0.5%以下（1 g，105℃，3時間）．　注5

異性体比　本操作は光を避け，遮光した容器を用いて行う．定量法の試料溶液20 μL
につき，次の条件で液体クロマトグラフィー〈*2.01*〉により試験を行う．ブデソニ
ドの二つのピークのうち，先に溶出するピーク面積A_b及び後に溶出するピーク面
積A_aを測定するとき，$A_a/(A_a + A_b)$は0.40 ～ 0.51である．

試験条件

定量法の試験条件を準用する．

システム適合性

システムの性能は定量法のシステムの性能を準用する．

定 量 法　本操作は光を避け，遮光した容器を用いて行う．本品及びブデソニド標準
品（別途本品と同様の条件で乾燥減量〈*2.41*〉を測定しておく）約25 mgずつを
精密に量り，それぞれをアセトニトリル15 mLに溶かし，pH 3.2のリン酸塩緩衝
液を加えて正確に50 mLとし，試料溶液及び標準溶液とする．試料溶液及び標準

C-96 ブデソニド

溶液 20 μL ずつを正確にとり，次の条件で液体クロマトグラフィー〈2.01〉により試験を行い，それぞれの液のブデソニドの二つのピーク面積の和 A_T 及び A_S を測定する．

$$ブデソニド (C_{25}H_{34}O_6) の量 (mg) = M_S \times A_T / A_S$$

M_S：乾燥物に換算したブデソニド標準品の秤取量 (mg)

試験条件
　検出器：紫外吸光光度計（測定波長：240 nm）
　カラム：内径 4.6 mm，長さ 15 cm のステンレス管に 3 μm の液体クロマトグラフィー用オクタデシルシリル化シリカゲルを充塡する．
　カラム温度：50℃付近の一定温度
　移動相：pH 3.2 のリン酸塩緩衝液 / 液体クロマトグラフィー用アセトニトリル / エタノール（99.5）混液（34：16：1）
　流量：毎分 1.0 mL（ブデソニドの二つのピークの保持時間約 17 分及び約 19 分）
システム適合性
　システムの性能：標準溶液 20 μL につき，上記の条件で操作するとき，ブデソニドの二つのピークの分離度は 1.5 以上である．
　システムの再現性：標準溶液 20 μL につき，上記の条件で試験を 6 回繰り返すとき，ブデソニドの二つのピーク面積の和の相対標準偏差は 1.0%以下である．
貯　法
　保存条件　遮光して保存する．
　容器　気密容器．
その他
　類縁物質 A：
　11β,16α,17,21-Tetrahydroxypregna-1,4-diene-3,20-dione

ブデソニド　　C- 97

類縁物質 D：

16α,17-[(1RS)-Butylidenebis(oxy)]-11β-hydroxy-3,20-dioxopregna-1,4-dien-21-al

及びC*位エピマー

類縁物質 K：

16α,17-[(1RS)-Butylidenebis(oxy)]-11β,21-dihydroxypregna-1,4-diene-3,20-dione 21-acetate

及びC*位エピマー

類縁物質 L：

16α,17-[(1RS)-Butylidenebis(oxy)]-21-hydroxypregna-1,4-diene-3,11,20-trione

及びC*位エピマー

C- 98　ブデソニド

──────── 注・解説 ────────

🔘：ただし，1 個中ブデソニドとして 31.88 mg 以下を含有する吸入剤，1 カプセル中ブデソニドとして 3 mg 以下を含有するもの及び 1 個中ブデソニドとして 48 mg 以下を含有する注腸剤を除く．

注1　吸湿性を示さない．

注2　結晶多形を有さない．

注3　ブデソニドのエピマーが分離され，二本のピークに分離される．

注4　類縁物質 A，D，L は分解生成物であり，類縁物質 L は合成副生成物である．その他，0.10% 以下の合成副生成物が不純物として含まれることがある．

注5　局外規の規定に基づく．

本質　229 その他の呼吸器官用薬

名称　budesonide INN；11β,16α,17,21-tetrahydroxypregna-1,4-diene-3,20-dione cyclic 16,17-acetal with butyraldehyde,

Budesonide EP；Mixture of the C-22S(epimer A) and the C-22R(epimer B) epimers of 16α,17-[(1RS)-butylidenebis(oxy)]-11β,21-dihydroxypregna-1,4-diene-3,20-dione

Budesonide USP；Pregna-1,4-diene-3,20-dione, 16,17-butylidenebis(oxy)-11,21-dihydroxy-,[11β,16α(R)], and 16α,17-[(S)-Butylidenebis(oxy)]-11β,21-dihydroxypregna-1,4-diene-3,20-dione

来歴　ステロイド剤の歴史は，より強力な，より安全性の高いステロイドを求めて開発が繰り広げられてきた．ステロイド骨格の側鎖をハロゲン化すると抗炎症作用が強化される一方，ステロイド骨格を安定化させ，体内での不活性化を遅らせる点が指摘されていた．スウェーデンのドラコ社ではハロゲンを持たず，ブチルアルデヒドを修飾させた 16,17-ブチリデンジオキシ化合物（ブデソニド）が強い抗炎症作用を示し，かつ副腎皮質ステロイド活性の低い代謝物に速やかに代謝されることを見出した．1995 年 3 月にスウェーデンで回腸から上行結腸に病変を有する軽症から中等症のクローン病の治療薬としてカプセル剤が承認されて以来，40 カ国以上で承認，販売されている（2016 年 9 月現在）．本邦では 2016 年 9 月に製造販売承認を取得した．注腸治療の簡便性を向上させたフォーム剤がドイツで開発され，活動期潰瘍性大腸炎の寛解導入治療剤として 2006 年にイギリス，2014 年にアメリカにて承認され，本邦では 2017 年 9 月に製造販売承認された．

ブデソニド　　C‑99

製法 [1,2]

hydrocortisone[3,4]　　→（microbiological hydroxylation and dehydration (*S. roseochromogenes* and *A. simplex*)）→　16α‑hydroxyprednisolone [I]

[I] ＋ OHC～CH$_3$（butyraldehyde） $\xrightarrow{\text{HClO}_4}$ Budesonide

1) Bofors : *US Pat.* 3,929,768（1975）; *DOS Pat.* 2,323,215（1973）; *US Pat.* 3,983,233 （1973）
2) Sicor : *US Pat.* 4,835,145（1989）
3) Allen, W. S. and Bernstein, S. : *J. Am. Chem. Soc.* **78**, 1909（1956）
4) Bernstein, S. : *Recent Prog. Horm. Res.* **14**, 1（1958）

動態・代謝 〔カプセル〕健康成人男性に本剤 9 mg を単回経口投与したとき，血漿中ブデソニド濃度は投与後 6 時間で最高濃度 1.86 nmol/L に達し，半減期 9.8 時間で消失し，AUC は 25.1 nmol・hr/L であった．健康成人男性に本剤 9 mg を 1 日 1 回，5 日間反復経口投与したとき，血漿中ブデソニド濃度は 2 ～ 3 日以内に定常状態に達した．日本人活動期クローン病患者の血漿中濃度を母集団薬物動態解析により評価したところ，患者における全身曝露量は初回投与時には健康成人よりも高値にあったが，本剤の反復投与による治療に伴い低下がみられた[1]．単回経口投与後のバイオアベイラビリティは約 10 ～ 20% であった[2,3]（外国人データ）．ヒト血漿タンパクとの結合率は 1 ～ 100 nmol/L で約 90% であった（in vitro）．ブデソニドの肝初回通過効果は大きく，糖質コルチコイド活性の低い代謝物に代謝される．主代謝物である 6β‑ヒドロキシブデソニド及び 16α‑ヒドロキシプレドニゾロンの糖質コルチコイド活性はブデソニドの 1% 以下である[4]．ブデソニドは主として CYP3A4 によって代謝される[5]．健康成人男性に [3H] 標識ブデソニド 100 μg を静脈内投与したとき，96 時間までに投与量の 57% が尿中に，34% が糞中に排泄された（外国人データ）．肝機能障害患者：軽度～中等度の肝硬変を有する外国人男女に微細化ブデソニド 4 mg を単回経口投与したとき，バイオアベイラビリティ及び C$_{max}$ は健康成人のそれぞれ 2.5 倍

C- *100*　ブデソニド

及び約 3 倍であった（外国人データ）.〔吸入用末〕健康成人男子に本剤 1000 µg を単回吸入投与したとき，血漿中ブデソニド濃度は投与後約 13 分で最高濃度 4.8 nmol/L に達した後，2 相性で消失し，終末相の半減期は約 2 時間，AUC は 12.8 nmol・hr/L，バイオアベイラビリティは 40% であった[6]. 外国人の喘息患者に本剤 1 日量 800,1600 及び 3200 µg を 1 日 2 回に分け 3 週間反復吸入投与したとき，初回投与時及び 3 週間投与後のブデソニドの最高血漿中濃度及び血漿中濃度－時間曲線下面積は，投与量に依存して増加した[7]. また，初回投与時と 3 週間投与後の血漿中濃度に顕著な差を認めず，蓄積傾向はみられなかった.（本剤の承認された用法・用量は，通常成人にはブデソニドとして 1 回 100 〜 400 µg を 1 日 2 回，症状に応じて適宜増減するが，最高用量は 1 日 1600 µg までである.）外国人の健康成人にブデソニドをタービュヘイラーを用いて吸入投与したときの肺への到達率は約 30% であった.（加圧式定量噴霧吸入器の約 2 倍）[8].（代謝，排泄：〔カプセル〕の項参照）〔吸入液〕外国人の成人気管支喘息患者に本剤 1 mg を 1 日 2 回ネブライザー[注1] より吸入投与したとき，血漿中ブデソニド濃度は吸入開始後，約 40 分で最高濃度 1.97 nmol/L に達し，半減期 3.89 時間で消失し，$AUC_{0-\infty}$ は 5.98 nmol・hr/L であった. 外国人の小児気管支喘息患者（3 〜 6 歳）に本剤 1 mg をネブライザー[注1] より単回吸入投与したとき，血漿中ブデソニド濃度は速やかに最高濃度に達し，終末相の半減期は 2.3 時間，AUC は 4.6 nmol・hr/L であり，これらは外国人成人に同量を吸入投与したときの薬物動態パラメータと同様の値を示した. 外国人の小児気管支喘息患者（3 〜 6 歳）における全身の利用率は約 6% であった[9]. [注1] パリ・マスター・ネブライザーシステム（パリ LC プラスネブライザー及びパリ・マスター・コンプレッサーの組合せ）を用いて投与. 外国人の小児気管支喘息患者（3 〜 6 歳）における定常状態の分布容積は 3 L/kg であり，外国人健康成人と顕著な違いはなかった[9].（代謝，排泄：〔カプセル〕の項参照）〔注腸フォーム剤〕健康成人男性に本剤（ブデソニドとして 2 mg）を単回直腸内投与したとき，血清中ブデソニド濃度は投与後約 1.5 時間で最高濃度 0.91 ng/mL に達し，半減期は約 4 時間，$AUC_{0-\infty}$ は 4.93 ng・hr/mL であった. 絶対的バイオアベイラビリティは 16% と推定された. 健康成人男性に本剤（ブデソニドとして 2 mg）を 1 日 2 回 4 日間直腸内投与した時の血清中ブデソニド濃度の T_{max}，及び C_{max} は単回投与時と大きな違いはなかった. AUC で評価した結果，1 日 2 回直腸内反復投与による蓄積性は認められなかった.（代謝，排泄：〔カプセル〕の項参照）

1) Suzuki. Y, *et al.*：*Journal of Crohn's and Colitis* **7**, 239 (2013)
2) Edsbäcker, S., *et al.*：*Aliment. Pharmacol. Ther.* **17**, 525 (2003)
3) Edsbäcker, S., *et al.*：*Clin. Pharmacokinet.* **43**, 803 (2004)
4) Dahlberg, E., *et al.*：*Mol. Pharmacol.* **25**, 70 (1984)
5) Jönsson, G., *et al.*：*Drug Metab. Dispos.* **23**, 137 (1995)
6) 宮本昭正ら：アレルギーの領域 **4** (S-1), 18 (1997)
7) Kaiser, H., *et al.*：*Br. J. Clin. Pharmacol.* **48**, 309 (1999)

ブデソニド　C–101

8) Thorsson, L., *et al.* : *Eur. Respir. J.* **7**, 1839（1994）

9) Agertoft, L., *et al.* : *Arch. Dis. Child.* **80**, 241（1999）

薬効薬理 分子内にハロゲンを含まない合成副腎皮質ステロイドで，気道内の好酸球増加や肺胞マクロファージなどからの炎症性メディエーター，サイトカインの産生・遊離を抑制することにより，抗炎症作用を発現する．気道内に到達後は，一部が脂肪酸エステルとなって組織に保持され，細胞内リパーゼの作用で徐々にブデソニドとして放出されるため，その作用は長時間持続するとされている．

副作用 頻度の高いものとしては，発疹，神経過敏，不眠，（内服・注腸時）クッシング様症状，気分動揺，霧視，筋痙攣，肝障害，（内服時）月経異常，動悸，便秘，消化不良，低カリウム血症，（注腸時）血中コルチゾール減少，血中コルチコトロピン減少，（吸入時）嗄声，口腔カンジダ症，感染などがあり，その他，（内服・注腸時）アナフィラキシー，（内服時）振戦，（注腸時）高血圧，脂質代謝異常，（吸入時）気管支痙攣などに注意が必要である．

相互作用 本剤は主として薬物代謝酵素 CYP3A4 で代謝される．［併用禁忌］デスモプレシン酢酸塩水和物（ミニリンメルト）（男性における夜間多尿による夜間頻尿）：低ナトリウム血症が発現するおそれがある．（機序不明）［併用注意］(1) CYP3A4 阻害剤（イトラコナゾール，エリスロマイシン，シクロスポリン，コビシスタット等）：本剤の血中濃度が上昇するおそれがあり，副腎皮質ステロイド剤を全身投与した場合と同様の症状があらわれる可能性がある．（CYP3A4 による本剤の代謝が阻害されることにより，本剤の血中濃度が上昇する可能性がある．）(2) グレープフルーツジュース：本剤の血中濃度が上昇するおそれがあり，副腎皮質ステロイド剤を全身投与した場合と同様の症状があらわれる可能性がある．（CYP3A4 による本剤の代謝が阻害されることにより本剤の血中濃度が上昇する可能性がある．）

適用 軽症から中等症の活動期クローン病に対して，1 日 1 回 9 mg を経口投与する．なお，潰瘍性大腸炎（重症を除く），気管支喘息に対しては別途用法用量が設定されている．また，ホルモテロールフマル酸塩水和物との配合剤，ホルモテロールフマル酸塩水和物，グリコピロニウム臭化物との配合剤としても用いる．

服薬指導 ［カプセル剤，注腸剤］(1) 本剤投与中に水痘または麻疹に感染すると，致命的な経過をたどることがあるので，水痘または麻疹の既往のない患者もしくは予防接種を受けたことがない患者においては，水痘または麻疹への感染を極力防ぐよう指導する．感染が疑われる場合や感染した場合には，直ちに受診するよう指導する．［カプセル剤］(1) 連用後，投与を急に中止すると，ときに発熱，頭痛，食欲不振，脱力感，筋肉痛，関節痛，ショック等の離脱症状があらわれることがあるので，医師の指示通りに使用するよう指導する．(2) 薬の働きが強まるおそれがあるため，グレープフルーツジュースやグレープフルーツの摂取は控えるよう指導する．［注腸剤］(1) 併用禁忌薬があるため，服用中の薬剤を医師・薬剤師に申し出るよう指導する．(2) 免疫抑制状態の患者では，生ワクチンの接種により，ワクチン由来の感

C-102　ブデソニド

染を増強または持続させるおそれがあるので，生ワクチンを接種する場合，医師に相談するよう指導する．(3) 接触性皮膚炎を誘発する可能性のあるセタノール並びにプロピレングリコールを含有することから，接触性皮膚炎の誘発を防ぐため，腸管外へ漏出した場合には，速やかにふき取るよう指導する．また，異常が認められた場合は，医師・薬剤師に申し出るよう指導する．(4) 保管時には，立てた状態で保管するよう説明する．(5) 高圧ガスを使用した可燃性の製品であり危険であるため，炎や火気の近くで使用しないこと，高温にすると破裂する危険があるため，直射日光の当たる所や火気等の近くなどには置かないこと，アルミ容器を火中に投入しないことを説明する．(6) 廃棄する場合は，地方自治体により定められたアルミ容器の廃棄方法に従うよう説明する．(7) 手指や目などに付着した場合は，速やかに水で洗い流すよう指導する．[吸入粉末剤・吸入液剤] (1) 本剤は気管支拡張剤，ステロイド剤などと異なり，すでに起こっている喘息発作を速やかに軽減する薬剤ではないので，毎日規則正しく使用するよう指導する．(2) 本剤の使用中に発現する急性の発作に対しては，短時間作用性気管支拡張剤などの他の適切な薬剤を使用するよう指導する．(3) 短時間作用性気管支拡張剤などの使用量が増加したり，効果が十分でなくなってきたりした場合は，喘息の管理が十分でないことが考えられるため，できる限り速やかに医療機関を受診するよう指導する．(4) 投与を急に中止すると，喘息の急激な悪化を起こすことがあるため，医師の指示による用法・用量を守り，患者自らの判断で吸入量を増減したり，吸入を中止したりしないよう指導する．(5) 口腔カンジダ症または嗄声の予防のため，吸入後にうがいを実施するよう指導する．うがいが困難な患者の場合は，口腔内をすすぐよう指導する．なお，うがい，すすぎが困難な場合は，水分を取るよう指導する．[吸入粉末剤] (1) 使用後は，必ずキャップ（カバー）を閉めて保管するよう指導する．(2) マウスピースの外側を週に1～2回乾燥した布で清拭するよう指導する．[吸入液剤] (1) 泡立てない程度に揺り動かして粒子をよく再懸濁させて使用するよう説明する．(2) 吸入時は新しいアンプルを使用し，既に開管したアンプルの残液を使用しないよう指導する．また，ネブライザー内の残液は使用しないよう指導する．(3) アルミ袋の開封後，未使用のアンプルは光を避けるために必ずアルミ袋に入れ，凍結を避けて保管し，2か月以内に使用するよう説明する．また，小児の手の届かないところに保管するよう説明する．(4) 投与に際しては必ずネブライザーを用いて吸入し，直接飲まないように指導する．(5) フェイスマスクを使用する場合は，口の周りに薬剤が付着して残る可能性があるので，吸入後は水で顔を洗うよう指導する．(6) 本剤は，注射用，点眼用として使用しないよう説明する．

[製剤] カプセル ㊜, 注腸剤 ㊜, 吸入粉末剤 ㊜, 吸入液 ㊜

[配合変化] [吸入液剤] 他剤との配合使用については，有効性・安全性が確認されていないことから，配合せず個別に吸入させる．

ブロムヘキシン塩酸塩　　C- 103

医薬品各条の部　ブトロピウム臭化物の条定量法の項を次のように改める.

㊩ブトロピウム臭化物

定 量 法　本品を乾燥し，その約 0.8 g を精密に量り，ギ酸 5 mL に溶かし，無水酢酸 100 mL を加え，0.1 mol/L 過塩素酸で滴定〈2.50〉する（電位差滴定法）.同様の方法で空試験を行い，補正する.（注1）

　　　0.1 mol/L 過塩素酸 1 mL = 53.25 mg $C_{28}H_{38}BrNO_4$

──────── 注・解説 ────────

㊩
注1　有害試薬の可及的な排除を行うために 0.1 mol/L 過塩素酸・1,4-ジオキサン液を 0.1 mol/L 過塩素酸に変更した.その他の変更はない.

医薬品各条の部　ブロムヘキシン塩酸塩の条純度試験の項を次のように改める.

ブロムヘキシン塩酸塩

純度試験　類縁物質　本操作は光を避け，遮光した容器を用いて行う.本品 50 mg をメタノール 10 mL に溶かし，試料溶液とする.この液 1 mL を正確に量り，移動相を加えて正確に 20 mL とする.この液 1 mL を正確に量り，移動相を加えて正確に 25 mL とし，標準溶液とする.試料溶液及び標準溶液 5 μL ずつを正確にとり，次の条件で液体クロマトグラフィー〈2.01〉により試験を行う.それぞれの液の各々のピーク面積を自動積分法により測定するとき，試料溶液のブロムヘキシン以外のピークの面積は，それぞれ標準溶液のブロムヘキシンのピーク面積より大きくない.
　　試験条件
　　　検出器：紫外吸光光度計（測定波長：245 nm）
　　　カラム：内径 4.6 mm，長さ 15 cm のステンレス管に 5 μm の液体クロマトグラフィー用オクタデシルシリル化シリカゲルを充塡する.
　　　カラム温度：40℃付近の一定温度
　　　移動相：リン酸二水素カリウム 1.0 g を 900 mL の水に溶かし，0.5 mol/L 水酸化ナトリウム試液を加えて pH 7.0 に調整し，水を加えて 1000 mL とする.この液 200 mL にアセトニトリル 800 mL を加える.

C- 104　ボグリボース錠

　　　流量：ブロムヘキシンの保持時間が約6分になるように調整する．
　　　面積測定範囲：溶媒のピークの後からブロムヘキシンの保持時間の約2倍の
　　　　範囲
　　システム適合性
　　　検出の確認：標準溶液5 mL を正確に量り，移動相を加えて正確に20 mL とす
　　　　る．この液5 μL から得たブロムヘキシンのピーク面積が，標準溶液のブロ
　　　　ムヘキシンのピーク面積の17.5 〜 32.5％になることを確認する．
　　　システムの性能：標準溶液5 μL につき，上記の条件で操作するとき，ブロム
　　　　ヘキシンのピークの理論段数及びシンメトリー係数は，それぞれ2800段以
　　　　上，1.5以下である．（注1）
　　　システム再現性：標準溶液5 μL につき，上記の条件で試験を6回繰り返すと
　　　　き，ブロムヘキシンのピーク面積の相対標準偏差は2.0％以下である．

────────── 注・解説 ──────────

注1　システムの性能確認法が変更された．バメタン硫酸塩を用いる確認法が用い
られてきたが，ブロムヘキシンピークの理論段数とシンメトリー係数で性能を評価す
る方法となった．

医薬品各条の部　ベンジルアルコールの条確認試験の項を次のように改める．

ベンジルアルコール

確認試験　本品につき，赤外吸収スペクトル測定法〈2.25〉の液膜法により試験を行
　い，本品のスペクトルと本品の参照スペクトルを比較するとき，両者のスペクトル
　は同一波数のところに同様の強度の吸収を認める．

医薬品各条の部　ボグリボース錠の条確認試験の項を次のように改める．

㊞ボグリボース錠

確認試験　本品を粉末とし，「ボグリボース」5 mg に対応する量をとり，水40 mL
　を加えて激しく振り混ぜた後，遠心分離する．上澄液をカラム（70 〜 200 μm の
　カラムクロマトグラフィー用強酸性イオン交換樹脂（H型）1.0 mL を内径8 mm,

ボグリボース口腔内崩壊錠　C- 105

高さ 130 mm のクロマトグラフィー管に注入して調製したもの）に入れ，1 分間約 5 mL の速度で流出する（注1）．次に水 200 mL を用いてカラムを洗った後，薄めたアンモニア試液（1 → 4）10 mL を用いて 1 分間約 5 mL の速度で流出する．この流出液を孔径 0.22 μm 以下のメンブランフィルターで 2 回ろ過する．ろ液を減圧下，50℃で蒸発乾固し，残留物を水 / メタノール混液（1：1）0.5 mL に溶かし，試料溶液とする．別に定量用ボグリボース 20 mg を水 / メタノール混液（1：1）2 mL に溶かし，標準溶液とする．これらの液につき，薄層クロマトグラフィー〈2.03〉により試験を行う．試料溶液及び標準溶液 20 μL ずつを薄層クロマトグラフィー用シリカゲルを用いて調製した薄層板にスポットする．次にアセトン / アンモニア水（28）/ 水混液（5：3：1）を展開溶媒として約 12 cm 展開した後，薄層板を風乾する．これをヨウ素蒸気中に放置するとき，試料溶液から得た主スポット及び標準溶液から得たスポットは黄褐色を呈し，それらの R_f 値は等しい．

──────── 注・解説 ────────

㊙
注1　使用する強酸性イオン交換樹脂（H 型）の規格はメッシュで規定されている場合があり，メッシュに合わせて規格が変更となった．

医薬品各条の部　ボグリボース錠の条の次に次の一条を加える．

㊙ボグリボース口腔内崩壊錠

Voglibose Orally Disintegrating Tablets

本品は定量するとき，表示量の 95.0 ～ 105.0 ％に対応するボグリボース（$C_{10}H_{21}NO_7$：267.28）を含む．

製　法　本品は「ボグリボース」をとり，錠剤の製法により製する．

確認試験　本品 10 個をとり，必要ならば粉砕し，1 mL 中にボグリボース（$C_{10}H_{21}NO_7$）約 0.2 mg を含む液となるようにメタノールを加え，振り混ぜながら超音波処理により崩壊させる．この液を孔径 0.45 μm 以下のメンブランフィルターでろ過し，初めのろ液 3 mL を除き，次のろ液を試料溶液とする．別に定量用ボグリボース 10 mg を水 2 mL に溶かし，更にメタノールを加えて 50 mL とし，標準溶液とする．これらの液につき，薄層クロマトグラフィー〈2.03〉により試験を行う．試料溶液及び標準溶液 10 μL ずつを薄層クロマトグラフィー用シリカゲルを用いて調製した薄層板にスポットする．次にメタノール / アセトン / 水 / アンモニア水（28）混液（10：10：4：1）を展開溶媒として約 12 cm 展開した後，薄層板を

C- 106　ボグリボース口腔内崩壊錠

風乾する．これを四酢酸鉛・フルオレセインナトリウム試液に浸した後，静かに引き上げて余分の液を流下させる．これを風乾後，紫外線（主波長：366 nm）を照射するとき，試料溶液及び標準溶液から得たスポットは，黄色の蛍光を発し，それらの R_f 値は等しい．（注1）

製剤均一性〈*6.02*〉　次の方法により含量均一性試験を行うとき，適合する．

本品1個をとり，1 mL 中にボグリボース（$C_{10}H_{21}NO_7$）約 20 μg を含む液となるように移動相 V mL を正確に加え，超音波処理により崩壊させる．この液を遠心分離し，上澄液を孔径 0.45 μm 以下のメンブランフィルターでろ過する．初めのろ液 5 mL を除き，次のろ液を試料溶液とする．以下定量法を準用する．

$$ボグリボース（C_{10}H_{21}NO_7）の量（mg）$$
$$= M_S \times A_T / A_S \times V / 2500$$

M_S：脱水物に換算した定量用ボグリボースの秤取量（mg）

崩 壊 性　別に規定する．（注2）

溶 出 性〈*6.10*〉　試験液に水 900 mL を用い，パドル法により，毎分 50 回転で試験を行うとき，本品の 15 分間の溶出率は 85％以上である．

本品1個をとり，試験を開始し，規定された時間に溶出液 10 mL 以上をとり，孔径 0.45 μm 以下のメンブランフィルターでろ過する．初めのろ液 5 mL 以上を除き，次のろ液 V mL を正確に量り，1 mL 中にボグリボース（$C_{10}H_{21}NO_7$）約 0.11 μg を含む液となるように移動相を加えて正確に V′ mL とし，試料溶液とする．別に定量用ボグリボース（別途「ボグリボース」と同様の方法で水分〈*2.48*〉を測定しておく）約 50 mg を精密に量り，水に溶かし，正確に 50 mL とする．この液 1 mL を正確に量り，水を加えて正確に 100 mL とする．この液 2 mL を正確に量り，水を加えて正確に 100 mL とする．この液 10 mL を正確に量り，移動相を加えて正確に 20 mL とし，標準溶液とする．試料溶液及び標準溶液 100 μL ずつを正確にとり，次の条件で液体クロマトグラフィー〈*2.01*〉により試験を行い，試料溶液及び標準溶液のボグリボースのピーク面積 A_T 及び A_S を測定する．

$$ボグリボース（C_{10}H_{21}NO_7）の表示量に対する溶出率（％）$$
$$= M_S \times A_T / A_S \times V′ / V \times 1 / C \times 9 / 50$$

M_S：脱水物に換算した定量用ボグリボースの秤取量（mg）
C：1錠中のボグリボース（$C_{10}H_{21}NO_7$）の表示量（mg）

ボグリボース口腔内崩壊錠　　C- 107

試験条件

装置，検出器，カラム温度，反応コイル，冷却コイル，移動相，反応液，反応温度，冷却温度及び反応液流量は定量法の試験条件を準用する．

カラム：内径 4.6 mm，長さ 7.5 cm のステンレス管に 5 μm の液体クロマトグラフィー用ポリアミンシリカゲルを充塡する．

移動相流量：ボグリボースの保持時間が約 5 分になるように調整する．

システム適合性

システムの性能：標準溶液 100 μL につき，上記の条件で操作するとき，ボグリボースのピークの理論段数及びシンメトリー係数は，それぞれ 900 段以上，1.5 以下である．

システムの再現性：標準溶液 100 μL につき，上記の条件で試験を 6 回繰り返すとき，ボグリボースのピーク面積の相対標準偏差は 3.0 % 以下である．

定　量　法　本品 20 個をとり，移動相 $4V/5$ mL を加え，超音波処理により崩壊させる．さらに 1 mL 中にボグリボース（$C_{10}H_{21}NO_7$）約 20 μg を含む液となるように移動相を加えて正確に V mL とする．この液を遠心分離し，上澄液を孔径 0.45 μm 以下のメンブランフィルターでろ過する．初めのろ液 5 mL を除き，次のろ液を試料溶液とする．別に定量用ボグリボース（別途「ボグリボース」と同様の方法で水分〈2.48〉を測定しておく）約 50 mg を精密に量り，移動相に溶かし正確に 100 mL とする．この液 2 mL を正確に量り，移動相を加えて正確に 50 mL とし，標準溶液とする．試料溶液及び標準溶液 50 μL ずつを正確にとり，次の条件で液体クロマトグラフィー〈2.01〉により試験を行い，それぞれの液のボグリボースのピーク面積 A_T 及び A_S を測定する．

本品 1 個中のボグリボース（$C_{10}H_{21}NO_7$）の量（mg）
$$= M_S \times A_T / A_S \times V / 50000$$

M_S：脱水物に換算した定量用ボグリボースの秤取量（mg）

試験条件

装置：移動相及び反応試薬送液用の二つのポンプ，試料導入部，カラム，反応コイル，冷却コイル，検出器並びに記録装置よりなり，反応コイル及び冷却コイルは恒温に保たれるものを用いる．（注3）

検出器：蛍光光度計（励起波長：350 nm，蛍光波長：430 nm）

カラム：内径 4.6 mm，長さ 25 cm のステンレス管に 5 μm の液体クロマトグラフィー用ポリアミンシリカゲルを充塡する．

カラム温度：25℃ 付近の一定温度

反応コイル：内径 0.5 mm，長さ 20 m のポリテトラフルオロエチレンチューブ

C-108　ボグリボース口腔内崩壊錠

冷却コイル：内径 0.3 mm，長さ 2 m のポリテトラフルオロエチレンチューブ

移動相：リン酸二水素ナトリウム二水和物 1.56 g を水 500 mL に溶かした液
に，リン酸水素二ナトリウム十二水和物 3.58 g を水 500 mL に溶かした液を
加えて pH 6.5 に調整する．この液 500 mL にアセトニトリル 500 mL を加え
る．

反応液：タウリン 6.25 g 及び過ヨウ素酸ナトリウム 2.56 g を水に溶かし，
1000 mL とする．

反応温度：100℃付近の一定温度

冷却温度：25℃付近の一定温度

移動相流量：ボグリボースの保持時間が約 15 分になるように調整する．

反応液流量：移動相の流量に同じ

システム適合性

システムの性能：標準溶液 50 μL につき，上記の条件で操作するとき，ボグリ
ボースのピークの理論段数及びシンメトリー係数は，それぞれ 3000 段以
上，1.5 以下である．

システムの再現性：標準溶液 50 μL につき，上記の条件で試験を 6 回繰り返
すとき，ボグリボースのピーク面積の相対標準偏差は 1.0％以下である．

貯　法　容器　気密容器．

──────── 注・解説 ────────

（→　ボグリボース）

処

注1　フルオレセインは四酢酸鉛により徐々に酸化されて蛍光を発さない物質に変
化する．一方，ボグリボースのスポット上では，四酢酸鉛はボグリボースのビシナル
水酸基と反応して消費され，フルオレセインを酸化しないため，蛍光のスポットとし
て観察される．なお，上記の原理からビシナル水酸基を有する化合物が添加剤として
共存する場合，同様に蛍光のスポットとして観察されることが考えられる．

注2　口腔内崩壊錠の製剤設計に依存するため，別に規定するとされた．

注3　「ボグリボース」の類縁物質や「ボグリボース錠」の定量法と同じ原理のポ
ストカラム蛍光ラベル化法である．

服薬指導　(1) 口腔内崩壊錠の場合，舌の上にのせて唾液を浸潤させると崩壊す
るため，水なしで服用可能であるが，水で服用することもできることを指導する．な
お，口腔内で崩壊するが，口腔粘膜からは吸収されないため，唾液または水で飲み込
むよう指導する．(2) 開封後も湿気を避けて保存するよう説明する．

ポリソルベート 80　　C- 109

医薬品各条の部　ポリソルベート 80 の条を次のように改める.

ポリソルベート 80

Polysorbate 80

　本医薬品各条は，三薬局方での調和合意に基づき規定した医薬品各条である.

　なお，三薬局方で調和されていない部分のうち，調和合意において，調和の対象とされた項中非調和となっている項の該当箇所は「◆　◆」で，調和の対象とされた項以外に日本薬局方が独自に規定することとした項は「◇　◇」で囲むことにより示す.

　三薬局方の調和合意に関する情報については，独立行政法人医薬品医療機器総合機構のウェブサイトに掲載している.

　本品は，主としてオレイン酸からなる脂肪酸でソルビトール及び無水ソルビトールを部分エステル化した混合物にエチレンオキシドを付加重合したものである.ソルビトール及び無水ソルビトールそれぞれ 1 モル当たりのエチレンオキシドの平均付加モル数は約 20 である.（注1）

◆**性　状**　本品は無色～帯褐黄色の澄明又は僅かに乳濁した油状の液である.（注2）

　本品は水，メタノール，エタノール（99.5）又は酢酸エチルと混和する.（注3）

　本品は脂肪油又は流動パラフィンにほとんど溶けない.

　粘度：約 400 mPa・s（25℃）

　比重　d_{20}^{20}：約 1.10 ◆

確認試験　脂肪酸含量比に適合する.

脂肪酸含量比　本品 0.10 g を 25 mL のフラスコに入れ，水酸化ナトリウムのメタノール溶液（1 → 50）2 mL に溶かし，還流冷却器を付け，30 分間加熱する.冷却器から三フッ化ホウ素・メタノール試液 2.0 mL を加え，30 分間加熱する.冷却器からヘプタン 4 mL を加え，5 分間加熱する.冷後，塩化ナトリウム飽和溶液 10.0 mL を加えて約 15 秒間振り混ぜ，更に上層がフラスコの首部にくるまで塩化ナトリウム飽和溶液を加える.上層 2 mL をとり，水 2 mL ずつで 3 回洗い，無水硫酸ナトリウムで乾燥し，試料溶液とする.試料溶液及び脂肪酸メチルエステル混合試液 1 μL につき，次の条件でガスクロマトグラフィー〈2.02〉により試験を行う.脂肪酸メチルエステル混合試液のクロマトグラムを用いて試料溶液のクロマトグラムの各々のピークを同定する.さらに試料溶液の各々のピーク面積を自動積分法により測定し，面積百分率法により脂肪酸含量比を求めるとき，ミリスチン酸は 5.0 ％以下，パルミチン酸は 16.0 ％以下，パルミトレイン酸は 8.0 ％以下，ステア

C– *110*   ポリソルベート80

リン酸は 6.0％以下，オレイン酸は 58.0％以上，リノール酸は 18.0％以下及びリノ
レン酸は 4.0％以下である．

試験条件

検出器：水素炎イオン化検出器

カラム：内径 0.32 mm，長さ 30 m のフューズドシリカ管の内面にガスクロマ
トグラフィー用ポリエチレングリコール 20M を厚さ 0.5 µm で被覆する．

カラム温度：80℃付近の一定温度で注入し，毎分 10℃で 220℃まで昇温し，
220℃を 40 分間保持する．

注入口温度：250℃付近の一定温度

検出器温度：250℃付近の一定温度

キャリヤーガス：ヘリウム

流量：50 cm/秒

スプリット比：1：50

システム適合性

検出の確認：下記の表の組成の脂肪酸メチルエステル混合物 0.50 g をヘプタ
ンに溶かし正確に 50 mL とし，システム適合性試験用溶液とする．この液
1 mL を正確に量り，ヘプタンを加えて正確に 10 mL とする．この液 1 µL
につき，上記の条件で操作するとき，ミリスチン酸メチルの SN 比は 5 以上
である．

脂肪酸メチルエステル混合物	含量比（％）
ガスクロマトグラフィー用ミリスチン酸メチル	5
ガスクロマトグラフィー用パルミチン酸メチル	10
ガスクロマトグラフィー用ステアリン酸メチル	15
ガスクロマトグラフィー用アラキジン酸メチル	20
ガスクロマトグラフィー用オレイン酸メチル	20
ガスクロマトグラフィー用エイコセン酸メチル	10
ベヘン酸メチル	10
ガスクロマトグラフィー用リグノセリン酸メチル	10

システムの性能：システム適合性試験用溶液 1 µL につき，上記の条件で操作
するとき，◇ステアリン酸メチル，オレイン酸メチルの順に流出し，◇その分
離度は 1.8 以上であり，ステアリン酸メチルのピークの理論段数は 30000
段以上である．

酸　価〈*1.13*〉 2.0 以下．ただし，溶媒として◆エタノール（95）◆を用いる． 注4

けん化価　本品約 4 g を精密に量り，250 mL のホウケイ酸ガラス製フラスコに入れ，

ポリソルベート80　　C-111

0.5 mol/L 水酸化カリウム・エタノール液 30 mL を正確に加え，更に 2〜3 個のガラスビーズを入れる．これに還流冷却器を付け，60 分間加熱する．フェノールフタレイン試液 1 mL 及びエタノール（99.5）50 mL を加え，直ちに 0.5 mol/L 塩酸で滴定〈2.50〉する．同様の方法で空試験を行う．次式によりけん化価を求めるとき，その値は 45〜55 である．

けん化価 ＝ $(a - b) \times 28.05／M$

M：本品の秤取量（g）
a：空試験における 0.5 mol/L 塩酸の消費量（mL）
b：本品の試験における 0.5 mol/L 塩酸の消費量（mL）

水酸基価　本品約 2 g を精密に量り，150 mL の丸底フラスコに入れ，無水酢酸・ピリジン試液 5 mL を正確に加え，これに空気冷却器を付け，水浴中の水面が絶えずフラスコ中の液面より約 2.5 cm 上にくるように浸して 1 時間加熱する．フラスコを水浴から取り出し，冷後，冷却器から水 5 mL を加える．液に曇りが現れた場合には，その曇りが消えるまでピリジンを加え，その量を記録する．フラスコを振り動かし，水浴中で再び 10 分間加熱する．フラスコを水浴から取り出し，冷後，冷却器及びフラスコの壁面を中和エタノール 5 mL で洗い込み，0.5 mol/L 水酸化カリウム・エタノール液で滴定〈2.50〉する（指示薬：フェノールフタレイン試液 0.2 mL）．同様の方法で空試験を行う．次式により水酸基価を求めるとき，その値は 65〜80 である．

水酸基価 ＝ $(a - b) \times 28.05／M ＋$ 酸価

M：本品の秤取量（g）
a：空試験における 0.5 mol/L 水酸化カリウム・エタノール液の消費量（mL）
b：本品の試験における 0.5 mol/L 水酸化カリウム・エタノール液の消費量（mL）

純度試験

(1) エチレンオキシド及び 1,4-ジオキサン　本品 1.00 g を正確に量り，10 mL のヘッドスペース用バイアルに入れ，水 2 mL を正確に加え，直ちにフッ素樹脂で被覆したシリコーンゴム製セプタムをアルミニウム製のキャップを用いてバイアルに固定して密栓する．バイアルを注意して振り混ぜた後，内容物を試料溶液とする．別にエチレンオキシドをジクロロメタンに溶かし，1 mL 中に 50 mg を含むように調製した液 0.5 mL を正確にとり，水を加えて正確に 50 mL とする．この液を室温になるまで放置した後，その 1 mL を正確にとり，水を加えて正確に 250 mL とし，

C– *112*　ポリソルベート80

エチレンオキシド原液とする．また，1,4-ジオキサン1 mL を正確に量り，水を加えて正確に200 mL とする．この液1 mL を正確に量り，水を加えて正確に100 mL とし，1,4-ジオキサン原液とする．エチレンオキシド原液6 mL 及び1,4-ジオキサン原液2.5 mL をそれぞれ正確に量り，水を加えて正確に25 mL とし，エチレンオキシド・1,4-ジオキサン標準原液とする．本品1.00 g を正確に量り，10 mL のヘッドスペース用バイアルに入れ，エチレンオキシド・1,4-ジオキサン標準原液2 mL を正確に加え，直ちにフッ素樹脂で被覆したシリコーンゴム製セプタムをアルミニウム製のキャップを用いてバイアルに固定して密栓する．バイアルを注意して振り混ぜた後，内容物を標準溶液とする．試料溶液及び標準溶液のそれぞれにつき，次の条件でガスクロマトグラフィー〈2.02〉のヘッドスペース法により試験を行う．次式によりエチレンオキシド及び1,4-ジオキサンの量を求めるとき，それぞれ1 ppm 以下及び10 ppm 以下である．

$$エチレンオキシドの量（ppm）= 2 \times C_{EO} \times A_a / (A_b - A_a)$$

C_{EO}：標準溶液に添加されたエチレンオキシド濃度（μg/mL）
A_a：試料溶液のエチレンオキシドのピーク面積
A_b：標準溶液のエチレンオキシドのピーク面積

1,4-ジオキサンの量（ppm）
$$= 2 \times 1.03 \times C_D \times A_a' \times 1000 / (A_b' - A_a')$$

C_D：標準溶液に添加された1,4-ジオキサン濃度（μL/mL）
1.03：1,4-ジオキサンの密度（g/mL）
A_a'：試料溶液の1,4-ジオキサンのピーク面積
A_b'：標準溶液の1,4-ジオキサンのピーク面積

ヘッドスペース装置の操作条件
　バイアル内平衡温度：80℃付近の一定温度
　バイアル内平衡時間：30 分間
　キャリヤーガス：ヘリウム
　試料注入量：1.0 mL
試験条件
　検出器：水素炎イオン化検出器
　カラム：内径0.53 mm，長さ50 m のフューズドシリカ管の内面にガスクロマトグラフィー用5％ジフェニル・95％ジメチルポリシロキサンを厚さ5 μm で被覆する．

ポリソルベート80　　C-113

カラム温度：70℃付近の一定温度で注入し，その後，毎分10℃で250℃まで
昇温し，250℃を5分間保持する．

注入口温度：85℃付近の一定温度

検出器温度：250℃付近の一定温度

キャリヤーガス：ヘリウム

流量：毎分4.0 mL

スプリット比：1：3.5

システム適合性

システムの性能：アセトアルデヒド0.100 gを量り，100 mLのメスフラスコ
に入れ，水を加えて100 mLとする．この液1 mLを正確に量り，水を加え
て正確に100 mLとする．この液2 mL及びエチレンオキシド原液2 mLを
それぞれ正確に量り，10 mLのヘッドスペース用バイアルに入れ，直ちにフ
ッ素樹脂で被覆したシリコーンゴム製セプタムをアルミニウム製のキャップ
を用いてバイアルに固定して密栓する．バイアルを注意して振り混ぜた後，
内容物をシステム適合性試験用溶液とする．標準溶液及びシステム適合性試
験用溶液につき，上記の条件で操作するとき，アセトアルデヒド，エチレン
オキシド，1,4-ジオキサンの順に流出し，アセトアルデヒドとエチレンオキ
シドの分離度は2.0以上である．

(2) 過酸化物価　本品約10 gを精密に量り，100 mLのビーカーに入れ，酢酸
(100) 20 mLに溶かす．この液に飽和ヨウ化カリウム溶液1 mLを加え，1分間放
置する．新たに煮沸して冷却した水50 mLを加え，マグネチックスターラーでか
き混ぜながら，0.01 mol/Lチオ硫酸ナトリウム液で滴定〈2.50〉する（電位差滴定
法）．同様の方法で空試験を行い，補正する．次式により過酸化物価を求めるとき，
その値は10.0以下である．

$$過酸化物価 = (a - b) \times 10／M$$

M：本品の秤取量（g）
a：本品の試験における0.01 mol/Lチオ硫酸ナトリウム液の消費量（mL）
b：空試験における0.01 mol/Lチオ硫酸ナトリウム液の消費量（mL）

水　分　〈2.48〉　3.0％以下（1 g，容量滴定法，直接滴定）．

強熱残分　あらかじめ石英製又は白金製のるつぼを30分間赤熱し，デシケーター
（シリカゲル又は他の適切な乾燥剤）中で放冷後，その質量を精密に量る．本品
2.00 gをるつぼに入れ，表面が平らになるように広げた後，100～105℃で1時間
乾燥し，◇更になるべく低温で徐々に加熱して，試料を完全に炭化させる．◇次いで
電気炉に入れ，恒量になるまで600 ± 25℃で強熱した後，るつぼをデシケーター

C- *114*　ホルモテロールフマル酸塩水和物

中で放冷し，その質量を精密に量る．操作中は，炎をあげて燃焼しないように注意する．強熱の後でも残留物中に黒色粒子が認められる場合には，残留物に熱湯を加え，定量分析用ろ紙を用いてろ過し，残留物をろ紙と共に強熱する．これにろ液を加えた後，注意深く蒸発乾固し，恒量になるまで強熱する．残分の量は 0.25％以下である．

貯　法

保存条件　遮光して保存する．

容器　気密容器．

―――― 注・解説 ――――

注1　本品の組成式及び構造式を図1に示す．

組成式　　　$C_{24}H_{44}O_6(C_2H_4O)_w(C_2H_4O)_z(C_2H_4O)_y(C_2H_4O)_x$

構造式

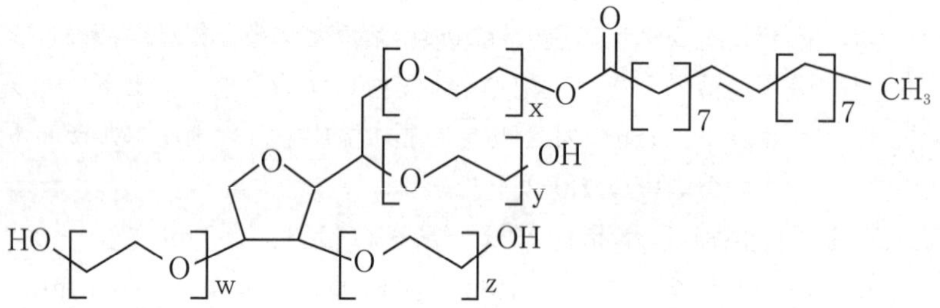

図1　ポリソルベート80の組成式及び構造式

注2　本品はわずかに特異な臭いがある．

注3　本品の5％水溶液の pH は 6.0 〜 8.0 である．

注4　酸価の溶媒は国際調和の対象外である．

医薬品各条の部　ホルモテロールフマル酸塩水和物の条化学名の項及び純度試験の項を次のように改める．

㊙ホルモテロールフマル酸塩水和物

$(C_{19}H_{24}N_2O_4)_2 \cdot C_4H_4O_4 \cdot 2H_2O$：840.91

N-(2-Hydroxy-5-{(1*RS*)-1-hydroxy-2-[(2*RS*)-1-(4-methoxyphenyl)propan-

ホルモテロールフマル酸塩水和物　　C- 115

2-ylamino]ethyl}phenyl）formamide hemifumarate monohydrate

純度試験

(1)　類縁物質 (注1)　本品 20 mg を希釈液に溶かし，100 mL とし，試料溶液とする．試料溶液 20 μL につき，次の条件で液体クロマトグラフィー〈2.01〉により試験を行う．試料溶液の各々のピーク面積を自動積分法により測定し，面積百分率法によりそれらの量を求めるとき，ホルモテロールに対する相対保持時間約 0.5 の類縁物質 A のピークの量は 0.3 ％以下，相対保持時間約 0.7，約 1.2，約 1.3 及び約 2.0 の類縁物質 B，類縁物質 C，類縁物質 D 及び類縁物質 F のピークの量はそれぞれ 0.2 ％以下，相対保持時間約 1.8 の類縁物質 E のピークの量は 0.1 ％以下であり，ホルモテロール及び上記以外のピークの量は 0.1 ％以下である．また，ホルモテロール以外のピークの合計量は 0.5 ％以下である．ただし，類縁物質 A のピーク面積は自動積分法で求めた面積に感度係数 1.75 を乗じた値とする．

　　希釈液：リン酸二水素ナトリウム二水和物 6.9 g 及び無水リン酸水素二ナトリウム 0.8 g を水に溶かし，1000 mL とする．0.5 mol/L リン酸水素二ナトリウム試液又は薄めたリン酸（27 → 400）を加えて pH 6.0 に調整する．この液 21 容量にアセトニトリル 4 容量を加える．

　試験条件 (注2)

　　検出器：紫外吸光光度計（測定波長：214 nm）

　　カラム：内径 4.6 mm，長さ 15 cm のステンレス管に 5 μm の液体クロマトグラフィー用オクチルシリル化シリカゲルを充塡する．(注3)

　　カラム温度：22℃付近の一定温度

　　移動相 A：リン酸二水素ナトリウム二水和物 4.2 g 及びリン酸 0.35 g を水に溶かし，1000 mL とする．リン酸二水素ナトリウム二水和物 156 g を水に溶かして 1000 mL とした液又は薄めたリン酸（27 → 400）を加えて pH 3.1 に調整する．

　　移動相 B：液体クロマトグラフィー用アセトニトリル

　　移動相の送液：移動相 A 及び移動相 B の混合比を次のように変えて濃度勾配制御する．

注入後の時間 （分）	移動相 A （vol％）	移動相 B （vol％）
0 〜 10	84	16
10 〜 37	84 → 30	16 → 70

　　流量：毎分 1.0 mL（ホルモテロールの保持時間約 10 分）

C– *116*　　ホルモテロールフマル酸塩水和物

　　　面積測定範囲：フマル酸のピークの後から注入後 37 分まで
　　システム適合性 (注4)
　　　検出の確認：試料溶液 1 mL を正確に量り，希釈液を加えて正確に 100 mL と
　　　　する．この液 1 mL を正確に量り，希釈液を加えて正確に 20 mL とする．こ
　　　　の液 20 μL につき，上記の条件で操作するとき，ホルモテロールのピークの
　　　　SN 比は 10 以上である．
　　　システムの性能：試料溶液 20 μL につき，上記の条件で操作するとき，ホルモ
　　　　テロールのピークの理論段数及びシンメトリー係数は，それぞれ 2000 段以
　　　　上，3.0 以下である．
(2)　ジアステレオマー　本品 5 mg を水に溶かし，50 mL とし，試料溶液とする．
試料溶液 20 μL につき，次の条件で液体クロマトグラフィー〈*2.01*〉により試験を
行う．試料溶液のホルモテロールのピーク面積 A_f 及びホルモテロールに対する相
対保持時間約 1.2 の類縁物質 I（ジアステレオマー）(注5) のピーク面積 A_d を自動
積分法により測定し，次式によりジアステレオマーの量を求めるとき，0.3 % 以下
である．

$$ジアステレオマーの量（\%）= A_d \big/ (A_d + A_f) \times 100$$

　　試験条件 (注2)
　　　検出器：紫外吸光光度計（測定波長：225 nm）
　　　カラム：内径 4.6 mm，長さ 15 cm のステンレス管に 5 μm の液体クロマトグ
　　　　ラフィー用オクタデシルシリル化ポリビニルアルコールゲルポリマーを充填
　　　　する．(注6)
　　　カラム温度：22℃付近の一定温度
　　　移動相：リン酸カリウム三水和物 5.3 g を水に溶かし，1000 mL とする．水酸
　　　　化カリウム溶液（281 → 1000）又はリン酸を加えて pH 12.0 に調整する．
　　　　この液 22 容量に液体クロマトグラフィー用アセトニトリル 3 容量を加え
　　　　る．
　　　流量：毎分 0.5 mL（ホルモテロールの保持時間約 22 分）
　　システム適合性 (注4)
　　　検出の確認：試料溶液 1 mL を正確に量り，水を加えて正確に 20 mL とする．
　　　　この液 1 mL を正確に量り，水を加えて正確に 25 mL とする．この液 20 μL
　　　　につき，上記の条件で操作するとき，ホルモテロールのピークの SN 比は
　　　　10 以上である．
　　　システムの性能：試料溶液 20 μL につき，上記の条件で操作するとき，ホルモ
　　　　テロールのピークの理論段数及びシンメトリー係数は，それぞれ 4300 段以
　　　　上，1.7 以下である．

ホルモテロールフマル酸塩水和物　　C– 117

同条貯法の項の次に次を加える.

その他
　類縁物質 A：
　2-Amino-4-{1-hydroxy-2-[1-(4-methoxyphenyl)propan-2-ylamino]ethyl}phenol

　類縁物質 B：
　N-(2-Hydroxy-5-{1-hydroxy-2-[2-(4-methoxyphenyl)ethylamino]ethyl}phenyl)-
　formamide

　類縁物質 C：
　N-(2-Hydroxy-5-{1-hydroxy-2-[1-(4-methoxyphenyl)propan-2-
　ylamino]ethyl}phenyl)acetamide

　類縁物質 D：
　N-(2-Hydroxy-5-{1-hydroxy-2-[1-(4-methoxyphenyl)propan-2-
　ylmethylamino]ethyl}phenyl)formamide

C– 118 ホルモテロールフマル酸塩水和物

類縁物質 E：

N–(2–Hydroxy–5–{1–hydroxy–2–[1–(4–methoxy–3–methylphenyl)propan–2–ylamino]ethyl}phenyl)formamide

類縁物質 F：

N–(2–Hydroxy–5–{1–(2–hydroxy–5–{1–hydroxy–2–[1–(4–methoxyphenyl)propan–2–ylamino]ethyl}phenyl)amino–2–[1–(4–methoxyphenyl)propan–2–ylamino]ethyl}phenyl)formamide

類縁物質 I（ジアステレオマー）：

N–(2–Hydroxy–5–{(1*RS*)–1–hydroxy–2–[(2*SR*)–1–(4–methoxyphenyl)propan–2–ylamino]ethyl}phenyl)formamide

及び鏡像異性体

ホルモテロールフマル酸塩水和物　　C-119

─────── 注・解説 ───────

㊙

注1　類縁物質 A～F は，USP 及び EP においても同じ名称，同じ基準で個別
規定されている．USP 及び EP ではこの他に，類縁物質 G（ホルモテロールに対
する相対保持時間 0.5）及び類縁物質 H（同，2.2）が明記され，USP では個別に
0.1％以下の基準が設定されている．日局 及び EP では，その他のピークとして
0.1％（EP は 0.10％）以下で規定されており，規格としては USP と変わらない．

類縁物質 G：(2RS)-1-(4-Methoxyphenyl)propan-2-amine

及び鏡像異性体

類縁物質 H：N-[5-[(1RS)-2-[Benzyl[(1RS)-2-(4-methoxyphenyl)-1-
methylethyl]amino]-1-hydroxyethyl]-2-hydroxyphenyl]formaide（monobenzyl
analogue）

及び鏡像異性体

注2　測定波長，カラム，移動相及び流量等は，USP 及び EP と同条件である．
注3　原案作成に用いられたカラムは，Zorbax SB-C8 である．
注4　同一クロマト内で，面積を比較していることから再現性は設定されていな
い．
注5　USP 及び EP において，ジアステレオマーは類縁物質 I とされている．
混乱を避けるため，日局 でも同じ名称としている．
注6　原案作成に用いられたカラムは，Asahipak ODP-50 である．

C-120　D-マンニトール

医薬品各条の部　D-マンニトールの条を次のように改める.

D-マ ン ニ ト ー ル

D-Mannitol

$C_6H_{14}O_6$：182.17

D-Mannitol

[69-65-8]

　本医薬品各条は，三薬局方での調和合意に基づき規定した医薬品各条である.

　なお，三薬局方で調和されていない部分のうち，調和合意において，調和の対象とされた項中非調和となっている項の該当箇所は「◆　◆」で，調和の対象とされた項以外に日本薬局方が独自に規定することとした項は「◇　◇」で囲むことにより示す.◇

　三薬局方の調和合意に関する情報については，独立行政法人医薬品医療機器総合機構のウェブサイトに掲載している.

　本品は定量するとき，換算した乾燥物に対し，D-マンニトール（$C_6H_{14}O_6$）97.0～102.0％を含む.（注1）

◆**性　状**　本品は白色の結晶，粉末又は粒で，味は甘く，冷感がある.（注2）

　本品は水に溶けやすく，エタノール（99.5）にほとんど溶けない.

　本品は水酸化ナトリウム試液に溶ける.

　本品は結晶多形が認められる.◆

確認試験　本品につき，赤外吸収スペクトル測定法〈2.25〉の臭化カリウム錠剤法により試験を行い，本品のスペクトルと本品の参照スペクトル又はD-マンニトール標準品のスペクトルを比較するとき，両者のスペクトルは同一波数のところに同様の強度の吸収を認める.　もし，これらのスペクトルに差を認めるときは，本品及びD-マンニトール標準品25 mgずつをそれぞれガラス容器にとり，水0.25 mLを加え，加熱せずに溶かした後，得られた澄明な溶液を出力600～700Wの電子レンジを用い，20分間乾燥するか，又は乾燥器に入れ，100℃で1時間加熱した後，引き続いて徐々に減圧して乾燥する.　得られた粘着性のない，白色～微黄色の粉末に

D-マンニトール　　C-121

つき，同様の試験を行うとき，両者のスペクトルは同一波数のところに同様の強度の吸収を認める．(注3)

融　点〈*2.60*〉　165～170℃

純度試験

(1)　溶状　本品5.0gを水に溶かし，50mLとする．これを検液として濁度試験法〈*2.61*〉により試験を行うとき，澄明であり，色の比較試験法〈*2.65*〉の第2法により試験を行うとき，その色は無色である．

(2)　ニッケル　本品10.0gに2mol/L酢酸試液30mLを加えて振り混ぜた後，水を加えて溶かし，正確に100mLとする．ピロリジンジチオカルバミン酸アンモニウム飽和溶液（約10g/L）2.0mL及び水飽和4-メチル-2-ペンタノン10.0mLを加え，光を避け，30秒間振り混ぜる．これを静置して4-メチル-2-ペンタノン層を分取し，試料溶液とする．別に本品10.0gずつを3個の容器に入れ，それぞれに2mol/L酢酸試液30mLを加えて振り混ぜた後，水を加えて溶かし，原子吸光光度用ニッケル標準液0.5mL，1.0mL及び1.5mLをそれぞれ正確に加え，水を加えてそれぞれ正確に100mLとする．以下試料溶液と同様に操作し，標準溶液とする．別に本品を用いず，試料溶液と同様に操作して得た4-メチル-2-ペンタノン層を空試験液とする．試料溶液及び標準溶液につき，次の条件で原子吸光光度法〈*2.23*〉の標準添加法により試験を行う．空試験液は装置のゼロ合わせに用い，また測定試料の切替え時，試料導入系を水で洗浄した後，吸光度の指示が0に戻っていることの確認に用いる．ニッケルの量は1ppm以下である．

　　使用ガス：
　　　　可燃性ガス　アセチレン
　　　　支燃性ガス　空気
　　　ランプ：ニッケル中空陰極ランプ
　　　波長：232.0nm(注4)

(3)　類縁物質　本品0.50gを水に溶かし，10mLとし，試料溶液とする．この液2mLを正確に量り，水を加えて正確に100mLとし，標準溶液（1）とする．この液0.5mLを正確に量り，水を加えて正確に20mLとし，標準溶液（2）とする．試料溶液，標準溶液（1）及び標準溶液（2）20μLずつを正確にとり，次の条件で液体クロマトグラフィー〈*2.01*〉により試験を行う．それぞれの液の各々のピーク面積を自動積分法により測定するとき，試料溶液のD-マンニトールに対する相対保持時間約1.2のD-ソルビトールのピーク面積は，標準溶液（1）のD-マンニトールのピーク面積より大きくなく（2.0%以下），試料溶液の相対保持時間約0.69のマルチトール及び相対保持時間約0.6及び約0.73のイソマルトのピークの合計面積は，標準溶液（1）のD-マンニトールのピーク面積より大きくなく（2.0%以下），試料溶液のD-マンニトール及び上記以外のピークの面積は，標準溶液（2）のD-マンニトールのピーク面積の2倍より大きくない（0.1%以下）．また，試料

C- *122*　　D-マンニトール

溶液の D-マンニトール以外のピークの合計面積は，標準溶液（1）の D-マンニトールのピーク面積より大きくない（2.0％以下）．ただし，標準溶液（2）の D-マンニトールのピーク面積以下のピークは計算しない（0.05％以下）．

　　試験条件

　　　　検出器，カラム，カラム温度，移動相及び流量は定量法の試験条件を準用する．

　　　　面積測定範囲：D-マンニトールの保持時間の約 1.5 倍の範囲

　　システム適合性

　　　　システムの性能は定量法のシステム適合性を準用する．

　　　　◇検出の確認：標準溶液（2）20 μL から得た D-マンニトールのピーク面積が，標準溶液（1）の D-マンニトールのピーク面積の 1.75 〜 3.25％になることを確認する．

　　　　システムの再現性：標準溶液（1）20 μL につき，上記の条件で試験を 6 回繰り返すとき，D-マンニトールのピーク面積の相対標準偏差は 1.0％以下である．◇

（4）　ブドウ糖　本品 7.0 g に水 13 mL を加えた後，フェーリング試液 40 mL を加え，3 分間穏やかに煮沸する．2 分間放置して酸化銅(Ⅰ)を沈殿させ，上澄液をろ材面上にケイソウ土の薄い層を形成させた酸化銅ろ過用ガラスろ過器又はガラスろ過器（G4）を用いてろ過し，更にフラスコ内の沈殿を 50 〜 60℃の温湯で洗液がアルカリ性を呈しなくなるまで洗い，洗液は先のガラスろ過器でろ過し，これまで得られたろ液は全て捨てる．直ちにフラスコ内の沈殿を硫酸鉄(Ⅲ)試液 20 mL に溶かし，これを先のガラスろ過器を用いてろ過した後，水 15 〜 20 mL で洗い，ろ液及び洗液を合わせ，80℃で加熱し，0.02 mol/L 過マンガン酸カリウム液で滴定〈*2.50*〉するとき，その消費量は 3.2 mL 以下である．ただし，滴定の終点は，緑色から淡赤色への色の変化が少なくとも 10 秒間持続するときとする（ブドウ糖として 0.1％以下）．（注5）

導 電 率〈*2.51*〉　本品 20.0 g に新たに煮沸して冷却した蒸留水を加え，40 〜 50℃に加温して溶かし，水を加えて 100 mL とし，試料溶液とする．冷後，試料溶液をマグネチックスターラーで緩やかにかき混ぜながら 25 ± 0.1℃で試験を行い，導電率を求めるとき，20 μS·cm^{-1} 以下である．

乾燥減量〈*2.41*〉　0.5％以下（1 g，105℃，4 時間）．

定 量 法　本品及び D-マンニトール標準品（別途本品と同様の条件で乾燥減量〈*2.41*〉を測定しておく）約 0.5 g ずつを精密に量り，それぞれを水に溶かし，正確に 10 mL とし，試料溶液及び標準溶液とする．試料溶液及び標準溶液 20 μL ずつを正確にとり，次の条件で液体クロマトグラフィー〈*2.01*〉により試験を行い，それぞれの液の D-マンニトールのピーク面積 A_T 及び A_S を測定する．

D－マンニトール　C-123

D－マンニトール（$C_6H_{14}O_6$）の量（g）$= M_S \times A_T／A_S$

M_S：乾燥物に換算した D－マンニトール標準品の秤取量（g）

試験条件
　検出器：一定温度に維持した示差屈折計（例えば 40℃）
　カラム：内径 7.8 mm，長さ 30 cm のステンレス管にジビニルベンゼンで架橋
　　させたポリスチレンにスルホン酸基を結合した 9 µm の液体クロマトグラフ
　　ィー用強酸性イオン交換樹脂（架橋度：8％）（Ca 型）を充塡する．
　カラム温度：85 ± 2℃
　移動相：水
　流量：毎分 0.5 mL（D－マンニトールの保持時間約 20 分）
システム適合性
　システムの性能：本品 0.25 g 及び D－ソルビトール 0.25 g を水に溶かし，
　　10 mL とし，システム適合性試験用溶液（1）とする．マルチトール 0.5 g
　　及びイソマルト 0.5 g を水に溶かし，100 mL とする．この液 2 mL に水を加
　　えて 10 mL とし，システム適合性試験用溶液（2）とする．システム適合性
　　試験用溶液（1）及びシステム適合性試験用溶液（2）それぞれ 20 µL につ
　　き，上記の条件で操作するとき，イソマルト（1 番目のピーク），マルチト
　　ール，イソマルト（2 番目のピーク），D－マンニトール，D－ソルビトールの
　　順に溶出し，D－マンニトールに対するイソマルト（1 番目のピーク），マル
　　チトール，イソマルト（2 番目のピーク）及び D－ソルビトールの相対保持
　　時間は，約 0.6，約 0.69，約 0.73 及び約 1.2 であり，また，D－マンニトー
　　ルと D－ソルビトールの分離度は 2.0 以上である．マルチトールとイソマル
　　トの 2 番目のピークは重なることがある．
　◇システムの再現性：標準溶液 20 µL につき，上記の条件で試験を 6 回繰り返
　　すとき，D－マンニトールのピーク面積の相対標準偏差は 1.0％以下である．◇
◆貯　法　容器　密閉容器．◆

──────── 注・解説 ────────

注1　食添は 96.0 ％以上，WHO（food additives）は 96.0 ～ 102.0 ％（Mannitol）
である．ICH Q3D 経過措置期間終了に伴う対応として，第一追補で重金属試験は削
除された．
注2　6 価の糖アルコールで酸，アルカリ及び空気中の酸素に安定である．甘味は
ショ糖の 0.6 ～ 0.7 倍であるが，さわやかな食感がある．1 g は約 6 mL の水に溶け
る．溶解熱は － 28.9 cal/g（25℃），屈折率は 1.35（10 ％水溶液，25℃）である．吸
湿性はない．

C- *124*　*l*-メントール

注3　D-マンニトールは結晶形の異なる *α* 型，*β* 型及び *δ* 型が市場に流通している．参照スペクトル及び D-マンニトール標準品は最も一般的な *β* 型である．*α* 型及び *δ* 型では，標準品を比較に用いた再結晶を行う試験が必要となる．

注4　ニッケルは本品製造の際の触媒（Raney Ni）として用いられている．

注5　ブドウ糖によりフェーリング試液が還元されて生じる Cu_2O を硫酸鉄(III)試液で酸化して溶かし，この際，第二鉄塩が還元されて生じる第一鉄塩を過マンガン酸カリウム液で滴定し，Cu_2O の量すなわちブドウ糖の量を測定する．フェーリング試液との加熱は 3 分間穏やかに煮沸することを厳守する．

医薬品各条の部　*dl*-メントールの条貯法の項を次のように改める．

dl-メ　ン　ト　ー　ル

貯　法　容器　気密容器．　注1

──────── 注・解説 ────────

注1　*l*-メントールの貯法規定に対する改正提案に伴い，類似の化合物である *dl*-メントールについても，安定性試験（6.5 箇月の加速試験及び 36 箇月以上の長期保存試験）結果に問題がないことが確認されたため，冷所での保存規定が削除された．メントール類の保存温度に関する詳細は，*l*-メントール各条の 注1 を参照されたい．

医薬品各条の部　*l*-メントールの条貯法の項を次のように改める．

l-メ　ン　ト　ー　ル

貯　法　容器　気密容器．　注1

──────── 注・解説 ────────

注1　8局 から 17局 までは冷所での保存が規定されていたが，室温保存でも品質保持に問題はないことが，12 箇月の加速試験（中間的な条件：$30 \pm 2℃$ / 相対湿度 $65 \pm 5\%$）及び 48 箇月の長期安定性試験結果で提示されたため，削除された．なお，EP の MENTHOL, RACEMIC 各条にも保存温度に関する規定はない．USP の Menthol 各条には，"preferably at controlled room temperature" の記載があり，制御された室温とは，"The temperature maintained thermostatically that encompasses

黄色ワセリン　　C-125

the usual and customary working environment of 20°-25° (68°-77°F)." (〈659〉 PACKAGING AND STORAGE REQUIREMENTS) とされている. 日局 の冷所は, 1～15℃の場所を指す.

　医薬品各条の部　モノステアリン酸グリセリンの条確認試験の項（1）の目を削り,（2）の目を確認試験とする. 注1

──────── 注・解説 ────────

注1　確認試験（1）では，本品に硫化水素カリウムを加えて加熱したときの，アクロレイン刺激臭の発生を確認することになっていた．しかし，アクロレインの蒸気は眼，耳鼻を刺激するなど健康被害の危険性があるため，試験法から除外された.

　医薬品各条の部　黄色ワセリンの条を次のように改める.

黄 色 ワ セ リ ン

Yellow Petrolatum

　本医薬品各条は，三薬局方での調和合意に基づき規定した医薬品各条である.
　なお，三薬局方で調和されていない部分のうち，調和合意において，調和の対象とされた項中非調和となっている項の該当箇所は「◆　◆」で，調和の対象とされた項以外に日本薬局方が独自に規定することとした項は「◇　◇」で囲むことにより示す.
　三薬局方の調和合意に関する情報については，独立行政法人医薬品医療機器総合機構のウェブサイトに掲載している.

　本品は，石油から得られる炭化水素類の半固形混合物を精製したものである.
　本品には抗酸化剤◇としてジブチルヒドロキシトルエン又は適切な型のトコフェロール◇を加えることができる．◆抗酸化剤を加えた場合は，その名称と配合量を表示する.◆
◆性　状　本品は黄色の全質均等の軟膏様物質で，におい及び味はない.
　本品はエタノール（95）に溶けにくく，水にほとんど溶けない.
　本品は加温するとき，黄色の澄明な液となり，この液は僅かに蛍光を発する.◆
確認試験　本品約2 mgを窓板上にとり，別の窓板で挟んで試料を広げたものにつ

C- 126　黄色ワセリン

き，赤外吸収スペクトル測定法〈2.25〉の液膜法により試験を行い，本品のスペクトルと本品の参照スペクトルを比較するとき，両者のスペクトルは同一波数のところに同様の強度の吸収を認める.

◇**融　点**〈2.60〉　38〜60℃（第3法）.◇

純度試験

(1)　色　本品約10gを水浴上で融解させ，その5mLを15×150mmの透明なガラス試験管に移し，融解状態を保つとき，液の色は次の比較液（1）より濃くなく，比較液（2）と同じか又はこれより濃い．比色に際しては白色の背景を用い，反射光で側方から比色する.

比較液（1）：塩化鉄（Ⅲ）の色の比較原液3.8mLに塩化コバルト（Ⅱ）の色の比較原液1.2mLをそれぞれ正確に量り，15×150mmの透明なガラス試験管で混和する.

比較液（2）：塩化鉄（Ⅲ）の色の比較原液0.5mL及び薄めた希塩酸（1→10）4.5mLをそれぞれ正確に量り，15×150mmの透明なガラス試験管で混和する.

(2)　酸又はアルカリ　本品10gに熱湯20mLを加え，1分間激しく振り混ぜた後，放冷する．液相10mLをとり，フェノールフタレイン試液0.1mLを加えるとき，液は無色である．淡赤色又は赤色を呈するまで0.01mol/L水酸化ナトリウム液を加えるとき，その量は0.5mL以下である．（注1）

(3)　多環芳香族炭化水素　本品1.0gを，あらかじめ吸収スペクトル用ジメチルスルホキシド10mLずつで2回振り混ぜた吸収スペクトル用ヘキサン50mLに溶かす．この液を潤滑仕上げされていないすりガラスパーツ（留め具，栓）が付いた分液漏斗に移す．この分液漏斗に吸収スペクトル用ジメチルスルホキシド20mLを加え，1分間激しく振り混ぜた後，透明な二層が形成されるまで放置する．下層を別の分液漏斗に移し，更に吸収スペクトル用ジメチルスルホキシド20mLを加えて抽出を繰り返す．各抽出操作で得られた下層を合わせ，吸収スペクトル用ヘキサン20mLと1分間激しく振り混ぜる．透明な二層が形成されるまで放置した後，下層を分離し，吸収スペクトル用ジメチルスルホキシドを加えて正確に50mLとし，試料溶液とする．この液につき，層長1cmで波長265〜420nmの吸光度を測定する．対照液には，吸収スペクトル用ヘキサン25mL及び吸収スペクトル用ジメチルスルホキシド10mLを1分間激しく振り混ぜた後，透明な二層が形成されるまで放置して得られた下層を用いる．別にナフタレン約6mgを精密に量り，吸収スペクトル用ジメチルスルホキシドに溶かし，正確に100mLとする．この液10mLを正確に量り，吸収スペクトル用ジメチルスルホキシドを加え，正確に100mLとし，標準溶液とする．紫外可視吸光度測定法〈2.24〉により標準溶液につき，層長1cmで波長278nmにおける吸光度を測定し，試料溶液につき波長265〜420nmにおける吸収スペクトルを測定するとき，試料溶液の最大吸光度

白色ワセリン　　C‒127

は，標準溶液の波長 278 nm における吸光度の 1/4 を超えない．

強熱残分〈2.44〉　0.05％以下（2 g）．

◆**貯　法**　容器　気密容器．◆

──────── 注・解説 ────────

（→　白色ワセリン）

注1　本品の精製に用いた酸又はアルカリの残存及び有機酸の有無を検する．石油中の酸性物質としては，naphthenic acid $C_nH_{2n-1}CO_2H$ その他高級脂肪酸，フェノールなどがある．適正な精製法をほどこしてあれば，これらは除かれているはずである．

医薬品各条の部　白色ワセリンの条を次のように改める．

白 色 ワ セ リ ン

White Petrolatum

本医薬品各条は，三薬局方での調和合意に基づき規定した医薬品各条である．
　なお，三薬局方で調和されていない部分のうち，調和合意において，調和の対象とされた項中非調和となっている項の該当箇所は「◆　　◆」で，調和の対象とされた項以外に日本薬局方が独自に規定することとした項は「◇　　◇」で囲むことにより示す．
　三薬局方の調和合意に関する情報については，独立行政法人医薬品医療機器総合機構のウェブサイトに掲載している．

　本品は，石油から得られる炭化水素類の半固形混合物を精製し，完全に，又は大部分を脱色したものである．
　本品には◇抗酸化剤としてジブチルヒドロキシトルエン又は適切な型のトコフェロール◇を加えることができる．◆抗酸化剤を加えた場合は，その名称と配合量を表示する．◆ 注1

◆**性　状**　本品は白色〜微黄色の全質均等の軟膏様物質で，におい及び味はない．
　本品は水又はエタノール（95）にほとんど溶けない．
　本品は加温するとき，澄明な液となる．◆ 注2

確認試験　本品約 2 mg を窓板上にとり，別の窓板で挟んで試料を広げたものにつき，赤外吸収スペクトル測定法〈2.25〉の液膜法により試験を行い，本品のスペクトルと本品の参照スペクトルを比較するとき，両者のスペクトルは同一波数のところに同様の強度の吸収を認める．

C-128　白色ワセリン

◇融　点〈2.60〉　38 ～ 60℃（第3法）．◇（注3）

純度試験

（1）　色　本品約10 g を水浴上で融解させ，その5 mL を 15×150 mm の透明なガラス試験管に移し，融解状態を保つとき，液の色は次の比較液より濃くない．比色に際しては白色の背景を用い，反射光で側方から比色する．

　　比較液：塩化鉄（Ⅲ）の色の比較原液 0.5 mL 及び薄めた希塩酸（1 → 10）4.5 mL
　　　　をそれぞれ正確に量り，15×150 mm の透明なガラス試験管で混和する．

（2）　酸又はアルカリ　本品10 g に熱湯 20 mL を加え，1分間激しく振り混ぜた後，放冷する．液相 10 mL をとり，フェノールフタレイン試液 0.1 mL を加えるとき，液は無色である．淡赤色又は赤色を呈するまで 0.01 mol/L 水酸化ナトリウム液を加えるとき，その量は 0.5 mL 以下である．（注4）

（3）　多環芳香族炭化水素　本品1.0 g を，あらかじめ吸収スペクトル用ジメチルスルホキシド 10 mL ずつで2回振り混ぜた吸収スペクトル用ヘキサン 50 mL に溶かす．この液を潤滑仕上げされていないすりガラスパーツ（留め具，栓）が付いた分液漏斗に移す．この分液漏斗に吸収スペクトル用ジメチルスルホキシド 20 mL を加え，1分間激しく振り混ぜた後，透明な二層が形成されるまで放置する．下層を別の分液漏斗に移し，更に吸収スペクトル用ジメチルスルホキシド 20 mL を加えて抽出を繰り返す．各抽出操作で得られた下層を合わせ，吸収スペクトル用ヘキサン 20 mL と1分間激しく振り混ぜる．透明な二層が形成されるまで放置した後，下層を分離し，吸収スペクトル用ジメチルスルホキシドを加えて正確に 50 mL とし，試料溶液とする．この液につき，層長 1 cm で波長 265 ～ 420 nm の吸光度を測定する．対照液には，吸収スペクトル用ヘキサン 25 mL 及び吸収スペクトル用ジメチルスルホキシド 10 mL を1分間激しく振り混ぜた後，透明な二層が形成されるまで放置して得られた下層を用いる．別にナフタレン約 6 mg を精密に量り，吸収スペクトル用ジメチルスルホキシドに溶かし，正確に 100 mL とする．この液 10 mL を正確に量り，吸収スペクトル用ジメチルスルホキシドを加え，正確に 100 mL とし，標準溶液とする．紫外可視吸光度測定法〈2.24〉により標準溶液につき，層長 1 cm で波長 278 nm における吸光度を測定し，試料溶液につき波長 265 ～ 420 nm における吸収スペクトルを測定するとき，試料溶液の最大吸光度は，標準溶液の波長 278 nm における吸光度の 1/4 を超えない．（注5）

強熱残分〈2.44〉　0.05％以下（2 g）．

◆貯　法　容器　気密容器．◆

────── 注・解説 ──────

注1　適当な安定剤の添加を認めている．精製度が進むにつれて，元来ワセリン中に自然に存在する抗酸化剤も除かれることがあり，その結果，精製品が酸化したり，あるいは不快なにおいを発することを防止するためである．

白色ワセリン　　C-129

注2　本品中の蛍光を発する物質の本態はまだ確認されていない．本品の薄い層は0℃においても澄明であり，人工合成ワセリンはこの状態を示さない．

注3　融点の測定法は一般試験法，融点測定法第3法による．

融点が低ければそれに伴い軟稠であると考えられがちであるが，融点と稠度とは無関係で，稠度は顕微鏡で観察したときに見られるワセリンの構造を構成する品質の硬軟により異なり，融点の低いものでも高い稠度を持ち，あるいは逆に融点の高いものでも稠度の低いものもある．稠度の試験法は参考情報「製剤に関連する添加剤の機能性関連特性について」を参照．

粘度の高低も重要な性質の一つで，低粘度のものは高いものに比べ，酸化，色調の変化が多いといわれる．

注4　本品の精製に用いた酸又はアルカリの残存の有無を検する．

注5　発がん性物質に関係のある多環芳香族炭化水素を試験する．多環芳香族炭化水素は波長 265 ～ 420 nm の紫外部において著しい吸収を示すことが知られている．なお，試験に使用するジメチルスルホキシドは温度 20℃，湿度 65% で，その質量の70% 以上の水分を吸収するので，空気との接触をなるべく避けて取り扱う必要がある．また空気中で銅のような金属と接触すると反応するので，金属との接触を避ける必要がある．

第十八改正日本薬局方第一追補
〔D〕医薬品各条(生薬等)目次

イ

インチンコウ ……………………… 3

ウ

ウコン ……………………………… 3
ウワウルシ ………………………… 4

エ

エンゴサク ………………………… 5
エンゴサク末 ……………………… 6

カ

ガイヨウ …………………………… 8
カンキョウ ………………………… 8

キ

キョウニン ………………………… 9

ケ

桂枝茯苓丸エキス ………………… 10

コ

コウボク …………………………… 11
ゴシツ ……………………………… 12
牛車腎気丸エキス ………………… 12
呉茱萸湯エキス …………………… 13
ゴボウシ …………………………… 14

サ

柴胡桂枝乾姜湯エキス …………… 15
サンシシ …………………………… 22

サンシュユ ………………………… 22

シ

シャカンゾウ ……………………… 23
ジャショウシ ……………………… 24
シャゼンソウ ……………………… 24
ショウキョウ ……………………… 24
ショウキョウ末 …………………… 26
ショウズク ………………………… 27
ショウマ …………………………… 27
真武湯エキス ……………………… 27

セ

センナ ……………………………… 28
センナ末 …………………………… 29

タ

無コウイ大建中湯エキス ………… 30

チ

チョウジ …………………………… 31
チョウジ油 ………………………… 31
チョウトウコウ …………………… 31

ト

桃核承気湯エキス ………………… 33
トウニン …………………………… 34
トウニン末 ………………………… 35

ニ

ニガキ ……………………………… 36
ニガキ末 …………………………… 36

ニクズク ……………………………… 37

ハ

八味地黄丸エキス ………………… 37
ハマボウフウ ……………………… 38
半夏厚朴湯エキス ………………… 38

ホ

ボウイ ……………………………… 39

マ

麻黄湯エキス ……………………… 40

モ

モクツウ …………………………… 41

ヤ

ヤクチ ……………………………… 41
ヤクモソウ ………………………… 42

ヨ

抑肝散加陳皮半夏エキス ………… 42

ウ コ ン　　D-3

医薬品各条（生薬等）改正事項

医薬品各条の部　インチンコウの条生薬の性状の項を次のように改める.

イ ン チ ン コ ウ

生薬の性状　本品は卵形～球形の長さ 1.5 ～ 2 mm，径約 2 mm の頭花を主とし，糸状の葉と小花柄からなる．頭花の外面は淡緑色～淡黄褐色，葉の外面は緑色～緑褐色，小花柄の外面は緑褐色～暗褐色を呈する．頭花をルーペ視するとき，総苞片は 3 ～ 4 列に覆瓦状に並び，外片は卵形で，先端は鈍形，内片は楕円形で外片より長く，長さ 1.5 mm，内片の中央部は竜骨状となり，周辺部は広く薄膜質となる〔注1〕．小花は筒状花で，頭花の周辺部のものは雌性花，中央部は両性花である．そう果は倒卵形で，長さ 0.8 mm である．質は軽い．

　本品は特異な弱いにおいがあり，味はやや辛く，僅かに麻痺性である．

──────── 注・解説 ────────

〔注1〕　葉の先端部と基部の形状表記を統一した.

医薬品各条の部　ウコンの条生薬の性状の項を次のように改める.

ウ コ ン

生薬の性状　本品は主根茎又は側根茎からなり，主根茎はほぼ卵形体で〔注1〕，径約 3 cm，長さ約 4 cm，側根茎は両端が鈍形の円柱形でやや湾曲し，径約 1 cm，長さ 2 ～ 6 cm でいずれも輪節がある．コルク層を付けたものは黄褐色で艶があり，コルク層を除いたものは暗黄赤色で，表面に黄赤色の粉を付けている．質は堅く折りにくい．横切面は黄褐色～赤褐色を呈し，ろう様の艶がある．

　本品は特異なにおいがあり，味は僅かに苦く刺激性で，唾液を黄色に染める．

　本品の横切片を鏡検〈5.01〉するとき，最外層には通例 4 ～ 10 細胞層のコルク層があるか又は部分的に残存する．皮層と中心柱は内皮で区分される．皮層及び中

日本薬局方の医薬品の適否は，その医薬品各条の規定，通則，生薬総則，製剤総則及び一般試験法の規定によって判定する．（通則 5 参照）

D-4 ウワウルシ

心柱は柔組織からなり，維管束が散在する．柔組織中には油細胞が散在し，柔細胞中には黄色物質，シュウ酸カルシウムの砂晶及び単晶，糊化したでんぷんを含む．

──── 注・解説 ────

注1 根茎は主根茎と側根茎に区別できるので，これらの特徴が挙げられた．先端部と基部の形状表記を統一した．

医薬品各条の部　ウワウルシの条生薬の性状の項及び定量法の項を次のように改める．

ウ　ワ　ウ　ル　シ

生薬の性状　本品は倒卵形～へら形を呈し，長さ 1 ～ 3 cm，幅 0.5 ～ 1.5 cm，上面は黄緑色～暗緑色，下面は淡黄緑色である．全縁で先端は鈍形又は円形でときにはくぼみ，基部はくさび形で，葉柄は極めて短い 注1．葉身は厚く，上面に特異な網状脈がある．折りやすい．

　本品は弱いにおいがあり，味は僅かに苦く，収れん性である．

　本品の横切片を鏡検 〈5.01〉 するとき，クチクラは厚く，柵状組織と海綿状組織の柔細胞の形は類似する．維管束中には一細胞列からなる放射組織が扇骨状に 2 ～ 7 条走り，維管束の上下面の細胞中には，まばらにシュウ酸カルシウムの多角形の単晶及び集晶を含む．他の葉肉組織中には結晶を認めない．

定 量 法　本品の粉末約 0.5 g を精密に量り，共栓遠心沈殿管にとり，水 40 mL を加えて 30 分間振り混ぜた後，遠心分離し，上澄液を分取する．残留物に水 40 mL を加えて同様に操作する．全抽出液を合わせ，水を加えて正確に 100 mL とし，試料溶液とする．別に定量用アルブチン約 40 mg を精密に量り，水に溶かして正確に 100 mL とし，標準溶液とする．試料溶液及び標準溶液 10 µL ずつを正確にとり，次の条件で液体クロマトグラフィー 〈2.01〉 により試験を行い，それぞれの液のアルブチンのピーク面積 A_T 及び A_S を測定する． 注2

$$アルブチンの量（mg）= M_S \times A_T / A_S$$

　　　　M_S：定量用アルブチンの秤取量（mg）

　試験条件
　　検出器：紫外吸光光度計（測定波長：280 nm）

エンゴサク　　D-5

カラム：内径 4 〜 6 mm，長さ 15 〜 25 cm のステンレス管に 5 〜 10 µm の液
体クロマトグラフィー用オクタデシルシリル化シリカゲルを充塡する．
カラム温度：20℃付近の一定温度
移動相：水 / メタノール /0.1 mol/L 塩酸試液混液（94：5：1）
流量：アルブチンの保持時間が約 6 分になるように調整する．
システム適合性
システムの性能：定量用アルブチン，ヒドロキノン及び没食子酸 0.05 g ずつ
を水に溶かして 100 mL とする．この液 10 µL につき，上記の条件で操作す
るとき，アルブチン，ヒドロキノン，没食子酸の順に溶出し，それぞれの分
離度は 1.5 以上である．
システムの再現性：標準溶液 10 µL につき，上記の条件で試験を 5 回繰り返
すとき，アルブチンのピーク面積の相対標準偏差は 1.5％以下である．

―――――― 注・解説 ――――――

注1 葉の先端部と基部の形状表記を統一した．
注2 定量用アルブチンに qNMR 純度規定が導入されたことに伴い，乾燥操作を削
除．

医薬品各条の部　エンゴサクの条定量法の項を次のように改める．

エ ン ゴ サ ク

定量法 本品の粉末約 1 g を精密に量り，メタノール / 希塩酸混液（3：1）30 mL
を加え，還流冷却器を付けて 30 分間加熱し，冷後，ろ過する．残留物にメタノー
ル / 希塩酸混液（3：1）15 mL を加え，同様に操作する．全ろ液を合わせ，メタ
ノール / 希塩酸混液（3：1）を加えて正確に 50 mL とし，試料溶液とする．別に
定量用デヒドロコリダリン硝化物約 10 mg を精密に量り，メタノール / 希塩酸混
液（3：1）に溶かして正確に 200 mL とし，標準溶液とする．試料溶液及び標準溶
液 5 µL ずつを正確にとり，次の条件で液体クロマトグラフィー〈2.01〉により試
験を行い，それぞれの液のデヒドロコリダリンのピーク面積 A_T 及び A_S を測定す
る．注1

デヒドロコリダリン［デヒドロコリダリン硝化物
（$C_{22}H_{24}N_2O_7$）として］の量（mg）
$= M_S \times A_T / A_S \times 1 / 4$

D-6　エンゴサク末

M_S：定量用デヒドロコリダリン硝化物の秤取量（mg）

試験条件
　　検出器：紫外吸光光度計（測定波長：340 nm）
　　カラム：内径 4.6 mm，長さ 15 cm のステンレス管に 5 μm の液体クロマトグ
　　　ラフィー用オクタデシルシリル化シリカゲルを充塡する．
　　カラム温度：40℃付近の一定温度
　　移動相：リン酸水素二ナトリウム十二水和物 17.91 g を水 970 mL に溶かし，
　　　リン酸を加えて pH 2.2 に調整する．この液に過塩素酸ナトリウム 14.05 g
　　　を加えて溶かし，水を加えて正確に 1000 mL とする．この液にアセトニト
　　　リル 450 mL 及びラウリル硫酸ナトリウム 0.20 g を加えて溶かす．
　　流量：デヒドロコリダリンの保持時間が約 24 分になるように調整する．
システム適合性
　　システムの性能：定量用デヒドロコリダリン硝化物 1 mg 及びベルベリン塩化
　　　物水和物 1 mg を水 / アセトニトリル混液（20：9）20 mL に溶かす．この
　　　液 5 μL につき，上記の条件で操作するとき，ベルベリン，デヒドロコリダ
　　　リンの順に溶出し，その分離度は 1.5 以上である．
　　システムの再現性：標準溶液 5 μL につき，上記の条件で試験を 6 回繰り返す
　　　とき，デヒドロコリダリンのピーク面積の相対標準偏差は 1.5％以下であ
　　　る．注2

──────── 注・解説 ────────

注1　定量用デヒドロコリダリン硝化物に qNMR 純度規定が導入されたことに伴
い，乾燥操作を削除．
注2　含有成分として dehydrocordaline 以外にも類似アルカロイドを含むが，液体
クロマトグラフィーで dehydrocordaline の含有量を規定した．

医薬品各条の部　エンゴサク末の条定量法の項を次のように改める．

エンゴサク末

定量法　本品約 1 g を精密に量り，メタノール / 希塩酸混液（3：1）30 mL を加
え，還流冷却器を付けて 30 分間加熱し，冷後，ろ過する．残留物にメタノール /
希塩酸混液（3：1）15 mL を加え，同様に操作する．全ろ液を合わせ，メタノー
ル / 希塩酸混液（3：1）を加えて正確に 50 mL とし，試料溶液とする．別に定量
用デヒドロコリダリン硝化物約 10 mg を精密に量り，メタノール / 希塩酸混液

エンゴサク末　　D-7

（3：1）に溶かして正確に 200 mL とし，標準溶液とする．試料溶液及び標準溶液
5 μL ずつを正確にとり，次の条件で液体クロマトグラフィー〈2.01〉により試験
を行い，それぞれの液のデヒドロコリダリンのピーク面積 A_T 及び A_S を測定する．
(注1)

　　　デヒドロコリダリン［デヒドロコリダリン硝化物
　　　　（$C_{22}H_{24}N_2O_7$）として］の量（mg）
　　　　＝ $M_S \times A_T / A_S \times 1/4$

　　　M_S：定量用デヒドロコリダリン硝化物の秤取量（mg）

　試験条件
　　検出器：紫外吸光光度計（測定波長：340 nm）
　　カラム：内径 4.6 mm，長さ 15 cm のステンレス管に 5 μm の液体クロマトグ
　　　ラフィー用オクタデシルシリル化シリカゲルを充塡する．
　　カラム温度：40℃付近の一定温度
　　移動相：リン酸水素二ナトリウム十二水和物 17.91 g を水 970 mL に溶かし，
　　　リン酸を加えて pH 2.2 に調整する．この液に過塩素酸ナトリウム 14.05 g
　　　を加えて溶かし，水を加えて正確に 1000 mL とする．この液にアセトニト
　　　リル 450 mL 及びラウリル硫酸ナトリウム 0.20 g を加えて溶かす．
　　流量：デヒドロコリダリンの保持時間が約 24 分になるように調整する．
　システム適合性
　　システムの性能：定量用デヒドロコリダリン硝化物 1 mg 及びベルベリン塩化
　　　物水和物 1 mg を水／アセトニトリル混液（20：9）20 mL に溶かす．この
　　　液 5 μL につき，上記の条件で操作するとき，ベルベリン，デヒドロコリダ
　　　リンの順に溶出し，その分離度は 1.5 以上である．
　　システムの再現性：標準溶液 5 μL につき，上記の条件で試験を 6 回繰り返す
　　　とき，デヒドロコリダリンのピーク面積の相対標準偏差は 1.5％以下であ
　　　る．

─────── 注・解説 ───────

(注1)　定量用デヒドロコリダリン硝化物に qNMR 純度規定が導入されたことに伴
い，乾燥操作を削除．

D-8　カンキョウ

医薬品各条の部　ガイヨウの条生薬の性状の項を次のように改める．

ガ　イ　ヨ　ウ

生薬の性状　本品は縮んだ葉及びその破片からなり，しばしば細い茎を含む．葉の上面は暗緑色を呈し，下面は灰白色の綿毛を密生する．水に浸して広げると，形の整った葉身は長さ 4 〜 15 cm，幅 4 〜 12 cm，1 〜 2 回羽状中裂又は羽状深裂する．裂片は 2 〜 4 対で，長楕円状ひ針形又は長楕円形で，先端は鋭尖形，ときに鈍形，辺縁は不揃いに切れ込むか全縁である（注1）．小型の葉は 3 中裂又は全縁で，ひ針形を呈する．

本品は特異なにおいがあり，味はやや苦い．

本品の横切片を鏡検〈5.01〉するとき，主脈部の表皮の内側には数細胞層の厚角組織がある．主脈部の中央部には維管束があり，師部と木部に接して繊維束が認められることがある．葉肉部は上面表皮，柵状組織，海綿状組織，下面表皮からなり，葉肉部の表皮には長柔毛，T 字状毛，腺毛が認められる．表皮細胞はタンニン様物質を含み，柔細胞は油状物質，タンニン様物質などを含む．

─────── 注・解説 ───────

注1　葉の先端部と基部の形状表記を統一した．

医薬品各条の部　カンキョウの条定量法の項を次のように改める．

カ　ン　キ　ョ　ウ

定 量 法　注1　本品の粉末約 1 g を精密に量り，共栓遠心沈殿管にとり，移動相 30 mL を加えて 20 分間振り混ぜた後，遠心分離し，上澄液を分取する．残留物に移動相 30 mL を加えて更にこの操作を 2 回繰り返す．全抽出液を合わせ，移動相を加えて正確に 100 mL とし，試料溶液とする．別に定量用 [6]-ショーガオール 5 mg を精密に量り，移動相に溶かして正確に 100 mL とし，標準溶液とする．試料溶液及び標準溶液 10 μL ずつを正確にとり，次の条件で液体クロマトグラフィー〈2.01〉により試験を行い，それぞれの液の [6]-ショーガオールのピーク面積 A_T 及び A_S を測定する．

$$[6]\text{-ショーガオールの量 (mg)} = M_S \times A_T / A_S$$

M_S：qNMR で含量換算した定量用 [6]-ショーガオールの秤取量 (mg)

キョウニン　　D-9

試験条件

検出器：紫外吸光光度計（測定波長：225 nm）

カラム：内径 6 mm，長さ 15 cm のステンレス管に 5 μm の液体クロマトグラフィー用オクタデシルシリル化シリカゲルを充塡する．

カラム温度：40℃付近の一定温度

移動相：アセトニトリル／水（3：2）

流量：[6]-ショーガオールの保持時間が約 14 分になるように調整する．

システム適合性

システムの性能：標準溶液 10 μL につき，上記の条件で操作するとき，[6]-ショーガオールのピークの理論段数及びシンメトリー係数は，それぞれ 5000 段以上，1.5 以下である．

システムの再現性：標準溶液 10 μL につき，上記の条件で試験を 6 回繰り返すとき，[6]-ショーガオールのピーク面積の相対標準偏差は 1.5％以下である．

———— 注・解説 ————

注1　[6]-ショーガオールを，定量用 [6]-ショーガオールの液体クロマトグラフィーで定量．定量用 [6]-ショーガオールが qNMR 純度規定されたもののみになったことに伴い，定量値の計算式に qNMR で含量換算されたを追加．

医薬品各条の部　キョウニンの条定量法の項を次のように改める．

キ　ョ　ウ　ニ　ン

定 量 法　本品をすりつぶし，その約 0.5 g を精密に量り，薄めたメタノール（9 → 10）40 mL を加え，直ちに還流冷却器を付けて 30 分間加熱し，冷後，ろ過し，薄めたメタノール（9 → 10）を加えて正確に 50 mL とする．この液 5 mL を正確に量り，水を加えて正確に 10 mL とした後，試料溶液とする．別に定量用アミグダリン約 10 mg を精密に量り，薄めたメタノール（1 → 2）に溶かして正確に 50 mL とし，標準溶液とする．試料溶液及び標準溶液 10 μL ずつを正確にとり，次の条件で液体クロマトグラフィー〈*2.01*〉により試験を行い，それぞれの液のアミグダリンのピーク面積 A_T 及び A_S を測定する．　注1

アミグダリンの量（mg）＝ $M_S \times A_T / A_S \times 2$

M_S：定量用アミグダリンの秤取量（mg）

D- *10*   桂枝茯苓丸エキス

試験条件
　検出器：紫外吸光光度計（測定波長：210 nm）
　カラム：内径 4.6 mm，長さ 15 cm のステンレス管に 5 μm の液体クロマトグ
　　ラフィー用オクタデシルシリル化シリカゲルを充塡する．
　カラム温度：45℃付近の一定温度
　移動相：0.05 mol/L リン酸二水素ナトリウム試液／メタノール混液（5：1）
　流量：毎分 0.8 mL（アミグダリンの保持時間約 12 分）
システム適合性
　システムの性能：標準溶液 10 μL につき，上記の条件で操作するとき，アミグ
　　ダリンのピークの理論段数及びシンメトリー係数は，それぞれ 5000 段以
　　上，1.5 以下である．
　システムの再現性：標準溶液 10 μL につき，上記の条件で試験を 6 回繰り返
　　すとき，アミグダリンのピーク面積の相対標準偏差は 1.5％以下である．

─────── 注・解説 ───────

注1　アミグダリンを，定量用アミグダリンの液体クロマトグラフィーで定量．定
量用アミグダリンに qNMR 純度規定が導入されたことに伴い，乾燥操作を削除．

　医薬品各条の部　桂枝茯苓丸エキスの条定量法の項（3）の目を次のように改め
る．

桂枝茯苓丸エキス

定　量　法
（3）　アミグダリン　乾燥エキス約 0.5 g（軟エキスは乾燥物として約 0.5 g に対応
する量）を精密に量り，薄めたメタノール（1→2）50 mL を正確に加えて 15 分
間振り混ぜた後，ろ過し，ろ液を試料溶液とする．別に定量用アミグダリン約
10 mg を精密に量り，薄めたメタノール（1→2）に溶かして正確に 50 mL とし，
標準溶液とする．試料溶液及び標準溶液 10 μL ずつを正確にとり，次の条件で液体
クロマトグラフィー〈2.01〉により試験を行い，それぞれの液のアミグダリンのピ
ーク面積 A_T 及び A_S を測定する．　注1

$$\text{アミグダリンの量（mg）} = M_S \times A_T / A_S$$

　　M_S：定量用アミグダリンの秤取量（mg）

コウボク　　D-11

試験条件
　　検出器：紫外吸光光度計（測定波長：210 nm）
　　カラム：内径 4.6 mm，長さ 15 cm のステンレス管に 5 μm の液体クロマトグ
　　　ラフィー用オクタデシルシリル化シリカゲルを充塡する．
　　カラム温度：45℃付近の一定温度
　　移動相：0.05 mol/L リン酸二水素ナトリウム試液／メタノール混液（5：1）
　　流量：毎分 0.8 mL（アミグダリンの保持時間約 12 分）
　システム適合性
　　システムの性能：標準溶液 10 μL につき，上記の条件で操作するとき，アミグ
　　　ダリンのピークの理論段数及びシンメトリー係数は，それぞれ 5000 段以
　　　上，1.5 以下である．
　　システムの再現性：標準溶液 10 μL につき，上記の条件で試験を 6 回繰り返
　　　すとき，アミグダリンのピーク面積の相対標準偏差は 1.5% 以下である．

──────── 注・解説 ────────

注1　アミグダリンを，定量用アミグダリンの液体クロマトグラフィーで定量．定
量用アミグダリンに qNMR 純度規定が導入されたことに伴い，乾燥操作を削除．

医薬品各条の部　コウボクの条基原の項を次のように改める．

コ　ウ　ボ　ク

　本品はホオノキ *Magnolia obovata* Thunberg（*Magnolia hypoleuca* Siebold et
Zuccarini），*Magnolia officinalis* Rehder et E. H. Wilson 又 は *Magnolia officinalis*
Rehder et E. H. Wilson var. *biloba* Rehder et E. H. Wilson（*Magnoliaceae*）の樹皮
である．　注1

　本品は定量するとき，マグノロール 0.8% 以上を含む．

──────── 注・解説 ────────

注1　基原植物の学名を修正．

D- *12*　牛車腎気丸エキス

医薬品各条の部　ゴシツの条確認試験の項を次のように改める.

ゴ　シ　ツ

確認試験
(1)　本品の粉末 0.5 g に水 10 mL を加えて激しく振り混ぜるとき，持続性の微細な泡を生じる.
(2)　本品の粉末 1.0 g にメタノール 10 mL を加えて 10 分間振り混ぜた後，遠心分離し，上澄液を試料溶液とする. この液につき，薄層クロマトグラフィー〈2.03〉により試験を行う. 試料溶液 10 μL を薄層クロマトグラフィー用シリカゲルを用いて調製した薄層板にスポットする. 次に酢酸エチル／メタノール／水／酢酸(100) 混液 (14：4：1：1) を展開溶媒として約 7 cm 展開した後，薄層板を風乾する. これに噴霧用 4-ジメチルアミノベンズアルデヒド試液を均等に噴霧し，105℃で 5 分間加熱した後，放冷し，水を噴霧するとき，R_f 値 0.5 付近に淡赤色～赤橙色のスポットを認める. 注1

──────── 注・解説 ────────

注1　エクジソンを薄層クロマトグラフィーで確認，展開距離は 7 cm.

医薬品各条の部　牛車腎気丸エキスの条定量法の項 (1) の目を次のように改める.

牛 車 腎 気 丸 エ キ ス

定 量 法
(1)　ロガニン　乾燥エキス約 0.5 g（軟エキスは乾燥物として約 0.5 g に対応する量）を精密に量り，薄めたメタノール (1 → 2) 50 mL を正確に加えて 15 分間振り混ぜた後，ろ過し，ろ液を試料溶液とする. 別に定量用ロガニン約 10 mg を精密に量り，薄めたメタノール (1 → 2) に溶かして正確に 100 mL とし，標準溶液とする. 試料溶液及び標準溶液 10 μL ずつを正確にとり，次の条件で液体クロマトグラフィー〈2.01〉により試験を行い，それぞれの液のロガニンのピーク面積 A_T 及び A_S を測定する. 注1

$$\text{ロガニンの量 (mg)} = M_S \times A_T / A_S \times 1/2$$

　　M_S：qNMR で含量換算した定量用ロガニンの秤取量 (mg)

呉茱萸湯エキス　　D- *13*

試験条件
　　検出器：紫外吸光光度計（測定波長：238 nm）
　　カラム：内径 4.6 mm，長さ 15 cm のステンレス管に 5 μm の液体クロマトグ
　　　ラフィー用オクタデシルシリル化シリカゲルを充填する．
　　カラム温度：50℃付近の一定温度
　　移動相：水／アセトニトリル／メタノール混液（55：4：1）
　　流量：毎分 1.2 mL（ロガニンの保持時間約 25 分）
　システム適合性
　　システムの性能：標準溶液 10 μL につき，上記の条件で操作するとき，ロガニ
　　　ンのピークの理論段数及びシンメトリー係数は，それぞれ 5000 段以上，1.5
　　　以下である．
　　システムの再現性：標準溶液 10 μL につき，上記の条件で試験を 6 回繰り返
　　　すとき，ロガニンのピーク面積の相対標準偏差は 1.5% 以下である．

─────── 注・解説 ───────

注1　ロガニンを，定量用ロガニンの液体クロマトグラフィーで定量．定量用ロガ
ニンが qNMR 純度規定されたもののみになったことに伴い，定量値の計算式に
qNMR で含量換算されたを追加．

医薬品各条の部　呉茱萸湯エキスの条定量法の項（2）の目を次のように改める．

呉 茱 萸 湯 エ キ ス

定 量 法
（2）［6］-ギンゲロール　乾燥エキス約 0.5 g（軟エキスは乾燥物として約 0.5 g に
対応する量）を精密に量り，薄めたメタノール（7 → 10）50 mL を正確に加えて
30 分間振り混ぜた後，ろ過し，ろ液を試料溶液とする．別に定量用［6］-ギンゲロ
ール約 10 mg を精密に量り，メタノールに溶かして正確に 100 mL とする．この液
5 mL を正確に量り，メタノールを加えて正確に 50 mL とし，標準溶液とする．試
料溶液及び標準溶液 10 μL ずつを正確にとり，次の条件で液体クロマトグラフィー
〈2.01〉により試験を行い，それぞれの液の［6］-ギンゲロールのピーク面積 A_T 及
び A_S を測定する．　注1

　　［6］-ギンゲロールの量（mg）＝ $M_S \times A_T / A_S \times 1/20$

　　M_S：qNMR で含量換算した定量用［6］-ギンゲロールの秤取量（mg）

D-*14* ゴ ボ ウ シ

試験条件
　　検出器，カラム，カラム温度及び移動相は（1）の試験条件を準用する．
　　流量：毎分 1.0 mL（［6］-ギンゲロールの保持時間約 14 分）
　システム適合性
　　システムの性能：標準溶液 10 μL につき，上記の条件で操作するとき，［6］-
　　　ギンゲロールのピークの理論段数及びシンメトリー係数は，それぞれ 5000
　　　段以上，1.5 以下である．
　　システムの再現性：標準溶液 10 μL につき，上記の条件で試験を 6 回繰り返
　　　すとき，［6］-ギンゲロールのピーク面積の相対標準偏差は 1.5％以下であ
　　　る．

──────── 注・解説 ────────

注1　［6］-ギンゲロールを，定量用［6］-ギンゲロールの液体クロマトグラフィー
で定量．定量用［6］-ギンゲロールが qNMR 純度規定されたもののみになったことに
伴い，定量値の計算式に qNMR で含量換算されたを追加．

　　医薬品各条の部　　ゴボウシの条生薬の性状の項を次のように改める．

ゴ　ボ　ウ　シ

生薬の性状注1　本品はやや湾曲した倒長卵形のそう果で，長さ 5 ～ 7 mm，幅 2.0
～ 3.2 mm，厚さ 0.8 ～ 1.5 mm，外面は灰褐色～褐色で，黒色の点がある．幅広い
一端は径約 1 mm のくぼみがあり，他端は細まり平たんで，不明瞭な縦の隆起線が
ある．本品 100 粒の質量は 1.0 ～ 1.5 g である．
　　本品はほとんどにおいがなく，味は苦く油様である．
　　本品の横切片を鏡検〈*5.01*〉するとき，外果皮は表皮からなり，中果皮はやや厚
壁化した柔組織からなり，内果皮は 1 細胞層の石細胞層からなる．種皮は放射方
向に長く厚壁化した表皮と数細胞層の柔組織からなる．種皮の内側には内乳，子葉
が見られる．中果皮柔細胞中には褐色物質を，内果皮石細胞中にはシュウ酸カルシ
ウムの単晶を，子葉には油滴，アリューロン粒及びシュウ酸カルシウムの微小な集
晶を含む．

──────── 注・解説 ────────

注1　種子状で，表面に黒色の点が散在する．でんぷん粒の記載を削除．

柴胡桂枝乾姜湯エキス　　D- 15

医薬品各条の部　柴胡桂枝湯エキスの条の次に次の一条を加える．

柴胡桂枝乾姜湯エキス (注1)

Saikokeishikankyoto Extract (注2)

　本品は定量するとき，製法の項に規定した分量で製したエキス当たり，サイコサ
ポニン b_2 1.4 ～ 5.6 mg，バイカリン（$C_{21}H_{18}O_{11}$：446.36）78 ～ 234 mg 及びグリ
チルリチン酸（$C_{42}H_{62}O_{16}$：822.93）15 ～ 45 mg を含む． (注3)

製　法

	1)	2)
サイコ	6 g	6 g
ケイヒ	3 g	3 g
オウゴン	3 g	3 g
ボレイ	3 g	3 g
カンキョウ	2 g	3 g
カンゾウ	2 g	2 g
カロコン	3 g	4 g

　1）又は2）の処方に従い生薬をとり，エキス剤の製法により乾燥エキス又は軟エ
キスとする． (注4)

性　状　乾燥エキス　本品は淡黄褐色～褐色の粉末で，特異なにおいがあり，味は辛
　く，苦く，僅かに甘い．

　　軟エキス　本品は黒褐色の粘性のある液体で，特異なにおいがあり，味は苦く，
辛く，僅かに甘く，後に渋い． (注5)

確認試験

（1）　乾燥エキス 1.0 g（軟エキスは 3.0 g）に水 10 mL を加えて振り混ぜた後，1-
ブタノール 10 mL を加えて振り混ぜ，遠心分離し，1-ブタノール層を試料溶液と
する．別に薄層クロマトグラフィー用サイコサポニン b_2 1 mg をメタノール 1 mL
に溶かし，標準溶液とする．これらの液につき，薄層クロマトグラフィー〈*2.03*〉
により試験を行う．試料溶液 5 μL 及び標準溶液 2 μL を薄層クロマトグラフィー用
シリカゲルを用いて調製した薄層板にスポットする．次に酢酸エチル／エタノール
（99.5）／水混液（8：2：1）を展開溶媒として約 7 cm 展開した後，薄層板を風乾
する．これに噴霧用 4-ジメチルアミノベンズアルデヒド試液を均等に噴霧し，105
℃で 5 分間加熱した後，紫外線（主波長 365 nm）を照射するとき，試料溶液から

D- *16* 柴胡桂枝乾姜湯エキス

得た数個のスポットのうち1個のスポットは，標準溶液から得た黄色の蛍光を発するスポットと色調及び R_f 値が等しい（サイコ）. 注6

(2) 次のⅰ）又はⅱ）により試験を行う（ケイヒ）.

ⅰ）乾燥エキス10g（軟エキスは30g）を300mLの硬質ガラスフラスコにとり，水100mL及びシリコーン樹脂1mLを加えた後，精油定量器を装着し，定量器の上端に還流冷却器を付け，加熱し，沸騰させる．定量器の目盛り管には，あらかじめ水を基準線まで入れ，更にヘキサン2mLを加える．1時間加熱還流した後，ヘキサン層をとり，試料溶液とする．別に薄層クロマトグラフィー用 (*E*)-シンナムアルデヒド1mgをメタノール1mLに溶かし，標準溶液とする．これらの液につき，薄層クロマトグラフィー〈*2.03*〉により試験を行う．試料溶液20 µL及び標準溶液2 µLを薄層クロマトグラフィー用シリカゲルを用いて調製した薄層板にスポットする．次にヘキサン／ジエチルエーテル／メタノール混液（15：5：1）を展開溶媒として，約7cm展開した後，薄層板を風乾する．これに2,4-ジニトロフェニルヒドラジン試液を均等に噴霧するとき，試料溶液から得た数個のスポットのうち1個のスポットは，標準溶液から得た黄橙色～橙色のスポットと色調及び R_f 値が等しい．注7

ⅱ）乾燥エキス2.0g（軟エキスは6.0g）に水10mLを加えて振り混ぜた後，ヘキサン5mLを加えて振り混ぜ，遠心分離し，ヘキサン層を試料溶液とする．別に薄層クロマトグラフィー用 (*E*)-2-メトキシシンナムアルデヒド1mgをメタノール1mLに溶かし，標準溶液とする．これらの液につき，薄層クロマトグラフィー〈*2.03*〉により試験を行う．試料溶液20 µL及び標準溶液2 µLを薄層クロマトグラフィー用シリカゲルを用いて調製した薄層板にスポットする．次にヘキサン／酢酸エチル混液（2：1）を展開溶媒として約7cm展開した後，薄層板を風乾する．これに紫外線（主波長365nm）を照射するとき，試料溶液から得た数個のスポットのうち1個のスポットは，標準溶液から得た青白色の蛍光を発するスポットと色調及び R_f 値が等しい．注8

(3) 乾燥エキス1.0g（軟エキスは3.0g）に水10mLを加えて振り混ぜた後，ジエチルエーテル25mLを加えて振り混ぜる．ジエチルエーテル層を分取し，低圧（真空）で溶媒を留去した後，残留物にジエチルエーテル2mLを加えて試料溶液とする．別に薄層クロマトグラフィー用オウゴニン1mgをメタノール1mLに溶かし，標準溶液とする．これらの液につき，薄層クロマトグラフィー〈*2.03*〉により試験を行う．試料溶液10 µL及び標準溶液2 µLを薄層クロマトグラフィー用シリカゲルを用いて調製した薄層板にスポットする．次にヘキサン／アセトン混液（7：5）を展開溶媒として約7cm展開した後，薄層板を風乾する．これに塩化鉄（Ⅲ）・メタノール試液を均等に噴霧するとき，試料溶液から得た数個のスポットのうち1個のスポットは，標準溶液から得た黄褐色～灰褐色のスポットと色調及び R_f 値が等しい（オウゴン）. 注9

柴胡桂枝乾姜湯エキス　　D- 17

(4) 乾燥エキス 1.0 g（軟エキスは 3.0 g）に水 10 mL を加えて振り混ぜた後，ジエチルエーテル 25 mL を加えて振り混ぜる．ジエチルエーテル層を分取し，低圧（真空）で溶媒を留去した後，残留物にジエチルエーテル 2 mL を加えて試料溶液とする．別に薄層クロマトグラフィー用 [6]-ショーガオール 1 mg をメタノール 1 mL に溶かし，標準溶液とする．これらの液につき，薄層クロマトグラフィー〈2.03〉により試験を行う．試料溶液 20 μL 及び標準溶液 5 μL を薄層クロマトグラフィー用シリカゲルを用いて調製した薄層板にスポットする．次に酢酸エチル／ヘキサン混液（1：1）を展開溶媒として約 7 cm 展開した後，薄層板を風乾する．これに噴霧用 4-ジメチルアミノベンズアルデヒド試液を均等に噴霧し，105℃で 5 分間加熱した後，放冷し，水を噴霧するとき，試料溶液から得た数個のスポットのうち 1 個のスポットは，標準溶液から得た青緑色～灰緑色のスポットと色調及び R_f 値が等しい（カンキョウ）．(注10)

(5) 乾燥エキス 1.0 g（軟エキスは 3.0 g）に水 10 mL を加えて振り混ぜた後，1-ブタノール 10 mL を加えて振り混ぜ，遠心分離し，1-ブタノール層を試料溶液とする．別に薄層クロマトグラフィー用リクイリチン 1 mg をメタノール 1 mL に溶かし，標準溶液とする．これらの液につき，薄層クロマトグラフィー〈2.03〉により試験を行う．試料溶液及び標準溶液 1 μL ずつを薄層クロマトグラフィー用シリカゲルを用いて調製した薄層板にスポットする．次に酢酸エチル／メタノール／水混液（20：3：2）を展開溶媒として約 7 cm 展開した後，薄層板を風乾する．これに希硫酸を均等に噴霧し，105℃で 5 分間加熱した後，紫外線（主波長 365 nm）を照射するとき，試料溶液から得た数個のスポットのうち 1 個のスポットは，標準溶液から得た黄色～黄緑色の蛍光を発するスポットと色調及び R_f 値が等しい（カンゾウ）．(注11)

純度試験

(1) 重金属〈1.07〉　乾燥エキス 1.0 g（軟エキスは乾燥物として 1.0 g に対応する量）をとり，エキス剤（4）に従い検液を調製し，試験を行う（30 ppm 以下）．(注12)

(2) ヒ素〈1.11〉　乾燥エキス 0.67 g（軟エキスは乾燥物として 0.67 g に対応する量）をとり，第 3 法により検液を調製し，試験を行う（3 ppm 以下）．

乾燥減量〈2.41〉　乾燥エキス　9.5％以下（1 g，105℃，5 時間）．
　　軟エキス　66.7％以下（1 g，105℃，5 時間）．

灰 分〈5.01〉　換算した乾燥物に対し 13.0％以下．

定 量 法

(1) サイコサポニン b_2　乾燥エキス約 0.5 g（軟エキスは乾燥物として約 0.5 g に対応する量）を精密に量り，ジエチルエーテル 20 mL 及び水 10 mL を加えて 10 分間振り混ぜる．これを遠心分離し，ジエチルエーテル層を除いた後，ジエチルエーテル 20 mL を加えて同様に操作し，ジエチルエーテル層を除く．水層にメタノ

D－*18*　　柴胡桂枝乾姜湯エキス

ール 10 mL を加えて 30 分間振り混ぜた後，遠心分離し，上澄液を分取する．残留
物に薄めたメタノール（1→2）20 mL を加えて 5 分間振り混ぜた後，遠心分離
し，上澄液を分取し，先の上澄液と合わせ，薄めたメタノール（1→2）を加えて
正確に 50 mL とし，試料溶液とする．別に定量用サイコサポニン b_2 標準試液を標
準溶液とする．試料溶液及び標準溶液 10 μL ずつを正確にとり，次の条件で液体ク
ロマトグラフィー〈*2.01*〉により試験を行い，それぞれの液のサイコサポニン b_2
のピーク面積 A_T 及び A_S を測定する．　(注13)

$$サイコサポニン\ b_2\ の量（mg）= C_S × A_T / A_S × 50$$

　　　C_S：定量用サイコサポニン b_2 標準試液中のサイコサポニン b_2 の濃度（mg/mL）

試験条件
　　検出器：紫外吸光光度計（測定波長：254 nm）
　　カラム：内径 4.6 mm，長さ 15 cm のステンレス管に 5 μm の液体クロマトグ
　　　ラフィー用オクタデシルシリル化シリカゲルを充塡する．
　　カラム温度：40℃付近の一定温度
　　移動相：0.05 mol/L リン酸二水素ナトリウム試液／アセトニトリル混液（5：
　　　3）
　　流量：毎分 1.0 mL
システム適合性
　　システムの性能：標準溶液 10 μL につき，上記の条件で操作するとき，サイコ
　　　サポニン b_2 のピークの理論段数及びシンメトリー係数は，それぞれ 5000 段
　　　以上，1.5 以下である．
　　システムの再現性：標準溶液 10 μL につき，上記の条件で試験を 6 回繰り返
　　　すとき，サイコサポニン b_2 のピーク面積の相対標準偏差は 1.5 ％以下であ
　　　る．
（2）　バイカリン　乾燥エキス約 0.1 g（軟エキスは乾燥物として約 0.1 g に対応す
る量）を精密に量り，薄めたメタノール（7→10）50 mL を正確に加えて 15 分間
振り混ぜた後，ろ過し，ろ液を試料溶液とする．別にバイカリン標準品（別途
10 mg につき，電量滴定法により水分〈*2.48*〉を測定しておく）約 10 mg を精密に
量り，メタノールに溶かし，正確に 100 mL とする．この液 5 mL を正確に量り，
薄めたメタノール（7→10）を加えて正確に 10 mL とし，標準溶液とする．試料
溶液及び標準溶液 10 μL ずつを正確にとり，次の条件で液体クロマトグラフィー
〈*2.01*〉により試験を行い，それぞれの液のバイカリンのピーク面積 A_T 及び A_S を
測定する．　(注14)

バイカリン（$C_{21}H_{18}O_{11}$）の量（mg）$= M_S \times A_T / A_S \times 1/4$

M_S：脱水物に換算したバイカリン標準品の秤取量（mg）

試験条件

　検出器：紫外吸光光度計（測定波長：277 nm）

　カラム：内径 4.6 mm，長さ 15 cm のステンレス管に 5 μm の液体クロマトグ
　　ラフィー用オクタデシルシリル化シリカゲルを充塡する．

　カラム温度：40℃付近の一定温度

　移動相：薄めたリン酸（1 → 200）／アセトニトリル混液（19：6）

　流量：毎分 1.0 mL

システム適合性

　システムの性能：標準溶液 10 μL につき，上記の条件で操作するとき，バイカ
　　リンのピークの理論段数及びシンメトリー係数は，それぞれ 5000 段以上，
　　1.5 以下である．

　システムの再現性：標準溶液 10 μL につき，上記の条件で試験を 6 回繰り返
　　すとき，バイカリンのピーク面積の相対標準偏差は 1.5％以下である．

(3)　グリチルリチン酸　次の i ）又は ii ）により試験を行う．

ⅰ）乾燥エキス約 0.5 g（軟エキスは乾燥物として約 0.5 g に対応する量）を精密
に量り，薄めたメタノール（1 → 2）50 mL を正確に加えて 15 分間振り混ぜた後，
ろ過し，ろ液を試料溶液とする．別にグリチルリチン酸標準品（別途 10 mg につ
き，電量滴定法により水分〈2.48〉を測定しておく）約 10 mg を精密に量り，薄
めたメタノール（1 → 2）に溶かして正確に 100 mL とし，標準溶液とする．試料
溶液及び標準溶液 10 μL ずつを正確にとり，次の条件で液体クロマトグラフィー
〈2.01〉により試験を行い，それぞれの液のグリチルリチン酸のピーク面積 A_T 及
び A_S を測定する．注15

グリチルリチン酸（$C_{42}H_{62}O_{16}$）の量（mg）$= M_S \times A_T / A_S \times 1/2$

M_S：脱水物に換算したグリチルリチン酸標準品の秤取量（mg）

試験条件

　検出器：紫外吸光光度計（測定波長：254 nm）

　カラム：内径 4.6 mm，長さ 15 cm のステンレス管に 5 μm の液体クロマトグ
　　ラフィー用オクタデシルシリル化シリカゲルを充塡する．

　カラム温度：40℃付近の一定温度

　移動相：酢酸アンモニウム 3.85 g を水 720 mL に溶かし，酢酸（100）5 mL 及

D- 20   柴胡桂枝乾姜湯エキス

びアセトニトリル 280 mL を加える.

　流量：毎分 1.0 mL

システム適合性

　　システムの性能：分離確認用グリチルリチン酸一アンモニウム 5 mg を希エタ
　　　ノール 20 mL に溶かす．この液 10 μL につき，上記の条件で操作するとき，
　　　グリチルリチン酸に対する相対保持時間約 0.9 のピークとグリチルリチン酸
　　　の分離度は 1.5 以上である．また，薄層クロマトグラフィー用 (E)-シンナ
　　　ムアルデヒド 1 mg 及び分離確認用バイカレイン 1 mg をメタノール 50 mL
　　　に溶かす．この液 2 mL に標準溶液 2 mL を加える．この液 10 μL につき，
　　　上記の条件で操作するとき，グリチルリチン酸のピーク以外に二つのピーク
　　　を認め，グリチルリチン酸とそれぞれのピークの分離度は 1.5 以上である．

　　システムの再現性：標準溶液 10 μL につき，上記の条件で試験を 6 回繰り返
　　　すとき，グリチルリチン酸のピーク面積の相対標準偏差は 1.5 ％以下であ
　　　る．

ⅱ）乾燥エキス約 0.5 g（軟エキスは乾燥物として約 0.5 g に対応する量）を精密
に量り，ジエチルエーテル 20 mL 及び水 10 mL を加えて 10 分間振り混ぜる．こ
れを遠心分離し，ジエチルエーテル層を除いた後，ジエチルエーテル 20 mL を加
えて同様に操作し，ジエチルエーテル層を除く．水層にメタノール 10 mL を加え
て 30 分間振り混ぜた後，遠心分離し，上澄液を分取する．残留物に薄めたメタノ
ール（1→2）20 mL を加えて 5 分間振り混ぜた後，遠心分離し，上澄液を分取
し，先の上澄液と合わせ，薄めたメタノール（1→2）を加えて正確に 50 mL と
し，試料溶液とする．別にグリチルリチン酸標準品（別途 10 mg につき，電量滴
定法により水分〈2.48〉を測定しておく）約 10 mg を精密に量り，薄めたメタノ
ール（1→2）に溶かして正確に 100 mL とし，標準溶液とする．試料溶液及び標
準溶液 10 μL ずつを正確にとり，次の条件で液体クロマトグラフィー〈2.01〉によ
り試験を行い，それぞれの液のグリチルリチン酸のピーク面積 A_T 及び A_S を測定
する．注16

　　　グリチルリチン酸（$C_{42}H_{62}O_{16}$）の量（mg）＝ $M_S × A_T / A_S × 1／2$

　　　M_S：脱水物に換算したグリチルリチン酸標準品の秤取量（mg）

試験条件
　ⅰ）の試験条件を準用する．

システム適合性
　　システムの再現性はⅰ）のシステム適合性を準用する．
　　システムの性能：分離確認用グリチルリチン酸一アンモニウム 5 mg を希エタ

柴胡桂枝乾姜湯エキス　　D- _21_

ノール 20 mL に溶かす．この液 10 μL につき，上記の条件で操作するとき，グリチルリチン酸に対する相対保持時間約 0.9 のピークとグリチルリチン酸の分離度は 1.5 以上である．

貯　法　容器　気密容器．

──────── **注・解説** ────────

注1　漢方処方に収載されている柴胡桂枝乾姜湯を，製剤法に従い製した乾燥エキスと軟エキス．

注2　英名は漢字の読み方をヘボン式の英文表記に統一．

注3　定量値は，サイコのサイコサポニン b_2，オウゴンのバイカリン及びカンゾウのグリチルリチン酸を規定．

注4　配合生薬の「カンキョウ」及び「カロコン」の配合量により 2 種類の組合せが規定されている．

注5　国内に流通しているエキス製剤を参考にして，色，におい，味を，日本薬局方調査委員及び日本漢方生薬製剤協会技術委員会委員と吟味し決定．

注6　試料の水抽出液を 1-ブタノールと振り混ぜ，1-ブタノール層中のサイコサポニン b_2 を，薄層クロマトグラフィーで確認することで，「サイコ」を確認．展開距離は 7 cm．試料採取量は乾燥エキスが 1.0 g で，軟エキスは 3 倍の 3.0 g．

注7　試料のヘキサン抽出液中の (_E_)-シンナムアルデヒドを，薄層クロマトグラフィーで確認することで，「ケイヒ」の含有を確認．展開距離は 7 cm．試料採取量は乾燥エキスが 10 g で，軟エキスは 3 倍の 30 g．

注8　試料の水抽出液をヘキサンと振り混ぜ，ヘキサン層中の (_E_)-2-メトキシシンナムアルデヒドを，薄層クロマトグラフィーで確認することで，「ケイヒ」の含有を確認．展開距離は 7 cm．試料採取量は乾燥エキスが 2.0 g で，軟エキスは 3 倍の 6.0 g．

注9　試料の水抽出液をジエチルエーテルと振り混ぜ，ジエチルエーテル層中のオウゴニンを，薄層クロマトグラフィーで確認することで，「オウゴン」の含有を確認．展開距離は 7 cm．試料採取量は乾燥エキスが 1.0 g で，軟エキスは 3 倍の 3.0 g．

注10　試料の水抽出液をジエチルエーテルと振り混ぜ，ジエチルエーテル層中の [6]-ショーガオールを，薄層クロマトグラフィーで確認することで，「カンキョウ」の含有を確認．確実に発色させるため水の噴霧を追加．展開距離は 7 cm．試料採取量は乾燥エキスが 1.0 g で，軟エキスは 3 倍の 3.0 g．

注11　試料の水抽出液を 1-ブタノールと振り混ぜ，1-ブタノール層中のリクイリチンを，薄層クロマトグラフィーで確認することで，「カンゾウ」の含有を確認．展開距離は 7 cm．試料採取量は乾燥エキスが 1.0 g で，軟エキスは 3 倍の 3.0 g．

注12　製剤総則エキス剤の重金属の項を用いる．

注13　サイコサポニン b_2 を，定量用サイコサポニン b_2 標準試液の液体クロマトグ

D-22　サンシュユ

ラフィーで定量.

注14　バイカリンを，バイカリン標準品の液体クロマトグラフィーで定量.

注15　グリチルリチン酸を，グリチルリチン酸標準品の液体クロマトグラフィーで定量.　緩衝液法により，ガラクツログリチルリチン酸を分離.

注16　試料調整の前処理として，ジエチルエーテルにより妨害物質を除去.

本質　52　漢方製剤　更年期症候群改善薬，神経症改善薬
名称　柴胡桂枝乾姜湯エキス　Saikokeishikankyoto Extract
来歴　傷寒論
しばり　体力が弱く，冷え症，貧血気味で，動悸，息切れがあり，神経過敏な人心窩部より季肋下部にかけての軽度の苦満感（胸脇苦満）を訴える場合
適応症　更年期障害，神経症，不眠症の治療

医薬品各条の部　サンシシの条基原の項を次のように改める.

サ　ン　シ　シ

本品はクチナシ *Gardenia jasminoides* J. Ellis（*Rubiaceae*）の果実で，ときには湯通し又は蒸したものである.　注1

本品は定量するとき，換算した生薬の乾燥物に対し，ゲニポシド 2.7 % 以上を含む.

──────── 注・解説 ────────

注1　母種のみが記載された.　基原植物の学名を修正.

医薬品各条の部　サンシュユの条定量法の項を次のように改める.

サ　ン　シ　ュ　ユ

定量法　本品（別途乾燥減量〈5.01〉を測定しておく）を細切以下にし，その約 1 g を精密に量り，共栓遠心沈殿管にとり，薄めたメタノール（1→2）30 mL を加えて 20 分間振り混ぜた後，遠心分離し，上澄液を分取する.　残留物に薄めたメタノール（1→2）30 mL を加えて同様に操作し，これを 2 回繰り返す.　全抽出液を合わせ，薄めたメタノール（1→2）を加えて正確に 100 mL とし，試料溶液とする.　別に定量用ロガニン約 10 mg を精密に量り，薄めたメタノール（1→2）に

シャカンゾウ　　D-23

溶かして正確に 100 mL とし，標準溶液とする．試料溶液及び標準溶液 10 μL ずつを正確にとり，次の条件で液体クロマトグラフィー〈2.01〉により試験を行い，それぞれの液のロガニンのピーク面積 A_T 及び A_S を測定する．(注1)

$$\text{ロガニンの量（mg）} = M_S \times A_T / A_S$$

M_S：qNMR で含量換算した定量用ロガニンの秤取量（mg）

試験条件
　　検出器：紫外吸光光度計（測定波長：238 nm）
　　カラム：内径 4.6 mm，長さ 15 cm のステンレス管に 5 μm の液体クロマトグラフィー用オクタデシルシリル化シリカゲルを充塡する．
　　カラム温度：50℃付近の一定温度
　　移動相：水／アセトニトリル／メタノール混液（55：4：1）
　　流量：ロガニンの保持時間が約 25 分になるように調整する．
システム適合性
　　システムの性能：標準溶液 10 μL につき，上記の条件で操作するとき，ロガニンのピークの理論段数及びシンメトリー係数は，それぞれ 5000 段以上，1.5 以下である．
　　システムの再現性：標準溶液 10 μL につき，上記の条件で試験を 6 回繰り返すとき，ロガニンのピーク面積の相対標準偏差は 1.5% 以下である．

──────── 注・解説 ────────

(注1)　ロガニンを，定量用ロガニンの液体クロマトグラフィーで定量．定量用ロガニンが qNMR 純度規定されたもののみになったことに伴い，定量値の計算式に qNMR で含量換算されたを追加．

医薬品各条の部　シャカンゾウの条生薬の性状の項を次のように改める．

シ ャ カ ン ゾ ウ

生薬の性状　本品は通例，切断したもので，外面は，周皮が残存するものでは暗褐色～暗赤褐色で縦じわがあり，周皮が脱落したものでは淡黄褐色～褐色で繊維性である．横切面は淡黄褐色～褐色で，皮部と木部の境界がほぼ明らかで，放射状の構造を呈し，しばしば放射状に裂け目がある．
　　本品は香ばしいにおいがあり，味は甘く，後にやや苦い．

D- 24　ショウキョウ

医薬品各条の部　ジャショウシの条ラテン名の項を次のように改める.

ジャショウシ

CNIDII MONNIERI FRUCTUS 注1

──────── 注・解説 ────────

注1　生薬ラテン名の修正.

医薬品各条の部　シャゼンソウの条生薬の性状の項を次のように改める.

シャゼンソウ

生薬の性状　本品は，通例，縮んでしわのよった葉及び花茎からなり，灰緑色～暗黄緑色を呈する．水に浸してしわを伸ばすと，葉身は卵形～広卵形で，長さ4～15 cm，幅3～8 cm，先端は鋭形，基部は急に細まり，辺縁はやや波状を呈し，明らかな平行脈があり，無毛又はほとんど無毛である．葉柄は葉身よりやや長く，基部はやや膨らんで薄膜性の葉鞘を付ける．花茎は長さ10～50 cmで，上部の1/3～1/2は穂状花序となり，小形の花を密に付け，しばしば花序の下部は結実してがい果を付ける．根は，通例，切除されているが，付けているものでは細いものが密生する．注1

本品は僅かににおいがあり，味はほとんどない．

──────── 注・解説 ────────

注1　葉身の辺縁はやや波状を呈するが，個体によっては基部付近に浅い不規則な切れ込みを示すものがある．根はしばしば切除されている．葉の先端部と基部の形状表記を統一した.

医薬品各条の部　ショウキョウの条定量法の項を次のように改める.

ショウキョウ

定量法　本品（別途105℃，5時間で乾燥減量〈5.01〉を測定しておく）の粉末約1 gを精密に量り，共栓遠心沈殿管にとり，メタノール／水混液（3：1）30 mLを

ショウキョウ　　D−25

加えて 20 分間振り混ぜた後，遠心分離し，上澄液を分取する．残留物にメタノール / 水混液（3：1）30 mL を加えて，更にこの操作を 2 回繰り返す．全抽出液を合わせ，メタノール / 水混液（3：1）を加えて正確に 100 mL とし，試料溶液とする．別に定量用 [6]-ギンゲロール 5 mg を精密に量り，メタノール / 水混液（3：1）に溶かして正確に 100 mL とし，標準溶液とする．試料溶液及び標準溶液 10 μL ずつを正確にとり，次の条件で液体クロマトグラフィー〈2.01〉により試験を行い，それぞれの液の [6]-ギンゲロールのピーク面積 A_T 及び A_S を測定する．
(注1)

$$[6]\text{-ギンゲロールの量（mg）} = M_S \times A_T \big/ A_S$$

M_S：qNMR で含量換算した定量用 [6]-ギンゲロールの秤取量（mg）

試験条件
　検出器：紫外吸光光度計（測定波長：205 nm）
　カラム：内径 4.6 mm，長さ 15 cm のステンレス管に 5 μm の液体クロマトグラフィー用オクタデシルシリル化シリカゲルを充塡する．
　カラム温度：40℃付近の一定温度
　移動相：水 / アセトニトリル / リン酸混液（3800：2200：1）
　流量：[6]-ギンゲロールの保持時間が約 19 分になるように調整する．
システム適合性
　システムの性能：標準溶液 10 μL につき，上記の条件で操作するとき，[6]-ギンゲロールのピークの理論段数及びシンメトリー係数は，それぞれ 5000 段以上，1.5 以下である．
　システムの再現性：標準溶液 10 μL につき，上記の条件で試験を 6 回繰り返すとき，[6]-ギンゲロールのピーク面積の相対標準偏差は 1.5％以下である．

―――――― 注・解説 ――――――

注1　定量用 [6]-ギンゲロールが qNMR 純度規定されたもののみになったことに伴い，定量値の計算式に qNMR で含量換算されたを追加．

D- *26*　ショウキョウ末

医薬品各条の部　ショウキョウ末の条定量法の項を次のように改める.

ショウキョウ末

定 量 法　本品（別途 105℃，5 時間で乾燥減量〈*5.01*〉を測定しておく）約 1 g を精密に量り，共栓遠心沈殿管にとり，メタノール / 水混液（3：1）30 mL を加えて 20 分間振り混ぜた後，遠心分離し，上澄液を分取する．残留物にメタノール / 水混液（3：1）30 mL を加えて，更にこの操作を 2 回繰り返す．全抽出液を合わせ，メタノール / 水混液（3：1）を加えて正確に 100 mL とし，試料溶液とする．別に定量用 [6]-ギンゲロール 5 mg を精密に量り，メタノール / 水混液（3：1）に溶かして正確に 100 mL とし，標準溶液とする．試料溶液及び標準溶液 10 µL ずつを正確にとり，次の条件で液体クロマトグラフィー〈*2.01*〉により試験を行い，それぞれの液の [6]-ギンゲロールのピーク面積 A_T 及び A_S を測定する．注1

$$[6]\text{-ギンゲロールの量（mg）} = M_S \times A_T / A_S$$

M_S：qNMR で含量換算した定量用 [6]-ギンゲロールの秤取量（mg）

試験条件
　　検出器：紫外吸光光度計（測定波長：205 nm）
　　カラム：内径 4.6 mm，長さ 15 cm のステンレス管に 5 µm の液体クロマトグラフィー用オクタデシルシリル化シリカゲルを充填する．
　　カラム温度：40℃付近の一定温度
　　移動相：水 / アセトニトリル / リン酸混液（3800：2200：1）
　　流量：[6]-ギンゲロールの保持時間が約 19 分になるように調整する．
システム適合性
　　システムの性能：標準溶液 10 µL につき，上記の条件で操作するとき，[6]-ギンゲロールのピークの理論段数及びシンメトリー係数は，それぞれ 5000 段以上，1.5 以下である．
　　システムの再現性：標準溶液 10 µL につき，上記の条件で試験を 6 回繰り返すとき，[6]-ギンゲロールのピーク面積の相対標準偏差は 1.5 % 以下である．

──────── 注・解説 ────────

注1　定量用 [6]-ギンゲロールが qNMR 純度規定されたもののみになったことに伴い，定量値の計算式に qNMR で含量換算されたを追加.

真武湯エキス　　D-27

医薬品各条の部　ショウズクの条日本名別名の項を次のように改める.

ショウズク

小豆蔲

小豆蔲

小豆蔲

小豆蔲

医薬品各条の部　ショウマの条純度試験の項（3）の目を次のように改める.

ショウマ

純度試験

(3)　*Astilbe* 属植物及びその他の根茎(注1)　本品の粉末を鏡検〈*5.01*〉するとき，シュウ酸カルシウムの集晶を認めない.

————— 注・解説 —————

注1　対象を *Astilbe* 属とその他に広げアカショウマに限定しなくなった.

医薬品各条の部　真武湯エキスの条定量法の項（2）の目を次のように改める.

真武湯エキス

定量法

(2)　［6］-ギンゲロール　本品約 0.5 g を精密に量り，薄めたメタノール（7→10）50 mL を正確に加えて 15 分間振り混ぜた後，ろ過し，ろ液を試料溶液とする．別に定量用［6］-ギンゲロール約 10 mg を精密に量り，メタノールに溶かし，正確に 100 mL とする．この液 5 mL を正確に量り，メタノールを加えて正確に 50 mL とし，標準溶液とする．試料溶液及び標準溶液 10 μL ずつを正確にとり，次の条件で液体クロマトグラフィー〈*2.01*〉により試験を行い，それぞれの液の［6］-ギンゲロールのピーク面積 A_T 及び A_S を測定する．(注1)

D–28　セ ン ナ

$$[6]\text{-ギンゲロールの量（mg）} = M_S \times A_T / A_S \times 1/20$$

M_S：qNMR で含量換算した定量用 [6]–ギンゲロールの秤取量（mg）

試験条件
　検出器：紫外吸光光度計（測定波長：282 nm）
　カラム：内径 4.6 mm，長さ 15 cm のステンレス管に 5 μm の液体クロマトグ
　　ラフィー用オクタデシルシリル化シリカゲルを充塡する.
　カラム温度：30℃付近の一定温度
　移動相：水 / アセトニトリル / リン酸混液（620：380：1）
　流量：毎分 1.0 mL（[6]–ギンゲロールの保持時間約 15 分）
システム適合性
　システムの性能：標準溶液 10 μL につき，上記の条件で操作するとき，[6]–
　　ギンゲロールのピークの理論段数及びシンメトリー係数は，それぞれ 5000
　　段以上，1.5 以下である.
　システムの再現性：標準溶液 10 μL につき，上記の条件で試験を 6 回繰り返
　　すとき，[6]–ギンゲロールのピーク面積の相対標準偏差は 1.5％以下であ
　　る.

─────── 注・解説 ───────

注1　[6]–ギンゲロールを，定量用 [6]–ギンゲロールの液体クロマトグラフィー
で定量．定量用 [6]–ギンゲロールが qNMR 純度規定されたもののみになったことに
伴い，定量値の計算式に qNMR で含量換算されたを追加.

　医薬品各条の部　センナの条生薬の性状の項及び確認試験の項（2）の目を次のよ
うに改める.

セ ン ナ

生薬の性状　本品はひ針形～狭ひ針形を呈し，長さ 1.5 ～ 5 cm，幅 0.5 ～ 1.5 cm，
淡灰黄色～淡灰黄緑色である．全縁で先端はとがり，基部は非相称，小葉柄は短い
注1．ルーペ視するとき，葉脈は浮き出て，一次側脈は辺縁に沿って上昇し，直
上の側脈に合一する．下面は僅かに毛がある.
　本品は弱いにおいがあり，味は苦い.
　本品の横切片を鏡検〈5.01〉するとき，両面の表皮は厚いクチクラを有し，多数
の気孔及び厚壁で表面に粒状突起のある単細胞毛があり，表皮細胞はしばしば葉面

センナ末　D-29

に平行な隔壁によって2層に分かれ，内層に粘液を含む．両面の表皮下には1細胞層の柵状組織があり，海綿状組織は3〜4細胞層からなり，シュウ酸カルシウムの集晶及び単晶を含む．維管束に接する細胞は結晶細胞列を形成する．

確認試験

(2)　本品の粉末2gにテトラヒドロフラン/メタノール/希塩酸混液（16：4：1）20 mLを加えて5分間振り混ぜた後，ろ過し，ろ液を試料溶液とする．別にセンノシドA標準品又は薄層クロマトグラフィー用センノシドA 1 mgをテトラヒドロフラン/水混液（7：3）1 mLに溶かし，標準溶液とする．これらの液につき，薄層クロマトグラフィー〈2.03〉により試験を行う．試料溶液及び標準溶液5 µLずつを薄層クロマトグラフィー用シリカゲルを用いて調製した薄層板にスポットする．次に1-プロパノール/酢酸エチル/水/酢酸（100）混液（40：40：30：1）を展開溶媒として約7 cm展開した後，薄層板を風乾する．これに紫外線（主波長365 nm）を照射するとき，試料溶液から得た数個のスポットのうち1個のスポットは，標準溶液から得た赤色〜暗赤色の蛍光を発するスポットと色調及び R_f 値が等しい．注2

―――――― 注・解説 ――――――

注1　葉の先端部と基部の形状表記を統一した．
注2　センノシドAを，薄層クロマトグラフィーで確認，展開距離は7 cm.

医薬品各条の部　センナ末の条確認試験の項（2）の目を次のように改める．

セ　ン　ナ　末

確認試験

(2)　本品2gにテトラヒドロフラン/メタノール/希塩酸混液（16：4：1）20 mLを加えて5分間振り混ぜた後，ろ過し，ろ液を試料溶液とする．別にセンノシドA標準品又は薄層クロマトグラフィー用センノシドA 1 mgをテトラヒドロフラン/水混液（7：3）1 mLに溶かし，標準溶液とする．これらの液につき，薄層クロマトグラフィー〈2.03〉により試験を行う．試料溶液及び標準溶液5 µLずつを薄層クロマトグラフィー用シリカゲルを用いて調製した薄層板にスポットする．次に1-プロパノール/酢酸エチル/水/酢酸（100）混液（40：40：30：1）を展開溶媒として約7 cm展開した後，薄層板を風乾する．これに紫外線（主波長365 nm）を照射するとき，試料溶液から得た数個のスポットのうち1個のスポットは，標準溶液から得た赤色〜暗赤色の蛍光を発するスポットと色調及び R_f 値が等しい．注1

D-*30* 　無コウイ大建中湯エキス

──── 注・解説 ────

注1 センノシド A を，薄層クロマトグラフィーで確認，展開距離は 7 cm.

医薬品各条の部　無コウイ大建中湯エキスの条定量法の項（2）の目を次のように改める.

無コウイ大建中湯エキス

定 量 法

（2）　[6]-ショーガオール　本品約 0.5 g を精密に量り，薄めたメタノール（3→4）50 mL を正確に加えて 15 分間振り混ぜた後，遠心分離し，上澄液を試料溶液とする. 別に定量用 [6]-ショーガオール約 10 mg を精密に量り，薄めたメタノール（3→4）に溶かし，正確に 100 mL とする. この液 10 mL を正確にとり，薄めたメタノール（3→4）を加えて正確に 50 mL とし，標準溶液とする. 試料溶液及び標準溶液 20 μL ずつを正確にとり，次の条件で液体クロマトグラフィー〈*2.01*〉により試験を行い，それぞれの液の [6]-ショーガオールのピーク面積 A_T 及び A_S を測定する. 注1

$$[6]\text{-ショーガオールの量（mg）} = M_\mathrm{S} \times A_\mathrm{T} / A_\mathrm{S} \times 1/10$$

M_S：qNMR で含量換算した定量用 [6]-ショーガオールの秤取量（mg）

試験条件

　　検出器：紫外吸光光度計（測定波長：225 nm）

　　カラム：内径 4.6 mm，長さ 15 cm のステンレス管に 5 μm の液体クロマトグラフィー用オクチルシリル化シリカゲルを充塡する.

　　カラム温度：50℃付近の一定温度

　　移動相：シュウ酸二水和物 0.1 g を水 600 mL に溶かした後，アセトニトリル 400 mL を加える.

　　流量：毎分 1.0 mL（[6]-ショーガオールの保持時間約 30 分）

システム適合性

　　システムの性能：標準溶液 20 μL につき，上記の条件で操作するとき，[6]-ショーガオールのピークの理論段数及びシンメトリー係数は，それぞれ 5000 段以上，1.5 以下である.

　　システムの再現性：標準溶液 20 μL につき，上記の条件で試験を 6 回繰り返

すとき，［6］-ショーガオールのピーク面積の相対標準偏差は1.5％以下である．

──────── 注・解説 ────────

注1 ［6］-ショーガオールを，定量用［6］-ショーガオールの液体クロマトグラフィーで定量．定量用［6］-ショーガオールがqNMR純度規定されたもののみになったことに伴い，定量値の計算式にqNMRで含量換算されたを追加．

医薬品各条の部 チョウジの条基原の項を次のように改める．

チ ョ ウ ジ

本品はチョウジ*Syzygium aromaticum* Merrill et L. M. Perry（*Eugenia caryophyllata* Thunberg）（*Myrtaceae*）のつぼみである． 注1

──────── 注・解説 ────────

注1 基原植物の学名を修正．

医薬品各条の部 チョウジ油の条基原の項を次のように改める．

チ ョ ウ ジ 油

本品はチョウジ*Syzygium aromaticum* Merrill et L. M. Perry（*Eugenia caryophyllata* Thunberg）（*Myrtaceae*）のつぼみ又は葉を水蒸気蒸留して得た精油である． 注1
本品は定量するとき，総オイゲノール80.0 vol％以上を含む．

──────── 注・解説 ────────

注1 基原植物の学名を修正．

医薬品各条の部 チョウトウコウの条定量法の項を次のように改める．

チ ョ ウ ト ウ コ ウ

定 量 法 本品の中末約0.2 gを精密に量り，共栓遠心沈殿管にとり，メタノール／

D-*32*　チョウトウコウ

希酢酸混液（7：3）30 mL を加えて 30 分間振り混ぜた後，遠心分離し，上澄液を分取する．残留物にメタノール / 希酢酸混液（7：3）10 mL を加えて更に 2 回，同様に操作する．全抽出液を合わせ，メタノール / 希酢酸混液（7：3）を加えて正確に 50 mL とし，試料溶液とする．別に定量用リンコフィリン約 5 mg を精密に量り，メタノール / 希酢酸混液（7：3）に溶かして正確に 100 mL とする．この液 1 mL を正確に量り，メタノール / 希酢酸混液（7：3）を加えて正確に 10 mL とし，標準溶液（1）とする．別にヒルスチン 1 mg をメタノール / 希酢酸混液（7：3）100 mL に溶かし，標準溶液（2）とする．試料溶液，標準溶液（1）及び標準溶液（2）20 μL ずつを正確にとり，次の条件で液体クロマトグラフィー〈2.01〉により試験を行う．試料溶液のリンコフィリン及びヒルスチンのピーク面積 A_{Ta} 及び A_{Tb} 並びに標準溶液（1）のリンコフィリンのピーク面積 A_{S} を測定する．（注1）

総アルカロイド（リンコフィリン及びヒルスチン）の量（mg）
$$= M_{\mathrm{S}} \times \left(A_{\mathrm{Ta}} + 1.405 A_{\mathrm{Tb}}\right) \big/ A_{\mathrm{S}} \times 1 \big/ 20$$

M_{S}：定量用リンコフィリンの秤取量（mg）

試験条件
　検出器：紫外吸光光度計（測定波長：245 nm）
　カラム：内径 4.6 mm，長さ 25 cm のステンレス管に 5 μm の液体クロマトグラフィー用オクタデシルシリル化シリカゲルを充塡する．
　カラム温度：40℃付近の一定温度
　移動相：酢酸アンモニウム 3.85 g を水 200 mL に溶かし，酢酸（100）10 mL を加え，水を加えて 1000 mL とする．この液にアセトニトリル 350 mL を加える．
　流量：リンコフィリンの保持時間が約 17 分になるように調整する．
システム適合性
　システムの性能：定量用リンコフィリン 5 mg をメタノール / 希酢酸混液（7：3）100 mL に溶かす．この液 5 mL にアンモニア水（28）1 mL を加えて 50℃で 2 時間加熱，又は還流冷却器を付けて 10 分間加熱する．冷後，反応液 1 mL を量り，メタノール / 希酢酸混液（7：3）を加えて 5 mL とする．この液 20 μL につき，上記の条件で操作するとき，リンコフィリン以外にイソリンコフィリンのピークを認め，リンコフィリンとイソリンコフィリンの分離度は 1.5 以上である．
　システムの再現性：標準溶液（1）20 μL につき，上記の条件で試験を 6 回繰り返すとき，リンコフィリンのピーク面積の相対標準偏差は 1.5% 以下である．

桃核承気湯エキス　　D-33

――――――― 注・解説 ―――――――

注1　定量用リンコフィリンに qNMR 純度規定が導入されたことに伴い，乾燥操作を削除.

　　医薬品各条の部　桃核承気湯エキスの条定量法の項（1）の目を次のように改める.

桃核承気湯エキス

定 量 法

（1）　アミグダリン　本品約 0.5 g を精密に量り，薄めたメタノール（1 → 2）50 mL を正確に加えて 15 分間振り混ぜた後，ろ過する．ろ液 5 mL を正確に量り，あらかじめ，カラムクロマトグラフィー用ポリアミド 2 g を用いて調製したカラムに入れ，水で流出させ，流出液を正確に 20 mL とし，試料溶液とする．別に定量用アミグダリン約 10 mg を精密に量り，薄めたメタノール（1 → 2）に溶かして正確に 50 mL とし，標準溶液とする．試料溶液及び標準溶液 10 μL ずつを正確にとり，次の条件で液体クロマトグラフィー〈2.01〉により試験を行い，それぞれの液のアミグダリンのピーク面積 A_T 及び A_S を測定する．注1

$$アミグダリンの量（mg）＝ M_\mathrm{S} \times A_\mathrm{T} / A_\mathrm{S} \times 4$$

　　　M_S：定量用アミグダリンの秤取量（mg）

試験条件
　　検出器：紫外吸光光度計（測定波長：210 nm）
　　カラム：内径 4.6 mm，長さ 15 cm のステンレス管に 5 μm の液体クロマトグラフィー用オクタデシルシリル化シリカゲルを充塡する.
　　カラム温度：45℃付近の一定温度
　　移動相：0.05 mol/L リン酸二水素ナトリウム試液 / メタノール混液（5：1）
　　流量：毎分 0.8 mL（アミグダリンの保持時間約 12 分）
システム適合性
　　システムの性能：標準溶液 10 μL につき，上記の条件で操作するとき，アミグダリンのピークの理論段数及びシンメトリー係数は，それぞれ 5000 段以上，1.5 以下である.
　　システムの再現性：標準溶液 10 μL につき，上記の条件で試験を 6 回繰り返

D-34　ト ウ ニ ン

すとき，アミグダリンのピーク面積の相対標準偏差は1.5％以下である.

─────── 注・解説 ───────

注1　アミグダリンを，定量用アミグダリンの液体クロマトグラフィーで定量．妨害ピーク除去のため，ポリアクリルアミドで前処理．定量用アミグダリンにqNMR純度規定が導入されたことに伴い，乾燥操作を削除.

医薬品各条の部　トウニンの条定量法の項を次のように改める.

ト　ウ　ニ　ン

定　量　法　本品をすりつぶし，その約0.5gを精密に量り，薄めたメタノール（9→10）40 mLを加え，直ちに還流冷却器を付けて30分間加熱し，冷後，ろ過し，薄めたメタノール（9→10）を加えて正確に50 mLとする．この液5 mLを正確に量り，水を加えて正確に10 mLとした後，試料溶液とする．別に定量用アミグダリン約10 mgを精密に量り，薄めたメタノール（1→2）に溶かして正確に50 mLとし，標準溶液とする．試料溶液及び標準溶液10 μLずつを正確にとり，次の条件で液体クロマトグラフィー〈*2.01*〉により試験を行い，それぞれの液のアミグダリンのピーク面積A_T及びA_Sを測定する． 注1

$$\text{アミグダリンの量（mg）} = M_S \times A_T / A_S \times 2$$

　　　　M_S：定量用アミグダリンの秤取量（mg）

　試験条件
　　検出器：紫外吸光光度計（測定波長：210 nm）
　　カラム：内径4.6 mm，長さ15 cmのステンレス管に5 μmの液体クロマトグラフィー用オクタデシルシリル化シリカゲルを充塡する.
　　カラム温度：45℃付近の一定温度
　　移動相：0.05 mol/Lリン酸二水素ナトリウム試液/メタノール混液（5：1）
　　流量：毎分0.8 mL（アミグダリンの保持時間約12分）
　システム適合性
　　システムの性能：標準溶液10 μLにつき，上記の条件で操作するとき，アミグダリンのピークの理論段数及びシンメトリー係数は，それぞれ5000段以上，1.5以下である.
　　システムの再現性：標準溶液10 μLにつき，上記の条件で試験を6回繰り返

トウニン末　　D–35

すとき，アミグダリンのピーク面積の相対標準偏差は 1.5％以下である.

────── 注・解説 ──────

注1　アミグダリンを，定量用アミグダリンの液体クロマトグラフィーで定量. 定量用アミグダリンに qNMR 純度規定が導入されたことに伴い，乾燥操作を削除.

医薬品各条の部　トウニン末の条定量法の項を次のように改める.

ト　ウ　ニ　ン　末

定 量 法　本品約 0.5 g を精密に量り，薄めたメタノール（9 → 10）40 mL を加え，直ちに還流冷却器を付けて 30 分間加熱し，冷後，ろ過し，薄めたメタノール（9 → 10）を加えて正確に 50 mL とする. この液 5 mL を正確に量り，水を加えて正確に 10 mL とした後，試料溶液とする. 別に定量用アミグダリン約 10 mg を精密に量り，薄めたメタノール（1 → 2）に溶かして正確に 50 mL とし，標準溶液とする. 試料溶液及び標準溶液 10 μL ずつを正確にとり，次の条件で液体クロマトグラフィー〈2.01〉により試験を行い，それぞれの液のアミグダリンのピーク面積 A_T 及び A_S を測定する. 注1

$$アミグダリンの量（mg）= M_S × A_T / A_S × 2$$

M_S：定量用アミグダリンの秤取量（mg）

試験条件
　検出器：紫外吸光光度計（測定波長：210 nm）
　カラム：内径 4.6 mm，長さ 15 cm のステンレス管に 5 μm の液体クロマトグラフィー用オクタデシルシリル化シリカゲルを充塡する.
　カラム温度：45℃付近の一定温度
　移動相：0.05 mol/L リン酸二水素ナトリウム試液 / メタノール混液（5：1）
　流量：毎分 0.8 mL（アミグダリンの保持時間約 12 分）
システム適合性
　システムの性能：標準溶液 10 μL につき，上記の条件で操作するとき，アミグダリンのピークの理論段数及びシンメトリー係数は，それぞれ 5000 段以上，1.5 以下である.
　システムの再現性：標準溶液 10 μL につき，上記の条件で試験を 6 回繰り返すとき，アミグダリンのピーク面積の相対標準偏差は 1.5％以下である.

D-36 ニ ガ キ 末

──────── 注・解説 ────────

注1 アミグダリンを，定量用アミグダリンの液体クロマトグラフィーで定量．定量アミグダリンに qNMR 純度規定が導入されたことに伴い，乾燥操作を削除．

医薬品各条の部 ニガキの条生薬の性状の項の次に次を加える．

ニ ガ キ

確認試験 本品の粉末 0.1 g にメタノール 5 mL を加えて 5 分間振り混ぜた後，ろ過し，ろ液を試料溶液とする．この液につき，薄層クロマトグラフィー〈*2.03*〉により試験を行う．試料溶液 2 µL を薄層クロマトグラフィー用シリカゲルを用いて調製した薄層板にスポットする．次に酢酸エチル／ヘキサン混液（20：1）を展開溶媒として約 7 cm 展開した後，薄層板を風乾する．これに紫外線（主波長 365 nm）を照射するとき，R_f 値 0.35 付近に青白色の蛍光を発するスポットを認める． 注1

──────── 注・解説 ────────

注1 メチルニガキノンあるいはその類縁化合物を，薄層クロマトグラフィーで確認，展開距離は 7 cm．未同定であるが，メチルニガキノン標品と R_f 値，色調が一致している．

医薬品各条の部 ニガキ末の条生薬の性状の項の次に次を加える．

ニ ガ キ 末

確認試験 本品 0.1 g にメタノール 5 mL を加えて 5 分間振り混ぜた後，ろ過し，ろ液を試料溶液とする．この液につき，薄層クロマトグラフィー〈*2.03*〉により試験を行う．試料溶液 2 µL を薄層クロマトグラフィー用シリカゲルを用いて調製した薄層板にスポットする．次に酢酸エチル／ヘキサン混液（20：1）を展開溶媒として約 7 cm 展開した後，薄層板を風乾する．これに紫外線（主波長 365 nm）を照射するとき，R_f 値 0.35 付近に青白色の蛍光を発するスポットを認める． 注1

──────── 注・解説 ────────

注1 メチルニガキノンあるいはその類縁化合物を，薄層クロマトグラフィーで確認，展開距離は 7 cm．未同定であるが，メチルニガキノン標品と R_f 値，色調が一致

八味地黄丸エキス　　D- 37

している.

医薬品各条の部　ニクズクの条日本名別名の項を次のように改める.

ニ　ク　ズ　ク

肉豆蔲

肉豆蔲

肉豆蔲

肉豆蔲

医薬品各条の部　八味地黄丸エキスの条定量法の項（1）の目を次のように改める.

八 味 地 黄 丸 エ キ ス

定 量 法

（1）　ロガニン　乾燥エキス約 0.5 g（軟エキスは乾燥物として約 0.5 g に対応する量）を精密に量り，薄めたメタノール（1 → 2）50 mL を正確に加えて 15 分間振り混ぜた後，ろ過し，ろ液を試料溶液とする．別に定量用ロガニン約 10 mg を精密に量り，薄めたメタノール（1 → 2）に溶かして正確に 100 mL とし，標準溶液とする．試料溶液及び標準溶液 10 µL ずつを正確にとり，次の条件で液体クロマトグラフィー〈2.01〉により試験を行い，それぞれの液のロガニンのピーク面積 A_T 及び A_S を測定する．（注1）

$$ロガニンの量（mg）= M_S × A_T / A_S × 1/2$$

M_S：qNMR で含量換算した定量用ロガニンの秤取量（mg）

試験条件
　検出器：紫外吸光光度計（測定波長：238 nm）
　カラム：内径 4.6 mm，長さ 15 cm のステンレス管に 5 µm の液体クロマトグラフィー用オクタデシルシリル化シリカゲルを充塡する.

D-38　半夏厚朴湯エキス

　　　カラム温度：50℃付近の一定温度
　　　移動相：水／アセトニトリル／メタノール混液（55：4：1）
　　　流量：毎分1.2 mL（ロガニンの保持時間約25分）
　　システム適合性
　　　システムの性能：標準溶液10 μLにつき，上記の条件で操作するとき，ロガニンのピークの理論段数及びシンメトリー係数は，それぞれ5000段以上，1.5以下である．
　　　システムの再現性：標準溶液10 μLにつき，上記の条件で試験を6回繰り返すとき，ロガニンのピーク面積の相対標準偏差は1.5％以下である．

──────── 注・解説 ────────

注1　ロガニンを，定量用ロガニンの液体クロマトグラフィーで定量．定量用ロガニンがqNMR純度規定されたもののみになったことに伴い，定量値の計算式にqNMRで含量換算されたを追加．

医薬品各条の部　ハマボウフウの条基原の項を次のように改める．

ハ　マ　ボ　ウ　フ　ウ

　本品はハマボウフウ *Glehnia littoralis* F. Schmidt ex Miquel（*Umbelliferae*）の根及び根茎である．　注1

──────── 注・解説 ────────

注1　基原植物の学名を修正．

医薬品各条の部　半夏厚朴湯エキスの条定量法の項（3）の目を次のように改める．

半夏厚朴湯エキス

定 量 法

（3）［6］-ギンゲロール　乾燥エキス約0.5 g（軟エキスは乾燥物として約0.5 gに対応する量）を精密に量り，薄めたメタノール（7→10）50 mLを正確に加えて15分間振り混ぜた後，ろ過し，ろ液を試料溶液とする．別に定量用［6］-ギンゲロール約10 mgを精密に量り，メタノールに溶かし，正確に100 mLとする．この液

5 mL を正確に量り，メタノールを加えて正確に 50 mL とし，標準溶液とする．試料溶液及び標準溶液 10 µL ずつを正確にとり，次の条件で液体クロマトグラフィー〈2.01〉により試験を行い，それぞれの液の [6]-ギンゲロールのピーク面積 A_T 及び A_S を測定する．(注1)

$$[6]\text{-ギンゲロールの量（mg）} = M_S × A_T / A_S × 1/20$$

M_S：qNMR で含量換算した定量用 [6]-ギンゲロールの秤取量（mg）

試験条件
    検出器：紫外吸光光度計（測定波長：282 nm）
    カラム：内径 4.6 mm，長さ 15 cm のステンレス管に 5 µm の液体クロマトグラフィー用オクタデシルシリル化シリカゲルを充塡する．
    カラム温度：30℃付近の一定温度
    移動相：水 / アセトニトリル / リン酸混液（620：380：1）
    流量：毎分 1.0 mL（[6]-ギンゲロールの保持時間約 15 分）
システム適合性
    システムの性能：標準溶液 10 µL につき，上記の条件で操作するとき，[6]-ギンゲロールのピークの理論段数及びシンメトリー係数は，それぞれ 5000 段以上，1.5 以下である．
    システムの再現性：標準溶液 10 µL につき，上記の条件で試験を 6 回繰り返すとき，[6]-ギンゲロールのピーク面積の相対標準偏差は 1.5％以下である．

──────── 注・解説 ────────

(注1) [6]-ギンゲロールを，定量用 [6]-ギンゲロールの液体クロマトグラフィーで定量．定量用 [6]-ギンゲロールが qNMR 純度規定されたもののみになったことに伴い，定量値の計算式に qNMR で含量換算されたを追加．

医薬品各条の部　ボウイの条基原の項を次のように改める．

ボ　ウ　イ

本品はオオツヅラフジ *Sinomenium acutum* Rehder et E. H. Wilson (*Menispermaceae*) のつる性の茎及び根茎を，通例，横切したものである．(注1)

D-40 麻黄湯エキス

──────── 注・解説 ────────

注1 市場品は主として蔓性の地上茎及び地下～地上を横走する肥大した茎からなる．基原植物の学名を修正．

医薬品各条の部 麻黄湯エキスの条定量法の項（2）の目を次のように改める．

麻 黄 湯 エ キ ス

定 量 法

（2） アミグダリン 乾燥エキス約0.5 g（軟エキスは乾燥物として約0.5 gに対応する量）を精密に量り，薄めたメタノール（1→2）50 mLを正確に加えて15分間振り混ぜた後，ろ過する．ろ液5 mLを正確に量り，あらかじめ，カラムクロマトグラフィー用ポリアミド2 gを用いて調製したカラムに入れ，水で流出させ，流出液を正確に20 mLとし，試料溶液とする．別に定量用アミグダリン約10 mgを精密に量り，薄めたメタノール（1→2）に溶かして正確に50 mLとし，標準溶液とする．試料溶液及び標準溶液10 μLずつを正確にとり，次の条件で液体クロマトグラフィー〈2.01〉により試験を行い，それぞれの液のアミグダリンのピーク面積A_T及びA_Sを測定する．注1

$$アミグダリンの量（mg）= M_S \times A_T / A_S \times 4$$

　M_S：定量用アミグダリンの秤取量（mg）

試験条件
　　検出器：紫外吸光光度計（測定波長：210 nm）
　　カラム：内径4.6 mm，長さ15 cmのステンレス管に5 μmの液体クロマトグラフィー用オクタデシルシリル化シリカゲルを充塡する．
　　カラム温度：45℃付近の一定温度
　　移動相：0.05 mol/L リン酸二水素ナトリウム試液／メタノール混液（5：1）
　　流量：毎分0.8 mL（アミグダリンの保持時間約12分）
システム適合性
　　システムの性能：標準溶液10 μLにつき，上記の条件で操作するとき，アミグダリンのピークの理論段数及びシンメトリー係数は，それぞれ5000段以上，1.5以下である．
　　システムの再現性：標準溶液10 μLにつき，上記の条件で試験を6回繰り返

ヤ ク チ　　D-41

すとき，アミグダリンのピーク面積の相対標準偏差は1.5％以下である．

──────── 注・解説 ────────

注1　アミグダリンを，定量用アミグダリンの液体クロマトグラフィーで定量．妨害ピーク除去のため，ポリアクリルアミドで前処理．定量用アミグダリンにqNMR純度規定が導入されたことに伴い，乾燥操作を削除．

医薬品各条の部　モクツウの条基原の項を次のように改める．

モ　ク　ツ　ウ

本品はアケビ *Akebia quinata* Decaisne，ミツバアケビ *Akebia trifoliata* Koidzumi又はそれらの種間雑種（*Lardizabalaceae*）のつる性の茎を，通例，横切したものである．注1

──────── 注・解説 ────────

注1　基原植物に種間雑種を追加．

医薬品各条の部　ヤクチの条生薬の性状の項の次に次を加える．

ヤ　ク　チ

確認試験　本品の粉末1.0gに水／メタノール混液（1：1）6mL及びヘキサン3mLを加えて5分間振り混ぜた後，遠心分離し，上澄液の上層を試料溶液とする．別に薄層クロマトグラフィー用ノオトカトン1mgをヘキサン1mLに溶かし，標準溶液とする．これらの液につき，薄層クロマトグラフィー〈2.03〉により試験を行う．試料溶液20μL及び標準溶液10μLを薄層クロマトグラフィー用シリカゲルを用いて調製した薄層板にスポットする．次にヘキサン／酢酸エチル混液（3：1）を展開溶媒として約7cm展開した後，薄層板を風乾する．これに2,4-ジニトロフェニルヒドラジン試液を均等に噴霧するとき，試料溶液から得た数個のスポットのうち1個のスポットは，標準溶液から得たスポットと色調及びR_f値が等しい．注1

──────── 注・解説 ────────

注1　ノオトカトンを，薄層クロマトグラフィーで確認，展開距離は7cm.

D- 42　　抑肝散加陳皮半夏エキス

医薬品各条の部　ヤクモソウの条生薬の性状の項を次のように改める.

ヤ ク モ ソ ウ

生薬の性状　本品は茎，葉及び花からなり，通例，横切したもの．茎は方柱形で，径
0.2 ～ 3 cm，黄緑色～緑褐色を呈し，白色の短毛を密生する．髄は白色で切面中央
部の多くを占める．質は軽い．葉は対生し，有柄で 3 全裂～ 3 深裂し，裂片は羽
状に裂け，終裂片は線状ひ針形で，先端は鋭形，又は鋭尖形，上面は淡緑色を呈
し，下面は白色の短毛を密生し，灰緑色を呈する(注1)．花は輪生し，がくは筒状
で上端は針状に 5 裂し，淡緑色～淡緑褐色，花冠は唇形で淡赤紫色～淡褐色を呈
する．

　本品は僅かににおいがあり，味は僅かに苦く，収れん性である．

　本品の茎の横切片を鏡検〈5.01〉するとき，四稜を認め，*Leonurus sibiricus* の
稜は一部がこぶ状に突出する．表皮には，1 ～ 3 細胞からなる非腺毛，頭部が 1 ～
4 細胞からなる腺毛及び 8 細胞からなる腺りんが認められる．稜部では表皮下に厚
角組織が発達し，木部繊維の発達が著しい．皮層は数細胞層の柔細胞からなる．維
管束は並立維管束で，ほぼ環状に配列する．師部の外側には師部繊維を認める．皮
層及び髄中の柔細胞にシュウ酸カルシウムの針晶又は板状晶が認められる．

──────── 注・解説 ────────

注1　葉の先端部と基部の形状表記を統一した.

医薬品各条の部　抑肝散エキスの条の次に次の一条を加える.

抑肝散加陳皮半夏エキス(注1)

Yokukansankachimpihange Extract (注2)

　本品は定量するとき，製法の項に規定した分量で製したエキス当たり，サイコサ
ポニン b_2 0.6 ～ 2.4 mg，グリチルリチン酸（$C_{42}H_{62}O_{16}$：822.93）10 ～ 30 mg 及び
ヘスペリジン 18 ～ 72 mg を含む． (注3)

抑肝散加陳皮半夏エキス　　D- 43

製　法

	1)	2)
トウキ	3 g	3 g
チョウトウコウ	3 g	3 g
センキュウ	3 g	3 g
ビャクジュツ	4 g	–
ソウジュツ	–	4 g
ブクリョウ	4 g	4 g
サイコ	2 g	2 g
カンゾウ	1.5 g	1.5 g
チンピ	3 g	3 g
ハンゲ	5 g	5 g

1）又は2）の処方に従い生薬をとり，エキス剤の製法により乾燥エキス又は軟エキスとする．(注4)

性　状　乾燥エキス　本品は灰褐色～帯赤黄褐色の粉末で，特異なにおいがあり，味は初め甘く，僅かに辛く，後に苦い．

軟エキス　本品は褐色の粘性のある液体で，特異なにおいがあり，味は苦く，僅かに甘い．(注5)

確認試験

(1)　乾燥エキス 2.0 g（軟エキスは 6.0 g）に水 10 mL を加えて振り混ぜた後，ジエチルエーテル 10 mL を加えて振り混ぜ，遠心分離する．ジエチルエーテル層を分取し，水酸化ナトリウム試液 10 mL を加えて振り混ぜた後，遠心分離し，ジエチルエーテル層を試料溶液とする．別に薄層クロマトグラフィー用 (Z)-リグスチリド試液を標準溶液とする．これらの液につき，薄層クロマトグラフィー〈*2.03*〉により試験を行う．試料溶液及び標準溶液 10 μL ずつを薄層クロマトグラフィー用シリカゲルを用いて調製した薄層板にスポットする．次に酢酸ブチル／ヘキサン混液（2：1）を展開溶媒として約 7 cm 展開した後，薄層板を風乾する．これに紫外線（主波長 365 nm）を照射するとき，試料溶液から得た数個のスポットのうち 1個のスポットは，標準溶液から得た青白色の蛍光を発するスポットと色調及び R_f 値が等しい（トウキ及びセンキュウ）．(注6)

(2)　乾燥エキス 2.0 g（軟エキスは 6.0 g）に水 20 mL 及びアンモニア試液 2 mL を加えて振り混ぜた後，ジエチルエーテル 20 mL を加えて振り混ぜ，ジエチルエーテル層を分取し，低圧（真空）で溶媒を留去した後，残留物にメタノール 1 mL を加えて試料溶液とする．別に薄層クロマトグラフィー用リンコフィリン及び薄層

D- *44*　　抑肝散加陳皮半夏エキス

クロマトグラフィー用ヒルスチン1 mg ずつをメタノール1 mL に溶かし，標準溶液とする．これらの液につき，薄層クロマトグラフィー〈*2.03*〉により試験を行う．試料溶液10 μL 及び標準溶液2 μL を薄層クロマトグラフィー用シリカゲル（蛍光剤入り）を用いて調製した薄層板にスポットする．次に酢酸エチル /1-プロパノール / 水 / 酢酸（100）混液（7：5：4：1）を展開溶媒として約7 cm 展開した後，薄層板を風乾する．これに紫外線（主波長254 nm）を照射するとき，試料溶液から得た数個のスポットのうち少なくとも1個のスポットは，標準溶液から得た2個の暗紫色のスポットのうち少なくとも1個のスポットと色調及び R_f 値が等しい（チョウトウコウ）．(注7)

(3)（ビャクジュツ配合処方）乾燥エキス1.0 g（軟エキスは3.0 g）に水10 mL を加えて振り混ぜた後，ジエチルエーテル25 mL を加えて振り混ぜる．ジエチルエーテル層を分取し，低圧（真空）で溶媒を留去した後，残留物にジエチルエーテル2 mL を加えて試料溶液とする．別に薄層クロマトグラフィー用アトラクチレノリドⅢ 1 mg をメタノール2 mL に溶かし，標準溶液とする．これらの液につき，薄層クロマトグラフィー〈*2.03*〉により試験を行う．試料溶液及び標準溶液5 μL ずつを薄層クロマトグラフィー用シリカゲルを用いて調製した薄層板にスポットする．次にヘキサン / 酢酸エチル混液（2：1）を展開溶媒として約7 cm 展開した後，薄層板を風乾する．これに1-ナフトール・硫酸試液を均等に噴霧し，105℃で5分間加熱した後，放冷するとき，試料溶液から得た数個のスポットのうち1個のスポットは，標準溶液から得た赤色～赤紫色のスポットと色調及び R_f 値が等しい（ビャクジュツ）．(注8)

(4)（ソウジュツ配合処方）乾燥エキス2.0 g（軟エキスは6.0 g）に水10 mL を加えて振り混ぜた後，ヘキサン25 mL を加えて振り混ぜる．ヘキサン層を分取し，低圧（真空）で溶媒を留去した後，残留物にヘキサン2 mL を加えて試料溶液とする．この液につき，薄層クロマトグラフィー〈*2.03*〉により試験を行う．試料溶液20 μL を薄層クロマトグラフィー用シリカゲル（蛍光剤入り）を用いて調製した薄層板にスポットする．次にヘキサン / アセトン混液（7：1）を展開溶媒として約7 cm 展開した後，薄層板を風乾する．これに紫外線（主波長254 nm）を照射するとき，R_f 値0.5付近に暗紫色のスポットを認める．また，このスポットは，噴霧用4-ジメチルアミノベンズアルデヒド試液を均等に噴霧し，105℃で5分間加熱した後，放冷するとき，帯緑褐色を呈する（ソウジュツ）．(注9)

(5)乾燥エキス1.0 g（軟エキスは3.0 g）に水10 mL を加えて振り混ぜた後，1-ブタノール10 mL を加えて振り混ぜ，遠心分離し，1-ブタノール層を試料溶液とする．別に薄層クロマトグラフィー用サイコサポニン b_2 1 mg をメタノール1 mL に溶かし，標準溶液とする．これらの液につき，薄層クロマトグラフィー〈*2.03*〉により試験を行う．試料溶液10 μL 及び標準溶液2 μL を薄層クロマトグラフィー用シリカゲルを用いて調製した薄層板にスポットする．次に酢酸エチル / エタノー

抑肝散加陳皮半夏エキス　　D- 45

ル（99.5）／水混液（8：2：1）を展開溶媒として約7cm展開した後，薄層板を風乾する．これに噴霧用4-ジメチルアミノベンズアルデヒド試液を均等に噴霧し，105℃で5分間加熱した後，紫外線（主波長365 nm）を照射するとき，試料溶液から得た数個のスポットのうち1個のスポットは，標準溶液から得た黄色の蛍光を発するスポットと色調及びR_f値が等しい（サイコ）．(注10)

(6)　乾燥エキス1.0 g（軟エキスは3.0 g）に水10 mLを加えて振り混ぜた後，1-ブタノール10 mLを加えて振り混ぜ，遠心分離し，1-ブタノール層を試料溶液とする．別に薄層クロマトグラフィー用リクイリチン1 mgをメタノール1 mLに溶かし，標準溶液とする．これらの液につき，薄層クロマトグラフィー〈2.03〉により試験を行う．試料溶液及び標準溶液1 μLずつを薄層クロマトグラフィー用シリカゲルを用いて調製した薄層板にスポットする．次に酢酸エチル／メタノール／水混液（20：3：2）を展開溶媒として約7cm展開した後，薄層板を風乾する．これに希硫酸を均等に噴霧し，105℃で5分間加熱した後，紫外線（主波長365 nm）を照射するとき，試料溶液から得た数個のスポットのうち1個のスポットは，標準溶液から得た黄緑色の蛍光を発するスポットと色調及びR_f値が等しい（カンゾウ）．(注11)

(7)　乾燥エキス1.0 g（軟エキスは3.0 g）に水10 mLを加えて振り混ぜた後，1-ブタノール10 mLを加えて振り混ぜ，遠心分離し，1-ブタノール層を試料溶液とする．別に薄層クロマトグラフィー用ヘスペリジン1 mgをメタノール1 mLに溶かし，標準溶液とする．これらの液につき，薄層クロマトグラフィー〈2.03〉により試験を行う．試料溶液20 μL及び標準溶液10 μLを薄層クロマトグラフィー用シリカゲルを用いて調製した薄層板にスポットする．次に酢酸エチル／アセトン／水／酢酸（100）混液（10：6：3：1）を展開溶媒として約7cm展開した後，薄層板を風乾する．これに，2,6-ジブロモ-N-クロロ-1,4-ベンゾキノンモノイミン試液を均等に噴霧し，アンモニアガス中に放置するとき，試料溶液から得た数個のスポットのうち1個のスポットは，標準溶液から得た青色のスポットと色調及びR_f値が等しい（チンピ）．(注12)

純度試験

(1)　重金属〈1.07〉　乾燥エキス1.0 g（軟エキスは乾燥物として1.0 gに対応する量）をとり，エキス剤(4)に従い検液を調製し，試験を行う（30 ppm以下）．(注13)

(2)　ヒ素〈1.11〉　乾燥エキス0.67 g（軟エキスは乾燥物として0.67 gに対応する量）をとり，第3法により検液を調製し，試験を行う（3 ppm以下）．

乾燥減量〈2.41〉　乾燥エキス　10.0％以下（1 g，105℃，5時間）．
　軟エキス　66.7％以下（1 g，105℃，5時間）．

灰　分〈5.01〉　換算した乾燥物に対し9.0％以下．

定　量　法

D- *46* 抑肝散加陳皮半夏エキス

(1) サイコサポニン b_2 乾燥エキス約 0.5 g（軟エキスは乾燥物として約 0.5 g に対応する量）を精密に量り，ジエチルエーテル 20 mL 及び水 10 mL を加えて 10 分間振り混ぜる．これを遠心分離し，ジエチルエーテル層を除いた後，ジエチルエーテル 20 mL を加えて同様に操作し，ジエチルエーテル層を除く．水層にメタノール 10 mL を加えて 30 分間振り混ぜた後，遠心分離し，上澄液を分取する．残留物に薄めたメタノール（1→2）20 mL を加えて 5 分間振り混ぜた後，遠心分離し，上澄液を分取し，先の上澄液と合わせ，薄めたメタノール（1→2）を加えて正確に 50 mL とし，試料溶液とする．別に定量用サイコサポニン b_2 標準試液を標準溶液とする．試料溶液及び標準溶液 10 μL ずつを正確にとり，次の条件で液体クロマトグラフィー〈*2.01*〉により試験を行い，それぞれの液のサイコサポニン b_2 のピーク面積 A_T 及び A_S を測定する．(注14)

$$ サイコサポニン b_2 の量（mg）= C_S × A_T/A_S × 50 $$

C_S：定量用サイコサポニン b_2 標準試液中のサイコサポニン b_2 の濃度（mg/mL）

試験条件
　　検出器：紫外吸光光度計（測定波長：254 nm）
　　カラム：内径 4.6 mm，長さ 15 cm のステンレス管に 5 μm の液体クロマトグラフィー用オクタデシルシリル化シリカゲルを充塡する．
　　カラム温度：40℃付近の一定温度
　　移動相：0.05 mol/L リン酸二水素ナトリウム試液／アセトニトリル混液（5：3）
　　流量：毎分 1.0 mL
システム適合性
　　システムの性能：標準溶液 10 μL につき，上記の条件で操作するとき，サイコサポニン b_2 のピークの理論段数及びシンメトリー係数は，それぞれ 5000 段以上，1.5 以下である．
　　システムの再現性：標準溶液 10 μL につき，上記の条件で試験を 6 回繰り返すとき，サイコサポニン b_2 のピーク面積の相対標準偏差は 1.5％以下である．

(2) グリチルリチン酸 乾燥エキス約 0.5 g（軟エキスは乾燥物として約 0.5 g に対応する量）を精密に量り，ジエチルエーテル 20 mL 及び水 10 mL を加えて 10 分間振り混ぜる．これを遠心分離し，ジエチルエーテル層を除いた後，ジエチルエーテル 20 mL を加えて同様に操作し，ジエチルエーテル層を除く．水層にメタノール 10 mL を加えて 30 分間振り混ぜた後，遠心分離し，上澄液を分取する．残留物に薄めたメタノール（1→2）20 mL を加えて 5 分間振り混ぜた後，遠心分離し，上澄液を分取し，先の上澄液と合わせ，薄めたメタノール（1→2）を加えて

抑肝散加陳皮半夏エキス　　D- 47

正確に 50 mL とし，試料溶液とする．別にグリチルリチン酸標準品（別途 10 mg につき，電量滴定法により水分〈2.48〉を測定しておく）約 10 mg を精密に量り，薄めたメタノール（1 → 2）に溶かして正確に 100 mL とし，標準溶液とする．試料溶液及び標準溶液 10 μL ずつを正確にとり，次の条件で液体クロマトグラフィー〈2.01〉により試験を行い，それぞれの液のグリチルリチン酸のピーク面積 A_T 及び A_S を測定する．(注15)

$$\text{グリチルリチン酸}（C_{42}H_{62}O_{16}）\text{の量（mg）} = M_S \times A_T \diagup A_S \times 1 \diagup 2$$

M_S：脱水物に換算したグリチルリチン酸標準品の秤取量（mg）

試験条件
　検出器：紫外吸光光度計（測定波長：254 nm）
　カラム：内径 4.6 mm，長さ 15 cm のステンレス管に 5 μm の液体クロマトグラフィー用オクタデシルシリル化シリカゲルを充塡する．
　カラム温度：40℃付近の一定温度
　移動相：酢酸アンモニウム 3.85 g を水 720 mL に溶かし，酢酸（100）5 mL 及びアセトニトリル 280 mL を加える．
　流量：毎分 1.0 mL
システム適合性
　システムの性能：分離確認用グリチルリチン酸一アンモニウム 5 mg を希エタノール 20 mL に溶かす．この液 10 μL につき，上記の条件で操作するとき，グリチルリチン酸に対する相対保持時間約 0.9 のピークとグリチルリチン酸の分離度は 1.5 以上である．
　システムの再現性：標準溶液 10 μL につき，上記の条件で試験を 6 回繰り返すとき，グリチルリチン酸のピーク面積の相対標準偏差は 1.5 ％以下である．

(3)　ヘスペリジン　乾燥エキス約 0.1 g（軟エキスは乾燥物として約 0.1 g に対応する量）を精密に量り，薄めたテトラヒドロフラン（1 → 4）50 mL を正確に加えて 30 分間振り混ぜた後，遠心分離し，上澄液を試料溶液とする．別に定量用ヘスペリジンをデシケーター（シリカゲル）で 24 時間以上乾燥し，その約 10 mg を精密に量り，メタノールに溶かして正確に 100 mL とする．この液 10 mL を正確に量り，薄めたテトラヒドロフラン（1 → 4）を加えて正確に 100 mL とし，標準溶液とする．試料溶液及び標準溶液 10 μL ずつを正確にとり，次の条件で液体クロマトグラフィー〈2.01〉により試験を行い，それぞれの液のヘスペリジンのピーク面積 A_T 及び A_S を測定する．(注16)

D–*48*　抑肝散加陳皮半夏エキス

ヘスペリジンの量（mg）＝ $M_S × A_T / A_S × 1/20$

M_S：定量用ヘスペリジンの秤取量（mg）

試験条件
　　検出器：紫外吸光光度計（測定波長：285 nm）
　　カラム：内径 4.6 mm，長さ 15 cm のステンレス管に 5 µm の液体クロマトグ
　　　ラフィー用オクタデシルシリル化シリカゲルを充塡する．
　　カラム温度：40℃付近の一定温度
　　移動相：水 / アセトニトリル / 酢酸（100）混液（82：18：1）
　　流量：毎分 1.0 mL
　システム適合性
　　システムの性能：定量用ヘスペリジン及び薄層クロマトグラフィー用ナリンギ
　　　ン 1 mg ずつを薄めたメタノール（1 → 2）に溶かし，100 mL とする．この
　　　液 10 µL につき，上記の条件で操作するとき，ナリンギン，ヘスペリジンの
　　　順に溶出し，その分離度は 1.5 以上である．
　　システムの再現性：標準溶液 10 µL につき，上記の条件で試験を 6 回繰り返
　　　すとき，ヘスペリジンのピーク面積の相対標準偏差は 1.5％以下である．
貯　法　容器　気密容器．

──────── 注・解説 ────────

　注1　漢方処方に収載されている抑肝散加陳皮半夏を，製剤法に従い製した乾燥エ
キスと軟エキス．
　注2　英名は漢字の読み方をヘボン式の英文表記に統一．
　注3　定量値は，サイコのサイコサポニン b₂，カンゾウのグリチルリチン酸及び
チンピのヘスペリジンを規定．
　注4　配合生薬の「ビャクジュツ」と「ソウジュツ」の違いにより，2 種類の組合
せが規定されている．
　注5　国内に流通しているエキス製剤を参考にして，色，におい，味を，日本薬局
方調査委員及び日本漢方生薬製剤協会技術委員会委員と吟味し決定．
　注6　試料の水抽出液をジエチルエーテルと振り混ぜ，ジエチルエーテル層中の
(Z)-リグスチリドを，薄層クロマトグラフィーで確認することで，「トウキ」及び
「センキュウ」の含有を確認．展開距離は 7 cm．試料採取量は乾燥エキスが 2.0 g で，
軟エキスは 3 倍の 6.0 g．
　注7　試料のアンモニア性水抽出液をジエチルエーテルと振り混ぜ，ジエチルエー
テル層中のリンコフィリン及びヒルスチンを，薄層クロマトグラフィーで確認するこ
とで，「チョウトウコウ」の含有を確認．展開距離は 7 cm．試料採取量は乾燥エキス

抑肝散加陳皮半夏エキス　D-49

が 2.0 g で，軟エキスは 3 倍の 6.0 g.

注8　試料の水抽出液をジエチルエーテルと振り混ぜ，ジエチルエーテル層中のアトラクチレノリドⅢを，薄層クロマトグラフィーで確認することで，「ビャクジュツ」の含有を確認．展開距離は 7 cm．試料採取量は乾燥エキスが 1.0 g で，軟エキスは 3 倍の 3.0 g.

注9　試料の水抽出液をヘキサンと振り混ぜ，ヘキサン層中のアトラクチロジンを，薄層クロマトグラフィーで確認することで，「ソウジュツ」の含有を確認．展開距離は 7 cm．試料採取量は乾燥エキスが 2.0 g で，軟エキスは 3 倍の 6.0 g.

注10　試料の水抽出液を 1-ブタノールと振り混ぜ，1-ブタノール層中のサイコサポニン b_2 を，薄層クロマトグラフィーで確認することで，「サイコ」を確認．展開距離は 7 cm．試料採取量は乾燥エキスが 1.0 g で，軟エキスは 3 倍の 3.0 g.

注11　試料の水抽出液を 1-ブタノールと振り混ぜ，1-ブタノール層中のリクイリチンを，薄層クロマトグラフィーで確認することで，「カンゾウ」の含有を確認．展開距離は 7 cm．試料採取量は乾燥エキスが 1.0 g で，軟エキスは 3 倍の 3.0 g.

注12　試料の水抽出液を 1-ブタノールと振り混ぜ，1-ブタノール層中のヘスペリジンを，薄層クロマトグラフィーで確認することで，「チンピ」の含有を確認．展開距離は 7 cm．試料採取量は乾燥エキスが 2.0 g で，軟エキスは 3 倍の 6.0 g.

注13　製剤総則エキス剤の重金属の項を用いる．

注14　サイコサポニン b_2 を，定量用サイコサポニン b_2 標準試液の液体クロマトグラフィーで定量．

注15　グリチルリチン酸を，グリチルリチン酸標準品の液体クロマトグラフィーで定量．緩衝液法により，ガラクツログリチルリチン酸を分離．

注16　ヘスベリジンを，定量用ヘスペリジンの液体クロマトグラフィーで定量．

本質　52　漢方製剤　神経症改善薬，不眠症改善薬
名称　抑肝散加陳皮半夏エキス Yokukansankachimpihange Extract
来歴　本朝経験方
しばり　虚弱な体質で神経がたかぶる人
適応症　神経症，不眠症，小児夜なきや疳の虫の治療
処方構成　抑肝散に陳皮と半夏を加味したもの

参照紫外可視吸収スペクトル

参照紫外可視吸収スペクトル　改正事項

参照紫外可視吸収スペクトルの部に次の四条を加える.

日本薬局方の医薬品の適否は，その医薬品各条の規定，通則，生薬総則，製剤総則及び一般試験法の規定によって判定する.（通則 5 参照）

参照紫外可視吸収スペクトル　　E-5

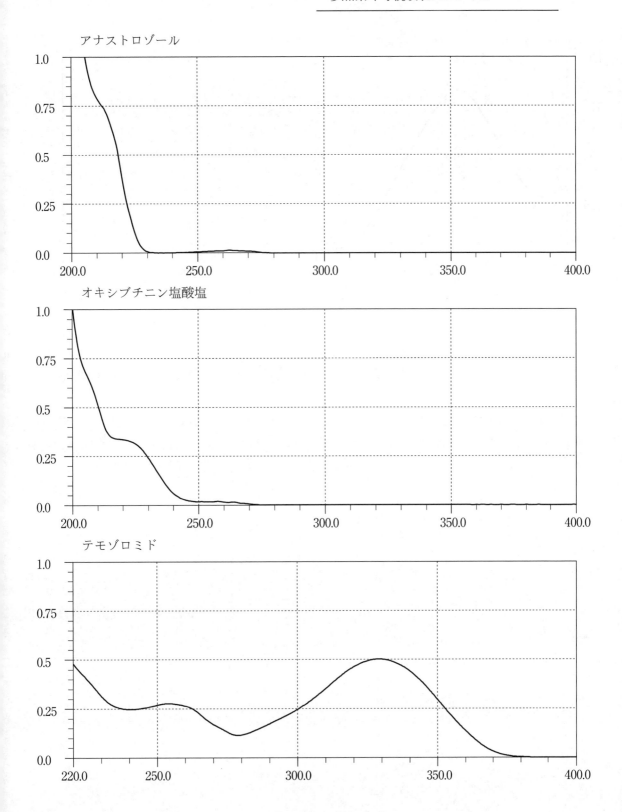

E-6　参照紫外可視吸収スペクトル

ブデソニド

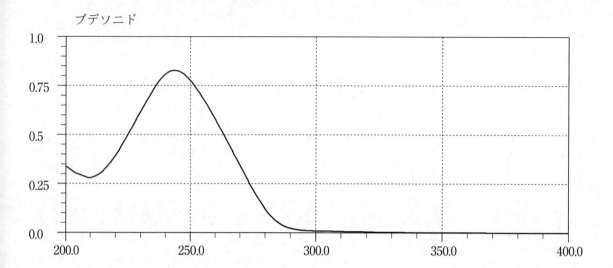

参照赤外吸収スペクトル

参照赤外吸収スペクトル　改正事項

参照赤外吸収スペクトルの部に次の七条を加える．

日本薬局方の医薬品の適否は，その医薬品各条の規定，通則，生薬総則，製剤総則及び一般試験法の規定によって判定する．（通則5参照）

参照赤外吸収スペクトル　E-11

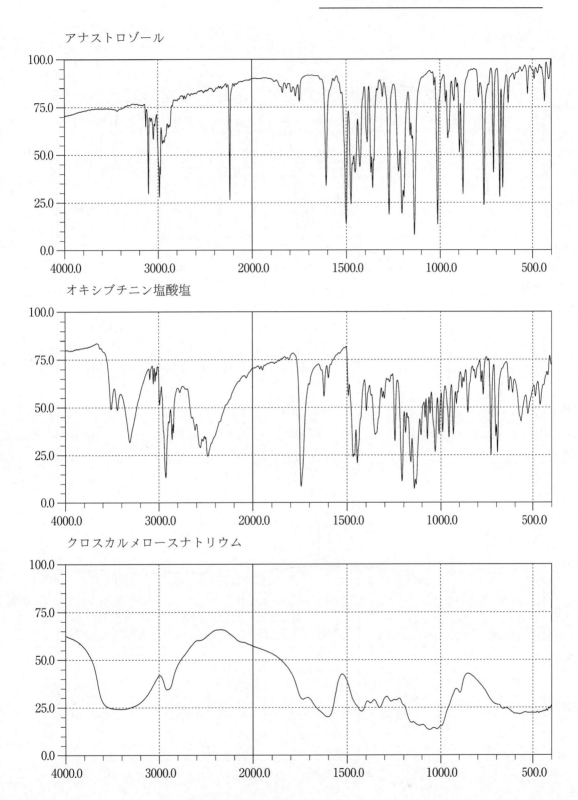

アナストロゾール

オキシブチニン塩酸塩

クロスカルメロースナトリウム

E-12　参照赤外吸収スペクトル

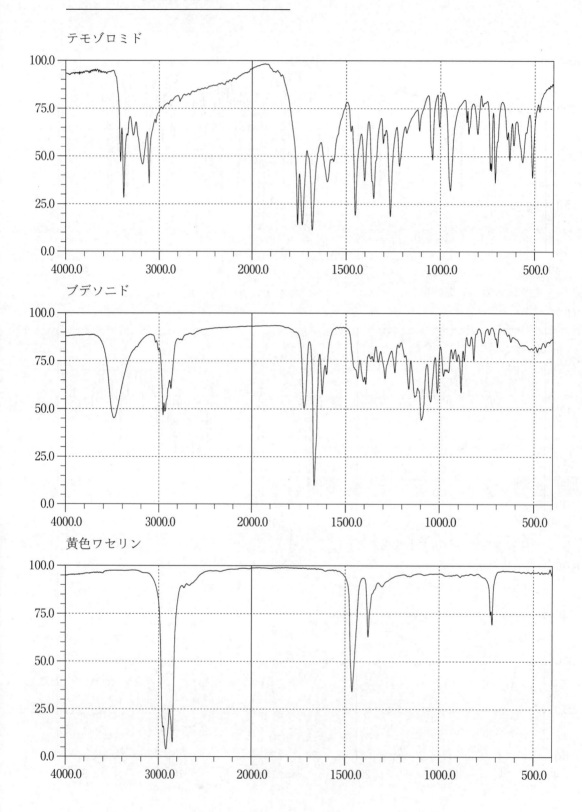

参照赤外吸収スペクトル　　E-13

白色ワセリン

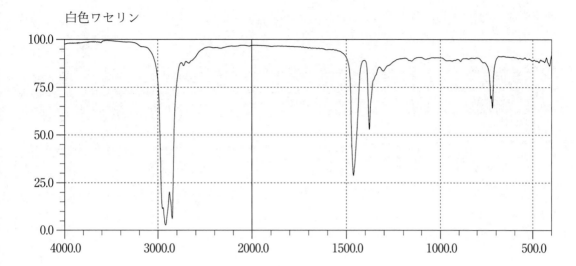

参考情報

〔F〕参 考 情 報

＝ 目 次 ＝

G0. 医薬品品質に関する基本的事項
　　化学合成される医薬品原薬及びその製剤の不純物に関する考え方〈G0-3-181〉
　　　　……………………………………………………………………………… 7

G1. 理化学試験関連
　　システム適合性〈G1-2-181〉…………………………………………… 11
　　近赤外吸収スペクトル測定法〈G1-3-161〉…………………………… 14
　　液の色に関する機器測定法〈G1-4-181〉……………………………… 14
　　クロマトグラフィーのライフサイクル各ステージにおける管理戦略と変更管理の考
　　　え方（クロマトグラフィーのライフサイクルにおける変更管理）〈G1-5-181〉
　　　　……………………………………………………………………………… 18

G2. 物性関連
　　せん断セル法による粉体の流動性測定法〈G2-5-181〉……………… 22

G4. 微生物関連
　　微生物試験における微生物の取扱いのバイオリスク管理〈G4-11-181〉………… 29

G5. 生薬関連
　　日本薬局方収載生薬の学名表記について〈G5-1-181〉……………… 37

G6. 製剤関連
　　錠剤の摩損度試験法〈G6-5-181〉……………………………………… 38

G9. 医薬品添加剤関連
　　製剤に関連する添加剤の機能性関連特性について〈G9-1-181〉…………… 40

GZ. その他
　　製薬用水の品質管理〈GZ-2-181〉……………………………………… 41

参 考 情 報   F-5

参 考 情 報

　参考情報は，医薬品の品質確保の上で必要な参考事項及び参考となる試験法を記載し，日本薬局方に付したものである．したがって，医薬品，医療機器等の品質，有効性及び安全性の確保等に関する法律に基づく承認の際に規定された場合を除き，医薬品の適否の判断を示すものではないが，日本薬局方を補足する重要情報として位置付けられている．参考情報を日本薬局方と一体として運用することにより，日本薬局方の質的向上や利用者の利便性の向上に資することができる．

　参考情報はその内容により以下のカテゴリーに分類し，それぞれに固有の番号を付している．固有番号は三つのブロックで構成され，左ブロックはカテゴリー番号，中央ブロックはカテゴリー内での番号を示す．右ブロックの数字は，左から2桁で直近改正（改正のない場合は新規作成）時の日局を示し，3桁目は大改正を0，第一追補を1，第二追補を2，一部改正を3とする．参考情報間で引用を行う場合は，該当する参考情報の番号を〈　〉を付して示す．

　　G0. 医薬品品質に関する基本的事項
　　G1. 理化学試験関連
　　G2. 物性関連
　　G3. 生物薬品関連
　　G4. 微生物関連
　　G5. 生薬関連
　　G6. 製剤関連
　　G7. 容器・包装関連
　　G8. 標準品関連
　　GZ. その他

　本改正の要旨は次のとおりである．
1. 参考情報のカテゴリー分類に「G9. 医薬品添加剤関連」を新設した．

2. 新たに作成したものは次のとおりである．
　(1)　液の色に関する機器測定法〈*G1-4-181*〉

F−6　　参考情報

(2)　クロマトグラフィーのライフサイクル各ステージにおける管理戦略と変更管理の考え方 (クロマトグラフィーのライフサイクルにおける変更管理) 〈G1-5-181〉

(3)　せん断セル法による粉体の流動性測定法 〈G2-5-181〉

(4)　微生物試験における微生物の取扱いのバイオリスク管理 〈G4-11-181〉

(5)　製剤に関連する添加剤の機能性関連特性について 〈G9-1-181〉

3.　改正したものは次のとおりである.

(1)　化学合成される医薬品原薬及びその製剤の不純物に関する考え方 〈G0-3-181〉

(2)　システム適合性 〈G1-2-181〉

(3)　日本薬局方収載生薬の学名表記について 〈G5-1-181〉

(4)　錠剤の摩損度試験法 〈G6-5-181〉

(5)　製薬用水の品質管理 〈GZ-2-181〉

4.　廃止したものは次のとおりである.

(1)　近赤外吸収スペクトル測定法 〈G1-3-161〉

参考情報　改正事項

参考情報　G0.　医薬品品質に関する基本的事項　化学合成される医薬品原薬及び
その製剤の不純物に関する考え方　を次のように改める.

化学合成される医薬品原薬及びその製剤の不純物に関する考え方
〈*G0-3-181*〉

1.　化学合成医薬品中に含まれる不純物の種類とその管理に際して準拠すべきガイドライン

　化学合成医薬品中に存在する不純物は，有機不純物，無機不純物及び残留溶媒に大別される.　新有効成分含有医薬品では，以下に示す医薬品規制調和国際会議（以下「ICH」という）で合意されたガイドラインに基づきこれらの不純物は管理されている.　すなわち，有機不純物については，原薬は平成9年4月1日以降の製造承認申請から，また，製剤は平成11年4月1日以降の製造承認申請から，それぞれ「新有効成分含有医薬品のうち原薬の不純物に関するガイドラインについて（平成7年9月25日薬審第877号）」（以下「ICH Q3A ガイドライン」という）[1] 並びに「新有効成分含有医薬品のうち製剤の不純物に関するガイドラインについて（平成9年6月23日薬審第539号）」（以下「ICH Q3B ガイドライン」という）[2] に基づいて規格が設定されている.　一方，無機不純物については，日局の基準値や既知の安全性データに基づいて設定されていたところであるが，平成29年4月1日以降の製造販売承認申請から「医薬品の元素不純物ガイドラインについて（平成27年9月30日薬食審査発0930第4号）」（以下「ICH Q3D ガイドライン」という）が，残留溶媒については，平成12年4月1日以降の製造承認申請から「医薬品の残留溶媒ガイドラインについて（平成10年3月30日医薬審第307号）」（以下「ICH Q3C ガイドライン」という）が適用されている.　不純物の中でもDNA反応性不純物については，主として平成28年1月15日以降の製造承認申請から「潜在的発がんリスクを低減するための医薬品中DNA反応性（変異原性）不純物の評価及び管理ガイドラインについて（平成27年11月10日薬生審査発1110第3号）」が適用されている.　また，有機不純物の一種である光学対掌体については，ICH Q3A ガイドラインは対象外としているものの，その後に公表された「新医薬の規格及び試験方法の設定について（平成

F-8　　参考情報　改正事項

13年5月1日医薬審発第568号）」（以下「ICH Q6A ガイドライン」という）では管理すべき不純物として規定され，測定可能な場合には ICH Q3A ガイドラインの原則に従い，管理されるべきであるとされた.

　品質確保の観点から新有効成分含有医薬品以外の医薬品においても上記ガイドラインに準じた不純物の管理が求められているところであり，製造販売承認申請（あるいは製造販売承認事項一部変更承認申請）がなされる場合に適宜これらのガイドラインが適用される. 残留溶媒は日局17の通則で，全ての日局収載医薬品が医薬品各条において規定する場合を除き，原則として一般試験法の残留溶媒に係る規定に従って管理されなければならないことが明記され，管理されることとなった. また，元素不純物に関しては日局への取込みとして試験法と管理方法の収載を段階的に進めてきた. 日局18では，通則34の項において ICH Q3D ガイドラインに基づく元素不純物に係る規定を設け，併せて一般試験法「元素不純物試験法〈2.66〉」と参考情報「製剤中の元素不純物の管理」を統合すると共に ICH Q3D ガイドラインの改正を反映した一般試験法「元素不純物〈2.66〉」を収載した.

2.　有機不純物の管理に関する ICH Q3A 及び Q3B ガイドラインの考え方

　ICH Q3A 及び Q3B ガイドラインは，新薬の開発段階において得られる情報を基に有機不純物の規格値を設定することを求めている. ICH Q3A ガイドラインでは，原薬中の不純物について，化学的観点並びに安全性の観点から検討対象とすべき事項に言及している. ICH Q3B ガイドラインは Q3A ガイドラインを補完するものであり，基本的考え方は同一である. 化学的観点の事項としては，不純物の分類と構造決定と報告の方法，規格の設定及び分析法の検討が含まれ，安全性の観点の事項としては，安全性試験及び臨床試験に用いられた原薬のロット中に全く存在しなかったか，あるいはかなり低いレベルでしか存在しなかった不純物の安全性を確認するための指針が含まれている.

　安全性の確認とは，規格に設定された限度値のレベルでの個々の不純物又は不純物全体の安全性を立証するために必要なデータを集めて評価する作業のことである. 不純物の判定基準の妥当性に関する安全性の側面からの考察を製造販売承認申請時の添付資料に記載することとする. 既に安全性試験や臨床試験で十分安全であることが確かめられている新原薬中に存在しているすべての不純物については，試験に用いられた試料中に存在するレベルまでは安全性が確認されたものと通常考えることができる.

　ガイドラインに従い得られたデータに基づき，個別規格設定不純物，個別規格が設定されない不純物及び不純物総量が設定される. 原薬の場合，個別規格を設定しない不純物の閾値は，1日当たりの原薬の摂取量に依存して定められており，最大1日投与量が2g以下の場合0.10%と規定されており，0.10%を超える不純物は個別規格を設定する必要がある.

　また，製剤に関しては，ICH Q3B ガイドラインでは，原薬の分解生成物又は原薬

参考情報　改正事項　F-9

と添加剤若しくは一次包装との反応による生成物を対象としている．したがって，原薬中の分解生成物以外の有機不純物（副生成物や合成中間体など）は，製剤中の不純物として認められたとしても既に原薬の規格として管理されていることから，個別規格を設定する必要はないが，製剤中で増加する分解生成物は規格を設定する必要がある．

3.　日局収載品目における有機不純物の管理の原則

従前より，日局においては，ICH Q3A 及び Q3B ガイドラインに従って不純物を管理していた医薬品については日局収載時に ICH Q3A 及び Q3B ガイドラインに従って，個別規格設定不純物，個別規格が設定されない不純物及び不純物総量が設定されている（なお，収載時期が古くこれらガイドラインが適用される前に収載された医薬品についてはこの限りでない．ただし，これらの日局収載医薬品であっても，新たに製造販売承認申請などがなされる場合には，必要に応じて ICH Q3A 及び Q3B ガイドラインに準じた不純物の管理が求められる場合がある）．設定に際しては，原案作成会社から提出される開発時の分析データに加え，製造が安定した後の商業生産時のロットの不純物の分析データが評価の対象となる．安全性の評価は，承認時に実施されていることから，日局収載時に改めて実施されることはない．

ICH Q3A 及び Q3B ガイドラインでは，化学的合成法で製造される原薬及びこの原薬を用いて製造される製剤中の不純物を対象としており，日局においても同様に，生物薬品（バイオテクノロジー応用医薬品／生物起源由来医薬品），ペプチド，オリゴヌクレオチド，放射性医薬品，醗酵生成物，醗酵生成物を原料とした半合成医薬品，生薬及び動植物由来の医薬品は対象としない．

ICH Q3A 及び Q3B ガイドラインの原則に従って評価された有機不純物を日局純度試験として収載する際に，日局の運用上の合理性を考慮し，独自の修正がなされている．①例外的な場合を除き不純物標準品は設定されず，不純物を液体クロマトグラフィーで同定する場合には，原薬に対する不純物の相対保持時間により行われる．②高純度の医薬品で特定されない不純物（0.1 ％以下）のみが設定されている場合，不純物総量の設定は通例免除される．③規格値を実測値ベースのみで設定すると，多数の不純物が少しずつ異なる規格値を有することになる場合は，代表的な少数の規格値から構成されるように考慮する．④不純物の化学構造情報や化学名は開示しない．これらの措置により，不純物標準品を使用することなく不純物の管理が可能であり，高純度の医薬品に関しては，システム適合性試験を簡略化することを可能としている．

一方，相対保持時間を利用して不純物を同定する方法は，カラム依存的であり，適切なカラムが入手できないと分析が困難になることから，日局 17 では，原薬の純度試験の設定に際して，不純物標準品を用いる分析方法も並行して認めることとした．さらに，原則として光学対掌体を含め，不純物の情報として化学名及び構造式を日局においても開示する方針とされた．

なお，ICH Q3A ガイドラインでも言及されているように，不純物の構造決定は不

F- 10　参考情報　改正事項

完全な場合も存在する．そのため，各条中のその他の項で開示する化学構造は，NMR などにより確定されている構造の他，合成経路などから推定される化学的に妥当な構造を含めて示している．その際，立体化学が確定していない場合には，当該部分の構造は波線を用いて表記し，当該炭素に結合している水素は記載せず（構造を示すうえで必須である場合を除く），化学名には R 体と S 体，E 体と Z 体の別を記載しないこととする．

　製剤の有機不純物に対する純度試験に関しても日局に収載される際に独自の配慮がなされる場合がある．日局においても，製剤中の不純物として，原薬と添加剤若しくは一次包装との反応による生成物に由来する不純物が規定される．これら不純物は，処方依存的であり，異なる処方では，生成してこない場合もある．多様な処方を許容する公定書である日局においては，一律に各条において規定することが適当でない場合には，「別に規定する」として承認の際の規定に委ねられる場合がある．

　新たに日局各条に医薬品を収載する際に不純物の規格を見直す場合には，以下の考え方に従って不純物の規格値が再検討される場合がある．すなわち，ICH Q6A ガイドラインは，製造販売承認申請時に得られているデータには限りがあり，それが判定基準を設定するのに影響を及ぼし得ることを考慮する必要があることを指摘している．不純物に関しても，製造段階では，開発段階で得られた不純物のプロファイルと異なる不純物プロファイルが得られることがあり，製造段階における不純物プロファイルの変化については，必要に応じて考慮されるべきであるとされている．この考えに従い，日局収載時に規格設定の対象となる不純物については，開発段階で得られる情報のほか，製造段階における不純物プロファイルの変化がある場合にはその情報，更に製品製造が安定生産に至った後の段階（以下「安定製造段階」という）での情報も考慮される．

　しかしながら，安定製造段階で十分に低いレベルとなった，若しくは検出されなくなった不純物について，個別規格設定の候補化合物リストからむやみに外すことは望ましくない．日局収載医薬品については，医薬品各条の規格に適合することで医薬品として認められることになるが，原案作成会社の原薬とは製造方法が同一ではない後発医薬品などの場合，不純物のプロファイルが異なり，それらの不純物を含有することも想定されるからである．日局収載時に開発段階で検出された結果に基づき情報を提供することは，日局医薬品として流通する原薬及び製剤に含まれる不純物を網羅することにつながる可能性がある．

　したがって，安定製造段階で十分に低いレベルとなった，若しくは検出されなくなった不純物について，日局の個別規格設定リストから外す際には，ICH Q3A 及び Q3B ガイドラインの考え方に基づき安全性の観点から十分に設定の必要性が検討される．

　また，不純物標準物質を用いて不純物を特定する方法で承認された原薬については，日局各条においても，原則として，特定された不純物が同定可能となるように適

参考情報　改正事項　　F-11

切に規格及び試験方法を設定することが望ましい．なお，製造時における不純物の管理に関しては，出荷試験，工程内試験及び工程パラメーターの管理を含め適切な管理戦略を設定し，不純物を管理することが可能である．

4.　参考資料

1)　ICH: Guideline for Q3A, Impurities in New Drug Substances.
2)　ICH: Guideline for Q3B, Impurities in New Drug Products.

参考情報　G1.　理化学試験関連　システム適合性　を次のように改める．

システム適合性〈*G1-2-181*〉

試験結果の信頼性を確保するためには，日本薬局方などに収載されている試験法を含め，既存の試験法を医薬品の品質試験に適用する際に，試験を行う施設の分析システムを使って当該試験法が目的に適う試験結果を与えることをあらかじめ検証することが肝要であり，そうした検証を行った上で分析システムの稼働状態を日常的に確認する試験としてシステム適合性の試験を行う必要がある．

1.　システム適合性の意義

「システム適合性」とは，試験法の適用時に目的に適う試験結果を与えることが検証された分析システムが，実際に品質試験を行う際にも適切な状態を維持していることを確認するための試験方法と適合要件について規定したものであり，通常，一連の品質試験ごとに適合性を確認するための試験が行われる．システム適合性の試験方法及び適合要件は，医薬品の品質規格に記載される試験方法の中で規定する．規定されたシステム適合性の適合要件が満たされない場合には，その分析システムを用いて行った品質試験の結果を採用してはならない．

システム適合性は，機器分析法による多くの規格試験法に不可欠な規定である．この規定は，装置，電子的情報処理系，分析操作及び分析試料，更には試験者から構成される分析システムが，全体として適切な状態にあることを確認するための試験方法と適合要件を当該試験法の中に規定することによって，システムとして完結するとの考え方に基づいている．

2.　システム適合性設定時の留意事項

規格試験法中に設定すべきシステム適合性の項目は，試験の目的と用いられる分析法のタイプに依存している．また，システム適合性の試験は，日常的に行う試験であることから，使用する分析システムが目的とする品質試験を行うのに適切な状態を維持していることを確認するのに必要な項目を選び，迅速かつ簡便に行えるような試験

F- 12   参考情報　改正事項

として設定することが望ましい.

　例えば，液体クロマトグラフィーやガスクロマトグラフィーを用いた定量的な純度試験の場合には，システムの性能（試験対象物質を特異的に分析し得ることの確認），システムの再現性（繰返し注入におけるばらつきの程度の確認），検出の確認（限度値レベルでのレスポンスの数値的信頼性の確認）などの項目について設定する.ただし，面積百分率法において，マトリックスの影響が評価され，分析対象物の性質を考慮して管理すべき最低濃度レベルの溶液を用いる等，適切な検出の確認が設定されている場合，システムの再現性の規定が不要な場合がある.

　クロマトグラフィーにおけるシステム適合性の規定は，クロマトグラフィー総論〈2.00〉，又は，液体クロマトグラフィー〈2.01〉に従う.日本薬局方一般試験法「液体クロマトグラフィー〈2.01〉」に記載されたシステム適合性の規定を補完する事項について以下に記載する.

2.1.　液体クロマトグラフィー及びガスクロマトグラフィーのシステムの再現性について

2.1.1.　許容限度値の設定

　日本薬局方一般試験法「液体クロマトグラフィー〈2.01〉」のシステム適合性の項に「繰返し注入の回数は6回を原則とする」，また，「システムの再現性の許容限度値は，当該試験法の適用を検討した際のデータと試験に必要とされる精度を考慮して，適切なレベルに設定する.」と規定されていることから，6回繰返し注入における許容限度値を下記の記載を参考にして設定する.なお，日本薬局方収載の医薬品各条に規定された試験法により試験を行う場合には，当該各条に規定された許容限度値に従う.

（ⅰ）原薬の定量法（原薬の含量がほぼ100％，あるいはそれに近い場合）：分析システムが，製品中の有効成分含量のばらつきの評価に適切な精度で稼働していることを確認できるレベルに設定する.例えば，含量規格の幅が，液体クロマトグラフィーを用いた定量法において含量規格として設定されることの多い98.0〜102.0％の場合のように，5％以下の場合には「1.0％以下」を目安として適切に設定する.

（ⅱ）製剤の定量法：製剤の含量規格の幅，並びに原薬の定量法におけるシステム再現性の規定（原薬と製剤に同様の試験法が用いられている場合）を考慮に入れて，適切に設定する.

（ⅲ）類縁物質試験：標準溶液やシステム適合性試験用溶液など，システム再現性の試験に用いる溶液中の有効成分濃度を考慮して，適切に設定する.試料溶液を希釈し，0.5〜1.0％の有効成分濃度の溶液を調製して，システム再現性の試験に用いる場合には，通例，「2.0％以下」を目安として適切に設定する.

　なお，上記の目安は，ガスクロマトグラフィーの場合には適用しない.

2.1.2.　システムの再現性の試験の質を落とさずに繰返し注入の回数を減らす方法

　日本薬局方一般試験法「液体クロマトグラフィー〈2.01〉」のシステム適合性の項

に「繰返し注入の回数は6回を原則とするが，グラジエント法を用いる場合や試料中に溶出が遅い成分が混在する場合など，1回の分析に時間がかかる場合には，6回注入時とほぼ同等のシステムの再現性が担保されるように達成すべきばらつきの許容限度値を厳しく規定することにより，繰返し注入の回数を減らしてもよい.」と規定されている．これと関連して，システムの再現性の試験の質を落とさずに繰返し注入の回数を減らす方法を以下に示した．この方法により，必要な場合には，繰返し注入の回数を減らして設定することができ，また変更可能である．

システムの再現性の試験の質を繰返し注入の回数が6回（$n = 6$）の試験と同等に保つために，$n = 3 \sim 5$の試験で達成すべきばらつきの許容限度値を下記の表に示した．

しかしながら，繰返し注入の回数を減らすということは，システムの再現性を確認する上での1回の試験の重みが増すということであり，装置が適切に維持管理されることがより重要となることに留意する必要がある．

表 システムの再現性の試験の質を $n = 6$ の試験と同等に保つために $n = 3 \sim$
5 の試験で達成すべきばらつきの許容限度値 *

$n = 6$ の試験に規定されたばらつきの許容限度値		許容限度値（RSD）					
		1.0%	2.0%	3.0%	4.0%	5.0%	10.0%
達成すべきばらつきの許容限度値	$n = 5$	0.88%	1.76%	2.64%	3.52%	4.40%	8.81%
	$n = 4$	0.72%	1.43%	2.15%	2.86%	3.58%	7.16%
	$n = 3$	0.47%	0.95%	1.42%	1.89%	2.37%	4.73%

＊排除すべき性能の分析システムがシステム適合性の試験に合格する確率を5％とした.

F- 14　参考情報　改正事項

参考情報　G1.　理化学試験関連　近赤外吸収スペクトル測定法　を削る.

参考情報　G1.　理化学試験関連　に液の色に関する機器測定法　及び　クロマトグラフィーのライフサイクル各ステージにおける管理戦略と変更管理の考え方（クロマトグラフィーのライフサイクルにおける変更管理）　を加える.

液の色に関する機器測定法〈G1-4-181〉

　本試験法は，三薬局方での調和合意に基づき規定した試験法である.
　なお，三薬局方で調和されていない部分のうち，調和合意において，調和の対象とされた項中非調和となっている項の該当箇所は「◆　◆」で，調和の対象とされた項以外に日本薬局方が独自に規定することとした項は「◇　◇」で囲むことにより示す.
　三薬局方の調和合意に関する情報については，独立行政法人医薬品医療機器総合機構のウェブサイトに掲載している.

1.　原理

　測定される物質の色は第一にその物質の吸収特性に依存する. しかし，光源の違い，光源のスペクトルのエネルギー，測定者の視感度，サイズの違い，背景の違い及び見る方向の違いのような種々の条件によっても色の見え方は異なる. 色相，明度（又は輝度）及び彩度は色の三属性とされている. 決められた条件のもとで機器分析を行えば色の数値化は可能である. どのような色の機器分析においても，ヒトの目が3タイプの受容体を通して色を見るということに基づいている.
　色の測定において，機器分析法は目視による色の主観的な観察よりも客観的なデータを得ることができる. 適切な保守管理及び校正を行うことで機器分析法により正確で，精度よく，更に経時的に変化しない一定の色の測定値を得ることができる. 正常な色覚を持つヒト被験者による広範囲なカラーマッチング実験を通して，分散係数（荷重係数）を可視スペクトル範囲のそれぞれの波長で求めて，その波長の光による各受容体の相対的な刺激量を求めた. 国際照明委員会（CIE）は，測色標準観測者が対象（視野）を認識する光源及び光の角度を考慮したモデルを開発した. 溶液の色の目視テストにおいては視角2°の視野及び散乱昼光を用いる必要がある. ヒトの目の平均的な感受性は$\bar{x}_\lambda$，$\bar{y}_\lambda$及び$\bar{z}_\lambda$の分散係数で表される（図1）.

参考情報　改正事項　　F- 15

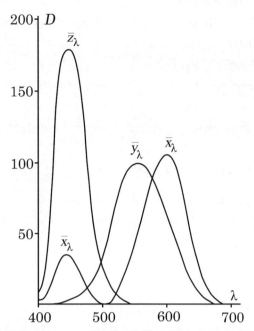

図1　CIE 視角 2°の視野でのヒトの目の平均的感受性（D：分散係数；λ：波長 nm）

全ての色における各受容体タイプの刺激量は3刺激値（X, Y 及び Z）によって定義される．

分散係数と3刺激値（X, Y 及び Z）の関係は次の積分で表される．◇日本産業規格 Z 8120 の定義によると，一般に可視光の波長範囲の短波長限界は 360 ～ 400 nm，長波長限界は 760 ～ 830 nm にあると考えてよい．◇

$$X = k\int_0^\infty f_\lambda \bar{x}_\lambda S_\lambda d\lambda$$

$$Y = k\int_0^\infty f_\lambda \bar{y}_\lambda S_\lambda d\lambda$$

$$Z = k\int_0^\infty f_\lambda \bar{z}_\lambda S_\lambda d\lambda$$

$$k = 100 \Big/ \int_0^\infty f_\lambda \bar{y}_\lambda S_\lambda d\lambda$$

　　　k：一つの受容体タイプと使用した光源を特徴付ける基準化係数

S_λ：光源の相対分光分布

$\overline{x}_\lambda$, $\overline{y}_\lambda$ 及び $\overline{z}_\lambda$：CIE 視角 2° の視野の測色標準観測者におけるカラーマッチング分散係数

f_λ：物質の分光透過率係数 T_λ

λ：波長（nm）

実際の 3 刺激値の計算において，積分は次式に示すように近似的な和で求める．

$$X = k\sum_\lambda T_\lambda \overline{x}_\lambda S_\lambda \Delta\lambda$$

$$Y = k\sum_\lambda T_\lambda \overline{y}_\lambda S_\lambda \Delta\lambda$$

$$Z = k\sum_\lambda T_\lambda \overline{z}_\lambda S_\lambda \Delta\lambda$$

$$k = \frac{100}{\sum_\lambda S_\lambda \overline{y}_\lambda \Delta\lambda}$$

3 刺激値を用いて CIE の *Lab* 色空間座標：L^*（明度又は輝度），a^*（赤色－緑色）及び b^*（黄色－青色）を計算することができる．これらは次のように定義される．

$$L^* = 116f(Y/Y_n) - 16$$
$$a^* = 500[f(X/X_n) - f(Y/Y_n)]$$
$$b^* = 200[f(Y/Y_n) - f(Z/Z_n)]$$

ここで，
$$X/X_n > (6/29)^3 \text{ のとき } f(X/X_n) = (X/X_n)^{1/3}$$

それ以外の場合は

$$f(X/X_n) = 841/108(X/X_n) + 4/29$$
$$Y/Y_n > (6/29)^3 \text{ のとき } f(Y/Y_n) = (Y/Y_n)^{1/3}$$

それ以外の場合は

$$f(Y/Y_n) = 841/108(Y/Y_n) + 4/29$$
$$Z/Z_n > (6/29)^3 \text{ のとき } f(Z/Z_n) = (Z/Z_n)^{1/3}$$

それ以外の場合は

参考情報　改正事項　　F-*17*

$$f(Z/Z_n) = 841/108(Z/Z_n) + 4/29$$

X_n, Y_n 及び Z_n は精製水の3刺激値である.

分光光度法において, 透過率は, 可視スペクトルの全範囲の異なる任意の波長で得られる. そしてそれらの値と視角2°の視野の測色標準観測者及びCIE標準光源Cの荷重係数 $\overline{x}_\lambda$, $\overline{y}_\lambda$ 及び $\overline{z}_\lambda$ を使って3刺激値を計算する (CIEの刊行物参照).

2. 分光光度法

装置に添付されている操作法に従い適切に分光光度計を操作し, 10 nm以下の間隔で少なくとも400 nmから700 nmで透過率 T を求める. 透過率は%で表わせる. 3刺激値 X, Y 及び Z 並びに色空間座標 L^*, a^* 及び b^* を計算する.

3. 色調の測定

装置に添付されている操作法に従い装置の校正を行う. システムの性能試験は装置の使用状況によって各測定前又は決められた間隔ごとに行う. そのために測定範囲において適切な標準物質 (装置の製造元が求める保証されたフィルター又は標準液) を用いる.

装置の操作法に従い操作し, 同じ測定条件 (例えば, セル長, 温度など) で検液と標準液を測定する.

透過率の測定には, 標準として精製水を用い, 可視スペクトルの全ての波長で透過率を100.0%とする.

CIE標準光源Cの荷重係数 $\overline{x}_\lambda$, $\overline{y}_\lambda$ 及び $\overline{z}_\lambda$ を使い, 色空間座標 $L^* = 100$, $a^* = 0$ 及び $b^* = 0$ に対する3刺激値を適切に計算する.

標準測定は, 精製水又は新たに調製した色の比較液の色空間座標を用いて行われるか, 若しくは同じ条件で測定された装置の製造元のデータベースにあるそれぞれの色空間座標を用いて行われる.

検液が濁っていたり, 霞んでいたりしているときは, ろ過又は遠心分離する. ろ過又は遠心分離しない場合は, 濁りや霞を結果として報告する. 気泡が入らないようにし, 入った場合は除去する.

色, 色差又は決められた色との差に関して, 機器分析法を用いて二つの溶液を比較する. 検液 t と色の比較液 r の色差 ΔE^*_{tr} を次式で求める.

$$\Delta E^*_{tr} = \sqrt{(\Delta L^*)^2 + (\Delta a^*)^2 + (\Delta b^*)^2}$$

ここで, ΔL^*, Δa^* 及び Δb^* は色空間座標における差である.

CIE*Lab* 色空間座標の代わりにCIE*LCh* 色空間座標を用いることもできる.

4. $L^*a^*b^*$ 色空間内の位置の評価

F-18 参考情報 改正事項

測定機器から $L^*a^*b^*$ 色空間の範囲内で検液の実際の位置に関する情報が得られる．適切なアルゴリズムを用いることによって，対応する色の比較液との比較（「検液は色の比較液 XY と同じ」又は「検液は色の比較液 XY に近い」若しくは「検液は色の比較液 XY と XZ の間」など）ができる．

クロマトグラフィーのライフサイクル各ステージにおける管理戦略と変更管理の考え方（クロマトグラフィーのライフサイクルにおける変更管理）〈G1-5-181〉

医薬品の分析法（分析手法）は，目的に適った試験結果を与えるよう設定されなければならず，このことは，分析法のデザインから，開発，適格性評価，そして継続的検証に至るまでの分析法ライフサイクル全体において考慮される必要がある．医薬品開発の特に製造管理及び品質管理の分野においては，品質リスクアセスメントによるライフサイクル全体にわたる系統立った品質確保の取り組みが実践されている（参考情報「品質リスクマネジメントの基本的考え方」〈G0-2-170〉）．同様の取り組みを分析法のライフサイクル各ステージにおける管理戦略として適用する取り組みが示されている[1]-[4]．

医薬品やその構成成分，不純物の分析手法の中で各種クロマトグラフィーが汎用されている．このような中，クロマトグラフィーを用いた試験法に関する国際調和に伴い，分析条件の変更に関する手引きが示された（クロマトグラフィー総論〈2.00〉）．しかし，分析条件変更の要因やタイミングは様々であり，ライフサイクル全般における位置づけを考慮した変更管理が必要となる．そこで，本参考情報では，クロマトグラフィーのライフサイクル各ステージにおける管理戦略策定の方法論を段階ごとに概括し，分析法の変更を含む分析法の管理がより効率的に行われることを目的とする．下記に示す方法論は，新たな規制要件の追加や緩和を意図するものではなく，従来，試験室で行われてきた作業を系統的に文書化したものととらえることができる．また，公的試験検査機関での医薬品品質試験においても本文書に記載の変更管理の考え方が参考となる．

1. 試験の目的に適う試験結果を与える分析法

分析法をデザイン・開発する前に，まずは，分析法開発の目的・目標（目標プロファイル）が暫定的に設定され，開発後期にかけて最終化されていく．クロマトグラフィーを有効成分などの定量分析に用いる場合は，報告される結果が，不純物や添加剤などの存在下で，表示量を含む一定の範囲にわたり，ある真度と精度により分析対象物を定量できなければならない．また，不純物の定量試験では，報告の閾値[5]から規格限度値の120％の範囲内で，試料中に存在する様々な成分の存在下で，ある真度と

精度により不純物を定量できなければならない．5項で述べるように，例えば，不純物プロファイルの変化などにより，分析法を変更する，あるいは分析法自体が不要となることもあるが，この分析法の目標プロファイルはライフサイクル全般にわたり，分析性能特性が適切であるかどうかの指標となり得る[1]．ここで，分析性能特性とは，主として，参考情報「分析法バリデーション」〈G1-1-130〉の"分析能パラメーター"で評価される特性である．（日本薬局方に規定する試験法では，医薬品各条に示された規格値や判定基準が目標プロファイルとなり得る．）

2. クロマトグラフィー案の策定と開発

分析法の目標プロファイルが提案されると，これを基に分析法の案を策定し，分析法の確立を行う．確立の過程においては，リスクアセスメントを行うことで，分析システムを含む一連の分析操作における変動要因とそれらが報告値に与える影響の理解が深まる．特性要因図（石川ダイアグラム）などの手法により変動要因を探り，その原因を探り，排除していくことになる．その際，真度や精度だけでなく，それらに影響を与える特異性や直線性など，目標プロファイルで提案した関連する様々な分析能パラメーターの妥当性が確認される．一連の妥当性確認により，分析法の目標となるプロファイルはキーとなる分析性能特性に反映され[1]，同時にそれらの実験の結果から，変動要因を特定し，分析法を修正していくことが可能になる．また，実験計画法（DOE）などにより，変動要因間の関係性を明らかにすると共に，分析法が異なった状況で行われた場合に起こり得る変動の程度を調べることができる．そして，管理すべき変動要因とその許容可能な変動範囲が明確になり，分析法が最適化されていく．この分析法策定の過程で取得された適切な実験結果を，バリデーションデータに代わるものとして使用できる場合がある．

リスクアセスメントの結果から管理戦略を策定する．管理項目としては，例えば，温度，試料溶液の安定性，繰返しの回数なども含まれるだろう．後述のようにシステム適合性の要件もあるだろう．

変数的な変動要因（例えば移動相 pH やカラムサイズ）として管理できない，分析法に残されている変動要因の影響を評価するため，適切なチェック試験としてシステム適合性試験（System suitability test）が設定される（参考情報「システム適合性」〈G1-2-181〉）．したがって，システム適合性試験は，以下に記す分析性能の適格性評価段階では，最小限の管理手法として考慮されるべきである．システム適合性試験は，影響され得る分析性能特性に焦点を当てて，目標プロファイルの要件を満たすと考えられることが保証されるように設定される必要がある．システム適合性試験では，例えば，分離度やシンメトリー係数などが設定される．

3. 適格性評価の準備段階

変動要因の明確化，集積された知識により，分析法の管理戦略が提案され，分析能力が適格となる準備が整う．

すなわち，既に日本薬局方に規定する試験法が存在する場合は，当該試験法をベー

F- 20　　参考情報　改正事項

スとして，更に実際の分析を行う試験室でどの程度追加の変動要因があるか，どこまで事前の情報が得られているかをあらかじめ把握・検討する必要がある．追加の変動要因には，例えば，試料，試薬，施設，機器，更に，それらの変動に伴い生じ得る繰返しの回数が挙げられる．日本薬局方に規定する試験法を適用する際，多くの場合は試験者が当該分析法の開発の間に得られた知識や理解を有していないため，試験者はこの追加の変動要因に起因するリスクの可能性を認識し，分析性能の適格性評価などにより，上記リスクが適切に軽減されるように保証する必要がある．（独立行政法人医薬品医療機器総合機構のウェブサイトで公開されているカラム情報などは事前の情報として有用だろう）．

4.　分析性能の適格性評価

　適格性評価の目的は，日常的に使用される試験室で分析法が目標プロファイルを常に満たすことを確認することである．適格性評価のための試験実施に当たっては，プロトコールが作成され，手順書と適切な管理に従って実行される．試験の結果，例えば，報告値のばらつきが目標プロファイルの要件を超える恐れがある場合には，当該試験室に対して管理戦略が最適化されているか検討し，変動要因を特定し，分析法の管理戦略が改善・改訂されることもある．日常的に使用される試験室で分析法開発がなされた場合，分析性能の適格性評価を省略できる場合がある．

　日本薬局方に規定する試験法適用の際も，実験室や機器が異なれば，異なる管理戦略が必要になる．日本薬局方に規定する試験法を実施する試験室における適格性評価のために，医薬品各条中の規格値や判定基準の意図する目標プロファイルに適うように分析法の品質リスクマネジメントのプロセスが考慮されるべきである．

　日本薬局方に規定する試験法適用時の適格性評価では，分析法を確立する際と同程度に分析能パラメーターの妥当性確認を再度行うことは必須ではないが，参考情報の「分析法バリデーション」〈G1-1-130〉にある分析能パラメーターのうち適切なものを用いて適格性を確認する必要がある．実施内容は，分析法のタイプ，関連する機器などを考慮する．さらに，試験試料に由来する要素に留意すべきである．例えば，日本薬局方に規定する試験法適用の際に，原薬及び製剤により異なる可能性のある不純物は，当該試験法の「特異性」に影響を与え得る．システム適合性試験で分離度が設定されている場合は，まずは，分離度で影響を確認し，特異性が低下している場合には，分析結果に与える影響を精査する．分析性能が低下している場合は，分析条件の検討が必要になるであろう．その他，特に製剤の添加剤が異なることにより，分析対象物質への妨害（特異性），検出（検出限界），添加回収率（真度），定量値のばらつき（精度）に影響を与える可能性があるので，システム適合性試験や参考情報の「分析法バリデーション」〈G1-1-130〉にある分析能パラメーターのうち適切なものを用いて適格性評価を行う．

5.　分析法の継続的な検証

1）日常的なモニタリング：この段階では，分析法の性能に関わるデータ，例えば，

分析結果，システム適合性への適否，規格値からのずれや特定の傾向などのデータを収集し，解析する．もし，システム適合性への不適合，規格値からのずれや特定の傾向が明らかになった場合には，その原因解明に向けて検討を行い，修正や予防対策が行われなければならない．

2) 分析法の変更：医薬品の製造と同様，分析法にも継続した改善活動や異なる環境での分析のために，変更を加えることもあるであろう．日本薬局方に規定する試験法を新たに適用する場合も，現在ある装置やカラムに合わせた変更が必要になる場合もあるであろう．さらに 1) の日常的なモニタリングの結果，分析法の変更が必要となることも想定される．変更の程度に応じて，その変更が試験結果に及ぼす影響を評価するための作業内容や作業量は異なる．以下に想定される変更の事例を挙げる．

① 分析法開発時に評価した分析手法の許容可能な変動範囲内で変更する場合は，その変更の影響評価はケースバイケースで行い，変更後の分析手法が目標プロファイルを常に満たしていることを確認することが必要である（ただし，分析法開発時にこのような変動範囲について検討していない場合には当てはまらない．）．なお，個々の条件変更は許容可能な変動範囲内であっても，複数の条件を変更することにより，以下の②と同様の対応を必要とする場合もある．

② 分析法開発時に評価した分析手法の許容可能な変動範囲を超えて変更する場合は，リスクアセスメントを必要とするであろう．また，分析法開発時に品質リスクマネジメントにより変更許容範囲が検討されていない場合も，分析条件を変更する場合は，リスクアセスメントが必要となる．リスクアセスメントは，どの分析性能特性（分析能パラメーター）が変更により影響を受ける可能性があるかを考慮する．そして，変更により，分析性能が目標プロファイルを外れないことを確認するために適格性評価を行う（4. を参照）．具体的には，参考情報「分析法バリデーション」〈G1-1-130〉の分析能パラメーターのうち変更の影響を受ける可能性がある分析能パラメーターを用いて検証する．変更の影響を受ける可能性がある分析能パラメーターが，システム適合性試験の 1 項目として設定されている場合は，当該分析能パラメーターについてシステム適合性試験を用いて検証できる場合もある．さらにクロマトグラフィーにおけるカラムサイズや移動相組成などの変更においては，クロマトグラフィー総論〈2.00〉の「クロマトグラフィー条件の調整」を参考にし，変更に際して適切に分析性能の検証を行う．

③ 試験室を変更する，あるいは日本薬局方に規定する試験法を新たに適用する場合は，分析装置，試験者，試薬などの変化に伴い分析性能特性が影響を受ける可能性があるため，リスクアセスメントを行い，適切な適格性評価を行う（3.，4. を参照）．一方，同じ試験室において分析装置やカラムの更新，試験者の交替などを行う場合には，変更した分析システムにより，少なくともシステム適合性の試験を行って，変更前後で同等の結果が得られることを確認する．

F- 22 　参考情報　改正事項

④新しい分析法や技術へ変更する場合には，新しい手法が目標プロファイルに合致するか示すために，新しい分析法の開発時に適格性評価を行う必要がある（2.，3.，4. を参照）．

⑤目標プロファイルに影響するような変更（例えば，規格値の変更，元の目標プロファイルで考慮していなかった不純物などの新たな分析物量を測定するための手法への変更）の必要が出てきた場合は，目標プロファイルを更新し，分析法が新しい目標プロファイルの要求を満たすかどうか評価するために，現在の分析法と適格性評価の見直しが必要になるであろう（1.，2.，3.，4. を参照）．

分析法の変更が目的に適う試験結果を与えるかどうかを確認するための作業の程度は，①変更に伴うリスク，②当該分析法について得られている知識，③管理戦略，に依存する．どのような変更をしたとしても，程度の差はあれリスクアセスメントを行い，これにより変更された分析法が試験法の目的に適う（つまり，目標プロファイルで規定された範囲の）結果を与えることを確認する．

6. 参考資料

1) G.P. Martin, et al., Pharmacopeial Forum 39 (5), (2013).

2) Proposed New USP General Chapter: The Analytical Procedure life cycle<1220>, Pharmacopeial Forum 43 (1), (2017).

3) K.L. Barnett, et al., Pharmacopeial Forum 42 (5), (2016).

4) E. Kovacs, et al., Pharmacopeial Forum 42 (5), (2016).

5) ICH: Guideline for Q3A (R2), Impurities in New Drug Substances.

参考情報　G2.　物性関連　せん断セル法による粉体の流動性測定法　を加える．

せん断セル法による粉体の流動性測定法 〈G2-5-181〉

医薬品の製造においては，混合機への原料投入や打錠機の臼への粉体充填など，粉体の搬送及び供給を伴う工程が多い．粉体の流動性は，質量や含量均一性などの製剤特性に関連することから，医薬品の品質に大きな影響を与える．製剤処方及び製造工程，並びに製造装置を適切に設計するためにも，粉体の流動性評価は重要である．せん断セル法は粉体の流動性評価に有用な試験法の一つで，幅広い応力条件下で測定が行えるため，粉体動摩擦角や単軸崩壊応力，フローファンクションなどの，医薬品の製造における様々な粉体挙動の予測に役立つパラメーターを求めることができる．

1. 原理

ホッパーなどからの流出において粉体は，粒子同士の付着・凝集や複雑な表面形状による互いの動きへの干渉などのため，外から力が加えられても速やかに流れ出すとは限らず，加える力が十分に大きくなると急に流れ始めるようになる．また，容器中の準静的な条件下での粉体の流動性は，圧密応力に強く依存する．圧密とは，粉体層に荷重を加えて，そのかさ体積を減少させ，粉体層のかさ密度又は空間率を変化させる操作をいう．せん断セル法は，圧密した粉体に垂直応力を負荷しながら横滑りさせたとき，静止状態から流動状態に移行する過程の粉体の挙動，すなわち横滑りし始める直前の最大せん断応力や定常流動状態の動的摩擦力を測定する試験法である．

荷重下の粉体の流動性は，圧密の程度（かさ密度又は空間率，ε），垂直応力（σ）及びせん断応力（τ）の三つの条件によって決まる．三条件の関係を三次元的に表した図をロスコー状態図（図1）といい，せん断セル法は，このロスコー状態図あるいはロスコー状態図を構成する破壊包絡線を得るための試験法である．

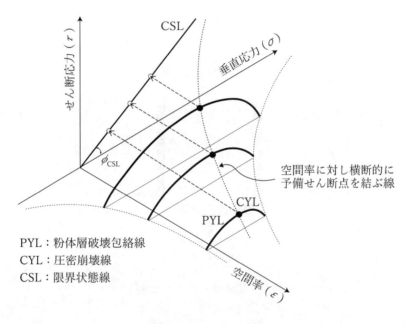

図1　ロスコー状態図

2. 装置

せん断セル法には，定荷重法と定容積法の二つの測定方法がある．どちらの方法でも，使用する装置は通例，せん断セル，試料に垂直応力を負荷するための分銅やプレス装置，試料をせん断するための機構，垂直応力及びせん断応力を計測するロードセルからなる．

2.1. せん断セル

せん断セルは，上下に二分割できる容器（セル）に充塡した粉体を，垂直応力を負

荷しながら横滑りさせ，粉体層の内部にせん断面を生じさせることのできる構造を持つものが多い．定荷重法の場合，上部セルに嵌合する蓋はせん断応力が負荷されると上下し，粉体の収容容積が変化する．定容積法では，蓋を押し込むプレス機などにより蓋の位置が固定される．

せん断セルは，せん断応力を与える運動が並進か回転かにより，2種類に分類される．

2.1.1. 並進せん断セル

並進せん断セルでは，上部あるいは下部セルの一方を固定し，他方を直線的に水平移動（並進）させて，二つのセルに充填した粉体層にせん断応力を負荷する．せん断面は，下部セル中の粉体とリング状の上部セル中の粉体の境界に生じる．並進せん断セルには，円筒型のもの（図2）と試料を上下2枚の平板ではさんだ側壁のないものがあり，前者の代表例としてジェニケセル，後者の代表例として平行平板セルが挙げられる．

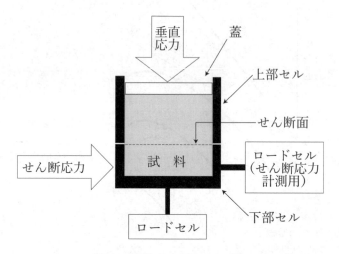

図2　並進せん断セルの例

2.1.2. 回転せん断セル

回転せん断セルでは，上下一対のセルの一方を固定し，他方を回転運動させて，二つのセルに充填した粉体層にせん断応力を負荷する．円筒型のものと環状型のもの（図3）がある．いずれの回転せん断セルでも，粉体がセル内壁との界面で滑らないよう，セルの内側に何らかの表面加工を施してある場合が多い．回転セルの試料に接する面には複数の刃を放射状に取り付けるなどして，粉体を噛み込む作りにしてある．粉体を充填した固定セルに回転セルを押し入れて回転させることにより，回転セル直下の粉体層にせん断面が形成される．

参考情報　改正事項　F-25

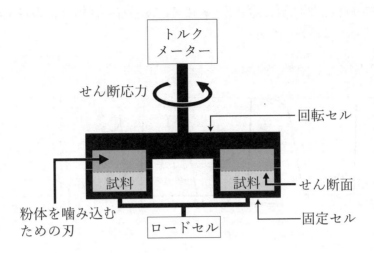

図3　回転せん断セルの例

2.2. その他の構成部分

ロードセルは，バネや圧電素子などを利用したセンサーで，荷重やトルクを検出し，加えられた力を電気信号に変換する装置である．ロードセル及び試料に垂直応力を負荷するための分銅などは，計量トレーサビリティの保証された標準によって定期的に校正を行う．

3. 測定

測定環境は，温度 20 ± 5℃，相対湿度 50 ± 10 ％ が推奨される．試料は，測定ごとに新しいものを用いる．ただし，圧密履歴を経ていないことが明白な試料や希少な試料について，再使用した旨の記載を残す場合は，この限りではない．スパーテルや試料の最大粒子径より大きい目開きのふるいなどを用いて，静かにせん断セルに試料を充塡する．このとき，粉体層内に空洞が生じないように注意する．充塡した試料の表面は，スパーテルなどでならしておく．定荷重法では，1回の測定中は空間率を一定にして試験を行うため，初めに試料の圧密（予圧密）を行う．

ジェニケセルなどを用いた定荷重法における測定の手順を，図4に模式図で示す．試験に先立ち，垂直方向の予圧密応力（σ_{pre}）を負荷しながら，せん断応力が定常値（τ_{pre}）になるまで予備せん断を行う（図4(a) A）．定荷重法では予備せん断中，粉体の容積が減少あるいは場合によっては増加し，定常状態に至ると一定になる．言い換えれば，ある垂直応力の条件下でせん断応力が定常値になった粉体層の空間率は，その粉体の流動特性から一つに決まる．以下の本試験では，この空間率を有する試料についての測定を行う．せん断応力をゼロとした後 σ_{pre} の垂直応力を取り除き，新たに垂直応力（σ_{sx}, $x = 1, 2, 3 \cdots$）を負荷してせん断応力を測定する（図4(a) B）．せん断応力を徐々に増加させたとき，粉体層が横滑りし始める直前の最大せん断応力が τ_{sx} ($x = 1, 2, 3 \cdots$) である．σ_{pre} 以下の3～5点の σ_{sx} においてA～B

の操作を繰り返し，得られた結果から粉体層破壊包絡線（PYL：powder yield locus, 図4(b)）を描くことができる．

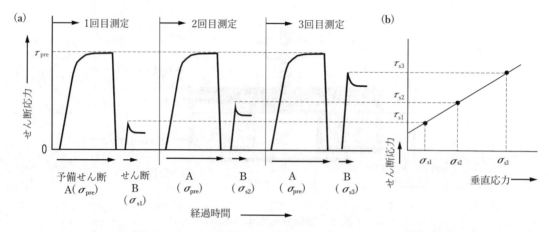

図4 測定中の垂直応力及びせん断応力の時間経過図（a）と粉体層破壊包絡線（b）の例

一方，定容積法では，プレス機などで蓋の位置を制御して空間率を所定値に保ちながら，垂直応力を徐々に変化させて，せん断応力を連続的に測定する．常に一定の空間率で測定が可能なため，せん断により粉体層が圧密崩壊する垂直応力領域では，図1中の圧密崩壊線（CYL：consolidation yield locus）が得られる．PYLとCYLは予備せん断点を共有し，1本の破壊包絡線（YL：yield locus）としてつながる．

4. データ解析

せん断応力には，粉体が流動していない（静的）状態で測定される値と，流動している（動的）状態で測定される値がある．

前項の図4(b)で示した各（σ_{sx}, τ_{sx}）を結ぶ近似線は，圧密した粉体層が横滑りし始める直前，つまり静的な状態での垂直応力に対するせん断応力の関係を表し，PYLと呼ばれる．ここに，垂直応力σ_{pre}を負荷して行った予備せん断により定常状態に至ったときのせん断応力τ_{pre}をプロットする（図5）．この点は，動的な状態における測定値で，予備せん断点と呼ばれる．次に，垂直応力軸上に中心を持つ，予備せん断点を通りPYLに接する円（図5中の大きい方の半円）と原点を通りPYLに接する円（図5中の小さい方の半円）を描く．垂直応力軸上に中心を持ちPYLに接する円を，モール円と呼ぶ．

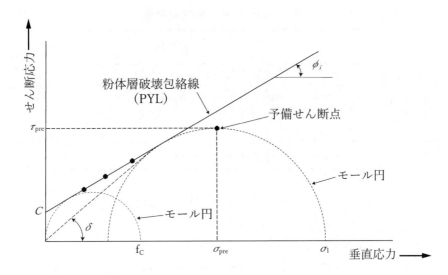

図5 粉体層破壊包絡線からの各種パラメーターの求め方

粉体の流動性を記述する各種パラメーターは，PYLとモール円から求められる．

4.1. せん断付着力（C）

PYLとτ軸の交点の値であり，垂直応力が負荷されていない状態でのせん断応力に相当する．

4.2. 内部摩擦角（ϕ_i）

PYLとσ軸がなす角度．PYLの勾配（$\tan \phi_i$）は，測定を行った圧密条件下での，粉体粒子同士の摩擦係数である．

4.3 有効内部摩擦角（δ）

原点を通り，図5中の大きい方のモール円に接する直線がσ軸となす角度．粉体の流動が定常状態にあるときの，内部摩擦力の相対的な指標として用いられることがある．

4.4. フローファンクション（FF）

図5中の大きい方のモール円の最大主応力（σ_1）と，小さい方のモール円の最大主応力（単軸崩壊応力：f_c）の比（$\sigma_1/f_c : ff_c$）は，粉体の流動性を定性的に分類する際の指標として用いられることがある（表1）．同一の試料について複数の圧密条件下で測定したσ_1とf_cの関係から得られる線図，すなわちFFは，ホッパーを設計する際などの粉体の流動性解析に活用される．

F-28 参考情報 改正事項

表1 流動性の一般的な分類

ff_c	流動性
< 1	流動しない
$1 \sim 2$	付着性が高く，流動しにくい
$2 \sim 4$	付着性があり，やや流動しにくい
$4 \sim 10$	流動しやすい
$10 <$	極めて流動しやすい

　上記の各パラメーターは，所定の空間率を有する試料において測定された垂直応力とせん断応力の関係を表す図5から求められるため，同じ粉体でも，圧密の程度が異なれば，違う値になることに注意する必要がある．

　一方，図1の限界状態線（CSL：critical state line）は，複数の空間率で得られた予備せん断点（図中の黒丸）をσ-τ面上に投影して得られる線で，原点を通る直線になる．動的な状態における垂直応力とせん断応力の関係を示すCSLは，測定に用いる装置の種類に依存せず，粉体の流動特性を反映する．CSLとσ軸のなす角度を粉体動摩擦角（ϕ_{CSL}）といい，小さいほど流動性が高いことを示す．

5. 結果の報告

　同一条件での測定は，得られる値のばらつきに応じた適当な回数繰り返し行い，その平均値を結果とする．測定結果は，表2に挙げる項目と共に報告する．

表2 結果報告に記載する項目例

項目	内容
一般的事項	測定日時，測定者名，試料名，使用した装置（機種，型式・製造会社）とセルの種類，測定法（定荷重法又は定容積法）など
試料関連事項	粒子径及び粒子径分布，粒子径測定法の種類，かさ密度，水分含量，乾燥処理条件など
測定条件	測定時の温度及び相対湿度，使用したセルのサイズ，試料量，予圧密条件，せん断速度など
測定結果	本試験における測定回ごとの垂直応力とせん断応力，破壊包絡線を描いたσ-τ図，粉体動摩擦角などの解析で得られた各種パラメーターの値
その他の特記事項	予圧密応力や測定回数などを通常の設定から変更した場合，あるいは試料を再使用した場合には，その旨の記載

参考情報　改正事項　　F-29

参考情報　G4．微生物関連　に微生物試験における微生物の取扱いのバイオリスク管理　を加える．

微生物試験における微生物の取扱いのバイオリスク管理
〈G4-11-181〉

　本参考情報は，一般試験法の微生物学的試験法（4.02 抗生物質の微生物学的力価試験法，4.05 微生物限度試験法，4.06 無菌試験法），生薬試験法（5.02 生薬及び生薬を主たる原料とする製剤の微生物限度試験法），参考情報の G3. 生物薬品関連（日局生物薬品のウイルス安全性確保の基本要件〈G3-13-141〉，バイオテクノロジー応用医薬品/生物起源由来医薬品の製造に用いる細胞基材に対するマイコプラズマ否定試験〈G3-14-170〉），G4. 微生物関連（保存効力試験法〈G4-3-170〉，微生物迅速試験法〈G4-6-170〉，遺伝子解析による微生物の迅速同定法〈G4-7-160〉，蛍光染色による細菌数の迅速測定法〈G4-8-152〉，消毒法及び除染法〈G4-9-170〉）などの実施に際して考慮すべき微生物の安全な取扱いにおける基本要件を示すものである．

　微生物を取り扱う作業に当たり，試験実施により生じるバイオリスクを的確に管理することが求められる．微生物を取り扱う際のリスクは，微生物の特性と取扱い作業内容により異なるため，そのリスクマネジメントにおいては，個々の作業ごとにリスクアセスメントを行ってリスクを特定，分析及び評価し，微生物取扱い者を防護すると共に，実験室バイオセーフティ上及びバイオセキュリティ上のリスクを低減することが必要である．その実践に際しては，組織内にバイオリスク管理に関する責任者及び担当者を置き，運営のための規則と計画の策定に当たる．リスクを低減するために安全管理，個人用防護具，安全機器及び物理的封じ込め施設・設備の4要素を組み合わせて実験室バイオセーフティ対策を行う．構築したリスクマネジメント方法は，継続的なリスクレビューにより更新する[1]．

　微生物の取扱いにおけるバイオリスク管理に必要な基本的な考え方を以下に示す．

1.　用語の定義
　本参考情報で用いる用語の定義は，次のとおりである．

1.1.　実験室（Laboratory）：検査，試験，研究のための実験などを行う目的で微生物を取り扱う施設・設備．

1.2.　バイオハザード（Biohazard）：生物及び生物由来物質による災害．

1.3.　微生物リスクレベル分類：微生物取扱い者及び関連者に対する微生物のリスクを分類したもの．

1.4.　実験室バイオセーフティ（Laboratory Biosafety）：バイオハザードのリスクに応じたリスク低減対策をバイオセーフティと呼ぶ．病原体又は毒素の意図しない曝露や拡散及び偶発的漏洩を予防するのが目的である．その中でも，実験室バイオ

F-*30*　　参考情報　改正事項

セーフティは，安全管理，個人用防護具，安全機器及び物理的封じ込め施設・設備の4要素を組み合わせて行う.

1.5.　**実験室バイオセーフティレベル（Biosafety Level, BSL）**：実験室バイオセーフティを実践する4要素の組合せにより BSL1 から BSL4 に分けられ，個々の BSL に応じたリスク低減対応策を構築する.

1.6.　**バイオセキュリティ（Biosecurity）**：防護・監視を必要とする重要な生物材料（Valuable Biological Materials）への不正アクセス，紛失，盗難，濫用，悪用，流用又は意図的な放出を防止するための実験施設内における防御や制御を示す.

1.7.　**バイオリスク（Biorisk）**：実験室バイオセーフティ及びバイオセキュリティ上の両方を併合し，危害をもたらす有害的事象（偶発的感染，不正アクセス，紛失，盗難，濫用，悪用，流用又は意図的な放出など）が起こる可能性や機会の全てを含む.

1.8.　**バイオリスクマネジメント（Biorisk Management）**：リスクアセスメント（Assessment），リスク低減（Mitigation），実施（Performance）の3要素で構成されている.

1.9.　**微生物取扱い者**：実験室において直接微生物を取り扱う者及び実験室施設の維持管理のために実験室へ入室する者.

1.10.　**関連者**：微生物取扱い者と直接あるいは間接的に接触する実験室使用者，微生物取扱い者の同僚あるいは同居人など感染の可能性がある者.

1.11.　**標準微生物学実験手技（Good Microbiological Technique, GMT）**：微生物を安全に取り扱う標準的技術.技術取得のための教育プログラム，標準作業手順書，規則などの整備を含む.

1.12.　**個人用防護具（Personal Protective Equipment, PPE）**：微生物取扱い者をバイオハザードから防護するために個人で装着する用具一式.例えば，マスク，呼吸器保護具，ゴーグル，手袋，防護服，靴カバーなど.

1.13.　**安全機器（Safety Equipment）**：微生物取扱い者を生物学的危険物質曝露から防護する装置，機器，器材一式.例えば，電動ピペット，密閉容器，生物学用安全キャビネット（Biological Safety Cabinet）など.生物学用安全キャビネットは，機器内で発生したエアロゾルの機器外への漏出を防ぐことを目的とした装置のことで，開口部に気流によるエアバリアを形成して機器内外を隔絶する開放型と閉鎖されたグローブボックス型の装置がある.

1.14.　**物理的封じ込め施設・設備（Physical Containment）**：微生物リスクレベル分類に応じて微生物の取扱いを安全上管理する施設・設備.物理的封じ込めレベルにより P1 から P4 までの4段階に分類される.

1.15.　**管理区域**：バイオリスク管理が必要な区域.微生物取扱い実験室の他，バイオハザードのリスクがあると考えられる廃棄物処理施設・設備，排水処理施設・設備，空調機械室などを含む.

参考情報　改正事項　　F-31

2.　微生物取扱いにおけるリスクアセスメント

個々の試験の実施計画において微生物取扱い作業に伴う以下のリスクについて評価する.

2.1.　実験室バイオセーフティ上問題になるリスク

2.1.1.　微生物の特性によるリスク

（ⅰ）微生物のリスクレベル分類によるリスク

微生物は，分類上の種や株ごとにヒトに危害を及ぼす程度が異なることから，微生物に感染した場合の微生物取扱い者の症状や関連者への影響を考慮し，リスクが低いものから順に微生物リスクレベル１から４までに分類する（表1）.個々の微生物リスクレベルの分類は，国や地域，対象（ヒトや家畜），有効な治療法や予防法の有無，感染の成立に必要な最少感染量，感染経路，使用する量，作業内容などによって異なる.なお，国内に存在しない微生物は高いリスクレベルに分類する場合が多い.

表1　微生物リスクレベル分類

微生物リスクレベル	基準
1	微生物取扱い者及び関連者に対するリスクが無いか低いリスク.ヒトあるいは動物に疾病を起こす見込みがないもの（健康人に病気を発生させることのないもの）
2	微生物取扱い者に対する中程度のリスク，関連者に対する低いリスク.ヒトあるいは動物に感染すると疾病を起こし得るが，微生物取扱い者や関連者に対し，重大な健康被害を起こす可能性が低いもの.有効な治療法，予防法があり，関連者への伝播のリスクが低いもの，すでに多くの者が免疫をもっており感染を容易に予防できるもの.
3	微生物取扱い者に対する高いリスク，関連者に対する低いリスク.ヒトあるいは動物に感染すると重篤な疾病を起こすが，通常，感染者から関連者への伝播の可能性が低いもの.有効な治療法，予防法があるもの.
4	微生物取扱い者及び関連者に対する高いリスク.ヒトあるいは動物に感染すると重篤な疾病を起こし，感染者から関連者への伝播が直接又は間接に起こり得るもの.通常，有効な治療法，予防法がないもの.

（ⅱ）微生物の感染経路や曝露経路によるリスク

微生物取扱い者に曝露が想定される微生物の感染経路を検討する.自然感染では口腔，鼻腔，眼の粘膜が感染経路になりやすく，粘膜への接触，経口感染，飛沫感染，空気感染，媒介昆虫の有無などを検討する.実験室内感染においては，針刺し感染，皮膚の傷からの感染，器具などの汚染物への接触による感染に留意する.

（ⅲ）宿主の感受性によるリスク

使用する微生物に対する微生物取扱い者の感受性が異なるリスクについて検討する.ワクチンが存在する微生物の場合，適切なワクチン接種により微生物取扱い者に

F-32　参考情報　改正事項

抵抗性を付与し，当該感染症の発症などのリスクを減らすことができる.

（ⅳ）関連法規に定める微生物によるリスク

法律[2-5]により定められている微生物種，株及び毒素は，それらの使用，所持，保管，移動などに当たり，関連する法律を遵守する．一般的事項については，それらを詳述した法令，通知，事務連絡などを参照する.

2.1.2.　取扱い作業によるリスク

（ⅰ）取り扱う微生物の形状や量によるリスク

ピペット操作などは飛沫やエアロゾルを発生する場合が多く，微生物を含むエアロゾルは気流によって広範囲に拡散するリスクが大きい．取り扱う微生物種，株及び毒素の量が多くなるに従い，それらに付随するリスクが高くなることを考慮する.

（ⅱ）微生物取扱い者の技量によるリスク

取り扱う微生物に関する十分な知識を有しない者又は適切な微生物の取扱い方法について十分な教育・訓練を受けていない者の作業は，リスクが高くなることを考慮する.

（ⅲ）取り扱う器具の形状によるリスク

ガラス器具を作業に用いることは，破損によって微生物を含む内容物の汚染リスクが高くなるだけではなく，破損物で生ずる傷などを介して感染するリスクが高くなることを考慮し，ガラス器具を用いる際には，リスクを考慮して用途を検討する.

（ⅳ）作業内容に伴うリスク

液体又は粉体を含む容器の開封，ピペット又はピペッターを用いた液体の取扱い，ボルテックスミキサーによる液体の攪拌，遠心分離後の上清を他の容器に移し替える操作などは，エアロゾルを発生させるリスクが高くなることを考慮する.

（ⅴ）作業工程ごとのリスク

作業工程が複数ある場合，各工程の作業内容によりリスクが異なることを考慮する.

（ⅵ）微生物の受入・分与のリスク

微生物，株及び毒素の受入・分与に伴い，新たなリスクが生じることを考慮する.

（ⅶ）微生物移動時のリスク

微生物を含む試料を移動する際には，管理区域内移動と管理区域外への移動の場合でリスク（外部への影響）が異なることを考慮する.

（ⅷ）感染性廃棄物のリスク

作業中に微生物で汚染した全ての器具や試料は，消毒，除染又は滅菌して微生物を不活化させるまでは感染のリスクがある感染性廃棄物として取り扱う.

（ⅸ）緊急時のリスク

微生物取扱い者の微生物曝露，施設・設備の汚染，微生物の管理区域外漏洩などが発生した時の緊急時対応を考慮する.

2.2.　バイオセキュリティ上問題になるリスク

参考情報　改正事項　F-33

微生物を取り扱う施設への入室管理や微生物の保管管理方法が適切にとられていない状況は，微生物への不正アクセス，紛失，盗難，濫用，悪用，流用，意図的な放出などがバイオセキュリティ上のリスクになる．

3.　微生物取扱いにおけるリスク低減対策

評価により明らかになった各リスクに対しては，微生物取扱い者や関連者にリスクを及ぼさないように，必要な対策を講じてリスクを低減する．実施に当たっては，以下の内容を含む．

3.1.　バイオリスクマネジメント体制の構築

微生物を保有し，取り扱う機関は，微生物取扱い者の人数に係わらず，バイオリスクマネジメントに関する管理組織の構築が求められる[6-8]．

・管理組織における役割，権限，責任を明確にする．
・バイオリスクマネジメントに関する責任者を置く．
・バイオリスクマネジメントの担当者を置く．
・バイオリスクマネジメント運営のための規則並びに計画を策定する．
　実施する内容には，以下のものがある．
・実験室バイオセーフティ上問題になるリスクを低減する．
・バイオセキュリティ上問題になるリスクを低減する．
・バイオリスク教育・訓練を実施する．
・管理区域の施設・設備の維持管理計画を策定して実施する．
・関連法規を遵守する．

3.2.　実験室バイオセーフティ上問題になるリスクの低減

微生物取扱いにおけるリスク低減対策には，主なものとして安全管理，個人用防護具，安全機器・器材，物理的封じ込め施設・設備の4要素がある．バイオリスクに応じて4要素を組み合わせた実験室バイオセーフティ対策（表2）を行い，リスクを低減する[9]．

（ⅰ）安全管理（Safety Management）

安全管理には，関連する全ての事項を含み，以下のものが必要である．
・微生物の安全な取扱いに必要な諸項目に関する規則を策定する．
・標準微生物学実験手技（GMT）に基づく標準作業手順書を整備する．
・標準微生物学実験手技（GMT）を取得するため，継続的な教育・訓練を行う．
・微生物取扱い者の健康管理に関し，使用する微生物に対するワクチンなどの効果的な予防法がある場合には，微生物取扱い者のワクチン接種歴を活用する仕組みを導入する．
・緊急時対策を整備する．
・バイオリスク教育・訓練を実施する．

（ⅱ）個人用防護具

作業時には，適切な個人用防護具（PPE）を用い，微生物曝露のリスクを低減す

F-34　　参考情報　改正事項

表2　実験室バイオセーフティレベル（BSL）分類と対策

BSL 分類	安全管理	個人用防護具	安全機器	施設・設備（物理的封じ込めレベル）
BSL1	標準微生物学実験手技及び管理体制（管理組織，取扱い手順書，教育・訓練）	個人用防護具	安全機器	P1（基本実験室）
BSL2	BSL1 の要求に加えて，微生物リスクレベル2に対応した標準微生物学実験手技	BSL1 の要求に加えて，微生物リスクレベル2に対応した個人用防護具	BSL1 の要求に加えて，微生物リスクレベル2に対応した安全機器	P2（微生物リスクレベル2に対応した基本実験室）
BSL3	BSL2 の要求に加えて，微生物リスクレベル3に対応した専用標準微生物学実験手技	BSL2 の要求に加えて，微生物リスクレベル3に対応した専用個人用防護具	BSL2 の要求に加えて，微生物リスクレベル3に対応した専用安全機器	P3（物理的封じ込め実験室）
BSL4	BSL3 の要求に加えて，微生物リスクレベル4に対応した専用標準微生物学実験手技	BSL3 の要求に加えて，微生物リスクレベル4に対応した専用個人用防護具	BSL3 の要求に加えて，微生物リスクレベル4に対応した専用安全機器	P4（高度物理的封じ込め実験室）

各微生物リスクレベルに応じた総合的なリスクマネジメント方法を BSL1 から BSL4 に分類し，BSL の数値が上がるにつれて，新たに発生，懸念されるリスクに応じて対応策を順次追加，強化する．特に BSL3 及び BSL4 では，専用の標準微生物学実験手技，個人用防護具及び安全機器を用いる必要がある．

る．個人用防護具（PPE）は，取り扱う微生物の特徴と感染経路及び作業内容によって適切なものを選択する．

（ⅲ）安全機器

　電動ピペットなどを用い，微生物取扱い者が直接微生物に接触することが無いようにする．器具・器材は破損しにくい材質の漏出しない容器を使用する．注射針などの鋭利な器具を廃棄する際は，鋭利な器具が貫通しない容器（注射針回収容器など）に廃棄する．

　微生物を開放系で取り扱う作業は，生物学用安全キャビネットなどの中で行い，発生するエアロゾルに含まれる微生物の曝露や作業場所への拡散のリスクを低減する．エアロゾル感染のリスクが高い試料は，エアロゾルを封じ込める対策を施した遠心機を使用する．生物学用安全キャビネットなどの中で使用した安全機器などは，生物学用安全キャビネットなどの中で消毒後に持ち出す．

　微生物（芽胞や胞子を含む）は，封じ込め性能が担保されていないクリーンベンチで取扱わない．

（ⅳ）物理的封じ込め施設・設備

　微生物の特性及び作業内容をもとにリスクアセスメントでリスクレベルを設定し，必要な物理的封じ込め施設・設備を使用する．施設・設備には，封じ込めレベルごとに定められた要件があり[10, 11]，物理的封じ込めレベル3（P3）以上の施設・設備では，作業中に発生する微生物を含むエアロゾルによる微生物取扱い者への曝露の防止と周辺への漏洩を防止する有効な対策が必要である．

（ⅴ）微生物受入・分与時のリスク低減

　受入及び分与に際しては，関連する法律[2-5]を遵守する．機関内に新たに微生物を受け入れる際には，その機関において微生物リスクをアセスメントして実験室バイオセーフティレベル（BSL）を設定すると共に，緊急時や曝露時の対応策など必要事項を事前に決めておく．分与に際しては，事前に分与先の実験室バイオセーフティを確認する．一般的事項については，それらを詳述した法令，通知，事務連絡などを参照する．

（ⅵ）微生物移動時のリスク低減

　微生物試料を移動する際は，管理区域内での移動においても適切な漏洩防止策をとる．管理区域外に移動する際には，試料が漏れない三重梱包を施すことが基本となる[12]．施設外に移動する際には，法律[2-5]を遵守する．

（ⅶ）感染性廃棄物のリスク低減

　感染性廃棄物は，対象となる微生物に適切な薬剤又は高圧蒸気滅菌法などにより確実に不活化する．不活化処理は，管理区域内で完結する．

（ⅷ）緊急時のリスク低減

　微生物の曝露，漏洩などの緊急事態が発生した場合に備えて，適切な対処方法を文書化する．対処方法には，連絡方法，連絡網の整備，具体的な対処方法，必要な器材・器具の備蓄，それらに対する教育・訓練を含む．それらを実施する組織体制を確立しておく．

3.3. バイオセキュリティ上問題になるリスクの低減

　バイオセキュリティ上問題になるリスクの低減には，以下の内容を含む[13]．

（ⅰ）微生物取扱い者のアクセスコントロール

・ID管理
・微生物取扱い者の登録管理
・施錠
・入退室管理

（ⅱ）微生物のコントロール

・微生物の保管出納管理

3.4. バイオリスク教育及び訓練

　微生物取扱い者の技量の向上のため，微生物の取扱いに関するリスクの理解とその対策に関する教育訓練を行う．微生物の特性，作業によるリスク，標準微生物学実験

F- 36　　参考情報　改正事項

手技（GMT）の取得と訓練，緊急時対応などが重要である．教育・訓練は，繰り返し行う．

3.5.　関連法規の遵守

法律[2-5)]で指定される特定微生物などの取扱いについては，微生物や毒素の所持，出納管理，移動などについて，関連する法律を遵守する．一般的事項については，それらを詳述した法令，通知，事務連絡などを参照する．

4.　バイオリスクマネジメントのレビューと更新

バイオリスクマネジメントが有効に機能していることを評価するため，リスクアセスメント（Assessment），リスク低減（Mitigation），実施（Performance）が適切に行われていることを定期的にレビューし，マネジメント計画を更新する．適切に管理する手法として例えば計画 Plan- 実行 Do- 評価 Check- 改善 Act（PDCA サイクル）などがある．

5.　参考資料

1）第十八改正日本薬局方，参考情報「品質リスクマネジメントの基本的考え方〈*G0-2-170*〉」．

2）平成 10 年法律第 114 号「感染症の予防及び感染症の患者に対する医療に関する法律」（平成 11 年 4 月 1 日施行）．

3）昭和 26 年法律第 166 号「家畜伝染病予防法」（昭和 26 年 6 月 1 日施行）．

4）昭和 25 年法律第 151 号「植物防疫法」（昭和 25 年 5 月 4 日施行）．

5）平成 15 年法律第 97 号「遺伝子組換え生物等の使用等の規制による生物の多様性の確保に関する法律（カルタヘナ法）」（平成 16 年 2 月 19 日施行）．

6）CEN（European Committee for Standardization），CWA（CEN Workshop Agreement）15793「Laboratory biorisk management」，2011 年 9 月．

7）ISO/DIS 35001: 2019, Biorisk management for laboratories and other related organisations.

8）CEN（European Committee for Standardization），CWA（CEN Workshop Agreement）16393「Laboratory biorisk management-Guidelines for the implementation of CWA 15793: 2008」，2012 年 1 月．

9）WHO, Laboratory biosafety manual Third Edition, 2004. ISBN 92-4-154650-6.

10）昭和 36 年 2 月 1 日厚生省令第 2 号「薬局等構造設備規則」第八条「特定生物由来医薬品の製造者等の製造所の構造設備」．

11）平成 16 年 12 月 24 日厚生労働省令第 179 号「医薬品及び医薬部外品の製造管理及び品質管理の基準に関する省令」第二章第四節「生物由来医薬品の製造管理及び品質管理」．

12）WHO, Guidance on regulations for the Transport of Infectious Substances 2013-2014.

13）WHO, Biorisk management: Laboratory biosecurity guidance, 2006.

参考情報　改正事項　　F-37

参考情報　G5.　生薬関連　日本薬局方収載生薬の学名表記について　のコウボク，サンシシ，チョウジ，チョウジ油，ハマボウフウ，ボウイ，モクツウの項を次のように改める.

日本薬局方収載生薬の学名表記について〈G5-1-181〉

日本薬局方の学名表記と分類学的に用いられる学名表記

生薬名	日本薬局方の学名表記 ＝分類学的に用いられている学名表記	科名
	日本薬局方の学名表記とは異なるが分類学的に同一あるいは同一とみなされることがあるもの及び収載種に含まれる代表的な下位分類群. *印のあるものは，日本薬局方で併記されているもの.	
コウボク	ホオノキ *Magnolia obovata* Thunberg ＝*Magnolia obovata* Thunb.	*Magnoliaceae* モクレン科
	*Magnolia hypoleuca Siebold et Zuccarini ＝*Magnolia hypoleuca* Siebold & Zucc.	
	Magnolia officinalis Rehder et E. H. Wilson	
	Magnolia officinalis Rehder et E. H. Wilson var. *biloba* Rehder et E. H. Wilson	
サンシシ	クチナシ *Gardenia jasminoides* J. Ellis	*Rubiaceae* アカネ科
	Gardenia jasminoides J. Ellis f. *longicarpa* Z. W. Xie & M. Okada	
チョウジ チョウジ油	チョウジ *Syzygium aromaticum* Merrill et L. M. Perry ＝*Syzygium aromaticum* (L.) Merr. & L. M. Perry	*Myrtaceae* フトモモ科
	*Eugenia caryophyllata Thunberg ＝*Eugenia caryophyllata* Thunb. *Eugenia caryophyllus* (Spreng.) Bullock & S. G. Harrison	
ハマボウフウ	ハマボウフウ *Glehnia littoralis* F. Schmidt ex Miquel ＝*Glehnia littoralis* F. Schmidt ex Miq.	*Umbelliferae* セリ科

F- 38　　参考情報　改正事項

ボウイ	オオツヅラフジ *Sinomenium acutum* Rehder et E. H. Wilson =*Sinomenium acutum*（Thunb.）Rehder & E. H. Wilson	*Menispermaceae* ツヅラフジ科
モクツウ	アケビ *Akebia quinata* Decaisne =*Akebia quinata*（Thunb. ex Houtt.）Decne.	*Lardizabalaceae* アケビ科
	ミツバアケビ *Akebia trifoliata* Koidzumi =*Akebia trifoliata*（Thunb.）Koidz.	
	上記種の種間雑種	

参考情報　G6.　製剤関連　錠剤の摩損度試験法　を次のように改める.

錠剤の摩損度試験法 〈*G6-5-181*〉

　本試験法は，三薬局方での調和合意に基づき規定した試験法である.
　三薬局方の調和合意に関する情報については，独立行政法人医薬品医療機器総合機構のウェブサイトに掲載している.

　錠剤の摩損度試験法は，剤皮を施していない圧縮成型錠の摩損度を測定する方法である.ここに記載した試験手順はほとんどの圧縮成型錠に適用できる.摩損度の測定は，錠剤の硬度など他の物理的強度の試験を補足するものである.

装置

　内径 283.0 〜 291.0 mm，深さ 36.0 〜 40.0 mm の内面が滑らかな透明な合成樹脂製で，静電気をおびにくいドラムを用いる（典型的な装置については図 1 参照）.ドラムの一方の側面は取り外しができる.錠剤はドラムの中央から外壁まで伸びている内側半径 75.5 〜 85.5 mm の湾曲した仕切り板に沿ってドラムの回転ごとに転がり落ちる.中心軸リング部の外径は 24.5 〜 25.5 mm とする.ドラムは，24 〜 26 rpm で回転する装置の水平軸に取り付けられる.したがって，錠剤は各回転ごとに転がり若しくは滑ってドラム壁に又は他の錠剤の上に落ちる.

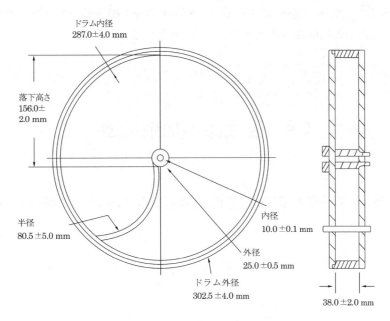

図1　錠剤の摩損度試験装置

操作法

1錠の質量が650 mg以下のときは，6.5 gにできるだけ近い量に相当するn錠を試料とする．1錠の質量が650 mgを超えるときは10錠を試料とする．試験前に注意深く錠剤に付着している粉末を取り除く．錠剤試料の質量を精密に量り，ドラムに入れる．ドラムを24〜26 rpmで100回転させた後，錠剤を取り出す．試験開始前と同様に錠剤に付着した粉末を取り除いた後，質量を精密に量る．

通常，試験は一回行う．試験後の錠剤試料に明らかにひび，割れ，あるいは欠けの見られる錠剤があるとき，その試料は不適合である．もし結果が判断しにくいとき，あるいは質量減少が目標値より大きいときは，更に試験を二回繰り返し，三回の試験結果の平均値を求める．多くの製品において，一回の試験又は三回の試験の平均として得られる質量減少は，1.0％以下であることが望ましい．発泡錠やチュアブル錠の摩損度規格はこの範囲を超えることがある．

もし錠剤の大きさや形によって回転落下が不規則になるなら，錠剤が密集状態にあっても錠剤同士が付着して錠剤の自由落下を妨げることのないよう，水平面とドラムの装置下台との角度が約10°になるよう装置を調整する．

吸湿性の錠剤の場合の試験は，適切な湿度の雰囲気下で行う必要がある．

多くの試料を同時に試験できるよう設計された，仕切り板を二つ持ったドラムや二つ以上のドラムを備えた装置を利用してもよい．

F- 40　　参考情報　改正事項

　参考情報 G8.　標準品関連　の次に G9.　医薬品添加剤関連のカテゴリー及び製剤
に関連する添加剤の機能性関連特性について　を加える.

G9.　医薬品添加剤関連

製剤に関連する添加剤の機能性関連特性について〈*G9-1-181*〉

　添加剤の機能性関連特性（Functionality Related Characteristics, FRC）とは，製剤
の製造工程・保管・使用において，有効成分及び製剤の有用性の向上に密接に関連す
る添加剤の物理的・化学的特性である.
　添加剤は製剤総則［1］製剤通則（6）に記載されるように，「その製剤の投与量に
おいて薬理作用を示さず，無害」でなくてはならず，「有効成分及び製剤の有用性を
高める，製剤化を容易にする，品質の安定化を図る，又は使用性を向上させる」など
の役割も担う. 添加剤各条では，物質の確認と品質の確保を主な目的として，規格と
試験法が規定されている.
　FRC は，添加剤が上記の役割を果たすための有効な指標となるが，添加剤に求め
られる FRC の特性値は，使用目的や製剤処方に依存し，添加剤の安全性や安定性に
直接関わる品質特性とは異なることから，試験法には規格を設定しない. また，本参
考情報に記載された FRC の試験法は，他の適切な試験法の適用を制限するものでは
ない.
　黄色ワセリン及び白色ワセリンに関して，FRC となる項目とその試験法の例を以
下に示す.
黄色ワセリン，白色ワセリン：稠度に関する試験法
　黄色ワセリン及び白色ワセリンは石油から得た炭化水素類の混合物を精製したもの
であり，通常，軟膏剤などの半固形製剤の基剤として使用される. 軟膏剤は製剤総則
［3］製剤各条 11.4. 軟膏剤（3）において「本剤は，皮膚に適用する上で適切な粘性
を有する.」とされており，当該剤形の流動学的性質の一つである硬さ・軟らかさは，
特性値として稠度を測定することにより示すことができる. 一般試験法「半固形製剤
の流動学的測定法」の 2. 稠度試験法（penetrometry）を用いて本品の稠度を評価す
る場合の試験法を記載する.
（ⅰ）器具　標準円錐又はオプション円錐により試験を行う. なお，試料容器は直径
100 ± 6 mm，深さ 65 mm 以上の金属製の平底円筒形のものを用いる.

参考情報　改正事項　　F-41

（ⅱ）操作法　オーブンに必要数の空の試料容器を入れ，それらの容器と共に容器に入れた一定量の本品を 82 ± 2.5℃ に加温する．融解した本品を 1 個以上の試料容器に注ぎ込み，試料容器の縁から 6 mm 以内まで満たす．通風を避けて 25 ± 2.5℃ で 16 時間以上冷やす．試験開始 2 時間前に，試料容器を 25 ± 0.5℃ の水浴中に入れる．室温が 23.5℃ 未満又は 26.5℃ を超える場合には円錐を水浴中に入れて円錐の温度を 25 ± 0.5℃ に調整する．試料の表面を乱さないように，試料容器をペネトロメーターの試料台に乗せ，円錐を，先端が試料容器の縁から 25 ～ 38 mm 離れた位置で試料の表面に接触するように下げる．ゼロ点を調整し，直ちに留金具を離し，5 秒間放置する．留金具を固定し，目盛りから進入の深さを読む．進入した部位が重ならないよう間隔を空けて 3 回以上測定する．進入の深さが 20 mm を超える場合には，別の試料容器を使用して各測定を行う．進入の深さは最短 0.1 mm まで読みとる．3 回以上の測定値の平均値を求める．

参考情報　GZ.　その他　製薬用水の品質管理　の 4.5.　理化学的モニタリング以降を次のように改める．

製薬用水の品質管理〈GZ-2-181〉

4.5.　理化学的モニタリング

製薬用水システムの理化学的モニタリングは，通例，導電率及び有機体炭素（TOC）を指標として行われる．導電率を指標とするモニタリングによれば，混在する無機塩類の総量の概略を知ることができ，TOC を指標とするモニタリング（TOC モニタリング）によれば，混在する有機物の総量を評価することができる．これらの理化学的モニタリングは，基本的に日本薬局方一般試験法に規定される導電率測定法〈2.51〉及び有機体炭素試験法〈2.59〉を準用して行われるが，モニタリングのための試験には，医薬品各条の試験とは異なる側面があることから，以下にはそれぞれの一般試験法で対応できない部分に対する補完的事項を記載する．

なお，各製造施設において，導電率及び TOC を指標とするモニタリングを行う場合，それぞれの指標について適切な警報基準値及び処置基準値を設定し，不測の事態に対する対応手順を定めておく必要がある．

4.5.1.　導電率を指標とするモニタリング

モニタリング用の導電率測定は，通例，流液型セル又は配管挿入型セルを用いてインラインで連続的に行われるが，製薬用水システムの適切な場所よりサンプリングし，浸漬型セルを用いてオフラインのバッチ試験として行うこともできる．

F- 42　　参考情報　改正事項

（1）オンライン又はインラインでの測定

　インラインでの導電率モニタリングでは，通常，測定温度の制御は困難である．したがって，任意の温度でモニタリングしようとする場合には，下記の方法を適用する．

（ⅰ）温度非補償方式により試料水の温度及び導電率を測定する．

（ⅱ）表3から，測定された温度における許容導電率を求める．測定された温度が表3に記載されている温度の間にある場合は，測定された温度よりも低い方の温度における値を許容導電率とする．

（ⅲ）測定された導電率が，許容導電率以下であれば，導電率試験適合とする．許容導電率を超える場合は，オフラインでの測定を行う．

表3　異なる測定温度における許容導電率 *

温度（℃）	許容導電率 ($\mu S \cdot cm^{-1}$)	温度（℃）	許容導電率 ($\mu S \cdot cm^{-1}$)
0	0.6		
5	0.8	55	2.1
10	0.9	60	2.2
15	1.0	65	2.4
20	1.1	70	2.5
25	1.3	75	2.7
30	1.4	80	2.7
35	1.5	85	2.7
40	1.7	90	2.7
45	1.8	95	2.9
50	1.9	100	3.1

＊温度非補償方式での導電率測定に対してのみ適用する．

（2）オフラインでの測定

（ⅰ）下記の方法により，容器に採水後，強くかき混ぜることによって，大気中から二酸化炭素を平衡状態になるまで吸収させ，大気と平衡状態になった試料の導電率を測定する．

（ⅱ）十分な量の試料を適当な容器にとり，かき混ぜる．温度を 25 ± 1℃に調節し，強くかき混ぜながら，一定時間ごとにこの液の導電率の測定を行う．5分当たりの導電率変化が $0.1\ \mu S \cdot cm^{-1}$ 以下となったときの導電率を本品の導電率（25℃）とする．

（ⅲ）前項で得られた導電率（25℃）が $2.1\ \mu S \cdot cm^{-1}$ 以下であれば，導電率試験適合とし，それを超える場合は不適合と判定する．

4.5.2. TOCモニタリング

「精製水」及び「注射用水」のTOCの規格限度値はいずれも「0.50 mg/L以下」（500 ppb以下）とされているが，製薬用水の各製造施設は，製薬用水システムの運転管理にあたり，別途警報基準値と処置基準値を定めてTOCモニタリングを行うことが望ましい．

推奨されるTOCの処置基準値は，下記のとおりである．

処置基準値：≦300 ppb（インライン）
≦400 ppb（オフライン）

水道水（「常水」）のTOCの許容基準値は「3 mg/L以下」（3 ppm以下）（水道法第4条に基づく水質基準）であるが，上記の管理基準を考慮し，製薬用水製造の原水として使われる水についても，各製造施設において適切な警報基準値及び処置基準値を設けてTOCモニタリングによる水質管理を実施することが望ましい．

なお，日本薬局方では有機体炭素試験法〈2.59〉を定めており，通例，これに適合する装置を用いてTOCの測定を行うが，高純度の水（イオン性の有機物や分子中に窒素，硫黄，リン又はハロゲン原子を含む有機物が含まれていない純度の高い水）を原水として用いる場合に限り，米国薬局方のGeneral Chapter＜643＞TOTAL ORGANIC CARBON又は欧州薬局方のMethods of Analysis 2.2.44. TOTAL ORGANIC CARBON IN WATER FOR PHARMACEUTICAL USEに定める装置適合性試験に適合する装置を製薬用水システムのTOCモニタリングに用いることができる．

ただし，二酸化炭素を試料水から分離せずに測定した有機物の分解前後の導電率の差からTOC量を求める方式の装置は，試料水中にイオン性の有機物が含まれている場合，若しくは分子中に窒素，硫黄，リン又はハロゲン原子を含む有機物が含まれている場合には，マイナス又はプラスの影響を受けることがあるので，測定対象の水の純度や装置の不具合発生時の汚染リスクを考慮して適切な装置を選択する．

4.6. 注射用水の一時的保存

注射用水の一時的な保存については，微生物の増殖を厳しく抑制するために高温で循環するなどの方策をとると共に，汚染並びに品質劣化のリスクを考慮し，バリデーションの結果に基づいて適切な保存時間を設定する．

5. 容器入りの水の品質管理に関する留意事項

製品として流通する容器入りの水（「精製水（容器入り）」，「滅菌精製水（容器入り）」及び「注射用水（容器入り）」）の品質管理に関しては，別途，留意すべき事項が幾つかある．

5.1. 滅菌した容器入りの水の製法について

「滅菌精製水（容器入り）」及び「注射用水（容器入り）」の製法としては，次の二つの異なる方法がある．

（ⅰ）「精製水」又は「注射用水」を密封容器に入れた後，滅菌する．

（ii）あらかじめ滅菌した「精製水」又は「注射用水」を無菌的な手法により無菌の容器に入れた後，密封する．

　製造された容器入りの水の無菌性を保証するには，（i）の製法では，最終の滅菌工程についてバリデーションを行えば良いのに対して，（ii）の製法では，全ての工程についてバリデーションを行う必要がある．これは，（ii）の製法があらかじめろ過滅菌などの方法によって滅菌したものを"無菌的に"容器に入れて密封することにより，無菌性を保証しようとするものであるためである．

5.2.　容器中での保存に伴う水質変化

5.2.1.　無機性不純物（導電率を指標として管理）

　バルクの精製水又は注射用水の導電率が $1.3\,\mu\mathrm{S}\cdot\mathrm{cm}^{-1}$ 以下（25℃）で管理されている場合であっても，それを容器に入れたときには，容器への充填時の空気との接触や保存中におけるプラスチック膜透過に伴う空気中の二酸化炭素の溶け込み及び保存中における容器からのイオン性物質の溶出が原因となって，導電率が上昇する．特に，小容量のガラス容器を用いる場合には，保存中における導電率の変化に注意する必要がある．

5.2.2.　有機性不純物（過マンガン酸カリウム還元性物質又は TOC を指標として管理）

　日本薬局方では，容器入りの水（「精製水（容器入り）」，「滅菌精製水（容器入り）」及び「注射用水（容器入り）」）中の有機性不純物に対しては，古典的な過マンガン酸カリウム還元性物質による管理を求めている．容器入りの水に対するこの規定は，バルクの水において，TOC による管理（限度値「0.50 mg/L 以下」（500 ppb 以下））を規定していることと対照的である．これは，容器中での保存により，TOC 量が著しく増加する事例があり，バルクの水に整合させて TOC により規格を設定することが困難と判断されたことによるものである．特に，小容量のプラスチック製容器入りの水については，保存中における容器からの溶出物の増加に十分注意する必要がある．

　容器入りの水において，過マンガン酸カリウム還元性物質による有機性不純物の管理を求めているのは，容器の材質（ガラス，ポリエチレン，ポリプロピレンなど）やサイズ（0.5 ～ 2000 mL）及び保存期間の如何によらず，同一の試験法を用いて試験できるようにするための止むを得ない措置としてとられたものであり，溶存する有機性不純物の限度試験として最適なものとして規定されているわけではない．医薬品の製造業者の責任において，過マンガン酸カリウム還元性物質の代わりに TOC により品質管理を行うことが望ましい．TOC により品質管理を行う場合，下記のような目標値により管理することが望ましい．

　　　内容量が 10 mL 以下のもの：TOC 1500 ppb 以下

　　　内容量が 10 mL を超えるもの：TOC 1000 ppb 以下

　ポリエチレン，ポリプロピレンなどのプラスチック製医薬品容器入りの水については，容器からのモノマー，オリゴマー，可塑剤などの溶出がまず懸念されるが，プラ

スチックにはガス透過性や水分透過性もあることから，アルコールなどの低分子の揮発性有機物や窒素酸化物などの低分子の大気汚染物質の透過による汚染が起こりうるので，保存場所・保存環境にも留意する必要がある．

5.2.3. 微生物限度（総好気性微生物数）

「精製水（容器入り）」には無菌性が求められているわけではないが，保存期間中を通して総好気性微生物数の許容基準「1 mL 当たり 10^2 CFU」に適合するためには，衛生的あるいは無菌的に製造する必要がある．また，流通上，微生物汚染には特段の注意が必要である．加えて，開封後はできるだけ短期間に使いきるように努めることが望ましい．

総好気性微生物数の許容基準「1 mL 当たり 10^2 CFU」は，「精製水」（バルク）の生菌数の処置基準値と同じであるが，精製水製造システムにおける微生物モニタリングとは違い，主に保存期間中に起こる可能性のある環境由来の微生物による汚染を検出するために，ソイビーン・カゼイン・ダイジェストカンテン培地を用いて試験を行う．

5.3. 容器入りの水を入手して医薬品の製造や試験に用いる場合の注意事項

市販の「精製水（容器入り）」,「滅菌精製水（容器入り）」又は「注射用水（容器入り）」を入手して，医薬品又は治験薬の製造用水，医薬品試験用の水として利用することができるが，下記の事項に留意する必要がある．

（ⅰ）製品の受入試験又は製造業者から提供された当該製品の試験成績書により日局各条への適合を確認した後，速やかに使用すること．

（ⅱ）医薬品の製造に使用する場合は，当該医薬品の製造工程の一環としてプロセスバリデーションを実施しておくこと，また，治験薬の製造に使用する場合には，その品質に影響がないことを確認しておくこと．

（ⅲ）滅菌した容器入りの水については，一回使いきりを原則とし，保存後の再使用はしないこと．

（ⅳ）開封直後からヒト及び試験室環境などによる汚染又は水質変化が急速に進むことを前提として，使用目的に合わせた標準操作手順書を作成しておくこと．

索　引

日本名索引　　I -3

日 本 名 索 引

　下線のついていないものは「第十八改正日本薬局方解説書」における頁を，下線のついているものは「第十八改正日本薬局方第一追補解説書」における頁を示す.

ア

ICP 分析用水　B -921
ICP 分析用パラジウム標準液　B -915
アウリントリカルボン酸アンモニウム　B -921
亜鉛　B -921
0.1 mol/L 亜鉛液　B -849
亜鉛華　C -2101
亜鉛華デンプン　C -29
亜鉛華軟膏　C -30
亜鉛，ヒ素分析用　B -921
亜鉛標準液　B -915
亜鉛標準液，原子吸光光度用　B -915
亜鉛標準原液　B -915
亜鉛 (標準試薬)　B -921
亜鉛粉末　B -921
亜鉛末　B -921
亜鉛，無ヒ素　B -921
アカメガシワ　D -5
アクチノマイシン D　C -32
アクチノマイシン D (参照紫外可視吸収スペクトル)　E -3
アクテオシド，薄層クロマトグラフィー用　B -922
アクラルビシン塩酸塩　C -36, C -3

アクラルビシン塩酸塩（参照紫外可視吸収スペクトル）　E -3
アクラルビシン塩酸塩（参照赤外吸収スペクトル）　E -195
アクリノール　B -922
アクリノール・亜鉛華軟膏　C -45
アクリノール酸化亜鉛軟膏　C -45
アクリノール水和物　B -922, C -41, C -3
アクリノール水和物（参照紫外可視吸収スペクトル）　E -3
アクリノール水和物（参照赤外吸収スペクトル）　E -195
アクリノール・チンク油　C -46
アクリルアミド　B -922
アコニチン，純度試験用　B -922
アザチオプリン　C -50, C -3
アザチオプリン（参照紫外可視吸収スペクトル）　E -4
アザチオプリン錠　C -54
アサリニン，薄層クロマトグラフィー用　B -923
(E)-アサロン　B -923
亜酸化窒素　B -924,

C -57
亜ジチオン酸ナトリウム　B -924
アジ化ナトリウム　B -924
アジ化ナトリウム・リン酸塩緩衝塩化ナトリウム試液　B -924
アシクロビル　C -62, C -3
アシクロビル顆粒　C -70
アシクロビル眼軟膏　C -79
アシクロビル（参照紫外可視吸収スペクトル）　E -4
アシクロビル（参照赤外吸収スペクトル）　E -196
アシクロビル錠　C -68
アシクロビルシロップ　C -72
アシクロビル注射液　C -76
アシクロビル軟膏　C -80
アジスロマイシン水和物　C -82, C -3
アジスロマイシン水和物（参照赤外吸収スペクトル）　E -196
2,2'-アジノビス (3-エチルベンゾチアゾリン-6-スルホン酸) 二アンモニウム　B -924

I-4　日本名索引

2,2′-アジノビス (3-エチル
　ベンゾチアゾリン-6-ス
　ルホン酸) 二アンモニウ
　ム試液　B-924
アジピン酸　B-924
アジマリン　C-86
アジマリン錠　C-89
アジマリン, 定量用
　B-925
亜硝酸アミル　C-91
亜硝酸アミル (参照赤外吸
　収スペクトル)
　E-196
亜硝酸カリウム　B-925
亜硝酸ナトリウム
　B-925
0.1 mol/L 亜硝酸ナトリウ
　ム液　B-849
亜硝酸ナトリウム試液
　B-925
アスコルビン酸
　B-925, C-95,
　C-3
L-アスコルビン酸
　B-925
アスコルビン酸・塩酸試
　液, 0.012 g/dL
　B-925
L-アスコルビン酸・塩酸
　試液, 0.012 g/dL
　B-925
アスコルビン酸・塩酸試
　液, 0.02 g/dL　B-925
L-アスコルビン酸・塩酸
　試液, 0.02 g/dL
　B-925
アスコルビン酸・塩酸試
　液, 0.05 g/dL　B-925
L-アスコルビン酸・塩酸
　試液, 0.05 g/dL
　B-925
アスコルビン酸散
　C-100
アスコルビン酸注射液
　C-103

アスコルビン酸, 鉄試験用
　B-925
アスコルビン酸・パントテ
　ン酸カルシウム錠
　C-104
アストラガロシド IV, 薄層
　クロマトグラフィー用
　B-925
アズトレオナム
　C-109, C-3
アズトレオナム (参照紫外
　可視吸収スペクトル)
　E-4
L-アスパラギン一水和物
　B-925
アスパラギン酸　B-925
DL-アスパラギン酸
　B-926
L-アスパラギン酸
　B-926, C-116,
　C-3
L-アスパラギン酸 (参照
　赤外吸収スペクトル)
　E-197
アスピリン　B-926,
　C-119, C-3
アスピリンアルミニウム
　C-126
アスピリン錠　C-124
アスポキシシリン水和物
　C-130, C-3
アスポキシシリン水和物
　(参照紫外可視吸収スペ
　クトル)　E-5
アスポキシシリン水和物
　(参照赤外吸収スペクト
　ル)　E-197
アセタゾラミド
　C-134, C-3
アセタール　B-926
アセチルアセトン
　B-926
アセチルアセトン試液
　B-926
N-アセチルガラクトサミ

ン　B-926
アセチルサリチル酸
　C-119
アセチルサリチル酸アルミ
　ニウム　C-126
アセチルサリチル酸錠
　C-124
アセチルシステイン
　C-142, C-3
アセチルシステイン (参照
　赤外吸収スペクトル)
　E-198
N-アセチルノイラミン酸
　B-926
N-アセチルノイラミン酸,
　エポエチンアルファ用
　B-927
N-アセチルノイラミン酸
　試液, 0.4 mmol/L
　B-927
アセチレン　B-927
o-アセトアニシジド
　B-927
p-アセトアニシジド
　B-927
アセトアニリド　B-928
アセトアミノフェン
　B-928, C-146,
　C-3
アセトアミノフェン (参照
　赤外吸収スペクトル)
　E-198
アセトアルデヒド
　B-928
アセトアルデヒドアンモニ
　アトリマー三水和物
　B-928
アセトアルデヒド, ガスク
　ロマトグラフィー用
　B-928
アセトアルデヒド, 定量用
　B-928
アセトニトリル　B-928
アセトニトリル, 液体クロ
　マトグラフィー用

日本名索引　I-5

B-928

アセトヘキサミド
C-150, C-3

アセトヘキサミド1（参照
紫外可視吸収スペクト
ル）　E-5

アセトヘキサミド2（参照
紫外可視吸収スペクト
ル）　E-5

アセトヘキサミド（参照赤
外吸収スペクトル）
E-198

アセトリゾン酸　B-928

アセトン　B-928

アセトン，生薬純度試験用
B-928

アセトン，非水滴定用
B-929

アセナフテン　B-929

アセブトロール塩酸塩
C-156, C-3

アセブトロール塩酸塩（参
照紫外可視吸収スペクト
ル）　E-6

アセブトロール塩酸塩（参
照赤外吸収スペクトル）
E-199

アセメタシン　B-930,
C-160, C-3

アセメタシンカプセル
C-167

アセメタシン（参照紫外可
視吸収スペクトル）
E-6

アセメタシン（参照赤外吸
収スペクトル）
E-199

アセメタシン錠　C-164

アセメタシン，定量用
B-930

アゼラスチン塩酸塩
C-169, C-3

アゼラスチン塩酸塩顆粒
C-173

アゼラスチン塩酸塩（参照

紫外可視吸収スペクト
ル）　E-6

アゼラスチン塩酸塩（参照
赤外吸収スペクトル）
E-199

アゼラスチン塩酸塩，定量
用　B-930

アゼルニジピン
C-175, C-3

アゼルニジピン（参照紫外
可視吸収スペクトル）
E-7

アゼルニジピン（参照赤外
吸収スペクトル）
E-200

アゼルニジピン錠
C-180

アゼルニジピン，定量用
B-931

亜セレン酸　B-931

亜セレン酸ナトリウム
B-931

亜セレン酸・硫酸試液
B-931

アセンヤク　D-7

阿仙薬　D-7

アセンヤク末　D-10

阿仙薬末　D-10

アゾセミド　C-184,
C-3

アゾセミド（参照紫外可視
吸収スペクトル）
E-7

アゾセミド（参照赤外吸収
スペクトル）　E-200

アゾセミド錠　C-188

アゾセミド，定量用
B-931

アテノロール　C-191,
C-3

アテノロール（参照紫外可
視吸収スペクトル）
E-7

アテノロール（参照赤外吸
収スペクトル）

E-200

亜テルル酸カリウム
B-931

アトラクチレノリドⅢ，定
量用　B-931

アトラクチレノリドⅢ，薄
層クロマトグラフィー用
B-932

アトラクチロジン試液，定
量用　B-934

アトラクチロジン，定量用
B-933

アトルバスタチンカルシウ
ム錠　C-201

アトルバスタチンカルシウ
ム水和物　C-195,
C-3

アトルバスタチンカルシウ
ム水和物（参照紫外可視
吸収スペクトル）
E-8

アトルバスタチンカルシウ
ム水和物（参照赤外吸収
スペクトル）　E-201

アドレナリン　C-204,
C-3

アドレナリン液　C-209

アドレナリン（参照紫外可
視吸収スペクトル）
E-8

アドレナリン（参照赤外吸
収スペクトル）
E-201

アドレナリン注射液
C-211

アトロピン硫酸塩水和物
C-214

アトロピン硫酸塩注射液
C-220

アトロピン硫酸塩水和物
B-934

アトロピン硫酸塩水和物，
定量用　B-934

アトロピン硫酸塩水和物，
薄層クロマトグラフィー

I-6 日本名索引

用 B-934
アナストロゾール
C-23
アナストロゾール（参照紫
外可視吸収スペクトル）
E-5
アナストロゾール（参照赤
外吸収スペクトル）
E-11
アナストロゾール錠
C-28
アナストロゾール標準品
B-106
p-アニスアルデヒド
B-934
p-アニスアルデヒド・酢
酸試液 B-934
p-アニスアルデヒド・硫
酸試液 B-934
14-アニソイルアコニン塩
酸塩，定量用 B-934
アニソール B-935
アニリン B-935
アニリン硫酸塩 B-935
アネスタミン C-286
亜ヒ酸パスタ C-222
アビジン・ビオチン試液
B-935
アプリンジン塩酸塩
C-224, C-3
アプリンジン塩酸塩カプセ
ル C-228
アプリンジン塩酸塩（参照
紫外可視吸収スペクト
ル） E-8
アプリンジン塩酸塩（参照
赤外吸収スペクトル）
E-201
アプリンジン塩酸塩，定量
用 B-935
アフロクアロン
C-231, C-3
アフロクアロン（参照紫外
可視吸収スペクトル）
E-9

アフロクアロン（参照赤外
吸収スペクトル）
E-202
アプロチニン B-935
アプロチニン試液
B-937
アヘンアルカロイド・アト
ロピン注射液 C-240
アヘンアルカロイド塩酸塩
C-235
アヘンアルカロイド塩酸塩
注射液 C-239
アヘンアルカロイド・スコ
ポラミン注射液
C-245
アヘン散 D-16
アヘンチンキ D-18
アヘン・トコン散
D-20
アヘン末 D-11
α-アポオキシテトラサイ
クリン B-937
β-アポオキシテトラサイ
クリン B-937
アマチャ D-22
甘茶 D-22
アマチャジヒドロイソクマ
リン，薄層クロマトグラ
フィー用 B-937
アマチャ末 D-25
甘茶末 D-25
アマンタジン塩酸塩
C-252, C-3
アマンタジン塩酸塩（参照
赤外吸収スペクトル）
E-202
アミオダロン塩酸塩
C-256, C-3
アミオダロン塩酸塩（参照
紫外可視吸収スペクト
ル） E-9
アミオダロン塩酸塩（参照
赤外吸収スペクトル）
E-202
アミオダロン塩酸塩錠

C-263
アミオダロン塩酸塩，定量
用 B-937
アミカシン硫酸塩
C-266, C-3
アミカシン硫酸塩（参照赤
外吸収スペクトル）
E-203
アミカシン硫酸塩注射液
C-270
アミカシン硫酸塩標準品
B-107
アミグダリン，成分含量測
定用 B-937
アミグダリン，定量法
B-937, B-107
アミグダリン，薄層クロマ
トグラフィー用
B-938
6-アミジノ-2-ナフトール
メタンスルホン酸塩
B-938
アミドトリゾ酸
C-273, C-3
アミドトリゾ酸（参照赤外
吸収スペクトル）
E-203
アミドトリゾ酸，定量用
B-938
アミドトリゾ酸ナトリウム
メグルミン注射液
C-276
アミトリプチリン塩酸塩
C-280, C-3
アミトリプチリン塩酸塩
（参照紫外可視吸収スペ
クトル） E-9
アミトリプチリン塩酸塩錠
C-283
アミド硫酸アンモニウム
B-938
アミド硫酸アンモニウム試
液 B-938
アミド硫酸（標準試薬）
B-938

日本名索引　I -7

4-アミノアセトフェノン
　B - 939
p-アミノアセトフェノン
　B - 939
4-アミノアセトフェノン
　試液　B - 939
p-アミノアセトフェノン
　試液　B - 939
n-アミルアルコール
　B - 943
t-アミルアルコール
　B - 943
アミルアルコール，イソ
　B - 943
アミルアルコール，第三
　B - 943
3-アミノ安息香酸
　B - 939
4-アミノ安息香酸
　B - 939
p-アミノ安息香酸
　B - 939
4-アミノ安息香酸イソプ
　ロピル　B - 939
p-アミノ安息香酸イソプ
　ロピル　B - 939
アミノ安息香酸エチル
　B - 939, C - 286,
　C - 3
4-アミノ安息香酸メチル
　B - 939
アミノ安息香酸誘導体化試
　液　B - 939
4-アミノアンチピリン
　B - 939
4-アミノアンチピリン塩
　酸塩　B - 939
4-アミノアンチピリン塩
　酸塩試液　B - 940
4-アミノアンチピリン試
　液　B - 939
2-アミノエタノール
　B - 940
2-アミノエタンチオール
　塩酸塩　B - 940

3-(2-アミノエチル) イン
　ドール　B - 940
アミノエチルスルホン酸
　C - 3054
ε-アミノカプロン酸
　B - 940
6-アミノキノリル-N-ヒド
　ロキシスクシンイミジル
　カルバメート　B - 940
4-アミノ-6-クロロベンゼ
　ン-1,3-ジスルホンアミ
　ド　B - 940
2-アミノ-5-クロロベンゾ
　フェノン，薄層クロマト
　グラフィー用　B - 940
アミノ酸自動分析用
　6 mol/L 塩酸試液
　B - 940
アミノ酸分析法　F - 85
アミノ酸分析用無水ヒドラ
　ジン　B - 940
4-アミノ-N,N-ジエチルア
　ニリン硫酸塩一水和物
　B - 940
4-アミノ-N,N-ジエチルア
　ニリン硫酸塩試液
　B - 940
L-2-アミノスベリン酸
　B - 940
1-アミノ-2-ナフトール-
　4-スルホン酸　B - 941
1-アミノ-2-ナフトール-
　4-スルホン酸試液
　B - 941
2-アミノ-2-ヒドロキシメ
　チル-1,3-プロパンジオ
　ール　B - 941
2-アミノ-2-ヒドロキシメ
　チル-1,3-プロパンジオ
　ール塩酸塩　B - 941
アミノピリン　B - 941
アミノフィリン水和物
　C - 289, C - 3
アミノフィリン注射液
　C - 294

2-アミノフェノール
　B - 941
3-アミノフェノール
　B - 941
4-アミノフェノール
　B - 941
m-アミノフェノール
　B - 941
4-アミノフェノール塩酸
　塩　B - 941
2-アミノ-1-ブタノール
　B - 942
アミノプロピルシリル化シ
　リカゲル，液体クロマト
　グラフィー用
　B - 1336
アミノプロピルシリル化シ
　リカゲル，前処理用
　B - 942
N-アミノヘキサメチレン
　イミン　B - 942
2-アミノベンズイミダゾ
　ール　B - 942
4-アミノメチル安息香酸
　B - 942
1-アミノ-2-メチルナフタ
　レン　B - 942
2-アミノメチルピペリジ
　ン　B - 942
4-アミノ酪酸　B - 943
アミローストリス-(3,5-ジ
　メチルフェニルカルバメ
　ート) 被覆シリカゲル，
　液体クロマトグラフィー
　用　B - 1336
アムホテリシン B
　C - 297
アムホテリシン B (参照紫
　外可視吸収スペクトル)
　E - 10
アムホテリシン B 錠
　C - 301, C - 31
アムホテリシン B シロッ
　プ　C - 303
アムロジピンベシル酸塩

Ⅰ-8　　日本名索引

C-306, C-4

アムロジピンベシル酸塩口腔内崩壊錠　C-313

アムロジピンベシル酸塩（参照紫外可視吸収スペクトル）　E-10

アムロジピンベシル酸塩（参照赤外吸収スペクトル）　E-203

アムロジピンベシル酸塩錠　C-311

アモキサピン　C-317, C-4

アモキサピン（参照紫外可視吸収スペクトル）　E-10

アモキサピン（参照赤外吸収スペクトル）　E-204

アモキシシリン　B-943

アモキシシリンカプセル　C-325

アモキシシリン水和物　B-943, C-321, C-4

アモキシシリン水和物（参照赤外吸収スペクトル）　E-204

アモスラロール塩酸塩　C-328, C-4

アモスラロール塩酸塩（参照紫外可視吸収スペクトル）　E-11

アモスラロール塩酸塩（参照赤外吸収スペクトル）　E-204

アモスラロール塩酸塩錠　C-332

アモスラロール塩酸塩，定量用　B-943

アモバルビタール　C-335, C-4

アラキジン酸メチル，ガスクロマトグラフィー用　B-943

アラセプリル　B-943, C-339, C-4

アラセプリル（参照赤外吸収スペクトル）　E-205

アラセプリル錠　C-344

アラセプリル，定量用　B-943

β-アラニン　B-944

L-アラニン　B-944, C-347, C-4

L-アラニン（参照赤外吸収スペクトル）　E-205

アラビアゴム　D-26

アラビアゴム末　D-29

L-アラビノース　B-944

アラントイン，薄層クロマトグラフィー用　B-944

アリザリンS　B-944

アリザリンS試液　B-944

アリザリンエローGG　B-944

アリザリンエローGG試液　B-944

アリザリンエローGG・チモールフタレイン試液　B-944

アリザリンコンプレキソン　B-944

アリザリンコンプレキソン試液　B-945

アリザリンレッドS　B-945

アリザリンレッドS試液　B-945

アリストロキア酸Ⅰ，生薬純度試験用　B-945

アリストロキア酸について　F-297

アリソールA，薄層クロマトグラフィー用　B-945

アリソールB　B-946

アリソールBモノアセテート　B-946

アリメマジン酒石酸塩　C-351, C-4

アリメマジン酒石酸塩（参照紫外可視吸収スペクトル）　E-11

亜硫酸塩標準液　B-915

亜硫酸オキシダーゼ　B-946

亜硫酸オキシダーゼ試液　B-946

亜硫酸水　B-946

亜硫酸水素ナトリウム　B-947, C-354, C-4

亜硫酸水素ナトリウム試液　B-947

亜硫酸ナトリウム　B-947

亜硫酸ナトリウム試液，1 mol/L　B-947

亜硫酸ナトリウム七水和物　B-947

亜硫酸ナトリウム，無水　B-947

亜硫酸ナトリウム・リン酸二水素ナトリウム試液　B-947

亜硫酸ビスマス・インジケーター　B-947

アルガトロバン水和物　C-360, C-4

アルガトロバン水和物（参照紫外可視吸収スペクトル）　E-11

アルガトロバン水和物（参照赤外吸収スペクトル）　E-205

アルカリ性1.6％過ヨウ素酸カリウム・0.2％過マンガン酸カリウム試液　B-947

アルカリ性1,3-ジニトロ

日本名索引　I-9

ベンゼン試液　B-947
アルカリ性 m-ジニトロベ
　ンゼン試液　B-947
アルカリ性銅試液
　B-947
アルカリ性銅試液 (2)
　B-947
アルカリ性銅溶液
　B-947
アルカリ性 2,4,6-トリニト
　ロフェノール試液
　B-947
アルカリ性ピクリン酸試液
　B-947
アルカリ性ヒドロキシルア
　ミン試液　B-947
アルカリ性フェノールフタ
　レイン試液　B-947
アルカリ性フェリシアン化
　カリウム試液　B-947
アルカリ性ブルーテトラゾ
　リウム試液　B-947
アルカリ性ヘキサシアノ鉄
　(Ⅲ)酸カリウム試液
　B-947
アルカリ性ホスファターゼ
　B-948
アルカリ性ホスファターゼ
　試液　B-948
アルカリ性硫酸銅試液
　B-948
アルカリ銅試液　B-948
L-アルギニン　B-948,
　C-366, C-4
L-アルギニン塩酸塩
　B-948, C-369,
　C-4
L-アルギニン塩酸塩（参
　照赤外吸収スペクトル）
　E-206
L-アルギニン塩酸塩注射
　液　C-372
L-アルギニン（参照赤外
　吸収スペクトル）
　E-206

アルキレングリコールフタ
　ル酸エステル，ガスクロ
　マトグラフィー用
　B-948
アルコール　C-872
アルコール数測定法
　B-4
アルコール数測定用エタノ
　ール　B-948
アルゴン　B-948
アルシアンブルー 8GX
　B-948
アルシアンブルー染色液
　B-948
アルジオキサ　C-373,
　C-4
アルジオキサ顆粒
　C-379
アルジオキサ（参照赤外吸
　収スペクトル）
　E-206
アルジオキサ錠　C-377
アルジオキサ，定量用
　B-948
アルセナゾⅢ　B-948
アルセナゾⅢ試液
　B-948
アルデヒドデヒドロゲナー
　ゼ　B-948
アルデヒドデヒドロゲナー
　ゼ試液　B-949
アルテミシア・アルギイ，
　純度試験用　B-949
RPMI-1640 粉末培地
　B-949
アルビフロリン　B-950
アルブチン，成分含量測定
　用　B-950
アルブチン，定量用
　B-950, B-109
アルブチン，薄層クロマト
　グラフィー用　B-951
アルブミン試液　B-951
アルプラゾラム
　C-381, C-4

アルプラゾラム（参照紫外
　可視吸収スペクトル）
　E-12
アルプレノロール塩酸塩
　C-385, C-4
アルプレノロール塩酸塩
　（参照紫外可視吸収スペ
　クトル）　E-12
アルプレノロール塩酸塩
　（参照赤外吸収スペクト
　ル）　E-207
アルプロスタジル
　C-388
アルプロスタジル アルフ
　ァデクス　C-400
アルプロスタジル アルフ
　ァデクス（参照紫外可視
　吸収スペクトル）
　E-13
アルプロスタジル（参照紫
　外可視吸収スペクトル）
　E-12
アルプロスタジル（参照赤
　外吸収スペクトル）
　E-207
アルプロスタジル注射液
　C-393, C-4
アルベカシン硫酸塩
　C-406, C-4
アルベカシン硫酸塩注射液
　C-412
α-アルミナ，比表面積測
　定用　B-1352
アルミニウム　B-951
アルミニウム標準液，原子
　吸光光度用　B-916
アルミニウム標準原液
　B-915
アルミノプロフェン
　C-413
アルミノプロフェン（参照
　紫外可視吸収スペクト
　ル）　E-13
アルミノプロフェン（参照
　赤外吸収スペクトル）

E－207
アルミノプロフェン錠
　C－417
アルミノプロフェン，定量
　用　B－951
アルミノン　B－951
アルミノン試液　B－951
アレコリン臭化水素酸塩，
　薄層クロマトグラフィー
　用　B－951
アレンドロン酸ナトリウム
　錠　C－426
アレンドロン酸ナトリウム
　水和物　B－951，
　C－420，C－4
アレンドロン酸ナトリウム
　水和物（参照赤外吸収ス
　ペクトル）　E－208
アレンドロン酸ナトリウム
　注射液　C－428
アロエ　D－31
アロエ末　D－36
アロチノロール塩酸塩
　C－431，C－4
アロチノロール塩酸塩（参
　照紫外可視吸収スペクト
　ル）　E－13
アロチノロール塩酸塩（参
　照赤外吸収スペクトル）
　E－208
アロプリノール
　B－951，C－434，
　C－4
アロプリノール（参照紫外
　可視吸収スペクトル）
　E－14
アロプリノール（参照赤外
　吸収スペクトル）
　E－208
アロプリノール錠
　C－438
アロプリノール，定量用
　B－951
安息香　D－39
安息香酸　B－951，

C－440，C－4
安息香酸イソアミル
　B－951
安息香酸イソプロピル
　B－951
安息香酸エチル　B－952
安息香酸コレステロール
　B－952
安息香酸ナトリウム
　B－952，C－443，
　C－4
安息香酸ナトリウムカフェ
　イン　C－446，C－4
安息香酸フェニル
　B－952
安息香酸ブチル　B－952
安息香酸プロピル
　B－952
安息香酸ベンジル
　B－952，C－450
安息香酸メチル　B－952
安息香酸メチル，エストリ
　オール試験用　B－952
アンソッコウ　D－39
アンチトロンビンⅢ
　B－952
アンチトロンビンⅢ試液
　B－952
アンチピリン　B－953，
　C－452，C－4
アントロン　B－953
アントロン試液　B－953
アンピシリン水和物
　C－462，C－4
アンピシリン水和物（参照
　赤外吸収スペクトル）
　E－209
アンピシリンナトリウム
　C－467，C－4
アンピシリンナトリウム
　（参照赤外吸収スペクト
　ル）　E－209
アンピロキシカム
　C－477，C－4
アンピロキシカムカプセル

C－481
アンピロキシカム（参照紫
　外可視吸収スペクトル）
　E－14
アンピロキシカム（参照赤
　外吸収スペクトル）
　E－210
アンピロキシカム，定量用
　B－953
アンベノニウム塩化物
　C－484，C－4
アンベノニウム塩化物（参
　照紫外可視吸収スペクト
　ル）　E－14
アンベノニウム塩化物（参
　照赤外吸収スペクトル）
　E－210
アンミントリクロロ白金酸
　アンモニウム，液体クロ
　マトグラフィー用
　B－953
アンモニア・ウイキョウ精
　D－41
アンモニア・エタノール試
　液　B－954
アンモニア・塩化アンモニ
　ウム緩衝液，pH 8.0
　B－954
アンモニア・塩化アンモニ
　ウム緩衝液，pH 10.0
　B－954
アンモニア・塩化アンモニ
　ウム緩衝液，pH 10.7
　B－954
アンモニア・塩化アンモニ
　ウム緩衝液，pH 11.0
　B－954
アンモニアガス　B－954
アンモニア・酢酸アンモニ
　ウム緩衝液，pH 8.0
　B－954
アンモニア・酢酸アンモニ
　ウム緩衝液，pH 8.5
　B－954
アンモニア試液　B－954

日本名索引　I-11

アンモニア試液，1 mol/L
　B-954
アンモニア試液，13.5
　mol/L　B-954
アンモニア水　C-487，
　B-954，C-4
アンモニア水，1 mol/L
　B-954
アンモニア水，13.5 mol/L
　B-954
アンモニア水 (28)
　B-954
アンモニア水，強
　B-954
アンモニア銅試液
　B-954
アンモニア飽和1-ブタノー
　ル試液　B-954
アンモニウム試験法
　B-9
アンモニウム試験用次亜塩
　素酸ナトリウム試液
　B-954
アンモニウム試験用水
　B-955
アンモニウム試験用精製水
　B-955
アンモニウム標準液
　B-916
アンレキサノクス
　C-490，C-4
アンレキサノクス（参照紫
　外可視吸収スペクトル）
　E-15
アンレキサノクス（参照赤
　外吸収スペクトル）
　E-210
アンレキサノクス錠
　C-496

イ

EMB平板培地　B-955
イオウ　B-955，
　C-498，C-4

硫黄　B-955
イオウ・カンフルローショ
　ン　C-501
イオウ・サリチル酸・チア
　ントール軟膏　C-503
イオタラム酸　C-504，
　C-4
イオタラム酸（参照赤外吸
　収スペクトル）
　E-211
イオタラム酸，定量用
　B-955
イオタラム酸ナトリウム注
　射液　C-508
イオタラム酸メグルミン注
　射液　C-511
イオトロクス酸
　C-515，C-4
イオトロクス酸（参照赤外
　吸収スペクトル）
　E-211
イオパミドール
　C-519，C-4
イオパミドール（参照赤外
　吸収スペクトル）
　E-211
イオパミドール注射液
　C-524
イオパミドール，定量用
　B-955
イオヘキソール
　C-528，C-4
イオヘキソール（参照紫外
　可視吸収スペクトル）
　E-15
イオヘキソール（参照赤外
　吸収スペクトル）
　E-212
イオヘキソール注射液
　C-534
イカリイン，薄層クロマト
　グラフィー用　B-955
イクタモール　C-536
イーグル最少必須培地
　B-955

イーグル最小必須培地，ウ
　シ血清加　B-956
イコサペント酸エチル
　C-539，C-4
イコサペント酸エチルカプ
　セル　C-543
イコサペント酸エチル（参
　照紫外可視吸収スペクト
　ル）　E-15
イコサペント酸エチル（参
　照赤外吸収スペクトル）
　E-212
イサチン　B-956
イスコフ改変ダルベッコ液
　体培地，フィルグラスチ
　ム用　B-956
イスコフ改変ダルベッコ粉
　末培地　B-956
イセパマイシン硫酸塩
　C-546，C-4
イセパマイシン硫酸塩注射
　液　C-551
イソアミルアルコール
　B-956
イソオクタン　B-956
イソクスプリン塩酸塩
　C-553，C-4
イソクスプリン塩酸塩（参
　照紫外可視吸収スペクト
　ル）　E-16
イソクスプリン塩酸塩（参
　照赤外吸収スペクトル）
　E-212
イソクスプリン塩酸塩錠
　C-557
イソクスプリン塩酸塩，定
　量用　B-956
(S)-イソシアン酸1-フェ
　ニルエチルエステル
　B-956
イソソルビド　C-560，
　C-4
イソソルビド（参照赤外吸
　収スペクトル）
　E-213

イソニアジド　B－957,
　C－564, C－4
イソニアジド（参照紫外可
　視吸収スペクトル）
　E－16
イソニアジド（参照赤外吸
　収スペクトル）
　E－213
イソニアジド試液
　B－957
イソニアジド錠　C－570
イソニアジド注射液
　C－572
イソニアジド，定量用
　B－957
イソニコチン酸　B－957
イソニコチン酸アミド
　B－957
(E)-イソフェルラ酸
　B－957
(E)-イソフェルラ酸・(E)-
　フェルラ酸混合試液，薄
　層クロマトグラフィー用
　B－957
イソフェンインスリン　ヒ
　ト（遺伝子組換え）水性
　懸濁注射液　C－743,
　C－37
イソブタノール　B－957
イソフルラン　C－574
イソフルラン（参照赤外吸
　収スペクトル）
　E－213
l-イソプレナリン塩酸塩
　C－579, C－4
l-イソプレナリン塩酸塩
　（参照紫外可視吸収スペ
　クトル）　E－16
イソプロパノール
　B－958, C－583
イソプロパノール，液体ク
　ロマトグラフィー用
　B－958
イソプロピルアミン
　B－958

イソプロピルアミン・エタ
　ノール試液　B－958
イソプロピルアルコール
　C－583
イソプロピルアンチピリン
　C－585, C－4
イソプロピルエーテル
　B－958
4-イソプロピルフェノール
　B－958
イソプロメタジン塩酸塩,
　薄層クロマトグラフィー
　用　B－958
イソマル　C－589
イソマル水和物
　C－589, C－4
イソマルト　B－958
L-イソロイシン
　B－958，C－595,
　C－4
L-イソロイシン（参照赤
　外吸収スペクトル）
　E－214
L-イソロイシン，定量用
　B－958
イソロイシン・ロイシン・
　バリン顆粒　C－599
イダルビシン塩酸塩
　C－603, C－5
イダルビシン塩酸塩（参照
　紫外可視吸収スペクト
　ル）　E－17
一次抗体試液　B－958
一臭化ヨウ素　B－958
一硝酸イソソルビド（参照
　赤外吸収スペクトル）
　E－214
一硝酸イソソルビド錠
　C－614
一硝酸イソソルビド，定量
　用　B－958
70％一硝酸イソソルビド
　乳糖末　C－610,
　C－5
胃腸薬のpH試験法

F－347
一酸化炭素　B－960
一酸化炭素測定用検知管
　B－1354
一酸化窒素　B－960
一酸化鉛　B－960
一般試験法　B－3,
　B－3
遺伝子解析による微生物の
　迅速同定法　F－243
遺伝子情報を利用する生薬
　の純度試験　F－300
イドクスウリジン
　C－617, C－5
イドクスウリジン（参照紫
　外可視吸収スペクトル）
　E－17
イドクスウリジン点眼液
　C－622
イトラコナゾール
　C－625, C－5
イトラコナゾール（参照紫
　外可視吸収スペクトル）
　E－17
イトラコナゾール（参照赤
　外吸収スペクトル）
　E－214
イフェンプロジル酒石酸塩
　C－634, C－5
イフェンプロジル酒石酸塩
　細粒　C－639
イフェンプロジル酒石酸塩
　（参照紫外可視吸収スペ
　クトル）　E－18
イフェンプロジル酒石酸塩
　（参照赤外吸収スペクト
　ル）　E－215
イフェンプロジル酒石酸塩
　錠　C－637
イフェンプロジル酒石酸
　塩，定量用　B－960
イブジラスト　C－641,
　C－5
イブジラスト（参照紫外可
　視吸収スペクトル）

日本名索引　I -13

E -18
イブジラスト（参照赤外吸
収スペクトル）
E -215
イプシロン-アミノカプロ
ン酸　B -961
イブプロフェン
B -961, C -644,
C - 5
イブプロフェン（参照紫外
可視吸収スペクトル）
E -18
イブプロフェン（参照赤外
吸収スペクトル）
E -215
イブプロフェンピコノール
B -961, C -649,
C - 5
イブプロフェンピコノール
クリーム　C -653
イブプロフェンピコノール
（参照紫外可視吸収スペ
クトル）　E -19
イブプロフェンピコノール
（参照赤外吸収スペクト
ル）　E -216
イブプロフェンピコノー
ル，定量用　B -961
イブプロフェンピコノール
軟膏　C -652
イプラトロピウム臭化物水
和物　C -655, C - 5
イプラトロピウム臭化物水
和物（参照紫外可視吸収
スペクトル）　E -19
イプラトロピウム臭化物水
和物（参照赤外吸収スペ
クトル）　E -216
イプリフラボン
C -660, C - 5
イプリフラボン（参照紫外
可視吸収スペクトル）
E -19
イプリフラボン（参照赤外
吸収スペクトル）

E -216
イプリフラボン錠
C -664
イミダゾール　B -962
イミダゾール試液
B -962
イミダゾール臭化水素酸塩
B -962
イミダゾール，水分測定用
B -962
イミダゾール，薄層クロマ
トグラフィー用
B -962
イミダプリル塩酸塩
B -962, C -665,
C - 5
イミダプリル塩酸塩（参照
赤外吸収スペクトル）
E -217
イミダプリル塩酸塩錠
C -670
イミダプリル塩酸塩，定量
用　B -962
2,2′-イミノジエタノール
塩酸塩　B -962
イミノジベンジル
B -962
イミプラミン塩酸塩
B -963, C -674
イミプラミン塩酸塩（参照
紫外可視吸収スペクト
ル）　E -20
イミプラミン塩酸塩錠
C -680
イミペネム水和物
C -683, C - 5
イミペネム水和物（参照紫
外可視吸収スペクトル）
E -20
イミペネム水和物（参照赤
外吸収スペクトル）
E -217
医薬品原薬及び製剤の品質
確保の基本的考え方
F - 9

医薬品等の試験に用いる水
F -380
医薬品の安定性試験の実施
方法　F -23
医薬品包装における基本的
要件と用語　F -30
イリノテカン塩酸塩水和物
C -691, C - 5
イリノテカン塩酸塩水和物
（参照紫外可視吸収スペ
クトル）　E -20
イリノテカン塩酸塩水和物
（参照赤外吸収スペクト
ル）　E -217
イリノテカン塩酸塩水和
物，定量用　B -963
イリノテカン塩酸塩注射液
C -698
イルソグラジンマレイン酸
塩　B -963, C -702,
C - 5
イルソグラジンマレイン酸
塩細粒　C -708
イルソグラジンマレイン酸
塩（参照紫外可視吸収ス
ペクトル）　E -21
イルソグラジンマレイン酸
塩（参照赤外吸収スペク
トル）　E -218
イルソグラジンマレイン酸
塩錠　C -705
イルソグラジンマレイン酸
塩，定量用　B -963
イルベサルタン
C -711, C - 5
イルベサルタン・アムロジ
ピンベシル酸塩錠
C -718
イルベサルタン（参照紫外
可視吸収スペクトル）
E -21
イルベサルタン（参照赤外
吸収スペクトル）
E -218
イルベサルタン錠

I −14　　日本名索引

C −715
イルベサルタン，定量用
　B −963
イレイセン　D −42
威霊仙　D −42
色の比較液　B −921
色の比較試験法　B −454
インジウム，熱分析用
　B −1352
インジゴカルミン
　B −963，C −725，
　C − 5
インジゴカルミン（参照紫
　外可視吸収スペクトル）
　E −21
インジゴカルミン試液
　B −963
インジゴカルミン注射液
　C −728
インスリン　アスパルト
　（遺伝子組換え）
　C −753
インスリン　グラルギン
　（遺伝子組換え）
　C −760
インスリン　グラルギン
　（遺伝子組換え）注射液
　C −768
インスリングラルギン用
　V8 プロテアーゼ
　B −963
インスリン　ヒト（遺伝子
　組換え）　C −729，
　C −34
インスリン　ヒト（遺伝子
　組換え）注射液
　C −740，C −37
インダパミド　C −770，
　C − 5
インダパミド（参照紫外可
　視吸収スペクトル）
　E −22
インダパミド（参照赤外吸
　収スペクトル）
　E −218

インダパミド錠　C −775
インターフェロン　アルファ
　（NAMALWA）
　C −777
インターフェロン　アルファ
　（NAMALWA）注射液
　C −788
インターフェロンアルファ
　（NAMALWA）用 DNA 標
　準原液　B −963
インターフェロンアルファ
　確認用基質試液
　B −963
インターフェロンアルファ
　用クーマシーブリリアン
　トブルー試液　B −963
インターフェロンアルファ
　用分子量マーカー
　B −963
インターロイキン−2 依存
　性マウスナチュラルキラ
　ー細胞 NKC3　B −963
インチンコウ　D −45，
　D − 3
茵陳蒿　D −45
茵陳蒿　D −45
インデノロール塩酸塩
　C −791，C − 5
インデノロール塩酸塩 1
　（参照紫外可視吸収スペ
　クトル）　E −22
インデノロール塩酸塩 2
　（参照紫外可視吸収スペ
　クトル）　E −22
インデノロール塩酸塩（参
　照赤外吸収スペクトル）
　E −219
インドメタシン
　B −963，C −796，
　C − 5
インドメタシンカプセル
　C −801
インドメタシン坐剤
　C −804
インドメタシン（参照紫外

可視吸収スペクトル）
　E −23
インドメタシン（参照赤外
　吸収スペクトル）
　E −219
2,3-インドリンジオン
　B −963
インフルエンザ HA ワクチ
　ン　C −807
インヨウカク　D −48
淫羊藿　D −48

ウ

ウィイス試液　B −963
ウイキョウ　D −52
茴香　D −52
ウイキョウ末　D −55
茴香末　D −55
ウイキョウ油　D −56
ウコン　D −58，D − 3
鬱金　D −58
ウコン末　D −61
鬱金末　D −61
ウサギ抗ナルトグラスチム
　抗体　B −963，
　B −129
ウサギ抗ナルトグラスチム
　抗体試液　B −964，
　B −129
ウサギ脱繊維血　B −964
ウシ血清　B −964
ウシ血清アルブミン
　B −964
ウシ血清アルブミン，ウリ
　ナスタチン試験用
　B −964
ウシ血清アルブミン・塩化
　ナトリウム・リン酸塩緩
　衝液，pH 7.2　B −965
ウシ血清アルブミン・塩化
　ナトリウム・リン酸塩緩
　衝液，0.1 w/v%
　B −965
0.1％ウシ血清アルブミン

日本名索引　　I -15

含有酢酸緩衝液
　B -965
ウシ血清アルブミン，ゲル
　ろ過分子量マーカー用
　B -964
ウシ血清アルブミン試液，
　セクレチン標準品用
　B -964
ウシ血清アルブミン試液，
　セクレチン用　B -964
ウシ血清アルブミン試液，
　ナルトグラスチム試験用
　B -965, B -129
ウシ血清アルブミン・生理
　食塩液　B -965
ウシ血清アルブミン，定量
　用　B -964
1 w/v％ウシ血清アルブミ
　ン・リン酸塩緩衝液・塩
　化ナトリウム試液
　B -965
ウシ血清加イーグル最小必
　須培地　B -965
ウシ胎児血清　B -965
ウシ由来活性化血液凝固Ⅹ
　因子　B -965
薄めたエタノール
　B -965
ウベニメクス　C -807,
　C - 5
ウベニメクスカプセル
　C -811
ウベニメクス（参照紫外可
　視吸収スペクトル）
　E -23
ウベニメクス（参照赤外吸
　収スペクトル）
　E -219
ウベニメクス，定量用
　B -965
馬血清　B -1193
埋め込み注射剤　A -93
ウヤク　D -63
烏薬　D -63
ウラシル　B -965

ウラピジル　C -814,
　C - 5
ウラピジル（参照紫外可視
　吸収スペクトル）
　E -23
ウラピジル（参照赤外吸収
　スペクトル）　E -220
ウリナスタチン
　C -818, C - 5
ウリナスタチン（参照紫外
　可視吸収スペクトル）
　E -24
ウリナスタチン試験用ウシ
　血清アルブミン
　B -965
ウリナスタチン定量用結晶
　トリプシン　B -966
ウリナスタチン試験用トリ
　プシン試液　B -965
ウルソデオキシコール酸
　B -966, C -825,
　C - 5
ウルソデオキシコール酸顆
　粒　C -832
ウルソデオキシコール酸
　（参照赤外吸収スペクト
　ル）　E -220
ウルソデオキシコール酸錠
　C -829
ウルソデオキシコール酸，
　定量用　B -966
ウレタン　B -967
ウロキナーゼ　C -834,
　C - 5
ウワウルシ　D -65,
　D - 4
ウワウルシ流エキス
　D -69
温清飲エキス　D -71
ウンベリフェロン，薄層ク
　ロマトグラフィー用
　B -967

エ

エイコセン酸メチル，ガス
　クロマトグラフィー用
　B -967
エイジツ　D -77
営実　D -77
エイジツ末　D -79
営実末　D -79
エオシン　B -967
エオシンY　B -967
エオシンメチレンブルーカ
　ンテン培地　B -967
A型赤血球浮遊液
　B -967
エカベトナトリウム顆粒
　C -843
エカベトナトリウム水和物
　C -840, C - 5
エカベトナトリウム水和物
　（参照紫外可視吸収スペ
　クトル）　E -24
エカベトナトリウム水和物
　（参照赤外吸収スペクト
　ル）　E -220
エカベトナトリウム水和
　物，定量用　B -967
液状チオグリコール酸培地
　B -968
液状フェノール
　C -4630
エキス剤　A -159
液体クロマトグラフィー
　B -90, B -34
液体クロマトグラフィー用
　アセトニトリル
　B -968
液体クロマトグラフィー用
　アミノプロピルシリル化
　シリカゲル　B -1836
液体クロマトグラフィー用
　アミローストリス-(3,5-
　ジメチルフェニルカルバ
　メート)被覆シリカゲル

B－1336

液体クロマトグラフィー用
アンミントリクロロ白金
酸アンモニウム
B－968

液体クロマトグラフィー用
イソプロパノール
B－968

液体クロマトグラフィー用
エタノール (99.5)
B－968

液体クロマトグラフィー用
エレウテロシド B
B－968

液体クロマトグラフィー用
オクタデシル-強アニオ
ン交換基シリル化シリカ
ゲル　B－1337

液体クロマトグラフィー用
オクタデシルシリル化多
孔質ガラス　B－1337

液体クロマトグラフィー用
オクタデシルシリル化シ
リカゲル　B－1337

液体クロマトグラフィー用
オクタデシルシリル化シ
リコーンポリマー被覆シ
リカゲル　B－1337

液体クロマトグラフィー用
オクタデシルシリル化ポ
リビニルアルコールゲル
ポリマー　B－1337

液体クロマトグラフィー用
オクタデシルシリル化モ
ノリス型シリカ
B－1337

液体クロマトグラフィー用
オクタデシルシリル基及
びオクチルシリル基を結
合した多孔質シリカゲル
B－130

液体クロマトグラフィー用
オクチルシリル化シリカ
ゲル　B－1337

液体クロマトグラフィー用

オボムコイド化学結合ア
ミノシリカゲル
B－1337

液体クロマトグラフィー用
カルバモイル基結合型シ
リカゲル　B－1337

液体クロマトグラフィー用
強塩基性イオン交換樹脂
B－1337

液体クロマトグラフィー用
強酸性イオン交換樹脂
B－1337

液体クロマトグラフィー用
強酸性イオン交換シリカ
ゲル　B－1337

液体クロマトグラフィー用
18-クラウンエーテル固
定化シリカゲル
B－1337

液体クロマトグラフィー用
グラファイトカーボン
B－1337

液体クロマトグラフィー用
グリコールエーテル化シ
リカゲル　B－1338

液体クロマトグラフィー用
3′-クロロ-3′-デオキシ
チミジン　B－968

液体クロマトグラフィー用
ゲル型強塩基性イオン交
換樹脂　B－1338

液体クロマトグラフィー用
ゲル型強酸性イオン交換
樹脂 (架橋度6%)
B－1338

液体クロマトグラフィー用
ゲル型強酸性イオン交換
樹脂 (架橋度8%)
B－1338

液体クロマトグラフィー用
α_1-酸性糖タンパク質結
合シリカゲル
B－1337

液体クロマトグラフィー用
シアノプロピルシリル化

シリカゲル　B－1338

液体クロマトグラフィー用
ジエチルアミノエチル基
を結合した合成高分子
B－1338

液体クロマトグラフィー用
ジオールシリカゲル
B－1338

液体クロマトグラフィー用
β-シクロデキストリン
結合シリカゲル
B－1338

液体クロマトグラフィー用
ジビニルベンゼン-メタ
クリラート共重合体
B－1338

液体クロマトグラフィー用
ジメチルアミノプロピル
シリル化シリカゲル
B－1338

液体クロマトグラフィー用
N,N-ジメチルホルムア
ミド　B－968

液体クロマトグラフィー用
弱酸性イオン交換樹脂
B－1338

液体クロマトグラフィー用
弱酸性イオン交換シリカ
ゲル　B－1338

液体クロマトグラフィー用
シリカゲル　B－1338

液体クロマトグラフィー用
親水性シリカゲル
B－1338

液体クロマトグラフィー用
スチレン-ジビニルベン
ゼン共重合体
B－1338

液体クロマトグラフィー用
スルホンアミド基を結合
したヘキサデシルシリル
化シリカゲル
B－1338

液体クロマトグラフィー用
セルモロイキン

B-968

液体クロマトグラフィー用
セルローストリス(4-メ
チルベンゾエート)被覆
シリカゲル　B-1338

液体クロマトグラフィー用
セルロース誘導体被覆シ
リカゲル　B-1339

液体クロマトグラフィー用
第四級アンモニウム基を
結合した親水性ビニルポ
リマーゲル　B-1339

液体クロマトグラフィー用
多孔質シリカゲル
B-1339

液体クロマトグラフィー用
多孔性スチレン-ジビニ
ルベンゼン共重合体
B-1339

液体クロマトグラフィー用
多孔性ポリメタクリレー
ト　B-1339

液体クロマトグラフィー用
チミン　B-968

液体クロマトグラフィー用
2'-デオキシウリジン
B-968

液体クロマトグラフィー用
デキストラン-高度架橋
アガロースゲルろ過担体
B-1339

液体クロマトグラフィー用
テトラヒドロフラン
B-968

液体クロマトグラフィー用
トリアコンチルシリル化
シリカゲル　B-1339

液体クロマトグラフィー用
トリプシン　B-968

液体クロマトグラフィー用
トリメチルシリル化シリ
カゲル　B-1339

液体クロマトグラフィー用
パーフルオロヘキシルプ
ロピルシリル化シリカゲ

ル　B-1339

液体クロマトグラフィー用
パルミトアミドプロピル
シリル化シリカゲル
B-1339

液体クロマトグラフィー用
非多孔性強酸性イオン交
換樹脂　B-1339

液体クロマトグラフィー用
ヒトアルブミン化学結合
シリカゲル　B-1339

液体クロマトグラフィー用
2-ヒドロキシプロピル-
β-シクロデキストリル
化シリカゲル
B-1339

液体クロマトグラフィー用
ヒドロキシプロピルシリ
ル化シリカゲル
B-1339

液体クロマトグラフィー用
フェニル化シリカゲル
B-1339

液体クロマトグラフィー用
フェニルシリル化シリカ
ゲル　B-1339

液体クロマトグラフィー用
フェニルヘキシルシリル
化シリカゲル
B-1339

液体クロマトグラフィー用
ブチルシリル化シリカゲ
ル　B-1340

液体クロマトグラフィー用
フルオロシリル化シリカ
ゲル　B-1340

液体クロマトグラフィー用
2-プロパノール
B-968

液体クロマトグラフィー用
ヘキサシリル化シリカゲ
ル　B-1340

液体クロマトグラフィー用
ヘキサン　B-968

液体クロマトグラフィー用

n-ヘキサン　B-968

液体クロマトグラフィー用
ヘプタン　B-968

液体クロマトグラフィー用
ペンタエチレンヘキサア
ミノ化ポリビニルアルコ
ールポリマービーズ
B-1340

液体クロマトグラフィー用
ポリアミンシリカゲル
B-130

液体クロマトグラフィー用
メタノール　B-968

液体クロマトグラフィー用
1-メチル-1H-テトラゾー
ル-5-チオール
B-968

液体クロマトグラフィー用
5-ヨードウラシル
B-969

液体クロマトグラフィー用
4級アルキルアミノ化ス
チレン-ジビニルベンゼ
ン共重合体　B-1337

液の色に関する機器測定法
F-14

エコチオパートヨウ化物
C-846, C-5

エスタゾラム　C-850,
C-5

エスタゾラム(参照紫外可
視吸収スペクトル)
E-24

SDSポリアクリルアミド
ゲル電気泳動用緩衝液
B-969

SDSポリアクリルアミド
ゲル電気泳動法
F-138

エストラジオール安息香酸
エステル　C-854

エストラジオール安息香酸
エステル(参照赤外吸収
スペクトル)　E-221

エストラジオール安息香酸

I –18　日本名索引

エステル水性懸濁注射液
　C – 858
エストリオール
　C – 859, C – 5
エストリオール（参照紫外
　可視吸収スペクトル）
　E – 25
エストリオール（参照赤外
　吸収スペクトル）
　E – 221
エストリオール試験用安息
　香酸メチル　B – 969
エストリオール錠
　C – 863
エストリオール水性懸濁注
　射液　C – 865
エタクリン酸　C – 866,
　C – 5
エタクリン酸（参照紫外可
　視吸収スペクトル）
　E – 25
エタクリン酸錠　C – 870
エタクリン酸, 定量用
　B – 969
エタノール　B – 969,
　C – 872, C – 40
エタノール (95)　B – 969
エタノール (99.5)
　B – 969
エタノール, 薄めた
　B – 969
エタノール (99.5), 液体ク
　ロマトグラフィー用
　B – 969
エタノール, ガスクロマト
　グラフィー用　B – 969
エタノール, 希　B – 969
エタノール（参照赤外吸収
　スペクトル）　E – 221
エタノール, 消毒用
　B – 969
エタノール・生理食塩液
　B – 969
エタノール, 中和
　B – 969

エタノール不含クロロホル
　ム　B – 969
エタノール, 無アルデヒド
　B – 969
エタノール, 無水
　B – 969
エタノール, メタノール不
　含　B – 969
エタノール (95), メタノー
　ル不含　B – 969
エダラボン　C – 886,
　C – 5
エダラボン（参照紫外可視
　吸収スペクトル）
　E – 25
エダラボン（参照赤外吸収
　スペクトル）　E – 222
エダラボン注射液
　C – 890
エダラボン, 定量用
　B – 970
エタンブトール塩酸塩
　C – 895, C – 5
エチオナミド　C – 899,
　C – 5
エチオナミド（参照紫外可
　視吸収スペクトル）
　E – 26
エチオナミド（参照赤外吸
　収スペクトル）
　E – 222
エチゾラム　C – 904,
　C – 5
エチゾラム細粒　C – 910
エチゾラム（参照紫外可視
　吸収スペクトル）
　E – 26
エチゾラム（参照赤外吸収
　スペクトル）　E – 223
エチゾラム錠　C – 907
エチゾラム, 定量用
　B – 970
エチドロン酸二ナトリウム
　C – 913, C – 5
エチドロン酸二ナトリウム

（参照赤外吸収スペクト
　ル）　E – 223
エチドロン酸二ナトリウム
　錠　C – 917
エチドロン酸二ナトリウ
　ム, 定量用　B – 970
エチニルエストラジオール
　B – 970, C – 919
エチニルエストラジオール
　錠　C – 923
エチルアミン塩酸塩
　B – 970
L–エチルシステイン塩酸
　塩　C – 926, C – 5
L–エチルシステイン塩酸
　塩（参照赤外吸収スペク
　トル）　E – 223
エチルシリル化シリカゲ
　ル, カラムクロマトグラ
　フィー用　B – 1340
エチルセルロース
　C – 930, C – 5
エチルセルロース（参照赤
　外吸収スペクトル）
　E – 224
2–エチル–2–フェニルマロ
　ンジアミド　B – 970
エチルベンゼン　B – 970
N–エチルマレイミド
　B – 970
エチルモルヒネ塩酸塩水和
　物　C – 934
エチルモルヒネ塩酸塩水和
　物（参照紫外可視吸収ス
　ペクトル）　E – 26
エチルモルヒネ塩酸塩水和
　物（参照赤外吸収スペク
　トル）　E – 224
N–エチルモルホリン
　B – 971
エチレフリン塩酸塩
　B – 971, C – 937,
　C – 5
エチレフリン塩酸塩（参照
　紫外可視吸収スペクト

日本名索引　　I -19

ル）　E - 27
エチレフリン塩酸塩（参照
　赤外吸収スペクトル）
　E - 224
エチレフリン塩酸塩錠
　C - 939
エチレフリン塩酸塩，定量
　用　B - 971
エチレンオキシド
　B - 971
エチレングリコール
　B - 971
エチレングリコール，水分
　測定用　B - 971
エチレンジアミン
　B - 971, C - 942,
　C - 5
エチレンジアミン試液
　B - 971
0.001 mol/L エチレンジア
　ミン四酢酸二水素二ナト
　リウム液　B - 853
0.01 mol/L エチレンジア
　ミン四酢酸二水素二ナト
　リウム液　B - 853
0.02 mol/L エチレンジア
　ミン四酢酸二水素二ナト
　リウム液　B - 853
0.05 mol/L エチレンジア
　ミン四酢酸二水素二ナト
　リウム液　B - 852
0.1 mol/L エチレンジアミ
　ン四酢酸二水素二ナトリ
　ウム液　B - 850
エチレンジアミン四酢酸二
　水素二ナトリウム試液,
　0.04 mol/L　B - 971
エチレンジアミン四酢酸二
　水素二ナトリウム試液,
　0.1 mol/L　B - 971
エチレンジアミン四酢酸二
　水素二ナトリウム試液,
　0.4 mol/L, pH 8.5
　B - 971
エチレンジアミン四酢酸二

ナトリウム試液, 0.1
　mol/L　B - 971
エチレンジアミン四酢酸二
　ナトリウム銅　B - 972
エチレンジアミン四酢酸二
　ナトリウム銅四水和物
　B - 972
エチレンジアミン四酢酸二
　水素二ナトリウム二水和
　物　B - 971
エチレンジアミン四酢酸二
　ナトリウム　B - 971
エチレンジアミン四酢酸二
　ナトリウム亜鉛
　B - 971
エチレンジアミン四酢酸二
　ナトリウム亜鉛四水和物
　B - 971
0.001 mol/L エチレンジア
　ミン四酢酸二ナトリウム
　液　B - 854
0.01 mol/L エチレンジア
　ミン四酢酸二ナトリウム
　液　B - 854
0.02 mol/L エチレンジア
　ミン四酢酸二ナトリウム
　液　B - 854
0.05 mol/L エチレンジア
　ミン四酢酸二ナトリウム
　液　B - 854
0.1 mol/L エチレンジアミ
　ン四酢酸二ナトリウム液
　B - 854
エデト酸カルシウムナトリ
　ウム水和物　C - 944,
　C - 5
エデト酸カルシウムナトリ
　ウム水和物（参照赤外吸
　収スペクトル）
　E - 225
エデト酸ナトリウム水和物
　C - 947, C - 5
エーテル　B - 972,
　C - 951
エーテル, 生薬純度試験用

B - 972
エーテル, 麻酔用
　B - 972
エーテル, 無水　B - 972
エテンザミド　B - 972,
　C - 957, C - 5
エテンザミド（参照紫外可
　視吸収スペクトル）
　E - 27
エテンザミド（参照赤外吸
　収スペクトル）
　E - 225
4′-エトキシアセトフェノ
　ン　B - 972
3-エトキシ-4-ヒドロキシ
　ベンズアルデヒド
　B - 972
4-エトキシフェノール
　B - 973
p-エトキシフェノール
　B - 973
エトスクシミド
　C - 961, C - 5
エトスクシミド（参照紫外
　可視吸収スペクトル）
　E - 27
エトドラク　C - 965,
　C - 5
エトドラク（参照紫外可視
　吸収スペクトル）
　E - 28
エトドラク（参照赤外吸収
　スペクトル）　E - 225
エトポシド　C - 969,
　C - 5
エトポシド（参照紫外可視
　吸収スペクトル）
　E - 28
エトポシド（参照赤外吸収
　スペクトル）　E - 226
エドロホニウム塩化物
　C - 973, C - 5
エドロホニウム塩化物（参
　照紫外可視吸収スペクト
　ル）　E - 28

Ⅰ-20　日本名索引

エドロホニウム塩化物注射
　液　C-976
エナラプリルマレイン酸塩
　B-973, C-978,
　C-5
エナラプリルマレイン酸塩
　(参照赤外吸収スペクト
　ル)　E-226
エナラプリルマレイン酸塩
　錠　C-984
エナント酸メテノロン
　B-973
エナント酸メテノロン, 定
　量用　B-973
NADH ペルオキシダーゼ
　B-973
NADH ペルオキシダーゼ
　試液　B-973
NN 指示薬　B-973
NFS-60 細胞　B-973
NK-7 細胞　B-973
エノキサシン水和物
　C-988, C-6
エノキサシン水和物 (参照
　紫外可視吸収スペクト
　ル)　E-29
エノキサシン水和物 (参照
　赤外吸収スペクトル)
　E-226
エバスチン　C-993,
　C-6
エバスチン口腔内崩壊錠
　C-1000
エバスチン (参照紫外可視
　吸収スペクトル)
　E-29
エバスチン (参照赤外吸収
　スペクトル)　E-227
エバスチン錠　C-997
エバスチン, 定量用
　B-973
エパルレスタット
　C-1003, C-6
エパルレスタット (参照紫
　外可視吸収スペクトル)

　E-29
エパルレスタット (参照赤
　外吸収スペクトル)
　E-227
エパルレスタット錠
　C-1007
4-エピオキシテトラサイク
　リン　B-974
6-エピドキシサイクリン
　塩酸塩　B-974
エピネフリン　C-204
エピネフリン液　C-209
エピネフリン注射液
　C-211
エピリゾール　C-1009,
　C-6
エピリゾール (参照紫外可
　視吸収スペクトル)
　E-30
エピルビシン塩酸塩
　C-1013, C-6
エピルビシン塩酸塩 (参照
　紫外可視吸収スペクト
　ル)　E-30
エフェドリン塩酸塩
　B-974, C-1018,
　C-6
エフェドリン塩酸塩散10%
　C-1026
エフェドリン塩酸塩 (参照
　紫外可視吸収スペクト
　ル)　E-30
エフェドリン塩酸塩 (参照
　赤外吸収スペクトル)
　E-227
エフェドリン塩酸塩錠
　C-1024
エフェドリン塩酸塩, 生薬
　定量用　B-974
エフェドリン塩酸塩注射液
　C-1029
エフェドリン塩酸塩, 定量
　用　B-974
FL 細胞　B-975
エプレレノン　C-1031,

　C-6
エプレレノン (参照紫外可
　視吸収スペクトル)
　E-31
エプレレノン (参照赤外吸
　収スペクトル)
　E-228
エプレレノン錠
　C-1037
エペリゾン塩酸塩
　C-1040, C-6
エペリゾン塩酸塩 (参照紫
　外可視吸収スペクトル)
　E-31
エペリゾン塩酸塩 (参照赤
　外吸収スペクトル)
　E-228
エポエチン アルファ (遺
　伝子組換え)
　C-1044
エポエチンアルファ液体ク
　ロマトグラフィー用トリ
　プシン　B-975
エポエチンアルファ用 N-
　アセチルノイラミン酸
　B-975
エポエチンアルファ用基質
　試液　B-975
エポエチンアルファ用試料
　緩衝液　B-975
エポエチンアルファ用トリ
　プシン試液　B-975
エポエチンアルファ用ブロ
　ッキング試液　B-975
エポエチンアルファ用分子
　量マーカー　B-975
エポエチンアルファ用ポリ
　アクリルアミドゲル
　B-975
エポエチンアルファ用リン
　酸塩緩衝液　B-975
エポエチン ベータ (遺伝
　子組換え)　C-1057,
　C-41
エポエチンベータ用トリエ

日本名索引　I-21

チルアミン　B-975
エポエチンベータ用トリフ
　ルオロ酢酸　B-975
エポエチンベータ用ポリソ
　ルベート20　B-975
エポエチンベータ用2-メ
　ルカプトエタノール
　B-975
エボジアミン，定量用
　B-976
MTT試液　B-977
エメダスチンフマル酸塩
　C-1066, C-6
エメダスチンフマル酸塩
　（参照紫外可視吸収スペ
　クトル）　E-31
エメダスチンフマル酸塩
　（参照赤外吸収スペクト
　ル）　E-228
エメダスチンフマル酸塩徐
　放カプセル　C-1070
エメダスチンフマル酸塩，
　定量用　B-978
エメチン塩酸塩，定量用
　B-978
エモルファゾン
　C-1072, C-6
エモルファゾン（参照紫外
　可視吸収スペクトル）
　E-32
エモルファゾン（参照赤外
　吸収スペクトル）
　E-229
エモルファゾン錠
　C-1075
エモルファゾン，定量用
　B-978
エリオクロムブラックT
　B-978
エリオクロムブラックT・
　塩化ナトリウム指示薬
　B-978
エリオクロムブラックT
　試液　B-978
エリキシル剤　A-56

エリスロマイシン
　C-1078, C-6
エリスロマイシンB
　B-978
エリスロマイシンC
　B-979
エリスロマイシンエチルコ
　ハク酸エステル
　C-1087
エリスロマイシンエチルコ
　ハク酸エステル（参照赤
　外吸収スペクトル）
　E-229
エリスロマイシン（参照赤
　外吸収スペクトル）
　E-229
エリスロマイシンステアリ
　ン酸塩　C-1090
エリスロマイシンステアリ
　ン酸塩（参照赤外吸収ス
　ペクトル）　E-230
エリスロマイシン腸溶錠
　C-1085
エリスロマイシンラクトビ
　オン酸塩　C-1092
エリブリンメシル酸塩
　C-1095, C-6
エルカトニン　C-1107
エルカトニン（参照紫外可
　視吸収スペクトル）
　E-32
エルカトニン試験用トリプ
　シン試液　B-979
エルゴカルシフェロール
　C-1116
エルゴカルシフェロール
　（参照赤外吸収スペクト
　ル）　E-230
エルゴタミン酒石酸塩
　C-1121
エルゴメトリンマレイン酸
　塩　C-1126
エルゴメトリンマレイン酸
　塩錠　C-1130
エルゴメトリンマレイン酸

塩注射液　C-1132
エレウテロシドB，液体ク
　ロマトグラフィー用
　B-979
塩化亜鉛　B-980,
　C-1134, C-6
塩化亜鉛試液　B-980
塩化亜鉛試液，0.04 mol/L
　B-980
塩化アセチル　B-980
塩化アルミニウム
　B-980
塩化アルミニウム試液
　B-980
塩化アルミニウム（Ⅲ）試
　液　B-980
塩化アルミニウム（Ⅲ）六
　水和物　B-980
塩化アンチモン（Ⅲ）
　B-980
塩化アンチモン（Ⅲ）試液
　B-980
塩化アンモニウム
　B-980
塩化アンモニウム・アンモ
　ニア試液　B-980
塩化アンモニウム緩衝液，
　pH 10　B-980
塩化アンモニウム試液
　B-980
塩化インジウム（¹¹¹In）注
　射液　C-1137
塩化カリウム　B-980,
　C-1138, C-6
塩化カリウム・塩酸緩衝液
　B-981
塩化カリウム試液，0.2
　mol/L　B-980
塩化カリウム試液，酸性
　B-981
塩化カリウム，赤外吸収ス
　ペクトル用　B-980
塩化カリウム，定量用
　B-980
塩化カリウム，導電率測定

I-22　日本名索引

用　B-980
塩化カルシウム　B-981
塩化カルシウム，乾燥用
　B-981
塩化カルシウム試液
　B-981
塩化カルシウム，水分測定
　用　B-981
塩化カルシウム水和物
　C-1142，C-6
塩化カルシウム水和物，定
　量用　B-981
塩化カルシウム注射液
　C-1146
塩化カルシウム二水和物
　B-981
塩化カルシウム二水和物，
　定量用　B-981
塩化金酸　B-981
塩化金酸試液　B-981
塩化コバルト　B-981
塩化コバルト（Ⅱ）・エタ
　ノール試液　B-981
塩化コバルト（Ⅱ）試液
　B-981
塩化コバルト（Ⅱ）六水和
　物　B-981
塩化コバルト・エタノール
　試液　B-981
塩化コバルト試液
　B-981
塩化コリン　B-981
塩化水銀（Ⅱ）　B-981
塩化水素・エタノール試液
　B-981
塩化スキサメトニウム，薄
　層クロマトグラフィー用
　B-981
塩化スズ（Ⅱ）・塩酸試液
　B-982
塩化スズ（Ⅱ）試液
　B-981
塩化スズ（Ⅱ）試液，酸性
　B-981
塩化スズ（Ⅱ）二水和物

B-981
塩化スズ（Ⅱ）・硫酸試液
　B-982
塩化ストロンチウム
　B-982
塩化ストロンチウム六水和
　物　B-982
塩化セシウム　B-982
塩化セシウム試液
　B-982
塩化第一スズ　B-982
塩化第一スズ試液
　B-982
塩化第一スズ試液，酸性
　B-982
塩化第一スズ・硫酸試液
　B-982
塩化第二水銀　B-982
塩化第二鉄　B-982
塩化第二鉄・酢酸試液
　B-982
塩化第二鉄試液　B-982
塩化第二鉄試液，希
　B-982
塩化第二鉄試液，酸性
　B-982
塩化第二鉄・ピリジン試
　液，無水　B-982
塩化第二鉄・メタノール試
　液　B-982
塩化第二鉄・ヨウ素試液
　B-982
塩化第二銅　B-982
塩化第二銅・アセトン試液
　B-982
塩化タリウム（²⁰¹Tl）注射
　液　C-1147
塩化チオニル　B-982
塩化チタン（Ⅲ）(20)
　B-983
0.1 mol/L 塩化チタン（Ⅲ）
　液　B-854
塩化チタン（Ⅲ）試液
　B-983
塩化チタン（Ⅲ）・硫酸試

液　B-983
塩化鉄（Ⅲ）・アミド硫酸
　試液　B-983
塩化鉄（Ⅲ）・酢酸試液
　B-983
塩化鉄（Ⅲ）試液
　B-983
塩化鉄（Ⅲ）試液，希
　B-983
塩化鉄（Ⅲ）試液，酸性
　B-983
塩化鉄（Ⅲ）・ピリジン試
　液，無水　B-983
塩化鉄（Ⅲ）・ヘキサシア
　ノ鉄（Ⅲ）酸カリウム試
　液　B-983
塩化鉄（Ⅲ）・メタノール
　試液　B-984
塩化鉄（Ⅲ）・ヨウ素試液
　B-984
塩化鉄（Ⅲ）六水和物
　B-983
塩化テトラ n-ブチルアン
　モニウム　B-984
塩化銅（Ⅱ）・アセトン試
　液　B-984
塩化銅（Ⅱ）二水和物
　B-984
塩化トリフェニルテトラゾ
　リウム　B-984
塩化 2,3,5-トリフェニル-
　2H-テトラゾリウム
　B-984
塩化トリフェニルテトラゾ
　リウム試液　B-984
塩化 2,3,5-トリフェニル-
　2H-テトラゾリウム試液
　B-984
塩化 2,3,5-トリフェニル-
　2H-テトラゾリウム・メ
　タノール試液，噴霧用
　B-984
塩化ナトリウム
　B-984，C-1148，
　C-6，C-42

日本名索引　　Ⅰ-23

塩化ナトリウム試液
　　B-984
塩化ナトリウム試液,
　　0.1 mol/L　B-984
塩化ナトリウム試液,
　　0.2 mol/L　B-984
塩化ナトリウム試液,
　　1 mol/L　B-984
0.9％塩化ナトリウム注射
　　液　C-2662
10％塩化ナトリウム注射
　　液　C-1152
塩化ナトリウム, 定量用
　　B-984
塩化ナトリウム(標準試薬)
　　B-984
塩化 p-ニトロベンゼンジ
　　アゾニウム試液
　　B-984
塩化 p-ニトロベンゼンジ
　　アゾニウム試液, 噴霧用
　　B-984
塩化白金酸　B-984
塩化白金酸試液　B-984
塩化白金酸・ヨウ化カリウ
　　ム試液　B-985
塩化パラジウム　B-985
塩化パラジウム(Ⅱ)
　　B-985
塩化パラジウム試液
　　B-985
塩化パラジウム(Ⅱ)試液
　　B-985
塩化バリウム　B-985
0.01 mol/L 塩化バリウム
　　液　B-856
0.02 mol/L 塩化バリウム
　　液　B-856
0.1 mol/L 塩化バリウム液
　　B-855
塩化バリウム試液
　　B-985
塩化バリウム二水和物
　　B-985
塩化パルマチン　B-985

塩化ヒドロキシルアンモニ
　　ウム　B-985
塩化ヒドロキシルアンモニ
　　ウム・エタノール試液
　　B-985
塩化ヒドロキシルアンモニ
　　ウム・塩化鉄(Ⅲ)試液
　　B-985
塩化ヒドロキシルアンモニ
　　ウム試液　B-985
塩化ヒドロキシルアンモニ
　　ウム試液, pH 3.1
　　B-985
塩化ビニル　B-985
塩化ビニル標準液
　　B-916
塩化 1,10-フェナントロリ
　　ニウム一水和物
　　B-985
塩化フェニルヒドラジニウ
　　ム　B-985
塩化フェニルヒドラジニウ
　　ム試液　B-986
塩化 n-ブチル　B-986
塩化物試験法　B-13
塩化物標準液　B-916
塩化物標準原液　B-916
塩化ベルベリン　B-986
塩化ベルベリン, 薄層クロ
　　マトグラフィー用
　　B-986
塩化ベンザルコニウム
　　B-986
塩化ベンゼトニウム, 定量
　　用　B-986
塩化ベンゾイル　B-986
塩化マグネシウム
　　B-986
0.01 mol/L 塩化マグネシ
　　ウム液　B-857
0.05 mol/L 塩化マグネシ
　　ウム液　B-856
塩化マグネシウム六水和物
　　B-986
塩化メチルロザニリン

　　B-986
塩化メチルロザニリン試液
　　B-986
塩化ランタン試液
　　B-986
塩化リゾチーム用基質試液
　　B-986
塩化リチウム　B-986
塩化ルビジウム　B-986
エンゴサク　D-81,
　　D-5
延胡索　D-81
エンゴサク末　D-85,
　　D-6
延胡索末　D-85
塩酸　B-986,
　　C-1154, C-6
0.001 mol/L 塩酸
　　B-860
0.01 mol/L 塩酸　B-860
0.02 mol/L 塩酸　B-860
0.05 mol/L 塩酸　B-860
0.1 mol/L 塩酸　B-860
0.2 mol/L 塩酸　B-859
0.5 mol/L 塩酸　B-859
1 mol/L 塩酸　B-858
2 mol/L 塩酸　B-857
塩酸アゼラスチン, 定量用
　　B-987
塩酸 14-アニソイルアコニ
　　ン, 成分含量測定用
　　B-987
塩酸アプリンジン, 定量用
　　B-987
塩酸アミオダロン, 定量用
　　B-987
塩酸 4-アミノアンチピリン
　　B-987
塩酸 4-アミノアンチピリン
　　試液　B-987
塩酸 4-アミノフェノール
　　B-987
塩酸 p-アミノフェノール
　　B-987
塩酸アモスラロール, 定量

I -24　日本名索引

用　B - 987
塩酸 L-アルギニン
　B - 987
塩酸イソクスプリン, 定量
　用　B - 987
塩酸イソプロメタジン, 薄
　層クロマトグラフィー用
　B - 988
塩酸イミダプリル
　B - 988
塩酸イミダプリル, 定量用
　B - 988
塩酸イミプラミン
　B - 988
塩酸・エタノール試液
　B - 987
塩酸エチレフリン
　B - 988
塩酸エチレフリン, 定量用
　B - 988
塩酸 6-エピドキシサイク
　リン　B - 988
塩酸エフェドリン
　B - 988
塩酸エフェドリン, 定量用
　B - 988
塩酸エメチン, 成分含量測
　定用　B - 988
塩酸・塩化カリウム緩衝
　液, pH 2.0　B - 987
塩酸オキシコドン, 定量用
　B - 988
塩酸, 希　B - 986
塩酸クロルプロマジン, 定
　量用　B - 988
塩酸クロルヘキシジン
　B - 988
塩酸 (2-クロロエチル) ジ
　エチルアミン　B - 988
塩酸・酢酸アンモニウム緩
　衝液, pH 3.5　B - 987
塩酸 2,4-ジアミノフェノ
　ール　B - 988
塩酸 2,4-ジアミノフェノ
　ール試液　B - 988

塩酸試液, 0.001 mol/L
　B - 986
塩酸試液, 0.01 mol/L
　B - 986
塩酸試液, 0.02 mol/L
　B - 986
塩酸試液, 0.05 mol/L
　B - 987
塩酸試液, 0.1 mol/L
　B - 987
塩酸試液, 0.2 mol/L
　B - 987
塩酸試液, 0.5 mol/L
　B - 987
塩酸試液, 1 mol/L
　B - 987
塩酸試液, 2 mol/L
　B - 987
塩酸試液, 3 mol/L
　B - 987
塩酸試液, 5 mol/L
　B - 987
塩酸試液, 6 mol/L
　B - 987
塩酸試液, 7.5 mol/L
　B - 987
塩酸試液, 10 mol/L
　B - 987
塩酸試液, アミノ酸自動分
　析用 6 mol/L　B - 987
塩酸ジエタノールアミン
　B - 988
L-塩酸システイン
　B - 988
塩酸ジフェニドール
　B - 988
塩酸 1,1-ジフェニル-4-ピ
　ペリジノ-1-ブテン, 薄
　層クロマトグラフィー用
　B - 988
塩酸ジブカイン　B - 988
塩酸 N,N-ジメチル-p-フェ
　ニレンジアミン
　B - 988
塩酸ジルチアゼム

　B - 988
塩酸シンコカイン
　C - 2323
塩酸スレオプロカテロール
　B - 988
塩酸, 精製　B - 986
塩酸セチリジン, 定量用
　B - 988
塩酸セフカペンピボキシル
　B - 988
塩酸セミカルバジド
　B - 988
塩酸タムスロシン
　B - 988
塩酸チアプリド, 定量用
　B - 988
塩酸チアラミド, 定量用
　B - 988
塩酸テトラサイクリン
　B - 988
塩酸ドパミン, 定量用
　B - 988
塩酸トリメタジジン, 定量
　用　B - 988
塩酸ニカルジピン, 定量用
　B - 989
塩酸パパベリン　B - 989
塩酸パパベリン, 定量用
　B - 989
塩酸パラアミノフェノール
　B - 989
L-塩酸ヒスチジン
　B - 989
塩酸ヒドララジン
　B - 989
塩酸ヒドララジン, 定量用
　B - 989
塩酸ヒドロキシアンモニウ
　ム　B - 989
塩酸ヒドロキシアンモニウ
　ム・エタノール試液
　B - 989
塩酸ヒドロキシアンモニウ
　ム・塩化鉄 (Ⅲ) 試液
　B - 989

日本名索引　　I‑25

塩酸ヒドロキシアンモニウ
　ム試液　B‑989
塩酸ヒドロキシアンモニウ
　ム試液, pH 3.1
　B‑989
塩酸ヒドロキシルアミン
　B‑989
塩酸ヒドロキシルアミン・
　塩化第二鉄試液
　B‑989
塩酸ヒドロキシルアミン試
　液　B‑989
塩酸ヒドロキシルアミン試
　液, pH 3.1　B‑989
塩酸ヒドロコタルニン, 定
　量用　B‑989
塩酸ピペリジン　B‑989
塩酸 1‑(4‑ピリジル) ピリ
　ジニウムクロリド
　B‑989
塩酸ピリドキシン
　B‑989
塩酸 1,10‑フェナントロリ
　ニウム一水和物
　B‑989
塩酸 o‑フェナントロリン
　B‑989
塩酸フェニルヒドラジニウ
　ム　B‑989
塩酸フェニルヒドラジニウ
　ム試液　B‑989
塩酸フェニルヒドラジン
　B‑989
塩酸フェニルヒドラジン試
　液　B‑989
塩酸フェニルピペラジン
　B‑989
塩酸フェネチルアミン
　B‑989
塩酸プソイドエフェドリン
　B‑989
塩酸ブホルミン, 定量用
　B‑989
塩酸プロカイン　B‑990
塩酸プロカインアミド

B‑990
塩酸プロカインアミド, 定
　量用　B‑990
塩酸プロカイン, 定量用
　B‑990
塩酸プロカテロール
　B‑990
塩酸・2‑プロパノール試液
　B‑987
塩酸プロパフェノン, 定量
　用　B‑990
塩酸プロプラノロール, 定
　量用　B‑990
塩酸ペチジン, 定量用
　B‑990
塩酸ベニジピン　B‑990
塩酸ベニジピン, 定量用
　B‑990
塩酸ベノキシネート
　C‑1220
塩酸ベラパミル, 定量用
　B‑990
塩酸ベンゾイルヒパコニン,
　成分含量測定用
　B‑990
塩酸ベンゾイルメサコニン,
　成分含量測定用
　B‑990
塩酸ベンゾイルメサコニン,
　薄層クロマトグラフィー
　用　B‑990
塩酸ミノサイクリン
　B‑990
塩酸メタサイクリン
　B‑990
塩酸・メタノール試液,
　0.01 mol/L　B‑987
塩酸・メタノール試液,
　0.05 mol/L　B‑987
dl‑塩酸メチルエフェドリ
　ン　B‑990
dl‑塩酸メチルエフェドリ
　ン, 定量用　B‑990
塩酸メトホルミン, 定量用
　B‑990

塩酸メピバカイン, 定量用
　B‑990
塩酸メフロキン　B‑990
塩酸モルヒネ　B‑990
塩酸モルヒネ, 定量用
　B‑990
塩酸ラベタロール
　B‑990
塩酸ラベタロール, 定量用
　B‑990
塩酸 L‑リジン　B‑990
塩酸リトドリン　B‑990
塩酸リモナーデ
　C‑1159
塩酸ロキサチジンアセター
　ト　B‑990
炎色反応試験法　B‑15
塩素　B‑990
塩素酸カリウム　B‑991
塩素試液　B‑990
エンタカポン　C‑1160,
　C‑6
エンタカポン (参照紫外可
　視吸収スペクトル)
　E‑32
エンタカポン (参照赤外吸
　収スペクトル)
　E‑230
エンタカポン錠
　C‑1166
遠藤培地　B‑991
遠藤平板培地　B‑991
エンドトキシン規格値の設
　定　F‑239
エンドトキシン試験法
　B‑535
エンドトキシン試験法と測
　定試薬に遺伝子組換えタ
　ンパク質を用いる代替法
　F‑236
エンドトキシン試験用水
　B‑991
エンドトキシン試験用トリ
　ス緩衝液　B‑991
エンビオマイシン硫酸塩

Ⅰ-26　　日本名索引

C－1169, C－6,
C－43
エンビオマイシン硫酸塩
（参照紫外可視吸収スペ
クトル）　E－33
エンフルラン　B－991,
C－1173
エンフルラン（参照赤外吸
収スペクトル）
E－231
円偏光二色性測定法
B－83

オ

オイゲノール，薄層クロマ
トグラフィー用
B－991
オウギ　D－87
黄耆　D－87
オウゴニン，薄層クロマト
グラフィー用　B－991
オウゴン　D－91
黄芩　D－91
オウゴン末　D－96
黄芩末　D－96
黄色ワセリン　C－6370,
C－22, C－125
黄色ワセリン（参照赤外吸
収スペクトル）
E－12
王水　B－992
オウセイ　D－98
黄精　D－98
オウバク　D－100
黄柏　D－100
オウバク・タンナルビン・
ビスマス散　D－112
オウバク末　D－108
黄柏末　D－108
オウヒ　D－114
桜皮　D－114
オウレン　D－116
黄連　D－116
黄連解毒湯エキス

D－127
オウレン末　D－123
黄連末　D－123
黄蠟　D－983
オキサゾラム　C－1176,
C－6
オキサゾラム（参照紫外可
視吸収スペクトル）
E－33
オキサピウムヨウ化物
C－1181, C－6
オキサピウムヨウ化物（参
照赤外吸収スペクトル）
E－231
オキサプロジン
C－1184, C－6
オキサプロジン（参照赤外
吸収スペクトル）
E－231
p-オキシ安息香酸
B－992
p-オキシ安息香酸イソプ
ロピル　B－992
p-オキシ安息香酸ベンジ
ル　B－992
2-オキシ-1-(2′-オキシ-
4′-スルホ-1′-ナフチル
アゾ)-3-ナフトエ酸
B－992
8-オキシキノリン
B－992
オキシコドン塩酸塩水和物
C－1188
オキシコドン塩酸塩水和物
（参照紫外可視吸収スペ
クトル）　E－33
オキシコドン塩酸塩水和物
（参照赤外吸収スペクト
ル）　E－232
オキシコドン塩酸塩水和
物，定量用　B－992
オキシテトラサイクリン塩
酸塩　C－1199, C－6
オキシテトラサイクリン塩
酸塩（参照紫外可視吸収

スペクトル）　E－34
オキシテトラサイクリン塩
酸塩（参照赤外吸収スペ
クトル）　E－232
オキシトシン　B－992,
C－1205
オキシトシン（参照紫外可
視吸収スペクトル）
E－34
オキシトシン注射液
C－1212
オキシドール　C－1215,
C－6
オキシブチニン塩酸塩
C－44
オキシブチニン塩酸塩（参
照紫外可視吸収スペクト
ル）　E－5
オキシブチニン塩酸塩（参
照赤外吸収スペクトル）
E－11
オキシブプロカイン塩酸塩
C－1220, C－6
オキシブプロカイン塩酸塩
（参照紫外可視吸収スペ
クトル）　E－34
オキシメトロン
C－1223
オキシメトロン（参照紫外
可視吸収スペクトル）
E－35
オキシメトロン（参照赤外
吸収スペクトル）
E－232
オキセサゼイン
C－1227, C－6
オキセサゼイン（参照紫外
可視吸収スペクトル）
E－35
オキセサゼイン（参照赤外
吸収スペクトル）
E－233
オキセタカイン
C－1227
オクスプレノロール塩酸塩

日本名索引　　Ｉ-27

C - 1230, <u>C - 6</u>
オクスプレノロール塩酸塩
　（参照赤外吸収スペクト
　ル）　E - 233
n-オクタデカン　B - 992
オクタデシル-強アニオン
　交換基シリル化シリカゲ
　ル，液体クロマトグラフ
　ィー用　B - 1340
オクタデシルシリル化シリ
　カゲル，液体クロマトグ
　ラフィー用　B - 1340
オクタデシルシリル化シリ
　カゲル（蛍光剤入り），
　薄層クロマトグラフィー
　用　B - 1340
オクタデシルシリル化シリ
　カゲル，薄層クロマトグ
　ラフィー用　B - 1340
オクタデシルシリル化シリ
　カゲル，前処理用
　B - 992
オクタデシルシリル化シリ
　コンポリマー被覆シリカ
　ゲル，液体クロマトグラ
　フィー用　B - 1340
オクタデシルシリル化シリ
　コーンポリマー被覆シリ
　カゲル，液体クロマトグ
　ラフィー用　B - 1340
オクタデシルシリル化多孔
　質ガラス，液体クロマト
　グラフィー用
　B - 1340
オクタデシルシリル化ポリ
　ビニルアルコールゲルポ
　リマー，液体クロマトグ
　ラフィー用　B - 1340
オクタデシルシリル化モノ
　リス型シリカ，液体クロ
　マトグラフィー用
　B - 1340
オクタデシルシリル基及び
　オクチルシリル基を結合
　した多孔質シリカゲル，

液体クロマトグラフィー
　用　<u>B - 130</u>
1-オクタノール　B - 992
n-オクタン　B - 992
オクタン，イソ　B - 992
1-オクタンスルホン酸ナ
　トリウム　B - 992
オクチルアルコール
　B - 992
オクチルシリル化シリカゲ
　ル，液体クロマトグラフ
　ィー用　B - 1340
n-オクチルベンゼン
　B - 992
オザグレルナトリウム
　C - 1234, <u>C - 6</u>
オザグレルナトリウム（参
　照紫外可視吸収スペクト
　ル）　E - 35
オザグレルナトリウム（参
　照赤外吸収スペクトル）
　E - 233
オザグレルナトリウム注射
　液　C - 1238
オストール，薄層クロマト
　グラフィー用　B - 992
乙字湯エキス　D - 134
オピアル　C - 235
オピアル注射液　C - 239
オフロキサシン
　B - 993，C - 1242,
　<u>C - 6</u>
オフロキサシン（参照紫外
　可視吸収スペクトル）
　E - 36
オフロキサシン（参照赤外
　吸収スペクトル）
　E - 234
オフロキサシン脱メチル体
　B - 993
オボムコイド化学結合アミ
　ノシリカゲル，液体クロ
　マトグラフィー用
　B - 1340
オメプラゾール

C - 1246, <u>C - 6</u>
オメプラゾール（参照紫外
　可視吸収スペクトル）
　E - 36
オメプラゾール（参照赤外
　吸収スペクトル）
　E - 234
オメプラゾール腸溶錠
　C - 1251
オメプラゾール，定量用
　B - 993
オーラノフィン
　C - 1254, <u>C - 6</u>
オーラノフィン（参照赤外
　吸収スペクトル）
　E - 234
オーラノフィン錠
　C - 1258
オリブ油　B - 993,
　D - 142
オルシプレナリン硫酸塩
　C - 1261, <u>C - 6</u>
オルシプレナリン硫酸塩
　（参照紫外可視吸収スペ
　クトル）　E - 36
オルシン　B - 993
オルシン・塩化第二鉄試液
　B - 993
オルシン・塩化鉄（Ⅲ）試
　液　B - 993
オルトキシレン　B - 993
オルトトルエンスルホンア
　ミド　B - 993
オルメサルタン　メドキソ
　ミル　C - 1265, <u>C - 6</u>
オルメサルタン　メドキソ
　ミル（参照紫外可視吸収
　スペクトル）　E - 37
オルメサルタン　メドキソ
　ミル（参照赤外吸収スペ
　クトル）　E - 285
オルメサルタン　メドキソ
　ミル錠　C - 1272
オレイン酸　B - 993
オレイン酸メチル，ガスク

I-28 日本名索引

ロマトグラフィー用
　B-994
オレンジ油　D-146
オロパタジン塩酸塩
　C-1276, C-6
オロパタジン塩酸塩（参照
　紫外可視吸収スペクト
　ル）　E-37
オロパタジン塩酸塩（参照
　赤外吸収スペクトル）
　E-235
オロパタジン塩酸塩錠
　C-1280
オロパタジン塩酸塩, 定量
　用　B-994
オンジ　B-994,
　D-147
遠志　D-147
オンジ末　D-150
遠志末　D-150
温度計　B-1367

カ

海砂　B-994
カイニン酸　B-994
カイニン酸・サントニン散
　C-1287
カイニン酸水和物
　B-994, C-1283,
　C-6
カイニン酸水和物, 定量用
　B-994
カイニン酸, 定量用
　B-994
海人草　D-978
ガイヨウ　D-152,
　D-8
艾葉　D-152
外用エアゾール剤
　A-142
外用液剤　A-136
外用固形剤　A-134
外用散剤　A-135
過塩素酸　B-994

0.02 mol/L 過塩素酸
　B-862
0.05 mol/L 過塩素酸
　B-862
0.1 mol/L 過塩素酸
　B-861
過塩素酸・エタノール試液
　B-994
0.004 mol/L 過塩素酸・
　1,4-ジオキサン液
　B-864
0.05 mol/L 過塩素酸・
　1,4-ジオキサン液
　B-864
0.1 mol/L 過塩素酸・
　1,4-ジオキサン液
　B-863
0.004 mol/L 過塩素酸・ジ
　オキサン液　B-863
0.05 mol/L 過塩素酸・ジ
　オキサン液　B-863
0.1 mol/L 過塩素酸・ジオ
　キサン液　B-863
過塩素酸第二鉄　B-994
過塩素酸第二鉄・無水エタ
　ノール試液　B-994
過塩素酸鉄（Ⅲ）・エタノ
　ール試液　B-994
過塩素酸鉄（Ⅲ）六水和物
　B-994
過塩素酸ナトリウム
　B-994
過塩素酸ナトリウム一水和
　物　B-994
過塩素酸バリウム
　B-994
0.005 mol/L 過塩素酸バリ
　ウム液　B-864
過塩素酸ヒドロキシルアミ
　ン　B-994
過塩素酸ヒドロキシルアミ
　ン・エタノール試液
　B-994
過塩素酸ヒドロキシルアミ
　ン試液　B-994

過塩素酸ヒドロキシルアミ
　ン・無水エタノール試液
　B-994
過塩素酸・無水エタノール
　試液　B-994
過塩素酸リチウム
　B-994
カオリン　C-1289
カカオ脂　D-154
化学合成される医薬品原薬
　及びその製剤の不純物に
　関する考え方　F-19,
　F-7
化学用体積計　B-1354
過ギ酸　B-995
核酸分解酵素不含水
　B-995
核磁気共鳴スペクトル測定
　法　B-151
核磁気共鳴スペクトル測定
　用重塩酸　B-995
核磁気共鳴スペクトル測定
　用重水　B-995
核磁気共鳴スペクトル測定
　用重水素化アセトン
　B-995
核磁気共鳴スペクトル測定
　用重水素化ギ酸
　B-995
核磁気共鳴スペクトル測定
　用重水素化クロロホルム
　B-995
核磁気共鳴スペクトル測定
　用重水素化ジメチルスル
　ホキシド　B-995
核磁気共鳴スペクトル測定
　用重水素化ピリジン
　B-995
核磁気共鳴スペクトル測定
　用重水素化メタノール
　B-995
核磁気共鳴スペクトル測定
　用重水素化溶媒
　B-995
核磁気共鳴スペクトル測定

用 DSS-d_6　B-995

核磁気共鳴スペクトル測定
　用テトラメチルシラン
　B-995

核磁気共鳴スペクトル測定
　用トリフルオロ酢酸
　B-995

核磁気共鳴スペクトル測定
　用3-トリメチルシリル
　プロパンスルホン酸ナト
　リウム　B-995

核磁気共鳴スペクトル測定
　用3-トリメチルシリル
　プロピオン酸ナトリウム-
　d_4　B-996

核磁気共鳴スペクトル測定
　用1,4-ビス（トリメチル
　シリル）ベンゼン-d_4
　B-996

核磁気共鳴スペクトル測定
　用1,4-BTMSB-d_4
　B-996

核磁気共鳴（NMR）法を
　利用した定量技術と日本
　薬局方試薬への応用
　F-298

確認試験用タクシャトリテ
　ルペン混合試液
　B-996

加香ヒマシ油　D-854

加工ブシ　D-883

加工ブシ末　D-889

カゴソウ　D-157

夏枯草　D-157

かさ密度及びタップ密度測
　定法　B-480

過酸化水素 (30)　B-996

過酸化水素試液　B-996

過酸化水素試液, 希
　B-996

過酸化水素水, 強
　B-996

過酸化水素・水酸化ナトリ
　ウム試液　B-996

過酸化水素濃度試験紙

B-1347

過酸化水素標準液
　B-916

過酸化水素標準原液
　B-916

過酸化ナトリウム
　B-996

過酸化ベンゾイル, 25％
　含水　B-996

カシアフラスコ
　B-1354

カシュウ　D-159

何首烏　D-159

ガジュツ　D-162

莪述　D-162

莪朮　D-162

加水ラノリン　D-1024

ガスクロマトグラフィー
　B-121, B-52

ガスクロマトグラフィー用
　アセトアルデヒド
　B-996

ガスクロマトグラフィー用
　アラキジン酸メチル
　B-996

ガスクロマトグラフィー用
　アルキレングリコールフ
　タル酸エステル
　B-996

ガスクロマトグラフィー用
　エイコセン酸メチル
　B-996

ガスクロマトグラフィー用
　エタノール　B-996

ガスクロマトグラフィー用
　オレイン酸メチル
　B-996

ガスクロマトグラフィー用
　グラファイトカーボン
　B-1340

ガスクロマトグラフィー用
　グリセリン　B-996

ガスクロマトグラフィー用
　ケイソウ土　B-1340

ガスクロマトグラフィー用

コハク酸ジエチレングリ
　コールポリエステル
　B-997

ガスクロマトグラフィー用
　6％シアノプロピルフェ
　ニル-94％ジメチルシリ
　コーンポリマー
　B-997

ガスクロマトグラフィー用
　14％シアノプロピルフ
　ェニル-86％ジメチルシ
　リコーンポリマー
　B-1341

ガスクロマトグラフィー用
　6％シアノプロピル-6％
　フェニル-メチルシリコ
　ーンポリマー　B-997

ガスクロマトグラフィー用
　7％シアノプロピル-7％
　フェニル-メチルシリコ
　ーンポリマー　B-997

ガスクロマトグラフィー用
　シアノプロピルメチルフ
　ェニルシリコーン
　B-997

ガスクロマトグラフィー用
　ジエチレングリコールア
　ジピン酸エステル
　B-997

ガスクロマトグラフィー用
　ジエチレングリコールコ
　ハク酸エステル
　B-997

ガスクロマトグラフィー用
　5％ジフェニル・95％ジ
　メチルポリシロキサン
　B-997

ガスクロマトグラフィー用
　ジメチルポリシロキサン
　B-997

ガスクロマトグラフィー用
　シリカゲル　B-1341

ガスクロマトグラフィー用
　ステアリン酸　B-997

ガスクロマトグラフィー用

I-30　日本名索引

ステアリン酸メチル
B-997
ガスクロマトグラフィー用
ゼオライト (孔径 0.5 nm)
B-1341
ガスクロマトグラフィー用
石油系ヘキサメチルテト
ラコサン類分枝炭化水素
混合物 (L)　B-997
ガスクロマトグラフィー用
D-ソルビトール
B-997
ガスクロマトグラフィー用
多孔質シリカゲル
B-1341
ガスクロマトグラフィー用
多孔性アクリロニトリル-
ジビニルベンゼン共重合
体 (孔径 0.06 ～ 0.08
μm, 100 ～ 200 m²/g)
B-1341
ガスクロマトグラフィー用
多孔性エチルビニルベン
ゼン-ジビニルベンゼン
共重合体　B-1341
ガスクロマトグラフィー用
多孔性エチルビニルベン
ゼン-ジビニルベンゼン
共重合体 (平均孔径
0.0075 μm, 500 ～
600 m²/g)　B-1341
ガスクロマトグラフィー用
多孔性スチレン-ジビニ
ルベンゼン共重合体 (平
均孔径 0.0085 μm,
300 ～ 400 m²/g)
B-1341
ガスクロマトグラフィー用
多孔性スチレン-ジビニ
ルベンゼン共重合体 (平
均孔径 0.3 ～ 0.4 μm,
50 m²/g 以下)
B-1341
ガスクロマトグラフィー用
多孔性ポリマービーズ

B-1341
ガスクロマトグラフィー用
テトラキスヒドロキシプ
ロピルエチレンジアミン
B-997
ガスクロマトグラフィー用
テトラヒドロフラン
B-997
ガスクロマトグラフィー用
テレフタル酸
B-1341
ガスクロマトグラフィー用
ノニルフェノキシポリ
(エチレンオキシ) エタ
ノール　B-997
ガスクロマトグラフィー用
パルミチン酸　B-998
ガスクロマトグラフィー用
パルミチン酸メチル
B-998
ガスクロマトグラフィー用
パルミトレイン酸メチル
B-998
ガスクロマトグラフィー用
25％フェニル-25％シア
ノプロピル-メチルシリ
コーンポリマー
B-998
ガスクロマトグラフィー用
5％フェニル-メチルシ
リコーンポリマー
B-998
ガスクロマトグラフィー用
35％フェニル-メチルシ
リコーンポリマー
B-998
ガスクロマトグラフィー用
50％フェニル-メチルシ
リコーンポリマー
B-998
ガスクロマトグラフィー用
65％フェニル-メチルシ
リコーンポリマー
B-998
ガスクロマトグラフィー用

50％フェニル-50％メチ
ルポリシロキサン
B-998
ガスクロマトグラフィー用
プロピレングリコール
B-998
ガスクロマトグラフィー用
ポリアクリル酸メチル
B-998
ガスクロマトグラフィー用
ポリアルキレングリコー
ル　B-998
ガスクロマトグラフィー用
ポリアルキレングリコー
ルモノエーテル
B-998
ガスクロマトグラフィー用
ポリエチレングリコール
20 M　B-998
ガスクロマトグラフィー用
ポリエチレングリコール
400　B-998
ガスクロマトグラフィー用
ポリエチレングリコール
600　B-998
ガスクロマトグラフィー用
ポリエチレングリコール
1500　B-998
ガスクロマトグラフィー用
ポリエチレングリコール
6000　B-998
ガスクロマトグラフィー用
ポリエチレングリコール
エステル化物　B-999
ガスクロマトグラフィー用
ポリエチレングリコール
15000-ジエポキシド
B-999
ガスクロマトグラフィー用
ポリエチレングリコール
2-ニトロテレフタレー
ト　B-999
ガスクロマトグラフィー用
ポリテトラフルオロエチ
レン　B-1341

日本名索引　　I –31

ガスクロマトグラフィー用
　ポリメチルシロキサン
　B – 999
ガスクロマトグラフィー用
　ミリスチン酸メチル
　B – 999
ガスクロマトグラフィー用
　無水トリフルオロ酢酸
　B – 999
ガスクロマトグラフィー用
　メチルシリコーンポリ
　マー　B – 999
ガスクロマトグラフィー用
　四フッ化エチレンポリ
　マー　B – 1341
ガスクロマトグラフィー用
　ラウリン酸メチル
　B – 999
ガスクロマトグラフィー用
　リグノセリン酸メチル
　B – 999
ガスクロマトグラフィー用
　リノール酸メチル
　B – 999
ガスクロマトグラフィー用
　リノレン酸メチル
　B – 999
カゼイン製ペプトン
　B – 999
カゼイン（乳製）
　B – 999
カゼイン，乳製　B – 999
ガチフロキサシン水和物
　C – 1292, C – 6
ガチフロキサシン水和物
　（参照紫外可視吸収スペ
　クトル）　E – 37
ガチフロキサシン水和物
　（参照赤外吸収スペクト
　ル）　E – 235
ガチフロキサシン点眼液
　C – 1298
カッコウ　D – 165
藿香　D – 165
カッコン　D – 167

葛根　D – 167
葛根湯エキス　D – 171
葛根湯加川芎辛夷エキス
　D – 179
活性アルミナ　B – 999
活性炭　B – 999
活性部分トロンボプラスチ
　ン時間測定用試液
　B – 999
活性部分トロンボプラスチ
　ン時間測定用試薬
　B – 999
カッセキ　D – 189
滑石　D – 189
過テクネチウム酸ナトリウ
　ム（⁹⁹ᵐTc）注射液
　C – 1301
カテコール　B – 1000
果糖　B – 1000,
　C – 1303, C – 6
果糖（参照赤外吸収スペク
　トル）　E – 236
果糖注射液　C – 1308,
　C – 6
果糖，薄層クロマトグラフ
　ィー用　B – 1000
カドミウム地金
　B – 1000
カドミウム・ニンヒドリン
　試液　B – 1000
カドミウム標準液
　B – 917
カドミウム標準原液
　B – 917
カドララジン　C – 1309,
　C – 6
カドララジン（参照紫外可
　視吸収スペクトル）
　E – 38
カドララジン（参照赤外吸
　収スペクトル）
　E – 236
カドララジン錠
　C – 1313
カドララジン，定量用

B – 1000
カナマイシン一硫酸塩
　C – 1316, C – 6
カナマイシン硫酸塩
　B – 1000, C – 1321,
　C – 6
カノコソウ　D – 191
カノコソウ末　D – 194
カフェイン　B – 1000
カフェイン水和物
　B – 1000, C – 1327,
　C – 6
カフェイン，無水
　B – 1000
カプサイシン，成分含量測
　定用　B – 1000
(E)-カプサイシン，成分含
　量測定用　B – 1000
(E)-カプサイシン，定量用
　B – 1000
カプサイシン，薄層クロマ
　トグラフィー用
　B – 1000
(E)-カプサイシン，薄層ク
　ロマトグラフィー用
　B – 1001
カプセル　C – 1332
カプセル剤　A – 44
カプトプリル　C – 1335,
　C – 6
カプトプリル（参照赤外吸
　収スペクトル）
　E – 236
カプリル酸　B – 1001
n-カプリル酸エチル
　B – 1001
ガベキサートメシル酸塩
　C – 1341, C – 6
ガベキサートメシル酸塩
　（参照紫外可視吸収スペ
　クトル）　E – 38
カベルゴリン　C – 1346,
　C – 7
カベルゴリン（参照紫外可
　視吸収スペクトル）

E－38

カベルゴリン（参照赤外吸収スペクトル）　E－237

火麻仁　D－981

過マンガン酸カリウム　B－1002, C－1352, C－7

0.002 mol/L 過マンガン酸カリウム液　B－866

0.02 mol/L 過マンガン酸カリウム液　B－864

過マンガン酸カリウム試液　B－1002

過マンガン酸カリウム試液，酸性　B－1002

加味帰脾湯エキス　D－196

加味逍遙散エキス　D－206

ガム剤　A－72

カモスタットメシル酸塩　C－1355, C－7

カモスタットメシル酸塩（参照紫外可視吸収スペクトル）　E－39

過ヨウ素酸カリウム　B－1002

1.6％過ヨウ素酸カリウム・0.2％過マンガン酸カリウム試液，アルカリ性　B－1002

過ヨウ素酸カリウム試液　B－1002

過ヨウ素酸ナトリウム　B－1002

過ヨウ素酸ナトリウム試液　B－1002

D－ガラクトサミン塩酸塩　B－1002

β－ガラクトシダーゼ（アスペルギルス）　C－1359, C－7

β－ガラクトシダーゼ（アスペルギルス）（参照紫

外可視吸収スペクトル）　E－39

β－ガラクトシダーゼ（ペニシリウム）　C－1363, C－7

ガラクトース　B－1002

D－ガラクトース　B－1002

ガラスインピンジャーによる吸入剤の空気力学的粒度測定法　F－339

ガラスウール　B－1347

ガラス製医薬品容器　F－352

ガラス繊維　B－1347

ガラスろ過器　B－1347

ガラスろ過器，酸化銅ろ過用　B－1347

カラムクロマトグラフィー用エチルシリル化シリカゲル　B－1341

カラムクロマトグラフィー用強塩基性イオン交換樹脂　B－1342

カラムクロマトグラフィー用強酸性イオン交換樹脂　B－1342

カラムクロマトグラフィー用合成ケイ酸マグネシウム　B－1342

カラムクロマトグラフィー用ジエチルアミノエチルセルロース　B－1342

カラムクロマトグラフィー用ジビニルベンゼン－N－ビニルピロリドン共重合体　B－1342

カラムクロマトグラフィー用中性アルミナ　B－1342

カラムクロマトグラフィー用ポリアミド　B－1342

カリウム標準原液　B－917

カリジノゲナーゼ　C－1367

カリジノゲナーゼ測定用基質試液 (1)　B－1003

カリジノゲナーゼ測定用基質試液 (2)　B－1003

カリジノゲナーゼ測定用基質試液 (3)　B－1003

カリジノゲナーゼ測定用基質試液 (4)　B－1003

カリ石ケン　C－1375

顆粒剤　A－47

過硫酸アンモニウム　B－1003

過硫酸カリウム　B－1003

カルシウム標準液　B－917

カルシウム標準液，原子吸光光度用　B－917

カルシトニンサケ　C－1377

カルシトニンサケ（参照紫外可視吸収スペクトル）　E－39

カルテオロール塩酸塩　C－1386, C－7

カルテオロール塩酸塩（参照紫外可視吸収スペクトル）　E－40

カルテオロール塩酸塩（参照赤外吸収スペクトル）　E－237

カルナウバロウ　D－214

カルバゾクロム　B－1003

カルバゾクロムスルホン酸ナトリウム三水和物　B－1003

カルバゾクロムスルホン酸ナトリウム水和物　C－1390, C－7

カルバゾクロムスルホン酸ナトリウム水和物（参照紫外可視吸収スペクト

日本名索引　Ⅰ-33

ル）　E-40

カルバゾクロムスルホン酸
　ナトリウム水和物（参照
　赤外吸収スペクトル）
　E-237

カルバゾクロムスルホン酸
　ナトリウム，成分含量測
　定用　B-1003

カルバゾール　B-1003

カルバゾール試液
　B-1003

カルバマゼピン
　C-1394, C-7

カルバマゼピン（参照紫外
　可視吸収スペクトル）
　E-40

カルバミン酸エチル
　B-1003

カルバミン酸クロルフェネ
　シン，定量用
　B-1004

カルバモイル基結合型シリ
　カゲル，液体クロマトグ
　ラフィー用　B-1342

カルビドパ水和物
　C-1401, C-7

カルビドパ水和物（参照紫
　外可視吸収スペクトル）
　E-41

カルビドパ水和物（参照赤
　外吸収スペクトル）
　E-238

カルベジロール
　C-1406, C-7

カルベジロール（参照紫外
　可視吸収スペクトル）
　E-41

カルベジロール（参照赤外
　吸収スペクトル）
　E-238

カルベジロール錠
　C-1410

カルベジロール，定量用
　B-1004

カルボキシメチルセルロー

ス　C-1429

カルボキシメチルセルロー
　スカルシウム
　C-1431

カルボキシメチルセルロー
　スナトリウム
　C-1435

L-カルボシステイン
　C-1415, C-7

L-カルボシステイン（参
　照赤外吸収スペクトル）
　E-238

L-カルボシステイン錠
　C-1418

L-カルボシステイン，定
　量用　B-1004

カルボプラチン
　B-1004, C-1420

カルボプラチン（参照赤外
　吸収スペクトル）
　E-239

カルボプラチン注射液
　C-1426

カルメロース　C-1429,
　C-7

カルメロースカルシウム
　C-1431, C-7

カルメロース（参照赤外吸
　収スペクトル）
　E-239

カルメロースナトリウム
　C-1435, C-7

カルモナムナトリウム
　C-1445, C-7

カルモナムナトリウム（参
　照紫外可視吸収スペクト
　ル）　E-41

カルモナムナトリウム（参
　照赤外吸収スペクトル）
　E-239

カルモフール　C-1452,
　C-7

カルモフール（参照紫外可
　視吸収スペクトル）
　E-42

カルモフール（参照赤外吸
　収スペクトル）
　E-240

カロコン　D-216

栝楼根　D-216

カンキョウ　D-218,
　D-8

乾姜　D-218

還元液，分子量試験用
　B-1004

還元緩衝液，ナルトグラス
　チム試料用　B-1004,
　B-129

還元鉄　B-1004

丸剤　A-162

環式化合物の名称と位置番
　号　H-165

緩衝液，SDSポリアクリ
　ルアミドゲル電気泳動用
　B-1004

緩衝液，酵素消化用
　B-1004

緩衝液，セルモロイキン用
　B-1004

緩衝液，ナルトグラスチム
　試料用　B-1004,
　B-129

緩衝液，フィルグラスチム
　試料用　B-1004

緩衝液用1 mol/L クエン
　酸試液　B-1005

緩衝液用0.2 mol/L フタル
　酸水素カリウム試液
　B-1005

緩衝液用0.2 mol/L ホウ
　酸・0.2 mol/L 塩化カリ
　ウム試液　B-1005

緩衝液用1 mol/L リン酸
　一水素カリウム試液
　B-1005

緩衝液用1 mol/L リン酸
　水素二カリウム試液
　B-1005

緩衝液用0.2 mol/L リン酸
　二水素カリウム試液

I -34　日本名索引

B - 1005
乾生姜　D - 506
乾生姜末　D - 512
25％含水過酸化ベンゾイ
ル　B - 1005
4％含水中性アルミナ
B - 1005
カンゾウ　D - 221
甘草　D - 221
乾燥亜硫酸ナトリウム
C - 357, C - 4
カンゾウエキス　D - 234
甘草エキス　D - 234
乾燥減量試験法　B - 248
甘草羔　D - 236
乾燥甲状腺　C - 1963
乾燥酵母　C - 1967
含嗽剤　A - 75
乾燥細胞培養痘そうワクチ
ン　C - 3473
乾燥ジフテリアウマ抗毒素
C - 2327
乾燥弱毒生おたふくかぜワ
クチン　C - 1241
乾燥弱毒生風しんワクチン
C - 4566
乾燥弱毒生麻しんワクチン
C - 5505
乾燥水酸化アルミニウムゲ
ル　C - 2516, C - 10
乾燥水酸化アルミニウムゲ
ル細粒　C - 2520
カンゾウ粗エキス
D - 236
乾燥組織培養不活化狂犬病
ワクチン　C - 1547
乾燥炭酸ナトリウム
B - 1005, C - 3137,
C - 12
乾燥痘そうワクチン
C - 3473
乾燥はぶウマ抗毒素
C - 4064
乾燥 BCG ワクチン
C - 4272

乾燥ボウショウ　D - 916
乾燥ボツリヌスウマ抗毒素
C - 5409
カンゾウ末　D - 231
甘草末　D - 231
乾燥まむしウマ抗毒素
C - 5519
乾燥用塩化カルシウム
B - 1005
乾燥用合成ゼオライト
B - 1005
乾燥硫酸アルミニウムカリ
ウム　C - 6141
乾燥硫酸ナトリウム
D - 916
カンデサルタン シレキセ
チル　B - 1005,
C - 1455, C - 7
カンデサルタン シレキセ
チル・アムロジピンベシ
ル酸塩錠　C - 1466
カンデサルタン シレキセ
チル（参照紫外可視吸収
スペクトル）　E - 42
カンデサルタン シレキセ
チル（参照赤外吸収スペ
クトル）　E - 240
カンデサルタン シレキセ
チル錠　C - 1462
カンデサルタンシレキセチ
ル，定量用　B - 1005
カンデサルタン シレキセ
チル・ヒドロクロロチア
ジド錠　C - 1475
カンテン　B - 1005,
D - 239
寒天　D - 239
カンテン斜面培地
B - 1005
カンテン培地，普通
B - 1005
カンテン末　D - 242
寒天末　D - 242
含糖ペプシン　B - 1005,
C - 1486

眼軟膏剤　A - 119
眼軟膏剤の金属性異物試験
法　B - 669
ガンビール　D - 7
ガンビール末　D - 10
d-カンファスルホン酸
B - 1005
カンフル　B - 1006
d-カンフル　C - 1488
dl-カンフル　C - 1493
漢方製剤 294 処方
H - 122
肝油　C - 1495
カンレノ酸カリウム
C - 1498, C - 7
カンレノ酸カリウム（参照
紫外可視吸収スペクト
ル）　E - 42
カンレノ酸カリウム（参照
赤外吸収スペクトル）
E - 240

キ

希エタノール　B - 1006
希塩化第二鉄試液
B - 1006
希塩化鉄（Ⅲ）試液
B - 1006
希塩酸　B - 1006,
C - 1157, C - 6
希過酸化水素試液
B - 1006
気管支・肺に適用する製剤
A - 107
希ギムザ試液　B - 1006
キキョウ　B - 1006,
D - 244
桔梗根　D - 244
桔梗根末　D - 248
キキョウ末　D - 248
キキョウ流エキス
D - 250
キクカ　D - 251
菊花　D - 251

希五酸化バナジウム試液
B - 1006
希酢酸 B - 1006
キササゲ D - 254
ギ酸 B - 1006
ギ酸アンモニウム
B - 1006
ギ酸アンモニウム緩衝液,
0.05 mol/L, pH 4.0
B - 1006
ギ酸エチル B - 1006
希酸化バナジウム（V）試
液 B - 1007
キサンテン B - 1007
キサンテン-9-カルボン酸
B - 1007
キサントヒドロール
B - 1007
キサントン B - 1007
ギ酸 n-ブチル B - 1007
希次酢酸鉛試液
B - 1007
希次硝酸ビスマス・ヨウ化
カリウム試液, 噴霧用
B - 1007
キジツ B - 1007,
D - 257
枳実 D - 257
基質緩衝液, セルモロイキ
ン用 B - 1007
基質試液, インターフェロ
ンアルファ確認用
B - 1008
基質試液, エポエチンアル
ファ用 B - 1008
基質試液, 塩化リゾチーム
用 B - 1008
基質試液 (1), カリジノゲ
ナーゼ測定用
B - 1008
基質試液 (2), カリジノゲ
ナーゼ測定用
B - 1008
基質試液 (3), カリジノゲ
ナーゼ測定用

B - 1008
基質試液 (4), カリジノゲ
ナーゼ測定用
B - 1008
基質試液, リゾチーム塩酸
塩用 B - 1008
希 2,6-ジブロモ-N-クロロ-
1,4-ベンゾキノンモノイ
ミン試液 B - 1008
希 p-ジメチルアミノベン
ズアルデヒド・塩化第二
鉄試液 B - 1008
希 4-ジメチルアミノベン
ズアルデヒド・塩化鉄
（Ⅲ）試液 B - 1008
希釈液, 粒子計数装置用
B - 1008
希硝酸 B - 1008
キシリット C - 1502
キシリット注射液
C - 1506
キシリトール B - 1008,
C - 1502, C - 7
キシリトール（参照赤外吸
収スペクトル）
E - 241
キシリトール注射液
C - 1506
キシレノールオレンジ
B - 1008
キシレノールオレンジ試液
B - 1008
キシレン B - 1009
o-キシレン B - 1009
キシレンシアノール FF
B - 1009
キシロース B - 1009
D-キシロース B - 1009
希水酸化カリウム・エタノ
ール試液 B - 1009
希水酸化ナトリウム試液
B - 1009
キタサマイシン
C - 1508
キタサマイシン酢酸エステ

ル C - 1512
キタサマイシン酢酸エステ
ル（参照紫外可視吸収ス
ペクトル） E - 43
キタサマイシン酢酸エステ
ル（参照赤外吸収スペク
トル） E - 241
キタサマイシン（参照紫外
可視吸収スペクトル）
E - 43
キタサマイシン酒石酸塩
C - 1516, C - 7
キタサマイシン酒石酸塩
（参照紫外可視吸収スペ
クトル） E - 43
キタサマイシン酒石酸塩
（参照赤外吸収スペクト
ル） E - 241
希チモールブルー試液
B - 1009
キッカ D - 251
吉草根 D - 191
吉草根末 D - 194
n-吉草酸 B - 1009
希鉄・フェノール試液
B - 1009
キナプリル塩酸塩
C - 1522, C - 7
キナプリル塩酸塩（参照紫
外可視吸収スペクトル）
E - 44
キナプリル塩酸塩（参照赤
外吸収スペクトル）
E - 242
キナプリル塩酸塩錠
C - 1527
キナプリル塩酸塩, 定量用
B - 1009
キニジン硫酸塩水和物
B - 1009, C - 1531
キニーネエチル炭酸エステ
ル C - 1536, C - 7
キニーネエチル炭酸エステ
ル（参照紫外可視吸収ス
ペクトル） E - 44

I-36　日本名索引

キニーネエチル炭酸エステ
　ル（参照赤外吸収スペク
　トル）　E-242
キニーネ塩酸塩水和物
　C-1539
キニーネ硫酸塩水和物
　B-1009, C-1544,
　C-7
キニーネ硫酸塩水和物（参
　照紫外可視吸収スペクト
　ル）　E-44
キニーネ硫酸塩水和物（参
　照赤外吸収スペクトル）
　E-242
キニノーゲン　B-1009
キニノーゲン試液
　B-1010
8-キノリノール
　B-1010
キノリン　B-1010
キノリン試液　B-1010
希フェノールフタレイン試
　液　B-1010
希フェノールレッド試液
　B-1010
希フォリン試液
　B-1010
希ブロモフェノールブルー
　試液　B-1010
希ペンタシアノニトロシル
　鉄（Ⅲ）酸ナトリウム・
　ヘキサシアノ鉄（Ⅲ）酸
　カリウム試液
　B-1010
希ホルムアルデヒド試液
　B-1010
ギムザ試液　B-1010
ギムザ試液，希
　B-1010
希メチルレッド試液
　B-1011
キモトリプシノーゲン，ゲ
　ルろ過分子量マーカー用
　B-1011
α-キモトリプシン

B-1011
キャピラリー電気泳動法
　F-126
牛脂　D-260
吸水クリーム　C-1641
吸収スペクトル用ジメチル
　スルホキシド
　B-1011
吸収スペクトル用ヘキサン
　B-1011
吸収スペクトル用 n-ヘキ
　サン　B-1011
吸水軟膏　C-1641
吸入エアゾール剤
　A-108
吸入液剤　A-108
吸入剤　A-107
吸入剤の空気力学的粒度測
　定法　B-754
吸入剤の送達量均一性試験
　法　B-744
吸入粉末剤　A-107
強アンモニア水
　B-1011
強塩基性イオン交換樹脂
　B-1011
強塩基性イオン交換樹脂，
　液体クロマトグラフィー
　用　B-1342
強塩基性イオン交換樹脂，
　カラムクロマトグラフィ
　ー用　B-1342
強過酸化水素水
　B-1011
キョウカツ　D-261
羌活　D-261
凝固点測定法　B-251
強酢酸第二銅試液
　B-1011
強酢酸銅（Ⅱ）試液
　B-1011
強酸性イオン交換樹脂
　B-1011
強酸性イオン交換樹脂，液
　体クロマトグラフィー用

B-1342
強酸性イオン交換樹脂，カ
　ラムクロマトグラフィー
　用　B-1342
強酸性イオン交換シリカゲ
　ル，液体クロマトグラフ
　ィー用　B-1342
希ヨウ素試液　B-1011
キョウニン　D-264,
　D-9
杏仁　D-264
キョウニン水　D-269
杏仁水　D-269
強熱減量試験法　B-254
強熱残分試験法　B-255
希ヨードチンキ
　C-5933
希硫酸　B-1011
希硫酸アンモニウム鉄（Ⅲ）
　試液　B-1011
希硫酸第二鉄アンモニウム
　試液　B-1011
[6]-ギンゲロール，成分含
　量測定用　B-1011
[6]-ギンゲロール，定量用
　B-1011, B-112
[6]-ギンゲロール，薄層ク
　ロマトグラフィー用
　B-1013
近赤外吸収スペクトル測定
　法　F-53, B-69,
　F-14
ギンセノシド Rb₁，薄層ク
　ロマトグラフィー用
　B-1014
ギンセノシド Rc
　B-1013
ギンセノシド Re
　B-1014
ギンセノシド Rg₁，薄層ク
　ロマトグラフィー用
　B-1014
金属ナトリウム
　B-1014
金チオリンゴ酸ナトリウム

日本名索引　Ｉ-37

C－1548，C－7
キンヒドロン　B－1014
金標準液，原子吸光光度用
　　B－917
銀標準液，原子吸光光度用
　　B－917
金標準原液　B－917
銀標準原液　B－917

ク

グアイフェネシン
　　B－1015，C－1553，
　　C－7
グアイフェネシン（参照紫
　　外可視吸収スペクトル）
　　E－45
グアイフェネシン（参照赤
　　外吸収スペクトル）
　　E－243
グアナベンズ酢酸塩
　　C－1556，C－7
グアナベンズ酢酸塩（参照
　　紫外可視吸収スペクト
　　ル）　E－45
グアナベンズ酢酸塩（参照
　　赤外吸収スペクトル）
　　E－243
グアニン　B－1015
グアネチジン硫酸塩
　　C－1561，C－7
グアネチジン硫酸塩（参照
　　赤外吸収スペクトル）
　　E－243
グアヤコール　B－1015
グアヤコールスルホン酸カ
　　リウム　B－1016，
　　C－1564
グアヤコールスルホン酸カ
　　リウム（参照紫外可視吸
　　収スペクトル）
　　E－45
グアヤコール，定量用
　　B－1015
クエチアピンフマル酸塩

C－1567，C－7
クエチアピンフマル酸塩細
　　粒　C－1577
クエチアピンフマル酸塩
　　（参照紫外可視吸収スペ
　　クトル）　E－46
クエチアピンフマル酸塩
　　（参照赤外吸収スペクト
　　ル）　E－244
クエチアピンフマル酸塩錠
　　C－1573
クエン酸　B－1016
クエン酸アンモニウム
　　B－1017
クエン酸アンモニウム鉄
　　（Ⅲ）　B－1017
クエン酸一水和物
　　B－1016
クエン酸ガリウム（⁶⁷Ga）
　　注射液　C－1585
クエン酸緩衝液，
　　0.05 mol/L，pH 6.6
　　B－1016
クエン酸・酢酸試液
　　B－1016
クエン酸三カリウム一水和
　　物　B－1017
クエン酸三ナトリウム試
　　液，0.1 mol/L
　　B－1017
クエン酸三ナトリウム二水
　　和物　B－1017
クエン酸試液，0.01 mol/L
　　B－1016
クエン酸試液，0.1 mol/L
　　B－1016
クエン酸試液，1 mol/L，
　　緩衝液用　B－1016
クエン酸水素二アンモニウ
　　ム　B－1017
クエン酸水和物
　　C－1581，C－7
クエン酸水和物（参照赤外
　　吸収スペクトル）
　　E－244

クエン酸第二鉄アンモニウ
　　ム　B－1017
クエン酸銅（Ⅱ）試液
　　B－1017
クエン酸ナトリウム
　　B－1017
クエン酸ナトリウム試液，
　　0.1 mol/L　B－1017
クエン酸ナトリウム水和物
　　B－1017，C－1587，
　　C－7
クエン酸・無水酢酸試液
　　B－1016
クエン酸モサプリド，定量
　　用　B－1017
クエン酸・リン酸塩・アセ
　　トニトリル試液
　　B－1017
クオリティ・バイ・デザイ
　　ン（QbD），品質リスク
　　マネジメント（QRM）
　　及び医薬品品質システム
　　（PQS）に関連する用語
　　集　F－38
クコシ　D－273
枸杞子　D－273
クジン　D－275
苦参　D－275
クジン末　D－278
苦参末　D－278
屈折率測定法　B－259
クペロン　B－1017
クペロン試液　B－1017
クーマシー染色試液
　　B－1017
クーマシーブリリアントブ
　　ルー G-250　B－1017
クーマシーブリリアントブ
　　ルー R-250　B－1017
クーマシーブリリアントブ
　　ルー試液，インターフェ
　　ロンアルファ用
　　B－1018
苦味重曹水　D－498
苦味チンキ　D－279

I –38　日本名索引

18-クラウンエーテル固定
　化シリカゲル，液体クロ
　マトグラフィー用
　B – 1342
グラファイトカーボン，液
　体クロマトグラフィー用
　B – 1342
グラファイトカーボン，ガ
　スクロマトグラフィー用
　B – 1342
クラブラン酸カリウム
　C – 1592，C – 7
クラブラン酸カリウム（参
　照紫外可視吸収スペクト
　ル）　E – 46
クラブラン酸カリウム（参
　照赤外吸収スペクトル）
　E – 245
クラリスロマイシン
　C – 1597，C – 7
クラリスロマイシン錠
　C – 1605
グリオキサール標準液
　B – 917
グリオキサール標準原液
　B – 917
40％グリオキサール試液
　B – 1018
グリクラジド　C – 1612，
　C – 7
グリクラジド（参照紫外可
　視吸収スペクトル）
　E – 46
グリクラジド（参照赤外吸
　収スペクトル）
　E – 245
グリココール酸ナトリウム，
　薄層クロマトグラフィー
　用　B – 1018
N-グリコリルノイラミン
　酸　B – 1018
N-グリコリルノイラミン
　酸試液，0.1 mmol/L
　B – 1018
グリコールエーテル化シリ

カゲル，液体クロマトグ
　ラフィー用　B – 1342
グリコール酸　B – 1018
グリシン　B – 1018，
　C – 1617，C – 7
グリシン（参照赤外吸収ス
　ペクトル）　E – 245
クリスタルバイオレット
　B – 1019
クリスタルバイオレット試
　液　B – 1019
グリース・ロメン亜硝酸試
　薬　B – 1019
グリース・ロメン硝酸試薬
　B – 1019
グリセリン　B – 1019，
　C – 1621，C – 7
85％グリセリン
　B – 1019
グリセリン塩基性試液
　B – 1019
グリセリン，ガスクロマト
　グラフィー用
　B – 1019
グリセリンカリ液
　C – 1631
グリセリン（参照赤外吸収
　スペクトル）　E – 246
グリセロール　C – 1621
グリチルリチン酸一アンモ
　ニウム，分離確認用
　B – 1019
グリチルリチン酸，薄層ク
　ロマトグラフィー用
　B – 1019
クリノフィブラート
　C – 1632，C – 7
クリノフィブラート（参照
　紫外可視吸収スペクト
　ル）　E – 47
クリノフィブラート（参照
　赤外吸収スペクトル）
　E – 246
グリベンクラミド
　C – 1636，C – 7

グリベンクラミド（参照紫
　外可視吸収スペクトル）
　E – 47
グリベンクラミド（参照赤
　外吸収スペクトル）
　E – 247
クリーム剤　A – 150
グリメピリド　C – 1644，
　C – 7
グリメピリド（参照紫外可
　視吸収スペクトル）
　E – 47
グリメピリド（参照赤外吸
　収スペクトル）
　E – 247
グリメピリド錠
　C – 1651
クリンダマイシン塩酸塩
　C – 1655，C – 7
クリンダマイシン塩酸塩カ
　プセル　C – 1659
クリンダマイシン塩酸塩
　（参照赤外吸収スペクト
　ル）　E – 247
クリンダマイシンリン酸エ
　ステル　C – 1662，
　C – 7
クリンダマイシンリン酸エ
　ステル（参照赤外吸収ス
　ペクトル）　E – 248
クリンダマイシンリン酸エ
　ステル注射液
　C – 1667
クリンダマイシンリン酸エ
　ステル標準品　B – 107
グルカゴン（遺伝子組換
　え）　C – 1668
クルクマ紙　B – 1347
クルクミン　B – 1020
クルクミン試液
　B – 1021
クルクミン，成分含量測定
　用　B – 1020
クルクミン，定量用
　B – 1020

D-グルコサミン塩酸塩
B - 1021
4'-O-グルコシル-5-O-メ
チルビサミノール，薄層
クロマトグラフィー用
B - 1021
グルコースオキシダーゼ
B - 1021
グルコース検出用試液
B - 1021
グルコース検出用試液，ペ
ニシリウム由来 β-ガラ
クトシダーゼ用
B - 1021
グルコン酸カルシウム水和
物　C - 1674，C - 7
グルコン酸カルシウム水和
物，薄層クロマトグラフ
ィー用　B - 1021
グルコン酸カルシウム，薄
層クロマトグラフィー用
B - 1021
グルコン酸ナトリウム
B - 1022
グルタチオン　B - 1022，
C - 1678，C - 8
グルタチオン（参照赤外吸
収スペクトル）
E - 248
L-グルタミン　B - 1022，
C - 1682，C - 8
L-グルタミン酸
B - 1022，C - 1685，
C - 8
L-グルタミン酸（参照赤
外吸収スペクトル）
E - 249
L-グルタミン（参照赤外
吸収スペクトル）
E - 248
グルタミン試液
B - 1022
7-(グルタリルグリシル-L-
アルギニルアミノ)-4-
メチルクマリン

B - 1022
7-(グルタリルグリシル-L-
アルギニルアミノ)-4-
メチルクマリン試液
B - 1022
クレオソート　D - 987
クレゾール　B - 1022，
C - 1688
m-クレゾール　B - 1022
p-クレゾール　B - 1022
クレゾール水　C - 1692
クレゾール石ケン液
C - 1694
クレゾールレッド
B - 1022
クレゾールレッド試液
B - 1022
クレボプリドリンゴ酸塩
C - 1697，C - 8
クレボプリドリンゴ酸塩
（参照紫外可視吸収スペ
クトル）　E - 48
クレボプリドリンゴ酸塩
（参照赤外吸収スペクト
ル）　E - 249
クレマスチンフマル酸塩
C - 1700，C - 8
クロカプラミン塩酸塩水和
物　C - 1705，C - 8
クロカプラミン塩酸塩水和
物（参照紫外可視吸収ス
ペクトル）　E - 48
クロカプラミン塩酸塩水和
物（参照赤外吸収スペク
トル）　E - 249
クロキサシリンナトリウム
水和物　C - 1709，
C - 8
クロキサシリンナトリウム
水和物（参照紫外可視吸
収スペクトル）
E - 48
クロキサシリンナトリウム
水和物（参照赤外吸収ス
ペクトル）　E - 250

クロキサゾラム
B - 1022，C - 1714，
C - 8
クロキサゾラム（参照紫外
可視吸収スペクトル）
E - 49
クロコナゾール塩酸塩
C - 1717，C - 8
クロコナゾール塩酸塩（参
照紫外可視吸収スペクト
ル）　E - 49
クロコナゾール塩酸塩（参
照赤外吸収スペクトル）
E - 250
クロスカルメロースナトリ
ウム　C - 1442，
C - 7，C - 50
クロスカルメロースナトリ
ウム（参照赤外吸収スペ
クトル）　E - 11
クロスポビドン
C - 1720，C - 8
クロチアゼパム
C - 1724，C - 8
クロチアゼパム（参照紫外
可視吸収スペクトル）
E - 49
クロチアゼパム錠
C - 1728
クロチアゼパム，定量用
B - 1022
クロトリマゾール
B - 1023，C - 1731，
C - 8
クロトリマゾール（参照紫
外可視吸収スペクトル）
E - 50
クロトリマゾール（参照赤
外吸収スペクトル）
E - 250
クロナゼパム　C - 1735，
C - 8
クロナゼパム細粒
C - 1742
クロナゼパム（参照紫外可

視吸収スペクトル）
E − 50
クロナゼパム（参照赤外吸
収スペクトル）
E − 251
クロナゼパム錠
C − 1739
クロナゼパム，定量用
B − 1023
クロニジン塩酸塩
C − 1744, C − 8
クロニジン塩酸塩（参照紫
外可視吸収スペクトル）
E − 50
クロニジン塩酸塩（参照赤
外吸収スペクトル）
E − 251
クロピドグレル硫酸塩
C − 1748, C − 8
クロピドグレル硫酸塩（参
照紫外可視吸収スペクト
ル）　E − 51
クロピドグレル硫酸塩（参
照赤外吸収スペクトル）
E − 251
クロピドグレル硫酸塩錠
C − 1754
クロフィブラート
B − 1023, C − 1758,
C − 8
クロフィブラートカプセル
C − 1762
クロフィブラート1（参照
紫外可視吸収スペクト
ル）　E − 51
クロフィブラート2（参照
紫外可視吸収スペクト
ル）　E − 51
クロフィブラート（参照赤
外吸収スペクトル）
E − 252
クロフェダノール塩酸塩
C − 1764, C − 8
クロフェダノール塩酸塩
（参照紫外可視吸収スペ

クトル）　E − 52
クロフェダノール塩酸塩
（参照赤外吸収スペクト
ル）　E − 252
γ-グロブリン　B − 1023
クロベタゾールプロピオン
酸エステル　C − 1767,
C − 8
クロベタゾールプロピオン
酸エステル（参照赤外吸
収スペクトル）
E − 252
クロペラスチン塩酸塩
C − 1772, C − 8
クロペラスチン塩酸塩1
（参照紫外可視吸収スペ
クトル）　E − 52
クロペラスチン塩酸塩2
（参照紫外可視吸収スペ
クトル）　E − 52
クロペラスチン塩酸塩（参
照赤外吸収スペクトル）
E − 253
クロペラスチンフェンジゾ
酸塩　C − 1776, C − 8
クロペラスチンフェンジゾ
酸塩（参照紫外可視吸収
スペクトル）　E − 53
クロペラスチンフェンジゾ
酸塩（参照赤外吸収スペ
クトル）　E − 253
クロペラスチンフェンジゾ
酸塩錠　C − 1780
クロペラスチンフェンジゾ
酸塩，定量用
B − 1023
クロマトグラフィー総論
B − 3
クロマトグラフィーのライ
フサイクル各ステージに
おける管理戦略と変更管
理の考え方（クロマトグ
ラフィーのライフサイク
ルにおける変更管理）
F − 18

クロマトグラフィー用ケイ
ソウ土　B − 1342
クロマトグラフィー用担体
／充塡剤　B − 1336,
B − 130
クロマトグラフィー用中性
アルミナ　B − 1342
クロミフェンクエン酸塩
C − 1782, C − 8
クロミフェンクエン酸塩
（参照紫外可視吸収スペ
クトル）　E − 53
クロミフェンクエン酸塩錠
C − 1786
クロミプラミン塩酸塩
C − 1789, C − 8
クロミプラミン塩酸塩（参
照紫外可視吸収スペクト
ル）　E − 53
クロミプラミン塩酸塩錠
C − 1792
クロミプラミン塩酸塩，定
量用　B − 1023
クロム酸カリウム
B − 1023
クロム酸カリウム試液
B − 1023
クロム酸銀飽和クロム酸カ
リウム試液　B − 1023
クロム酸ナトリウム
(^{51}Cr）注射液
C − 1795
クロム酸・硫酸試液
B − 1023
クロム標準液，原子吸光光
度用　B − 917
クロモグリク酸ナトリウム
C − 1796, C − 8
クロモグリク酸ナトリウム
（参照紫外可視吸収スペ
クトル）　E − 54
クロモトロプ酸
B − 1023
クロモトロプ酸試液
B − 1023

日本名索引　Ⅰ-41

クロモトロープ酸試液
　B-1023
クロモトロプ酸試液，濃
　B-1023
クロモトロープ酸試液，濃
　B-1023
クロモトロープ酸二ナトリ
　ウム二水和物
　B-1023
クロラゼプ酸二カリウム
　C-1800, C-8
クロラゼプ酸二カリウムカ
　プセル　C-1805
クロラゼプ酸二カリウム
　（参照紫外可視吸収スペ
　クトル）　E-54
クロラゼプ酸二カリウム
　（参照赤外吸収スペクト
　ル）　E-253
クロラゼプ酸二カリウム，
　定量用　B-1023
クロラミン　B-1023
クロラミン試液
　B-1023
クロラムフェニコール
　B-1023, C-1808,
　C-8
クロラムフェニコールコハ
　ク酸エステルナトリウム
　C-1812, C-8
クロラムフェニコールコハ
　ク酸エステルナトリウム
　（参照紫外可視吸収スペ
　クトル）　E-55
クロラムフェニコールコハ
　ク酸エステルナトリウム
　（参照赤外吸収スペクト
　ル）　E-254
クロラムフェニコール・コ
　リスチンメタンスルホン
　酸ナトリウム点眼液
　C-1815
クロラムフェニコール（参
　照紫外可視吸収スペクト
　ル）　E-54

クロラムフェニコール（参
　照赤外吸収スペクトル）
　E-254
クロラムフェニコールパル
　ミチン酸エステル
　C-1818, C-8
クロラムフェニコールパル
　ミチン酸エステル（参照
　紫外可視吸収スペクト
　ル）　E-55
p-クロルアニリン
　B-1023
p-クロル安息香酸
　B-1023
クロルジアゼポキシド
　B-1024, C-1822,
　C-8
クロルジアゼポキシド散
　C-1829
クロルジアゼポキシド（参
　照紫外可視吸収スペクト
　ル）　E-55
クロルジアゼポキシド（参
　照赤外吸収スペクトル）
　E-254
クロルジアゼポキシド錠
　C-1826
クロルジアゼポキシド，定
　量用　B-1024
クロルフェニラミンマレイ
　ン酸塩　B-1024,
　C-1832, C-8
d-クロルフェニラミンマ
　レイン酸塩　C-1846,
　C-8
クロルフェニラミンマレイ
　ン酸塩散　C-1842
クロルフェニラミンマレイ
　ン酸塩（参照紫外可視吸
　収スペクトル）
　E-56
d-クロルフェニラミンマレ
　イン酸塩（参照紫外可視
　吸収スペクトル）
　E-56

クロルフェニラミンマレイ
　ン酸塩（参照赤外吸収ス
　ペクトル）　E-255
d-クロルフェニラミンマレ
　イン酸塩（参照赤外吸収
　スペクトル）
　E-255
クロルフェニラミンマレイ
　ン酸塩錠　C-1838
クロルフェニラミンマレイ
　ン酸塩注射液
　C-1844
クロルフェネシンカルバミ
　ン酸エステル
　C-1850, C-8
クロルフェネシンカルバミ
　ン酸エステル（参照紫外
　可視吸収スペクトル）
　E-56
クロルフェネシンカルバミ
　ン酸エステル（参照赤外
　吸収スペクトル）
　E-255
クロルフェネシンカルバミ
　ン酸エステル錠
　C-1854
クロルフェネシンカルバミ
　ン酸エステル，定量用
　B-1024
p-クロルフェノール
　B-1024
クロルプロパミド
　C-1857, C-8
クロルプロパミド（参照紫
　外可視吸収スペクトル）
　E-57
クロルプロパミド（参照赤
　外吸収スペクトル）
　E-256
クロルプロパミド錠
　C-1861
クロルプロパミド，定量用
　B-1024
クロルプロマジン塩酸塩
　C-1864, C-8

I-42　日本名索引

クロルプロマジン塩酸塩錠
　C-1869
クロルプロマジン塩酸塩注
　射液　C-1872
クロルプロマジン塩酸塩,
　定量用　B-1024
クロルヘキシジン塩酸塩
　B-1024, C-1874,
　C-8
クロルヘキシジングルコン
　酸塩液　C-1877
p-クロルベンゼンスルホ
　ンアミド　B-1024
クロルマジノン酢酸エステ
　ル　C-1881, C-8
クロルマジノン酢酸エステ
　ル（参照赤外吸収スペク
　トル）　E-256
4-クロロアニリン
　B-1024
4-クロロ安息香酸
　B-1024
2-クロロエチルジエチル
　アミン塩酸塩
　B-1024
クロロギ酸9-フルオレニ
　ルメチル　B-1025
クロロゲン酸, 薄層クロマ
　トグラフィー用
　B-1025
(E)-クロロゲン酸, 薄層ク
　ロマトグラフィー用
　B-1025
クロロ酢酸　B-1025
1-クロロ-2,4-ジニトロベ
　ンゼン　B-1025
3'-クロロ-3'-デオキシチミ
　ジン, 液体クロマトグラ
　フィー用　B-1025
クロロトリメチルシラン
　B-1025
(2-クロロフェニル)-ジフ
　ェニルメタノール, 薄層
　クロマトグラフィー用
　B-1025

4-クロロフェノール
　B-1026
クロロブタノール
　B-1026, C-1885
1-クロロブタン
　B-1026
3-クロロ-1,2-プロパンジ
　オール　B-1026
4-クロロベンゼンジアゾ
　ニウム塩試液
　B-1027
4-クロロベンゼンスルホ
　ンアミド　B-1027
4-クロロベンゾフェノン
　B-1027
クロロホルム　B-1028
クロロホルム, エタノール
　不含　B-1028
クロロホルム, 水分測定用
　B-1028

ケ

ケイガイ　D-281
荊芥穂　D-281
経口液剤　A-55
蛍光基質試液　B-1028
蛍光光度法　B-167,
　B-61
蛍光試液　B-1028
経口ゼリー剤　A-68
蛍光染色による細菌数の迅
　速測定法　F-247
経口投与する製剤
　A-31
経口フィルム剤　A-70
ケイ酸アルミン酸マグネシ
　ウム　C-1903, C-8
ケイ酸マグネシウム
　C-1912
軽質無水ケイ酸
　C-1889, C-8
軽質流動パラフィン
　C-4106, C-15
桂枝茯苓丸エキス

D-283, D-10
ケイソウ土　B-1028
ケイソウ土, ガスクロマト
　グラフィー用
　B-1343
ケイソウ土, クロマトグラ
　フィー用　B-1343
継代培地, ナルトグラスチ
　ム試験用　B-1028,
　B-129
ケイタングステン酸二十六
　水和物　B-1028
ケイヒ　D-289
桂皮　D-289
ケイ皮酸　B-1028
(E)-ケイ皮酸, 成分含量測
　定用　B-1028
(E)-ケイ皮酸, 定量用
　B-1028
(E)-ケイ皮酸, 薄層クロマ
　トグラフィー用
　B-1030
ケイヒ末　D-295
桂皮末　D-295
ケイヒ油　D-297
桂皮油　D-297
計量器・用器　B-1354
ケタミン塩酸塩
　C-1916, C-8
ケタミン塩酸塩（参照紫外
　可視吸収スペクトル）
　E-57
ケタミン塩酸塩（参照赤外
　吸収スペクトル）
　E-256
血液カンテン培地
　B-1030
血液透析用剤　A-104
1%血液浮遊液　B-1030
結晶セルロース
　C-2999, C-12
結晶トリプシン
　B-1030
結晶トリプシン, ウリナス
　タチン定量用

日本名索引　　Ｉ-43

B－1031
ケツメイシ　D－299
決明子　D－299
ケトコナゾール
　B－1032，C－1920，
　C－8
ケトコナゾール液
　C－1923
ケトコナゾールクリーム
　C－1926
ケトコナゾール（参照紫外
　可視吸収スペクトル）
　E－57
ケトコナゾール（参照赤外
　吸収スペクトル）
　E－257
ケトコナゾール，定量用
　B－1032
ケトコナゾールローション
　C－1925
ケトチフェンフマル酸塩
　C－1928，C－8
ケトチフェンフマル酸塩
　（参照紫外可視吸収スペ
　クトル）　E－58
ケトチフェンフマル酸塩
　（参照赤外吸収スペクト
　ル）　E－257
ケトプロフェン
　C－1932，C－9
ケトプロフェン（参照紫外
　可視吸収スペクトル）
　E－58
ケトプロフェン（参照赤外
　吸収スペクトル）
　E－257
ゲニポシド，成分含量測定
　用　B－1032
ゲニポシド，定量用
　B－1032
ゲニポシド，薄層クロマト
　グラフィー用
　B－1034
ケノデオキシコール酸
　C－1936，C－9

ケノデオキシコール酸（参
　照赤外吸収スペクトル）
　E－258
ケノデオキシコール酸，薄
　層クロマトグラフィー用
　B－1034
ゲファルナート
　C－1940，C－9
ゲファルナート（参照赤外
　吸収スペクトル）
　E－258
ゲフィチニブ　C－1945，
　C－9
ゲフィチニブ（参照紫外可
　視吸収スペクトル）
　E－58
ゲフィチニブ（参照赤外吸
　収スペクトル）
　E－258
ゲル型強塩基性イオン交換
　樹脂，液体クロマトグラ
　フィー用　B－1343
ゲル型強酸性イオン交換樹
　脂（架橋度6％），液体
　クロマトグラフィー用
　B－1343
ゲル型強酸性イオン交換樹
　脂（架橋度8％），液体
　クロマトグラフィー用
　B－1343
ゲル剤　A－152
ゲルろ過分子量マーカー用
　ウシ血清アルブミン
　B－1035
ゲルろ過分子量マーカー用
　キモトリプシノーゲン
　B－1035
ゲルろ過分子量マーカー用
　卵白アルブミン
　B－1035
ゲルろ過分子量マーカー用
　リボヌクレアーゼA
　B－1035
ケロシン　B－1035
ケンゴシ　D－301

牽牛子　D－301
原子吸光光度法　B－174
原子吸光光度用亜鉛標準液
　B－917
原子吸光光度用アルミニウ
　ム標準液　B－917
原子吸光光度用カルシウム
　標準液　B－918
原子吸光光度用金標準液
　B－918
原子吸光光度用銀標準液
　B－918
原子吸光光度用クロム標準
　液　B－918
原子吸光光度用鉄標準液
　B－918
原子吸光光度用鉄標準液
　(2)　B－918
原子吸光光度用ニッケル標
　準液　B－918
原子吸光光度用マグネシウ
　ム標準液　B－918
原子量表　G－3
元素不純物　B－461
懸濁剤　A－57
ゲンタマイシンB
　B－1035
ゲンタマイシン硫酸塩
　C－1951，C－9
ゲンタマイシン硫酸塩注射
　液　C－1956
ゲンタマイシン硫酸塩点眼
　液　C－1958
ゲンタマイシン硫酸塩軟膏
　C－1959
ゲンチアナ　D－303
ゲンチアナ・重曹散
　D－309
ゲンチアナ末　D－307
ゲンチオピクロシド，薄層
　クロマトグラフィー用
　B－1035
ゲンチジン酸　B－1036
ゲンノショウコ　D－310
ゲンノショウコ末

Ⅰ-44 日本名索引

D-314

コ

コウイ D-315
膠飴 D-315
抗インターフェロンアルファ
抗血清 B-1036
抗ウリナスタチンウサギ血
清 B-1036
抗ウロキナーゼ血清
B-1036, B-113
抗A血液型判定用抗体
B-1036
コウカ D-317
紅花 D-317
広藿香 D-165
硬化油 C-1961, C-9
紅耆 D-542
口腔内に適用する製剤
A-71
口腔内崩壊錠 A-34
口腔内崩壊フィルム剤
A-70
口腔用錠剤 A-71
口腔用スプレー剤
A-76
口腔用半固形剤 A-77
口腔用液剤 A-74
コウジン D-321
紅参 D-321
校正球,粒子密度測定用
B-1352
合成ケイ酸アルミニウム
C-1894, C-8
合成ケイ酸マグネシウム,
カラムクロマトグラフィ
ー用 B-1343
合成ゼオライト,乾燥用
B-1036
抗生物質 H-8
抗生物質の微生物学的力価
試験法 B-555
抗生物質用リン酸塩緩衝
液,pH 6.5 B-1036

抗生物質用リン酸塩緩衝
液,0.1 mol/L,pH 8.0
B-1036
酵素試液 B-1036
酵素試液,グルカゴン用
B-1037
酵素消化用緩衝液
B-1037
酵素免疫測定法 F-162
抗B血液型判定用抗体
B-1037
コウブシ D-326
香附子 D-326
コウブシ末 D-328
香附子末 D-328
抗ブラジキニン抗体
B-1037
抗ブラジキニン抗体試液
B-1037
コウベイ D-329
粳米 D-329
酵母エキス B-1037
コウボク D-331,
D-11
厚朴 D-331
コウボク末 D-335
厚朴末 D-335
高密度ポリエチレンフィル
ム B-1037
鉱油試験法 B-17
ゴオウ D-338
牛黄 D-338
コカイン塩酸塩
C-1970
コカイン塩酸塩1(参照紫
外可視吸収スペクトル)
E-59
コカイン塩酸塩2(参照紫
外可視吸収スペクトル)
E-59
コカイン塩酸塩(参照赤外
吸収スペクトル)
E-259
固形製剤のブリスター包装
の水蒸気透過性試験法

F-358
五酸化バナジウム
B-1037
五酸化バナジウム試液
B-1037
五酸化バナジウム試液,希
B-1037
五酸化リン B-1037
ゴシツ D-341, D-12
牛膝 D-341
ゴシツ,薄層クロマトグラ
フィー用 B-1037
牛車腎気丸エキス
D-344, D-12
ゴシュユ B-1039,
D-353
呉茱萸 D-353
呉茱萸湯エキス
D-356, D-13
固体又は粉体の密度
F-61
コデインリン酸塩散1%
C-1981
コデインリン酸塩散10%
C-1983
コデインリン酸塩錠
C-1978
コデインリン酸塩水和物
C-1974
コデインリン酸塩水和物
(参照紫外可視吸収スペ
クトル) E-59
コデインリン酸塩水和物
(参照赤外吸収スペクト
ル) E-259
コデインリン酸塩水和物,
定量用 B-1039
ゴナドレリン酢酸塩
C-1985
ゴナドレリン酢酸塩(参照
紫外可視吸収スペクト
ル) E-60
ゴナドレリン酢酸塩(参照
赤外吸収スペクトル)
E-259

日本名索引　Ｉ−45

コハク酸　Ｂ−1039
コハク酸ジエチレングリコ
　ールポリエステル，ガス
　クロマトグラフィー用
　Ｂ−1039
コハク酸シベンゾリン，定
　量用　Ｂ−1039
コハク酸トコフェロール
　Ｂ−1039
コハク酸トコフェロールカ
　ルシウム　Ｂ−1039
コバルチ亜硝酸ナトリウム
　Ｂ−1039
コバルチ亜硝酸ナトリウム
　試液　Ｂ−1039
コプチシン塩化物，薄層ク
　ロマトグラフィー用
　Ｂ−1039
ゴボウシ　Ｄ−361,
　D−14
牛蒡子　Ｄ−361
コポビドン　Ｃ−1992,
　C−9
コポビドン（参照赤外吸収
　スペクトル）　Ｅ−260
ゴマ　Ｄ−363
胡麻　Ｄ−363
ゴマ油　Ｂ−1040,
　Ｄ−365
ゴミシ　Ｄ−367
五味子　Ｄ−367
コムギデンプン
　Ｃ−3454,　C−75
コメデンプン　Ｃ−3458
コリスチンメタンスルホン
　酸ナトリウム
　Ｃ−1999,　C−9
コリスチンメタンスルホン
　酸ナトリウム（参照赤外
　吸収スペクトル）
　Ｅ−260
コリスチン硫酸塩
　Ｃ−2002
コリン塩化物　Ｂ−1040
コール酸ナトリウム水和物

Ｂ−1040
コール酸，薄層クロマトグ
　ラフィー用　Ｂ−1040
コルチゾン酢酸エステル
　Ｂ−1041,　Ｃ−2007
コルチゾン酢酸エステル
　（参照紫外可視吸収スペ
　クトル）　Ｅ−60
コルチゾン酢酸エステル
　（参照赤外吸収スペクト
　ル）　Ｅ−260
コルヒチン　Ｃ−2013
コルヒチン（参照紫外可視
　吸収スペクトル）
　Ｅ−60
コルヒチン（参照赤外吸収
　スペクトル）　Ｅ−261
五苓散エキス　Ｄ−371
コレカルシフェロール
　Ｃ−2020
コレカルシフェロール（参
　照赤外吸収スペクトル）
　Ｅ−261
コレスチミド　Ｃ−2024,
　C−9
コレスチミド顆粒
　Ｃ−2029
コレスチミド（参照赤外吸
　収スペクトル）
　Ｅ−261
コレスチミド錠
　Ｃ−2027
コレステロール
　Ｂ−1041,　Ｃ−2030
コロジオン　Ｂ−1041
コロホニウム　Ｄ−1062
コロンボ　Ｄ−375
コロンボ末　Ｄ−377
混合ガス調製器
　Ｂ−1354
コンゴーレッド
　Ｂ−1041
コンゴーレッド紙
　Ｂ−1348
コンゴーレッド試液

Ｂ−1041
コンズランゴ　Ｄ−378
コンズランゴ流エキス
　Ｄ−380

サ

サイクロセリン
　Ｃ−2033,　C−9
サイクロセリン（参照赤外
　吸収スペクトル）
　Ｅ−262
サイコ　Ｄ−382
柴胡　Ｄ−382
柴胡桂枝乾姜湯エキス
　D−15
柴胡桂枝湯エキス
　Ｄ−389
サイコサポニン a, d 混合
　標準試液，定量用
　Ｂ−1043
サイコサポニン a, 成分含
　量測定用　Ｂ−1041
サイコサポニン a, 定量用
　Ｂ−1041
サイコサポニン a, 薄層ク
　ロマトグラフィー用
　Ｂ−1043
サイコサポニン b_2, 成分
　含量測定用　Ｂ−1044
サイコサポニン b_2, 定量
　用　Ｂ−1044
サイコサポニン b_2, 薄層
　クロマトグラフィー用
　Ｂ−1045
サイコサポニン b_2 標準試
　液, 定量用　Ｂ−1046
サイコサポニン d, 成分含
　量測定用　Ｂ−1046
サイコサポニン d, 定量用
　Ｂ−1046
サイコ成分含量測定用リン
　酸塩緩衝液　Ｂ−1049
サイコ定量用リン酸塩緩衝
　液　Ｂ−1049

サイシン　D－399

細辛　D－399

サイズ排除クロマトグラフ
　ィー　B－147

SYBR Green 含有 PCR 2
　倍反応液　B－1049

細胞懸濁液，テセロイキン
　用　B－1049

細胞毒性試験用リン酸塩緩
　衝液　B－1049

柴朴湯エキス　D－404

柴苓湯エキス　D－412

酢酸　B－1049，
　C－2035，C－9

酢酸 (31)　B－1049

酢酸 (100)　B－1049

酢酸亜鉛　B－1050

0.02 mol/L 酢酸亜鉛液
　B－867

0.05 mol/L 酢酸亜鉛液
　B－866

酢酸亜鉛緩衝液，0.25
　mol/L，pH 6.4
　B－1050

酢酸亜鉛二水和物
　B－1050

酢酸アンモニウム
　B－1051

酢酸アンモニウム試液
　B－1051

酢酸アンモニウム試液，
　0.5 mol/L　B－1051

酢酸イソアミル
　B－1051

酢酸エチル　B－1051

酢酸塩緩衝液，0.01 mol/L，
　pH 5.0　B－1051

酢酸塩緩衝液，0.02 mol/L，
　pH 6.0　B－1051

酢酸塩緩衝液，pH 3.5
　B－1051

酢酸塩緩衝液，pH 4.0，
　0.05 mol/L　B－1051

酢酸塩緩衝液，pH 4.5
　B－1051

酢酸塩緩衝液，pH 5.4
　B－1051

酢酸塩緩衝液，pH 5.5
　B－1051

酢酸カドミウム
　B－1051

酢酸カドミウム二水和物
　B－1051

酢酸カリウム　B－1051

酢酸カリウム試液
　B－1051

酢酸カルシウム一水和物
　B－1051

酢酸，希　B－1049

酢酸コルチゾン
　B－1051

酢酸・酢酸アンモニウム緩
　衝液，pH 3.0
　B－1049

酢酸・酢酸アンモニウム緩
　衝液，pH 4.5
　B－1049

酢酸・酢酸アンモニウム緩
　衝液，pH 4.8
　B－1049

酢酸・酢酸カリウム緩衝
　液，pH 4.3　B－1049

酢酸・酢酸ナトリウム緩衝
　液，0.05 mol/L，pH 4.0
　B－1049

酢酸・酢酸ナトリウム緩衝
　液，0.05 mol/L，pH 4.6
　B－1049

酢酸・酢酸ナトリウム緩衝
　液，0.1 mol/L，pH 4.0
　B－1050

酢酸・酢酸ナトリウム緩衝
　液，1 mol/L，pH 5.0
　B－1050

酢酸・酢酸ナトリウム緩衝
　液，1 mol/L，pH 6.0
　B－1050

酢酸・酢酸ナトリウム緩衝
　液，pH 4.0　B－1050

酢酸・酢酸ナトリウム緩衝

液，pH 4.5　B－1050

酢酸・酢酸ナトリウム緩衝
　液，pH 4.5，鉄試験用
　B－1050

酢酸・酢酸ナトリウム緩衝
　液，pH 4.7　B－1050

酢酸・酢酸ナトリウム緩衝
　液，pH 5.0　B－1050

酢酸・酢酸ナトリウム緩衝
　液，pH 5.5　B－1050

酢酸・酢酸ナトリウム緩衝
　液，pH 5.6　B－1050

酢酸・酢酸ナトリウム試液
　B－1050

酢酸・酢酸ナトリウム試
　液，0.02 mol/L
　B－1050

酢酸・酢酸ナトリウム試
　液，pH 7.0　B－1050

酢酸試液，0.25 mol/L
　B－1049

酢酸試液，2 mol/L
　B－1049

酢酸試液，6 mol/L
　B－1049

酢酸水銀 (Ⅱ)　B－1051

酢酸水銀 (Ⅱ)試液，非水
　滴定用　B－1052

酢酸セミカルバジド試液
　B－1052

酢酸第二水銀　B－1052

酢酸第二水銀試液，非水滴
　定用　B－1052

酢酸第二銅　B－1052

酢酸第二銅試液，強
　B－1052

酢酸銅 (Ⅱ)一水和物
　B－1052

酢酸銅 (Ⅱ)試液，強
　B－1052

酢酸トコフェロール
　B－1052

酢酸ナトリウム
　B－1052

酢酸ナトリウム・アセトン

日本名索引　Ｉ-47

試液　B-1052
0.1 mol/L酢酸ナトリウム
　液　B-867
酢酸ナトリウム三水和物
　B-1052
酢酸ナトリウム試液
　B-1052
酢酸ナトリウム水和物
　C-2040，C-9
酢酸ナトリウム，無水
　B-1052
酢酸鉛　B-1052
酢酸鉛（Ⅱ）三水和物
　B-1052
酢酸鉛紙　B-1348
酢酸鉛（Ⅱ）紙　B-1348
酢酸鉛試液　B-1052
酢酸鉛（Ⅱ）試液
　B-1053
酢酸，非水滴定用
　B-1049
酢酸ヒドロキソコバラミン
　B-1053
酢酸ヒドロコルチゾン
　B-1053
酢酸ビニル　B-1053
酢酸，氷　B-1049
酢酸フタル酸セルロース
　C-2963
酢酸ブチル　B-1053
酢酸 n-ブチル　B-1053
酢酸プレドニゾロン
　B-1053
酢酸メチル　B-1053
酢酸 3-メチルブチル
　B-1053
酢酸リチウム二水和物
　B-1053
酢酸・硫酸試液
　B-1050
サケ精子DNA　B-1053
坐剤　A-126
サッカリン　C-2043，
　C-9
サッカリン（参照赤外吸収

スペクトル）　E-262
サッカリンナトリウム水和
　物　C-2047，C-9
サフラン　D-421
サーモリシン　B-1053
サラシ粉　B-1053，
　C-2052
サラシ粉試液　B-1053
サラシミツロウ　D-985
サラゾスルファピリジン
　C-2055，C-9
サラゾスルファピリジン
　（参照紫外可視吸収スペ
　クトル）　E-61
サリチルアミド
　B-1053
サリチルアルダジン
　B-1054
サリチルアルデヒド
　B-1054
サリチル酸　B-1054，
　C-2060，C-9
サリチル酸イソブチル
　B-1054
サリチル酸（参照紫外可視
　吸収スペクトル）
　E-61
サリチル酸（参照赤外吸収
　スペクトル）　E-262
サリチル酸試液
　B-1054
サリチル酸精　C-2065
サリチル酸，定量用
　B-1054
サリチル酸鉄試液
　B-1055
サリチル酸ナトリウム
　B-1055，C-2072，
　C-9
サリチル酸ナトリウム（参
　照赤外吸収スペクトル）
　E-263
サリチル酸ナトリウム・水
　酸化ナトリウム試液
　B-1055

サリチル酸絆創膏
　C-2069
サリチル酸メチル
　B-1055，C-2076，
　C-9
サリチル・ミョウバン散
　C-2070
サルササポゲニン，薄層ク
　ロマトグラフィー用
　B-1055
ザルトプロフェン
　B-1055，C-2080，
　C-9
ザルトプロフェン（参照紫
　外可視吸収スペクトル）
　E-61
ザルトプロフェン（参照赤
　外吸収スペクトル）
　E-263
ザルトプロフェン錠
　C-2085
ザルトプロフェン，定量用
　B-1055
サルブタモール硫酸塩
　C-2087，C-9
サルブタモール硫酸塩（参
　照紫外可視吸収スペクト
　ル）　E-62
サルブタモール硫酸塩（参
　照赤外吸収スペクトル）
　E-263
サルポグレラート塩酸塩
　B-1056，C-2091，
　C-9
サルポグレラート塩酸塩細
　粒　C-2098，C-52
サルポグレラート塩酸塩
　（参照紫外可視吸収スペ
　クトル）　E-62
サルポグレラート塩酸塩
　（参照赤外吸収スペクト
　ル）　E-264
サルポグレラート塩酸塩錠
　C-2095
三塩化アンチモン

B－1056

三塩化アンチモン試液
B－1056

三塩化チタン　B－1056

0.1 mol/L 三塩化チタン液
B－868

三塩化チタン試液
B－1056

三塩化チタン・硫酸試液
B－1056

三塩化ヨウ素　B－1056

酸化亜鉛　C－2101,
C－9

酸化亜鉛デンプン
C－29

酸化亜鉛軟膏　C－30

酸化アルミニウム
B－1056

酸化カルシウム
B－1056, C－2104

酸化クロム（Ⅵ）
B－1056

酸化クロム（Ⅵ）試液
B－1056

酸化チタン　C－2108

酸化チタン（Ⅳ）
B－1056

酸化チタン（Ⅳ）試液
B－1056

酸化銅ろ過用ガラスろ過器
B－1348

酸化鉛（Ⅱ）　B－1056

酸化鉛（Ⅳ）　B－1056

酸化バナジウム（Ⅴ）
B－1056

酸化バナジウム（Ⅴ）試液
B－1056

酸化バナジウム（Ⅴ）試
液, 希　B－1056

酸化バリウム　B－1056

酸化マグネシウム
B－1056, C－2112,
C－9

酸化メシチル　B－1057

酸化モリブデン（Ⅵ）

B－1057

酸化モリブデン（Ⅵ）・ク
エン酸試液　B－1057

酸化ランタン（Ⅲ）
B－1057

酸化リン（Ⅴ）　B－1057

サンキライ　D－424

山帰来　D－424

サンキライ末　D－426

山帰来末　D－426

参考情報　F－7, F－5

散剤　A－52

サンザシ　D－427

山査子　D－427

三酸化クロム　B－1057

三酸化クロム試液
B－1057

三酸化ナトリウムビスマス
B－1057

三酸化二ヒ素　B－1057,
C－2117

三酸化二ヒ素試液
B－1057

三酸化ヒ素　B－1057

三酸化ヒ素試液
B－1057

三酸化モリブデン
B－1057

三酸化モリブデン・クエン
酸試液　B－1057

サンシシ　D－429,
D－22

山梔子　D－429

サンシシ末　D－434

山梔子末　D－434

32D clone3 細胞
B－1057

サンシュユ　D－437,
D－22

山茱萸　D－437

サンショウ　B－1057,
D－440

山椒　D－440

参照抗インターロイキン-2
抗血清試液　B－1057

参照抗インターロイキン-2
抗体, テセロイキン用
B－1058

参照紫外可視吸収スペクト
ル　E－2, E－3

参照赤外吸収スペクトル
E－194, E－9

サンショウ末　D－443

山椒末　D－443

酸処理ゼラチン
B－1058

酸性塩化カリウム試液
B－1058

酸性塩化スズ（Ⅱ）試液
B－1058

酸性塩化第一スズ試液
B－1058

酸性塩化第二鉄試液
B－1058

酸性塩化鉄（Ⅲ）試液
B－1058

酸性過マンガン酸カリウム
試液　B－1058

α_1-酸性糖タンパク質結合
シリカゲル, 液体クロマ
トグラフィー用
B－1336

酸性白土　B－1058

酸性硫酸アンモニウム鉄
（Ⅲ）試液　B－1058

酸素　B－1058,
C－2122

サンソウニン　D－446

酸棗仁　D－446

酸素スパンガス, 定量用
B－1058

酸素ゼロガス, 定量用
B－1058

酸素比較ガス, 定量用
B－1058

酸素フラスコ燃焼法
B－18

サントニン　B－1058,
C－2126

サントニン（参照紫外可視

日本名索引　I-49

吸収スペクトル）
　E-62
サントニン（参照赤外吸収
　スペクトル）　E-264
サントニン，定量用
　B-1058
三ナトリウム五シアノアミ
　ン第一鉄試液
　B-1058
三ナトリウム五シアノアミ
　ン鉄（Ⅱ）試液
　B-1058
3倍濃厚乳糖ブイヨン
　B-1059
三フッ化ホウ素
　B-1059
三フッ化ホウ素・メタノー
　ル試液　B-1059
酸又はアルカリ試験用メチ
　ルレッド試液
　B-1059
サンヤク　D-448
山薬　D-448
サンヤク末　D-451
山薬末　D-451
残留溶媒　B-262

シ

次亜塩素酸ナトリウム試液
　B-1059
次亜塩素酸ナトリウム試
　液，10%　B-1059
次亜塩素酸ナトリウム試
　液，アンモニウム試験用
　B-1059
次亜塩素酸ナトリウム・水
　酸化ナトリウム試液
　B-1059
次亜臭素酸ナトリウム試液
　B-1059
ジアスターゼ　C-2131
ジアスターゼ・重曹散
　C-2133
ジアセチル　B-1059

ジアセチル試液
　B-1060
ジアゼパム　C-2135,
　C-9
ジアゼパム（参照紫外可視
　吸収スペクトル）
　E-63
ジアゼパム（参照赤外吸収
　スペクトル）　E-264
ジアゼパム錠　C-2140
ジアゼパム，定量用
　B-1060
ジアゾ化滴定用スルファニ
　ルアミド　B-1060
ジアゾ試液　B-1060
ジアゾベンゼンスルホン酸
　試液　B-1061
ジアゾベンゼンスルホン酸
　試液，濃　B-1061
シアナミド　C-2143,
　C-9
シアナミド（参照赤外吸収
　スペクトル）　E-265
1-シアノグアニジン
　B-1061
シアノコバラミン
　B-1061, C-2147
シアノコバラミン（参照紫
　外可視吸収スペクトル）
　E-63
シアノコバラミン注射液
　C-2152
シアノプロピルシリル化シ
　リカゲル，液体クロマト
　グラフィー用
　B-1343
6%シアノプロピルフェニ
　ル-94%ジメチルシリコ
　ーンポリマー，ガスクロ
　マトグラフィー用
　B-1061
14%シアノプロピルフェ
　ニル-86%ジメチルシリ
　コーンポリマー，ガスク
　ロマトグラフィー用

B-1343
6%シアノプロピル-6%フ
　ェニル-メチルシリコー
　ンポリマー，ガスクロマ
　トグラフィー用
　B-1061
7%シアノプロピル-7%フ
　ェニル-メチルシリコー
　ンポリマー，ガスクロマ
　トグラフィー用
　B-1061
シアノプロピルメチルフェ
　ニルシリコーン，ガスク
　ロマトグラフィー用
　B-1061
2,3-ジアミノナフタリン
　B-1061
2,4-ジアミノフェノール二
　塩酸塩　B-1062
2,4-ジアミノフェノール二
　塩酸塩試液　B-1062
1,4-ジアミノブタン
　B-128
3,3'-ジアミノベンジジン
　四塩酸塩　B-1062
次亜リン酸　B-1062
シアン化カリウム
　B-1062
シアン化カリウム試液
　B-1062
シアン酢酸　B-1062
シアン酢酸エチル
　B-1062
シアン標準液　B-918
シアン標準原液　B-918
ジイソプロピルアミン
　B-1063
ジェサコニチン，純度試験
　用　B-1063
ジエタノールアミン
　B-1064
ジエチルアミノエチル基を
　結合した合成高分子，液
　体クロマトグラフィー用
　B-1343

I −50　日本名索引

ジエチルアミノエチルセル
ロース，カラムクロマト
グラフィー用
B −1343
ジエチルアミン
B −1064
ジエチルエーテル
B −1064
ジエチルエーテル，生薬純
度試験用　B −1064
ジエチルエーテル，無水
B −1065
ジエチルカルバマジンクエ
ン酸塩　C −2154,
C − 9
ジエチルカルバマジンクエ
ン酸塩錠　C −2157
N,N−ジエチルジチオカル
バミド酸銀　B −1065
N,N−ジエチルジチオカル
バミド酸ナトリウム三水
和物　B −1065
ジエチルジチオカルバミン
酸亜鉛　B −1065
ジエチルジチオカルバミン
酸銀　B −1065
ジエチルジチオカルバミン
酸ナトリウム
B −1065
N,N−ジエチルジチオカル
バミン酸ナトリウム三水
和物　B −1065
N,N−ジエチル−N′−1−ナフ
チルエチレンジアミンシ
ュウ酸塩　B −1065
N,N−ジエチル−N′−1−ナフ
チルエチレンジアミンシ
ュウ酸塩・アセトン試液
B −1065
N,N−ジエチル−N′−1−ナフ
チルエチレンジアミンシ
ュウ酸塩試液
B −1065
ジエチレングリコール
B −1066

ジエチレングリコールアジ
ピン酸エステル，ガスク
ロマトグラフィー用
B −1066
ジエチレングリコールコハ
ク酸エステル，ガスクロ
マトグラフィー用
B −1066
ジエチレングリコールジメ
チルエーテル
B −1066
ジエチレングリコールモノ
エチルエーテル
B −1066
ジエチレングリコールモノ
エチルエーテル，水分測
定用　B −1066
四塩化炭素　B −1066
ジオウ　D −452
地黄　D −452
ジオキサン　B −1066
1,4−ジオキサン
B −1066
ジオールシリカゲル，液体
クロマトグラフィー用
B −1343
紫外可視吸光度測定法
B −192
歯科用アンチホルミン
C −456
歯科用次亜塩素酸ナトリウ
ム液　C −456
歯科用トリオジンクパスタ
C −3645
歯科用パラホルムパスタ
C −4111
歯科用フェノール・カンフ
ル　C −4637
歯科用ヨード・グリセリン
C −5935
ジギトニン　B −1066
シクラシリン　C −2160,
C − 9
シクラシリン（参照赤外吸
収スペクトル）

E −265
ジクロキサシリンナトリウ
ム水和物　C −2163
ジクロキサシリンナトリウ
ム水和物（参照紫外可視
吸収スペクトル）
E −63
ジクロキサシリンナトリウ
ム水和物（参照赤外吸収
スペクトル）　E −265
シクロスポリン
C −2166,　C − 9
シクロスポリンU
B −1066
シクロスポリン（参照赤外
吸収スペクトル）
E −266
β−シクロデキストリン結
合シリカゲル，液体クロ
マトグラフィー用
B −1343
ジクロフェナクナトリウム
B −1066,　C −2173,
C − 9
ジクロフェナクナトリウム
坐剤　C −2178
ジクロフェナクナトリウム
（参照赤外吸収スペクト
ル）　E −266
ジクロフェナクナトリウ
ム，定量用　B −1066
シクロブタンカルボン酸
B −1067
1,1−シクロブタンジカルボ
ン酸　B −1067
シクロヘキサン
B −1067
シクロヘキシルアミン
B −1067
シクロヘキシルメタノール
B −1067
シクロペントラート塩酸塩
C −2181,　C − 9
シクロペントラート塩酸塩
（参照赤外吸収スペクト

日本名索引　　Ⅰ-51

ル）　E－266
シクロホスファミド錠
　C－2191
シクロホスファミド水和物
　C－2184，　C－9
シクロホスファミド水和
　物，定量用　B－1067
1,2-ジクロルエタン
　B－1067
2,6-ジクロルフェノールイ
　ンドフェノールナトリウ
　ム　B－1067
2,6-ジクロルフェノールイ
　ンドフェノールナトリウ
　ム試液　B－1068
2,6-ジクロルフェノールイ
　ンドフェノールナトリウ
　ム試液，滴定用
　B－1068
ジクロルフルオレセイン
　B－1068
ジクロルフルオレセイン試
　液　B－1068
ジクロルメタン
　B－1068
3,4-ジクロロアニリン
　B－1068
2,6-ジクロロインドフェノ
　ールナトリウム・酢酸ナ
　トリウム試液
　B－1068
2,6-ジクロロインドフェノ
　ールナトリウム試液
　B－1068
2,6-ジクロロインドフェノ
　ールナトリウム試液，滴
　定用　B－1068
2,6-ジクロロインドフェノ
　ールナトリウム二水和物
　B－1068
1,2-ジクロロエタン
　B－1068
2,6-ジクロロフェノール
　B－1068
ジクロロフルオレセイン

B－1068
ジクロロフルオレセイン試
　液　B－1068
1,2-ジクロロベンゼン
　B－1068
ジクロロメタン
　B－1068
試験菌移植培地斜面，テセ
　ロイキン用　B－1069
試験菌移植培地，テセロイ
　キン用　B－1068
シゴカ　D－456
刺五加　D－456
ジゴキシン　B－1069，
　C－2194
ジゴキシン（参照赤外吸収
　スペクトル）　E－267
ジゴキシン錠　C－2203
ジゴキシン注射液
　C－2207
ジコッピ　D－458
地骨皮　D－458
シコン　D－460
紫根　D－460
次酢酸鉛試液　B－1069
次酢酸鉛試液，希
　B－1069
シザンドリン，薄層クロマ
　トグラフィー用
　B－1069
ジシクロヘキシル
　B－1069
ジシクロヘキシルウレア
　B－1069
N,N'-ジシクロヘキシルカ
　ルボジイミド
　B－1070
N,N'-ジシクロヘキシルカ
　ルボジイミド・エタノー
　ル試液　B－1070
N,N'-ジシクロヘキシルカ
　ルボジイミド・無水エタ
　ノール試液　B－1070
次硝酸ビスマス
　B－1070，　C－2210

次硝酸ビスマス試液
　B－1070
ジスチグミン臭化物
　C－2214，　C－9
ジスチグミン臭化物（参照
　紫外可視吸収スペクト
　ル）　E－64
ジスチグミン臭化物（参照
　赤外吸収スペクトル）
　E－267
ジスチグミン臭化物錠
　C－2217
ジスチグミン臭化物，定量
　用　B－1070
L-シスチン　B－1070，
　C－2219，　C－9
L-シスチン（参照赤外吸
　収スペクトル）
　E－267
L-システイン　C－2222，
　C－9
L-システイン塩酸塩一水
　和物　B－1070
L-システイン塩酸塩水和
　物　C－2225，　C－9
L-システイン塩酸塩水和
　物（参照赤外吸収スペク
　トル）　E－268
L-システイン酸
　B－1070
L-システイン（参照赤外
　吸収スペクトル）
　E－268
システム適合性　F－50，
　F－11
システム適合性試験用試
　液，フィルグラスチム用
　B－1070
シスプラチン　B－1070，
　C－2227
シスプラチン（参照紫外可
　視吸収スペクトル）
　E－64
シスプラチン（参照赤外吸
　収スペクトル）

I-52　　日本名索引

E-268
ジスルフィラム
　C-2233, C-9
ジスルフィラム（参照紫外
　可視吸収スペクトル）
　E-64
ジスルフィラム（参照赤外
　吸収スペクトル）
　E-269
磁製るつぼ　B-1348
持続性注射剤　A-94
ジソピラミド　C-2238,
　C-9
ジソピラミド（参照紫外可
　視吸収スペクトル）
　E-65
ジソピラミド（参照赤外吸
　収スペクトル）
　E-269
紫蘇葉　D-609
2,6-ジ-第三ブチル-p-クレ
　ゾール　B-1070
2,6-ジ-第三ブチル-p-クレ
　ゾール試液　B-1070
シタグリプチンリン酸塩錠
　C-2250
シタグリプチンリン酸塩水
　和物　C-2242, C-9
シタグリプチンリン酸塩水
　和物（参照紫外可視吸収
　スペクトル）　E-65
シタグリプチンリン酸塩水
　和物（参照赤外吸収スペ
　クトル）　E-269
シタラビン　C-2254,
　C-9
シタラビン（参照紫外可視
　吸収スペクトル）
　E-65
シタラビン（参照赤外吸収
　スペクトル）　E-270
ジチオジグリコール酸
　B-1070
ジチオジプロピオン酸
　B-1070

ジチオスレイトール
　B-1070
1,1'-[3,3'-ジチオビス(2-
　メチル-1-オキソプロピ
　ル)]-L-ジプロリン
　B-1071
1,3-ジチオラン-2-イリデ
　ンマロン酸ジイソプロピ
　ル　B-1071
シチコリン　C-2259,
　C-9
シチコリン（参照紫外可視
　吸収スペクトル）
　E-66
シチコリン（参照赤外吸収
　スペクトル）　E-270
ジチゾン　B-1071
ジチゾン液, 抽出用
　B-1071
ジチゾン試液　B-1071
シツリシ　D-463
蒺藜子　D-463
質量分析法　B-419
シトシン　B-1071
ジドブジン　C-2264,
　C-9
ジドブジン（参照赤外吸収
　スペクトル）　E-270
ジドロゲステロン
　C-2270, C-9
ジドロゲステロン（参照紫
　外可視吸収スペクトル）
　E-66
ジドロゲステロン（参照赤
　外吸収スペクトル）
　E-271
ジドロゲステロン錠
　C-2274
ジドロゲステロン, 定量用
　B-1071
2,2'-ジナフチルエーテル
　B-1071
2,4-ジニトロクロルベンゼ
　ン　B-1071
2,4-ジニトロフェニルヒド

ラジン　B-1071
2,4-ジニトロフェニルヒド
　ラジン・エタノール試液
　B-1072
2,4-ジニトロフェニルヒド
　ラジン試液　B-1072
2,4-ジニトロフェニルヒド
　ラジン・ジエチレングリ
　コールジメチルエーテル
　試液　B-1072
2,4-ジニトロフェノール
　B-1072
2,4-ジニトロフェノール試
　液　B-1072
2,4-ジニトロフルオルベン
　ゼン　B-1072
1,2-ジニトロベンゼン
　B-1072
1,3-ジニトロベンゼン
　B-1072
m-ジニトロベンゼン
　B-1072
1,3-ジニトロベンゼン試液
　B-1072
m-ジニトロベンゼン試液
　B-1072
1,3-ジニトロベンゼン試
　液, アルカリ性
　B-1072
m-ジニトロベンゼン試液,
　アルカリ性　B-1072
シネオール, 定量用
　B-1072
シノキサシン　C-2276,
　C-9
シノキサシンカプセル
　C-2278
シノキサシン（参照紫外可
　視吸収スペクトル）
　E-66
シノキサシン（参照赤外吸
　収スペクトル）
　E-271
シノキサシン, 定量用
　B-1073

日本名索引　I-53

シノブファギン，成分含量
　測定用　B-1073
シノブファギン，定量用
　B-1073
ジノプロスト　C-2281
ジノプロスト（参照紫外可
　視吸収スペクトル）
　E-67
ジノプロスト（参照赤外吸
　収スペクトル）
　E-271
シノメニン，定量用
　B-1074
シノメニン，薄層クロマト
　グラフィー用
　B-1076
ジピコリン酸　B-1076
ジヒドロエルゴクリスチン
　メシル酸塩，薄層クロマ
　トグラフィー用
　B-1077
ジヒドロエルゴタミンメシ
　ル酸塩　C-2286
ジヒドロエルゴタミンメシ
　ル酸塩（参照紫外可視吸
　収スペクトル）
　E-67
ジヒドロエルゴタミンメシ
　ル酸塩（参照赤外吸収ス
　ペクトル）　E-272
ジヒドロエルゴトキシンメ
　シル酸塩　C-2290，
　C-9
ジヒドロエルゴトキシンメ
　シル酸塩（参照赤外吸収
　スペクトル）　E-272
2,4-ジヒドロキシ安息香酸
　B-1077
1,3-ジヒドロキシナフタレ
　ン　B-1077
2,7-ジヒドロキシナフタレ
　ン　B-1077
2,7-ジヒドロキシナフタレ
　ン試液　B-1077
ジヒドロコデインリン酸塩

C-2297
ジヒドロコデインリン酸塩
　散1%　C-2300
ジヒドロコデインリン酸塩
　散10%　C-2302
ジヒドロコデインリン酸塩
　（参照紫外可視吸収スペ
　クトル）　E-67
ジヒドロコデインリン酸塩
　（参照赤外吸収スペクト
　ル）　E-272
ジヒドロコデインリン酸
　塩，定量用　B-1077
3,4-ジヒドロ-6-ヒドロキ
　シ-2(1H)-キノリノン
　B-1077
1-[(2R,5S)-2,5-ジヒドロ-
　5-(ヒドロキシメチル)-
　2-フリル]チミン，薄層
　クロマトグラフィー用
　B-1078
ジビニルベンゼン-N-ビニ
　ルピロリドン共重合体，
　カラムクロマトグラフィ
　ー用　B-1343
ジビニルベンゼン-メタク
　リラート共重合体，液体
　クロマトグラフィー用
　B-1343
α,α'-ジピリジル
　B-1078
1,3-ジ-(4-ピリジル)プロ
　パン　B-1078
ジピリダモール
　C-2304，C-10
ジピリダモール（参照紫外
　可視吸収スペクトル）
　E-68
ジピリダモール（参照赤外
　吸収スペクトル）
　E-273
ジフェニドール塩酸塩
　B-1078，C-2309，
　C-10
ジフェニル　B-1078

ジフェニルアミン
　B-1078
ジフェニルアミン・酢酸試
　液　B-1078
ジフェニルアミン試液
　B-1078
ジフェニルアミン・氷酢酸
　試液　B-1078
9,10-ジフェニルアントラ
　セン　B-1078
ジフェニルイミダゾール
　B-1079
ジフェニルエーテル
　B-1079
ジフェニルカルバジド
　B-1079
ジフェニルカルバジド試液
　B-1079
ジフェニルカルバゾン
　B-1079
ジフェニルカルバゾン試液
　B-1079
1,5-ジフェニルカルボノヒ
　ドラジド　B-1079
1,5-ジフェニルカルボノヒ
　ドラジド試液
　B-1079
5%ジフェニル・95%ジメ
　チルポリシロキサン，ガ
　スクロマトグラフィー用
　B-1079
ジフェニルスルホン，定量
　用　B-1079，B-113
1,1-ジフェニル-4-ピペリ
　ジノ-1-ブテン塩酸塩，
　薄層クロマトグラフィー
　用　B-1081
1,4-ジフェニルベンゼン
　B-1081
ジフェンヒドラミン
　B-1082，C-2313，
　C-10
ジフェンヒドラミン塩酸塩
　C-2317，C-10
ジフェンヒドラミン塩酸塩

Ｉ-54 日本名索引

（参照紫外可視吸収スペクトル）　E-68
ジフェンヒドラミン塩酸塩（参照赤外吸収スペクトル）　E-273
ジフェンヒドラミン・バレリル尿素散　C-2320
ジフェンヒドラミン・フェノール・亜鉛華リニメント　C-2322
ジブカイン塩酸塩　B-1082，C-2323，C-10
ジブカイン塩酸塩（参照紫外可視吸収スペクトル）　E-68
ジブカイン塩酸塩（参照赤外吸収スペクトル）　E-273
ジブチルアミン　B-1082
ジ-n-ブチルエーテル　B-1082
2,6-ジ-t-ブチルクレゾール　B-1082
2,6-ジ-t-ブチルクレゾール試液　B-1082
ジブチルジチオカルバミン酸亜鉛　B-1082
ジフテリアトキソイド　C-2327
4,4′-ジフルオロベンゾフェノン　B-1082
ジフルコルトロン吉草酸エステル　C-2329，C-10
ジフルコルトロン吉草酸エステル（参照紫外可視吸収スペクトル）　E-69
ジフルコルトロン吉草酸エステル（参照赤外吸収スペクトル）　E-274
ジプロフィリン　B-1082

シプロフロキサシン　C-2333，C-10
シプロフロキサシン塩酸塩水和物　C-2340，C-10
シプロフロキサシン塩酸塩水和物（参照赤外吸収スペクトル）　E-274
シプロフロキサシン（参照赤外吸収スペクトル）　E-274
シプロヘプタジン塩酸塩水和物　C-2345，C-10
シプロヘプタジン塩酸塩水和物（参照紫外可視吸収スペクトル）　E-69
2,6-ジブロムキノンクロルイミド　B-1083
2,6-ジブロムキノンクロルイミド試液　B-1083
2,6-ジブロモ-N-クロロ-1,4-ベンゾキノンモノイミン　B-1083
2,6-ジブロモ-N-クロロ-p-ベンゾキノンモノイミン　B-1083
2,6-ジブロモ-N-クロロ-1,4-ベンゾキノンモノイミン試液　B-1083
2,6-ジブロモ-N-クロロ-p-ベンゾキノンモノイミン試液　B-1083
2,6-ジブロモ-N-クロロ-1,4-ベンゾキノンモノイミン試液，希　B-1083
2,6-ジブロモ-N-クロロ-p-ベンゾキノンモノイミン試液，希　B-1083
ジフロラゾン酢酸エステル　C-2349
ジフロラゾン酢酸エステル（参照赤外吸収スペクトル）　E-275

ジベカシン硫酸塩　B-1083，C-2353，C-10
ジベカシン硫酸塩点眼液　C-2357
シベレスタットナトリウム水和物　B-1083，C-2359，C-10
シベレスタットナトリウム水和物（参照紫外可視吸収スペクトル）　E-69
シベレスタットナトリウム水和物（参照赤外吸収スペクトル）　E-275
ジベンジル　B-1083
N,N′-ジベンジルエチレンジアミン二酢酸塩　B-1083
ジベンズ[a,h]アントラセン　B-1084
シベンゾリンコハク酸塩　C-2365，C-10
シベンゾリンコハク酸塩（参照紫外可視吸収スペクトル）　E-70
シベンゾリンコハク酸塩（参照赤外吸収スペクトル）　E-275
シベンゾリンコハク酸塩錠　C-2370
シベンゾリンコハク酸塩，定量用　B-1085
脂肪酸メチルエステル混合試液　B-1086
脂肪油　B-1086
シメチジン　C-2372，C-10
シメチジン（参照赤外吸収スペクトル）　E-276
N,N-ジメチルアセトアミド　B-1086
ジメチルアニリン　B-1087
2,6-ジメチルアニリン

日本名索引　I-55

B-1087

N,N-ジメチルアニリン
　B-1087

(ジメチルアミノ)アゾベ
　ンゼンスルホニルクロリ
　ド　B-1087

4-ジメチルアミノアンチ
　ピリン　B-1087

4-ジメチルアミノシンナム
　アルデヒド　B-1087

p-ジメチルアミノシンナム
　アルデヒド　B-1087

4-ジメチルアミノシンナム
　アルデヒド試液
　B-1087

p-ジメチルアミノシンナム
　アルデヒド試液
　B-1087

ジメチルアミノフェノール
　B-1087

ジメチルアミノプロピルシ
　リル化シリカゲル，液体
　クロマトグラフィー用
　B-1343

4-ジメチルアミノベンジリ
　デンロダニン
　B-1087

p-ジメチルアミノベンジリ
　デンロダニン
　B-1087

4-ジメチルアミノベンジリ
　デンロダニン試液
　B-1088

p-ジメチルアミノベンジリ
　デンロダニン試液
　B-1088

4-ジメチルアミノベンズ
　アルデヒド　B-1088

p-ジメチルアミノベンズ
　アルデヒド　B-1088

p-ジメチルアミノベンズ
　アルデヒド・塩化第二鉄
　試液　B-1088

p-ジメチルアミノベンズ
　アルデヒド・塩化第二鉄

試液，希　B-1088

4-ジメチルアミノベンズ
　アルデヒド・塩化鉄(III)
　試液　B-1088

p-ジメチルアミノベンズ
　アルデヒド・塩化鉄(III)
　試液　B-1088

4-ジメチルアミノベンズ
　アルデヒド・塩化鉄(III)
　試液，希　B-1088

4-ジメチルアミノベンズ
　アルデヒド・塩酸・酢酸
　試液　B-1088

4-ジメチルアミノベンズ
　アルデヒド・塩酸試液
　B-1088

p-ジメチルアミノベンズ
　アルデヒド・塩酸試液
　B-1088

4-ジメチルアミノベンズ
　アルデヒド試液
　B-1088

p-ジメチルアミノベンズ
　アルデヒド試液
　B-1088

4-ジメチルアミノベンズ
　アルデヒド試液，噴霧用
　B-1088

p-ジメチルアミノベンズ
　アルデヒド試液，噴霧用
　B-1088

ジメチルアミン
　B-1088

N,N-ジメチル-n-オクチル
　アミン　B-1089

ジメチルグリオキシム
　B-1089

ジメチルグリオキシム試液
　B-1089

ジメチルグリオキシム・チ
　オセミカルバジド試液
　B-1089

ジメチルシリル化シリカゲ
　ル(蛍光剤入り)，薄層
　クロマトグラフィー用

B-1343

ジメチルスルホキシド
　B-1089

ジメチルスルホキシド，吸
　収スペクトル用
　B-1089

3-(4,5-ジメチルチアゾー
　ル-2-イル)-2,5-ジフェ
　ニル-2H-テトラゾリウ
　ム臭化物　B-1089

3-(4,5-ジメチルチアゾー
　ル-2-イル)-2,5-ジフェ
　ニル-2H-テトラゾリウ
　ム臭化物試液
　B-1089

2,6-ジメチル-4-(2-ニトロ
　ソフェニル)-3,5-ピリジ
　ンジカルボン酸ジメチル
　エステル，薄層クロマト
　グラフィー用
　B-1089

N,N-ジメチル-p-フェニレ
　ンジアンモニウム二塩酸
　塩　B-1090

ジメチルポリシロキサン，
　ガスクロマトグラフィー
　用　B-1090

ジメチルホルムアミド
　B-1090

N,N-ジメチルホルムアミ
　ド　B-1090

N,N-ジメチルホルムアミ
　ド，液体クロマトグラフ
　ィー用　B-1090

ジメトキシメタン
　B-1090

ジメドン　B-1090

ジメモルファンリン酸塩
　C-2377, C-10

ジメモルファンリン酸塩
　(参照紫外可視吸収スペ
　クトル)　E-70

ジメモルファンリン酸塩
　(参照赤外吸収スペクト
　ル)　E-276

ジメルカプロール
　C - 2380, C - 10
ジメルカプロール（参照赤
　外吸収スペクトル）
　E - 276
ジメルカプロール注射液
　C - 2384
ジメンヒドリナート
　C - 2385
ジメンヒドリナート錠
　C - 2389
ジメンヒドリナート，定量
　用　B - 1090
次没食子酸ビスマス
　C - 2391, C - 10
ジモルホラミン
　C - 2396, C - 10
ジモルホラミン（参照紫外
　可視吸収スペクトル）
　E - 70
ジモルホラミン（参照赤外
　吸収スペクトル）
　E - 277
ジモルホラミン注射液
　C - 2399
ジモルホラミン，定量用
　B - 1090
シャカンゾウ　D - 465,
　D - 23
炙甘草　D - 465
弱アヘンアルカロイド・ス
　コポラミン注射液
　C - 248
弱塩基性 DEAE–架橋デキ
　ストラン陰イオン交換体
　(Cl 型)　B - 1343
弱酸性イオン交換樹脂，液
　体クロマトグラフィー用
　B - 1343
弱酸性イオン交換シリカゲ
　ル，液体クロマトグラフ
　ィー用　B - 1344
弱酸性 CM–架橋セルロー
　ス陽イオン交換体 (H 型)
　B - 1344

試薬・試液　B - 921,
　B - 107, B - 128,
　B - 129
シャクヤク　D - 468
芍薬　D - 468
芍薬甘草湯エキス
　D - 477
シャクヤク末　D - 474
芍薬末　D - 474
ジャショウシ　D - 481,
　D - 24
蛇床子　D - 481
シャゼンシ　D - 482
車前子　D - 482
シャゼンシ，薄層クロマト
　グラフィー用
　B - 1090, B - 115
シャゼンソウ　D - 485,
　D - 24
車前草　D - 485
重塩酸，核磁気共鳴スペク
　トル測定用　B - 1091
臭化 n–デシルトリメチル
　アンモニウム
　B - 1093
臭化 n–デシルトリメチル
　アンモニウム試液,
　0.005 mol/L　B - 1093
臭化カリウム　B - 1092,
　C - 2401, C - 10
臭化カリウム，赤外吸収ス
　ペクトル用　B - 1092
臭化シアン試液
　B - 1092
臭化ジスチグミン，定量用
　B - 1092
臭化ジミジウム
　B - 1092
臭化ジミジウム–パテント
　ブルー混合試液
　B - 1092
臭化 3–(4,5–ジメチルチア
　ゾール–2–イル)–2,5–ジ
　フェニル–2H–テトラゾ
　リウム　B - 1092

臭化 3–(4,5–ジメチルチア
　ゾール–2–イル)–2,5–ジ
　フェニル–2H–テトラゾ
　リウム試液　B - 1092
臭化水素酸　B - 1092
臭化水素酸アレコリン，薄
　層クロマトグラフィー用
　B - 1092
臭化水素酸スコポラミン
　B - 1092
臭化水素酸スコポラミン，
　薄層クロマトグラフィー
　用　B - 1092
臭化水素酸セファエリン
　B - 1092
臭化水素酸ホマトロピン
　B - 1092
臭化ダクロニウム，薄層ク
　ロマトグラフィー用
　B - 1092
臭化テトラ n–ブチルアン
　モニウム　B - 1093
臭化テトラ n–プロピルア
　ンモニウム　B - 1093
臭化テトラ n–ヘプチルア
　ンモニウム　B - 1093
臭化テトラ n–ペンチルア
　ンモニウム　B - 1093
臭化ナトリウム
　B - 1093, C - 2405,
　C - 10
臭化プロパンテリン
　B - 1093
臭化ヨウ素 (II)
　B - 1093
臭化ヨウ素 (II) 試液
　B - 1093
臭化リチウム　B - 1093
重金属試験法　B - 25
重クロム酸カリウム
　B - 1093
1/60 mol/L 重クロム酸カ
　リウム液　B - 868
重クロム酸カリウム試液
　B - 1093

日本名索引　　I -57

重クロム酸カリウム（標準試薬）　B - 1093
重クロム酸カリウム・硫酸試液　B - 1093
収載医薬品薬効分類　H - 83
シュウ酸　B - 1093
シュウ酸アンモニウム　B - 1093
シュウ酸アンモニウム一水和物　B - 1093
シュウ酸アンモニウム試液　B - 1093
0.005 mol/L シュウ酸液　B - 869
0.05 mol/L シュウ酸液　B - 868
シュウ酸塩 pH 標準液　B - 1093, B - 918
シュウ酸試液　B - 1093
0.005 mol/L シュウ酸ナトリウム液　B - 869
シュウ酸ナトリウム（標準試薬）　B - 1094
シュウ酸 N-(1-ナフチル)-N'-ジエチルエチレンジアミン　B - 1094
シュウ酸 N-(1-ナフチル)-N'-ジエチルエチレンジアミン・アセトン試液　B - 1094
シュウ酸 N-(1-ナフチル)-N'-ジエチルエチレンジアミン試液　B - 1094
シュウ酸二水和物　B - 1093
重水，核磁気共鳴スペクトル測定用　B - 1094
重水素化アセトン，核磁気共鳴スペクトル測定用　B - 1094
重水素化ギ酸，核磁気共鳴スペクトル測定用　B - 1094

重水素化クロロホルム，核磁気共鳴スペクトル測定用　B - 1094
重水素化ジメチルスルホキシド，核磁気共鳴スペクトル測定用　B - 1094
重水素化ピリジン，核磁気共鳴スペクトル測定用　B - 1094
重水素化メタノール，核磁気共鳴スペクトル測定用　B - 1094
重水素化溶媒，核磁気共鳴スペクトル測定用　B - 1094
十全大補湯エキス　D - 487
臭素　B - 1094
重曹　C - 3131
0.05 mol/L 臭素液　B - 869
臭素・酢酸試液　B - 1094
臭素酸カリウム　B - 1095
1/60 mol/L 臭素酸カリウム液　B - 870
臭素試液　B - 1094
臭素・シクロヘキサン試液　B - 1094
臭素・水酸化ナトリウム試液　B - 1095
臭素・四塩化炭素試液　B - 1094
重炭酸ナトリウム　C - 3131
重炭酸ナトリウム注射液　C - 3135
収着―脱着等温線測定法及び水分活性測定法　B - 517
ジュウヤク　D - 499
十薬　D - 499
シュクシャ　D - 502
縮砂　D - 502

シュクシャ末　D - 505
縮砂末　D - 505
宿主細胞由来タンパク質試験法　F - 148
酒精剤　A - 163
酒石酸　B - 1095, C - 2409, C - 10
L-酒石酸　B - 1095
酒石酸アンモニウム　B - 1095
L-酒石酸アンモニウム　B - 1095
酒石酸カリウム　B - 1095
酒石酸カリウムナトリウム　B - 1095
酒石酸緩衝液，pH 3.0　B - 1095
酒石酸水素ナトリウム　B - 1095
酒石酸水素ナトリウム一水和物　B - 1095
酒石酸水素ナトリウム試液　B - 1095
酒石酸第一鉄試液　B - 1095
酒石酸鉄（Ⅱ）試液　B - 1095
酒石酸ナトリウム　B - 1095
酒石酸ナトリウムカリウム四水和物　B - 1095
酒石酸ナトリウム二水和物　B - 1095
酒石酸メトプロロール，定量用　B - 1095
酒石酸レバロルファン，定量用　B - 1095
純度試験用アコニチン　B - 1095
純度試験用アルテミシア・アルギイ　B - 1095
純度試験用ジェサコニチン　B - 1095
純度試験用ヒパコニチン

Ⅰ-58　　日本名索引

B-1095

純度試験用ブシジエステル
　アルカロイド混合標準溶
　液　B-1095

純度試験用ペウケダヌム・
　レデボウリエルロイデス
　B-1095

純度試験用メサコニチン
　B-1095

純度試験用ラポンチシン
　B-1096

消化力試験法　B-566

ショウキョウ　D-506,
　D-24

生姜　D-506

ショウキョウ末
　D-512,　D-26

生姜末　D-512

錠剤　A-33

錠剤硬度測定法　F-344

小柴胡湯エキス　D-514

錠剤の摩損度試験法
　F-346,　F-38

硝酸　B-1096

硝酸アンモニウム
　B-1096

硝酸イソソルビド
　C-2416,　C-10

硝酸イソソルビド錠
　C-2420

硝酸イソソルビド，定量用
　B-1096

硝酸カリウム　B-1096

硝酸カルシウム
　B-1096

硝酸カルシウム四水和物
　B-1096

硝酸，希　B-1096

硝酸銀　B-1096,
　C-2412,　C-10

硝酸銀・アンモニア試液
　B-1097

0.001 mol/L 硝酸銀液
　B-872

0.005 mol/L 硝酸銀液

B-872

0.01 mol/L 硝酸銀液
　B-872

0.02 mol/L 硝酸銀液
　B-872

0.1 mol/L 硝酸銀液
　B-871

硝酸銀試液　B-1096

硝酸銀点眼液　C-2414

硝酸コバルト　B-1097

硝酸コバルト（Ⅱ）六水和
　物　B-1097

硝酸試液，2mol/L
　B-1096

硝酸ジルコニル
　B-1097

硝酸ジルコニル二水和物
　B-1097

硝酸ストリキニーネ，定量
　用　B-1097

硝酸セリウム（Ⅲ）試液
　B-1097

硝酸セリウム（Ⅲ）六水和
　物　B-1097

硝酸第一セリウム
　B-1097

硝酸第一セリウム試液
　B-1097

硝酸第二鉄　B-1097

硝酸第二鉄試液
　B-1097

硝酸チアミン　B-1097

硝酸鉄（Ⅲ）九水和物
　B-1097

硝酸鉄（Ⅲ）試液
　B-1097

硝酸デヒドロコリダリン，
　成分含量測定用
　B-1098

0.1 mol/L 硝酸銅（Ⅱ）液
　B-872

硝酸銅（Ⅱ）三水和物
　B-1098

硝酸ナトリウム
　B-1099

硝酸ナファゾリン
　B-1099

硝酸ナファゾリン，定量用
　B-1099

硝酸鉛　B-1099

硝酸鉛（Ⅱ）　B-1099

硝酸二アンモニウムセリウ
　ム（Ⅳ）　B-1099

硝酸二アンモニウムセリウ
　ム（Ⅳ）試液　B-1099

硝酸，発煙　B-1096

硝酸バリウム　B-1099

硝酸バリウム試液
　B-1099

硝酸ビスマス　B-1099

0.01 mol/L 硝酸ビスマス
　液　B-872

硝酸ビスマス五水和物
　B-1100

硝酸ビスマス試液
　B-1100

硝酸ビスマス・ヨウ化カリ
　ウム試液　B-1100

硝酸標準液　B-918

硝酸マグネシウム
　B-1100

硝酸マグネシウム六水和物
　B-1100

硝酸マンガン（Ⅱ）六水和
　物　B-1100

硝酸ミコナゾール
　B-1100

常水　C-2505

ショウズク　D-523,
　D-27

小豆蒄　D-523,　D-27

小豆蒄　D-27

小豆蒄　D-27

小豆蒄　D-523,　D-27

焦性ブドウ酸ナトリウム
　B-1100

小青竜湯エキス　D-525

焼セッコウ　D-553

焼石膏　D-553

消毒法及び除染法

日本名索引　Ⅰ-59

F-252
消毒用アルコール
　C-884
消毒用エタノール
　B-1100，C-884
消毒用フェノール
　C-4631
消毒用フェノール水
　C-4634
樟脳　C-1488
ショウマ　D-535，
　_D-27_
升麻　D-535
焼ミョウバン　C-6141
生薬及び生薬製剤のアフラ
　トキシン試験法
　F-309
生薬及び生薬製剤の薄層ク
　ロマトグラフィー
　F-293
生薬及び生薬を主たる原料
　とする製剤の微生物限度
　試験法　B-642
生薬関連製剤　A-157
生薬関連製剤各条
　A-157
生薬試験法　B-626
生薬純度試験用アセトン
　B-1100
生薬純度試験用アリストロ
　キア酸Ⅰ　B-1100
生薬純度試験用エーテル
　B-1100
生薬純度試験用ジエチルエ
　ーテル　B-1100
生薬純度試験用ヘキサン
　B-1100
生薬総則　A-19
生薬定量用エフェドリン塩
　酸塩　B-1100
生薬等の定量指標成分につ
　いて　F-291
生薬の放射能測定法
　F-313
生薬類・漢方処方の薬効薬

理　H-87
蒸留水，注射用
　B-1100
[6]-ショーガオール，定量
　用　B-1100，_B-116_
[6]-ショーガオール，薄層
　クロマトグラフィー用
　B-1102
食塩　C-1148
触媒用ラニーニッケル
　B-1103
植物油　B-1103
ジョサマイシン
　B-1103，C-2422，
　_C-10_
ジョサマイシン（参照紫外
　可視吸収スペクトル）
　E-71
ジョサマイシン錠
　C-2427
ジョサマイシンプロピオン
　酸エステル　B-1103，
　C-2428，_C-10_
ジョサマイシンプロピオン
　酸エステル（参照紫外可
　視吸収スペクトル）
　E-71
シラザプリル　B-1103
シラザプリル錠
　C-2436
シラザプリル水和物
　B-1103，C-2432，
　_C-10_
シラザプリル水和物（参照
　赤外吸収スペクトル）
　E-277
シラザプリル水和物，定量
　用　B-1103
シラザプリル，定量用
　B-1103
シラスタチンアンモニウ
　ム，定量用　B-1103
シラスタチンナトリウム
　C-2440，_C-10_
シラスタチンナトリウム

（参照赤外吸収スペクト
　ル）　E-277
ジラゼプ塩酸塩水和物
　C-2446，_C-10_
ジラゼプ塩酸塩水和物（参
　照紫外可視吸収スペクト
　ル）　E-71
ジラゼプ塩酸塩水和物（参
　照赤外吸収スペクトル）
　E-278
シリカゲル　B-1105
シリカゲル，液体クロマト
　グラフィー用
　B-1344
シリカゲル，ガスクロマト
　グラフィー用
　B-1344
シリカゲル（蛍光剤入り），
　薄層クロマトグラフィー
　用　B-1344
シリカゲル（混合蛍光剤入
　り），薄層クロマトグラ
　フィー用　B-1344
シリカゲル，薄層クロマト
　グラフィー用
　B-1344
シリカゲル（粒径5～7
　μm，蛍光剤入り），薄層
　クロマトグラフィー用
　B-1344
シリコーン樹脂
　B-1105
シリコン樹脂　B-1105
シリコーン油　B-1106
シリコン油　B-1106
試料緩衝液，エポエチンア
　ルファ用　B-1106
ジルコニル・アリザリンS
　試液　B-1106
ジルコニル・アリザリンレ
　ッドS試液　B-1106
ジルチアゼム塩酸塩
　B-1106，C-2450，
　_C-10_
ジルチアゼム塩酸塩（参照

I-60 日本名索引

紫外可視吸収スペクト
ル) E-72
ジルチアゼム塩酸塩徐放カ
プセル C-2457
ジルチアゼム塩酸塩，定量
用 B-1106
シルニジピン C-2460,
C-10
シルニジピン（参照紫外可
視吸収スペクトル）
E-72
シルニジピン（参照赤外吸
収スペクトル）
E-278
シルニジピン錠
C-2465
シロスタゾール
C-2469, C-10
シロスタゾール（参照紫外
可視吸収スペクトル）
E-72
シロスタゾール（参照赤外
吸収スペクトル）
E-278
シロスタゾール錠
C-2474
シロップ剤 A-64
シロップ用アシクロビル
C-74
シロップ用クラリスロマイ
シン C-1608
シロップ用剤 A-64
シロップ用セファトリジン
プロピレングリコール
C-2716
シロップ用セファドロキシ
ル C-2724
シロップ用セファレキシン
C-2738
シロップ用セフポドキシム
プロキセチル
C-2923
シロップ用セフロキサジン
C-2950
シロップ用トラニラスト

C-3593
シロップ用ファロペネムナ
トリウム C-4545
シロップ用ペミロラストカ
リウム C-5281
シロップ用ホスホマイシン
カルシウム C-5401
シロドシン B-1106,
C-2477, C-10
シロドシン口腔内崩壊錠
C-2489
シロドシン（参照紫外可視
吸収スペクトル）
E-73
シロドシン（参照赤外吸収
スペクトル） E-279
シロドシン錠 C-2485
シンイ B-1106,
D-539
辛夷 D-539
シンギ D-542
晋耆 D-542
シンコニジン B-1106
シンコニン B-1106
ジンコン B-1107
ジンコン試液 B-1107
浸剤・煎剤 A-164
親水クリーム C-1643
親水性シリカゲル，液体ク
ロマトグラフィー用
B-1344
親水軟膏 C-1643
親水ワセリン C-6374
診断用クエン酸ナトリウム
液 C-1589
浸透圧測定法（オスモル濃
度測定法） B-280
シンドビスウイルス
B-1107, B-118
シンナムアルデヒド，薄層
クロマトグラフィー用
B-1107
(E)-シンナムアルデヒド，
薄層クロマトグラフィー
用 B-1107

シンバスタチン
C-2495, C-10
シンバスタチン（参照紫外
可視吸収スペクトル）
E-73
シンバスタチン（参照赤外
吸収スペクトル）
E-279
シンバスタチン錠
C-2501
真武湯エキス D-544,
D-27

ス

水，核酸分解酵素不含
B-1107
水銀 B-1107
水銀標準液 B-918
水酸化カリウム
B-1107, C-2521,
C-10
0.1 mol/L 水酸化カリウム
液 B-874
0.5 mol/L 水酸化カリウム
液 B-874
1 mol/L 水酸化カリウム液
B-873
0.1 mol/L 水酸化カリウ
ム・エタノール液
B-875
0.5 mol/L 水酸化カリウ
ム・エタノール液
B-874
水酸化カリウム・エタノー
ル試液 B-1107
水酸化カリウム・エタノー
ル試液，0.1 mol/L
B-1108
水酸化カリウム・エタノー
ル試液，希 B-1108
水酸化カリウム試液
B-1107
水酸化カリウム試液，0.02
mol/L B-1107

水酸化カリウム試液，0.05
mol/L　B-*1107*
水酸化カリウム試液，8
mol/L　B-*1107*
水酸化カルシウム
　　B-*1108*，C-*2523*,
　　<u>C-*10*</u>
水酸化カルシウム試液
　　B-*1108*
水酸化カルシウム，pH 測
　定用　B-*1108*
水酸化カルシウム pH 標準
　液　B-*918*，B-*1108*
水酸化第二銅　B-*1108*
水酸化銅（Ⅱ）　B-*1108*
水酸化ナトリウム
　　B-*1108*，C-*2525*,
　　<u>C-*10*</u>
0.01 mol/L 水酸化ナトリ
　ウム液　B-*878*
0.02 mol/L 水酸化ナトリ
　ウム液　B-*878*
0.05 mol/L 水酸化ナトリ
　ウム液　B-*878*
0.1 mol/L 水酸化ナトリウ
　ム液　B-*878*
0.2 mol/L 水酸化ナトリウ
　ム液　B-*877*
0.5 mol/L 水酸化ナトリウ
　ム液　B-*877*
1 mol/L 水酸化ナトリウム
　液　B-*876*
0.025 mol/L 水酸化ナトリ
　ウム・エタノール (99.5)
　液　B-*879*
水酸化ナトリウム試液
　　B-*1108*
水酸化ナトリウム試液，
　0.01 mol/L　B　*1108*
水酸化ナトリウム試液，
　0.05 mol/L　B-*1108*
水酸化ナトリウム試液，
　0.2 mol/L　B-*1108*
水酸化ナトリウム試液，
　0.5 mol/L　B-*1108*

水酸化ナトリウム試液，
　2 mol/L　B-*1108*
水酸化ナトリウム試液，
　4 mol/L　B-*1108*
水酸化ナトリウム試液，
　5 mol/L　B-*1108*
水酸化ナトリウム試液，
　6 mol/L　B-*1109*
水酸化ナトリウム試液，
　8 mol/L　B-*1109*
水酸化ナトリウム試液，希
　　B-*1109*
水酸化ナトリウム・ジオキ
　サン試液　B-*1109*
水酸化ナトリウム・メタノ
　ール試液　B-*1109*
水酸化バリウム
　　B-*1109*
水酸化バリウム試液
　　B-*1109*
水酸化バリウム八水和物
　　B-*1109*
水酸化リチウム一水和物
　　B-*1109*
水素　B-*1109*
水素化ホウ素ナトリウム
　　B-*1109*
水分測定法（カールフィッ
　シャー法）　B-*290*
水分測定用イミダゾール
　　B-*1109*
水分測定用エチレングリコ
　ール　B-*1109*
水分測定用塩化カルシウム
　　B-*1109*
水分測定用クロロホルム
　　B-*1109*
水分測定用試液
　　B-*1109*
水分測定用ジエチレングリ
　コールモノエチルエーテ
　ル　B-*1109*
水分測定用炭酸プロピレン
　　B-*1110*
水分測定用ピリジン

　　B-*1110*
水分測定用ホルムアミド
　　B-*1110*
水分測定用メタノール
　　B-*1110*
水分測定用 2-メチルアミ
　ノピリジン　B-*1110*
水分測定用陽極液 A
　　B-*1110*
スウェルチアマリン，薄層
　クロマトグラフィー用
　　B-*1110*
スキサメトニウム塩化物水
　和物　C-*2529*
スキサメトニウム塩化物水
　和物（参照赤外吸収スペ
　クトル）　E-*279*
スキサメトニウム塩化物水
　和物，薄層クロマトグラ
　フィー用　B-*1110*
スキサメトニウム塩化物注
　射液　C-*2533*
スクラルファート水和物
　　C-*2536*，<u>C-*10*</u>
スクロース　B-*1110*
スクロース，旋光度測定用
　　B-*1110*
スコポラミン臭化水素酸塩
　水和物　B-*1110*,
　　C-*2542*
スコポラミン臭化水素酸塩
　水和物，薄層クロマトグ
　ラフィー用　B-*1110*
スコポレチン，薄層クロマ
　トグラフィー用
　　B-*1111*
スズ　B-*1111*
スズ，熱分析用
　　B-*1352*
スズ標準液　B-*918*
スタキオース，薄層クロマ
　トグラフィー用
　　B-*1111*
スダンⅢ　B-*1111*
ズダンⅢ　B-*1112*

スダンⅢ試液　B-1112
ズダンⅢ試液　B-1112
スチレン　B-1112
スチレン-ジビニルベンゼ
　ン共重合体，液体クロマ
　トグラフィー用
　B-1344
p-スチレンスルホン酸ナ
　トリウム　B-1112
スチレン-マレイン酸交互
　共重合体部分ブチルエス
　テル　B-1112
ステアリルアルコール
　B-1114, C-2546
ステアリルナトリウムフマ
　ル酸塩　B-1114
ステアリン酸　C-2547,
　C-10, C-54
ステアリン酸，ガスクロマ
　トグラフィー用
　B-1114
ステアリン酸カルシウム
　C-2552, C-10
ステアリン酸ポリオキシル
　40　C-2554, C-10
ステアリン酸マグネシウム
　C-2555, C-10,
　C-55
ステアリン酸メチル，ガス
　クロマトグラフィー用
　B-1114
ストリキニーネ硝酸塩，定
　量用　B-1114
ストレプトマイシン硫酸塩
　C-2560, C-10
ストロンチウム試液
　B-1115
スピラマイシン酢酸エステ
　ル　C-2566, C-10
スピラマイシン酢酸エステ
　ル（参照紫外可視吸収ス
　ペクトル）　E-73
スピラマイシン酢酸エステ
　ル（参照赤外吸収スペク
　トル）　E-280

スピロノラクトン
　C-2571
スピロノラクトン（参照紫
　外可視吸収スペクトル）
　E-74
スピロノラクトン（参照赤
　外吸収スペクトル）
　E-280
スピロノラクトン錠
　C-2576
スプレー剤　A-141
スペクチノマイシン塩酸塩
　水和物　C-2578
スリンダク　C-2583,
　C-10
スリンダク（参照紫外可視
　吸収スペクトル）
　E-74
スリンダク（参照赤外吸収
　スペクトル）　E-280
スルタミシリントシル酸塩
　錠　C-2593
スルタミシリントシル酸塩
　水和物　C-2587,
　C-11
スルタミシリントシル酸塩
　水和物（参照紫外可視吸
　収スペクトル）
　E-74
スルタミシリントシル酸塩
　水和物（参照赤外吸収ス
　ペクトル）　E-281
スルチアム　C-2596,
　C-11
スルチアム（参照紫外可視
　吸収スペクトル）
　E-75
スルバクタムナトリウム
　C-2600, C-11
スルバクタムナトリウム
　（参照赤外吸収スペクト
　ル）　E-281
スルバクタムナトリウム，
　スルバクタムペニシラミ
　ン用　B-1115

スルバクタムペニシラミン
　用スルバクタムナトリウ
　ム　B-1116
スルピリド　C-2605,
　C-11
スルピリドカプセル
　C-2611
スルピリド（参照紫外可視
　吸収スペクトル）
　E-75
スルピリド（参照赤外吸収
　スペクトル）　E-281
スルピリド錠　C-2609
スルピリド，定量用
　B-1116
スルピリン　B-1116
スルピリン水和物
　B-1116, C-2612,
　C-11
スルピリン水和物，定量用
　B-1116
スルピリン注射液
　C-2616
スルピリン，定量用
　B-1116
スルファサラジン
　C-2055
スルファジアジン銀
　C-2618
スルファジアジン銀（参照
　赤外吸収スペクトル）
　E-282
スルファチアゾール
　B-1116
スルファニルアミド
　B-1116
スルファニルアミド，ジア
　ゾ化滴定用　B-1116
スルファニル酸
　B-1116
スルファフラゾール
　C-2638
スルファミン酸アンモニウ
　ム　B-1116
スルファミン酸アンモニウ

日本名索引　I-63

ム試液　B-1116
スルファミン酸（標準試薬）
　B-1116
スルファメチゾール
　C-2623, C-11
スルファメチゾール（参照
　赤外吸収スペクトル）
　E-282
スルファメトキサゾール
　C-2630, C-11
スルファメトキサゾール
　（参照赤外吸収スペクト
　ル）　E-282
スルファモノメトキシン水
　和物　C-2634,
　C-11
スルファモノメトキシン水
　和物（参照赤外吸収スペ
　クトル）　E-283
スルフイソキサゾール
　C-2638, C-11
スルベニシリンナトリウム
　C-2642, C-11
スルベニシリンナトリウム
　（参照赤外吸収スペクト
　ル）　E-283
スルホコハク酸ジ-2-エチ
　ルヘキシルナトリウム
　B-1116
スルホサリチル酸
　B-1117
スルホサリチル酸試液
　B-1117
5-スルホサリチル酸二水
　和物　B-1117
スルホブロモフタレインナ
　トリウム　C-2646,
　C-11
スルホブロモフタレインナ
　トリウム注射液
　C-2649
スルホンアミド基を結合し
　たヘキサデシルシリル化
　シリカゲル，液体クロマ
　トグラフィー用

B-1344
スレオプロカテロール塩酸
　塩　B-1117

セ

製剤各条　A-30
製剤均一性試験法
　B-670
製剤総則　A-25
製剤通則　A-25
製剤に関連する添加剤の機
　能性関連特性について
　F-40
製剤の粒度の試験法
　B-680
製剤包装通則　A-29
制酸力試験法　B-681
青色リトマス紙
　B-1348
成人用沈降ジフテリアトキ
　ソイド　C-2328
精製塩酸　B-1117
精製水　B-1117,
　C-2507
精製水，アンモニウム試験
　用　B-1117
精製水，滅菌　B-1117
精製水（容器入り）
　C-2509
精製ゼラチン　C-2975,
　C-12
精製セラック　C-2980,
　C-12
精製デヒドロコール酸
　C-3383, C-13
精製白糖　C-4019
精製白糖（参照赤外吸収ス
　ペクトル）　E-329
精製ヒアルロン酸ナトリウ
　ム　B-1117,
　C-4215, C-16
精製ヒアルロン酸ナトリウ
　ム（参照赤外吸収スペク
　トル）　E-336

精製ヒアルロン酸ナトリウ
　ム注射液　C-4220
精製ヒアルロン酸ナトリウ
　ム点眼液　C-4223
精製ブドウ糖　C-4714,
　C-17
精製メタノール
　B-1117
精製ラノリン　D-1026
精製硫酸　B-1117
性腺刺激ホルモン試液，ヒ
　ト絨毛性　B-1117
成分含量測定用アミグダリ
　ン　B-1117
成分含量測定用アルブチン
　B-1117
成分含量測定用塩酸 14-ア
　ニソイルアコニン
　B-1118
成分含量測定用塩酸エメチ
　ン　B-1118
成分含量測定用塩酸ベンゾ
　イルヒパコニン
　B-1118
成分含量測定用塩酸ベンゾ
　イルメサコニン
　B-1118
成分含量測定用カプサイシ
　ン　B-1118
成分含量測定用 (E)-カプ
　サイシン　B-1118
成分含量測定用カルバゾク
　ロムスルホン酸ナトリウ
　ム　B-1118
成分含量測定用 [6]-ギンゲ
　ロール　B-1118
成分含量測定用クルクミン
　B-1118
成分含量測定用 (E)-ケイ
　皮酸　B-1118
成分含量測定用ゲニポシド
　B-1118
成分含量測定用サイコサポ
　ニンa　B-1118
成分含量測定用サイコサポ

I-64   日本名索引

ニン b₂　B-1118
成分含量測定用サイコサポ
ニン d　B-1118
成分含量測定用シノブファ
ギン　B-1118
成分含量測定用硝酸デヒド
ロコリダリン
　B-1118
成分含量測定用バルバロイ
ン　B-1118
成分含量測定用 10-ヒドロ
キシ-2-(E)-デセン酸
　B-1118
成分含量測定用ブシモノエ
ステルアルカロイド混合
標準試液　B-1118
成分含量測定用ブファリン
　B-1118
成分含量測定用ペオノール
　B-1118
成分含量測定用ヘスペリジ
ン　B-1118
成分含量測定用ペリルアル
デヒド　B-1118
成分含量測定用マグノロー
ル　B-1118
成分含量測定用リンコフィ
リン　B-1118
成分含量測定用レジブフォ
ゲニン　B-1118
成分含量測定用ロガニン
　B-1118
成分含量測定用ロスマリン
酸　B-1118
製薬用水の品質管理
　F-381, F-41
精油　B-1118
西洋ワサビペルオキシダー
ゼ　B-1119
生理食塩液　C-2662,
　B-1119, C-11
ゼオライト (孔径0.5 nm),
ガスクロマトグラフィー
用　B-1344
赤外吸収スペクトル測定法

B-213
赤外吸収スペクトル用塩化
カリウム　B-1119
赤外吸収スペクトル用臭化
カリウム　B-1119
赤色リトマス紙
　B-1348
石油エーテル　B-1119
石油系ヘキサメチルテトラ
コサン類分枝炭化水素混
合物 (L), ガスクロマト
グラフィー用
　B-1119
石油ベンジン　B-1119,
　C-2664
赤リン　B-1119
セクレチン標準品用ウシ血
清アルブミン試液
　B-1119
セクレチン用ウシ血清アル
ブミン試液　B-1119
セサミン, 薄層クロマトグ
ラフィー用　B-1119
セスキオレイン酸ソルビタ
ン　B-1119
セタノール　B-1120,
　C-2666
セチリジン塩酸塩
　C-2667, C-11
セチリジン塩酸塩 (参照紫
外可視吸収スペクトル)
　E-75
セチリジン塩酸塩 (参照赤
外吸収スペクトル)
　E-283
セチリジン塩酸塩錠
　C-2672
セチリジン塩酸塩, 定量用
　B-1120
セチルピリジニウム塩化物
一水和物　B-1120
石灰乳　B-1120
舌下錠　A-72
赤血球浮遊液, A 型
　B-1120

赤血球浮遊液, B 型
　B-1120
セッコウ　D-552
石膏　D-552
セトチアミン塩酸塩水和物
　C-2674, C-11
セトチアミン塩酸塩水和物
(参照紫外可視吸収スペ
クトル)　E-76
セトチアミン塩酸塩水和物
(参照赤外吸収スペクト
ル)　E-284
セトラキサート塩酸塩
　C-2678, C-11
セトラキサート塩酸塩 (参
照紫外可視吸収スペクト
ル)　E-76
セトラキサート塩酸塩 (参
照赤外吸収スペクトル)
　E-284
セトリミド　B-1120
セネガ　D-555
セネガシロップ　D-561
セネガ末　D-559
セファエリン臭化水素酸塩
　B-1121
セファクロル　C-2683,
　C-11
セファクロルカプセル
　C-2688
セファクロル細粒
　C-2697
セファクロル (参照紫外可
視吸収スペクトル)
　E-76
セファクロル (参照赤外吸
収スペクトル)
　E-284
セファクロル標準品
　B-107
セファクロル複合顆粒
　C-2692
セファゾリンナトリウム
　C-2700, C-11
セファゾリンナトリウム

日本名索引　Ⅰ-65

（参照紫外可視吸収スペクトル）　E-77

セファゾリンナトリウム（参照赤外吸収スペクトル）　E-285

セファゾリンナトリウム水和物　C-2705, C-11

セファゾリンナトリウム水和物（参照紫外可視吸収スペクトル）　E-77

セファゾリンナトリウム水和物（参照赤外吸収スペクトル）　E-285

セファトリジンプロピレングリコール　B-1121, C-2712, C-11

セファトリジンプロピレングリコール（参照紫外可視吸収スペクトル）　E-77

セファトリジンプロピレングリコール（参照赤外吸収スペクトル）　E-285

セファドロキシル　B-1121, C-2718, C-11

セファドロキシルカプセル　C-2722

セファドロキシル（参照紫外可視吸収スペクトル）　E-78

セファドロキシル（参照赤外吸収スペクトル）　E-286

セファレキシン　C-2726, C-11

セファレキシンカプセル　C-2731

セファレキシン（参照紫外可視吸収スペクトル）　E-78

セファレキシン（参照赤外吸収スペクトル）

E-286

セファレキシン標準品　B-107

セファレキシン複合顆粒　C-2734

セファロチンナトリウム　C-2741, C-11

セファロチンナトリウム（参照紫外可視吸収スペクトル）　E-78

セファロチンナトリウム（参照赤外吸収スペクトル）　E-286

セフィキシムカプセル　C-2752

セフィキシム細粒　C-2755

セフィキシム水和物　C-2748

セフィキシム水和物（参照紫外可視吸収スペクトル）　E-79

セフィキシム水和物（参照赤外吸収スペクトル）　E-287

セフェピム塩酸塩水和物　C-2759, C-11

セフォジジムナトリウム　C-2769, C-11

セフォジジムナトリウム（参照紫外可視吸収スペクトル）　E-79

セフォジジムナトリウム（参照赤外吸収スペクトル）　E-287

セフォゾプラン塩酸塩　C-2774, C-11

セフォタキシムナトリウム　C-2781, C-11

セフォタキシムナトリウム（参照紫外可視吸収スペクトル）　E-79

セフォタキシムナトリウム（参照赤外吸収スペクトル）　E-287

セフォチアム塩酸塩　C-2786, C-11

セフォチアム塩酸塩（参照紫外可視吸収スペクトル）　E-80

セフォチアム塩酸塩（参照赤外吸収スペクトル）　E-288

セフォチアム　ヘキセチル塩酸塩　C-2793, C-11

セフォチアム　ヘキセチル塩酸塩（参照紫外可視吸収スペクトル）　E-80

セフォテタン　C-2799, C-11

セフォテタン（参照紫外可視吸収スペクトル）　E-80

セフォテタン（参照赤外吸収スペクトル）　E-288

セフォペラゾンナトリウム　C-2806, C-11

セフォペラゾンナトリウム（参照紫外可視吸収スペクトル）　E-81

セフカペン　ピボキシル塩酸塩細粒　C-2829

セフカペン　ピボキシル塩酸塩錠　C-2825

セフカペン　ピボキシル塩酸塩水和物　B-1121, C-2818, C-11

セフカペン　ピボキシル塩酸塩水和物（参照紫外可視吸収スペクトル）　E-81

セフジトレン　ピボキシル　C-2832, C-11

セフジトレン　ピボキシル細粒　C-2841

セフジトレン　ピボキシル（参照紫外可視吸収スペ

Ⅰ-66　日本名索引

クトル）　E-81

セフジトレン　ピボキシル
　錠　C-2838

セフジニル　C-2844,
　C-11

セフジニルカプセル
　C-2850

セフジニル細粒
　C-2852

セフジニルラクタム環開裂
　ラクトン　B-1121

セフスロジンナトリウム
　C-2854,　C-11

セフスロジンナトリウム
　（参照紫外可視吸収スペ
　クトル）　E-82

セフスロジンナトリウム
　（参照赤外吸収スペクト
　ル）　E-288

セフタジジム水和物
　C-2859,　C-11

セフタジジム水和物（参照
　紫外可視吸収スペクト
　ル）　E-82

セフタジジム水和物（参照
　赤外吸収スペクトル）
　E-289

セフチゾキシムナトリウム
　C-2869,　C-11

セフチゾキシムナトリウム
　（参照紫外可視吸収スペ
　クトル）　E-82

セフチゾキシムナトリウム
　（参照赤外吸収スペクト
　ル）　E-289

セフチブテン水和物
　C-2874,　C-11

セフチブテン水和物（参照
　紫外可視吸収スペクト
　ル）　E-83

セフチブテン水和物（参照
　赤外吸収スペクトル）
　E-289

セフテラム　ピボキシル
　C-2880,　C-11

セフテラム　ピボキシル細
　粒　C-2887

セフテラム　ピボキシル
　（参照紫外可視吸収スペ
　クトル）　E-83

セフテラム　ピボキシル
　（参照赤外吸収スペクト
　ル）　E-290

セフテラム　ピボキシル錠
　C-2884

セフトリアキソンナトリウ
　ム水和物　C-2889,
　C-11

セフトリアキソンナトリウ
　ム水和物（参照紫外可視
　吸収スペクトル）
　E-83

セフピラミドナトリウム
　C-2897,　C-11

セフピラミドナトリウム
　（参照紫外可視吸収スペ
　クトル）　E-84

セフピロム硫酸塩
　C-2903,　C-11

セフブペラゾンナトリウム
　C-2909,　C-11

セフブペラゾンナトリウム
　（参照紫外可視吸収スペ
　クトル）　E-84

セフポドキシム　プロキセ
　チル　C-2914,
　C-11

セフポドキシム　プロキセ
　チル（参照紫外可視吸収
　スペクトル）　E-84

セフポドキシム　プロキセ
　チル（参照赤外吸収スペ
　クトル）　E-290

セフポドキシム　プロキセ
　チル錠　C-2920

セフミノクスナトリウム水
　和物　C-2926,
　C-11

セフミノクスナトリウム水
　和物（参照紫外可視吸収

スペクトル）　E-85

セフミノクスナトリウム水
　和物（参照赤外吸収スペ
　クトル）　E-290

セフメタゾールナトリウム
　C-2930,　C-11

セフメタゾールナトリウム
　（参照紫外可視吸収スペ
　クトル）　E-85

セフメタゾールナトリウム
　（参照赤外吸収スペクト
　ル）　E-291

セフメノキシム塩酸塩
　C-2937,　C-11

セフメノキシム塩酸塩（参
　照紫外可視吸収スペクト
　ル）　E-85

セフメノキシム塩酸塩（参
　照赤外吸収スペクトル）
　E-291

セフロキサジン水和物
　C-2944,　C-12

セフロキサジン水和物（参
　照紫外可視吸収スペクト
　ル）　E-86

セフロキサジン水和物（参
　照赤外吸収スペクトル）
　E-291

セフロキシム　アキセチル
　C-2952,　C-12

セフロキシム　アキセチル
　（参照紫外可視吸収スペ
　クトル）　E-86

セフロキシム　アキセチル
　（参照赤外吸収スペクト
　ル）　E-292

セボフルラン　C-2958

セボフルラン（参照赤外吸
　収スペクトル）
　E-292

セミカルバジド塩酸塩
　B-1121

セラセフェート
　C-2963,　C-12

セラセフェート（参照赤外

日本名索引　Ⅰ-67

吸収スペクトル)
　E - 292
ゼラチン　B - 1121,
　C - 2968,　C - 12
ゼラチン, 酸処理
　B - 1121
ゼラチン試液　B - 1121
ゼラチン製ペプトン
　B - 1122
ゼラチン・トリス緩衝液
　B - 1121
ゼラチン・トリス緩衝液,
　pH 8.0　B - 1122
ゼラチン・リン酸塩緩衝液
　B - 1122
ゼラチン・リン酸塩緩衝
　液, pH 7.0　B - 1122
ゼラチン・リン酸塩緩衝
　液, pH 7.4　B - 1122
L-セリン　B - 1122,
　C - 2987,　C - 12
L-セリン (参照赤外吸収
　スペクトル)　E - 293
セルモロイキン (遺伝子組
　換え)　C - 2989
セルモロイキン, 液体クロ
　マトグラフィー用
　B - 1122
セルモロイキン分子量測定
　用マーカータンパク質
　B - 1123
セルモロイキン用緩衝液
　B - 1123
セルモロイキン用基質緩衝
　液　B - 1123
セルモロイキン用濃縮ゲル
　B - 1123
セルモロイキン用培養液
　B - 1123
セルモロイキン用分離ゲル
　B - 1123
セルロース (蛍光剤入り),
　薄層クロマトグラフィー
　用　B - 1344
セルローストリス (4-メチ

ルベンゾエート) 被覆シ
　リカゲル, 液体クロマト
　グラフィー用
　B - 1344
セルロース, 薄層クロマト
　グラフィー用
　B - 1344
セルロース誘導体被覆シリ
　カゲル, 液体クロマトグ
　ラフィー用　B - 1344
セレコキシブ　C - 3008,
　C - 12
セレコキシブ (参照紫外可
　視吸収スペクトル)
　E - 86
セレコキシブ (参照赤外吸
　収スペクトル)
　E - 293
セレン　B - 1123
セレン標準液　B - 919
セレン標準原液　B - 919
センキュウ　D - 563
川芎　D - 563
センキュウ末　D - 567
川芎末　D - 567
ゼンコ　D - 569
前胡　D - 569
旋光度測定法　B - 301
旋光度測定用スクロース
　B - 1123
センコツ　D - 571
川骨　D - 571
洗浄液, ナルトグラスチム
　試験用　B - 1123,
　B - 129
センソ　D - 573
蟾酥　D - 573
センダイウイルス
　B - 1123
せん断セル法による粉体の
　流動性測定法　F - 22
センナ　D - 579,　D - 28
センナ末　D - 586,
　D - 29
センノシド A, 薄層クロマ

トグラフィー用
　B - 1123
センブリ　B - 1123,
　D - 589
センブリ・重曹散
　D - 598
センブリ末　D - 595

ソ

ソイビーン・カゼイン・ダ
　イジェスト培地
　B - 1124
ソウジュツ　D - 599
蒼朮　D - 599
ソウジュツ末　D - 603
蒼朮末　D - 603
ソウハクヒ　D - 604
桑白皮　D - 604
ソーダ石灰　B - 1124
ゾニサミド　C - 3015,
　C - 12
ゾニサミド (参照紫外可視
　吸収スペクトル)
　E - 87
ゾニサミド (参照赤外吸収
　スペクトル)　E - 293
ゾニサミド錠　C - 3020
ゾピクロン　C - 3022,
　C - 12
ゾピクロン (参照紫外可視
　吸収スペクトル)
　E - 87
ゾピクロン (参照赤外吸収
　スペクトル)　E - 294
ゾピクロン錠　C - 3028
ゾピクロン, 定量用
　B - 1124
ソボク　D - 608
蘇木　D - 608
ソヨウ　D - 609
蘇葉　D - 609
ソルビタンセスキオレイン
　酸エステル　B - 1124,
　C - 3031,　C - 12

ゾルピデム酒石酸塩
　C - 3033,　C - 12
ゾルピデム酒石酸塩（参照
　紫外可視吸収スペクト
　ル）　E - 87
ゾルピデム酒石酸塩（参照
　赤外吸収スペクトル）
　E - 294
ゾルピデム酒石酸塩錠
　C - 3038
ゾルピデム酒石酸塩，定量
　用　B - 1124
D-ソルビトール
　B - 1124,　C - 3040,
　C - 12
D-ソルビトール液
　C - 3045,　C - 12
D-ソルビトール，ガスク
　ロマトグラフィー用
　B - 1124

タ

ダイオウ　D - 615
大黄　D - 615
大黄甘草湯エキス
　D - 629
ダイオウ末　D - 624
大黄末　D - 624
大柴胡湯エキス　D - 638
第三アミルアルコール
　B - 1124
第三ブタノール
　B - 1124
第 Xa 因子　B - 1124
第 Xa 因子試液　B - 1124
第十八改正日本薬局方にお
　ける国際調和　F - 394
ダイズ製ペプトン
　B - 1124
ダイズ油　B - 1124,
　D - 644
タイソウ　D - 646
大棗　D - 646
大腸菌由来タンパク質

B - 1124
大腸菌由来タンパク質原液
　B - 1124
第 II a 因子　B - 1125
第二ブタノール
　B - 1125
胎盤性性腺刺激ホルモン
　C - 2654
第四級アンモニウム基を結
　合した親水性ビニルポリ
　マーゲル，液体クロマト
　グラフィー用
　B - 1344
ダウノルビシン塩酸塩
　C - 3049,　C - 12
ダウノルビシン塩酸塩（参
　照紫外可視吸収スペクト
　ル）　E - 88
ダウノルビシン塩酸塩（参
　照赤外吸収スペクトル）
　E - 294
タウリン　B - 1125,
　C - 3054,　C - 12
タウリン（参照赤外吸収ス
　ペクトル）　E - 295
タウロウルソデオキシコー
　ル酸ナトリウム，薄層ク
　ロマトグラフィー用
　B - 1125
タカルシトール水和物
　C - 3057
タカルシトール水和物（参
　照紫外可視吸収スペクト
　ル）　E - 88
タカルシトール水和物（参
　照赤外吸収スペクトル）
　E - 295
タカルシトール軟膏
　C - 3063
タカルシトールローション
　C - 3061
タクシャ　D - 649
沢瀉　D - 649
タクシャトリテルペン混合
　試液，確認試験用

B - 1125
タクシャ末　D - 653
沢瀉末　D - 653
ダクチノマイシン
　C - 32
濁度試験法　B - 416
ダクロニウム臭化物，薄層
　クロマトグラフィー用
　B - 1125
タクロリムスカプセル
　C - 3073
タクロリムス水和物
　C - 3067,　C - 12
タクロリムス水和物（参照
　赤外吸収スペクトル）
　E - 295
多孔質シリカゲル，液体ク
　ロマトグラフィー用
　B - 1344
多孔質シリカゲル，ガスク
　ロマトグラフィー用
　B - 1345
多孔性アクリロニトリル-
　ジビニルベンゼン共重合
　体（孔径 0.06 ～ 0.08
　μm，100 ～ 200 m^2/g），
　ガスクロマトグラフィー
　用　B - 1345
多孔性エチルビニルベンゼ
　ン-ジビニルベンゼン共
　重合体，ガスクロマトグ
　ラフィー用　B - 1345
多孔性エチルビニルベンゼ
　ン-ジビニルベンゼン共
　重合体（平均孔径
　0.0075 μm，500 ～ 600
　m^2/g），ガスクロマトグ
　ラフィー用　B - 1345
多孔性スチレン-ジビニル
　ベンゼン共重合体，液体
　クロマトグラフィー用
　B - 1345
多孔性スチレン-ジビニル
　ベンゼン共重合体（平均
　孔径 0.0085 μm，300 ～

日本名索引　Ｉ-69

400 m²/g），ガスクロマ
トグラフィー用
B - 1345
多孔性スチレン-ジビニル
ベンゼン共重合体（平均
孔径 0.3 ～ 0.4 μm，
50 m²/g 以下），ガスク
ロマトグラフィー用
B - 1345
多孔性ポリマービーズ，ガ
スクロマトグラフィー用
B - 1345
多孔性ポリメタクリレー
ト，液体クロマトグラフ
ィー用　B - 1345
タゾバクタム　C - 3075,
C - 12
タゾバクタム（参照赤外吸
収スペクトル）
E - 296
脱色フクシン試液
B - 1126
ダナゾール　C - 3087,
C - 12
ダナゾール（参照紫外可視
吸収スペクトル）
E - 88
ダナゾール（参照赤外吸収
スペクトル）　E - 296
タムスロシン塩酸塩
B - 1126，C - 3091,
C - 12
タムスロシン塩酸塩（参照
紫外可視吸収スペクト
ル）　E - 89
タムスロシン塩酸塩（参照
赤外吸収スペクトル）
E - 296
タムスロシン塩酸塩徐放錠
C - 3096
タムスロシン塩酸塩，定量
用　B - 1126
タモキシフェンクエン酸塩
C - 3098，C - 12
タモキシフェンクエン酸塩

（参照紫外可視吸収スペ
クトル）　E - 89
タモキシフェンクエン酸塩
（参照赤外吸収スペクト
ル）　E - 297
タランピシリン塩酸塩
C - 3102，C - 12
タランピシリン塩酸塩（参
照赤外吸収スペクトル）
E - 297
多硫化アンモニウム試液
B - 1126
タルク　B - 1126,
C - 3106
タルチレリン口腔内崩壊錠
C - 3117
タルチレリン錠
C - 3114
タルチレリン水和物
C - 3110，C - 12
タルチレリン水和物（参照
赤外吸収スペクトル）
E - 297
タルチレリン水和物，定量
用　B - 1126
タングステン酸ナトリウム
B - 1126
タングステン（Ⅵ）酸ナト
リウム二水和物
B - 1126
炭酸アンモニウム
B - 1126
炭酸アンモニウム試液
B - 1126
炭酸塩緩衝液，0.1 mol/L,
pH 9.6　B - 1126
炭酸塩 pH 標準液
B - 919
炭酸カリウム　B - 1126,
C - 3121，C - 12
炭酸カリウム・炭酸ナトリ
ウム試液　B - 1127
炭酸カリウム，無水
B - 1127
炭酸カルシウム

B - 1127
炭酸カルシウム，定量用
B - 1127
炭酸水素アンモニウム
B - 1127
炭酸水素アンモニウム試
液，0.1 mol/L
B - 1127
炭酸水素カリウム
B - 1127
炭酸水素ナトリウム
B - 1127，C - 3131,
C - 12
炭酸水素ナトリウム試液
B - 1127
炭酸水素ナトリウム試液,
10%　B - 1127
炭酸水素ナトリウム注射液
C - 3135
炭酸水素ナトリウム注射
液，7%　B - 1127
炭酸水素ナトリウム，pH
測定用　B - 1127
炭酸脱水酵素　B - 1127
炭酸銅　B - 1127
炭酸銅一水和物
B - 1127
炭酸ナトリウム
B - 1127
炭酸ナトリウム試液
B - 1128
炭酸ナトリウム試液,
0.55 mol/L　B - 1128
炭酸ナトリウム十水和物
B - 1127
炭酸ナトリウム水和物
C - 3139，C - 12
炭酸ナトリウム，pH 測定
用　B - 1127
炭酸ナトリウム（標準試薬）
B - 1127
炭酸ナトリウム，無水
B - 1127
炭酸プロピレン
B - 1128

I-70　日本名索引

炭酸プロピレン，水分測定
用　B-1128
炭酸マグネシウム
C-3142, C-12
炭酸リチウム　C-3147,
C-12
胆汁酸塩　B-1128
単シロップ　C-3153
タンジン　D-655
丹参　D-655
単糖分析及びオリゴ糖分析
/糖鎖プロファイル法
F-113
ダントロレンナトリウム水
和物　C-3155,
C-12
ダントロレンナトリウム水
和物（参照紫外可視吸収
スペクトル）　E-89
ダントロレンナトリウム水
和物（参照赤外吸収スペ
クトル）　E-298
タンナルビン　C-3161
単軟膏　D-658
タンニン酸　B-1128,
C-3159
タンニン酸アルブミン
C-3161
タンニン酸試液
B-1128
タンニン酸ジフェンヒドラ
ミン　B-1128,
C-3164, C-12
タンニン酸ベルベリン
C-3166
タンニン酸ベルベリン（参
照紫外可視吸収スペクト
ル）　E-90
タンニン酸ベルベリン（参
照赤外吸収スペクトル）
E-298
タンパク質医薬品注射剤の
不溶性微粒子試験法
B-797
タンパク質含量試験用アル

カリ性銅試液
B-1128
タンパク質消化酵素試液
B-1128
タンパク質定量法
F-169
タンパク質のアミノ酸分析
法　B-139

チ

チアプリド塩酸塩
C-3170, C-12
チアプリド塩酸塩（参照紫
外可視吸収スペクトル）
E-90
チアプリド塩酸塩（参照赤
外吸収スペクトル）
E-298
チアプリド塩酸塩錠
C-3174
チアプリド塩酸塩，定量用
B-1128
チアマゾール　C-3176,
C-12
チアマゾール錠
C-3180
チアミラールナトリウム
C-3181, C-12
チアミラールナトリウム
（参照紫外可視吸収スペ
クトル）　E-90
チアミラールナトリウム
（参照赤外吸収スペクト
ル）　E-299
チアミン塩化物塩酸塩
C-3188, C-12
チアミン塩化物塩酸塩散
C-3195
チアミン塩化物塩酸塩（参
照紫外可視吸収スペクト
ル）　E-91
チアミン塩化物塩酸塩（参
照赤外吸収スペクトル）
E-299

チアミン塩化物塩酸塩注射
液　C-3196
チアミン硝化物
B-1128, C-3198,
C-12
チアラミド塩酸塩
C-3201, C-12
チアラミド塩酸塩（参照赤
外吸収スペクトル）
E-299
チアラミド塩酸塩錠
C-3205
チアラミド塩酸塩，定量用
B-1128
チアントール　B-1128,
C-3207
3-チエニルエチルペニシ
リンナトリウム
B-1128
チオアセトアミド
B-1129
チオアセトアミド・グリセ
リン塩基性試液
B-1129
チオアセトアミド試液
B-1129
チオジグリコール
B-1130
チオグリコール酸
B-1129
チオグリコール酸ナトリウ
ム　B-1129
チオグリコール酸培地I，
無菌試験用　B-1129
チオグリコール酸培地II，
無菌試験用　B-1129
チオシアン酸アンモニウム
B-1129
0.02 mol/L チオシアン酸
アンモニウム液
B-880
0.1 mol/L チオシアン酸ア
ンモニウム液　B-879
チオシアン酸アンモニウム
試液　B-1129

日本名索引　I -71

チオシアン酸アンモニウ
　ム・硝酸コバルト試液
　B -1129
チオシアン酸アンモニウ
　ム・硝酸コバルト（II）
　試液　B -1129
チオシアン酸カリウム
　B -1129
チオシアン酸カリウム試液
　B -1130
チオシアン酸第一鉄試液
　B -1130
チオシアン酸鉄（II）試液
　B -1130
チオセミカルバジド
　B -1130
チオ尿素　B -1130
チオ尿素試液　B -1130
チオペンタール，定量用
　B -1130
チオペンタールナトリウム
　B -1131，C -3214，
　C -12
チオリダジン塩酸塩
　C -3221，C -12
チオリダジン塩酸塩（参照
　赤外吸収スペクトル）
　E -300
チオ硫酸ナトリウム
　B -1131
0.002 mol/L チオ硫酸ナト
　リウム液　B -882
0.005 mol/L チオ硫酸ナト
　リウム液　B -882
0.01 mol/L チオ硫酸ナト
　リウム液　B -882
0.02 mol/L チオ硫酸ナト
　リウム液　B -882
0.05 mol/L チオ硫酸ナト
　リウム液　B -881
0.1 mol/L チオ硫酸ナトリ
　ウム液　B -880
チオ硫酸ナトリウム五水和
　物　B -1131
チオ硫酸ナトリウム試液

B -1131
チオ硫酸ナトリウム水和物
　C -3225，C -12
チオ硫酸ナトリウム注射液
　C -3228
チクセツサポニンIV，薄層
　クロマトグラフィー用
　B -1131
チクセツニンジン
　D -659
竹節人参　D -659
チクセツニンジン末
　D -662
竹節人参末　D -662
チクロピジン塩酸塩
　C -3229，C -12
チクロピジン塩酸塩（参照
　赤外吸収スペクトル）
　E -300
チクロピジン塩酸塩錠
　C -3235
チクロピジン塩酸塩，定量
　用　B -1131
チザニジン塩酸塩
　C -3238，C -13
チザニジン塩酸塩（参照紫
　外可視吸収スペクトル）
　E -91
チザニジン塩酸塩（参照赤
　外吸収スペクトル）
　E -300
チタンエロー　B -1132
腟錠　A -131
窒素　B -1132，
　C -3242
窒素定量法（セミミクロケ
　ルダール法）　B -29
腟に適用する製剤
　A -131
腟用坐剤　A -132
チトクロム c　B -1132
チニダゾール　C -3245，
　C -13
チニダゾール（参照紫外可
　視吸収スペクトル）

E -91
チニダゾール（参照赤外吸
　収スペクトル）
　E -301
チペピジンヒベンズ酸塩
　C -3249，C -13
チペピジンヒベンズ酸塩
　（参照紫外可視吸収スペ
　クトル）　E -92
チペピジンヒベンズ酸塩
　（参照赤外吸収スペクト
　ル）　E -301
チペピジンヒベンズ酸塩錠
　C -3254
チペピジンヒベンズ酸塩，
　定量用　B -1132
チミン，液体クロマトグラ
　フィー用　B -1132
チメピジウム臭化物水和物
　C -3257，C -13
チメピジウム臭化物水和物
　（参照紫外可視吸収スペ
　クトル）　E -92
チメピジウム臭化物水和物
　（参照赤外吸収スペクト
　ル）　E -301
チモ　B -1132，D -664
知母　D -664
チモール　B -1132，
　C -3261
チモール，定量用
　B -1132
チモールフタレイン
　B -1133
チモールフタレイン試液
　B -1133
チモールブルー
　B -1133
チモールブルー試液
　B -1133
チモールブルー試液，希
　B -1133
チモールブルー・ジオキサ
　ン試液　B -1133
チモールブルー・1,4-ジオ

I -72　　日本名索引

キサン試液　B -1133
チモールブルー・ジメチル
　ホルムアミド試液
　B -1133
チモールブルー・N,N-ジ
　メチルホルムアミド試液
　B -1133
チモール，噴霧試液用
　B -1132
チモール・硫酸・メタノー
　ル試液，噴霧用
　B -1133
チモロールマレイン酸塩
　C -3266, C -13
チモロールマレイン酸塩
　（参照紫外可視吸収スペ
　クトル）　E -92
チモロールマレイン酸塩
　（参照赤外吸収スペクト
　ル）　E -302
茶剤　A -166
チュアブル錠　A -34
注射剤　A -79
注射剤の採取容量試験法
　B -683
注射剤の不溶性異物検査法
　B -687
注射剤の不溶性微粒子試験
　法　B -689
注射剤用ガラス容器試験法
　B -800
注射により投与する製剤
　A -79
注射用アシクロビル
　C -78
注射用アズトレオナム
　C -114
注射用アセチルコリン塩化
　物　C -139, C -3
注射用アセチルコリン塩化
　物（参照赤外吸収スペク
　トル）　E -197
注射用アミカシン硫酸塩
　C -272
注射用アムホテリシンB

C -304, C -32
注射用アンピシリンナトリ
　ウム　C -470
注射用アンピシリンナトリ
　ウム・スルバクタムナト
　リウム　C -473,
　C -32
注射用イダルビシン塩酸塩
　C -608
注射用イミペネム・シラス
　タチンナトリウム
　C -687, C -33
注射用オザグレルナトリウ
　ム　C -1240
注射用シベレスタットナト
　リウム　C -2363
注射用蒸留水　B -1133
注射用水　B -1133,
　C -2511
注射用水（容器入り）
　C -2515
注射用スキサメトニウム塩
　化物　C -2535
注射用ストレプトマイシン
　硫酸塩　C -2564
注射用スペクチノマイシン
　塩酸塩　C -2581,
　C -58
注射用セファゾリンナトリ
　ウム　C -2709
注射用セファロチンナトリ
　ウム　C -2745
注射用セフェピム塩酸塩
　C -2766
注射用セフォゾプラン塩酸
　塩　C -2779
注射用セフォチアム塩酸塩
　C -2791
注射用セフォペラゾンナト
　リウム　C -2812
注射用セフォペラゾンナト
　リウム・スルバクタムナ
　トリウム　C -2814,
　C -58
注射用セフタジジム

C -2867
注射用セフメタゾールナト
　リウム　C -2935
注射用胎盤性性腺刺激ホル
　モン　C -2660
注射用タゾバクタム・ピペ
　ラシリン　C -3080
注射用チアミラールナトリ
　ウム　C -3186
注射用チオペンタールナト
　リウム　C -3218,
　C -12
注射用テセロイキン（遺伝
　子組換え）　C -3369
注射用テモゾロミド
　C -72
注射用ドキソルビシン塩酸
　塩　C -3507
注射用ドセタキセル
　C -3546
注射用ドリペネム
　C -3688
注射用ナルトグラスチム
　（遺伝子組換え）
　C -3841, C -76
注射用パニペネム・ベタミ
　プロン　C -4053
注射用バンコマイシン塩酸
　塩　C -4204
注射用ヒト絨毛性性腺刺激
　ホルモン　C -2660
注射用ヒドララジン塩酸塩
　C -4312
注射用ピペラシリンナトリ
　ウム　C -4413
注射用ビンブラスチン硫酸
　塩　C -4519
注射用ファモチジン
　C -4532
注射用フェニトインナトリ
　ウム　C -4586,
　C -17
注射用プレドニゾロンコハ
　ク酸エステルナトリウム
　C -4958

日本名索引　　I -73

注射用フロモキセフナトリウム　C - 5132

注射用ペニシリンG カリウム　C - 5337

注射用ペプロマイシン硫酸塩　C - 5265

注射用ベンジルペニシリンカリウム　C - 5337

注射用ホスホマイシンナトリウム　C - 5407

注射用ボリコナゾール　C - 5445

注射用マイトマイシンC　C - 5491

注射用ミノサイクリン塩酸塩　C - 5589

注射用メトトレキサート　C - 5745

注射用メロペネム　C - 5821

注射用ロキサチジン酢酸エステル塩酸塩　C - 6301

抽出用ジチゾン液　B - 1133

中心静脈栄養剤中の微量アルミニウム試験法　F - 348

中性アルミナ，カラムクロマトグラフィー用　B - 1345

中性アルミナ，4％含水　B - 1133

中性アルミナ，クロマトグラフィー用　B - 1345

中性洗剤　B - 1133

注腸剤　A - 130

中和エタノール　B - 1133

丁香　D - 667

丁香末　D - 670

チョウジ　D - 667, D - 31

丁子　D - 667

チョウジ末　D - 670

丁子末　D - 670

チョウジ油　D - 672, D - 31

丁子油　D - 672

チョウトウコウ　D - 675, D - 31

釣藤鈎　D - 675

釣藤鈎　D - 675

釣藤散エキス　D - 679

貼付剤　A - 153

直腸に適用する製剤　A - 126

直腸用半固形剤　A - 130

チョレイ　D - 687

猪苓　D - 687

チョレイ末　D - 689

猪苓末　D - 689

L-チロシン　B - 1133, C - 3270, C - 13

L-チロジン　B - 1134

L-チロシン（参照紫外可視吸収スペクトル）　E - 93

L-チロシン（参照赤外吸収スペクトル）　E - 302

チンキ剤　A - 166

チンク油　C - 3273

沈降ジフテリア破傷風混合トキソイド　C - 2328

沈降精製百日せきジフテリア破傷風混合ワクチン　C - 4443

沈降精製百日せきワクチン　C - 4443

沈降炭酸カルシウム　C - 3124, C - 12

沈降炭酸カルシウム細粒　C - 3129

沈降炭酸カルシウム錠　C - 3127

沈降破傷風トキソイド　C - 4033

沈降B型肝炎ワクチン　C - 4253

チンピ　D - 690

陳皮　D - 690

ツ

通則　A - 5

ツバキ油　D - 695

椿油　D - 695

ツロブテロール　C - 3275, C - 13

ツロブテロール塩酸塩　C - 3281, C - 13

ツロブテロール塩酸塩（参照紫外可視吸収スペクトル）　E - 93

ツロブテロール塩酸塩（参照赤外吸収スペクトル）　E - 303

ツロブテロール経皮吸収型テープ　C - 3279

ツロブテロール（参照紫外可視吸収スペクトル）　E - 93

ツロブテロール（参照赤外吸収スペクトル）　E - 302

ツロブテロール，定量用　B - 1134

テ

DEAE-架橋デキストラン陰イオン交換体(Cl 型)，弱塩基性　B - 1345

DSS-d_6，核磁気共鳴スペクトル測定用　B - 1134

DNA 標準原液，インターフェロンアルファ(NAMALWA) 用　B - 1134

テイコプラニン　C - 3285, C - 13

定性反応　B - 33

低置換度ヒドロキシプロピ

ルセルロース
C – 4329, C – 16
低置換度ヒドロキシプロピ
ルセルロース（参照赤外
吸収スペクトル）
E – 339
p,p'–DDE(2,2–ビス（4–クロ
ロフェニル)–1,1–ジクロ
ロエチレン） B – 1135
o,p'–DDT(1,1,1–トリクロロ–
2–(2–クロロフェニル)–2–
(4–クロロフェニル) エタ
ン） B – 1135
p,p'–DDT(1,1,1–トリクロロ–
2,2–ビス（4–クロロフェ
ニル) エタン）
B – 1135
p,p'–DDD(2,2–ビス（4–クロ
ロフェニル)–1,1–ジクロ
ロエタン） B – 1134
低分子量ヘパリン，分子量
測定用 B – 1135
定量分析用ろ紙
B – 1348
定量用アジマリン
B – 1135
定量用アセトアルデヒド
B – 1135
定量用アセメタシン
B – 1136
定量用アゼラスチン塩酸塩
B – 1136
定量用アゼルニジピン
B – 1136
定量用アゾセミド
B – 1136
定量用アトラクチレノリド
Ⅲ B – 1136
定量用アトラクチロジン
B – 1136
定量用アトラクチロジン試
液 B – 1136
定量用アトロピン硫酸塩水
和物 B – 1136
定量用 14–アニソイルアコ

ニン塩酸塩 B – 1136
定量用アプリンジン塩酸塩
B – 1136
定量用アミオダロン塩酸塩
B – 1136
定量用アミグダリン
B – 1136
定量用アミドトリゾ酸
B – 1136
定量用アモスラロール塩酸
塩 B – 1136
定量用アラセプリル
B – 1136
定量用アルジオキサ
B – 1136
定量用アルブチン
B – 1136
定量用アルミノプロフェン
B – 1136
定量用アロプリノール
B – 1136
定量用アンピロキシカム
B – 1136
定量用イオタラム酸
B – 1136
定量用イオパミドール
B – 1136
定量用イソクスプリン塩酸
塩 B – 1136
定量用イソニアジド
B – 1136
定量用 L–イソロイシン
B – 1136
定量用一硝酸イソソルビド
B – 1136
定量用イフェンプロジル酒
石酸塩 B – 1136
定量用イブプロフェンピコ
ノール B – 1136
定量用イミダプリル塩酸塩
B – 1136
定量用イリノテカン塩酸塩
水和物 B – 1136
定量用イルソグラジンマレ
イン酸塩 B – 1136

定量用イルベサルタン
B – 1136
定量用ウシ血清アルブミン
B – 1136
定量用ウベニメクス
B – 1136
定量用ウルソデオキシコー
ル酸 B – 1136
定量用エカベトナトリウム
水和物 B – 1137
定量用エタクリン酸
B – 1137
定量用エダラボン
B – 1137
定量用エチゾラム
B – 1137
定量用エチドロン酸二ナト
リウム B – 1137
定量用エチレフリン塩酸塩
B – 1137
定量用エナント酸メテノロ
ン B – 1137
定量用エバスチン
B – 1137
定量用エフェドリン塩酸塩
B – 1137
定量用エボジアミン
B – 1137
定量用エメダスチンフマル
酸塩 B – 1137
定量用エメチン塩酸塩
B – 1137
定量用エモルファゾン
B – 1137
定量用塩化カリウム
B – 1137
定量用塩化カルシウム水和
物 B – 1137
定量用塩化カルシウム二水
和物 B – 1137
定量用塩化ナトリウム
B – 1137
定量用塩化ベンゼトニウム
B – 1137
定量用塩酸アゼラスチン

B－1137
定量用塩酸アプリンジン
　B－1137
定量用塩酸アミオダロン
　B－1137
定量用塩酸アモスラロール
　B－1137
定量用塩酸イソクスプリン
　B－1137
定量用塩酸イミダプリル
　B－1137
定量用塩酸エチレフリン
　B－1137
定量用塩酸エフェドリン
　B－1137
定量用塩酸オキシコドン
　B－1137
定量用塩酸クロルプロマジ
　ン　B－1137
定量用塩酸セチリジン
　B－1137
定量用塩酸チアプリド
　B－1137
定量用塩酸チアラミド
　B－1137
定量用塩酸ドパミン
　B－1137
定量用塩酸トリメタジジン
　B－1137
定量用塩酸ニカルジピン
　B－1137
定量用塩酸パパベリン
　B－1137
定量用塩酸ヒドララジン
　B－1137
定量用塩酸ヒドロコタルニ
　ン　B－1137
定量用塩酸ブホルミン
　B－1138
定量用塩酸プロカイン
　B－1138
定量用塩酸プロカインアミ
　ド　B－1138
定量用塩酸プロパフェノン
　B－1138

定量用塩酸プロプラノロー
　ル　B－1138
定量用塩酸ペチジン
　B－1138
定量用塩酸ベニジピン
　B－1138
定量用塩酸ベラパミル
　B－1138
定量用 dl－塩酸メチルエフ
　ェドリン　B－1138
定量用塩酸メトホルミン
　B－1138
定量用塩酸メピバカイン
　B－1138
定量用塩酸モルヒネ
　B－1138
定量用塩酸ラベタロール
　B－1138
定量用オキシコドン塩酸塩
　水和物　B－1138
定量用オメプラゾール
　B－1138
定量用オロパタジン塩酸塩
　B－1138
定量用カイニン酸
　B－1138
定量用カイニン酸水和物
　B－1138
定量用カドララジン
　B－1138
定量用 (E)－カプサイシン
　B－1138
定量用カルバミン酸クロル
　フェネシン　B－1138
定量用カルベジロール
　B－1138
定量用 L－カルボシステイ
　ン　B－1138
定量用カンデサルタンシレ
　キセチル　B－1138
定量用キナプリル塩酸塩
　B－1138
定量用 [6]－ギンゲロール
　B－1138
定量用グアヤコール

B－1138
定量用クエン酸モサプリド
　B－1138
定量用クルクミン
　B－1138
定量用クロチアゼパム
　B－1138
定量用クロナゼパム
　B－1138
定量用クロペラスチンフェ
　ンジゾ酸塩　B－1138
定量用クロミプラミン塩酸
　塩　B－1138
定量用クロラゼプ酸二カリ
　ウム　B－1138
定量用クロルジアゼポキシ
　ド　B－1139
定量用クロルフェネシンカ
　ルバミン酸エステル
　B－1139
定量用クロルプロパミド
　B－1139
定量用クロルプロマジン塩
　酸塩　B－1139
定量用 (E)－ケイ皮酸
　B－1139
定量用ケトコナゾール
　B－1139
定量用ゲニポシド
　B－1139
定量用コデインリン酸塩水
　和物　B－1139
定量用コハク酸シベンゾリ
　ン　B－1139
定量用サイコサポニン a
　B－1139
定量用サイコサポニン a, d
　混合標準試液
　B－1139
定量用サイコサポニン b₂
　B－1139
定量用サイコサポニン b₂
　標準試液　B－1139
定量用サイコサポニン d
　B－1139

I-76　日本名索引

定量用サリチル酸
　B-1139
定量用ザルトプロフェン
　B-1139
定量用酸素スパンガス
　B-1139
定量用酸素ゼロガス
　B-1139
定量用酸素比較ガス
　B-1139
定量用サントニン
　B-1139
定量用ジアゼパム
　B-1139
定量用ジクロフェナクナト
　リウム　B-1139
定量用シクロホスファミド
　水和物　B-1139
定量用ジスチグミン臭化物
　B-1139
定量用ジドロゲステロン
　B-1139
定量用シネオール
　B-1139
定量用シノキサシン
　B-1139
定量用シノブファギン
　B-1139
定量用シノメニン
　B-1139
定量用ジヒドロコデインリ
　ン酸塩　B-1139
定量用ジフェニルスルホン
　B-1139
定量用シベンゾリンコハク
　酸塩　B-1139
定量用ジメンヒドリナート
　B-1139
定量用ジモルホラミン
　B-1139
定量用臭化ジスチグミン
　B-1139
定量用酒石酸メトプロロー
　ル　B-1140
定量用酒石酸レバロルファ

ン　B-1140
定量用硝酸イソソルビド
　B-1140
定量用硝酸ストリキニーネ
　B-1140
定量用硝酸ナファゾリン
　B-1140
定量用 [6]-ショーガオール
　B-1140
定量用シラザプリル
　B-1140
定量用シラザプリル水和物
　B-1140
定量用シラスタチンアンモ
　ニウム　B-1140
定量用ジルチアゼム塩酸塩
　B-1140
定量用ストリキニーネ硝酸
　塩　B-1140
定量用スルピリド
　B-1140
定量用スルピリン
　B-1140
定量用スルピリン水和物
　B-1140
定量用セチリジン塩酸塩
　B-1140
定量用ゾピクロン
　B-1140
定量用ゾルピデム酒石酸塩
　B-1140
定量用タムスロシン塩酸塩
　B-1140
定量用タルチレリン水和物
　B-1140
定量用炭酸カルシウム
　B-1140
定量用チアプリド塩酸塩
　B-1140
定量用チアラミド塩酸塩
　B-1140
定量用チオペンタール
　B-1140
定量用チクロピジン塩酸塩
　B-1140

定量用チペピジンヒベンズ
　酸塩　B-1140
定量用チモール
　B-1140
定量用ツロブテロール
　B-1140
定量用テオフィリン
　B-1140
定量用デヒドロコリダリン
　硝化物　B-1140
定量用テモカプリル塩酸塩
　B-1140
定量用テルビナフィン塩酸
　塩　B-1140
定量用テルミサルタン
　B-1140
定量用ドキシフルリジン
　B-1140
定量用ドパミン塩酸塩
　B-1140
定量用トラニラスト
　B-1140
定量用トリエンチン塩酸塩
　B-1140
定量用トリメタジジン塩酸
　塩　B-1140
定量用ドロキシドパ
　B-1141
定量用ナファゾリン硝酸塩
　B-1141
定量用ナフトピジル
　B-1141
定量用ニカルジピン塩酸塩
　B-1141
定量用ニコモール
　B-1141
定量用ニセルゴリン
　B-1141
定量用ニトレンジピン
　B-1141
定量用ニフェジピン
　B-1141
定量用 L-乳酸ナトリウム
　液　B-1141
定量用ノルトリプチリン塩

日本名索引　Ⅰ-77

酸塩　B-1141
定量用パパベリン塩酸塩
　B-1141
定量用パラアミノサリチル
　酸カルシウム水和物
　B-1141
定量用 L-バリン
　B-1141
定量用バルバロイン
　B-1141
定量用バルプロ酸ナトリウ
　ム　B-1141
定量用ハロペリドール
　B-1141
定量用ヒアルロン酸ナトリ
　ウム　B-1141
定量用ビソプロロールフマ
　ル酸塩　B-1141
定量用ヒト血清アルブミン
　B-1141
定量用ヒドララジン塩酸塩
　B-1141
定量用 10-ヒドロキシ-2-
　(E)-デセン酸
　B-1141
定量用ヒドロコタルニン塩
　酸塩水和物　B-1141
定量用ヒベンズ酸チペピジ
　ン　B-1141
定量用ビリルビン
　B-1141
定量用ピルシカイニド塩酸
　塩水和物　B-1141
定量用ヒルスチン
　B-1141
定量用ピロカルピン塩酸塩
　B-1141
定量用ファモチジン
　B-1141
定量用フェニトイン
　B-1141
定量用フェノバルビタール
　B-1141
定量用フェノール
　B-1141

定量用フェノールスルホン
　フタレイン　B-1141
定量用フェルビナク
　B-1142
定量用 (E)-フェルラ酸
　B-1142
定量用フェロジピン
　B-1142
定量用ブシモノエステルア
　ルカロイド混合標準試液
　B-1142
定量用ブシラミン
　B-1142
定量用ブテナフィン塩酸塩
　B-1142
定量用フドステイン
　B-1142
定量用ブファリン
　B-1142
定量用ブホルミン塩酸塩
　B-1142
定量用フマル酸ビソプロロ
　ール　B-1142
定量用プラゼパム
　B-1142
定量用フルコナゾール
　B-1142
定量用フルジアゼパム
　B-1142
定量用フルトプラゼパム
　B-1142
定量用フルラゼパム
　B-1142
定量用フレカイニド酢酸塩
　B-1142
定量用プロカインアミド塩
　酸塩　B-1142
定量用プロカイン塩酸塩
　B-1142
定量用ブロチゾラム
　B-1142
定量用プロパフェノン塩酸
　塩　B-1142
定量用プロピルチオウラシ
　ル　B-1142

定量用プロプラノロール塩
　酸塩　B-1142
定量用フロプロピオン
　B-1142
定量用ペオノール
　B-1142
定量用ベザフィブラート
　B-1142
定量用ヘスペリジン
　B-1142
定量用ベタヒスチンメシル
　酸塩　B-1142
定量用ベタミプロン
　B-1142
定量用ペチジン塩酸塩
　B-1142
定量用ベニジピン塩酸塩
　B-1142
定量用ベポタスチンベシル
　酸塩　B-1142
定量用ベラパミル塩酸塩
　B-1142
定量用ベラプロストナトリ
　ウム　B-1142
定量用ペリルアルデヒド
　B-1142
定量用ペルフェナジンマレ
　イン酸塩　B-1142
定量用ベンゼトニウム塩化
　物　B-1143
定量用ベンゾイルヒパコニ
　ン塩酸塩　B-1143
定量用ベンゾイルメサコニ
　ン塩酸塩　B-1143
定量用ボグリボース
　B-1143
定量用マグノフロリンヨウ
　化物　B-1143
定量用マグノロール
　B-1143
定量用マレイン酸イルソグ
　ラジン　B-1143
定量用マレイン酸ペルフェ
　ナジン　B-1143
定量用マレイン酸メチルエ

I -78 日本名索引

ルゴメトリン
B - 1143
定量用マンギフェリン
B - 1143
定量用メキタジン
B - 1143
定量用メサラジン
B - 1143
定量用メシル酸ベタヒスチ
ン B - 1143
定量用メチルエルゴメトリ
ンマレイン酸塩
B - 1143
定量用メチルドパ
B - 1143
定量用メチルドパ水和物
B - 1143
定量用 dl-メチルエフェド
リン塩酸塩 B - 1143
定量用メテノロンエナント
酸エステル B - 1143
定量用メトクロプラミド
B - 1143
定量用メトプロロール酒石
酸塩 B - 1143
定量用メトホルミン塩酸塩
B - 1143
定量用メトロニダゾール
B - 1143
定量用メピバカイン塩酸塩
B - 1143
定量用メフルシド
B - 1143
定量用 l-メントール
B - 1143
定量用モサプリドクエン酸
塩水和物 B - 1143
定量用モルヒネ塩酸塩水和
物 B - 1143
定量用ヨウ化イソプロピル
B - 1143
定量用ヨウ化カリウム
B - 1143
定量用ヨウ化メチル
B - 1143

定量用ヨウ素 B - 1143
定量用ヨードエタン
B - 1144
定量用ヨードメタン
B - 1144
定量用ラフチジン
B - 1144
定量用ラベタロール塩酸塩
B - 1144
定量用リシノプリル
B - 1144
定量用リシノプリル水和物
B - 1144
定量用リスペリドン
B - 1144
定量用リドカイン
B - 1144
定量用硫酸アトロピン
B - 1144
定量用リンコフィリン
B - 1144
定量用リン酸コデイン
B - 1144
定量用リン酸ジヒドロコデ
イン B - 1144
定量用レイン B - 1144
定量用レジブフォゲニン
B - 1144
定量用レバミピド
B - 1144
定量用レバロルファン酒石
酸塩 B - 1144
定量用レボフロキサシン水
和物 B - 1144
定量用 L-ロイシン
B - 1144
定量用ロガニン
B - 1144
定量用ロスマリン酸
B - 1144
定量用ワルファリンカリウ
ム B - 1144
2'-デオキシウリジン, 液
体クロマトグラフィー用
B - 1144

デオキシコール酸, 薄層ク
ロマトグラフィー用
B - 1144
テオフィリン B - 1145,
C - 3294, C - 13
テオフィリン (参照紫外可
視吸収スペクトル)
E - 94
テオフィリン (参照赤外吸
収スペクトル)
E - 303
テオフィリン, 定量用
B - 1145
テガフール C - 3299,
C - 13
テガフール (参照紫外可視
吸収スペクトル)
E - 94
テガフール (参照赤外吸収
スペクトル) E - 303
1-デカンスルホン酸ナトリ
ウム B - 1146
1-デカンスルホン酸ナトリ
ウム試液, 0.0375 mol/L
B - 1146
デキサメサゾン
C - 3305
デキサメタゾン
C - 3305, C - 13
デキサメタゾン (参照紫外
可視吸収スペクトル)
E - 94
デキサメタゾン (参照赤外
吸収スペクトル)
E - 304
デキストラン 40
C - 3314, C - 13
デキストラン 40 注射液
C - 3320
デキストラン 70
C - 3322, C - 13
デキストラン-高度架橋ア
ガロースゲルろ過担体,
液体クロマトグラフィー
用 B - 1345

日本名索引　　I -79

デキストラン硫酸エステル
　ナトリウム イオウ 5
　C - 3325, C - 13
デキストラン硫酸エステル
　ナトリウム イオウ 18
　C - 3328, C - 13
デキストリン　C - 3330,
　C - 13
デキストロメトルファン臭
　化水素酸塩水和物
　C - 3333, C - 13
デキストロメトルファン臭
　化水素酸塩水和物（参照
　紫外可視吸収スペクト
　ル）　E - 95
デキストロメトルファン臭
　化水素酸塩水和物（参照
　赤外吸収スペクトル）
　E - 304
滴定終点検出法　B - 307
滴定用 2,6-ジクロロインド
　フェノールナトリウム試
　液　B - 1146
n-デシルトリメチルアン
　モニウム臭化物
　B - 1146
n-デシルトリメチルアン
　モニウム臭化物試液,
　0.005 mol/L　B - 1147
テストステロン
　B - 1147
テストステロンエナント酸
　エステル　C - 3338
テストステロンエナント酸
　エステル注射液
　C - 3340
テストステロンプロピオン
　酸エステル　B - 1147,
　C - 3342
テストステロンプロピオン
　酸エステル（参照紫外可
　視吸収スペクトル）
　E - 95
テストステロンプロピオン
　酸エステル（参照赤外吸

収スペクトル）
　E - 304
テストステロンプロピオン
　酸エステル注射液
　C - 3346
デスラノシド　C - 3348
デスラノシド注射液
　C - 3353
テセロイキン（遺伝子組換
　え）　C - 3355
テセロイキン用細胞懸濁液
　B - 1147
テセロイキン用参照抗イン
　ターロイキン-2 抗体
　B - 1147
テセロイキン用試験菌移植
　培地　B - 1147
テセロイキン用試験菌移植
　培地斜面　B - 1147
テセロイキン用等電点マー
　カー　B - 1147
テセロイキン用発色試液
　B - 1147
テセロイキン用普通カンテ
　ン培地　B - 1147
テセロイキン用分子量マー
　カー　B - 1147
テセロイキン用力価測定用
　培地　B - 1147
デソキシコール酸ナトリウ
　ム　B - 1147
鉄　B - 1147
鉄試験法　B - 69
鉄試験用アスコルビン酸
　B - 1148
鉄試験用酢酸・酢酸ナトリ
　ウム緩衝液, pH 4.5
　B - 1148
鉄標準液　B - 919
鉄標準液, 原子吸光光度用
　B - 919
鉄標準液 (2), 原子吸光光
　度用　B - 919
鉄標準原液　B - 919
鉄・フェノール試液

B - 1147
鉄・フェノール試液, 希
　B - 1148
鉄粉　B - 1148
テトラエチルアンモニウム
　ヒドロキシド試液
　B - 1148
テトラカイン塩酸塩
　C - 3371, C - 13
テトラカイン塩酸塩（参照
　紫外可視吸収スペクト
　ル）　E - 95
テトラキスヒドロキシプロ
　ピルエチレンジアミン,
　ガスクロマトグラフィー
　用　B - 1148
テトラクロロ金（Ⅲ）酸試
　液　B - 1148
テトラクロロ金（Ⅲ）酸四
　水和物　B - 1148
テトラクロロ金試液
　B - 1148
テトラサイクリン
　B - 1148
テトラサイクリン塩酸塩
　B - 1149, C - 3374,
　C - 13
テトラサイクリン塩酸塩
　（参照紫外可視吸収スペ
　クトル）　E - 96
テトラサイクリン塩酸塩
　（参照赤外吸収スペクト
　ル）　E - 305
テトラデシルトリメチルア
　ンモニウム臭化物
　B - 1149
テトラヒドロキシキノン
　B - 1149
テトラヒドロキシキノン指
　示薬　B - 1149
テトラヒドロフラン
　B - 1149
テトラヒドロフラン, 液体
　クロマトグラフィー用
　B - 1149

テトラヒドロフラン，ガス
　クロマトグラフィー用
　B－1149
テトラフェニルホウ酸ナト
　リウム　B－1150
0.02 mol/L テトラフェニ
　ルホウ酸ナトリウム液
　B－882
テトラフェニルボロンカリ
　ウム試液　B－1150
テトラフェニルボロンナト
　リウム　B－1150
0.02 mol/L テトラフェニ
　ルボロンナトリウム液
　B－884
テトラ－n－ブチルアンモニ
　ウム塩化物　B－1150
テトラ－n－ブチルアンモニ
　ウム臭化物　B－1150
0.1 mol/L テトラブチルア
　ンモニウムヒドロキシド
　液　B－884
テトラブチルアンモニウム
　ヒドロキシド試液
　B－1151
テトラブチルアンモニウム
　ヒドロキシド試液，
　0.005 mol/L　B－1151
テトラブチルアンモニウム
　ヒドロキシド試液，40％
　B－1151
テトラブチルアンモニウム
　ヒドロキシド・メタノー
　ル試液　B－1151
10％テトラブチルアンモ
　ニウムヒドロキシド・メ
　タノール試液
　B－1151
テトラブチルアンモニウム
　硫酸水素塩　B－1150
テトラブチルアンモニウム
　リン酸二水素塩
　B－1150
テトラ－n－プロピルアンモ
　ニウム臭化物

B－1152
テトラブロムフェノールフ
　タレインエチルエステル
　カリウム塩　B－1152
テトラブロムフェノールフ
　タレインエチルエステル
　試液　B－1152
テトラブロモフェノールフ
　タレインエチルエステル
　カリウム　B－1152
テトラブロモフェノールフ
　タレインエチルエステル
　試液　B－1152
テトラ－n－ヘプチルアンモ
　ニウム臭化物
　B－1152
テトラ－n－ペンチルアンモ
　ニウム臭化物
　B－1152
テトラメチルアンモニウム
　ヒドロキシド
　B－1153
0.02 mol/L テトラメチル
　アンモニウムヒドロキシ
　ド液　B－885
0.1 mol/L テトラメチルア
　ンモニウムヒドロキシド
　液　B－885
0.2 mol/L テトラメチルア
　ンモニウムヒドロキシド
　液　B－884
テトラメチルアンモニウム
　ヒドロキシド試液
　B－1153
テトラメチルアンモニウム
　ヒドロキシド試液，pH
　5.5　B－1153
0.1 mol/L テトラメチルア
　ンモニウムヒドロキシ
　ド・メタノール液
　B－886
テトラメチルアンモニウム
　ヒドロキシド・メタノー
　ル試液　B－1153
N,N,N′,N′－テトラメチルエ

チレンジアミン
　B－1153
テトラメチルシラン，核磁
　気共鳴スペクトル測定用
　B－1154
3,3′,5,5′－テトラメチルベン
　ジジン二塩酸塩二水和物
　B－1154
デバルダ合金　B－1154
デヒドロコリダリン硝化
　物，定量用　B－1154,
　B－118
デヒドロコリダリン硝化
　物，薄層クロマトグラフ
　ィー用　B－1155,
　B－120
デヒドロコール酸
　C－3379,　C－13
デヒドロコール酸注射液
　C－3385,　C－13
デフェロキサミンメシル酸
　塩　C－3387,　C－13
デフェロキサミンメシル酸
　塩（参照赤外吸収スペク
　トル）　E－305
テープ剤　A－153
テプレノン　C－3392,
　C－13
テプレノンカプセル
　C－3396
テプレノン（参照赤外吸収
　スペクトル）　E－305
N－デメチルエリスロマイ
　シン　B－1155
デメチルクロルテトラサイ
　クリン塩酸塩
　C－3399,　C－13
デメチルクロルテトラサイ
　クリン塩酸塩（参照紫外
　可視吸収スペクトル）
　E－96
デメチルクロルテトラサイ
　クリン塩酸塩（参照赤外
　吸収スペクトル）
　E－306

日本名索引　　I -81

N-デメチルロキシスロマ
　イシン　B - 1155
デメトキシクルクミン
　B - 1155
テモカプリル塩酸塩
　C - 3404, C - 13
テモカプリル塩酸塩（参照
　紫外可視吸収スペクト
　ル）　E - 96
テモカプリル塩酸塩（参照
　赤外吸収スペクトル）
　E - 306
テモカプリル塩酸塩錠
　C - 3410
テモカプリル塩酸塩，定量
　用　B - 1156
テモゾロミド　B - 128,
　C - 61
テモゾロミドカプセル
　C - 67
テモゾロミド（参照紫外可
　視吸収スペクトル）
　E - 5
テモゾロミド（参照赤外吸
　収スペクトル）
　E - 12
テモゾロミド標準品
　B - 106
テルビナフィン塩酸塩
　C - 3413, C - 13
テルビナフィン塩酸塩液
　C - 3421
テルビナフィン塩酸塩クリ
　ーム　C - 3424
テルビナフィン塩酸塩（参
　照紫外可視吸収スペクト
　ル）　E - 97
テルビナフィン塩酸塩（参
　照赤外吸収スペクトル）
　E - 306
テルビナフィン塩酸塩錠
　C - 3418
テルビナフィン塩酸塩スプ
　レー　C - 3422
テルビナフィン塩酸塩，定

量用　B - 1156
テルフェニル　B - 1156
p-テルフェニル
　B - 1156
テルブタリン硫酸塩
　C - 3425, C - 13
テルブタリン硫酸塩（参照
　紫外可視吸収スペクト
　ル）　E - 97
デルマタン硫酸エステル
　B - 1156
テルミサルタン
　C - 3430, C - 13
テルミサルタン・アムロジ
　ピンベシル酸塩錠
　C - 3438
テルミサルタン（参照紫外
　可視吸収スペクトル）
　E - 97
テルミサルタン（参照赤外
　吸収スペクトル）
　E - 307
テルミサルタン錠
　C - 3436
テルミサルタン，定量用
　B - 1157
テルミサルタン・ヒドロク
　ロロチアジド錠
　C - 3446
テレビン油　B - 1157,
　D - 696
テレフタル酸　B - 1157
テレフタル酸，ガスクロマ
　トグラフィー用
　B - 1345
テレフタル酸ジエチル
　B - 1157
点眼剤　A - 113
点眼剤の不溶性異物検査法
　B - 729
点眼剤の不溶性微粒子試験
　法　B - 697
点耳剤　A - 121
天台烏薬　D - 63
天然ケイ酸アルミニウム

C - 1898, C - 8
点鼻液剤　A - 124
点鼻剤　A - 123
点鼻粉末剤　A - 123
デンプン　B - 1157
デンプン・塩化ナトリウム
　試液　B - 1157
デンプングリコール酸ナト
　リウム　C - 3469,
　C - 13
デンプングリコール酸ナト
　リウムタイプA（参照赤
　外吸収スペクトル）
　E - 307
デンプングリコール酸ナト
　リウムタイプB（参照赤
　外吸収スペクトル）
　E - 307
デンプン試液　B - 1157
でんぷん消化力試験用バレ
　イショデンプン試液
　B - 1158
でんぷん消化力試験用フェ
　ーリング試液
　B - 1158
デンプン，溶性
　B - 1157
テンマ　D - 698
天麻　D - 698
テンモンドウ　D - 700
天門冬　D - 700

ト

銅　B - 1158
銅エチレンジアミン試液,
　1 mol/L　B - 1158
桃核承気湯エキス
　D - 702, D - 33
トウガシ　D - 710
冬瓜子　D - 710
トウガラシ　D - 712
トウガラシ・サリチル酸精
　D - 722
トウガラシチンキ

I -82　日本名索引

D -719
トウガラシ末　D -717
透過率校正用光学フィル
　　ター　B -1353
トウキ　D -723
当帰　D -723
当帰芍薬散エキス
　　D -732
トウキ末　D -730
当帰末　D -730
糖鎖試験法　B -443
銅試液, アルカリ性
　　B -1158
銅試液 (2), アルカリ性
　　B -1158
銅試液, タンパク質含量試
　　験用アルカリ性
　　B -1158
トウジン　D -739
党参　D -739
透析に用いる製剤
　　A -100
透析用剤　A -100
透析用ヘパリンナトリウム
　　液　C -5254
動的光散乱法による液体中
　　の粒子径測定法
　　F -71
等電点電気泳動法
　　F -122
等電点マーカー, テセロイ
　　キン用　B -1159
導電率測定法　B -321
導電率測定用塩化カリウム
　　B -1159
トウニン　D -741,
　　D -34
桃仁　D -741
トウニン末　D -745,
　　D -35
桃仁末　D -745
Cu-PAN 試液　B -1160
トウヒ　B -1159,
　　D -747
橙皮　D -747

トウヒシロップ　D -751
橙皮シロップ　D -751
トウヒチンキ　D -752
橙皮チンキ　D -752
銅標準液　B -919
銅標準原液　B -919
銅 (標準試薬)　B -1158
トウモロコシデンプン
　　C -3461
トウモロコシ油
　　B -1160, D -753
当薬　D -589
当薬末　D -595
銅溶液, アルカリ性
　　B -1158
ドキサゾシンメシル酸塩
　　C -3474, C -13
ドキサゾシンメシル酸塩
　　(参照紫外可視吸収スペ
　　クトル)　E -98
ドキサゾシンメシル酸塩
　　(参照赤外吸収スペクト
　　ル)　E -308
ドキサゾシンメシル酸塩錠
　　C -3478
ドキサプラム塩酸塩水和物
　　C -3481, C -13
ドキサプラム塩酸塩水和物
　　(参照紫外可視吸収スペ
　　クトル)　E -98
ドキサプラム塩酸塩水和物
　　(参照赤外吸収スペクト
　　ル)　E -308
ドキシサイクリン塩酸塩錠
　　C -3492
ドキシサイクリン塩酸塩水
　　和物　C -3484,
　　C -13
ドキシサイクリン塩酸塩水
　　和物 (参照紫外可視吸収
　　スペクトル)　E -98
ドキシサイクリン塩酸塩水
　　和物 (参照赤外吸収スペ
　　クトル)　E -308
ドキシフルリジン

B -1160, C -3495,
　　C -13
ドキシフルリジンカプセル
　　C -3499
ドキシフルリジン (参照紫
　　外可視吸収スペクトル)
　　E -99
ドキシフルリジン (参照赤
　　外吸収スペクトル)
　　E -309
ドキセピン塩酸塩
　　B -1160
ドキソルビシン塩酸塩
　　B -1160, C -3501
ドキソルビシン塩酸塩 (参
　　照紫外可視吸収スペクト
　　ル)　E -99
ドキソルビシン塩酸塩 (参
　　照赤外吸収スペクトル)
　　E -309
ドキソルビシン塩酸塩標準
　　品　B -107
ドクカツ　D -755
独活　D -755
ドコサン酸メチル
　　B -1160
トコフェロール
　　B -1160, C -3510,
　　C -13
トコフェロールコハク酸エ
　　ステル　B -1160
トコフェロールコハク酸エ
　　ステルカルシウム
　　B -1160, C -3516
トコフェロールコハク酸エ
　　ステルカルシウム (参照
　　赤外吸収スペクトル)
　　E -310
トコフェロール酢酸エステ
　　ル　B -1160,
　　C -3520, C -13
トコフェロール酢酸エステ
　　ル (参照赤外吸収スペク
　　トル)　E -310
トコフェロール (参照赤外

日本名索引　I-83

吸収スペクトル）
E-309
トコフェロールニコチン酸
エステル　C-3524,
C-13
トコフェロールニコチン酸
エステル（参照紫外可視
吸収スペクトル）
E-99
トコフェロールニコチン酸
エステル（参照赤外吸収
スペクトル）　E-310
トコン　D-756
吐根　D-756
トコンシロップ　D-764
吐根シロップ　D-764
トコン末　D-761
吐根末　D-761
トスフロキサシントシル酸
塩錠　C-3535
トスフロキサシントシル酸
塩水和物　C-3528,
C-13
トスフロキサシントシル酸
塩水和物（参照紫外可視
吸収スペクトル）
E-100
トスフロキサシントシル酸
塩水和物（参照赤外吸収
スペクトル）　E-311
ドセタキセル水和物
B-1160, C-3537,
C-13
ドセタキセル水和物（参照
紫外可視吸収スペクト
ル）　E-100
ドセタキセル水和物（参照
赤外吸収スペクトル）
E-311
ドセタキセル注射液
C-3543
トチュウ　D-767
杜仲　D-767
ドッカツ　D-755
ドデシルベンゼンスルホン

酸ナトリウム
B-1160
ドデシルベンゼンスルホン
酸ナトリウム標準液
B-919
トドララジン塩酸塩水和物
C-3549, C-13
トドララジン塩酸塩水和物
（参照紫外可視吸収スペ
クトル）　E-100
トドララジン塩酸塩水和物
（参照赤外吸収スペクト
ル）　E-311
ドネペジル塩酸塩
C-3552, C-13
ドネペジル塩酸塩細粒
C-3559
ドネペジル塩酸塩（参照紫
外可視吸収スペクトル）
E-101
ドネペジル塩酸塩（参照赤
外吸収スペクトル）
E-312
ドネペジル塩酸塩錠
C-3557
ドパミン塩酸塩
C-3562, C-14
ドパミン塩酸塩（参照紫外
可視吸収スペクトル）
E-101
ドパミン塩酸塩（参照赤外
吸収スペクトル）
E-312
ドパミン塩酸塩注射液
C-3566
ドパミン塩酸塩，定量用
B-1160
トフィソパム　C-3568,
C-14
トフィソパム（参照紫外可
視吸収スペクトル）
E-101
トフィソパム（参照赤外吸
収スペクトル）
E-312

ドブタミン塩酸塩
C-3571, C-14
ドブタミン塩酸塩（参照赤
外吸収スペクトル）
E-313
トブラマイシン
C-3577, C-14
トブラマイシン注射液
C-3582
ドーフル散　D-20
トラガント　D-768
トラガント末　B-1161,
D-770
ドラーゲンドルフ試液
B-1161
ドラーゲンドルフ試液，噴
霧用　B-1161
トラニラスト　C-3583,
C-14
トラニラストカプセル
C-3588
トラニラスト細粒
C-3590
トラニラスト（参照紫外可
視吸収スペクトル）
E-102
トラニラスト（参照赤外吸
収スペクトル）
E-313
トラニラスト，定量用
B-1161
トラニラスト点眼液
C-3596
トラネキサム酸
C-3598, C-14
トラネキサム酸カプセル
C-3605
トラネキサム酸（参照赤外
吸収スペクトル）
E-313
トラネキサム酸錠
C-3603
トラネキサム酸注射液
C-3607
トラピジル　C-3609,

I -84　　日本名索引

C - 14

トラピジル（参照紫外可視
　吸収スペクトル）
　E - 102

トラマドール塩酸塩
　C - 3612, C - 14

トラマドール塩酸塩（参照
　紫外可視吸収スペクト
　ル）　E - 102

トラマドール塩酸塩（参照
　赤外吸収スペクトル）
　E - 314

トリアコンチルシリル化シ
　リカゲル，液体クロマト
　グラフィー用
　B - 1345

トリアゾラム　C - 3618,
　C - 14

トリアゾラム（参照紫外可
　視吸収スペクトル）
　E - 103

トリアゾラム（参照赤外吸
　収スペクトル）
　E - 314

トリアムシノロン
　C - 3624, C - 14

トリアムシノロンアセトニ
　ド　B - 1161,
　C - 3631, C - 14

トリアムシノロンアセトニ
　ド（参照紫外可視吸収ス
　ペクトル）　E - 103

トリアムシノロンアセトニ
　ド（参照赤外吸収スペク
　トル）　E - 315

トリアムシノロン（参照赤
　外吸収スペクトル）
　E - 314

トリアムテレン
　C - 3636, C - 14

トリアムテレン（参照紫外
　可視吸収スペクトル）
　E - 103

トリエタノールアミン
　B - 1161

トリエチルアミン
　B - 1161

トリエチルアミン，エポエ
　チンベータ用
　B - 1161

トリエチルアミン緩衝液，
　pH 3.2　B - 1161

1％トリエチルアミン・リ
　ン酸緩衝液，pH 3.0
　B - 1161

トリエチルアミン・リン酸
　緩衝液，pH 5.0
　B - 1161

トリエンチン塩酸塩
　C - 3640, C - 14

トリエンチン塩酸塩カプセ
　ル　C - 3643

トリエンチン塩酸塩（参照
　赤外吸収スペクトル）
　E - 315

トリエンチン塩酸塩，定量
　用　B - 1161

トリクロホスナトリウム
　C - 3646, C - 14

トリクロホスナトリウム
　（参照赤外吸収スペクト
　ル）　E - 315

トリクロホスナトリウムシ
　ロップ　C - 3650

トリクロル酢酸
　B - 1162

トリクロルメチアジド
　C - 3652, C - 14

トリクロルメチアジド（参
　照紫外可視吸収スペクト
　ル）　E - 104

トリクロルメチアジド（参
　照赤外吸収スペクトル）
　E - 316

トリクロルメチアジド錠
　C - 3657

トリクロロエチレン
　B - 1162

トリクロロ酢酸
　B - 1162

トリクロロ酢酸試液
　B - 1162

トリクロロ酢酸・ゼラチ
　ン・トリス緩衝液
　B - 1162

1,1,2-トリクロロ-1,2,2-ト
　リフルオロエタン
　B - 1162

トリクロロフルオロメタン
　B - 1162

トリコマイシン
　C - 3662

トリシン　B - 1162

トリス・塩化カルシウム緩
　衝液，pH 6.5
　B - 1164

トリス・塩化ナトリウム緩
　衝液，pH 8.0
　B - 1164

トリス塩緩衝液，
　0.02 mol/L, pH 7.5
　B - 1162

トリス・塩酸塩緩衝液，
　0.05 mol/L, pH 7.5
　B - 1164

トリス・塩酸塩緩衝液，
　0.2 mol/L, pH 7.4
　B - 1164

トリス緩衝液, 0.02 mol/L,
　pH 7.4　B - 1162

トリス緩衝液, 0.05 mol/L,
　pH 7.0　B - 1163

トリス緩衝液, 0.05 mol/L,
　pH 8.6　B - 1163

トリス緩衝液, 0.1 mol/L,
　pH 7.3　B - 1163

トリス緩衝液, 0.1 mol/L,
　pH 8.0　B - 1163

トリス緩衝液, 0.2 mol/L,
　pH 8.1　B - 1163

トリス緩衝液, 0.5 mol/L,
　pH 6.8　B - 1163

トリス緩衝液, 0.5 mol/L,
　pH 8.1　B - 1163

トリス緩衝液, 1 mol/L,

日本名索引　I -85

pH 7.5　B - 1163
トリス緩衝液, 1 mol/L,
　pH 8.0　B - 1163
トリス緩衝液, 1.5 mol/L,
　pH 8.8　B - 1163
トリス緩衝液, pH 6.8
　B - 1163
トリス緩衝液, pH 7.0
　B - 1163
トリス緩衝液, pH 8.2
　B - 1163
トリス緩衝液, pH 8.3
　B - 1164
トリス緩衝液, pH 8.4
　B - 1164
トリス緩衝液, pH 8.8
　B - 1164
トリス緩衝液, pH 9.5
　B - 1164
トリス緩衝液・塩化ナトリ
　ウム試液, 0.01 mol/L,
　pH 7.4　B - 1164
トリス緩衝液, エンドトキ
　シン試験用　B - 1162
トリス・グリシン緩衝液,
　pH 6.8　B - 1164
トリス・酢酸緩衝液, pH
　6.5　B - 1164
トリス・酢酸緩衝液, pH
　8.0　B - 1164
トリスヒドロキシメチルア
　ミノメタン　B - 1165
トリデカンスルホン酸ナト
　リウム　B - 1165
2,4,6-トリニトロフェノー
　ル　B - 1165
2,4,6-トリニトロフェノー
　ル・エタノール試液
　B - 1165
2,4,6-トリニトロフェノー
　ル試液　B - 1165
2,4,6-トリニトロフェノー
　ル試液, アルカリ性
　B - 1165
2,4,6-トリニトロベンゼン

スルホン酸　B - 1165
2,4,6-トリニトロベンゼン
　スルホン酸ナトリウム二
　水和物　B - 1165
2,4,6-トリニトロベンゼン
　スルホン酸二水和物
　B - 1166
2,3,5-トリフェニル-2H-テ
　トラゾリウム塩酸塩
　B - 1166
2,3,5-トリフェニル-2H-テ
　トラゾリウム塩酸塩試液
　B - 1166
トリフェニルアンチモン
　B - 1166
トリフェニルクロルメタン
　B - 1166
トリフェニルクロロメタン
　B - 1166
トリフェニルメタノール,
　薄層クロマトグラフィー
　用　B - 1166
トリフェニルメタン
　B - 1166
トリプシン　B - 1166
トリプシンインヒビター
　B - 1168
トリプシンインヒビター試
　液　B - 1168
トリプシン, 液体クロマト
　グラフィー用
　B - 1167
トリプシン, エポエチンア
　ルファ液体クロマトグラ
　フィー用　B - 1167
トリプシン試液
　B - 1167
トリプシン試液, ウリナス
　タチン試験用
　B - 1167
トリプシン試液, エポエチ
　ンアルファ用
　B - 1168
トリプシン試液, エルカト
　ニン試験用　B - 1168

L-トリプトファン
　B - 1168, C - 3667,
　C - 14
L-トリプトファン (参照
　赤外吸収スペクトル)
　E - 316
トリフルオロ酢酸
　B - 1168
トリフルオロ酢酸, エポエ
　チンベータ用
　B - 1168
トリフルオロ酢酸, 核磁気
　共鳴スペクトル測定用
　B - 1168
トリフルオロ酢酸試液
　B - 1168
トリフルオロメタンスルホ
　ン酸アンモニウム
　B - 1168
トリヘキシフェニジル塩酸
　塩　C - 3671, C - 14
トリヘキシフェニジル塩酸
　塩錠　C - 3675
ドリペネム水和物
　C - 3678, C - 14
ドリペネム水和物 (参照紫
　外可視吸収スペクトル)
　E - 104
ドリペネム水和物 (参照赤
　外吸収スペクトル)
　E - 316
トリメタジオン
　C - 3690, C - 14
トリメタジオン (参照赤外
　吸収スペクトル)
　E - 317
トリメタジジン塩酸塩
　C - 3694, C - 14
トリメタジジン塩酸塩 (参
　照紫外可視吸収スペクト
　ル)　E - 104
トリメタジジン塩酸塩 (参
　照赤外吸収スペクトル)
　E - 317
トリメタジジン塩酸塩錠

I -86　日本名索引

C - 3698

トリメタジジン塩酸塩，定量用　B - 1168

トリメチルシリルイミダゾール　B - 1168

トリメチルシリル化シリカゲル，液体クロマトグラフィー用　B - 1345

3-トリメチルシリルプロパンスルホン酸ナトリウム，核磁気共鳴スペクトル測定用　B - 1168

3-トリメチルシリルプロピオン酸ナトリウム-d_4，核磁気共鳴スペクトル測定用　B - 1168

トリメトキノール塩酸塩水和物　C - 3701，C - 14

トリメトキノール塩酸塩水和物（参照紫外可視吸収スペクトル）　E - 105

トリメトキノール塩酸塩水和物（参照赤外吸収スペクトル）　E - 317

トリメブチンマレイン酸塩　C - 3705，C - 14

トリメブチンマレイン酸塩（参照紫外可視吸収スペクトル）　E - 105

トリメブチンマレイン酸塩（参照赤外吸収スペクトル）　E - 318

トルイジンブルー　B - 1168

トルイジンブルーO　B - 1169

o-トルイル酸　B - 1169

トルエン　B - 1169

o-トルエンスルホンアミド　B - 1169

p-トルエンスルホンアミド　B - 1169

トルエンスルホンクロロアミドナトリウム三水和物

B - 1170

トルエンスルホンクロロアミドナトリウム試液　B - 1170

p-トルエンスルホン酸　B - 1170

p-トルエンスルホン酸一水和物　B - 1170

ドルゾラミド塩酸塩　C - 3708，C - 14

ドルゾラミド塩酸塩（参照紫外可視吸収スペクトル）　E - 105

ドルゾラミド塩酸塩（参照赤外吸収スペクトル）　E - 318

ドルゾラミド塩酸塩・チモロールマレイン酸塩点眼液　C - 3716

ドルゾラミド塩酸塩点眼液　C - 3714

トルナフタート　C - 3724，C - 14

トルナフタート液　C - 3727

トルナフタート（参照紫外可視吸収スペクトル）　E - 106

トルナフタート（参照赤外吸収スペクトル）　E - 318

トルブタミド　B - 1170，C - 3729，C - 14

トルブタミド錠　C - 3732

トルペリゾン塩酸塩　C - 3734，C - 14

L-トレオニン　B - 1170，C - 3737，C - 14

L-トレオニン（参照赤外吸収スペクトル）　E - 319

トレハロース水和物　C - 3741，C - 14

トレハロース水和物（参照

赤外吸収スペクトル）　E - 319

トレピブトン　C - 3744，C - 14

トレピブトン（参照紫外可視吸収スペクトル）　E - 106

ドロキシドパ　C - 3749，C - 14

ドロキシドパカプセル　C - 3753

ドロキシドパ細粒　C - 3756

ドロキシドパ（参照紫外可視吸収スペクトル）　E - 106

ドロキシドパ（参照赤外吸収スペクトル）　E - 319

ドロキシドパ，定量用　B - 1170

トロキシピド　C - 3758，C - 14

トロキシピド細粒　C - 3763

トロキシピド（参照紫外可視吸収スペクトル）　E - 107

トロキシピド（参照赤外吸収スペクトル）　E - 320

トロキシピド錠　C - 3761

トローチ剤　A - 71

トロピカミド　C - 3765，C - 14

ドロペリドール　C - 3768，C - 14

ドロペリドール（参照紫外可視吸収スペクトル）　E - 107

ドロペリドール（参照赤外吸収スペクトル）　E - 320

トロンビン　B - 1170，

日本名索引　　I-87

C-3772
豚脂　D-771
ドンペリドン　C-3776,
C-14
ドンペリドン（参照紫外可
視吸収スペクトル）
E-107
ドンペリドン（参照赤外吸
収スペクトル）
E-320

ナ

ナイスタチン　C-3782,
C-14
ナイスタチン（参照紫外可
視吸収スペクトル）
E-108
ナイルブルー　B-1170
ナタネ油　D-774
菜種油　D-774
ナタマイシン　C-4430
ナテグリニド　C-3784,
C-14
ナテグリニド（参照紫外可
視吸収スペクトル）
E-108
ナテグリニド（参照赤外吸
収スペクトル）
E-321
ナテグリニド錠
C-3789
ナトリウム　B-1170
ナトリウム，金属
B-1170
ナトリウム標準原液
B-919
ナトリウムペンタシアノア
ンミンフェロエート
B-1170
0.1 mol/L ナトリウムメト
キシド液　B-886
0.1 mol/L ナトリウムメト
キシド・ジオキサン液
B-887

0.1 mol/L ナトリウムメト
キシド・1,4-ジオキサン
液　B-887
ナドロール　C-3792,
C-14
ナドロール（参照紫外可視
吸収スペクトル）
E-108
七モリブデン酸六アンモニ
ウム試液　B-1170
七モリブデン酸六アンモニ
ウム四水和物
B-1170
七モリブデン酸六アンモニ
ウム四水和物・硫酸セリ
ウム（Ⅳ）試液
B-1170
七モリブデン酸六アンモニ
ウム四水和物・硫酸第二
セリウム試液
B-1170
七モリブデン酸六アンモニ
ウム・硫酸試液
B-1170
ナファゾリン塩酸塩
B-1170, C-3797
ナファゾリン・クロルフェ
ニラミン液　C-3802
ナファゾリン硝酸塩
B-1170, C-3800,
C-14
ナファゾリン硝酸塩，定量
用　B-1170
ナファモスタットメシル酸
塩　C-3805, C-14
ナファモスタットメシル酸
塩（参照紫外可視吸収ス
ペクトル）　E-109
ナファモスタットメシル酸
塩（参照赤外吸収スペク
トル）　E-321
ナフタレン　B-1170
1,3-ナフタレンジオール
B-1171
1,3-ナフタレンジオール試

液　B-1171
2-ナフタレンスルホン酸
B-1171
2-ナフタレンスルホン酸
一水和物　B-1171
2-ナフタレンスルホン酸
ナトリウム　B-1171
α-ナフチルアミン
B-1171
1-ナフチルアミン
B-1171
ナフチルエチレンジアミン
試液　B-1171
N-1-ナフチルエチレンジ
アミン二塩酸塩
B-1171
ナフトキノンスルホン酸カ
リウム　B-1171
1,2-ナフトキノン-4-スル
ホン酸カリウム
B-1171
ナフトキノンスルホン酸カ
リウム試液　B-1171
1,2-ナフトキノン-4-スル
ホン酸カリウム試液
B-1171
β-ナフトキノンスルホン
酸ナトリウム
B-1171
ナフトキノンスルホン酸ナ
トリウム試液
B-1171
ナフトピジル　C-3809,
C-14
ナフトピジル口腔内崩壊錠
C-3816
ナフトピジル（参照紫外可
視吸収スペクトル）
E-109
ナフトピジル（参照赤外吸
収スペクトル）
E-321
ナフトピジル錠
C-3813
ナフトピジル，定量用

I-88　日本名索引

B-1171
α-ナフトール　B-1172
β-ナフトール　B-1172
1-ナフトール　B-1172
2-ナフトール　B-1172
α-ナフトール試液
　B-1172
β-ナフトール試液
　B-1172
1-ナフトール試液
　B-1172
2-ナフトール試液
　B-1172
α-ナフトールベンゼイン
　B-1172
p-ナフトールベンゼイン
　B-1172
α-ナフトールベンゼイン
　試液　B-1172
p-ナフトールベンゼイン
　試液　B-1172
1-ナフトール・硫酸試液
　B-1172
ナフトレゾルシン・リン酸
　試液　B-1172
ナブメトン　C-3818,
　C-14
ナブメトン（参照紫外可視
　吸収スペクトル）
　E-109
ナブメトン（参照赤外吸収
　スペクトル）　E-322
ナブメトン錠　C-3823
ナプロキセン　C-3825,
　C-14
ナプロキセン（参照紫外可
　視吸収スペクトル）
　E-110
ナプロキセン（参照赤外吸
　収スペクトル）
　E-322
鉛標準液　B-919
鉛標準原液　B-919
ナマルバ細胞　B-1172
ナリジクス酸　B-1172,

C-3830,　C-14
ナリジクス酸（参照紫外可
　視吸収スペクトル）
　E-110
ナリジクス酸（参照赤外吸
　収スペクトル）
　E-322
ナリンギン，薄層クロマト
　グラフィー用
　B-1172
ナルトグラスチム（遺伝子
　組換え）　C-3834,
　C-76
ナルトグラスチム試験用ウ
　シ血清アルブミン試液
　B-1172,　B-129
ナルトグラスチム試験用継
　代培地　B-1173,
　B-129
ナルトグラスチム試験用洗
　浄液　B-1173,
　B-129
ナルトグラスチム試験用ブ
　ロッキング試液
　B-1173,　B-129
ナルトグラスチム試験用分
　子量マーカー
　B-1173,　B-129
ナルトグラスチム試験用力
　価測定培地　B-1173,
　B-129
ナルトグラスチム試料用還
　元緩衝液　B-1173,
　B-129
ナルトグラスチム試料用緩
　衝液　B-1173,
　B-129
ナルトグラスチム標準品
　B-106
ナルトグラスチム用ポリア
　クリルアミドゲル
　B-1173,　B-129
ナロキソン塩酸塩
　C-3843
ナロキソン塩酸塩（参照紫

外可視吸収スペクトル）
　E-110
ナロキソン塩酸塩（参照赤
　外吸収スペクトル）
　E-323
軟滑石　D-189
軟膏剤　A-148

　　　＝

二亜硫酸ナトリウム
　B-1173
二亜硫酸ナトリウム試液
　B-1173
ニガキ　D-775,　D-36
苦木　D-775
ニガキ末　D-778,
　D-36
苦木末　D-778
ニカルジピン塩酸塩
　C-3848,　C-14
ニカルジピン塩酸塩（参照
　紫外可視吸収スペクト
　ル）　E-111
ニカルジピン塩酸塩（参照
　赤外吸収スペクトル）
　E-323
ニカルジピン塩酸塩注射液
　C-3853
ニカルジピン塩酸塩，定量
　用　B-1173
肉エキス　B-1173
ニクジュウヨウ　D-779
ニクジュヨウ　D-779
肉蓯蓉　D-779
肉蓯蓉　D-779
ニクズク　D-782,
　D-37
肉豆蔲　D-782,　D-37
肉豆蔲　D-37
肉豆蔲　D-37
肉豆蔲　D-782,　D-37
肉製ペプトン　B-1173
二クロム酸カリウム
　B-1173

日本名索引　I –89

1/60 mol/L 二クロム酸カリウム液　B – 888

二クロム酸カリウム試液　B – 1173

二クロム酸カリウム（標準試薬）　B – 1173

二クロム酸カリウム・硫酸試液　B – 1173

β–ニコチンアミドアデニンジヌクレオチド（β–NAD）　B – 1173

β–ニコチンアミドアデニンジヌクレオチド還元型（β–NADH）　B – 1174

β–ニコチンアミドアデニンジヌクレオチド還元型試液　B – 1174

β–ニコチンアミドアデニンジヌクレオチド試液　B – 1174

ニコチン酸　B – 1174, C – 3856, C – 14

ニコチン酸アミド　B – 1174, C – 3863, C – 14

ニコチン酸アミド（参照紫外可視吸収スペクトル）　E – 111

ニコチン酸（参照紫外可視吸収スペクトル）　E – 111

ニコチン酸注射液　C – 3861

ニコモール　C – 3867, C – 15

ニコモール（参照紫外可視吸収スペクトル）　E – 112

ニコモール（参照赤外吸収スペクトル）　E – 323

ニコモール錠　C – 3871

ニコモール，定量用　B – 1174

ニコランジル　C – 3872, C – 15

ニコランジル（参照紫外可視吸収スペクトル）　E – 112

ニコランジル（参照赤外吸収スペクトル）　E – 324

二酢酸 N,N′–ジベンジルエチレンジアミン　B – 1174

ニザチジン　C – 3876, C – 15

ニザチジンカプセル　C – 3880

ニザチジン（参照紫外可視吸収スペクトル）　E – 112

ニザチジン（参照赤外吸収スペクトル）　E – 324

二酸化イオウ　B – 1174

二酸化硫黄　B – 1174

二酸化セレン　B – 1174

二酸化炭素　B – 1175, C – 3883

二酸化炭素測定用検知管　B – 1354

二酸化チタン　B – 1175

二酸化チタン試液　B – 1175

二酸化鉛　B – 1175

二酸化マンガン　B – 1175

二次抗体試液　B – 1175

二シュウ酸三水素カリウム二水和物，pH 測定用　B – 1175

ニセリトロール　C – 3887, C – 15

ニセリトロール（参照紫外可視吸収スペクトル）　E – 113

ニセリトロール（参照赤外吸収スペクトル）　E – 324

ニセルゴリン　C – 3891, C – 15

ニセルゴリン散　C – 3897

ニセルゴリン（参照紫外可視吸収スペクトル）　E – 113

ニセルゴリン（参照赤外吸収スペクトル）　E – 325

ニセルゴリン錠　C – 3895

ニセルゴリン，定量用　B – 1175

二相性イソフェンインスリン ヒト（遺伝子組換え）水性懸濁注射液　C – 748, C – 39

日局生物薬品のウイルス安全性確保の基本要件　F – 176

ニッケル標準液　B – 919

ニッケル標準液，原子吸光光度用　B – 920

ニッケル標準原液　B – 919

ニトラゼパム　C – 3900, C – 15

ニトラゼパム（参照紫外可視吸収スペクトル）　E – 113

ニトリロ三酢酸　B – 1175

2,2′,2″–ニトリロトリエタノール　B – 1176

2,2′,2″–ニトリロトリエタノール塩酸塩　B – 1176

2,2′,2″–ニトリロトリエタノール塩酸塩緩衝液，0.6 mol/L，pH 8.0　B – 1176

2,2′,2″–ニトリロトリエタノール緩衝液，pH 7.8　B – 1176

ニトレンジピン　C – 3904, C – 15

I -90　日本名索引

ニトレンジピン（参照紫外
　可視吸収スペクトル）
　E - 114
ニトレンジピン（参照赤外
　吸収スペクトル）
　E - 325
ニトレンジピン錠
　C - 3908
ニトレンジピン，定量用
　B - 1176
3-ニトロアニリン
　B - 1176
4-ニトロアニリン
　B - 1176
p-ニトロアニリン
　B - 1176
4-ニトロアニリン・亜硝
　酸ナトリウム試液
　B - 1176
p-ニトロアニリン・亜硝
　酸ナトリウム試液
　B - 1176
ニトロエタン　B - 1176
4-ニトロ塩化ベンジル
　B - 1177
p-ニトロ塩化ベンジル
　B - 1177
4-ニトロ塩化ベンゾイル
　B - 1177
p-ニトロ塩化ベンゾイル
　B - 1177
ニトログリセリン錠
　C - 3911
α-ニトロソ-β-ナフトー
　ル　B - 1177
1-ニトロソ-2-ナフトール
　B - 1177
α-ニトロソ-β-ナフトー
　ル試液　B - 1177
1-ニトロソ-2-ナフトール
　試液　B - 1177
1-ニトロソ-2-ナフトール-
　3,6-ジスルホン酸二ナト
　リウム　B - 1177
2-ニトロフェニル-β-D-

ガラクトピラノシド
　B - 1177
o-ニトロフェニル-β-D-
　ガラクトピラノシド
　B - 1178
2-ニトロフェノール
　B - 1178
3-ニトロフェノール
　B - 1178
4-ニトロフェノール
　B - 1178
ニトロプルシドナトリウム
　B - 1178
ニトロプルシドナトリウム
　試液　B - 1178
4-(4-ニトロベンジル)ピ
　リジン　B - 1178
2-ニトロベンズアルデヒ
　ド　B - 1178
o-ニトロベンズアルデヒド
　B - 1178
ニトロベンゼン
　B - 1178
4-ニトロベンゼンジアゾニ
　ウム塩酸塩試液
　B - 1178
p-ニトロベンゼンジアゾニ
　ウム塩酸塩試液
　B - 1178
4-ニトロベンゼンジアゾニ
　ウム塩酸塩試液，噴霧用
　B - 1178
p-ニトロベンゼンジアゾニ
　ウム塩酸塩試液，噴霧用
　B - 1178
4-ニトロベンゼンジアゾニ
　ウムフルオロボレート
　B - 1179
p-ニトロベンゼンジアゾニ
　ウムフルオロボレート
　B - 1179
ニトロメタン　B - 1179
2倍濃厚乳糖ブイヨン
　B - 1179
ニフェジピン　B - 1179,

C - 3916, C - 15
ニフェジピン細粒
　C - 3924
ニフェジピン（参照紫外可
　視吸収スペクトル）
　E - 114
ニフェジピン（参照赤外吸
　収スペクトル）
　E - 325
ニフェジピン徐放カプセル
　C - 3922
ニフェジピン腸溶細粒
　C - 3927
ニフェジピン，定量用
　B - 1179
日本薬局方収載生薬の学名
　表記について
　F - 271, F - 37
日本薬局方における標準品
　及び標準物質　F - 374
日本薬局方の通則等に規定
　する動物由来医薬品起源
　としての動物に求められ
　る要件　F - 215
乳剤　A - 61
乳酸　B - 1180,
　C - 3930, C - 15
L-乳酸　C - 3934,
　C - 15
乳酸エタクリジン
　C - 41
乳酸カルシウム水和物
　C - 3937, C - 15
乳酸試液　B - 1180
L-乳酸ナトリウム液
　C - 3940, C - 15
L-乳酸ナトリウム液，定
　量用　B - 1180
L-乳酸ナトリウムリンゲ
　ル液　C - 3943,
　C - 15
乳製カゼイン　B - 1180
乳糖　B - 1180
乳糖一水和物　B - 1180
乳糖基質試液　B - 1180

日本名索引　I -91

乳糖基質試液，ペニシリウ
　ム由来β-ガラクトシダ
　ーゼ用　B -1180
乳糖水和物　C -3952,
　C -15
乳糖水和物（参照赤外吸収
　スペクトル）　E -326
α-乳糖・β-乳糖混合物
　（1：1）　B -1180
乳糖ブイヨン　B -1180
乳糖ブイヨン，2倍濃厚
　B -1180
乳糖ブイヨン，3倍濃厚
　B -1180
ニュートラルレッド
　B -1180
ニュートラルレッド・ウシ
　血清加イーグル最小必須
　培地　B -1180
ニュートラルレッド試液
　B -1180
尿素　B -1181,
　C -3956, C -15
尿素・EDTA 試液
　B -1181
二硫化炭素　B -1181
二硫酸カリウム
　B -1181
ニルバジピン　C -3959,
　C -15
ニルバジピン（参照紫外可
　視吸収スペクトル）
　E -114
ニルバジピン（参照赤外吸
　収スペクトル）
　E -326
ニルバジピン錠
　C -3963
ニワトコレクチン
　B -1181
ニワトコレクチン試液
　B -1181
ニワトリ赤血球浮遊液，
　0.5 vol％　B -1181
認証ヒ素標準液　B -920

ニンジン　D -784
人参　D -784
ニンジン末　D -796
人参末　D -796
ニンドウ　D -799
忍冬　D -799
ニンヒドリン　B -1181
ニンヒドリン・アスコルビ
　ン酸試液　B -1181
ニンヒドリン・L-アスコル
　ビン酸試液　B -1181
ニンヒドリン・エタノール
　試液，噴霧用
　B -1181
ニンヒドリン・塩化スズ
　（Ⅱ）試液　B -1181
ニンヒドリン・塩化第一ス
　ズ試液　B -1181
ニンヒドリン・クエン酸・
　酢酸試液　B -1181
ニンヒドリン・酢酸試液
　B -1182
ニンヒドリン試液
　B -1181
ニンヒドリン・ブタノール
　試液　B -1182
0.2％ニンヒドリン・水飽
　和1-ブタノール試液
　B -1182
ニンヒドリン・硫酸試液
　B -1182

ネ

ネオカルチノスタチン
　B -1182
ネオカルチノスタチン・ス
　チレン-マレイン酸交互
　共重合体部分ブチルエス
　テル2対3縮合物
　B -1182
ネオスチグミンメチル硫酸
　塩　C -3966
ネオスチグミンメチル硫酸
　塩（参照紫外可視吸収ス

　ペクトル）　E -115
ネオスチグミンメチル硫酸
　塩（参照赤外吸収スペク
　トル）　E -327
ネオスチグミンメチル硫酸
　塩注射液　C -3970
ネオマイシン硫酸塩
　C -4770
ネスラー管　B -1354
熱分析法　B -329
熱分析用インジウム
　B -1352
熱分析用スズ　B -1352
粘着力試験法　B -729
粘度計校正用標準液
　B -920
粘度測定法　B -346

ノ

濃グリセリン　C -1627,
　C -7
濃グリセリン（参照赤外吸
　収スペクトル）
　E -246
濃グリセロール
　C -1627
濃クロモトロープ酸試液
　B -1184
濃クロモトロプ酸試液
　B -1184
濃厚乳糖ブイヨン，2倍
　B -1184
濃厚乳糖ブイヨン，3倍
　B -1184
濃ジアゾベンゼンスルホン
　酸試液　B -1184
濃縮ゲル，セルモロイキン
　用　B -1184
濃ベンザルコニウム塩化物
　液50　C -5325
濃ヨウ化カリウム試液
　B -1184
ノオトカトン，薄層クロマ
　トグラフィー用

B-128

ノスカピン　C-3972,
C-15

ノスカピン塩酸塩水和物
C-3975

ノスカピン（参照紫外可視
吸収スペクトル）
E-115

ノスカピン（参照赤外吸収
スペクトル）　E-327

ノダケニン，薄層クロマト
グラフィー用
B-1184

1-ノナンスルホン酸ナト
リウム　B-1185

ノニル酸バニリルアミド
B-1185

ノニルフェノキシポリ（エ
チレンオキシ）エタノー
ル，ガスクロマトグラフ
ィー用　B-1185

ノルアドレナリン
C-3979

ノルアドレナリン（参照紫
外可視吸収スペクトル）
E-115

ノルアドレナリン（参照赤
外吸収スペクトル）
E-327

ノルアドレナリン注射液
C-3984

ノルエチステロン
C-3986

ノルエチステロン（参照赤
外吸収スペクトル）
E-328

ノルエピネフリン
C-3979

ノルエピネフリン注射液
C-3984

ノルゲストレル
C-3989,　C-15

ノルゲストレル・エチニル
エストラジオール錠
C-3992

ノルゲストレル（参照赤外
吸収スペクトル）
E-328

ノルトリプチリン塩酸塩
B-1185,　C-3997,
C-15

ノルトリプチリン塩酸塩
（参照紫外可視吸収スペ
クトル）　E-116

ノルトリプチリン塩酸塩
（参照赤外吸収スペクト
ル）　E-328

ノルトリプチリン塩酸塩錠
C-4002

ノルトリプチリン塩酸塩，
定量用　B-1185

ノルフロキサシン
C-4005,　C-15

ノルフロキサシン（参照紫
外可視吸収スペクトル）
E-116

ノルフロキサシン（参照赤
外吸収スペクトル）
E-329

L-ノルロイシン
B-1185

ハ

バイオテクノロジー応用医
薬品/生物起源由来医薬
品の製造に用いる細胞基
材に対するマイコプラズ
マ否定試験　F-206

バイオテクノロジー応用医
薬品（バイオ医薬品）の
品質確保の基本的考え方
F-77

バイカリン一水和物，薄層
クロマトグラフィー用
B-1185

バイカリン，薄層クロマト
グラフィー用
B-1185

バイカレイン，分離確認用

B-1185

ハイドロサルファイトナト
リウム　B-1186

バイモ　D-802

貝母　D-802

培養液，セルモロイキン用
B-1186

はかり及び分銅
B-1354

バカンピシリン塩酸塩
C-4011,　C-15

バカンピシリン塩酸塩（参
照紫外可視吸収スペクト
ル）　E-116

バカンピシリン塩酸塩（参
照赤外吸収スペクトル）
E-329

バクガ　D-804

麦芽　D-804

白色セラック　C-2984,
C-12

白色軟膏　C-3847

白色ワセリン　C-6371,
C-22,　C-127

白色ワセリン（参照赤外吸
収スペクトル）
E-13

薄層クロマトグラフィー
B-135

薄層クロマトグラフィー用
アクテオシド
B-1186

薄層クロマトグラフィー用
アサリニン　B-1186

薄層クロマトグラフィー用
アストラガロシドIV
B-1186

薄層クロマトグラフィー用
アトラクチレノリドIII
B-1186

薄層クロマトグラフィー用
アトロピン硫酸塩水和物
B-1186

薄層クロマトグラフィー用
アマチャジヒドロイソク

日本名索引　I -93

マリン　B -1186
薄層クロマトグラフィー用
　アミグダリン
　B -1186
薄層クロマトグラフィー用
　2-アミノ-5-クロロベン
　ゾフェノン　B -1186
薄層クロマトグラフィー用
　アラントイン
　B -1187
薄層クロマトグラフィー用
　アリソール A
　B -1187
薄層クロマトグラフィー用
　アルブチン　B -1187
薄層クロマトグラフィー用
　アレコリン臭化水素酸塩
　B -1187
薄層クロマトグラフィー用
　イカリイン　B -1187
薄層クロマトグラフィー用
　(E)-イソフェルラ酸・
　(E)-フェルラ酸混合試液
　B -1187
薄層クロマトグラフィー用
　イソプロメタジン塩酸塩
　B -1187
薄層クロマトグラフィー用
　イミダゾール
　B -1187
薄層クロマトグラフィー用
　ウンベリフェロン
　B -1187
薄層クロマトグラフィー用
　塩化スキサメトニウム
　B -1187
薄層クロマトグラフィー用
　塩化ベルベリン
　B -1187
薄層クロマトグラフィー用
　塩酸イソプロメタジン
　B -1187
薄層クロマトグラフィー用
　塩酸 1,1-ジフェニル-4-
　ピペリジノ-1-ブテン

B -1187
薄層クロマトグラフィー用
　塩酸ベンゾイルメサコニ
　ン　B -1187
薄層クロマトグラフィー用
　オイゲノール
　B -1187
薄層クロマトグラフィー用
　オウゴニン　B -1187
薄層クロマトグラフィー用
　オクタデシルシリル化シ
　リカゲル　B -1345
薄層クロマトグラフィー用
　オクタデシルシリル化シ
　リカゲル (蛍光剤入り)
　B -1346
薄層クロマトグラフィー用
　オストール　B -1187
薄層クロマトグラフィー用
　果糖　B -1187
薄層クロマトグラフィー用
　カプサイシン
　B -1187
薄層クロマトグラフィー用
　(E)-カプサイシン
　B -1188
薄層クロマトグラフィー用
　[6]-ギンゲロール
　B -1188
薄層クロマトグラフィー用
　ギンセノシド Rb₁
　B -1188
薄層クロマトグラフィー用
　ギンセノシド Rg₁
　B -1188
薄層クロマトグラフィー用
　グリココール酸ナトリウ
　ム　B -1188
薄層クロマトグラフィー用
　グリチルリチン酸
　B -1188
薄層クロマトグラフィー用
　4'-O-グルコシル-5-O-
　メチルビサミノール
　B -1188

薄層クロマトグラフィー用
　グルコン酸カルシウム
　B -1188
薄層クロマトグラフィー用
　グルコン酸カルシウム水
　和物　B -1188
薄層クロマトグラフィー用
　クロロゲン酸
　B -1188
薄層クロマトグラフィー用
　(E)-クロロゲン酸
　B -1188
薄層クロマトグラフィー用
　(2-クロロフェニル)-ジ
　フェニルメタノール
　B -1188
薄層クロマトグラフィー用
　(E)-ケイ皮酸
　B -1188
薄層クロマトグラフィー用
　ゲニポシド　B -1188
薄層クロマトグラフィー用
　ケノデオキシコール酸
　B -1188
薄層クロマトグラフィー用
　ゲンチオピクロシド
　B -1188
薄層クロマトグラフィー用
　ゴシツ　B -1188
薄層クロマトグラフィー用
　コプチシン塩化物
　B -1188
薄層クロマトグラフィー用
　コール酸　B -1188
薄層クロマトグラフィー用
　サイコサポニン a
　B -1189
薄層クロマトグラフィー用
　サイコサポニン b₂
　B -1189
薄層クロマトグラフィー用
　サルササポゲニン
　B -1189
薄層クロマトグラフィー用
　シザンドリン

B－1189

薄層クロマトグラフィー用
シノメニン　B－1189

薄層クロマトグラフィー用
ジヒドロエルゴクリスチ
ンメシル酸塩
B－1189

薄層クロマトグラフィー用
1-[(2R,5S)-2,5-ジヒド
ロ-5-(ヒドロキシメチ
ル)-2-フリル]チミン
B－1189

薄層クロマトグラフィー用
1,1-ジフェニル-4-ピペ
リジノ-1-ブテン塩酸塩
B－1189

薄層クロマトグラフィー用
ジメチルシリル化シリカ
ゲル(蛍光剤入り)
B－1346

薄層クロマトグラフィー用
2,6-ジメチル-4-(2-ニト
ロソフェニル)-3,5-ピリ
ジンジカルボン酸ジメチ
ルエステル　B－1189

薄層クロマトグラフィー用
シャゼンシ　B－1189

薄層クロマトグラフィー用
臭化水素酸アレコリン
B－1189

薄層クロマトグラフィー用
臭化水素酸スコポラミン
B－1189

薄層クロマトグラフィー用
臭化ダクロニウム
B－1189

薄層クロマトグラフィー用
[6]-ショーガオール
B－1189

薄層クロマトグラフィー用
シリカゲル　B－1346

薄層クロマトグラフィー用
シリカゲル(蛍光剤入り)
B－1346

薄層クロマトグラフィー用

シリカゲル(混合蛍光剤
入り)　B－1346

薄層クロマトグラフィー用
シリカゲル(粒径5〜7
μm, 蛍光剤入り)
B－1346

薄層クロマトグラフィー用
シンナムアルデヒド
B－1189

薄層クロマトグラフィー用
(E)-シンナムアルデヒド
B－1189

薄層クロマトグラフィー用
スウェルチアマリン
B－1189

薄層クロマトグラフィー用
スキサメトニウム塩化物
水和物　B－1190

薄層クロマトグラフィー用
スコポラミン臭化水素酸
塩水和物　B－1190

薄層クロマトグラフィー用
スコポレチン
B－1190

薄層クロマトグラフィー用
スタキオース
B－1190

薄層クロマトグラフィー用
セサミン　B－1190

薄層クロマトグラフィー用
セルロース　B－1346

薄層クロマトグラフィー用
セルロース(蛍光剤入り)
B－1346

薄層クロマトグラフィー用
センノシドA
B－1190

薄層クロマトグラフィー用
タウロウルソデオキシコ
ール酸ナトリウム
B－1190

薄層クロマトグラフィー用
ダクロニウム臭化物
B－1190

薄層クロマトグラフィー用

チクセツサポニンⅣ
B－1190

薄層クロマトグラフィー用
デオキシコール酸
B－1190

薄層クロマトグラフィー用
デヒドロコリダリン硝化
物　B－1190

薄層クロマトグラフィー用
トリフェニルメタノール
B－1190

薄層クロマトグラフィー用
ナリンギン　B－1190

薄層クロマトグラフィー用
ノオトカトン　B－128

薄層クロマトグラフィー用
ノダケニン　B－1190

薄層クロマトグラフィー用
バイカリン　B－1190

薄層クロマトグラフィー用
バイカリン一水和物
B－1190

薄層クロマトグラフィー用
バルバロイン
B－1190

薄層クロマトグラフィー用
ヒオデオキシコール酸
B－1190

薄層クロマトグラフィー用
10-ヒドロキシ-2-(E)-デ
セン酸　B－1190

薄層クロマトグラフィー用
3-(3-ヒドロキシ-4-メト
キシフェニル)-2-(E)-プ
ロペン酸・(E)-フェルラ
酸混合試液　B－1191

薄層クロマトグラフィー用
ヒペロシド　B－1191

薄層クロマトグラフィー用
ヒルスチン　B－1191

薄層クロマトグラフィー用
プエラリン　B－1191

薄層クロマトグラフィー用
フェルラ酸シクロアルテ
ニル　B－1191

薄層クロマトグラフィー用
　ブタ胆汁末　B‑1191
薄層クロマトグラフィー用
　フマル酸　B‑1191
薄層クロマトグラフィー用
　(±)‑プラエルプトリンA
　B‑1191
薄層クロマトグラフィー用
　プラチコジンD
　B‑1191
薄層クロマトグラフィー用
　フルオロキノロン酸
　B‑1191
薄層クロマトグラフィー用
　ペオニフロリン
　B‑1191
薄層クロマトグラフィー用
　ペオノール　B‑1191
薄層クロマトグラフィー用
　ヘスペリジン
　B‑1191
薄層クロマトグラフィー用
　ペリルアルデヒド
　B‑1191
薄層クロマトグラフィー用
　ベルゲニン　B‑1191
薄層クロマトグラフィー用
　ベルバスコシド
　B‑1191
薄層クロマトグラフィー用
　ベルベリン塩化物水和物
　B‑1191
薄層クロマトグラフィー用
　ベンゾイルメサコニン塩
　酸塩　B‑1191
薄層クロマトグラフィー用
　ポリアミド　B‑1346
薄層クロマトグラフィー用
　ポリアミド(蛍光剤入り)
　B‑1346
薄層クロマトグラフィー用
　マグノロール
　B‑1192
薄層クロマトグラフィー用
　マンニノトリオース

B‑1192
薄層クロマトグラフィー用
　ミリスチシン
　B‑1192
薄層クロマトグラフィー用
　メシル酸ジヒドロエルゴ
　クリスチン　B‑1192
薄層クロマトグラフィー用
　2‑メチル‑5‑ニトロイミ
　ダゾール　B‑1192
薄層クロマトグラフィー用
　3‑O‑メチルメチルドパ
　B‑1192
薄層クロマトグラフィー用
　(E)‑2‑メトキシシンナム
　アルデヒド　B‑1192
薄層クロマトグラフィー用
　リオチロニンナトリウム
　B‑1192
薄層クロマトグラフィー用
　リクイリチン
　B‑1192
薄層クロマトグラフィー用
　(Z)‑リグスチリド
　B‑1192
薄層クロマトグラフィー用
　(Z)‑リグスチリド試液
　B‑1192
薄層クロマトグラフィー用
　リトコール酸
　B‑1192
薄層クロマトグラフィー用
　リモニン　B‑1192
薄層クロマトグラフィー用
　硫酸アトロピン
　B‑1192
薄層クロマトグラフィー用
　リンコフィリン
　B‑1192
薄層クロマトグラフィー用
　ルチン　B‑1192
薄層クロマトグラフィー用
　ルテオリン　B‑1192
薄層クロマトグラフィー用
　レイン　B‑1192

薄層クロマトグラフィー用
　レジブフォゲニン
　B‑1192
薄層クロマトグラフィー用
　レボチロキシンナトリウ
　ム　B‑1193
薄層クロマトグラフィー用
　レボチロキシンナトリウ
　ム水和物　B‑1193
薄層クロマトグラフィー用
　ロガニン　B‑1193
薄層クロマトグラフィー用
　ロスマリン酸
　B‑1193
白糖　B‑1193，
　C‑4015，C‑15
バクモンドウ　B‑1193，
　D‑806
麦門冬　D‑806
麦門冬湯エキス　D‑809
白蠟　D‑985
バクロフェン　C‑4023，
　C‑15
バクロフェン(参照紫外可
　視吸収スペクトル)
　E‑117
バクロフェン錠
　C‑4028
バシトラシン　C‑4031，
　C‑15
パスカルシウム顆粒
　C‑4074
パスカルシウム水和物
　C‑4068
パズフロキサシンメシル酸
　塩　C‑4034，C‑15
パズフロキサシンメシル酸
　塩(参照紫外可視吸収ス
　ペクトル)　E‑117
パズフロキサシンメシル酸
　塩(参照赤外吸収スペク
　トル)　E‑330
パズフロキサシンメシル酸
　塩注射液　C‑4040
バソプレシン　B‑1193

Ⅰ-96　日本名索引

バソプレシン注射液
　C－4042
八味地黄丸エキス
　D－815,　D－37
ハチミツ　D－823
蜂蜜　D－823
波長及び透過率校正用光学
　フィルター　B－1353
波長校正用光学フィルター
　B－1353
発煙硝酸　B－1193
発煙硫酸　B－1193
ハッカ　B－1193,
　D－826
薄荷　D－826
ハッカ水　D－829
ハッカ油　B－1193,
　D－830
薄荷油　D－830
バッカル錠　A－72
発色試液,テセロイキン用
　B－1193
発色性合成基質
　B－1193
発熱性物質試験法
　B－578
パップ剤　A－154
パップ用複方オウバク散
　D－111
発泡顆粒剤　A－48
発泡錠　A－34
パテントブルー
　B－1193
ハートインフュージョンカ
　ンテン培地　B－1194
バナジン酸アンモニウム
　B－1194
バナジン（Ⅴ）酸アンモニ
　ウム　B－1194
鼻に適用する製剤
　A－123
パニペネム　C－4046,
　C－15
パニペネム（参照紫外可視
　吸収スペクトル）

E－117
パニペネム（参照赤外吸収
　スペクトル）　E－330
バニリン　B－1194
バニリン・塩酸試液
　B－1194
バニリン・硫酸・エタノー
　ル試液　B－1194
バニリン・硫酸・エタノー
　ル試液,噴霧用
　B－1194
バニリン・硫酸試液
　B－1194
ハヌス試液　B－1194
パパベリン塩酸塩
　B－1194,　C－4058
パパベリン塩酸塩注射液
　C－4062
パパベリン塩酸塩,定量用
　B－1194
パーフルオロヘキシルプロ
　ピルシリル化シリカゲ
　ル,液体クロマトグラフ
　ィー用　B－1346
ハマボウフウ　D－833,
　D－38
浜防風　D－833
バメタン硫酸塩
　B－1194,　C－4064,
　C－15
バメタン硫酸塩（参照紫外
　可視吸収スペクトル）
　E－118
パラアミノサリチル酸カル
　シウム顆粒　C－4074
パラアミノサリチル酸カル
　シウム水和物
　C－4068,　C－15
パラアミノサリチル酸カル
　シウム水和物（参照赤外
　吸収スペクトル）
　E－330
パラアミノサリチル酸カル
　シウム水和物,定量用
　B－1194

パラオキシ安息香酸
　B－1194
パラオキシ安息香酸イソア
　ミル　B－1195
パラオキシ安息香酸イソブ
　チル　B－1195
パラオキシ安息香酸イソプ
　ロピル　B－1195
パラオキシ安息香酸エチル
　B－1195,　C－4075,
　C－15,　C－76
パラオキシ安息香酸エチル
　（参照赤外吸収スペクト
　ル）　E－331
パラオキシ安息香酸-2-エ
　チルヘキシル
　B－1195
パラオキシ安息香酸ブチル
　B－1196,　C－4081,
　C－15,　C－79
パラオキシ安息香酸ブチル
　（参照赤外吸収スペクト
　ル）　E－331
パラオキシ安息香酸ブチ
　ル,分離確認用
　B－1196
パラオキシ安息香酸プロピ
　ル　B－1196,
　C－4084,　C－15,
　C－83
パラオキシ安息香酸プロピ
　ル（参照赤外吸収スペク
　トル）　E－331
パラオキシ安息香酸プロピ
　ル,分離確認用
　B－1196
パラオキシ安息香酸ヘキシ
　ル　B－1197
パラオキシ安息香酸ヘプチ
　ル　B－1197
パラオキシ安息香酸ベンジ
　ル　B－1198,　B－121
パラオキシ安息香酸メチル
　B－1198,　C－4088,
　C－15,　C－86

パラオキシ安息香酸メチル
（参照赤外吸収スペクト
ル） E – 332
パラオキシ安息香酸メチ
ル，分離確認用
B – 1198
パラジウム標準液，ICP分
析用 B – 920
バラシクロビル塩酸塩
C – 4091, C – 15
バラシクロビル塩酸塩（参
照紫外可視吸収スペクト
ル） E – 118
バラシクロビル塩酸塩（参
照赤外吸収スペクトル）
E – 332
バラシクロビル塩酸塩錠
C – 4098
パラセタモール C – 146
パラフィン B – 1199,
C – 4100, C – 15
パラフィン，流動
B – 1199
パラホルムアルデヒド
C – 4108
H–D–バリル–L–ロイシル–
L–アルギニン–4–ニトロ
アニリド二塩酸塩
B – 1199
L–バリン B – 1199,
C – 4112, C – 15
L–バリン（参照赤外吸収
スペクトル） E – 332
L–バリン，定量用
B – 1199
バルサム B – 1199
バルサルタン B – 1199,
C – 4116, C – 15
バルサルタン（参照紫外可
視吸収スペクトル）
E – 118
バルサルタン（参照赤外吸
収スペクトル）
E – 333
バルサルタン錠

C – 4123
バルサルタン・ヒドロクロ
ロチアジド錠
C – 4125
パルナパリンナトリウム
C – 4132, C – 15
バルバロイン，成分含量測
定用 B – 1199
バルバロイン，定量用
B – 1199
バルバロイン，薄層クロマ
トグラフィー用
B – 1200
バルビタール B – 1200,
C – 4140, C – 15
バルビタール緩衝液
B – 1200
バルビタールナトリウム
B – 1200
バルプロ酸ナトリウム
C – 4144, C – 15
バルプロ酸ナトリウム（参
照赤外吸収スペクトル）
E – 333
バルプロ酸ナトリウム錠
C – 4149
バルプロ酸ナトリウム徐放
錠A C – 4151
バルプロ酸ナトリウム徐放
錠B C – 4155
バルプロ酸ナトリウムシロ
ップ C – 4158
バルプロ酸ナトリウム，定
量用 B – 1200
パルマチン塩化物
B – 1201
パルミチン酸，ガスクロマ
トグラフィー用
B – 1201
パルミチン酸メチル，ガス
クロマトグラフィー用
B – 1201
パルミトアミドプロピルシ
リル化シリカゲル，液体
クロマトグラフィー用

B – 1346
パルミトレイン酸メチル，
ガスクロマトグラフィー
用 B – 1201
バレイショデンプン
B – 1201, C – 3465
バレイショデンプン試液
B – 1201
バレイショデンプン試液,
でんぷん消化力試験用
B – 1201
ハロキサゾラム
C – 4160, C – 15
ハロキサゾラム（参照紫外
可視吸収スペクトル）
E – 119
ハロキサゾラム（参照赤外
吸収スペクトル）
E – 333
パロキセチン塩酸塩錠
C – 4173
パロキセチン塩酸塩水和物
C – 4165, C – 15
パロキセチン塩酸塩水和物
（参照紫外可視吸収スペ
クトル） E – 119
パロキセチン塩酸塩水和物
（参照赤外吸収スペクト
ル） E – 334
ハロタン C – 4176
ハロタン（参照赤外吸収ス
ペクトル） E – 334
ハロペリドール
C – 4180, C – 15
ハロペリドール細粒
C – 4187
ハロペリドール（参照紫外
可視吸収スペクトル）
E – 119
ハロペリドール（参照赤外
吸収スペクトル）
E – 334
ハロペリドール錠
C – 4185
ハロペリドール注射液

I-98　日本名索引

C-4190
ハロペリドール，定量用
　B-1201
パンクレアチン
　C-4192
パンクレアチン用リン酸塩
　緩衝液　B-1201
パンクロニウム臭化物
　C-4195
パンクロニウム臭化物（参
　照赤外吸収スペクトル）
　E-335
ハンゲ　D-835
半夏　D-835
半夏厚朴湯エキス
　D-838，D-38
半夏瀉心湯エキス
　D-843
半固形製剤の流動学的測定
　法　B-784
バンコマイシン塩酸塩
　C-4199，C-16
バンコマイシン塩酸塩（参
　照紫外可視吸収スペクト
　ル）　E-120
バンコマイシン塩酸塩（参
　照赤外吸収スペクトル）
　E-335
蕃椒　D-712
蕃椒末　D-717
パンテチン　C-4206，
　C-16
パントテン酸カルシウム
　B-1201，C-4210，
　C-16
パントテン酸カルシウム
　（参照赤外吸収スペクト
　ル）　E-335

ヒ

ヒアルロニダーゼ
　B-1201
ヒアルロン酸　B-1202
ヒアルロン酸ナトリウム，

精製　B-1202
ヒアルロン酸ナトリウム，
　定量用　B-1202
pH測定法　B-366
pH測定用水酸化カルシウ
　ム　B-1203
pH測定用炭酸水素ナトリ
　ウム　B-1203
pH測定用炭酸ナトリウム
　B-1203
pH測定用二シュウ酸三水
　素カリウム二水和物
　B-1203
pH測定用フタル酸水素カ
　リウム　B-1203
pH測定用ホウ酸ナトリウ
　ム　B-1203
pH測定用無水リン酸一水
　素ナトリウム
　B-1203
pH測定用四シュウ酸カリ
　ウム　B-1203
pH測定用四ホウ酸ナトリ
　ウム十水和物
　B-1204
pH測定用リン酸水素二ナ
　トリウム　B-1204
pH測定用リン酸二水素カ
　リウム　B-1204
ピオグリタゾン塩酸塩
　C-4226，C-16
ピオグリタゾン塩酸塩・グ
　リメピリド錠
　C-4234
ピオグリタゾン塩酸塩（参
　照紫外可視吸収スペクト
　ル）　E-120
ピオグリタゾン塩酸塩（参
　照赤外吸収スペクトル）
　E-336
ピオグリタゾン塩酸塩錠
　C-4232
ピオグリタゾン塩酸塩・メ
　トホルミン塩酸塩錠
　C-4242

ビオチン　C-4250，
　C-16
ビオチン（参照赤外吸収ス
　ペクトル）　E-336
ビオチン標識ニワトコレク
　チン　B-1204
ヒオデオキシコール酸，薄
　層クロマトグラフィー用
　B-1204
比較乳濁液I　B-1204
B型赤血球浮遊液
　B-1204
光遮蔽型自動微粒子測定器
　校正用標準粒子
　B-1352
ビカルタミド　C-4254，
　C-16
ビカルタミド（参照紫外可
　視吸収スペクトル）
　E-120
ビカルタミド（参照赤外吸
　収スペクトル）
　E-337
ビカルタミド錠　C-89
ピクリン酸　B-1204
ピクリン酸・エタノール試
　液　B-1204
ピクリン酸試液
　B-1204
ピクリン酸試液，アルカリ
　性　B-1204
ピコスルファートナトリウ
　ム水和物　C-4263，
　C-16
ピコスルファートナトリウ
　ム水和物（参照紫外可視
　吸収スペクトル）
　E-121
ピコスルファートナトリウ
　ム水和物（参照赤外吸収
　スペクトル）　E-337
ビサコジル　C-4267，
　C-16
ビサコジル坐剤
　C-4269

ビサコジル（参照紫外可視
吸収スペクトル）
E - 121
ビサコジル（参照赤外吸収
スペクトル）　E - 337
PCR 2 倍反応液，SYBR
Green 含有　B - 1204
比重及び密度測定法
B - 383
非水滴定用アセトン
B - 1205
非水滴定用酢酸
B - 1205
非水滴定用酢酸水銀（Ⅱ）
試液　B - 1205
非水滴定用酢酸第二水銀試
液　B - 1205
非水滴定用氷酢酸
B - 1205
4,4'-ビス（ジエチルアミノ）
ベンゾフェノン
B - 1205
L-ヒスチジン　B - 1205,
C - 4273, C - 16
L-ヒスチジン塩酸塩一水
和物　B - 1205
L-ヒスチジン塩酸塩水和
物　C - 4275, C - 16
L-ヒスチジン塩酸塩水和
物（参照赤外吸収スペク
トル）　E - 338
L-ヒスチジン（参照赤外
吸収スペクトル）
E - 338
ビスデメトキシクルクミン
B - 1205
ビス（1,1-トリフルオロア
セトキシ）ヨードベンゼ
ン　B - 1206
ビストリメチルシリルアセ
トアミド　B - 1206
1,4-ビス（トリメチルシリ
ル）ベンゼン-d_4，核磁
気共鳴スペクトル測定用
B - 1206

N,N'-ビス [2-ヒドロキシ-
1-(ヒドロキシメチル)
エチル]-5-ヒドロキシ
アセチルアミノ-2,4,6-
トリヨードイソフタルア
ミド　B - 1206
ビス-(1-フェニル-3-メチ
ル-5-ピラゾロン)
B - 1207
ビスマス酸ナトリウム
B - 1207
微生物限度試験法
B - 583
微生物試験における微生物
の取扱いのバイオリスク
管理　F - 29
微生物試験に用いる培地及
び微生物株の管理
F - 225
微生物迅速試験法
F - 240
ヒ素試験法　B - 71
ヒ素標準液　B - 920
ヒ素標準原液　B - 920
ビソプロロールフマル酸塩
C - 4277, C - 16
ビソプロロールフマル酸塩
（参照紫外可視吸収スペ
クトル）　E - 121
ビソプロロールフマル酸塩
（参照赤外吸収スペクト
ル）　E - 338
ビソプロロールフマル酸塩
錠　C - 4281
ビソプロロールフマル酸
塩，定量用　B - 1207
ヒ素分析用亜鉛
B - 1207
非多孔性強酸性イオン交換
樹脂，液体クロマトグラ
フィー用　B - 1346
ピタバスタチンカルシウム
口腔内崩壊錠
C - 4297
ピタバスタチンカルシウム

錠　C - 4292
ピタバスタチンカルシウム
水和物　C - 4285,
C - 16
ピタバスタチンカルシウム
水和物（参照紫外可視吸
収スペクトル）
E - 122
ビタミン A 酢酸エステル
C - 6209
ビタミン A 定量法
B - 378
ビタミン A 定量用 2-プロ
パノール　B - 1207
ビタミン A パルミチン酸
エステル　C - 6214
ビタミン A 油　C - 4302
ビタミン B_1 塩酸塩
C - 3188
ビタミン B_1 塩酸塩散
C - 3195
ビタミン B_1 塩酸塩注射液
C - 3196
ビタミン B_1 硝酸塩
C - 3198
ビタミン B_2　C - 6111
ビタミン B_2 散　C - 6118
ビタミン B_2 酪酸エステル
C - 6120
ビタミン B_2 リン酸エステ
ル　C - 6124
ビタミン B_2 リン酸エステ
ル注射液　C - 6129
ビタミン B_6　C - 4460
ビタミン B_6 注射液
C - 4465
ビタミン B_{12}　C - 2147
ビタミン B_{12} 注射液
C - 2152
ビタミン C　C - 95
ビタミン C 散　C - 100
ビタミン C 注射液
C - 103
ビタミン D　C - 1116
ビタミン D_3　C - 2020

Ⅰ-*100*　日本名索引

ビタミンE　C-*3510*
ビタミンEコハク酸エス
　テルカルシウム
　C-*3516*
ビタミンE酢酸エステル
　C-*3520*
ビタミンEニコチン酸エ
　ステル　C-*3524*
ビタミンH　C-*4250*
ビタミンK₁　C-*4548*
1,4-BTMSB-*d₄*，核磁気共
　鳴スペクトル測定用
　B-*1207*
ヒトアルブミン化学結合シ
　リカゲル，液体クロマト
　グラフィー用
　B-*1346*
ヒトインスリン
　B-*1207*
ヒトインスリンデスアミド
　体含有試液　B-*1207*
ヒトインスリン二量体含有
　試液　B-*1207*
ヒト下垂体性性腺刺激ホル
　モン　C-*2650*
ヒト血清アルブミン，定量
　用　B-*1208*
ヒト絨毛性性腺刺激ホルモ
　ン　C-*2654*
ヒト絨毛性性腺刺激ホルモ
　ン試液　B-*1208*
ヒト正常血漿　B-*1208*
ヒト正常血漿乾燥粉末
　B-*1208*
人全血液　C-*4304*
人免疫グロブリン
　C-*4305*
ヒト由来アンチトロンビン
　B-*1208*
ヒト由来アンチトロンビン
　Ⅲ　B-*1208*
ヒドラジン一水和物
　B-*1208*
ヒドララジン塩酸塩
　B-*1208*，C-*4305*，

C-*16*
ヒドララジン塩酸塩散
　C-*4310*
ヒドララジン塩酸塩（参照
　紫外可視吸収スペクト
　ル）　E-*122*
ヒドララジン塩酸塩（参照
　赤外吸収スペクトル）
　E-*339*
ヒドララジン塩酸塩錠
　C-*4309*
ヒドララジン塩酸塩，定量
　用　B-*1208*
m-ヒドロキシアセトフェ
　ノン　B-*1208*
p-ヒドロキシアセトフェ
　ノン　B-*1208*
3-ヒドロキシ安息香酸
　B-*1208*
4-ヒドロキシイソフタル
　酸　B-*1209*
N-(2-ヒドロキシエチル)
　イソニコチン酸アミド硝
　酸エステル　B-*1209*
ヒドロキシエチルセルロー
　ス　C-*4313*，C-*16*
1-(2-ヒドロキシエチル)-
　1*H*-テトラゾール-5-チ
　オール　B-*1209*
N-2-ヒドロキシエチルピ
　ペラジン-*N*'-2-エタン
　スルホン酸　B-*1209*
d-3-ヒドロキシ-*cis*-2,3-
　ジヒドロ-5-[2-(ジメチ
　ルアミノ)エチル]-2-
　(4-メトキシフェニル)-
　1,5-ベンゾチアゼピン-
　4(5*H*)-オン塩酸塩
　B-*1210*
d-3-ヒドロキシ-*cis*-2,3-
　ジヒドロ-5-[2-(ジメチ
　ルアミノ)エチル]-2-
　(*p*-メトキシフェニル)-
　1,5-ベンゾチアゼピン-
　4(5*H*)-オン塩酸塩

B-*1210*
ヒドロキシジン塩酸塩
　C-*4318*，C-*16*
ヒドロキシジン塩酸塩（参
　照紫外可視吸収スペクト
　ル）　E-*122*
ヒドロキシジンパモ酸塩
　C-*4321*，C-*16*
ヒドロキシジンパモ酸塩
　（参照紫外可視吸収スペ
　クトル）　E-*123*
10-ヒドロキシ-2-(*E*)-デセ
　ン酸，成分含量測定用
　B-*1210*
10-ヒドロキシ-2-(*E*)-デセ
　ン酸，定量用
　B-*1210*
10-ヒドロキシ-2-(*E*)-デセ
　ン酸，薄層クロマトグラ
　フィー用　B-*1213*
2-ヒドロキシ-1-(2-ヒドロ
　キシ-4-スルホ-1-ナフチ
　ルアゾ)-3-ナフトエ酸
　B-*1213*
N-(3-ヒドロキシフェニル)
　アセトアミド
　B-*1213*
3-(*p*-ヒドロキシフェニル)
　プロピオン酸
　B-*1213*
2-ヒドロキシプロピル-*β*-
　シクロデキストリル化シ
　リカゲル，液体クロマト
　グラフィー用
　B-*1346*
ヒドロキシプロピルシリル
　化シリカゲル，液体クロ
　マトグラフィー用
　B-*1346*
ヒドロキシプロピルセルロ
　ース　C-*4326*，
　C-*16*
ヒドロキシプロピルセルロ
　ース（参照赤外吸収スペ
　クトル）　E-*339*

日本名索引　　I-101

2-[4-(2-ヒドロキシメチル)-
1-ピペラジニル] プロパ
ンスルホン酸
B-1214

3-(3-ヒドロキシ-4-メトキ
シフェニル)-2-(E)-プ
ロペン酸　B-1214

3-(3-ヒドロキシ-4-メトキ
シフェニル)-2-(E)-プロ
ペン酸・(E)-フェルラ酸
混合試液, 薄層クロマト
グラフィー用
B-1214

ヒドロキシルアミン過塩素
酸塩　B-1214

ヒドロキシルアミン過塩素
酸塩・エタノール試液
B-1214

ヒドロキシルアミン過塩素
酸塩試液　B-1214

ヒドロキシルアミン過塩素
酸塩・無水エタノール試
液　B-1214

ヒドロキシルアミン試液
B-1214

ヒドロキシルアミン試液,
アルカリ性　B-1214

ヒドロキソコバラミン酢酸
塩　B-1214,
C-4333

ヒドロキソコバラミン酢酸
塩 (参照紫外可視吸収ス
ペクトル)　E-123

ヒドロキノン　B-1215

ヒドロクロロチアジド
B-1215, C-4338,
C-16

ヒドロクロロチアジド (参
照紫外可視吸収スペクト
ル)　E-123

ヒドロコタルニン塩酸塩水
和物　C-4343,
C-16

ヒドロコタルニン塩酸塩水
和物 (参照紫外可視吸収

スペクトル)　E-124

ヒドロコタルニン塩酸塩水
和物 (参照赤外吸収スペ
クトル)　E-340

ヒドロコタルニン塩酸塩水
和物, 定量用
B-1215

ヒドロコルチゾン
B-1215, C-4346

ヒドロコルチゾンコハク酸
エステル　C-4353

ヒドロコルチゾンコハク酸
エステル (参照赤外吸収
スペクトル)　E-340

ヒドロコルチゾンコハク酸
エステルナトリウム
C-4356

ヒドロコルチゾンコハク酸
エステルナトリウム (参
照赤外吸収スペクトル)
E-341

ヒドロコルチゾン酢酸エス
テル　B-1215,
C-4361

ヒドロコルチゾン (参照赤
外吸収スペクトル)
E-340

ヒドロコルチゾン・ジフェ
ンヒドラミン軟膏
C-4364

ヒドロコルチゾン酪酸エス
テル　C-4366,
C-16

ヒドロコルチゾン酪酸エス
テル (参照赤外吸収スペ
クトル)　E-341

ヒドロコルチゾンリン酸エ
ステルナトリウム
C-4370, C-16

ヒドロコルチゾンリン酸エ
ステルナトリウム (参照
赤外吸収スペクトル)
E-341

2-ビニルピリジン
B-1215

4-ビニルピリジン
B-1215

1-ビニル-2-ピロリドン
B-1215

ヒパコニチン, 純度試験用
B-1215

非必須アミノ酸試液
B-1217

比表面積測定法　B-487

比表面積測定用α-アルミ
ナ　B-1352

2,2'-ビピリジル
B-1217

2-(4-ビフェニリル) プロ
ピオン酸　B-1217

皮膚などに適用する製剤
A-133

皮膚に適用する製剤の放出
試験法　B-737

ピブメシリナム塩酸塩
C-4376, C-16

ピブメシリナム塩酸塩 (参
照赤外吸収スペクトル)
E-342

ピブメシリナム塩酸塩錠
C-4380

ヒプロメロース
C-4382, C-16

ヒプロメロースカプセル
C-1334

ヒプロメロース酢酸エステ
ルコハク酸エステル
C-4388, C-16

ヒプロメロースフタル酸エ
ステル　C-4394,
C-16, C-92

ヒプロメロースフタル酸エ
ステル置換度タイプ
200731 (参照赤外吸収
スペクトル)　E-342

ヒプロメロースフタル酸エ
ステル置換度タイプ
220824 (参照赤外吸収
スペクトル)　E-342

ピペミド酸水和物

C – 4398, C – 16

ピペミド酸水和物（参照紫外可視吸収スペクトル）
E – 124

ピペミド酸水和物（参照赤外吸収スペクトル）
E – 343

ピペラシリン水和物
B – 1217, C – 4402,
C – 16

ピペラシリン水和物（参照赤外吸収スペクトル）
E – 343

ピペラシリンナトリウム
C – 4408, C – 16

ピペラシリンナトリウム（参照赤外吸収スペクトル）　E – 343

ピペラジンアジピン酸塩
C – 4415, C – 16

ピペラジンアジピン酸塩（参照赤外吸収スペクトル）　E – 344

ピペラジンリン酸塩錠
C – 4421

ピペラジンリン酸塩水和物
C – 4418, C – 16

ピペラジンリン酸塩水和物（参照赤外吸収スペクトル）　E – 344

ピペリジン塩酸塩
B – 1217

ビペリデン塩酸塩
C – 4422, C – 16

ビペリデン塩酸塩（参照紫外可視吸収スペクトル）
E – 124

ビペリデン塩酸塩（参照赤外吸収スペクトル）
E – 344

ヒペロシド，薄層クロマトグラフィー用
B – 1217

ヒベンズ酸チペピジン，定量用　B – 1218

ヒポキサンチン
B – 1218

ビホナゾール　B – 1218,
C – 4426, C – 16

ビホナゾール（参照紫外可視吸収スペクトル）
E – 125

ビホナゾール（参照赤外吸収スペクトル）
E – 345

ヒマシ油　B – 1218,
D – 851

ピマリシン　C – 4430,
C – 16

ピマリシン（参照紫外可視吸収スペクトル）
E – 125

非無菌医薬品の微生物学的品質特性　F – 220

ヒメクロモン　C – 4433,
C – 16

ヒメクロモン（参照紫外可視吸収スペクトル）
E – 125

ヒメクロモン（参照赤外吸収スペクトル）
E – 345

ピモジド　C – 4437,
C – 16

ピモジド（参照紫外可視吸収スペクトル）
E – 126

ピモジド（参照赤外吸収スペクトル）　E – 345

ビャクゴウ　D – 855

百合　D – 855

ビャクシ　D – 856

白芷　D – 856

ビャクジュツ　D – 859

白朮　D – 859

ビャクジュツ末　D – 865

白朮末　D – 865

白虎加人参湯エキス
D – 866

氷酢酸　B – 1218,

C – 2037, C – 9

氷酢酸，非水滴定用
B – 1218

氷酢酸・硫酸試液
B – 1218

標準液　B – 915

pH 標準液，シュウ酸塩
B – 920

pH 標準液，水酸化カルシウム　B – 920

pH 標準液，炭酸塩
B – 920

pH 標準液，フタル酸塩
B – 920

pH 標準液，ホウ酸塩
B – 920

pH 標準液，リン酸塩
B – 920

標準品　B – 833,
B – 106

標準粒子等　B – 1352

標準粒子，光遮蔽型自動微粒子測定器校正用
B – 1352

表面プラズモン共鳴法
F – 154

ピラジナミド　C – 4444,
C – 16

ピラジナミド（参照紫外可視吸収スペクトル）
E – 126

ピラジナミド（参照赤外吸収スペクトル）
E – 346

ピラゾール　B – 1218

ピラルビシン　C – 4447,
C – 16

ピラルビシン（参照紫外可視吸収スペクトル）
E – 126

ピランテルパモ酸塩
C – 4452, C – 16

ピランテルパモ酸塩（参照紫外可視吸収スペクトル）　E – 127

日本名索引　　I −103

ピランテルパモ酸塩（参照赤外吸収スペクトル）E − 346

1−(2−ピリジルアゾ)−2−ナフトール　B − 1218

1−(4−ピリジル)ピリジニウム塩化物塩酸塩　B − 1219

ピリジン　B − 1219

ピリジン・ギ酸緩衝液, 0.2 mol/L, pH 3.0　B − 1219

ピリジン・酢酸試液　B − 1219

ピリジン, 水分測定用　B − 1219

ピリジン・ピラゾロン試液　B − 1219

ピリジン, 無水　B − 1219

ピリドキサールリン酸エステル水和物　C − 4456, C − 16

ピリドキサールリン酸エステル水和物（参照紫外可視吸収スペクトル）E − 127

ピリドキサールリン酸エステル水和物（参照赤外吸収スペクトル）E − 346

ピリドキシン塩酸塩　B − 1219, C − 4460, C − 16

ピリドキシン塩酸塩（参照紫外可視吸収スペクトル）E − 127

ピリドキシン塩酸塩（参照赤外吸収スペクトル）E − 347

ピリドキシン塩酸塩注射液　C − 4465

ピリドスチグミン臭化物　C − 4467, C − 16

ピリドスチグミン臭化物

（参照紫外可視吸収スペクトル）E − 128

ビリルビン, 定量用　B − 1219

ピルシカイニド塩酸塩カプセル　C − 4474

ピルシカイニド塩酸塩水和物　C − 4471, C − 17

ピルシカイニド塩酸塩水和物（参照紫外可視吸収スペクトル）E − 128

ピルシカイニド塩酸塩水和物（参照赤外吸収スペクトル）E − 347

ピルシカイニド塩酸塩水和物, 定量用　B − 1220

ヒルスチン　B − 1220

ヒルスチン, 定量用　B − 1220, B − 121

ヒルスチン, 薄層クロマトグラフィー用　B − 1221

ピルビン酸ナトリウム　B − 1221

ピルビン酸ナトリウム試液, 100 mmol/L　B − 1221

ピレノキシン　C − 4477, C − 17

ピレノキシン（参照紫外可視吸収スペクトル）E − 128

ピレノキシン（参照赤外吸収スペクトル）E − 347

ピレンゼピン塩酸塩水和物　C − 4481, C − 17

ピレンゼピン塩酸塩水和物（参照紫外可視吸収スペクトル）E − 129

ピレンゼピン塩酸塩水和物（参照赤外吸収スペクトル）E − 348

ピロ亜硫酸ナトリウム　C − 4485, C − 17

ピロアンチモン酸カリウム　B − 1221

ピロアンチモン酸カリウム試液　B − 1221

ピロカルピン塩酸塩　C − 4487

ピロカルピン塩酸塩錠　C − 4490

ピロカルピン塩酸塩, 定量用　B − 1222

ピロガロール　B − 1222

ピロキシカム　C − 4494, C − 17

ピロキシカム（参照紫外可視吸収スペクトル）E − 129

ピロキシカム（参照赤外吸収スペクトル）E − 348

ピロキシリン　C − 4499

L−ピログルタミルグリシル−L−アルギニン−p−ニトロアニリン塩酸塩　B − 1222

L−ピログルタミルグリシル−L−アルギニン−p−ニトロアニリン塩酸塩試液　B − 1222

ピロリジンジチオカルバミン酸アンモニウム　B − 1223

2−ピロリドン　B − 1223

ピロ硫酸カリウム　B − 1223

ピロリン酸塩緩衝液, pH 9.0　B − 1223

ピロリン酸塩緩衝液, 0.05 mol/L, pH 9.0　B − 1223

ピロリン酸カリウム　B − 1223

ピロール　B − 1223

ピロールニトリン　C − 4501

ピロールニトリン（参照紫

外可視吸収スペクトル）
E－129

ピロールニトリン（参照赤
外吸収スペクトル）
E－348

ビワヨウ　D－873

枇杷葉　D－873

ビンクリスチン硫酸塩
B－1223，C－4505

ビンクリスチン硫酸塩（参
照紫外可視吸収スペクト
ル）　E－130

ビンクリスチン硫酸塩（参
照赤外吸収スペクトル）
E－349

品質リスクマネジメントの
基本的考え方　F－13

ピンドロール　C－4510,
C－17

ピンドロール（参照紫外可
視吸収スペクトル）
E－130

ピンドロール（参照赤外吸
収スペクトル）
E－349

ビンブラスチン硫酸塩
B－1224，C－4514

ビンブラスチン硫酸塩（参
照紫外可視吸収スペクト
ル）　E－130

ビンブラスチン硫酸塩（参
照赤外吸収スペクトル）
E－349

ビンロウジ　D－875

檳榔子　D－875

フ

ファモチジン　C－4521,
C－17

ファモチジン散
C－4526

ファモチジン（参照紫外可
視吸収スペクトル）
E－131

ファモチジン（参照赤外吸
収スペクトル）
E－350

ファモチジン錠
C－4524

ファモチジン注射液
C－4529

ファモチジン，定量用
B－1224

ファロペネムナトリウム錠
C－4540

ファロペネムナトリウム水
和物　C－4535,
C－17

フィトナジオン
B－1224，C－4548,
C－17

フィトナジオン1（参照紫
外可視吸収スペクトル）
E－131

フィトナジオン2（参照紫
外可視吸収スペクトル）
E－131

フィトナジオン（参照赤外
吸収スペクトル）
E－350

フィブリノーゲン
B－1224

ブイヨン，普通
B－1224

フィルグラスチム（遺伝子
組換え）　C－4555

フィルグラスチム（遺伝子
組換え）注射液
C－4565

フィルグラスチム試料用緩
衝液　B－1224

フィルグラスチム用イスコ
フ改変ダルベッコ液体培
地　B－1224

フィルグラスチム用システ
ム適合性試験用試液
B－1224

フィルグラスチム用ポリア
クリルアミドゲル

B－1224

フェキソフェナジン塩酸塩
C－4567，C－17

フェキソフェナジン塩酸塩
（参照紫外可視吸収スペ
クトル）　E－132

フェキソフェナジン塩酸塩
（参照赤外吸収スペクト
ル）　E－350

フェキソフェナジン塩酸塩
錠　C－4572

フェナセチン　B－1224

フェナゾン　C－452

o－フェナントロリン
B－1224

1,10－フェナントロリン一
水和物　B－1224

1,10－フェナントロリン試
液　B－1224

o－フェナントロリン試液
B－1224

フェニトイン　C－4575,
C－17

フェニトイン散
C－4585

フェニトイン錠
C－4583

フェニトイン，定量用
B－1224

H－D－フェニルアラニル－L－
ピペコリル－L－アルギニ
ル－p－ニトロアニリド
二塩酸塩　B－1225

フェニルアラニン
B－1225

L－フェニルアラニン
C－4588，B－1225,
C－17

L－フェニルアラニン（参
照赤外吸収スペクトル）
E－351

フェニルイソチオシアネー
ト　B－1225

フェニル化シリカゲル，液
体クロマトグラフィー用

日本名索引　　I −105

B − 1346

D−フェニルグリシン
B − 1225

25％フェニル−25％シアノ
プロピル−メチルシリコ
ーンポリマー，ガスクロ
マトグラフィー用
B − 1225

フェニルシリル化シリカゲ
ル，液体クロマトグラフ
ィー用　B − 1346

フェニルヒドラジン
B − 1225

1−フェニルピペラジン一
塩酸塩　B − 1226

フェニルブタゾン
C − 4592, C − 17

フェニルブタゾン（参照紫
外可視吸収スペクトル）
E − 132

フェニルフルオロン
B − 1226

フェニルフルオロン・エタ
ノール試液　B − 1226

フェニルヘキシルシリル化
シリカゲル，液体クロマ
トグラフィー用
B − 1346

5％フェニル−メチルシリコ
ーンポリマー，ガスクロ
マトグラフィー用
B − 1226

35％フェニル−メチルシリ
コーンポリマー，ガスク
ロマトグラフィー用
B − 1226

50％フェニル−メチルシリ
コーンポリマー，ガスク
ロマトグラフィー用
B − 1226

65％フェニル−メチルシリ
コーンポリマー，ガスク
ロマトグラフィー用
B − 1226

1−フェニル−3−メチル−5−

ピラゾロン　B − 1226

50％フェニル−50％メチル
ポリシロキサン，ガスク
ロマトグラフィー用
B − 1226

フェニレフリン塩酸塩
C − 4596

o−フェニレンジアミン
B − 1226

1,3−フェニレンジアミン塩
酸塩　B − 1226

o−フェニレンジアミン二塩
酸塩　B − 1227

フェネチシリンカリウム
C − 4600, C − 17

フェネチシリンカリウム
（参照紫外可視吸収スペ
クトル）　E − 132

フェネチシリンカリウム
（参照赤外吸収スペクト
ル）　E − 351

フェネチルアミン塩酸塩
B − 1227

フェノバルビタール
C − 4604, C − 17

フェノバルビタール散10％
C − 4613

フェノバルビタール（参照
紫外可視吸収スペクト
ル）　E − 133

フェノバルビタール（参照
赤外吸収スペクトル）
E − 351

フェノバルビタール錠
C − 4610

フェノバルビタール，定量
用　B − 1227

フェノフィブラート
C − 4615, C − 17

フェノフィブラート（参照
紫外可視吸収スペクト
ル）　E − 133

フェノフィブラート（参照
赤外吸収スペクトル）
E − 352

フェノフィブラート錠
C − 4621

フェノール　B − 1227,
C − 4624

フェノール・亜鉛華リニメ
ント　C − 4635

フェノール塩酸試液
B − 1227

フェノール水　C − 4633

p−フェノールスルホン酸
ナトリウム　B − 1227

p−フェノールスルホン酸
ナトリウム二水和物
B − 1227

フェノールスルホンフタレ
イン　C − 4638

フェノールスルホンフタレ
イン（参照紫外可視吸収
スペクトル）　E − 133

フェノールスルホンフタレ
イン注射液　C − 4642

フェノールスルホンフタレ
イン，定量用
B − 1228

フェノール，定量用
B − 1227

フェノール・ニトロプルシ
ドナトリウム試液
B − 1227

フェノールフタレイン
B − 1228

フェノールフタレイン試液
B − 1228

フェノールフタレイン試
液, 希　B − 1228

フェノールフタレイン・チ
モールブルー試液
B − 1228

フェノール・ペンタシアノ
ニトロシル鉄（Ⅲ）酸ナ
トリウム試液
B − 1227

フェノールレッド
B − 1228

フェノールレッド試液

I -*106*　　日本名索引

B － *1228*

フェノールレッド試液，希
　B － *1228*

プエラリン，薄層クロマト
　グラフィー用
　B － *1228*

フェリシアン化カリウム
　B － *1228*

0.05 mol/L フェリシアン
　化カリウム液　B － *888*

0.1 mol/L フェリシアン化
　カリウム液　B － *888*

フェリシアン化カリウム試
　液　B － *1228*

フェリシアン化カリウム試
　液，アルカリ性
　B － *1228*

フェーリング試液
　B － *1229*

フェーリング試液，でんぷ
　ん消化力試験用
　B － *1229*

フェルビナク　C － *4644*,
　C － *17*

フェルビナク（参照紫外可
　視吸収スペクトル）
　E － *134*

フェルビナク（参照赤外吸
　収スペクトル）
　E － *352*

フェルビナク，定量用
　B － *1229*

フェルビナクテープ
　C － *4647*

フェルビナクパップ
　C － *4648*

(*E*)-フェルラ酸
　B － *1229*

フェルラ酸シクロアルテニ
　ル，薄層クロマトグラフ
　ィー用　B － *1232*

(*E*)-フェルラ酸，定量用
　B － *1229*

フェロシアン化カリウム
　B － *1232*

フェロシアン化カリウム試
　液　B － *1232*

フェロジピン　C － *4651*,
　C － *17*

フェロジピン（参照紫外可
　視吸収スペクトル）
　E － *134*

フェロジピン（参照赤外吸
　収スペクトル）
　E － *352*

フェロジピン錠
　C － *4656*

フェロジピン，定量用
　B － *1232*

フェンタニルクエン酸塩
　C － *4659*, C － *17*

フェンタニルクエン酸塩
　（参照紫外可視吸収スペ
　クトル）　E － *134*

フェンタニルクエン酸塩
　（参照赤外吸収スペクト
　ル）　E － *353*

フェンネル油　D － *56*

フェンブフェン
　C － *4663*, C － *17*

フェンブフェン（参照紫外
　可視吸収スペクトル）
　E － *135*

フェンブフェン（参照赤外
　吸収スペクトル）
　E － *353*

フォリン試液　B － *1232*

フォリン試液，希
　B － *1232*

フクシン　B － *1232*

フクシン亜硫酸試液
　B － *1232*

フクシン・エタノール試液
　B － *1233*

フクシン試液，脱色
　B － *1232*

複方アクリノール・チンク
　油　C － *48*

複方オキシコドン・アトロ
　ピン注射液　C － *1195*

複方オキシコドン注射液
　C － *1192*

複方サリチル酸精
　C － *2066*

複方サリチル酸メチル精
　C － *2079*

複方ジアスターゼ・重曹散
　C － *2134*

複方ダイオウ・センナ散
　D － *627*

複方チアントール・サリチ
　ル酸液　C － *3210*

複方ヨード・グリセリン
　C － *5938*

複方ロートエキス・ジアス
　ターゼ散　D － *1078*

腹膜透析用剤　A － *101*

ブクモロール塩酸塩
　C － *4667*, C － *17*

ブクモロール塩酸塩（参照
　紫外可視吸収スペクト
　ル）　E － *135*

ブクモロール塩酸塩（参照
　赤外吸収スペクトル）
　E － *353*

ブクリョウ　D － *878*

茯苓　D － *878*

ブクリョウ末　D － *881*

茯苓末　D － *881*

ブシ　D － *883*

ブシジエステルアルカロイ
　ド混合標準溶液，純度試
　験用　B － *1233*

フシジン酸ナトリウム
　C － *4670*, C － *17*

フシジン酸ナトリウム（参
　照赤外吸収スペクトル）
　E － *354*

ブシ末　D － *889*

ブシモノエステルアルカロ
　イド混合標準試液，成分
　含量測定用　B － *1233*

ブシモノエステルアルカロ
　イド混合標準試液，定量
　用　B － *1233*

日本名索引　　Ⅰ-107

ブシ用リン酸塩緩衝液
　B-1233
ブシラミン　B-1233,
　C-4677, C-17
ブシラミン（参照赤外吸収
　スペクトル）　E-354
ブシラミン錠　C-4680
ブシラミン，定量用
　B-1233
ブスルファン　C-4683,
　C-17
ブスルファン（参照赤外吸
　収スペクトル）
　E-354
プソイドエフェドリン塩酸
　塩　B-1233
ブタ胆汁末，薄層クロマト
　グラフィー用
　B-1234
1-ブタノール　B-1234
2-ブタノール　B-1234
n-ブタノール　B-1234
1-ブタノール，アンモニ
　ア飽和　B-1234
ブタノール，イソ
　B-1234
1-ブタノール試液，アン
　モニア飽和　B-1234
ブタノール，第三
　B-1234
ブタノール，第二
　B-1234
2-ブタノン　B-1234
o-フタルアルデヒド
　B-1234
フタルイミド　B-1235
フタル酸　B-1235
フタル酸塩 pH 標準液
　B-920
フタル酸緩衝液，pH 5.8
　B-1235
フタル酸ジエチル
　B-1235
フタル酸ジシクロヘキシル
　B-1235

フタル酸ジノニル
　B-1236
フタル酸ジフェニル
　B-1236
フタル酸ジ-n-ブチル
　B-1236
フタル酸ジメチル
　B-1236
フタル酸水素カリウム
　B-1236
フタル酸水素カリウム緩衝
　液, pH 3.5　B-1236
フタル酸水素カリウム緩衝
　液, pH 4.6　B-1236
フタル酸水素カリウム緩衝
　液, pH 5.6　B-1237
フタル酸水素カリウム緩衝
　液, 0.3 mol/L, pH 4.6
　B-1236
フタル酸水素カリウム試
　液, 0.2 mol/L, 緩衝液
　用　B-1237
フタル酸水素カリウム,
　pH 測定用　B-1236
フタル酸水素カリウム（標
　準試薬）　B-1236
フタル酸ビス（シス-3,3,5-
　トリメチルシクロヘキシ
　ル）　B-1237
フタレインパープル
　B-1237
付着錠　A-72
n-ブチルアミン
　B-1237
t-ブチルアルコール
　B-1237
ブチルシリル化シリカゲ
　ル，液体クロマトグラフ
　ィー用　B-1347
ブチルスコポラミン臭化物
　C-4687, C-17
ブチルスコポラミン臭化物
　（参照紫外可視吸収スペ
　クトル）　E-135
ブチルスコポラミン臭化物

（参照赤外吸収スペクト
　ル）　E-355
n-ブチルボロン酸
　B-1237
tert-ブチルメチルエーテ
　ル　B-1237
ブチロラクトン
　B-1237
普通カンテン培地
　B-1237
普通カンテン培地，テセロ
　イキン用　B-1238
普通ブイヨン　B-1238
フッ化水素酸　B-1238
フッ化ナトリウム
　B-1238
フッ化ナトリウム・塩酸試
　液　B-1238
フッ化ナトリウム試液
　B-1238
フッ化ナトリウム（標準試
　薬）　B-1238
フッ素標準液　B-920
沸点測定法及び蒸留試験法
　B-391
ブデソニド　C-93
ブデソニド（参照紫外可視
　吸収スペクトル）
　E-6
ブデソニド（参照赤外吸収
　スペクトル）　E-12
ブデソニド標準品
　B-106
ブテナフィン塩酸塩
　C-4692, C-17
ブテナフィン塩酸塩液
　C-4695
ブテナフィン塩酸塩クリー
　ム　C-4698
ブテナフィン塩酸塩（参照
　紫外可視吸収スペクト
　ル）　E-136
ブテナフィン塩酸塩（参照
　赤外吸収スペクトル）
　E-355

I -108　日本名索引

ブテナフィン塩酸塩スプ
　レー　C -4696
ブテナフィン塩酸塩，定量
　用　B -1238
ブドウ酒　C -4700,
　C -17
ブドウ糖　B -1238,
　C -4709, C -17
ブドウ糖試液　B -1238
ブドウ糖水和物
　C -4718, C -17
ブドウ糖注射液
　C -4721
N-t-ブトキシカルボニル-
　L-グルタミン酸-α-フ
　ェニルエステル
　B -1238
フドステイン　C -4724,
　C -17
フドステイン（参照赤外吸
　収スペクトル）
　E -355
フドステイン錠
　C -4728
フドステイン，定量用
　B -1238
ブトロピウム臭化物
　C -4730, C -17,
　C -103
ブトロピウム臭化物1（参
　照紫外可視吸収スペクト
　ル）　E -136
ブトロピウム臭化物2（参
　照紫外可視吸収スペクト
　ル）　E -136
ブナゾシン塩酸塩
　C -4734, C -17
ブナゾシン塩酸塩（参照赤
　外吸収スペクトル）
　E -356
ブピバカイン塩酸塩水和物
　C -4738, C -17
ブピバカイン塩酸塩水和物
　（参照紫外可視吸収スペ
　クトル）　E -137

ブピバカイン塩酸塩水和物
　（参照赤外吸収スペクト
　ル）　E -356
ブファリン，成分含量測定
　用　B -1238
ブファリン，定量用
　B -1239
ブフェトロール塩酸塩
　C -4743, C -17
ブフェトロール塩酸塩（参
　照紫外可視吸収スペクト
　ル）　E -137
ブフェトロール塩酸塩（参
　照赤外吸収スペクトル）
　E -356
ブプラノロール塩酸塩
　C -4747, C -17
ブプラノロール塩酸塩（参
　照紫外可視吸収スペクト
　ル）　E -137
ブプラノロール塩酸塩（参
　照赤外吸収スペクトル）
　E -357
ブプレノルフィン塩酸塩
　C -4750, C -17
ブプレノルフィン塩酸塩
　（参照紫外可視吸収スペ
　クトル）　E -138
ブプレノルフィン塩酸塩
　（参照赤外吸収スペクト
　ル）　E -357
ブホルミン塩酸塩
　C -4755, C -17
ブホルミン塩酸塩（参照紫
　外可視吸収スペクトル）
　E -138
ブホルミン塩酸塩（参照赤
　外吸収スペクトル）
　E -357
ブホルミン塩酸塩錠
　C -4760
ブホルミン塩酸塩腸溶錠
　C -4762
ブホルミン塩酸塩，定量用
　B -1239

フマル酸，薄層クロマトグ
　ラフィー用　B -1240
フマル酸ビソプロロール，
　定量用　B -1240
ブメタニド　C -4765,
　C -17
ブメタニド（参照紫外可視
　吸収スペクトル）
　E -138
ブメタニド（参照赤外吸収
　スペクトル）　E -358
浮遊培養用培地
　B -1240
Primer F 試液　B -1240
Primer R 試液　B -1240
(±)-プラエルプトリン A,
　薄層クロマトグラフィー
　用　B -1240
フラジオマイシン硫酸塩
　C -4770, C -17
ブラジキニン　B -1241
プラスチック製医薬品容器
　及び輸液用ゴム栓の容器
　設計における一般的な考
　え方と求められる要件
　F -356
プラスチック製医薬品容器
　試験法　B -804
プラステロン硫酸エステル
　ナトリウム水和物
　C -4774, C -17
プラステロン硫酸エステル
　ナトリウム水和物（参照
　赤外吸収スペクトル）
　E -358
プラゼパム　C -4778,
　C -17
プラゼパム（参照紫外可視
　吸収スペクトル）
　E -139
プラゼパム（参照赤外吸収
　スペクトル）　E -358
プラゼパム錠　C -4783
プラゼパム，定量用
　B -1241

日本名索引　　I -109

プラゾシン塩酸塩
　C - 4785, C - 17
プラゾシン塩酸塩（参照紫
　外可視吸収スペクトル）
　E - 139
プラゾシン塩酸塩（参照赤
　外吸収スペクトル）
　E - 359
プラチコジン D, 薄層クロ
　マトグラフィー用
　B - 1241
プラノプロフェン
　C - 4789, C - 17
プラノプロフェン（参照紫
　外可視吸収スペクトル）
　E - 139
プラノプロフェン（参照赤
　外吸収スペクトル）
　E - 359
プラバスタチンナトリウム
　B - 1241, C - 4794,
　C - 18
プラバスタチンナトリウム
　液　C - 4806
プラバスタチンナトリウム
　細粒　C - 4802
プラバスタチンナトリウム
　（参照紫外可視吸収スペ
　クトル）　E - 140
プラバスタチンナトリウム
　錠　C - 4799
フラビンアデニンジヌクレ
　オチドナトリウム
　C - 4809, C - 18
フラビンアデニンジヌクレ
　オチドナトリウム（参照
　赤外吸収スペクトル）
　E - 359
フラボキサート塩酸塩
　C - 4815, C - 18
フラボキサート塩酸塩（参
　照紫外可視吸収スペクト
　ル）　E - 140
フラボキサート塩酸塩（参
　照赤外吸収スペクトル）

E - 360
プランルカスト水和物
　C - 4818, C - 18
プランルカスト水和物（参
　照紫外可視吸収スペクト
　ル）　E - 140
プランルカスト水和物（参
　照赤外吸収スペクトル）
　E - 360
プリミドン　C - 4822,
　C - 18
ブリリアントグリン
　B - 1241
ふるい　B - 1354
フルオシノニド
　C - 4828
フルオシノニド（参照紫外
　可視吸収スペクトル）
　E - 141
フルオシノロンアセトニド
　B - 1241, C - 4832
フルオシノロンアセトニド
　（参照赤外吸収スペクト
　ル）　E - 360
フルオレスカミン
　B - 1241
フルオレセイン
　B - 1242
フルオレセインナトリウム
　B - 1242, C - 4837
フルオレセインナトリウム
　試液　B - 1242
9-フルオレニルメチルクロ
　ロギ酸　B - 1242
4-フルオロ安息香酸
　B - 1242
フルオロウラシル
　C - 4842, C - 18
フルオロウラシル（参照紫
　外可視吸収スペクトル）
　E - 141
フルオロキノロン酸, 薄層
　クロマトグラフィー用
　B - 1242
1-フルオロ-2,4-ジニトロ

ベンゼン　B - 1243
フルオロシリル化シリカゲ
　ル, 液体クロマトグラフ
　ィー用　B - 1347
7-フルオロ-4-ニトロベン
　ゾ-2-オキサ-1,3-ジアゾ
　ール　B - 1243
フルオロメトロン
　C - 4848, C - 18
フルオロメトロン（参照紫
　外可視吸収スペクトル）
　E - 141
フルオロメトロン（参照赤
　外吸収スペクトル）
　E - 361
フルコナゾール
　C - 4852, C - 18
フルコナゾールカプセル
　C - 4857
フルコナゾール（参照紫外
　可視吸収スペクトル）
　E - 142
フルコナゾール（参照赤外
　吸収スペクトル）
　E - 361
フルコナゾール注射液
　C - 4860
フルコナゾール, 定量用
　B - 1243
フルジアゼパム
　C - 4862, C - 18
フルジアゼパム 1（参照紫
　外可視吸収スペクトル）
　E - 142
フルジアゼパム 2（参照紫
　外可視吸収スペクトル）
　E - 142
フルジアゼパム（参照赤外
　吸収スペクトル）
　E - 361
フルジアゼパム錠
　C - 4866
フルジアゼパム, 定量用
　B - 1243
フルシトシン　C - 4869,

日本名索引

C－18
フルシトシン（参照紫外可視吸収スペクトル）E－143
ブルシン　B－1244
ブルシン n 水和物　B－1244
ブルシン二水和物　B－1244
フルスルチアミン塩酸塩　C－4874,　C－18
フルスルチアミン塩酸塩（参照赤外吸収スペクトル）E－362
フルタミド　C－4879,　C－18
フルタミド（参照紫外可視吸収スペクトル）E－143
フルタミド（参照赤外吸収スペクトル）　E－362
ブルーテトラゾリウム　B－1244
ブルーテトラゾリウム試液，アルカリ性　B－1244
フルトプラゼパム　C－4883,　C－18
フルトプラゼパム（参照紫外可視吸収スペクトル）E－143
フルトプラゼパム（参照赤外吸収スペクトル）E－362
フルトプラゼパム錠　C－4886
フルトプラゼパム，定量用　B－1244
フルドロコルチゾン酢酸エステル　C－4889,　C－18
フルドロコルチゾン酢酸エステル（参照紫外可視吸収スペクトル）E－144

フルドロコルチゾン酢酸エステル（参照赤外吸収スペクトル）E－363
フルニトラゼパム　C－4894,　C－18
フルニトラゼパム（参照紫外可視吸収スペクトル）E－144
フルニトラゼパム（参照赤外吸収スペクトル）E－363
フルフェナジンエナント酸エステル　C－4898,　C－18
フルフェナジンエナント酸エステル（参照紫外可視吸収スペクトル）E－144
フルフェナジンエナント酸エステル（参照赤外吸収スペクトル）E－363
フルフラール　B－1244
フルボキサミンマレイン酸塩　C－4902,　C－18
フルボキサミンマレイン酸塩（参照紫外可視吸収スペクトル）E－145
フルボキサミンマレイン酸塩（参照赤外吸収スペクトル）E－364
フルボキサミンマレイン酸塩錠　C－4908
フルラゼパム塩酸塩　C－4910,　C－18
フルラゼパム塩酸塩（参照紫外可視吸収スペクトル）E－145
フルラゼパム塩酸塩（参照赤外吸収スペクトル）E－364
フルラゼパム，定量用　B－1244
プルラナーゼ　B－1244
プルラナーゼ試液　B－1244

プルラン　C－4915,　C－18
プルランカプセル　C－1334
フルルビプロフェン　C－4918,　C－18
フルルビプロフェン（参照紫外可視吸収スペクトル）E－145
フルルビプロフェン（参照赤外吸収スペクトル）E－364
ブレオマイシン塩酸塩　C－4924,　C－18
ブレオマイシン塩酸塩（参照紫外可視吸収スペクトル）E－146
ブレオマイシン塩酸塩（参照赤外吸収スペクトル）E－365
ブレオマイシン硫酸塩　C－4931,　C－18
ブレオマイシン硫酸塩（参照紫外可視吸収スペクトル）E－146
ブレオマイシン硫酸塩（参照赤外吸収スペクトル）E－365
フレカイニド酢酸塩　B－1244,　C－4937,　C－18
フレカイニド酢酸塩（参照紫外可視吸収スペクトル）E－146
フレカイニド酢酸塩（参照赤外吸収スペクトル）E－365
フレカイニド酢酸塩錠　C－4942
フレカイニド酢酸塩，定量用　B－1244
プレドニゾロン　B－1244,　C－4944,　C－18
プレドニゾロンコハク酸エ

日本名索引　　I -111

ステル　C - 4955
プレドニゾロンコハク酸エ
ステル（参照赤外吸収ス
ペクトル）　E - 366
プレドニゾロン酢酸エステ
ル　B - 1245,
C - 4961
プレドニゾロン酢酸エステ
ル（参照赤外吸収スペク
トル）　E - 366
プレドニゾロン（参照赤外
吸収スペクトル）
E - 366
プレドニゾロン錠
C - 4952
プレドニゾロンリン酸エス
テルナトリウム
C - 4965, C - 18
プレドニゾロンリン酸エス
テルナトリウム（参照紫
外可視吸収スペクトル）
E - 147
プレドニゾロンリン酸エス
テルナトリウム（参照赤
外吸収スペクトル）
E - 367
プレドニゾン　B - 1245
フロイント完全アジュバン
ト　B - 1245, B - 129
プロカインアミド塩酸塩
B - 1245, C - 4976,
C - 18
プロカインアミド塩酸塩
（参照赤外吸収スペクト
ル）　E - 367
プロカインアミド塩酸塩錠
C - 4980
プロカインアミド塩酸塩注
射液　C - 4982
プロカインアミド塩酸塩,
定量用　B - 1245
プロカイン塩酸塩
B - 1245, C - 4970,
C - 18
プロカイン塩酸塩（参照紫

外可視吸収スペクトル）
E - 147
プロカイン塩酸塩（参照赤
外吸収スペクトル）
E - 367
プロカイン塩酸塩注射液
C - 4974
プロカイン塩酸塩, 定量用
B - 1245
プロカテロール塩酸塩水和
物　B - 1245,
C - 4984, C - 18
プロカテロール塩酸塩水和
物（参照紫外可視吸収ス
ペクトル）　E - 147
プロカテロール塩酸塩水和
物（参照赤外吸収スペク
トル）　E - 368
プロカルバジン塩酸塩
C - 4988, C - 18
プロカルバジン塩酸塩（参
照紫外可視吸収スペクト
ル）　E - 148
プロカルバジン塩酸塩（参
照赤外吸収スペクトル）
E - 368
プログルミド　C - 4993,
C - 18
プログルミド（参照赤外吸
収スペクトル）
E - 368
プロクロルペラジンマレイ
ン酸塩　C - 4996,
C - 18
プロクロルペラジンマレイ
ン酸塩錠　C - 5001
プロゲステロン
B - 1245, C - 5004
プロゲステロン（参照紫外
可視吸収スペクトル）
E - 148
プロゲステロン（参照赤外
吸収スペクトル）
E - 369
プロゲステロン注射液

C - 5008
プロスタグランジン A₁
B - 1245
プロセス解析工学によるリ
アルタイムリリース試験
における含量均一性評価
のための判定基準
F - 330
フロセミド　C - 5010,
C - 18
フロセミド（参照紫外可視
吸収スペクトル）
E - 148
フロセミド（参照赤外吸収
スペクトル）　E - 369
フロセミド錠　C - 5016
フロセミド注射液
C - 5018
プロタミン硫酸塩
C - 5021
プロタミン硫酸塩注射液
C - 5025
プロチオナミド
C - 5026, C - 18
ブロチゾラム　C - 5029,
C - 18
ブロチゾラム（参照紫外可
視吸収スペクトル）
E - 149
ブロチゾラム（参照赤外吸
収スペクトル）
E - 369
ブロチゾラム錠
C - 5033
ブロチゾラム, 定量用
B - 1246
プロチレリン　C - 5037,
C - 18
プロチレリン（参照赤外吸
収スペクトル）
E - 370
プロチレリン酒石酸塩水和
物　C - 5041, C - 18
ブロッキング剤
B - 1246

Ｉ-*112*　　日本名索引

ブロッキング試液，エポエ
　チンアルファ用
　B-*1246*
ブロッキング試液，ナルト
　グラスチム試験用
　B-*1246*，B-*129*
ブロック緩衝液
　B-*1246*
ブロッティング試液
　B-*1246*
V8プロテアーゼ
　B-*1246*
V8プロテアーゼ，インス
　リングラルギン用
　B-*1246*
V8プロテアーゼ酵素試液
　B-*1246*
プロテイン銀　C-*5044*
プロテイン銀液
　C-*5047*
1-プロパノール
　B-*1246*
2-プロパノール
　B-*1246*
n-プロパノール
　B-*1247*
プロパノール，イソ
　B-*1247*
2-プロパノール，液体ク
　ロマトグラフィー用
　B-*1246*
2-プロパノール，ビタミ
　ンA定量用　B-*1247*
プロパフェノン塩酸塩
　C-*5049*，C-*18*
プロパフェノン塩酸塩（参
　照紫外可視吸収スペクト
　ル）　E-*149*
プロパフェノン塩酸塩（参
　照赤外吸収スペクトル）
　E-*370*
プロパフェノン塩酸塩錠
　C-*5054*
プロパフェノン塩酸塩，定
　量用　B-*1247*

プロパンテリン臭化物
　B-*1247*，C-*5056*
プロピオン酸　B-*1247*
プロピオン酸エチル
　B-*1247*
プロピオン酸ジョサマイシ
　ン　B-*1247*
プロピオン酸テストステロ
　ン　B-*1247*
プロピオン酸ベクロメタゾ
　ン　B-*1247*
プロピフェナゾン
　C-*585*
プロピベリン塩酸塩
　C-*5060*，C-*18*
プロピベリン塩酸塩（参照
　紫外可視吸収スペクト
　ル）　E-*149*
プロピベリン塩酸塩（参照
　赤外吸収スペクトル）
　E-*370*
プロピベリン塩酸塩錠
　C-*5064*
プロピルアミン，イソ
　B-*1247*
プロピルエーテル，イソ
　B-*1247*
プロピルチオウラシル
　C-*5067*
プロピルチオウラシル錠
　C-*5071*
プロピルチオウラシル，定
　量用　B-*1248*
プロピレングリコール
　B-*1248*，C-*5073*，
　C-*18*
プロピレングリコール，ガ
　スクロマトグラフィー用
　B-*1248*
プロブコール　C-*5078*，
　C-*18*
プロブコール細粒
　C-*5085*
プロブコール（参照紫外可
　視吸収スペクトル）

　E-*150*
プロブコール（参照赤外吸
　収スペクトル）
　E-*371*
プロブコール錠
　C-*5083*
プロプラノロール塩酸塩
　C-*5087*，C-*18*
プロプラノロール塩酸塩
　（参照紫外可視吸収スペ
　クトル）　E-*150*
プロプラノロール塩酸塩
　（参照赤外吸収スペクト
　ル）　E-*371*
プロプラノロール塩酸塩錠
　C-*5093*
プロプラノロール塩酸塩，
　定量用　B-*1248*
フロプロピオン
　B-*1248*，C-*5096*，
　C-*18*
フロプロピオンカプセル
　C-*5099*
フロプロピオン（参照紫外
　可視吸収スペクトル）
　E-*150*
フロプロピオン（参照赤外
　吸収スペクトル）
　E-*371*
フロプロピオン，定量用
　B-*1248*
プロベネシド　B-*1248*，
　C-*5102*，C-*18*
プロベネシド（参照紫外可
　視吸収スペクトル）
　E-*151*
プロベネシド錠
　C-*5105*
ブロマゼパム　C-*5108*，
　C-*18*
ブロマゼパム（参照紫外可
　視吸収スペクトル）
　E-*151*
ブロマゼパム（参照赤外吸
　収スペクトル）

日本名索引　Ｉ–113

E–372
ブロムクレゾールグリン
　B–1248
ブロムクレゾールグリン・
　塩化メチルロザニリン試
　液　B–1248
ブロムクレゾールグリン試
　液　B–1248
ブロムクレゾールグリン・
　水酸化ナトリウム・酢酸・
　酢酸ナトリウム試液
　B–1248
ブロムクレゾールグリン・
　水酸化ナトリウム試液
　B–1248
ブロムクレゾールグリン・
　メチルレッド試液
　B–1248
ブロムクレゾールパープル
　B–1248
ブロムクレゾールパープル
　試液　B–1248
ブロムクレゾールパープル・
　水酸化ナトリウム試液
　B–1248
ブロムクレゾールパープル・
　リン酸一水素カリウム・
　クエン酸試液
　B–1248
N–ブロムサクシンイミド
　B–1248
N–ブロムサクシンイミド
　試液　B–1248
ブロムチモールブルー
　B–1248
ブロムチモールブルー試液
　B–1248
ブロムチモールブルー・水
　酸化ナトリウム試液
　B–1248
ブロムフェナクナトリウム
　水和物　C–5112,
　C–19
ブロムフェナクナトリウム
　水和物（参照紫外可視吸

収スペクトル）
　E–151
ブロムフェナクナトリウム
　水和物（参照赤外吸収ス
　ペクトル）　E–372
ブロムフェナクナトリウム
　点眼液　C–5116
ブロムフェノールブルー
　B–1249
ブロムフェノールブルー試
　液　B–1249
ブロムフェノールブルー試
　液, pH 7.0　B–1249
ブロムフェノールブルー試
　液, 希　B–1249
ブロムフェノールブルー・
　フタル酸水素カリウム試
　液　B–1249
ブロムヘキシン塩酸塩
　C–5118,　C–19,
　C–103
ブロムヘキシン塩酸塩（参
　照紫外可視吸収スペクト
　ル）　E–152
ブロムヘキシン塩酸塩（参
　照赤外吸収スペクトル）
　E–372
ブロムワレリル尿素
　B–1249, C–5140
プロメタジン塩酸塩
　C–5122, C–19
プロメタジン塩酸塩（参照
　紫外可視吸収スペクト
　ル）　E–152
プロメタジン塩酸塩（参照
　赤外吸収スペクトル）
　E–373
フロモキセフナトリウム
　C–5126, C–19
フロモキセフナトリウム
　（参照紫外可視吸収スペ
　クトル）　E–152
フロモキセフナトリウム
　（参照赤外吸収スペクト
　ル）　E–373

ブロモクリプチンメシル酸
　塩　C–5135, C–19
ブロモクリプチンメシル酸
　塩（参照紫外可視吸収ス
　ペクトル）　E–153
ブロモクリプチンメシル酸
　塩（参照赤外吸収スペク
　トル）　E–373
ブロモクレゾールグリン
　B–1249
ブロモクレゾールグリーン
　B–1249
ブロモクレゾールグリン・
　クリスタルバイオレット
　試液　B–1249
ブロモクレゾールグリー
　ン・クリスタルバイオ
　レット試液　B–1249
ブロモクレゾールグリン試
　液　B–1249
ブロモクレゾールグリーン
　試液　B–1249
ブロモクレゾールグリン・
　水酸化ナトリウム・エタ
　ノール試液　B–1249
ブロモクレゾールグリー
　ン・水酸化ナトリウム・
　エタノール試液
　B–1249
ブロモクレゾールグリン・
　水酸化ナトリウム・酢
　酸・酢酸ナトリウム試液
　B–1249
ブロモクレゾールグリー
　ン・水酸化ナトリウム・
　酢酸・酢酸ナトリウム試
　液　B–1249
ブロモクレゾールグリン・
　水酸化ナトリウム試液
　B–1249
ブロモクレゾールグリー
　ン・水酸化ナトリウム試
　液　B–1249
ブロモクレゾールグリン・
　メチルレッド試液

I -114　日本名索引

B - 1249
ブロモクレゾールグリー
ン・メチルレッド試液
B - 1250
ブロモクレゾールパープル
B - 1250
ブロモクレゾールパープル
試液　B - 1250
ブロモクレゾールパープル・
水酸化ナトリウム試液
B - 1250
ブロモクレゾールパープル・
リン酸水素二カリウム・
クエン酸試液
B - 1250
N-ブロモスクシンイミド
B - 1250
N-ブロモスクシンイミド
試液　B - 1250
ブロモチモールブルー
B - 1250
ブロモチモールブルー・エ
タノール性水酸化ナトリ
ウム試液　B - 1250
ブロモチモールブルー試液
B - 1250
ブロモチモールブルー・水
酸化ナトリウム試液
B - 1250
ブロモバレリル尿素
B - 1250，C - 5140，
C - 19
ブロモフェノールブルー
B - 1250
ブロモフェノールブルー試
液　B - 1250
ブロモフェノールブルー試
液，0.05％　B - 1250
ブロモフェノールブルー試
液，pH 7.0　B - 1250
ブロモフェノールブルー試
液，希　B - 1250
ブロモフェノールブルー・
フタル酸水素カリウム試
液　B - 1251

L-プロリン　B - 1251，
C - 5144，C - 19
L-プロリン（参照赤外吸
収スペクトル）
E - 374
フロログルシノール二水和
物　B - 1251
フロログルシン
B - 1251
フロログルシン二水和物
B - 1251
分散錠　A - 34
分子量試験用還元液
B - 1251
分子量測定用低分子量ヘパ
リン　B - 1251
分子量測定用マーカータン
パク質　B - 1251
分子量標準原液
B - 1251
分子量マーカー，インター
フェロンアルファ用
B - 1251
分子量マーカー，エポエチ
ンアルファ用
B - 1252
分子量マーカー，テセロイ
キン用　B - 1252
分子量マーカー，ナルトグ
ラスチム試験用
B - 1252，B - 129
分析法バリデーション
F - 44
粉体の細かさの表示法
F - 63
粉体の粒子密度測定法
B - 493
粉体の流動性　F - 64
粉末飴　D - 315
粉末X線回折測定法
B - 394，B - 89
粉末セルロース
C - 3006，C - 12，
C - 59
噴霧試液用チモール

B - 1252
噴霧用塩化 2,3,5-トリフェ
ニル-2H-テトラゾリウ
ム・メタノール試液
B - 1252
噴霧用塩化 p-ニトロベン
ゼンジアゾニウム試液
B - 1252
噴霧用希次硝酸ビスマス・
ヨウ化カリウム試液
B - 1252
噴霧用 4-ジメチルアミノ
ベンズアルデヒド試液
B - 1252
噴霧用 p-ジメチルアミノ
ベンズアルデヒド試液
B - 1252
噴霧用チモール・硫酸・メ
タノール試液
B - 1252
噴霧用ドラーゲンドルフ試
液　B - 1252
噴霧用 4-ニトロベンゼン
ジアゾニウム塩酸塩試液
B - 1252
噴霧用 p-ニトロベンゼン
ジアゾニウム塩酸塩試液
B - 1252
噴霧用ニンヒドリン・エタ
ノール試液　B - 1252
噴霧用バニリン・硫酸・エ
タノール試液
B - 1252
噴霧用 4-メトキシベンズ
アルデヒド・硫酸・酢
酸・エタノール試液
B - 1252
分離確認用グリチルリチン
酸一アンモニウム
B - 1252
分離確認用バイカレイン
B - 1252
分離確認用パラオキシ安息
香酸ブチル　B - 1252
分離確認用パラオキシ安息

日本名索引　I −115

香酸プロピル
　B −1253
分離確認用パラオキシ安息
　香酸メチル　B −1253
分離ゲル，セルモロイキン
　用　B −1253

へ

ペウケダヌム・レデボウリ
　エルロイデス，純度試験
　用　B −1253
ペオニフロリン，薄層クロ
　マトグラフィー用
　B −1253
ペオノール，成分含量測定
　用　B −1253
ペオノール，定量用
　B −1253
ペオノール，薄層クロマト
　グラフィー用
　B −1255
ベカナマイシン硫酸塩
　B −1255，C −5147，
　C −19
α−ヘキサクロロシクロヘ
　キサン　B −1202
β−ヘキサクロロシクロヘ
　キサン　B −1203
γ−ヘキサクロロシクロヘ
　キサン　B −1203
δ−ヘキサクロロシクロヘ
　キサン　B −1203
ヘキサクロロ白金（IV）酸
　試液　B −1255
ヘキサクロロ白金（IV）
　酸・ヨウ化カリウム試液
　B −1255
ヘキサクロロ白金（IV）酸
　六水和物　B −1255
ヘキサシアノ鉄（III）酸カ
　リウム　B −1255
0.05 mol/L ヘキサシアノ
　鉄（III）酸カリウム液
　B −890

0.1 mol/L ヘキサシアノ鉄
　（III）酸カリウム液
　B −888
ヘキサシアノ鉄（II）酸カ
　リウム三水和物
　B −1255
ヘキサシアノ鉄（II）酸カ
　リウム試液　B −1255
ヘキサシアノ鉄（III）酸カ
　リウム試液　B −1255
ヘキサシアノ鉄（III）酸カ
　リウム試液，アルカリ性
　B −1255
ヘキサシリル化シリカゲ
　ル，液体クロマトグラフ
　ィー用　B −1347
ヘキサニトロコバルト（III）
　酸ナトリウム
　B −1255
ヘキサニトロコバルト（III）
　酸ナトリウム試液
　B −1255
1−ヘキサノール
　B −1255
ヘキサヒドロキソアンチモ
　ン（V）酸カリウム
　B −1255
ヘキサヒドロキソアンチモ
　ン（V）酸カリウム試液
　B −1256
ヘキサミン　B −1256
1,1,1,3,3,3−ヘキサメチル
　ジシラザン　B −1256
ヘキサメチレンテトラミン
　B −1256
ヘキサメチレンテトラミン
　試液　B −1256
ヘキサン　B −1256
ヘキサン，液体クロマトグ
　ラフィー用　B −1256
n−ヘキサン，液体クロマト
　グラフィー用
　B −1257
ヘキサン，吸収スペクトル
　用　B −1256

n−ヘキサン，吸収スペクト
　ル用　B −1257
ヘキサン，生薬純度試験用
　B −1256
1−ヘキサンスルホン酸ナト
　リウム　B −1257
ベクロメタゾンプロピオン
　酸エステル　B −1257，
　C −5151，C −19
ベクロメタゾンプロピオン
　酸エステル（参照赤外吸
　収スペクトル）
　E −374
ベザフィブラート
　C −5155，C −19
ベザフィブラート（参照紫
　外可視吸収スペクトル）
　E −153
ベザフィブラート（参照赤
　外吸収スペクトル）
　E −374
ベザフィブラート徐放錠
　C −5159
ベザフィブラート，定量用
　B −1257
ヘスペリジン，成分含量測
　定用　B −1257
ヘスペリジン，定量用
　B −1257
ヘスペリジン，薄層クロマ
　トグラフィー用
　B −1258
ベタキソロール塩酸塩
　C −5161，C −19
ベタキソロール塩酸塩（参
　照紫外可視吸収スペクト
　ル）　E −153
ベタキソロール塩酸塩（参
　照赤外吸収スペクトル）
　E −375
ベタネコール塩化物
　C −5168，C −19
ベタネコール塩化物（参照
　赤外吸収スペクトル）
　E −375

Ⅰ-116　日本名索引

ベタヒスチンメシル酸塩
　B-1258, C-5171,
　C-19
ベタヒスチンメシル酸塩
　（参照紫外可視吸収スペ
　クトル）　E-154
ベタヒスチンメシル酸塩
　（参照赤外吸収スペクト
　ル）　E-375
ベタヒスチンメシル酸塩錠
　C-5174
ベタヒスチンメシル酸塩,
　定量用　B-1258
ベタミプロン　B-1258,
　C-5178, C-19
ベタミプロン（参照紫外可
　視吸収スペクトル）
　E-154
ベタミプロン（参照赤外吸
　収スペクトル）
　E-376
ベタミプロン, 定量用
　B-1258
ベタメタゾン　C-5181,
　C-19
ベタメタゾン吉草酸エステ
　ル　C-5191
ベタメタゾン吉草酸エステ
　ル・ゲンタマイシン硫酸
　塩軟膏　C-5195
ベタメタゾン吉草酸エステ
　ル・ゲンタマイシン硫酸
　塩クリーム　C-5199
ベタメタゾン吉草酸エステ
　ル（参照赤外吸収スペク
　トル）　E-376
ベタメタゾン（参照紫外可
　視吸収スペクトル）
　E-154
ベタメタゾン（参照赤外吸
　収スペクトル）
　E-376
ベタメタゾンジプロピオン
　酸エステル　C-5202,
　C-19

ベタメタゾンジプロピオン
　酸エステル（参照紫外可
　視吸収スペクトル）
　E-155
ベタメタゾンジプロピオン
　酸エステル（参照赤外吸
　収スペクトル）
　E-377
ベタメタゾン錠
　C-5188
ベタメタゾンリン酸エステ
　ルナトリウム
　C-5207
ベタメタゾンリン酸エステ
　ルナトリウム（参照赤外
　吸収スペクトル）
　E-377
ペチジン塩酸塩
　C-5212
ペチジン塩酸塩（参照紫外
　可視吸収スペクトル）
　E-155
ペチジン塩酸塩（参照赤外
　吸収スペクトル）
　E-377
ペチジン塩酸塩注射液
　C-5217
ペチジン塩酸塩, 定量用
　B-1258
ベニジピン塩酸塩
　B-1258, C-5219,
　C-19
ベニジピン塩酸塩（参照紫
　外可視吸収スペクトル）
　E-155
ベニジピン塩酸塩（参照赤
　外吸収スペクトル）
　E-378
ベニジピン塩酸塩錠
　C-5223
ベニジピン塩酸塩, 定量用
　B-1258
ペニシリウム由来β-ガラ
　クトシダーゼ用グルコー
　ス検出用試液

　B-1259
ペニシリウム由来β-ガラ
　クトシダーゼ用乳糖基質
　試液　B-1259
ペニシリウム由来β-ガラ
　クトシダーゼ用リン酸水
　素二ナトリウム・クエン
　酸緩衝液, pH 4.5
　B-1259
ペニシリンGカリウム
　C-5333
ベニバナ　D-317
ヘパリンカルシウム
　C-5227, C-19
ヘパリンナトリウム
　B-1259, C-5238,
　C-19
ヘパリンナトリウム注射液
　C-5251, C-19
ペプシン, 含糖
　B-1259
ヘプタフルオロ酪酸
　B-1259
ヘプタン　B-1259
ヘプタン, 液体クロマトグ
　ラフィー用　B-1259
1-ヘプタンスルホン酸ナト
　リウム　B-1259
ペプチド及びタンパク質の
　質量分析　F-108
ペプチドマップ法
　F-100
ペプトン　B-1259
ペプトン, カゼイン製
　B-1260
ペプトン, ゼラチン製
　B-1260
ペプトン, ダイズ製
　B-1260
ペプトン, 肉製
　B-1260
ペプロマイシン硫酸塩
　C-5260, C-19
ペプロマイシン硫酸塩（参
　照紫外可視吸収スペクト

日本名索引　Ｉ-117

ル）　Ｅ-156

ペプロマイシン硫酸塩（参
照赤外吸収スペクトル）
Ｅ-378

ヘペス緩衝液，pH 7.5
Ｂ-1260

ベヘン酸メチル
Ｂ-1260

ベポタスチンベシル酸塩
Ｃ-5268，Ｃ-19

ベポタスチンベシル酸塩
（参照紫外可視吸収スペ
クトル）　Ｅ-156

ベポタスチンベシル酸塩
（参照赤外吸収スペクト
ル）　Ｅ-378

ベポタスチンベシル酸塩錠
Ｃ-5272

ベポタスチンベシル酸塩,
定量用　Ｂ-1260

ヘマトキシリン
Ｂ-1260

ヘマトキシリン試液
Ｂ-1260

ペミロラストカリウム
Ｂ-1260，Ｃ-5275,
Ｃ-19

ペミロラストカリウム（参
照紫外可視吸収スペクト
ル）　Ｅ-156

ペミロラストカリウム（参
照赤外吸収スペクトル）
Ｅ-379

ペミロラストカリウム錠
Ｃ-5279

ペミロラストカリウム点眼
液　Ｃ-5282

ベラドンナエキス
Ｄ-896

ベラドンナコン　Ｄ-893

ベラドンナ根　Ｄ-893

ベラドンナ総アルカロイド
Ｄ-897

ベラパミル塩酸塩
Ｃ-5285，Ｃ-19

ベラパミル塩酸塩（参照紫
外可視吸収スペクトル）
Ｅ-157

ベラパミル塩酸塩（参照赤
外吸収スペクトル）
Ｅ-379

ベラパミル塩酸塩錠
Ｃ-5290

ベラパミル塩酸塩注射液
Ｃ-5292

ベラパミル塩酸塩，定量用
Ｂ-1260

ベラプロストナトリウム
Ｂ-1261，Ｃ-5295

ベラプロストナトリウム
（参照紫外可視吸収スペ
クトル）　Ｅ-157

ベラプロストナトリウム
（参照赤外吸収スペクト
ル）　Ｅ-379

ベラプロストナトリウム錠
Ｃ-5300

ベラプロストナトリウム,
定量用　Ｂ-1261

ヘリウム　Ｂ-1261

ペリルアルデヒド，成分含
量測定用　Ｂ-1261

ペリルアルデヒド，定量用
Ｂ-1261

ペリルアルデヒド，薄層ク
ロマトグラフィー用
Ｂ-1261

ペルオキシダーゼ
Ｂ-1262

ペルオキシダーゼ測定用基
質液　Ｂ-1262

ペルオキシダーゼ標識アビ
ジン　Ｂ-1262

ペルオキシダーゼ標識アビ
ジン試液　Ｂ-1262

ペルオキシダーゼ標識抗ウ
サギ抗体　Ｂ-1262

ペルオキシダーゼ標識抗ウ
サギ抗体試液
Ｂ-1262

ペルオキシダーゼ標識ブラ
ジキニン　Ｂ-1262

ペルオキシダーゼ標識ブラ
ジキニン試液
Ｂ-1262

ペルオキソ二硫酸アンモニ
ウム　Ｂ-1262

ペルオキソ二硫酸アンモニ
ウム試液，10％
Ｂ-1262

ペルオキソ二硫酸カリウム
Ｂ-1262

ベルゲニン，薄層クロマト
グラフィー用
Ｂ-1262

ベルバスコシド，薄層クロ
マトグラフィー用
Ｂ-1263

ペルフェナジン
Ｃ-5303，Ｃ-19

ペルフェナジン1（参照紫
外可視吸収スペクトル）
Ｅ-157

ペルフェナジン2（参照紫
外可視吸収スペクトル）
Ｅ-158

ペルフェナジン錠
Ｃ-5308

ペルフェナジンマレイン酸
塩　Ｃ-5311，Ｃ-19

ペルフェナジンマレイン酸
塩1（参照紫外可視吸収
スペクトル）　Ｅ-158

ペルフェナジンマレイン酸
塩2（参照紫外可視吸収
スペクトル）　Ｅ-158

ペルフェナジンマレイン酸
塩錠　Ｃ-5314

ペルフェナジンマレイン酸
塩，定量用　Ｂ-1263

ベルベリン塩化物水和物
Ｂ-1263，Ｃ-5316,
Ｃ-19

ベルベリン塩化物水和物
（参照紫外可視吸収スペ

クトル） E － 159
ベルベリン塩化物水和物
（参照赤外吸収スペクト
ル） E － 380
ベルベリン塩化物水和物，
薄層クロマトグラフィー
用 B － 1263
ベンザルコニウム塩化物
B － 1263, C － 5320
ベンザルコニウム塩化物液
C － 5324
ベンザルコニウム塩化物
（参照紫外可視吸収スペ
クトル） E － 159
ベンザルフタリド
B － 1263
ベンジルアルコール
B － 1264, C － 5327,
C － 104
ベンジルアルコール（参照
赤外吸収スペクトル）
E － 380
p－ベンジルフェノール
B － 1264
ベンジルペニシリンカリウ
ム B － 1264,
C － 5333, C － 19
ベンジルペニシリンカリウ
ム（参照紫外可視吸収ス
ペクトル） E － 159
ベンジルペニシリンカリウ
ム（参照赤外吸収スペク
トル） E － 380
ベンジルペニシリンベンザ
チン B － 1264
ベンジルペニシリンベンザ
チン水和物 B － 1264,
C － 5340, C － 19
ベンジルペニシリンベンザ
チン水和物（参照紫外可
視吸収スペクトル）
E － 160
ベンジルペニシリンベンザ
チン水和物（参照赤外吸
収スペクトル）

E － 381
ヘンズ D － 900
扁豆 D － 900
ベンズアルデヒド
B － 1264
ベンズ[a]アントラセン
B － 1264
ベンズブロマロン
C － 5345, C － 19
ベンズブロマロン（参照紫
外可視吸収スペクトル）
E － 160
ベンズブロマロン（参照赤
外吸収スペクトル）
E － 381
ベンゼトニウム塩化物
C － 5349
ベンゼトニウム塩化物液
C － 5352
0.004 mol/L ベンゼトニウ
ム塩化物液 B － 890
ベンゼトニウム塩化物（参
照紫外可視吸収スペクト
ル） E － 160
ベンゼトニウム塩化物，定
量用 B － 1265
ベンセラジド塩酸塩
C － 5354, C － 19
ベンセラジド塩酸塩（参照
紫外可視吸収スペクト
ル） E － 161
ベンセラジド塩酸塩（参照
赤外吸収スペクトル）
E － 381
ベンゼン B － 1265
N－α－ベンゾイル－L－アル
ギニンエチル塩酸塩
B － 1265
N－α－ベンゾイル－L－アル
ギニンエチル試液
B － 1265
N－α－ベンゾイル－L－アル
ギニン－4－ニトロアニリ
ド塩酸塩 B － 1265
N－α－ベンゾイル－L－アル

ギニン－4－ニトロアニリ
ド試液 B － 1266
N－ベンゾイル－L－イソロイ
シル－L－グルタミル（γ－
OR)－グリシル－L－アルギ
ニル－p－ニトロアニリド
塩酸塩 B － 1266
ベンゾイルヒパコニン塩酸
塩，定量用 B － 1266
ベンゾイルメサコニン塩酸
塩，定量用 B － 1267
ベンゾイルメサコニン塩酸
塩，薄層クロマトグラフ
ィー用 B － 1267
ベンゾイン B － 1267
ベンゾカイン C － 286
p－ベンゾキノン
B － 1268
p－ベンゾキノン試液
B － 1268
ベンゾ[a]ピレン
B － 1268
ベンゾフェノン
B － 1269
ペンタエチレンヘキサアミ
ノ化ポリビニルアルコー
ルポリマービーズ，液体
クロマトグラフィー用
B － 1347
ペンタシアノアンミン鉄
（Ⅱ）酸ナトリウムn水
和物 B － 1269
ペンタシアノニトロシル鉄
（Ⅲ）酸ナトリウム試液
B － 1269
ペンタシアノニトロシル鉄
（Ⅲ）酸ナトリウム二水
和物 B － 1269
ペンタシアノニトロシル鉄
（Ⅲ）酸ナトリウム・ヘ
キサシアノ鉄（Ⅲ）酸カ
リウム試液 B － 1269
ペンタシアノニトロシル鉄
（Ⅲ）酸ナトリウム・ヘ
キサシアノ鉄（Ⅲ）酸カ

日本名索引　　I -119

リウム試液，希
B - 1269
ペンタゾシン　C - 5358,
C - 19
ペンタゾシン（参照紫外可
視吸収スペクトル）
E - 161
ペンタン　B - 1269
1-ペンタンスルホン酸ナト
リウム　B - 1269
ペントキシベリンクエン酸
塩　C - 5362,　C - 19
ペントキシベリンクエン酸
塩（参照赤外吸収スペク
トル）　E - 382
ベントナイト　C - 5365
ペントバルビタールカルシ
ウム　C - 5368,
C - 19
ペントバルビタールカルシ
ウム（参照赤外吸収スペ
クトル）　E - 382
ペントバルビタールカルシ
ウム錠　C - 5373
ペンブトロール硫酸塩
C - 5376,　C - 19
ペンブトロール硫酸塩（参
照紫外可視吸収スペクト
ル）　E - 161
ペンブトロール硫酸塩（参
照赤外吸収スペクトル）
E - 382
変法チオグリコール酸培地
B - 1270

ホ

ボウイ　D - 902,　D - 39
防已　D - 902
防已黄耆湯エキス
D - 905
崩壊試験第1液
B - 1270
崩壊試験第2液
B - 1270

崩壊試験法　B - 700
芳香水剤　A - 169
ボウコン　D - 912
茅根　D - 912
ホウ砂　B - 1270,
C - 19
ホウ酸　B - 1270,
C - 5379,　C - 19
ホウ酸塩・塩酸緩衝液,
pH 9.0　B - 1271
0.2 mol/L ホウ酸・0.2
mol/L 塩化カリウム試
液，緩衝液用
B - 1270
ホウ酸・塩化カリウム・水
酸化ナトリウム緩衝液,
pH 9.0　B - 1270
ホウ酸・塩化カリウム・水
酸化ナトリウム緩衝液,
pH 9.2　B - 1270
ホウ酸・塩化カリウム・水
酸化ナトリウム緩衝液,
pH 9.6　B - 1270
ホウ酸・塩化カリウム・水
酸化ナトリウム緩衝液,
pH 10.0　B - 1270
ホウ酸・塩化マグネシウム
緩衝液, pH 9.0
B - 1270
ホウ酸塩 pH 標準液
B - 920
ホウ酸・水酸化ナトリウム
緩衝液, pH 8.4
B - 1270
ホウ酸ナトリウム
B - 1271
ホウ酸ナトリウム, pH 測
定用　B - 1271
ホウ酸・メタノール緩衝液
B - 1271
ホウ砂　C - 5381,
C - 19
放射性医薬品　H - 33
ボウショウ　D - 914
芒硝　D - 914

抱水クロラール
B - 1271, C - 5384
抱水クロラール試液
B - 1271
抱水ヒドラジン
B - 1271
ホウ素標準液　B - 920
ボウフウ　D - 918
防風　D - 918
防風通聖散エキス
D - 921
飽和ヨウ化カリウム試液
B - 1271
ボクソク　D - 934
樸樕　D - 934
ボグリボース　C - 5388,
C - 19
ボグリボース口腔内崩壊錠
C - 105
ボグリボース（参照赤外吸
収スペクトル）
E - 383
ボグリボース錠
C - 5393,　C - 104
ボグリボース，定量用
B - 1271
ホスゲン紙　B - 1348
ホスファターゼ，アルカリ
性　B - 1271
ホスファターゼ試液，アル
カリ性　B - 1271
ホスフィン酸　B - 1271
ホスホマイシンカルシウム
水和物　C - 5397,
C - 19
ホスホマイシンカルシウム
水和物（参照赤外吸収ス
ペクトル）　E - 383
ホスホマイシンナトリウム
C - 5403,　C - 19
ホスホマイシンナトリウム
（参照赤外吸収スペクト
ル）　E - 383
保存効力試験法　F - 229
ボタンピ　D - 935

I -*120* 日本名索引

牡丹皮　D -*935*
ボタンピ末　D -*940*
牡丹皮末　D -*940*
補中益気湯エキス
　　D -*943*
ポテトエキス　B -*1272*
ホノキオール　B -*1272*
ポビドン　C -*5410*,
　　C -*19*
ポビドン（参照赤外吸収ス
　　ペクトル）　E -*384*
ポビドンヨード
　　C -*5418*, C -*19*
ホマトロピン臭化水素酸塩
　　B -*1272*, C -*5422*
ホミカ　D -*952*
ホミカエキス　D -*957*
ホミカエキス散　D -*959*
ホミカチンキ　D -*961*
ホモクロルシクリジン塩酸
　　塩　C -*5425*, C -*19*
ホモクロルシクリジン塩酸
　　塩（参照紫外可視吸収ス
　　ペクトル）　E -*162*
ホモクロルシクリジン塩酸
　　塩（参照赤外吸収スペク
　　トル）　E -*384*
ポラプレジンク
　　C -*5428*, C -*19*
ポラプレジンク顆粒
　　C -*5433*
ポラプレジンク（参照赤外
　　吸収スペクトル）
　　E -*384*
ボラン‐ピリジン錯体
　　B -*1272*
ポリアクリルアミドゲル,
　　エポエチンアルファ用
　　B -*1272*
ポリアクリルアミドゲル,
　　ナルトグラスチム用
　　B -*1272*, B -*129*
ポリアクリルアミドゲル,
　　フィルグラスチム用
　　B -*1272*

ポリアクリル酸メチル, ガ
　　スクロマトグラフィー用
　　B -*1272*
ポリアミド, カラムクロマ
　　トグラフィー用
　　B -*1347*
ポリアミド（蛍光剤入り），
　　薄層クロマトグラフィー
　　用　B -*1347*
ポリアミド, 薄層クロマト
　　グラフィー用
　　B -*1347*
ポリアミンシリカゲル, 液
　　体クロマトグラフィー用
　　B -*130*
ポリアルキレングリコール,
　　ガスクロマトグラフィー
　　用　B -*1272*
ポリアルキレングリコール
　　モノエーテル, ガスクロ
　　マトグラフィー用
　　B -*1272*
ポリエチレングリコール
　　400　C -*5493*
ポリエチレングリコール
　　1500　C -*5498*
ポリエチレングリコール
　　4000　C -*5499*
ポリエチレングリコール
　　6000　C -*5501*
ポリエチレングリコール
　　20000　C -*5503*
ポリエチレングリコールエ
　　ステル化物, ガスクロマ
　　トグラフィー用
　　B -*1273*
ポリエチレングリコール
　　20 M, ガスクロマトグ
　　ラフィー用　B -*1272*
ポリエチレングリコール
　　400, ガスクロマトグラ
　　フィー用　B -*1272*
ポリエチレングリコール
　　600, ガスクロマトグラ
　　フィー用　B -*1272*

ポリエチレングリコール
　　1500, ガスクロマトグ
　　ラフィー用　B -*1272*
ポリエチレングリコール
　　6000, ガスクロマトグ
　　ラフィー用　B -*1273*
ポリエチレングリコール
　　15000‐ジエポキシド,
　　ガスクロマトグラフィー
　　用　B -*1273*
ポリエチレングリコール軟
　　膏　C -*5504*
ポリエチレングリコール
　　2‐ニトロテレフタレート,
　　ガスクロマトグラフィー
　　用　B -*1273*
ポリオキシエチレン (40)
　　オクチルフェニルエーテ
　　ル　B -*1273*
ポリオキシエチレン硬化ヒ
　　マシ油60　B -*1273*
ポリオキシエチレン (23)
　　ラウリルエーテル
　　B -*1273*
ボリコナゾール
　　B -*1274*, C -*5436*,
　　C -*19*
ボリコナゾール（参照紫外
　　可視吸収スペクトル）
　　E -*162*
ボリコナゾール（参照赤外
　　吸収スペクトル）
　　E -*385*
ボリコナゾール錠
　　C -*5443*
ポリスチレン（参照赤外吸
　　収スペクトル）
　　E -*195*
ポリスチレンスルホン酸カ
　　ルシウム　C -*5450*,
　　C -*19*
ポリスチレンスルホン酸カ
　　ルシウム（参照赤外吸収
　　スペクトル）　E -*385*
ポリスチレンスルホン酸ナ

日本名索引　I -121

トリウム　C -5456,
　C -20
ポリスチレンスルホン酸ナ
　トリウム（参照赤外吸収
　スペクトル）　E -385
ポリソルベート 20
　B -1274
ポリソルベート 80
　B -1275, C -5460,
　C -20, C -109
ポリソルベート 20, エポ
　エチンベータ用
　B -1275
ポリテトラフルオロエチレ
　ン, ガスクロマトグラフ
　ィー用　B -1347
ホリナートカルシウム
　C -5468
ホリナートカルシウム水和
　物　C -5468, C -20
ホリナートカルシウム水和
　物（参照紫外可視吸収ス
　ペクトル）　E -162
ホリナートカルシウム水和
　物（参照赤外吸収スペク
　トル）　E -386
ポリビニリデンフロライド
　膜　B -1275
ポリビニルアルコール
　B -1275
ポリビニルアルコール I
　B -1275
ポリビニルアルコール II
　B -1276
ポリビニルアルコール試液
　B -1277
ポリミキシン B 硫酸塩
　C -5474, C -20
ポリメチルシロキサン, ガ
　スクロマトグラフィー用
　B -1277
ボルネオール酢酸エステル
　B -1277
ホルマジン乳濁原液
　B -920

ホルマジン標準乳濁液
　B -1277
ホルマリン　B -1277,
　C -5478
ホルマリン試液
　B -1277
ホルマリン水　C -5481
ホルマリン・硫酸試液
　B -1277
2-ホルミル安息香酸
　B -1277
ホルムアミド　B -1278
ホルムアミド, 水分測定用
　B -1278
ホルムアルデヒド液
　B -1278
ホルムアルデヒド液試液
　B -1278
ホルムアルデヒド液・硫酸
　試液　B -1278
ホルムアルデヒド試液, 希
　B -1278
ホルモテロールフマル酸塩
　水和物　C -5482,
　C -20, C -114
ホルモテロールフマル酸塩
　水和物（参照紫外可視吸
　収スペクトル）
　E -163
ホルモテロールフマル酸塩
　水和物（参照赤外吸収ス
　ペクトル）　E -386
ボレイ　D -962
牡蛎　D -962
ボレイ末　D -964
牡蛎末　D -964
ポンプスプレー剤
　A -146

マ

マイクロプレート
　B -1278
マイクロプレート洗浄用リ
　ン酸塩緩衝液

B -1278
マイトマイシン C
　C -5486
マイトマイシン C（参照紫
　外可視吸収スペクトル）
　E -163
マイトマイシン C（参照赤
　外吸収スペクトル）
　E -386
マウス抗エポエチンアルフ
　ァモノクローナル抗体
　B -1278
前処理用アミノプロピルシ
　リル化シリカゲル
　B -1278
前処理用オクタデシルシリ
　ル化シリカゲル
　B -1278
マオウ　D -966
麻黄　D -966
麻黄湯エキス　D -971,
　D -40
マーカータンパク質, セル
　モロイキン分子量測定用
　B -1278
マグネシア試液
　B -1278
マグネシウム　B -1278
マグネシウム標準液, 原子
　吸光光度用　B -920
マグネシウム標準原液
　B -920
マグネシウム粉末
　B -1278
マグネシウム末
　B -1278
マグノフロリンヨウ化物,
　定量用　B -1279
マグノロール, 成分含量測
　定用　B -1281
マグノロール, 定量用
　B -1281
マグノロール, 薄層クロマ
　トグラフィー用
　B -1282

マクリ D-978
マクロゴール400
　C-5493
マクロゴール600
　B-1283
マクロゴール1500
　C-5498
マクロゴール4000
　C-5499
マクロゴール6000
　C-5501
マクロゴール20000
　C-5503
マクロゴール軟膏
　C-5504
マシニン D-981
麻子仁 D-981
麻酔用エーテル
　B-1283, C-955
マニジピン塩酸塩
　C-5506, C-20
マニジピン塩酸塩（参照紫
　外可視吸収スペクトル）
　E-163
マニジピン塩酸塩（参照赤
　外吸収スペクトル）
　E-387
マニジピン塩酸塩錠
　C-5511
マプロチリン塩酸塩
　C-5514, C-20
マプロチリン塩酸塩（参照
　紫外可視吸収スペクト
　ル） E-164
マプロチリン塩酸塩（参照
　赤外吸収スペクトル）
　E-387
マラカイトグリーン
　B-1283
マラカイトグリーンシュウ
　酸塩 B-1283
マルチトール B-1283
マルトース B-1283
マルトース水和物
　B-1283, C-5520,

C-20
マルトトリオース
　B-1283
4-(マレイミドメチル)シ
　クロヘキシルカルボン酸-
　N-ヒドロキシコハク酸
　イミドエステル
　B-1283
マレイン酸 B-1283
マレイン酸イルソグラジン
　B-1283
マレイン酸イルソグラジ
　ン，定量用 B-1283
マレイン酸エナラプリル
　B-1283
マレイン酸クロルフェニラ
　ミン B-1283
マレイン酸ペルフェナジ
　ン，定量用 B-1283
マレイン酸メチルエルゴメ
　トリン，定量用
　B-1283
マロン酸ジメチル
　B-1283
マンギフェリン，定量用
　B-1284
D-マンニトール
　B-1285, C-5524,
　C-20, C-120
D-マンニトール（参照赤
　外吸収スペクトル）
　E-387
D-マンニトール注射液
　C-5528
マンニノトリオース，薄層
　クロマトグラフィー用
　B-1285
D-マンノサミン塩酸塩
　B-1286
D-マンノース B-1286

ミ

ミオイノシトール
　B-1286

ミオグロビン B-1286
ミグリトール B-1286,
　C-5530, C-20
ミグリトール（参照赤外吸
　収スペクトル）
　E-388
ミグリトール錠
　C-5535
ミグレニン C-5538,
　C-20
ミクロノマイシン硫酸塩
　C-5541, C-20
ミコナゾール C-5546,
　C-20
ミコナゾール（参照紫外可
　視吸収スペクトル）
　E-164
ミコナゾール（参照赤外吸
　収スペクトル）
　E-388
ミコナゾール硝酸塩
　B-1286, C-5549,
　C-20
ミコナゾール硝酸塩（参照
　紫外可視吸収スペクト
　ル） E-164
水・メタノール標準液
　B-920
ミゾリビン C-5553,
　C-20
ミゾリビン（参照紫外可視
　吸収スペクトル）
　E-165
ミゾリビン（参照赤外吸収
　スペクトル） E-388
ミゾリビン錠 C-5557
ミチグリニドカルシウム錠
　C-5566
ミチグリニドカルシウム水
　和物 B-1286,
　C-5560, C-20
ミチグリニドカルシウム水
　和物（参照紫外可視吸収
　スペクトル） E-165
ミチグリニドカルシウム水

和物（参照赤外吸収スペクトル）　E－389

ミツロウ　B－1286, D－983

ミデカマイシン C－5571, C－20

ミデカマイシン酢酸エステル　C－5574, C－20

ミデカマイシン酢酸エステル（参照紫外可視吸収スペクトル）　E－166

ミデカマイシン酢酸エステル（参照赤外吸収スペクトル）　E－389

ミデカマイシン（参照紫外可視吸収スペクトル）　E－165

ミデカマイシン（参照赤外吸収スペクトル）　E－389

ミノサイクリン塩酸塩 B－1286, C－5577, C－20

ミノサイクリン塩酸塩顆粒　C－5585

ミノサイクリン塩酸塩（参照紫外可視吸収スペクトル）　E－166

ミノサイクリン塩酸塩（参照赤外吸収スペクトル）　E－390

ミノサイクリン塩酸塩錠　C－5582

耳に投与する製剤　A－121

ミョウバン　C－6143

ミョウバン水　C－5592

ミリスチシン，薄層クロマトグラフィー用　B－1286

ミリスチン酸イソプロピル　B－1286

ミリスチン酸イソプロピル，無菌試験用　B－1287

ミリスチン酸メチル，ガスクロマトグラフィー用　B－1287

ム

無アルデヒドエタノール　B－1287

無菌医薬品の包装完全性の評価　F－361

無菌医薬品包装の漏れ試験法　F－367

無菌試験法　B－616

無菌試験用チオグリコール酸培地Ⅰ　B－1287

無菌試験用チオグリコール酸培地Ⅱ　B－1287

無菌試験用ミリスチン酸イソプロピル　B－1287

無コウイ大建中湯エキス　D－633, D－30

無水亜硫酸ナトリウム　B－1287

無水アルコール　C－880

無水アンピシリン　C－458, C－4

無水アンピシリン（参照赤外吸収スペクトル）　E－209

無水エタノール　B－1287, C－880, C－40

無水エタノール（参照赤外吸収スペクトル）　E－222

無水エーテル　B－1287

無水塩化第二鉄・ピリジン試液　B－1287

無水塩化鉄（Ⅲ）・ピリジン試液　B－1287

無水カフェイン　B－1287, C－1325, C－6

無水クエン酸　C－1579, C－7

無水クエン酸（参照赤外吸収スペクトル）　E－244

無水コハク酸　B－1287

無水酢酸　B－1288

無水酢酸ナトリウム　B－1288

無水酢酸・ピリジン試液　B－1288

無水ジエチルエーテル　B－1288

無水炭酸カリウム　B－1288

無水炭酸ナトリウム　B－1288

無水トリフルオロ酢酸，ガスクロマトグラフィー用　B－1288

無水乳糖　B－1288, C－3948, C－15

無水乳糖（参照赤外吸収スペクトル）　E－326

無水ヒドラジン，アミノ酸分析用　B－1288

無水ピリジン　B－1288

無水フタル酸　B－1288

無水ボウショウ　D－916

無水芒硝　D－916

無水メタノール　B－1288

無水硫酸銅　B－1288

無水硫酸ナトリウム　B－1288, D－916

無水リン酸一水素ナトリウム　B－1288

無水リン酸一水素ナトリウム，pH測定用　B－1288

無水リン酸水素カルシウム　C－6185, C－22

無水リン酸水素二ナトリウム　B－1288

無水リン酸二水素ナトリウム　B－1288

無ヒ素亜鉛　B－1288

I-124　日本名索引

ムピロシンカルシウム水和
　物　C-5594, C-20
ムピロシンカルシウム軟膏
　C-5599
ムレキシド　B-1288
ムレキシド・塩化ナトリウ
　ム指示薬　B-1289

メ

メキシレチン塩酸塩
　C-5601, C-20
メキシレチン塩酸塩（参照
　紫外可視吸収スペクト
　ル）　E-166
メキシレチン塩酸塩（参照
　赤外吸収スペクトル）
　E-390
メキタジン　C-5606,
　C-20
メキタジン（参照紫外可視
　吸収スペクトル）
　E-167
メキタジン（参照赤外吸収
　スペクトル）　E-390
メキタジン錠　C-5609
メキタジン，定量用
　B-1289
メグルミン　B-1289,
　C-5611, C-20
メクロフェノキサート塩酸
　塩　C-5614, C-20
メクロフェノキサート塩酸
　塩（参照紫外可視吸収ス
　ペクトル）　E-167
メコバラミン　C-5618
メコバラミン1（参照紫外
　可視吸収スペクトル）
　E-167
メコバラミン2（参照紫外
　可視吸収スペクトル）
　E-168
メコバラミン錠
　C-5623
メサコニチン，純度試験用

B-1289
メサラジン　C-5626,
　C-20
メサラジン（参照紫外可視
　吸収スペクトル）
　E-168
メサラジン（参照赤外吸収
　スペクトル）　E-391
メサラジン徐放錠
　C-5633
メサラジン，定量用
　B-1290
メシル酸ジヒドロエルゴク
　リスチン，薄層クロマト
　グラフィー用
　B-1290
メシル酸ベタヒスチン
　B-1290
メシル酸ベタヒスチン，定
　量用　B-1290
メストラノール
　C-5636, C-20
メストラノール（参照紫外
　可視吸収スペクトル）
　E-168
メストラノール（参照赤外
　吸収スペクトル）
　E-391
メタクレゾールパープル
　B-1290
メタクレゾールパープル試
　液　B-1290
メタケイ酸アルミン酸マグ
　ネシウム　C-1907,
　C-8
メタサイクリン塩酸塩
　B-1290
メタ重亜硫酸ナトリウム
　B-1290
メタ重亜硫酸ナトリウム試
　液　B-1290
メタ重亜硫酸ナトリウム
　C-4485
メダゼパム　C-5640,
　C-20

メダゼパム（参照紫外可視
　吸収スペクトル）
　E-169
メダゼパム（参照赤外吸収
　スペクトル）　E-391
メタニルイエロー
　B-1290
メタニルイエロー試液
　B-1290
メタノール標準液
　B-920
メタノール　B-1290
メタノール，液体クロマト
　グラフィー用
　B-1290
メタノール試験法
　B-78
メタノール，水分測定用
　B-1291
メタノール，精製
　B-1291
メタノール不含エタノール
　B-1291
メタノール不含エタノール
　（95）　B-1291
メタノール，無水
　B-1291
メタリン酸　B-1291
メタリン酸・酢酸試液
　B-1291
メタンスルホン酸
　B-1291
メタンスルホン酸カリウム
　B-1291
メタンスルホン酸試液
　B-1291
メタンスルホン酸試液，
　0.1 mol/L　B-1291
メタンフェタミン塩酸塩
　C-5645
メチオニン　B-1292
L-メチオニン　B-1292,
　C-5649, C-20
L-メチオニン（参照赤外
　吸収スペクトル）

E－392

メチクラン　C－5653,
C－20

メチクラン（参照紫外可視
吸収スペクトル）
E－169

メチクラン（参照赤外吸収
スペクトル）　E－392

メチラポン　C－5658,
C－20

メチラポン（参照紫外可視
吸収スペクトル）
E－169

2-メチルアミノピリジン
B－1292

2-メチルアミノピリジン,
水分測定用　B－1292

4-メチルアミノフェノー
ル硫酸塩　B－1292

4-メチルアミノフェノー
ル硫酸塩試液
B－1292

メチルイエロー
B－1292

メチルイエロー試液
B－1292

メチルイソブチルケトン
B－1292

メチルエチルケトン
B－1292

dl-メチルエフェドリン塩
酸塩　B－1292,
C－5661,　C－20

dl-メチルエフェドリン塩
酸塩散10％　C－5665

dl-メチルエフェドリン塩
酸塩（参照紫外可視吸収
スペクトル）　E－170

dl-メチルエフェドリン塩
酸塩（参照赤外吸収スペ
クトル）　E－392

dl-メチルエフェドリン塩
酸塩, 定量用
B－1292

メチルエルゴメトリンマレ

イン酸塩　C－5668

メチルエルゴメトリンマレ
イン酸塩（参照紫外可視
吸収スペクトル）
E－170

メチルエルゴメトリンマレ
イン酸塩錠　C－5672

メチルエルゴメトリンマレ
イン酸塩, 定量用
B－1292

メチルエロー　B－1292

メチルエロー試液
B－1292

メチルオレンジ
B－1292

メチルオレンジ・キシレン
シアノールFF試液
B－1292

メチルオレンジ試液
B－1292

メチルオレンジ・ホウ酸試
液　B－1292

メチルシクロヘキサン
B－1292

メチルジゴキシン
C－5675,　C－20

メチルジゴキシン（参照紫
外可視吸収スペクトル）
E－170

メチルジゴキシン（参照赤
外吸収スペクトル）
E－393

メチルシリコーンポリマー,
ガスクロマトグラフィー
用　B－1293

メチルセルロース
C－5682,　C－20

メチルセロソルブ
B－1293

メチルチモールブルー
B－1293

メチルチモールブルー・塩
化ナトリウム指示薬
B－1293

メチルチモールブルー・硝

酸カリウム指示薬
B－1293

メチルテストステロン
B－1293, C－5687

メチルテストステロン（参
照紫外可視吸収スペクト
ル）　E－171

メチルテストステロン（参
照赤外吸収スペクトル）
E－393

メチルテストステロン錠
C－5691

1-メチル-1H-テトラゾー
ル-5-チオール
B－1293

1-メチル-1H-テトラゾー
ル-5-チオール, 液体ク
ロマトグラフィー用
B－1294

1-メチル-1H-テトラゾー
ル-5-チオラートナトリ
ウム　B－1293

1-メチル-1H-テトラゾー
ル-5-チオラートナトリ
ウム二水和物
B－1293

メチルドパ　B－1294

メチルドパ錠　C－5699

メチルドパ水和物
B－1294, C－5694,
C－20

メチルドパ水和物（参照紫
外可視吸収スペクトル）
E－171

メチルドパ水和物（参照赤
外吸収スペクトル）
E－393

メチルドパ水和物, 定量用
B－1294

メチルドパ, 定量用
B－1294

2-メチル-5-ニトロイミダ
ゾール, 薄層クロマトグ
ラフィー用　B－1294

N-メチルピロリジン

I −126   日本名索引

B − 1294
3−メチル−1−フェニル−5−
ピラゾロン B − 1294
3−メチル−1−ブタノール
B − 1294
メチルプレドニゾロン
B − 1294, C − 5702
メチルプレドニゾロンコハ
ク酸エステル
C − 5708, C − 20
メチルプレドニゾロンコハ
ク酸エステル（参照紫外
可視吸収スペクトル）
E − 172
メチルプレドニゾロンコハ
ク酸エステル（参照赤外
吸収スペクトル）
E − 394
メチルプレドニゾロン（参
照紫外可視吸収スペクト
ル） E − 171
2−メチル−1−プロパノール
B − 1295
メチルベナクチジウム臭化
物 C − 5713
D−（＋）−α−メチルベンジ
ルアミン B − 1295
3−メチル−2−ベンゾチアゾ
ロンヒドラゾン塩酸塩一
水和物 B − 1295
4−メチルベンゾフェノン
B − 1295
4−メチル−2−ペンタノン
B − 1295
4−メチルペンタン−2−オー
ル B − 1295
3−O−メチルメチルドパ，
薄層クロマトグラフィー
用 B − 1295
メチルレッド B − 1296
メチルレッド試液
B − 1296
メチルレッド試液，希
B − 1296
メチルレッド試液，酸又は

アルカリ試験用
B − 1296
メチルレッド・水酸化ナト
リウム試液 B − 1296
メチルレッド・メチレンブ
ルー試液 B − 1296
N,N′−メチレンビスアクリ
ルアミド B − 1296
メチレンブルー
B − 1296
メチレンブルー試液
B − 1296
メチレンブルー・硫酸・リ
ン酸二水素ナトリウム試
液 B − 1296
滅菌精製水 B − 1296,
C − 2510
滅菌精製水（容器入り）
C − 2510
滅菌法及び滅菌指標体
F − 257
メテノロンエナント酸エス
テル B − 1296,
C − 5716, C − 20
メテノロンエナント酸エス
テル注射液 C − 5719
メテノロンエナント酸エス
テル，定量用
B − 1296
メテノロン酢酸エステル
C − 5721, C − 20
メテノロン酢酸エステル
（参照赤外吸収スペクト
ル） E − 394
メトキサレン C − 5724,
C − 20
メトキサレン（参照紫外可
視吸収スペクトル）
E − 172
4′−メトキシアセトフェノ
ン B − 1297
2−メトキシエタノール
B − 1297
(E)−2−メトキシシンナムア
ルデヒド，薄層クロマト

グラフィー用
B − 1297
1−メトキシ−2−プロパノー
ル B − 1297
4−メトキシベンズアルデ
ヒド B − 1297
4−メトキシベンズアルデ
ヒド・酢酸試液
B − 1298
4−メトキシベンズアルデ
ヒド・硫酸・酢酸・エタ
ノール試液，噴霧用
B − 1298
4−メトキシベンズアルデ
ヒド・硫酸・酢酸試液
B − 1298
4−メトキシベンズアルデ
ヒド・硫酸試液
B − 1298
2−メトキシ−4−メチルフェ
ノール B − 1298
メトクロプラミド
C − 5728, C − 20
メトクロプラミド（参照紫
外可視吸収スペクトル）
E − 172
メトクロプラミド錠
C − 5731
メトクロプラミド，定量用
B − 1299
メトトレキサート
B − 1299, C − 5733
メトトレキサートカプセル
C − 5742
メトトレキサート（参照紫
外可視吸収スペクトル）
E − 173
メトトレキサート（参照赤
外吸収スペクトル）
E − 394
メトトレキサート錠
C − 5738
メトプロロール酒石酸塩
C − 5747, C − 20
メトプロロール酒石酸塩

（参照紫外可視吸収スペクトル）　E－173

メトプロロール酒石酸塩（参照赤外吸収スペクトル）　E－395

メトプロロール酒石酸塩錠　C－5751

メトプロロール酒石酸塩，定量用　B－1299

メトホルミン塩酸塩　C－5754，C－20

メトホルミン塩酸塩（参照紫外可視吸収スペクトル）　E－173

メトホルミン塩酸塩（参照赤外吸収スペクトル）　E－395

メトホルミン塩酸塩錠　C－5758

メトホルミン塩酸塩，定量用　B－1299

メドロキシプロゲステロン酢酸エステル　C－5760，C－20

メドロキシプロゲステロン酢酸エステル（参照紫外可視吸収スペクトル）　E－174

メドロキシプロゲステロン酢酸エステル（参照赤外吸収スペクトル）　E－395

メトロニダゾール　B－1299，C－5765，C－20

メトロニダゾール（参照紫外可視吸収スペクトル）　E－174

メトロニダゾール（参照赤外吸収スペクトル）　E－396

メトロニダゾール錠　C－5768

メトロニダゾール，定量用　B－1299

メナテトレノン　C－5771，C－20

メナテトレノン（参照赤外吸収スペクトル）　E－396

目に投与する製剤　A－113

メピチオスタン　C－5776，C－21

メピチオスタン（参照赤外吸収スペクトル）　E－396

メピバカイン塩酸塩　C－5780，C－21

メピバカイン塩酸塩（参照紫外可視吸収スペクトル）　E－174

メピバカイン塩酸塩（参照赤外吸収スペクトル）　E－397

メピバカイン塩酸塩注射液　C－5784

メピバカイン塩酸塩，定量用　B－1300

メフェナム酸　C－5786，C－21

メフェナム酸（参照紫外可視吸収スペクトル）　E－175

メフルシド　C－5791，C－21

メフルシド（参照紫外可視吸収スペクトル）　E－175

メフルシド（参照赤外吸収スペクトル）　E－397

メフルシド錠　C－5794

メフルシド，定量用　B－1300

メフロキン塩酸塩　B－1300，C－5796，C－21

メフロキン塩酸塩（参照紫外可視吸収スペクトル）　E－175

メフロキン塩酸塩（参照赤外吸収スペクトル）　E－397

メペンゾラート臭化物　C－5801，C－21

メペンゾラート臭化物（参照紫外可視吸収スペクトル）　E－176

メベンダゾール　B－1300

2-メルカプトエタノール　B－1300

2-メルカプトエタノール，エポエチンベータ用　B－1300

メルカプトエタンスルホン酸　B－1301

メルカプト酢酸　B－1301

メルカプトプリン　B－1301

メルカプトプリン水和物　B－1301，C－5805，C－21

メルカプトプリン水和物（参照紫外可視吸収スペクトル）　E－176

メルファラン　C－5811，C－21

メルファラン（参照紫外可視吸収スペクトル）　E－176

メロペネム水和物　C－5816，C－21

綿実油　B－1301

メントール　B－1301

dl-メントール　C－5824，C－124

l-メントール　C－5827，C－124

l-メントール，定量用　B－1301

I－128　日本名索引

モ

木クレオソート　D－987
モクツウ　D－992, D－41
木通　D－992
モサプリドクエン酸塩散　C－5839
モサプリドクエン酸塩錠　C－5836
モサプリドクエン酸塩水和物　C－5832, C－21
モサプリドクエン酸塩水和物（参照紫外可視吸収スペクトル）　E－177
モサプリドクエン酸塩水和物（参照赤外吸収スペクトル）　E－398
モサプリドクエン酸塩水和物, 定量用　B－1302
モッコウ　B－1302, D－995
木香　D－995
没食子酸　B－1302
没食子酸一水和物　B－1302
モノエタノールアミン　B－1302
モノステアリン酸アルミニウム　C－5843, C－21
モノステアリン酸グリセリン　C－5846, C－125
モリブデン酸アンモニウム　B－1302
モリブデン酸アンモニウム試液　B－1302
モリブデン酸アンモニウム・硫酸試液　B－1302
モリブデン酸ナトリウム　B－1302
モリブデン（Ⅵ）酸二ナトリウム二水和物　B－1302
モリブデン硫酸試液　B－1302
モルヒネ・アトロピン注射液　C－5859
モルヒネ塩酸塩錠　C－5855
モルヒネ塩酸塩水和物　B－1302, C－5849
モルヒネ塩酸塩水和物1（参照紫外可視吸収スペクトル）　E－177
モルヒネ塩酸塩水和物2（参照紫外可視吸収スペクトル）　E－177
モルヒネ塩酸塩水和物（参照赤外吸収スペクトル）　E－398
モルヒネ塩酸塩水和物, 定量用　B－1302
モルヒネ塩酸塩注射液　C－5857
モルヒネ硫酸塩水和物　C－5863
モルヒネ硫酸塩水和物1（参照紫外可視吸収スペクトル）　E－178
モルヒネ硫酸塩水和物2（参照紫外可視吸収スペクトル）　E－178
モルヒネ硫酸塩水和物（参照赤外吸収スペクトル）　E－398
3-(N-モルホリノ)プロパンスルホン酸　B－1302
3-(N-モルホリノ)プロパンスルホン酸緩衝液, 0.02 mol/L, pH 7.0　B－1302
3-(N-モルホリノ)プロパンスルホン酸緩衝液, 0.02 mol/L, pH 8.0　B－1302
3-(N-モルホリノ)プロパンスルホン酸緩衝液, 0.1 mol/L, pH 7.0　B－1302
モンテルカストナトリウム　C－5867, C－21
モンテルカストナトリウム顆粒　C－5887
モンテルカストナトリウム（参照紫外可視吸収スペクトル）　E－178
モンテルカストナトリウム（参照赤外吸収スペクトル）　E－399
モンテルカストナトリウム錠　C－5877
モンテルカストナトリウムチュアブル錠　C－5882

ヤ

ヤギ抗大腸菌由来タンパク質抗体　B－1302
ヤギ抗大腸菌由来タンパク質抗体試液　B－1303
ヤクチ　D－999, D－41
益智　D－999
薬物体内動態パラメータの読み方　H－142
ヤクモソウ　D－1001, D－42
益母草　D－1001
薬用石ケン　C－5893, C－21
薬用炭　C－5896, C－21
ヤシ油　D－1002
椰子油　D－1002
薬局方の概説　H－3

ユ

有機体炭素試験法　B－405
ユウタン　D－1004

日本名索引　　I −129

熊胆　D −1004
融点測定法　B −410
誘導結合プラズマ発光分光
　分析法及び誘導結合プラ
　ズマ質量分析法
　B −431
輸液用ゴム栓試験法
　B −826
ユーカリ油　D −1007
輸液剤　A −91
輸血用クエン酸ナトリウム
　注射液　C −1590
油脂試験法　B −80
ユビキノン-9　B −1303
ユビデカレノン
　C −5900, C −21
ユビデカレノン（参照赤外
　吸収スペクトル）
　E −399

ヨ

ヨウ化亜鉛デンプン紙
　B −1348
ヨウ化亜鉛デンプン試液
　B −1303
溶解アセチレン
　B −1303
溶解錠　A −34
ヨウ化イソプロピル，定量
　用　B −1303
ヨウ化エチル　B −1304
ヨウ化カリウム
　B −1304, C −21
ヨウ化カリウム試液
　B −1304
ヨウ化カリウム試液，濃
　B −1304
ヨウ化カリウム試液，飽和
　B −1304
ヨウ化カリウム，定量用
　B −1304
ヨウ化カリウムデンプン紙
　B −1348
ヨウ化カリウムデンプン試

液　B −1304
ヨウ化カリウム・硫酸亜鉛
　試液　B −1304
ヨウ化水素酸　B −1304
ヨウ化ビスマスカリウム試
　液　B −1304
ヨウ化人血清アルブミン
　(131I) 注射液　C −5914
ヨウ化ヒプル酸ナトリウム
　(131I) 注射液　C −5915
ヨウ化メチル　B −1304
ヨウ化メチル，定量用
　B −1304
ヨウ化カリウム
　C −5904, C −21
陽極液 A，水分測定用
　B −1304
葉酸　B −1304,
　C −5917
葉酸（参照紫外可視吸収ス
　ペクトル）　E −179
葉酸錠　C −5922
葉酸注射液　C −5925
溶出試験装置の機械的校正
　の標準的方法　F −335
溶出試験第 1 液
　B −1304
溶出試験第 2 液
　B −1305
溶出試験法　B −708
溶性デンプン　B −1305
溶性デンプン試液
　B −1305
ヨウ素　B −1305,
　C −5927
0.002 mol/L ヨウ素液
　B −891
0.005 mol/L ヨウ素液
　B −891
0.01 mol/L ヨウ素液
　B −891
0.025 mol/L ヨウ素液
　B −891
0.05 mol/L ヨウ素液
　B −890

ヨウ素酸カリウム
　B −1305
0.05 mol/L ヨウ素酸カリ
　ウム液　B −892
1/60 mol/L ヨウ素酸カリ
　ウム液　B −892
1/1200 mol/L ヨウ素酸カ
　リウム液　B −893
ヨウ素酸カリウムデンプン
　紙　B −1348
ヨウ素酸カリウム（標準試
　薬）　B −1305
ヨウ素試液　B −1305
ヨウ素試液，0.0002 mol/L
　B −1305
ヨウ素試液，0.5 mol/L
　B −1305
ヨウ素試液，希
　B −1305
ヨウ素，定量用
　B −1305
ヨウ素・デンプン試液
　B −1305
ヨウ化ナトリウム
　C −5909, C −21
ヨウ化ナトリウム (131I)
　液　C −5913
ヨウ化ナトリウム (123I)
　カプセル　C −5911
ヨウ化ナトリウム (131I)
　カプセル　C −5912
容量分析用標準液
　B −842
容量分析用硫酸亜鉛
　B −1305
ヨクイニン　D −1010
薏苡仁　D −1010
ヨクイニン末　D −1013
薏苡仁末　D −1013
抑肝散エキス　D −1014
抑肝散加陳皮半夏エキス
　D −42
5-ヨードウラシル，液体
　クロマトグラフィー用
　B −1305

I -130　　日本名索引

ヨードエタン　B－1306
ヨードエタン，定量用
　　B－1306
ヨード酢酸　B－1306
ヨード・サリチル酸・フェ
　　ノール精　C－5943
ヨードチンキ　C－5931
ヨードホルム　C－5948
ヨードメタン　B－1306
ヨードメタン，定量用
　　B－1306
4級アルキルアミノ化スチ
　　レン－ジビニルベンゼン
　　共重合体，液体クロマト
　　グラフィー用
　　B－1336
四酢酸鉛　B－128
四酢酸鉛・フルオレセイン
　　ナトリウム試液
　　B－128
四シュウ酸カリウム，pH
　　測定用　B－1306
四フッ化エチレンポリマー，
　　ガスクロマトグラフィー
　　用　B－1347
四ホウ酸ナトリウム・塩化
　　カルシウム緩衝液，pH
　　8.0　B－1306
四ホウ酸ナトリウム十水和
　　物　B－1306
四ホウ酸ナトリウム十水和
　　物，pH測定用
　　B－1306
四ホウ酸ナトリウム・硫酸
　　試液　B－1307
四ホウ酸二カリウム四水和
　　物　B－1307

ラ

ライセート試液
　　B－1307
ライセート試薬
　　B－1307
ライネッケ塩　B－1307

ライネッケ塩一水和物
　　B－1307
ライネッケ塩試液
　　B－1307
ラウリル硫酸ナトリウム
　　B－1307, C－5951
0.01 mol/L ラウリル硫酸
　　ナトリウム液　B－893
ラウリル硫酸ナトリウム
　　（参照赤外吸収スペクト
　　ル）　E－399
ラウリル硫酸ナトリウム試
　　液　B－1307
ラウリル硫酸ナトリウム試
　　液，0.2%　B－1307
ラウリン酸メチル，ガスク
　　ロマトグラフィー用
　　B－1307
ラウロマクロゴール
　　B－1307, C－5955
ラクツロース　C－5957,
　　C－21
α－ラクトアルブミン
　　B－1307
β－ラクトグロブリン
　　B－1307
ラクトビオン酸
　　B－1307
ラタモキセフナトリウム
　　C－5962, C－21
ラタモキセフナトリウム
　　（参照紫外可視吸収スペ
　　クトル）　E－179
ラタモキセフナトリウム
　　（参照赤外吸収スペクト
　　ル）　E－400
ラッカセイ油　B－1308,
　　D－1022
落花生油　D－1022
ラニチジン塩酸塩
　　C－5967, C－21
ラニチジン塩酸塩（参照紫
　　外可視吸収スペクトル）
　　E－179
ラニチジン塩酸塩（参照赤

外吸収スペクトル）
　　E－400
ラニチジンジアミン
　　B－1308
ラニーニッケル，触媒用
　　B－1308
ラノコナゾール
　　B－1308, C－5971,
　　C－21
ラノコナゾール外用液
　　C－5976
ラノコナゾールクリーム
　　C－5979
ラノコナゾール（参照紫外
　　可視吸収スペクトル）
　　E－180
ラノコナゾール（参照赤外
　　吸収スペクトル）
　　E－400
ラノコナゾール軟膏
　　C－5977
ラフチジン　C－5981,
　　C－21
ラフチジン（参照紫外可視
　　吸収スペクトル）
　　E－180
ラフチジン（参照赤外吸収
　　スペクトル）　E－401
ラフチジン錠　C－5984
ラフチジン，定量用
　　B－1308
ラベタロール塩酸塩
　　B－1308, C－5988,
　　C－21
ラベタロール塩酸塩（参照
　　紫外可視吸収スペクト
　　ル）　E－180
ラベタロール塩酸塩（参照
　　赤外吸収スペクトル）
　　E－401
ラベタロール塩酸塩錠
　　C－5993
ラベタロール塩酸塩，定量
　　用　B－1308
ラベプラゾールナトリウム

日本名索引　　I -131

C - 5995, C - 21
ラベプラゾールナトリウム
（参照紫外可視吸収スペ
クトル）　E - 181
ラベプラゾールナトリウム
（参照赤外吸収スペクト
ル）　E - 401
ラポンチシン，純度試験用
B - 1308
ラマンスペクトル測定法
B - 229
L-ラムノース一水和物
B - 1308
LAL 試液　B - 1309
LAL 試薬　B - 1309
ランソプラゾール
C - 6001, C - 21
ランソプラゾール（参照紫
外可視吸収スペクトル）
E - 181
ランソプラゾール（参照赤
外吸収スペクトル）
E - 402
ランソプラゾール腸溶カプ
セル　C - 6010
ランソプラゾール腸溶性口
腔内崩壊錠　C - 6007
ランタン-アリザリンコン
プレキソン試液
B - 1309
卵白アルブミン，ゲルろ過
分子量マーカー用
B - 1309

リ

リオチロニンナトリウム
B - 1309, C - 6012
リオチロニンナトリウム
（参照紫外可視吸収スペ
クトル）　E - 181
リオチロニンナトリウム錠
C - 6017
リオチロニンナトリウム，
薄層クロマトグラフィー

用　B - 1309
力価測定培地，ナルトグラ
スチム試験用
B - 1309, B - 129
力価測定用培地，テセロイ
キン用　B - 1309
リクイリチン，薄層クロマ
トグラフィー用
B - 1309
(Z)-リグスチリド試液，薄
層クロマトグラフィー用
B - 1310
(Z)-リグスチリド，薄層ク
ロマトグラフィー用
B - 1310
リグノセリン酸メチル，ガ
スクロマトグラフィー用
B - 1310
リシノプリル　B - 1310
リシノプリル錠
C - 6026
リシノプリル水和物
B - 1310, C - 6021,
C - 21
リシノプリル水和物（参照
紫外可視吸収スペクト
ル）　E - 182
リシノプリル水和物（参照
赤外吸収スペクトル）
E - 402
リシノプリル水和物，定量
用　B - 1310
リシノプリル，定量用
B - 1310
リシルエンドペプチダーゼ
B - 1310
リジルエンドペプチダーゼ
B - 1310
L-リシン塩酸塩
B - 1310, C - 6029,
C - 21
L-リジン塩酸塩
B - 1310
L-リシン塩酸塩（参照赤
外吸収スペクトル）

E - 402
L-リシン酢酸塩
C - 6034, C - 21
L-リシン酢酸塩（参照赤
外吸収スペクトル）
E - 403
リスペリドン　C - 6037,
C - 21
リスペリドン細粒
C - 6046
リスペリドン（参照紫外可
視吸収スペクトル）
E - 182
リスペリドン（参照赤外吸
収スペクトル）
E - 403
リスペリドン錠
C - 6043
リスペリドン，定量用
B - 1310
リスペリドン内服液
C - 6049
リセドロン酸ナトリウム錠
C - 6058
リセドロン酸ナトリウム水
和物　C - 6052,
C - 21
リセドロン酸ナトリウム水
和物（参照紫外可視吸収
スペクトル）　E - 182
リセドロン酸ナトリウム水
和物（参照赤外吸収スペ
クトル）　E - 403
リゾチーム塩酸塩
C - 6061, C - 21
リゾチーム塩酸塩（参照紫
外可視吸収スペクトル）
E - 183
リゾチーム塩酸塩用基質試
液　B - 1311
六君子湯エキス
D - 1029
リドカイン　C - 6065,
C - 21
リドカイン（参照紫外可視

Ⅰ-*132* 日本名索引

吸収スペクトル）
E-*183*
リドカイン（参照赤外吸収
スペクトル） E-*404*
リドカイン注射液
C-*6069*
リドカイン，定量用
B-*1311*
リトコール酸，薄層クロマ
トグラフィー用
B-*1311*
リトドリン塩酸塩
B-*1311*, C-*6071*,
C-*21*
リトドリン塩酸塩（参照紫
外可視吸収スペクトル）
E-*183*
リトドリン塩酸塩（参照赤
外吸収スペクトル）
E-*404*
リトドリン塩酸塩錠
C-*6076*
リトドリン塩酸塩注射液
C-*6079*
リトマス紙，青色
B-*1348*
リトマス紙，赤色
B-*1348*
リニメント剤 A-*137*
リノール酸メチル，ガスク
ロマトグラフィー用
B-*1311*
リノレン酸メチル，ガスク
ロマトグラフィー用
B-*1311*
リバビリン B-*1311*,
C-*6082*, C-*21*
リバビリンカプセル
C-*6089*
リバビリン（参照紫外可視
吸収スペクトル）
E-*184*
リバビリン（参照赤外吸収
スペクトル） E-*404*
リファンピシン

C-*6092*, C-*21*
リファンピシンカプセル
C-*6103*
リファンピシン（参照紫外
可視吸収スペクトル）
E-*184*
リファンピシン（参照赤外
吸収スペクトル）
E-*405*
リボスタマイシン硫酸塩
C-*6107*, C-*21*
リポソーム注射剤
A-*96*
リボヌクレアーゼA，ゲル
ろ過分子量マーカー用
B-*1311*
リボフラビン B-*1311*,
C-*6111*
リボフラビン散
C-*6118*
リボフラビン（参照紫外可
視吸収スペクトル）
E-*184*
リボフラビン酪酸エステル
C-*6120*, C-*21*
リボフラビン酪酸エステル
（参照紫外可視吸収スペ
クトル） E-*185*
リボフラビンリン酸エステ
ルナトリウム
B-*1311*, C-*6124*
リボフラビンリン酸エステ
ルナトリウム（参照紫外
可視吸収スペクトル）
E-*185*
リボフラビンリン酸エステ
ルナトリウム注射液
C-*6129*
リマプロストアルファデク
ス C-*6131*
リマプロストアルファデク
ス（参照紫外可視吸収ス
ペクトル） E-*185*
リモナーデ剤 A-*63*
リモニン，薄層クロマトグ

ラフィー用 B-*1311*
リモネン B-*1312*
流エキス剤 A-*170*
硫化アンモニウム試液
B-*1312*
硫化水素 B-*1312*
硫化水素試液 B-*1312*
硫化鉄 B-*1312*
硫化鉄（Ⅱ） B-*1312*
硫化ナトリウム
B-*1312*
硫化ナトリウム九水和物
B-*1312*
硫化ナトリウム試液
B-*1312*
リュウガンニク
D-*1037*
竜眼肉 D-*1037*
リュウコツ D-*1038*
竜骨 D-*1038*
リュウコツ末 D-*1041*
竜骨末 D-*1041*
硫酸 B-*1312*
0.0005 mol/L 硫酸
B-*895*
0.005 mol/L 硫酸
B-*895*
0.01 mol/L 硫酸 B-*895*
0.02 mol/L 硫酸 B-*895*
0.025 mol/L 硫酸
B-*895*
0.05 mol/L 硫酸 B-*895*
0.1 mol/L 硫酸 B-*894*
0.25 mol/L 硫酸 B-*894*
0.5 mol/L 硫酸 B-*893*
硫酸亜鉛 B-*1314*
0.02 mol/L 硫酸亜鉛液
B-*896*
0.05 mol/L 硫酸亜鉛液
B-*896*
0.1 mol/L 硫酸亜鉛液
B-*896*
硫酸亜鉛試液 B-*1314*
硫酸亜鉛水和物
C-*6136*, C-*21*

日本名索引　I -133

硫酸亜鉛点眼液
　C - 6139
硫酸亜鉛七水和物
　B - 1314
硫酸亜鉛，容量分析用
　B - 1314
硫酸アトロピン
　B - 1314
硫酸アトロピン，定量用
　B - 1314
硫酸アトロピン，薄層クロ
　マトグラフィー用
　B - 1314
硫酸 4-アミノ-N,N-ジエ
　チルアニリン
　B - 1314
硫酸 4-アミノ-N,N-ジエ
　チルアニリン試液
　B - 1314
硫酸アルミニウムカリウム
　B - 1314
硫酸アルミニウムカリウム
　水和物　C - 6143,
　C - 21
硫酸アンモニウム
　B - 1314
硫酸アンモニウム緩衝液
　B - 1314
硫酸アンモニウム試液
　B - 1314
0.02 mol/L 硫酸アンモニ
　ウム鉄（Ⅱ）液
　B - 897
0.1 mol/L 硫酸アンモニウ
　ム鉄（Ⅱ）液　B - 896
0.1 mol/L 硫酸アンモニウ
　ム鉄（Ⅲ）液　B - 897
硫酸アンモニウム鉄（Ⅲ）
　試液　B - 1314
硫酸アンモニウム鉄（Ⅲ）
　試液，希　B - 1314
硫酸アンモニウム鉄（Ⅲ）
　試液，酸性　B - 1314
硫酸アンモニウム鉄（Ⅲ）
　十二水和物　B - 1314

硫酸アンモニウム鉄（Ⅱ）
　六水和物　B - 1314
硫酸・エタノール試液
　B - 1313
硫酸塩試験法　B - 88
硫酸カナマイシン
　B - 1314
硫酸カリウム　B - 1314,
　C - 6145, C - 21
硫酸カリウムアルミニウム
　十二水和物　B - 1314
硫酸カリウム試液
　B - 1314
硫酸，希　B - 1312
硫酸キニジン　B - 1314
硫酸キニーネ　B - 1314
硫酸試液　B - 1313
硫酸試液，0.05 mol/L
　B - 1313
硫酸試液，0.25 mol/L
　B - 1313
硫酸試液，0.5 mol/L
　B - 1313
硫酸試液，1 mol/L
　B - 1313
硫酸試液，2 mol/L
　B - 1313
硫酸試液，5 mol/L
　B - 1313
硫酸ジベカシン
　B - 1314
硫酸・水酸化ナトリウム試
　液　B - 1313
硫酸水素カリウム
　B - 1314
硫酸水素テトラブチルアン
　モニウム　B - 1314
硫酸，精製　B - 1312
0.1 mol/L 硫酸セリウム
　（Ⅳ）液　B - 898
硫酸セリウム（Ⅳ）四水和
　物　B - 1315
硫酸第一鉄　B - 1315
硫酸第一鉄アンモニウム
　B - 1315

0.02 mol/L 硫酸第一鉄ア
　ンモニウム液　B - 898
0.1 mol/L 硫酸第一鉄アン
　モニウム液　B - 898
硫酸第一鉄試液
　B - 1315
硫酸第二セリウムアンモニ
　ウム　B - 1315
0.01 mol/L 硫酸第二セリ
　ウムアンモニウム液
　B - 899
0.1 mol/L 硫酸第二セリウ
　ムアンモニウム液
　B - 899
硫酸第二セリウムアンモニ
　ウム試液　B - 1315
硫酸第二セリウムアンモニ
　ウム・リン酸試液
　B - 1315
硫酸第二鉄　B - 1315
硫酸第二鉄アンモニウム
　B - 1315
0.1 mol/L 硫酸第二鉄アン
　モニウム液　B - 899
硫酸第二鉄アンモニウム試
　液　B - 1315
硫酸第二鉄アンモニウム試
　液，希　B - 1315
硫酸第二鉄試液
　B - 1315
硫酸呈色物試験法
　B - 89
硫酸呈色物用硫酸
　B - 1315
硫酸鉄（Ⅱ）試液
　B - 1315
硫酸鉄（Ⅱ）七水和物
　B - 1315
硫酸鉄（Ⅲ）試液
　B - 1315
硫酸鉄（Ⅲ）n 水和物
　B - 1315
硫酸鉄水和物　C - 6148,
　C - 21
硫酸銅　B - 1315

硫酸銅（Ⅱ） B－1315
硫酸銅（Ⅱ）五水和物
　B－1315
硫酸銅試液 B－1315
硫酸銅（Ⅱ）試液
　B－1315
硫酸銅試液，アルカリ性
　B－1315
硫酸銅（Ⅱ）試液，アルカ
　リ性 B－1315
硫酸銅・ピリジン試液
　B－1315
硫酸銅（Ⅱ）・ピリジン試
　液 B－1315
硫酸銅，無水 B－1315
硫酸ナトリウム
　B－1315，D－914
硫酸ナトリウム十水塩
　D－914
硫酸ナトリウム十水和物
　B－1316
硫酸ナトリウム，無水
　B－1315
硫酸ニッケルアンモニウム
　B－1316
硫酸ニッケル（Ⅱ）アンモ
　ニウム六水和物
　B－1316
硫酸ニッケル（Ⅱ）六水和
　物 B－1316
硫酸，発煙 B－1313
硫酸バメタン B－1316
硫酸バリウム C－6151，
　C－21
硫酸ヒドラジニウム
　B－1316
硫酸ヒドラジニウム試液
　B－1316
硫酸ヒドラジン
　B－1316
硫酸ビンクリスチン
　B－1316
硫酸ビンブラスチン
　B－1316
硫酸ベカナマイシン

B－1316
硫酸・ヘキサン・メタノー
　ル試液 B－1313
硫酸マグネシウム
　B－1316
硫酸マグネシウム試液
　B－1316
硫酸マグネシウム水和物
　C－6154，C－21
硫酸マグネシウム水
　C－6158
硫酸マグネシウム注射液
　C－6159
硫酸マグネシウム七水和物
　B－1316
硫酸・メタノール試液
　B－1313
硫酸・メタノール試液，
　0.05 mol/L B－1313
硫酸4-メチルアミノフェ
　ノール B－1316
硫酸p-メチルアミノフェ
　ノール B－1316
硫酸4-メチルアミノフェ
　ノール試液 B－1316
硫酸p-メチルアミノフェ
　ノール試液 B－1317
0.01 mol/L 硫酸四アンモ
　ニウムセリウム（Ⅳ）液
　B－900
0.1 mol/L 硫酸四アンモニ
　ウムセリウム（Ⅳ）液
　B－899
硫酸四アンモニウムセリウ
　ム（Ⅳ）試液 B－1317
硫酸四アンモニウムセリウ
　ム（Ⅳ）二水和物
　B－1317
硫酸四アンモニウムセリウ
　ム（Ⅳ）・リン酸試液
　B－1317
硫酸リチウム B－1317
硫酸リチウム一水和物
　B－1317
硫酸，硫酸呈色物用

B－1313
硫酸・リン酸二水素ナトリ
　ウム試液 B－1313
粒子計数装置 B－1317
粒子計数装置用希釈液
　B－1317
粒子密度測定用校正球
　B－1352
リュウタン D－1042
竜胆 D－1042
リュウタン末 D－1047
竜胆末 D－1047
流動パラフィン
　B－1317，C－4102，
　C－15
粒度測定法 B－503，
　B－101
リュープロレリン酢酸塩
　C－6160
リュープロレリン酢酸塩
　（参照赤外吸収スペクト
　ル） E－405
リョウキョウ D－1049
良姜 D－1049
苓桂朮甘湯エキス
　D－1051
両性担体液，pH 3 ～ 10
　用 B－1317
両性担体液，pH 6 ～ 9 用
　B－1317
両性担体液，pH 8 ～ 10.5
　用 B－1317
リルマザホン塩酸塩錠
　C－6175
リルマザホン塩酸塩水和物
　B－1317，C－6168，
　C－21
リルマザホン塩酸塩水和物
　（参照紫外可視吸収スペ
　クトル） E－186
リルマザホン塩酸塩水和物
　（参照赤外吸収スペクト
　ル） E－405
リンゲル液 C－6177，
　C－21

日本名索引　　I -135

リンコフィリン，成分含量
　測定用　B - 1317
リンコフィリン，定量用
　B - 1317, B - 124
リンコフィリン，薄層クロ
　マトグラフィー用
　B - 1318
リンコマイシン塩酸塩水和
　物　C - 6180, C - 21
リンコマイシン塩酸塩水和
　物（参照赤外吸収スペク
　トル）　E - 406
リンコマイシン塩酸塩注射
　液　C - 6184
リン酸　B - 1318
リン酸一水素カリウム
　B - 1318
リン酸一水素カリウム・ク
　エン酸緩衝液, pH 5.3
　B - 1318
リン酸一水素カリウム試
　液, 1 mol/L, 緩衝液用
　B - 1318
リン酸一水素ナトリウム
　B - 1318
リン酸一水素ナトリウム・
　クエン酸塩緩衝液, pH
　5.4　B - 1319
リン酸一水素ナトリウム・
　クエン酸緩衝液, pH 4.5
　B - 1319
リン酸一水素ナトリウム・
　クエン酸緩衝液, pH 6.0
　B - 1319
リン酸一水素ナトリウム試
　液　B - 1319
リン酸一水素ナトリウム試
　液, 0.05 mol/L
　B - 1319
リン酸一水素ナトリウム試
　液, 0.5 mol/L
　B - 1319
リン酸一水素ナトリウム,
　無水　B - 1318
リン酸一水素ナトリウム,

無水, pH 測定用
　B - 1319
リン酸塩緩衝液,
　0.01 mol/L　B - 1319
リン酸塩緩衝液,
　0.01 mol/L, pH 6.8
　B - 1319
リン酸塩緩衝液,
　0.02 mol/L, pH 3.0
　B - 1319
リン酸塩緩衝液,
　0.02 mol/L, pH 3.5
　B - 1320
リン酸塩緩衝液,
　0.02 mol/L, pH 7.5
　B - 1320
リン酸塩緩衝液,
　0.02 mol/L, pH 8.0
　B - 1320
リン酸塩緩衝液,
　0.03 mol/L, pH 7.5
　B - 1320
リン酸塩緩衝液,
　0.05 mol/L, pH 3.5
　B - 1320
リン酸塩緩衝液,
　0.05 mol/L, pH 6.0
　B - 1320
リン酸塩緩衝液,
　0.05 mol/L, pH 7.0
　B - 1320
リン酸塩緩衝液, 0.1 mol/L,
　pH 4.5　B - 1320
リン酸塩緩衝液, 0.1 mol/L,
　pH 5.3　B - 1320
リン酸塩緩衝液, 0.1 mol/L,
　pH 6.8　B - 1320
リン酸塩緩衝液, 0.1 mol/L,
　pH 7.0　B - 1320
リン酸塩緩衝液, 0.1 mol/L,
　pH 8.0　B - 1320
リン酸塩緩衝液, 0.1 mol/L,
　pH 8.0, 抗生物質用
　B - 1320
リン酸塩緩衝液, 0.2 mol/L,

pH 10.5　B - 1321
リン酸塩緩衝液,
　1/15 mol/L, pH 5.6
　B - 1321
リン酸塩緩衝液, pH 3.0
　B - 1321
リン酸塩緩衝液, pH 3.1
　B - 1321
リン酸塩緩衝液, pH 3.2
　B - 128
リン酸塩緩衝液, pH 4.0
　B - 1321
リン酸塩緩衝液, pH 5.9
　B - 1321
リン酸塩緩衝液, pH 6.0
　B - 1321
リン酸塩緩衝液, pH 6.2
　B - 1321
リン酸塩緩衝液, pH 6.5
　B - 1321
リン酸塩緩衝液, pH 6.5,
　抗生物質用　B - 1321
リン酸塩緩衝液, pH 6.8
　B - 1321
リン酸塩緩衝液, pH 7.0
　B - 1321
リン酸塩緩衝液, pH 7.2
　B - 1321
リン酸塩緩衝液, pH 7.4
　B - 1321
リン酸塩緩衝液, pH 8.0
　B - 1321
リン酸塩緩衝液, pH 12
　B - 1322
リン酸塩緩衝液, エポエチ
　ンアルファ用
　B - 1319
リン酸塩緩衝液・塩化ナト
　リウム試液, 0.01 mol/L,
　pH 7.4　B - 1322
リン酸塩緩衝液, サイコ成
　分含量測定用
　B - 1319
リン酸塩緩衝液, サイコ定
　量用　B - 1319

リン酸塩緩衝液, 細胞毒性試験用　B-1319

リン酸塩緩衝液, パンクレアチン用　B-1319

リン酸塩緩衝液, ブシ用　B-1319

リン酸塩緩衝液, マイクロプレート洗浄用　B-1319

リン酸塩緩衝塩化ナトリウム試液　B-1322

リン酸塩試液　B-1322

リン酸塩 pH 標準液　B-920

リン酸カリウム三水和物　B-128

リン酸緩衝液, 0.1 mol/L, pH 7　B-1322

リン酸コデイン, 定量用　B-1322

リン酸・酢酸・ホウ酸緩衝液, pH 2.0　B-1318

リン酸三ナトリウム十二水和物　B-1322

リン酸ジヒドロコデイン, 定量用　B-1322

リン酸水素アンモニウムナトリウム　B-1322

リン酸水素アンモニウムナトリウム四水和物　B-1322

リン酸水素カルシウム水和物　C-6188, C-22

リン酸水素ナトリウム水和物　C-6191, C-22

リン酸水素二アンモニウム　B-1322

リン酸水素二カリウム　B-1322

リン酸水素二カリウム・クエン酸緩衝液, pH 5.3　B-1322

リン酸水素二カリウム試液, 1 mol/L, 緩衝液用　B-1322

リン酸水素二ナトリウム・クエン酸塩緩衝液, pH 3.0　B-1324

リン酸水素二ナトリウム・クエン酸塩緩衝液, pH 5.4　B-1324

リン酸水素二ナトリウム・クエン酸緩衝液, 0.05 mol/L, pH 6.0　B-1323

リン酸水素二ナトリウム・クエン酸緩衝液, pH 3.0　B-1323

リン酸水素二ナトリウム・クエン酸緩衝液, pH 4.5　B-1323

リン酸水素二ナトリウム・クエン酸緩衝液, pH 5.0　B-1323

リン酸水素二ナトリウム・クエン酸緩衝液, pH 5.4　B-1323

リン酸水素二ナトリウム・クエン酸緩衝液, pH 5.5　B-1323

リン酸水素二ナトリウム・クエン酸緩衝液, pH 6.0　B-1323

リン酸水素二ナトリウム・クエン酸緩衝液, pH 6.8　B-1323

リン酸水素二ナトリウム・クエン酸緩衝液, pH 7.2　B-1323

リン酸水素二ナトリウム・クエン酸緩衝液, pH 7.5　B-1324

リン酸水素二ナトリウム・クエン酸緩衝液, pH 8.2　B-1324

リン酸水素二ナトリウム・クエン酸緩衝液, ペニシリウム由来 β-ガラクトシダーゼ用, pH 4.5　B-1323

リン酸水素二ナトリウム試液　B-1322

リン酸水素二ナトリウム試液, 0.05 mol/L　B-1323

リン酸水素二ナトリウム試液, 0.5 mol/L　B-1323

リン酸水素二ナトリウム十二水和物　B-1322

リン酸水素二ナトリウム, pH 測定用　B-1322

リン酸水素二ナトリウム, 無水　B-1322

リン酸テトラブチルアンモニウム　B-1324

リン酸トリス (4-t-ブチルフェニル)　B-1324

リン酸ナトリウム　B-1324

リン酸ナトリウム緩衝液, 0.1 mol/L, pH 7.0　B-1324

リン酸ナトリウム試液　B-1324

リン酸二水素アンモニウム　B-1324

リン酸二水素アンモニウム試液, 0.02 mol/L　B-1324

リン酸二水素カリウム　B-1324

リン酸二水素カリウム試液, 0.01 mol/L, pH 4.0　B-1324

リン酸二水素カリウム試液, 0.02 mol/L　B-1324

リン酸二水素カリウム試液, 0.05 mol/L　B-1324

リン酸二水素カリウム試液, 0.05 mol/L, pH 3.0　B-1324

リン酸二水素カリウム試

液，0.05 mol/L，pH 4.7
B－1325
リン酸二水素カリウム試
液，0.1 mol/L
B－1325
リン酸二水素カリウム試
液，0.1 mol/L，pH 2.0
B－1325
リン酸二水素カリウム試
液，0.2 mol/L
B－1325
リン酸二水素カリウム試
液，0.2 mol/L，緩衝液
用　B－1325
リン酸二水素カリウム試
液，0.25 mol/L，pH 3.5
B－1325
リン酸二水素カリウム試
液，0.33 mol/L
B－1325
リン酸二水素カリウム，
pH測定用　B－1324
リン酸二水素カルシウム水
和物　C－6194，
<u>C－22</u>
リン酸二水素ナトリウム
B－1325
リン酸二水素ナトリウム一
水和物　B－1325
リン酸二水素ナトリウム・
エタノール試液
B－1326
リン酸二水素ナトリウム試
液，0.01 mol/L，pH 7.5
B－1325
リン酸二水素ナトリウム試
液，0.05 mol/L
B－1325
リン酸二水素ナトリウム試
液，0.05 mol/L，pH 2.6
B－1325
リン酸二水素ナトリウム試
液，0.05 mol/L，pH 3.0
B－1325
リン酸二水素ナトリウム試

液，0.05 mol/L，pH 5.5
B－1326
リン酸二水素ナトリウム試
液，0.1 mol/L
B－1326
リン酸二水素ナトリウム試
液，0.1 mol/L，pH 3.0
B－1326
リン酸二水素ナトリウム試
液，2 mol/L　B－1326
リン酸二水素ナトリウム試
液，pH 2.2　B－1326
リン酸二水素ナトリウム試
液，pH 2.5　B－1326
リン酸二水素ナトリウム二
水和物　B－1325
リン酸二水素ナトリウム，
無水　B－1325
リン酸標準液　B－920
リン酸リボフラビンナトリ
ウム　B－1326
リン酸・硫酸ナトリウム緩
衝液，pH 2.3
B－1318
リンタングステン酸
B－1326
リンタングステン酸試液
B－1326
リンタングステン酸 n 水
和物　B－1326
リンモリブデン酸
B－1326
リンモリブデン酸 n 水和
物　B－1326

ル

ルチン，薄層クロマトグラ
フィー用　B－1326
ルテオリン，薄層クロマト
グラフィー用
B－1327

レ

レイン，定量用
B－1327
レイン，薄層クロマトグラ
フィー用　B－1329
レーザー回折・散乱法によ
る粒子径測定法
B－525
レザズリン　B－1329
レザズリン液　B－1329
レシチン　B－1329
レジブフォゲニン，成分含
量測定用　B－1329
レジブフォゲニン，定量用
B－1329
レジブフォゲニン，薄層ク
ロマトグラフィー用
B－1330
レセルピン　C－6197
レセルピン散0.1％
C－6206
レセルピン（参照紫外可視
吸収スペクトル）
E－186
レセルピン（参照赤外吸収
スペクトル）　E－406
レセルピン錠　C－6203
レセルピン注射液
C－6207
レソルシノール
B－1330
レソルシノール試液
B－1330
レソルシノール・硫酸試液
B－1330
レソルシノール・硫酸銅
（Ⅱ）試液　B－1330
レゾルシン　B－1330
レゾルシン試液
B－1330
レゾルシン硫酸試液
B－1330
レチノール酢酸エステル

C – 6209

レチノールパルミチン酸エステル　C – 6214

レナンピシリン塩酸塩　C – 6216, C – 22

レナンピシリン塩酸塩（参照赤外吸収スペクトル）　E – 406

レノグラスチム（遺伝子組換え）　C – 6223

レバミピド　C – 6232, C – 22

レバミピド（参照紫外可視吸収スペクトル）　E – 186

レバミピド（参照赤外吸収スペクトル）　E – 407

レバミピド錠　C – 6237

レバミピド，定量用　B – 1330

レバロルファン酒石酸塩　C – 6240, C – 22

レバロルファン酒石酸塩（参照紫外可視吸収スペクトル）　E – 187

レバロルファン酒石酸塩（参照赤外吸収スペクトル）　E – 407

レバロルファン酒石酸塩注射液　C – 6244

レバロルファン酒石酸塩，定量用　B – 1330

レボチロキシンナトリウム　B – 1330

レボチロキシンナトリウム錠　C – 6251

レボチロキシンナトリウム水和物　B – 1330, C – 6246

レボチロキシンナトリウム水和物（参照紫外可視吸収スペクトル）　E – 187

レボチロキシンナトリウム水和物，薄層クロマトグ

ラフィー用　B – 1330

レボチロキシンナトリウム，薄層クロマトグラフィー用　B – 1330

レボドパ　C – 6254, C – 22

レボドパ（参照紫外可視吸収スペクトル）　E – 187

レボフロキサシン細粒　C – 6268

レボフロキサシン錠　C – 6265

レボフロキサシン水和物　C – 6260, C – 22

レボフロキサシン水和物（参照紫外可視吸収スペクトル）　E – 188

レボフロキサシン水和物（参照赤外吸収スペクトル）　E – 407

レボフロキサシン水和物，定量用　B – 1331

レボフロキサシン注射液　C – 6271

レボフロキサシン点眼液　C – 6273

レボホリナートカルシウム水和物　C – 6276, C – 22

レボホリナートカルシウム水和物（参照紫外可視吸収スペクトル）　E – 188

レボホリナートカルシウム水和物（参照赤外吸収スペクトル）　E – 408

レボメプロマジンマレイン酸塩　C – 6284, C – 22

レンギョウ　B – 1331, D – 1057

連翹　D – 1057

レンニク　D – 1060

蓮肉　D – 1060

ロ

ロイコボリンカルシウム　C – 5468

L–ロイシン　B – 1331, C – 6288, C – 22

L–ロイシン（参照赤外吸収スペクトル）　E – 408

L–ロイシン，定量用　B – 1331

ロカイ　D – 31

ロカイ末　D – 36

ロガニン，成分含量測定用　B – 1331

ロガニン，定量用　B – 1331, B – 126

ロガニン，薄層クロマトグラフィー用　B – 1333

ロキサチジン酢酸エステル塩酸塩　B – 1333, C – 6291, C – 22

ロキサチジン酢酸エステル塩酸塩（参照紫外可視吸収スペクトル）　E – 188

ロキサチジン酢酸エステル塩酸塩（参照赤外吸収スペクトル）　E – 408

ロキサチジン酢酸エステル塩酸塩徐放カプセル　C – 6297

ロキサチジン酢酸エステル塩酸塩徐放錠　C – 6295

ロキシスロマイシン　C – 6303, C – 22

ロキシスロマイシン（参照赤外吸収スペクトル）　E – 409

ロキシスロマイシン錠　C – 6308

ロキソプロフェンナトリウム錠　C – 6316

日本名索引　　I -139

ロキソプロフェンナトリウム水和物　C -6311, C -22

ロキソプロフェンナトリウム水和物（参照紫外可視吸収スペクトル）　E -189

ロキソプロフェンナトリウム水和物（参照赤外吸収スペクトル）　E -409

ロサルタンカリウム　B -1333, C -6319, C -22

ロサルタンカリウム（参照紫外可視吸収スペクトル）　E -189

ロサルタンカリウム（参照赤外吸収スペクトル）　E -409

ロサルタンカリウム錠　C -6324

ロサルタンカリウム・ヒドロクロロチアジド錠　C -6326

ろ紙　B -1348

ろ紙，定量分析用　B -1348

ローション剤　A -139

ろ紙，ろ過フィルター，試験紙，るつぼ等　B -1347

ロジン　D -1062

ロスバスタチンカルシウム　B -1333, C -6336, C -22

ロスバスタチンカルシウム鏡像異性体　B -1333

ロスバスタチンカルシウム

（参照紫外可視吸収スペクトル）　E -189

ロスバスタチンカルシウム（参照赤外吸収スペクトル）　E -410

ロスバスタチンカルシウム錠　C -6348

ローズベンガル　B -1333

ロスマリン酸，成分含量測定用　B -1333

ロスマリン酸，定量用　B -1334

ロスマリン酸，薄層クロマトグラフィー用　B -1335

ロック用ヘパリンナトリウム液　C -5257

ロック・リンゲル試液　B -1336

ロートエキス　D -1069

ロートエキス散　D -1071

ロートエキス・アネスタミン散　D -1074

ロートエキス・カーボン散　D -1077

ロートエキス・タンニン坐剤　D -1079

ロートコン　D -1063

ロバスタチン　B -1336

ロフラゼプ酸エチル　C -6353, C -22

ロフラゼプ酸エチル（参照紫外可視吸収スペクトル）　E -190

ロフラゼプ酸エチル（参照赤外吸収スペクトル）

E -410

ロフラゼプ酸エチル錠　C -6359

ロベンザリットナトリウム　C -6362, C -22

ロベンザリットナトリウム（参照紫外可視吸収スペクトル）　E -190

ロベンザリットナトリウム（参照赤外吸収スペクトル）　E -410

ローヤルゼリー　D -1080

ロラゼパム　C -6365, C -22

ロラゼパム（参照紫外可視吸収スペクトル）　E -190

ロラゼパム（参照赤外吸収スペクトル）　E -411

ワ

ワセリン　B -1336

ワルファリンカリウム　C -6375, C -22

ワルファリンカリウム（参照紫外可視吸収スペクトル）　E -191

ワルファリンカリウム（参照赤外吸収スペクトル）　E -411

ワルファリンカリウム錠　C -6388

ワルファリンカリウム，定量用　B -1336

INDEX

A

Absorptive Cream   C - 1641
Acacia   D - 26
Acebutolol Hydrochloride   C - 156
Acemetacin   C - 160
Acemetacin Capsules   C - 167
Acemetacin Tablets   C - 164
Acetaminophen   C - 146
Acetazolamide   C - 134
Acetic Acid   C - 2035
Acetohexamide   C - 150
Acetylcholine Chloride for Injection
   C - 139
Acetylcysteine   C - 142
Achyranthes Root   D - 341
Aciclovir   C - 62
Aciclovir for Injection   C - 78
Aciclovir for Syrup   C - 74
Aciclovir Granules   C - 70
Aciclovir Injection   C - 76
Aciclovir Ointment   C - 80
Aciclovir Ophthalmic Ointment   C - 79
Aciclovir Syrup   C - 72
Aciclovir Tablets   C - 68
Aclarubicin Hydrochloride   C - 36
Acrinol and Zinc Oxide Oil   C - 46
Acrinol and Zinc Oxide Ointment
   C - 45
Acrinol Hydrate   C - 41
Actinomycin D   C - 32
Adrenaline   C - 204
Adrenaline Injection   C - 211
Adrenaline Solution   C - 209
Adsorbed Diphtheria-Purified Pertussis-
   Tetanus Combined Vaccine   C - 4443
Adsorbed Diphtheria-Tetanus Combined

Toxoid   C - 2328
Adsorbed Diphtheria Toxoid for Adult
   Use   C - 2328
Adsorbed Hepatitis B Vaccine   C - 4253
Adsorbed Purified Pertussis Vaccine
   C - 4443
Adsorbed Tetanus Toxoid   C - 4033
Aerosols for Cutaneous Application
   A - 142
Afloqualone   C - 231
Agar   D - 239
Ajmaline   C - 86
Ajmaline Tablets   C - 89
Akebia Stem   D - 992
Alacepril   C - 339
Alacepril Tablets   C - 344
L-Alanine   C - 347
Albumin Tannate   C - 3161
Aldioxa   C - 373
Aldioxa Granules   C - 379
Aldioxa Tablets   C - 377
Alendronate Sodium Hydrate   C - 420
Alendronate Sodium Injection   C - 428
Alendronate Sodium Tablets   C - 426
Alimemazine Tartrate   C - 351
Alisma Tuber   D - 649
Allopurinol   C - 434
Allopurinol Tablets   C - 438
Alminoprofen   C - 413
Alminoprofen Tablets   C - 417
Aloe   D - 31
Alpinia Officinarum Rhizome   D - 1049
Alprazolam   C - 381
Alprenolol Hydrochloride   C - 385
Alprostadil   C - 388
Alprostadil Alfadex   C - 400
Alprostadil Injection   C - 393
Aluminum Monostearate   C - 5843

Aluminum Potassium Sulfate Hydrate C－6143

Aluminum Silicate Hydrate with Silicon Dioxide D－189

Alum Solution C－5592

Amantadine Hydrochloride C－252

Ambenonium Chloride C－484

Amidotrizoic Acid C－273

Amikacin Sulfate C－266

Amikacin Sulfate for Injection C－272

Amikacin Sulfate Injection C－270

Aminophylline Hydrate C－289

Aminophylline Injection C－294

Amiodarone Hydrochloride C－256

Amiodarone Hydrochloride Tablets C－263

Amitriptyline Hydrochloride C－280

Amitriptyline Hydrochloride Tablets C－283

Amlexanox C－490

Amlexanox Tablets C－496

Amlodipine Besilate C－306

Amlodipine Besilate Orally Disintegrating Tablets C－313

Amlodipine Besilate Tablets C－311

Ammonia Water C－487

Amobarbital C－335

Amomum Seed D－502

Amosulalol Hydrochloride C－328

Amosulalol Hydrochloride Tablets C－332

Amoxapine C－317

Amoxicillin Capsules C－325

Amoxicillin Hydrate C－321

Amphotericin B C－297

Amphotericin B for Injection C－304

Amphotericin B Syrup C－303

Amphotericin B Tablets C－301

Ampicillin Hydrate C－462

Ampicillin Sodium C－467

Ampicillin Sodium and Sulbactam Sodium for Injection C－473

Ampicillin Sodium for Injection C－470

Ampiroxicam C－477

Ampiroxicam Capsules C－481

Amyl Nitrite C－91

Anastrozole <u>C－23</u>

Anastrozole Tablets <u>C－28</u>

Anemarrhena Rhizome D－664

Anesthetic Ether C－955

Angelica Dahurica Root D－856

Anhydrous Ampicillin C－458

Anhydrous Caffeine C－1325

Anhydrous Citric Acid C－1579

Anhydrous Dibasic Calcium Phosphate C－6185

Anhydrous Ethanol C－880

Anhydrous Lactose C－3948

Anhydrous Sodium Sulfate D－916

Antipyrine C－452

Apricot Kernel D－264

Apricot Kernel Water D－269

Aprindine Hydrochloride C－224

Aprindine Hydrochloride Capsules C－228

Aralia Rhizome D－755

Arbekacin Sulfate C－406

Arbekacin Sulfate Injection C－412

Areca D－875

Argatroban Hydrate C－360

L－Arginine C－366

L－Arginine Hydrochloride C－369

L－Arginine Hydrochloride Injection C－372

Aromatic Castor Oil D－854

Aromatic Waters A－169

Arotinolol Hydrochloride C－431

Arsenical Paste C－222

Arsenic Trioxide C－2117

Artemisia Capillaris Flower D－45

Artemisia Leaf D－152

Ascorbic Acid C－95

Ascorbic Acid and Calcium Pantothenate Tablets C－104

Ascorbic Acid Injection C－103

Ascorbic Acid Powder C－100

Asiasarum Root D－399

Asparagus Root D－700

L－Aspartic Acid C－116

Aspirin   C – 119
Aspirin Aluminum   C – 126
Aspirin Tablets   C – 124
Aspoxicillin Hydrate   C – 130
Astragalus Root   D – 87
Atenolol   C – 191
Atorvastatin Calcium Hydrate   C – 195
Atorvastatin Calcium Tablets   C – 201
Atractylodes Lancea Rhizome   D – 599
Atractylodes Rhizome   D – 859
Atropine Sulfate Hydrate   C – 214
Atropine Sulfate Injection   C – 220
Auranofin   C – 1254
Auranofin Tablets   C – 1258
Azathioprine   C – 50
Azathioprine Tablets   C – 54
Azelastine Hydrochloride   C – 169
Azelastine Hydrochloride Granules
   C – 173
Azelnidipine   C – 175
Azelnidipine Tablets   C – 180
Azithromycin Hydrate   C – 82
Azosemide   C – 184
Azosemide Tablets   C – 188
Aztreonam   C – 109
Aztreonam for Injection   C – 114

B

Bacampicillin Hydrochloride   C – 4011
Bacitracin   C – 4031
Baclofen   C – 4023
Baclofen Tablets   C – 4028
Bakumondoto Extract   D – 809
Bamethan Sulfate   C – 4064
Barbital   C – 4140
Barium Sulfate   C – 6151
Bearberry Leaf   D – 65
Bear Bile   D – 1004
Beclometasone Dipropionate   C – 5151
Beef Tallow   D – 260
Bekanamycin Sulfate   C – 5147
Belladonna Extract   D – 896
Belladonna Root   D – 893
Belladonna Total Alkaloids   D – 897

Benidipine Hydrochloride   C – 5219
Benidipine Hydrochloride Tablets
   C – 5223
Benincasa Seed   D – 710
Benserazide Hydrochloride   C – 5354
Bentonite   C – 5365
Benzalkonium Chloride   C – 5320
Benzalkonium Chloride Concentrated
   Solution 50   C – 5325
Benzalkonium Chloride Solution
   C – 5324
Benzbromarone   C – 5345
Benzethonium Chloride   C – 5349
Benzethonium Chloride Solution
   C – 5352
Benzoic Acid   C – 440
Benzoin   D – 39
Benzyl Alcohol   C – 5327
Benzyl Benzoate   C – 450
Benzylpenicillin Benzathine Hydrate
   C – 5340
Benzylpenicillin Potassium   C – 5333
Benzylpenicillin Potassium for Injection
   C – 5337
Bepotastine Besilate   C – 5268
Bepotastine Besilate Tablets   C – 5272
Beraprost Sodium   C – 5295
Beraprost Sodium Tablets   C – 5300
Berberine Chloride Hydrate   C – 5316
Berberine Tannate   C – 3166
Betahistine Mesilate   C – 5171
Betahistine Mesilate Tablets   C – 5174
Betamethasone   C – 5181
Betamethasone Dipropionate   C – 5202
Betamethasone Sodium Phosphate
   C – 5207
Betamethasone Tablets   C – 5188
Betamethasone Valerate   C – 5191
Betamethasone Valerate and Gentamicin
   Sulfate Ointment   C – 5195
Betamethasone Valerate and Gentamicin
   Sulfate Cream   C – 5199
Betamipron   C – 5178
Betaxolol Hydrochloride   C – 5161
Bethanechol Chloride   C – 5168

Bezafibrate C-5155
Bezafibrate Extended-release Tablets
  C-5159
BGLB B-1204
α-BHC B-1202
β-BHC B-1203
γ-BHC B-1203
δ-BHC B-1203
Bicalutamide C-4254
Bicalutamide Tablets C-89
Bifonazole C-4426
Biotin C-4250
Biperiden Hydrochloride C-4422
Biphasic Isophane Insulin Human (Genetical Recombination) Injectable Aqueous Suspension C-748
Bisacodyl C-4267
Bisacodyl Suppositories C-4269
Bismuth Subgallate C-2391
Bismuth Subnitrate C-2210
Bisoprolol Fumarate C-4277
Bisoprolol Fumarate Tablets C-4281
Bitter Cardamon D-999
Bitter Orange Peel D-747
Bitter Tincture D-279
Bleomycin Hydrochloride C-4924
Bleomycin Sulfate C-4931
Bofutsushosan Extract D-921
Boiogito Extract D-905
Boric Acid C-5379
Bromazepam C-5108
Bromfenac Sodium Hydrate C-5112
Bromfenac Sodium Ophthalmic Solution
  C-5116
Bromhexine Hydrochloride C-5118
Bromocriptine Mesilate C-5135
Bromovalerylurea C-5140
Brotizolam C-5029
Brotizolam Tablets C-5033
Brown Rice D-329
Buccal Tablets A-72
Bucillamine C-4677
Bucillamine Tablets C-4680
Bucumolol Hydrochloride C-4667
Budesonide C-93

Bufetolol Hydrochloride C-4743
Buformin Hydrochloride C-4755
Buformin Hydrochloride Delayed-release
  Tablets C-4762
Buformin Hydrochloride Tablets
  C-4760
Bumetanide C-4765
Bunazosin Hydrochloride C-4734
Bupivacaine Hydrochloride Hydrate
  C-4738
Bupleurum Root D-382
Bupranolol Hydrochloride C-4747
Buprenorphine Hydrochloride C-4750
Burdock Fruit D-361
Busulfan C-4683
Butenafine Hydrochloride C-4692
Butenafine Hydrochloride Cream
  C-4698
Butenafine Hydrochloride Solution
  C-4695
Butenafine Hydrochloride Spray
  C-4696
Butropium Bromide C-4730
Butyl Parahydroxybenzoate C-4081,
  C-79
Byakkokaninjinto Extract D-866

C

Cabergoline C-1346
Cacao Butter D-154
Cadralazine C-1309
Cadralazine Tablets C-1313
Caffeine and Sodium Benzoate C-446
Caffeine Hydrate C-1327
Calcitonin Salmon C-1377
Calcium Chloride Hydrate C-1142
Calcium Chloride Injection C-1146
Calcium Folinate Hydrate C-5468
Calcium Gluconate Hydrate C-1674
Calcium Hydroxide C-2523
Calcium Lactate Hydrate C-3937
Calcium Levofolinate Hydrate C-6276
Calcium Oxide C-2104
Calcium Pantothenate C-4210

Calcium Paraaminosalicylate Hydrate
C - 4068
Calcium Paraaminosalicylate Granules
C - 4074
Calcium Polystyrene Sulfonate
C - 5450
Calcium Sodium Edetate Hydrate
C - 944
Calcium Stearate   C - 2552
Calumba   D - 375
Camellia Oil   D - 695
Camostat Mesilate   C - 1355
d-Camphor   C - 1488
dl-Camphor   C - 1493
Candesartan Cilexetil   C - 1455
Candesartan Cilexetil and Amlodipine
Besylate Tablets   C - 1466
Candesartan Cilexetil and Hydrochloroth-
iazide Tablets   C - 1475
Candesartan Cilexetil Tablets   C - 1462
Capsicum   D - 712
Capsicum and Salicylic Acid Spirit
D - 722
Capsicum Tincture   D - 719
Capsules   A - 44,   C - 1332
Captopril   C - 1335
Carbamazepine   C - 1394
Carbazochrome Sodium Sulfonate Hy-
drate   C - 1390
Carbidopa Hydrate   C - 1401
L-Carbocisteine   C - 1415
L-Carbocisteine Tablets   C - 1418
Carbon Dioxide   C - 3883
Carboplatin   C - 1420
Carboplatin Injection   C - 1426
Cardamon   D - 523
Carmellose   C - 1429
Carmellose Calcium   C - 1431
Carmellose Sodium   C - 1435
Carmofur   C - 1452
Carnauba Wax   D - 214
Carteolol Hydrochloride   C - 1386
Carumonam Sodium   C - 1445
Carvedilol   C - 1406
Carvedilol Tablets   C - 1410

Cassia Seed   D - 299
Castor Oil   D - 851
Catalpa Fruit   D - 254
Cataplasms   A - 154
Cefaclor   C - 2683
Cefaclor Capsules   C - 2688
Cefaclor Combination Granules
C - 2692
Cefaclor Fine Granules   C - 2697
Cefadroxil   C - 2718
Cefadroxil Capsules   C - 2722
Cefadroxil for Syrup   C - 2724
Cefalexin   C - 2726
Cefalexin Capsules   C - 2731
Cefalexin Combination Granules
C - 2734
Cefalexin for Syrup   C - 2738
Cefalotin Sodium   C - 2741
Cefalotin Sodium for Injection
C - 2745
Cefatrizine Propylene Glycolate
C - 2712
Cefatrizine Propylene Glycolate for Syr-
up   C - 2716
Cefazolin Sodium   C - 2700
Cefazolin Sodium for Injection
C - 2709
Cefazolin Sodium Hydrate   C - 2705
Cefbuperazone Sodium   C - 2909
Cefcapene Pivoxil Hydrochloride Hydrate
C - 2818
Cefcapene Pivoxil Hydrochloride Tablets
C - 2825
Cefcapene Pivoxil Hydrochloride Fine
Granules   C - 2829
Cefdinir   C - 2844
Cefdinir Capsules   C - 2850
Cefdinir Fine Granules   C - 2852
Cefditoren Pivoxil   C - 2832
Cefditoren Pivoxil Fine Granules
C - 2841
Cefditoren Pivoxil Tablets   C - 2838
Cefepime Dihydrochloride for Injection
C - 2766
Cefepime Dihydrochloride Hydrate

C － 2759
Cefixime Capsules C － 2752
Cefixime Fine Granules C － 2755
Cefixime Hydrate C － 2748
Cefmenoxime Hydrochloride C － 2937
Cefmetazole Sodium C － 2930
Cefmetazole Sodium for Injection
  C － 2935
Cefminox Sodium Hydrate C － 2926
Cefodizime Sodium C － 2769
Cefoperazone Sodium C － 2806
Cefoperazone Sodium and Sulbactam So-
  dium for Injection C － 2814
Cefoperazone Sodium for Injection
  C － 2812
Cefotaxime Sodium C － 2781
Cefotetan C － 2799
Cefotiam Hexetil Hydrochloride
  C － 2793
Cefotiam Hydrochloride C － 2786
Cefotiam Hydrochloride for Injection
  C － 2791
Cefozopran Hydrochloride C － 2774
Cefozopran Hydrochloride for Injection
  C － 2779
Cefpiramide Sodium C － 2897
Cefpirome Sulfate C － 2903
Cefpodoxime Proxetil C － 2914
Cefpodoxime Proxetil for Syrup
  C － 2923
Cefpodoxime Proxetil Tablets C － 2920
Cefroxadine for Syrup C － 2950
Cefroxadine Hydrate C － 2944
Cefsulodin Sodium C － 2854
Ceftazidime for Injection C － 2867
Ceftazidime Hydrate C － 2859
Cefteram Pivoxil C － 2880
Cefteram Pivoxil Fine Granules
  C － 2887
Cefteram Pivoxil Tablets C － 2884
Ceftibuten Hydrate C － 2874
Ceftizoxime Sodium C － 2869
Ceftriaxone Sodium Hydrate C － 2889
Cefuroxime Axetil C － 2952
Celecoxib C － 3008

Cellacefate C － 2963
Celmoleukin（Genetical Recombination）
  C － 2989
Cetanol C － 2666
Cetirizine Hydrochloride C － 2667
Cetirizine Hydrochloride Tablets
  C － 2672
Cetotiamine Hydrochloride Hydrate
  C － 2674
Cetraxate Hydrochloride C － 2678
Chenodeoxycholic Acid C － 1936
Cherry Bark D － 114
Chewable Tablets A － 34
Chloral Hydrate C － 5384
Chloramphenicol C － 1808
Chloramphenicol and Colistin Sodium
  Methanesulfonate Ophthalmic Solution
  C － 1815
Chloramphenicol Palmitate C － 1818
Chloramphenicol Sodium Succinate
  C － 1812
Chlordiazepoxide C － 1822
Chlordiazepoxide Powder C － 1829
Chlordiazepoxide Tablets C － 1826
Chlorhexidine Gluconate Solution
  C － 1877
Chlorhexidine Hydrochloride C － 1874
Chlorinated Lime C － 2052
Chlormadinone Acetate C － 1881
Chlorobutanol C － 1885
Chlorphenesin Carbamate C － 1850
Chlorphenesin Carbamate Tablets
  C － 1854
Chlorpheniramine Maleate C － 1832
d-Chlorpheniramine Maleate C － 1846
Chlorpheniramine Maleate Injection
  C － 1844
Chlorpheniramine Maleate Powder
  C － 1842
Chlorpheniramine Maleate Tablets
  C － 1838
Chlorpromazine Hydrochloride C － 1864
Chlorpromazine Hydrochloride Tablets
  C － 1869
Chlorpromazine Hydrochloride Injection

C - 1872
Chlorpropamide   C - 1857
Chlorpropamide Tablets   C - 1861
Cholecalciferol   C - 2020
Cholesterol   C - 2030
Chotosan Extract   D - 679
Chrysanthemum Flower   D - 251
Cibenzoline Succinate   C - 2365
Cibenzoline Succinate Tablets   C - 2370
Ciclacillin   C - 2160
Ciclosporin   C - 2166
Cilastatin Sodium   C - 2440
Cilazapril Hydrate   C - 2432
Cilazapril Tablets   C - 2436
Cilnidipine   C - 2460
Cilnidipine Tablets   C - 2465
Cilostazol   C - 2469
Cilostazol Tablets   C - 2474
Cimetidine   C - 2372
Cimicifuga Rhizome   D - 535
Cinnamon Bark   D - 289
Cinnamon Oil   D - 297
Cinoxacin   C - 2276
Cinoxacin Capsules   C - 2278
Ciprofloxacin   C - 2333
Ciprofloxacin Hydrochloride Hydrate
   C - 2340
Cisplatin   C - 2227
Cistanche Herb   D - 779
Citicoline   C - 2259
Citric Acid Hydrate   C - 1581
Citrus Unshiu Peel   D - 690
Clarithromycin   C - 1597
Clarithromycin for Syrup   C - 1608
Clarithromycin Tablets   C - 1605
Clebopride Malate   C - 1697
Clemastine Fumarate   C - 1700
Clematis Root   D - 42
Clindamycin Hydrochloride   C - 1655
Clindamycin Hydrochloride Capsules
   C - 1659
Clindamycin Phosphate   C - 1662
Clindamycin Phosphate Injection
   C - 1667
Clinofibrate   C - 1632

Clobetasol Propionate   C - 1767
Clocapramine Hydrochloride Hydrate
   C - 1705
Clofedanol Hydrochloride   C - 1764
Clofibrate   C - 1758
Clofibrate Capsules   C - 1762
Clomifene Citrate   C - 1782
Clomifene Citrate Tablets   C - 1786
Clomipramine Hydrochloride   C - 1789
Clomipramine Hydrochloride Tablets
   C - 1792
Clonazepam   C - 1735
Clonazepam Fine Granules   C - 1742
Clonazepam Tablets   C - 1739
Clonidine Hydrochloride   C - 1744
Cloperastine Fendizoate   C - 1776
Cloperastine Fendizoate Tablets
   C - 1780
Cloperastine Hydrochloride   C - 1772
Clopidogrel Sulfate   C - 1748
Clopidogrel Sulfate Tablets   C - 1754
Clorazepate Dipotassium   C - 1800
Clorazepate Dipotassium Capsules
   C - 1805
Clotiazepam   C - 1724
Clotiazepam Tablets   C - 1728
Clotrimazole   C - 1731
Clove   D - 667
Clove Oil   D - 672
Cloxacillin Sodium Hydrate   C - 1709
Cloxazolam   C - 1714
Cnidium Monnieri Fruit   D - 481
Cnidium Rhizome   D - 563
Cocaine Hydrochloride   C - 1970
Coconut Oil   D - 1002
Codeine Phosphate Hydrate   C - 1974
1% Codeine Phosphate Powder
   C - 1981
10% Codeine Phosphate Powder
   C - 1983
Codeine Phosphate Tablets   C - 1978
Cod Liver Oil   C - 1495
Codonopsis Root   D - 739
Coix Seed   D - 1010
Colchicine   C - 2013

英名索引　　I -147

Colestimide　C -2024
Colestimide Granules　C -2029
Colestimide Tablets　C -2027
Colistin Sodium Methanesulfonate
　C -1999
Colistin Sulfate　C -2002
Compound Acrinol and Zinc Oxide Oil
　C -48
Compound Diastase and Sodium Bicar-
　bonate Powder　C -2134
Compound Iodine Glycerin　C -5938
Compound Methyl Salicylate Spirit
　C -2079
Compound Oxycodone and Atropine In-
　jection　C -1195
Compound Oxycodone Injection
　C -1192
Compound Phellodendron Powder for
　Cataplasm　D -111
Compound Rhubarb and Senna Powder
　D -627
Compound Salicylic Acid Spirit
　C -2066
Compound Scopolia Extract and Diastase
　Powder　D -1078
Compound Thianthol and Salicylic Acid
　Solution　C -3210
Concentrated Glycerin　C -1627
Condurango　D -378
Condurango Fluidextract　D -380
Copovidone　C -1992
Coptis Rhizome　D -116
Corn Oil　D -753
Corn Starch　C -3461
Cornus Fruit　D -437
Cortisone Acetate　C -2007
Corydalis Tuber　D -81
Crataegus Fruit　D -427
Creams　A -150
Cresol　C -1688
Cresol Solution　C -1692
Croconazole Hydrochloride　C -1717
Croscarmellose Sodium　C -1442
Crospovidone　C -1720
Crude Glycyrrhiza Extract　D -236

Cu-PAN　B -1159
Curcuma Rhizome　D -162
Cyanamide　C -2143
Cyanocobalamin　C -2147
Cyanocobalamin Injection　C -2152
Cyclopentolate Hydrochloride　C -2181
Cyclophosphamide Hydrate　C -2184
Cyclophosphamide Tablets　C -2191
Cycloserine　C -2033
Cyperus Rhizome　D -326
Cyproheptadine Hydrochloride Hydrate
　C -2345
L-Cysteine　C -2222
L-Cysteine Hydrochloride Hydrate
　C -2225
L-Cystine　C -2219
Cytarabine　C -2254

D

Daiokanzoto Extract　D -629
Daisaikoto Extract　D -638
Danazol　C -3087
Dantrolene Sodium Hydrate　C -3155
Daunorubicin Hydrochloride　C -3049
Deferoxamine Mesilate　C -3387
Dehydrocholic Acid　C -3379
Dehydrocholic Acid Injection　C -3385
Demethylchlortetracycline Hydrochloride
　C -3399
Dental Antiformin　C -456
Dental Iodine Glycerin　C -5935
Dental Paraformaldehyde Paste
　C -4111
Dental Phenol with Camphor　C -4637
Dental Triozinc Paste　C -3645
Deslanoside　C -3348
Deslanoside Injection　C -3353
Dexamethasone　C -3305
Dextran Sulfate Sodium Sulfur 5
　C -3325
Dextran Sulfate Sodium Sulfur 18
　C -3328
Dextran 40　C -3314
Dextran 40 Injection　C -3320

Dextran 70　C − 3322

Dextrin　C − 3330

Dextromethorphan Hydrobromide Hydrate　C − 3333

Diagnostic Sodium Citrate Solution　C − 1589

Dialysis Agents　A − 100

Diastase　C − 2131

Diastase and Sodium Bicarbonate Powder　C − 2133

Diazepam　C − 2135

Diazepam Tablets　C − 2140

Dibasic Calcium Phosphate Hydrate　C − 6188

Dibasic Sodium Phosphate Hydrate　C − 6191

Dibekacin Sulfate　C − 2353

Dibekacin Sulfate Ophthalmic Solution　C − 2357

Dibucaine Hydrochloride　C − 2323

Diclofenac Sodium　C − 2173

Diclofenac Sodium Suppositories　C − 2178

Dicloxacillin Sodium Hydrate　C − 2163

Diethylcarbamazine Citrate　C − 2154

Diethylcarbamazine Citrate Tablets　C − 2157

Difenidol Hydrochloride　C − 2309

Diflorasone Diacetate　C − 2349

Diflucortolone Valerate　C − 2329

Digenea　D − 978

Digoxin　C − 2194

Digoxin Injection　C − 2207

Digoxin Tablets　C − 2203

Dihydrocodeine Phosphate　C − 2297

1% Dihydrocodeine Phosphate Powder　C − 2300

10% Dihydrocodeine Phosphate Powder　C − 2302

Dihydroergotamine Mesilate　C − 2286

Dihydroergotoxine Mesilate　C − 2290

Dilazep Hydrochloride Hydrate　C − 2446

Diltiazem Hydrochloride　C − 2450

Diltiazem Hydrochloride Extended-re-

lease Capsules　C − 2457

Diluted Opium Powder　D − 16

Dilute Hydrochloric Acid　C − 1157

Dilute Iodine Tincture　C − 5933

Dimemorfan Phosphate　C − 2377

Dimenhydrinate　C − 2385

Dimenhydrinate Tablets　C − 2389

Dimercaprol　C − 2380

Dimercaprol Injection　C − 2384

Dimorpholamine　C − 2396

Dimorpholamine Injection　C − 2399

Dinoprost　C − 2281

Dioscorea Rhizome　D − 448

Diphenhydramine　C − 2313

Diphenhydramine and Bromovalerylurea Powder　C − 2320

Diphenhydramine Hydrochloride　C − 2317

Diphenhydramine, Phenol and Zinc Oxide Liniment　C − 2322

Diphenhydramine Tannate　C − 3164

Diphtheria Toxoid　C − 2327

Dipyridamole　C − 2304

Disodium Edetate Hydrate　C − 947

Disopyramide　C − 2238

Dispersible Tablets　A − 34

Distigmine Bromide　C − 2214

Distigmine Bromide Tablets　C − 2217

Disulfiram　C − 2233

Dobutamine Hydrochloride　C − 3571

Docetaxel for Injection　C − 3546

Docetaxel Hydrate　C − 3537

Docetaxel Injection　C − 3543

Dolichos Seed　D − 900

Domperidone　C − 3776

Donepezil Hydrochloride　C − 3552

Donepezil Hydrochloride Fine Granules　C − 3559

Donepezil Hydrochloride Tablets　C − 3557

Dopamine Hydrochloride　C − 3562

Dopamine Hydrochloride Injection　C − 3566

Doripenem for Injection　C − 3688

Doripenem Hydrate　C − 3678

Dorzolamide Hydrochloride　C－3708

Dorzolamide Hydrochloride and Timolol Maleate　C－3716

Dorzolamide Hydrochloride Ophthalmic Solution　C－3714

Doxapram Hydrochloride Hydrate C－3481

Doxazosin Mesilate　C－3474

Doxazosin Mesilate Tablets　C－3478

Doxifluridine　C－3495

Doxifluridine Capsules　C－3499

Doxorubicin Hydrochloride　C－3501

Doxorubicin Hydrochloride for Injection C－3507

Doxycycline Hydrochloride Hydrate C－3484

Doxycycline Hydrochloride Tablets C－3492

Dried Aluminum Hydroxide Gel C－2516

Dried Aluminum Hydroxide Gel Fine Granules　C－2520

Dried Aluminum Potassium Sulfate C－6141

Dried Sodium Carbonate　C－3137

Dried Sodium Sulfite　C－357

Dried Thyroid　C－1963

Dried Yeast　C－1967

Droperidol　C－3768

Droxidopa　C－3749

Droxidopa Capsules　C－3753

Droxidopa Fine Granules　C－3756

Dry Powder Inhalers　A－107

Dydrogesterone　C－2270

Dydrogesterone Tablets　C－2274

E

Ear Preparations　A－121

Ebastine　C－993

Ebastine Orally Disintegrating Tablets C－1000

Ebastine Tablets　C－997

Ecabet Sodium Granules　C－843

Ecabet Sodium Hydrate　C－840

Ecothiopate Iodide　C－846

Edaravone　C－886

Edaravone Injection　C－890

Edrophonium Chloride　C－973

Edrophonium Chloride Injection C－976

Effervescent Granules　A－48

Effervescent Tablets　A－34

Elcatonin　C－1107

Eleutherococcus Senticosus Rhizome D－456

Elixirs　A－56

Emedastine Fumarate　C－1066

Emedastine Fumarate Extended-release Capsules　C－1070

Emorfazone　C－1072

Emorfazone Tablets　C－1075

Emulsions　A－61

Enalapril Maleate　C－978

Enalapril Maleate Tablets　C－984

Enemas for Rectal Application　A－130

Enflurane　C－1173

Enoxacin Hydrate　C－988

Entacapone　C－1160

Entacapone Tablets　C－1166

Enviomycin Sulfate　C－1169

Epalrestat　C－1003

Epalrestat Tablets　C－1007

Eperisone Hydrochloride　C－1040

Ephedra Herb　D－966

Ephedrine Hydrochloride　C－1018

Ephedrine Hydrochloride Injection C－1029

10％ Ephedrine Hydrochloride Powder C－1026

Ephedrine Hydrochloride Tablets C－1024

Epimedium Herb　D－48

Epirizole　C－1009

Epirubicin Hydrochloride　C－1013

Eplerenone　C－1031

Eplerenone Tablets　C－1037

Epoetin Alfa (Genetical Recombination) C－1044

Epoetin Beta (Genetical Recombination)

I – *150*　英名索引

C – *1057*
Ergocalciferol　C – *1116*
Ergometrine Maleate　C – *1126*
Ergometrine Maleate Injection　C – *1132*
Ergometrine Maleate Tablets　C – *1130*
Ergotamine Tartrate　C – *1121*
Eribulin Mesilate　C – *1095*
Erythromycin　C – *1078*
Erythromycin Delayed–release Tablets
　C – *1085*
Erythromycin Ethylsuccinate　C – *1087*
Erythromycin Lactobionate　C – *1092*
Erythromycin Stearate　C – *1090*
Estazolam　C – *850*
Estradiol Benzoate　C – *854*
Estradiol Benzoate Injection（Aqueous
　Suspension）　C – *858*
Estriol　C – *859*
Estriol Injection（Aqueous Suspension）
　C – *865*
Estriol Tablets　C – *863*
Etacrynic Acid　C – *866*
Etacrynic Acid Tablets　C – *870*
Ethambutol Hydrochloride　C – *895*
Ethanol　C – *872*
Ethanol for Disinfection　C – *884*
Ethenzamide　C – *957*
Ether　C – *951*
Ethinylestradiol　C – *919*
Ethinylestradiol Tablets　C – *923*
Ethionamide　C – *899*
Ethosuximide　C – *961*
Ethyl Aminobenzoate　C – *286*
Ethylcellulose　C – *930*
Ethyl L–Cysteine Hydrochloride
　C – *926*
Ethylenediamine　C – *942*
Ethyl Icosapentate　C – *539*
Ethyl Icosapentate Capsules　C – *543*
Ethyl Loflazepate　C – *6353*
Ethyl Loflazepate Tablets　C – *6359*
Ethylmorphine Hydrochloride Hydrate
　C – *934*
Ethyl Parahydroxybenzoate　C – *4075*,
　C – *76*

Etidronate Disodium　C – *913*
Etidronate Disodium Tablets　C – *917*
Etilefrine Hydrochloride　C – *937*
Etilefrine Hydrochloride Tablets
　C – *939*
Etizolam　C – *904*
Etizolam Fine Granules　C – *910*
Etizolam Tablets　C – *907*
Etodolac　C – *965*
Etoposide　C – *969*
Eucalyptus Oil　D – *1007*
Eucommia Bark　D – *767*
Euodia Fruit　D – *353*
Exsiccated Gypsum　D – *553*
Extracts　A – *159*

F

Famotidine　C – *4521*
Famotidine for Injection　C – *4532*
Famotidine Injection　C – *4529*
Famotidine Powder　C – *4526*
Famotidine Tablets　C – *4524*
Faropenem Sodium for Syrup　C – *4545*
Faropenem Sodium Hydrate　C – *4535*
Faropenem Sodium Tablets　C – *4540*
FBS・IMDM　B – *975*
Felbinac　C – *4644*
Felbinac Cataplasm　C – *4648*
Felbinac Tape　C – *4647*
Felodipine　C – *4651*
Felodipine Tablets　C – *4656*
Fenbufen　C – *4663*
Fennel　D – *52*
Fennel Oil　D – *56*
Fenofibrate　C – *4615*
Fenofibrate Tablets　C – *4621*
Fentanyl Citrate　C – *4659*
Ferrous Sulfate Hydrate　C – *6148*
Fexofenadine Hydrochloride　C – *4567*
Fexofenadine Hydrochloride Tablets
　C – *4572*
Filgrastim（Genetical Recombination）
　C – *4555*
Filgrastim（Genetical Recombination）In-

jection C - 4565
Films for Oral Administration A - 70
Flavin Adenine Dinucleotide Sodium
C - 4809
Flavoxate Hydrochloride C - 4815
Flecainide Acetate C - 4937
Flecainide Acetate Tablet C - 4942
Flomoxef Sodium C - 5126
Flomoxef Sodium for Injection
C - 5132
Flopropione C - 5096
Flopropione Capsules C - 5099
Fluconazole C - 4852
Fluconazole Capsules C - 4857
Fluconazole Injection C - 4860
Flucytosine C - 4869
Fludiazepam C - 4862
Fludiazepam Tablets C - 4866
Fludrocortisone Acetate C - 4889
Fluidextracts A - 170
Flunitrazepam C - 4894
Fluocinolone Acetonide C - 4832
Fluocinonide C - 4828
Fluorescein Sodium C - 4837
Fluorometholone C - 4848
Fluorouracil C - 4842
Fluphenazine Enanthate C - 4898
Flurazepam Hydrochloride C - 4910
Flurbiprofen C - 4918
Flutamide C - 4879
Flutoprazepam C - 4883
Flutoprazepam Tablets C - 4886
Fluvoxamine Maleate C - 4902
Fluvoxamine Maleate Tablets C - 4908
Foeniculated Ammonia Spirit D - 41
Folic Acid C - 5917
Folic Acid Injection C - 5925
Folic Acid Tablets C - 5922
Formalin C - 5478
Formalin Water C - 5481
Formoterol Fumarate Hydrate C - 5482
Forsythia Fruit D - 1057
Fosfomycin Calcium for Syrup
C - 5401
Fosfomycin Calcium Hydrate C - 5397

Fosfomycin Sodium C - 5403
Fosfomycin Sodium for Injection
C - 5407
Fradiomycin Sulfate C - 4770
Freeze-dried BCG Vaccine (for Percuta-
neous Use) C - 4272
Freeze-dried Botulism Antitoxin, Equine
C - 5409
Freeze-dried Diphtheria Antitoxin,
Equine C - 2327
Freeze-dried Habu Antivenom, Equine
C - 4064
Freeze-dried Inactivated Tissue Culture
Rabies Vaccine C - 1547
Freeze-dried Live Attenuated Mumps
Vaccine C - 1241
Freeze-dried Live Attenuated Rubella
Vaccine C - 4566
Freeze-dried Live Attenuated Measles
Vaccine C - 5505
Freeze-dried Mamushi Antivenom,
Equine C - 5519
Freeze-dried Smallpox Vaccine
C - 3473
Freeze-dried Smallpox Vaccine Prepared
in Cell Culture C - 3473
Fritillaria Bulb D - 802
Fructose C - 1303
Fructose Injection C - 1308
Fudosteine C - 4724
Fudosteine Tablets C - 4728
Furosemide C - 5010
Furosemide Injection C - 5018
Furosemide Tablets C - 5016
Fursultiamine Hydrochloride C - 4874

G

Gabexate Mesilate C - 1341
β -Galactosidase (Aspergillus)
C - 1359
β -Galactosidase (Penicillium)
C - 1363
Gallium (^{67}Ga) Citrate Injection
C - 1585

Gambir D – 7
Gardenia Fruit D – 429
Gastrodia Tuber D – 698
Gatifloxacin Hydrate C – 1292
Gatifloxacin Ophthalmic Solution
 C – 1298
Gefarnate C – 1940
Gefitinib C – 1945
Gelatin C – 2968
Gel Patches A – 154
Gels A – 152
Gentamicin Sulfate C – 1951
Gentamicin Sulfate Injection C – 1956
Gentamicin Sulfate Ointment C – 1959
Gentamicin Sulfate Ophthalmic Solution
 C – 1958
Gentian D – 303
Gentian and Sodium Bicarbonate Powder
 D – 309
Geranium Herb D – 310
Ginger D – 506
Ginseng D – 784
Glacial Acetic Acid C – 2037
Glehnia Root and Rhizome D – 833
Glibenclamide C – 1636
Gliclazide C – 1612
Glimepiride C – 1644
Glimepiride Tablets C – 1651
Glucagon (Genetical Recombination)
 C – 1668
Glucose C – 4709
Glucose Hydrate C – 4718
Glucose Injection C – 4721
L–Glutamic Acid C – 1685
L–Glutamine C – 1682
Glutathione C – 1678
Glycerin C – 1621
Glycerin and Potash Solution C – 1631
Glyceryl Monostearate C – 5846
Glycine C – 1617
Glycyrrhiza D – 221
Glycyrrhiza Extract D – 234
Gonadorelin Acetate C – 1985
Goreisan Extract D – 371
Goshajinkigan Extract D – 344

Goshuyuto Extract D – 356
Granules A – 47
Guaifenesin C – 1553
Guanabenz Acetate C – 1556
Guanethidine Sulfate C – 1561
Gypsum D – 552

H

Hachimijiogan Extract D – 815
Haloperidol C – 4180
Haloperidol Fine Granules C – 4187
Haloperidol Injection C – 4190
Haloperidol Tablets C – 4185
Halothane C – 4176
Haloxazolam C – 4160
Hangekobokuto Extract D – 838
Hangeshashinto Extract D – 843
Hedysarum Root D – 542
Hemodialysis Agents A – 104
Hemp Fruit D – 981
Heparin Calcium C – 5227
Heparin Sodium C – 5238
Heparin Sodium Injection C – 5251
Heparin Sodium Lock Solution
 C – 5257
Heparin Sodium Solution for Dialysis
 C – 5254
L–Histidine C – 4273
L–Histidine Hydrochloride Hydrate
 C – 4275
Hochuekkito Extract D – 943
Homatropine Hydrobromide C – 5422
Homochlorcyclizine Hydrochloride
 C – 5425
Honey D – 823
Houttuynia Herb D – 499
Human Chorionic Gonadotrophin
 C – 2654
Human Chorionic Gonadotrophin for In-
 jection C – 2660
Human Menopausal Gonadotrophin
 C – 2650
Human Normal Immunoglobulin
 C – 4305

Hydralazine Hydrochloride　C－4305

Hydralazine Hydrochloride for Injection
　C－4312

Hydralazine Hydrochloride Powder
　C－4310

Hydralazine Hydrochloride Tablets
　C－4309

Hydrochloric Acid　C－1154

Hydrochloric Acid Lemonade　C－1159

Hydrochlorothiazide　C－4338

Hydrocortisone　C－4346

Hydrocortisone Acetate　C－4361

Hydrocortisone and Diphenhydramine
　Ointment　C－4364

Hydrocortisone Butyrate　C－4366

Hydrocortisone Sodium Phosphate
　C－4370

Hydrocortisone Sodium Succinate
　C－4356

Hydrocortisone Succinate　C－4353

Hydrocotarnine Hydrochloride Hydrate
　C－4343

Hydrogenated Oil　C－1961

Hydrophilic Cream　C－1643

Hydrophilic Petrolatum　C－6374

Hydrous Lanolin　D－1024

Hydroxocobalamin Acetate　C－4333

Hydroxyethylcellulose　C－4313

Hydroxypropylcellulose　C－4326

Hydroxyzine Hydrochloride　C－4318

Hydroxyzine Pamoate　C－4321

Hymecromone　C－4433

Hypromellose　C－4382

Hypromellose Acetate Succinate
　C－4388

Hypromellose Capsules　C－1334

Hypromellose Phthalate　C－4394

I

Ibudilast　C－641

Ibuprofen　C－644

Ibuprofen Piconol　C－649

Ibuprofen Piconol Cream　C－653

Ibuprofen Piconol Ointment　C－652

Ichthammol　C－536

Idarubicin Hydrochloride　C－603

Idarubicin Hydrochloride for Injection
　C－608

Idoxuridine　C－617

Idoxuridine Ophthalmic Solution
　C－622

Ifenprodil Tartrate　C－634

Ifenprodil Tartrate Fine Granules
　C－639

Ifenprodil Tartrate Tablets　C－637

Imidapril Hydrochloride　C－665

Imidapril Hydrochloride Tablets
　C－670

Imipenem and Cilastatin Sodium for In-
　jection　C－687

Imipenem Hydrate　C－683

Imipramine Hydrochloride　C－674

Imipramine Hydrochloride Tablets
　C－680

Immature Orange　D－257

Imperata Rhizome　D－912

Implants　A－93

Indapamide　C－770

Indapamide Tablets　C－775

Indenolol Hydrochloride　C－791

Indigocarmine　C－725

Indigocarmine Injection　C－728

Indium (^{111}In) Chloride Injection
　C－1137

Indometacin　C－796

Indometacin Capsules　C－801

Indometacin Suppositories　C－804

Influenza HA Vaccine　C－807

Infusions and Decoctions　A－164

Inhalation Liquids and Solutions
　A－108

Inhalations　A－107

Injections　A－79

Insulin Aspart (Genetical Recombination)
　C－753

Insulin Glargine　(Genetical Recombina-
　tion)　C－760

Insulin Glargine　(Genetical Recombina-
　tion) Injection　C－768

Insulin Human （Genetical Recombination） C－729

Insulin Human （Genetical Recombination） Injection C－740

Interferon Alfa （NAMALWA） C－777

Interferon Alfa （NAMALWA） Injection C－788

Iodinated （^{131}I） Human Serum Albumin Injection C－5914

Iodine C－5927

Iodine, Salicylic Acid and Phenol Spirit C－5943

Iodine Tincture C－5931

Iodoform C－5948

Iohexol C－528

Iohexol Injection C－534

Iopamidol C－519

Iopamidol Injection C－524

Iotalamic Acid C－504

Iotroxic Acid C－515

Ipecac D－756

Ipecac Syrup D－764

Ipratropium Bromide Hydrate C－655

Ipriflavone C－660

Ipriflavone Tablets C－664

Irbesartan C－711

Irbesartan and Amlodipine Besilate Tablets C－718

Irbesartan Tablets C－715

Irinotecan Hydrochloride Hydrate C－691

Irinotecan Hydrochloride Injection C－698

Irsogladine Maleate C－702

Irsogladine Maleate Fine Granules C－708

Irsogladine Maleate Tablets C－705

Isepamicin Sulfate C－546

Isepamicin Sulfate Injection C－551

Isoflurane C－574

L－Isoleucine C－595

L－Isoleucine, L－Leucine and L－Valine Granules C－599

Isomalt Hydrate C－589

Isoniazid C－564

Isoniazid Injection C－572

Isoniazid Tablets C－570

Isophane Insulin Human (Genetical Recombination) Injectable Aqueous Suspension C－743

l－Isoprenaline Hydrochloride C－579

Isopropanol C－583

Isopropylantipyrine C－585

Isosorbide C－560

Isosorbide Dinitrate C－2416

Isosorbide Dinitrate Tablets C－2420

Isosorbide Mononitrate Tablets C－614

Isosorbide Mononitrate 70％ /Lactose 30 ％ C－610

Isotonic Sodium Chloride Solution C－2662

Isoxsuprine Hydrochloride C－553

Isoxsuprine Hydrochloride Tablets C－557

Itraconazole C－625

J

Japanese Angelica Root D－723

Japanese Gentian D－1042

Japanese Valerian D－191

Japanese Zanthoxylum Peel D－440

Jellies for Oral Administration A－68

Josamycin C－2422

Josamycin Propionate C－2428

Josamycin Tablets C－2427

Jujube D－646

Jujube Seed D－446

Juzentaihoto Extract D－487

K

Kainic Acid and Santonin Powder C－1287

Kainic Acid Hydrate C－1283

Kakkonto Extract D－171

Kakkontokasenkyushin'i Extract D－179

Kallidinogenase C－1367

英名索引　　I −155

Kamikihito Extract　　D − 196
Kamishoyosan Extract　　D − 206
Kanamycin Monosulfate　　C − 1316
Kanamycin Sulfate　　C − 1321
Kaolin　　C − 1289
Keishibukuryogan Extract　　D − 283
Ketamine Hydrochloride　　C − 1916
Ketoconazole　　C − 1920
Ketoconazole Cream　　C − 1926
Ketoconazole Lotion　　C − 1925
Ketoconazole Solution　　C − 1923
Ketoprofen　　C − 1932
Ketotifen Fumarate　　C − 1928
Kitasamycin　　C − 1508
Kitasamycin Acetate　　C − 1512
Kitasamycin Tartrate　　C − 1516
Koi　　D − 315

L

Labetalol Hydrochloride　　C − 5988
Labetalol Hydrochloride Tablets
　　C − 5993
Lactic Acid　　C − 3930
L−Lactic Acid　　C − 3934
Lactose Hydrate　　C − 3952
Lactulose　　C − 5957
Lafutidine　　C − 5981
Lafutidine Tablets　　C − 5984
Lanoconazole　　C − 5971
Lanoconazole Cream　　C − 5979
Lanoconazole Cutaneous Solution
　　C − 5976
Lanoconazole Ointment　　C − 5977
Lansoprazole　　C − 6001
Lansoprazole Delayed−release Orally Dis-
　　integrating Tablets　　C − 6007
Lansoprazole Delayed−release Capsules
　　C − 6010
Lard　　D − 771
Latamoxef Sodium　　C − 5962
Lauromacrogol　　C − 5955
Lemonades　　A − 63
Lenampicillin Hydrochloride　　C − 6216
Lenograstim (Genetical Recombination)
　　C − 6223
Leonurus Herb　　D − 1001
L−Leucine　　C − 6288
Leuprorelin Acetate　　C − 6160
Levallorphan Tartrate　　C − 6240
Levallorphan Tartrate Injection
　　C − 6244
Levodopa　　C − 6254
Levofloxacin Fine Granules　　C − 6268
Levofloxacin Hydrate　　C − 6260
Levofloxacin Injection　　C − 6271
Levofloxacin Ophthalmic Solution
　　C − 6273
Levofloxacin Tablets　　C − 6265
Levomepromazine Maleate　　C − 6284
Levothyroxine Sodium Hydrate
　　C − 6246
Levothyroxine Sodium Tablets
　　C − 6251
Lidocaine　　C − 6065
Lidocaine Injection　　C − 6069
Light Anhydrous Silicic Acid　　C − 1889
Light Liquid Paraffin　　C − 4106
Lilium Bulb　　D − 855
Limaprost Alfadex　　C − 6131
Lincomycin Hydrochloride Hydrate
　　C − 6180
Lincomycin Hydrochloride Injection
　　C − 6184
Lindera Root　　D − 63
Liniments　　A − 137
Liothyronine Sodium　　C − 6012
Liothyronine Sodium Tablets　　C − 6017
Liposome Injections　　A − 96
Liquefied Phenol　　C − 4630
Liquid Paraffin　　C − 4102
Liquids and Solutions for Cutaneous Ap-
　　plication　　A − 136
Liquids and Solutions for Oral Adminis-
　　tration　　A − 55
Liquids and Solutions for Oro−mucosal
　　Application　　A − 74
Lisinopril Hydrate　　C − 6021
Lisinopril Tablets　　C − 6026
Lithium Carbonate　　C − 3147

Lithospermum Root　D－460
Lobenzarit Sodium　C－6362
Longan Aril　D－1037
Longgu　D－1038
Lonicera Leaf and Stem　D－799
Loquat Leaf　D－873
Lorazepam　C－6365
Losartan Potassium　C－6319
Losartan Potassium and Hydrochloroth-
　iazide Tablets　C－6326
Losartan Potassium Tablets　C－6324
Lotions　A－139
Low Substituted Hydroxypropylcellulose
　C－4329
Loxoprofen Sodium Hydrate　C－6311
Loxoprofen Sodium Tablets　C－6316
Lozenges　A－71
Lycium Bark　D－458
Lycium Fruit　D－273
L-Lysine Acetate　C－6034
L-Lysine Hydrochloride　C－6029
Lysozyme Hydrochloride　C－6061

M

Macrogol Ointment　C－5504
Macrogol 400　C－5493
Macrogol 1500　C－5498
Macrogol 4000　C－5499
Macrogol 6000　C－5501
Macrogol 20000　C－5503
Magnesium Aluminometasilicate
　C－1907
Magnesium Aluminosilicate　C－1903
Magnesium Carbonate　C－3142
Magnesium Oxide　C－2112
Magnesium Silicate　C－1912
Magnesium Stearate　C－2555,　C－55
Magnesium Sulfate Hydrate　C－6154
Magnesium Sulfate Injection　C－6159
Magnesium Sulfate Mixture　C－6158
Magnolia Bark　D－331
Magnolia Flower　D－539
Mallotus Bark　D－5
Malt　D－804

Maltose Hydrate　C－5520
Manidipine Hydrochloride　C－5506
Manidipine Hydrochloride Tablets
　C－5511
D-Mannitol　C－5524,　C－120
D-Mannitol Injection　C－5528
Maoto Extract　D－971
Maprotiline Hydrochloride　C－5514
Meclofenoxate Hydrochloride　C－5614
Mecobalamin　C－5618
Mecobalamin Tablets　C－5623
Medazepam　C－5640
Medicated Chewing Gums　A－72
Medicinal Carbon　C－5896
Medicinal Soap　C－5893
Medroxyprogesterone Acetate　C－5760
Mefenamic Acid　C－5786
Mefloquine Hydrochloride　C－5796
Mefruside　C－5791
Mefruside Tablets　C－5794
Meglumine　C－5611
Meglumine Iotalamate Injection　C－511
Meglumine Sodium Amidotrizoate Injec-
　tion　C－276
Melphalan　C－5811
Menatetrenone　C－5771
Mentha Herb　D－826
Mentha Oil　D－830
Mentha Water　D－829
dl-Menthol　C－5824
l-Menthol　C－5827
Mepenzolate Bromide　C－5801
Mepitiostane　C－5776
Mepivacaine Hydrochloride　C－5780
Mepivacaine Hydrochloride Injection
　C－5784
Mequitazine　C－5606
Mequitazine Tablets　C－5609
Mercaptopurine Hydrate　C－5805
Meropenem for Injection　C－5821
Meropenem Hydrate　C－5816
Mesalazine　C－5626
Mesalazine Extended-release Tablets
　C－5633
Mestranol　C－5636

英名索引　Ｉ－*157*

Metenolone Acetate　C－*5721*
Metenolone Enanthate　C－*5716*
Metenolone Enanthate Injection
　C－*5719*
Metered-Dose Inhalers　A－*108*
Metformin Hydrochloride　C－*5754*
Metformin Hydrochloride Tablets
　C－*5758*
Methamphetamine Hydrochloride
　C－*5645*
ʟ-Methionine　C－*5649*
Methotrexate　C－*5733*
Methotrexate Capsules　C－*5742*
Methotrexate for Injection　C－*5745*
Methotrexate Tablets　C－*5738*
Methoxsalen　C－*5724*
Methylbenactyzium Bromide　C－*5713*
Methylcellulose　C－*5682*
Methyldopa Hydrate　C－*5694*
Methyldopa Tablets　C－*5699*
dl-Methylephedrine Hydrochloride
　C－*5661*
10％ *dl*-Methylephedrine Hydrochloride
　Powder　C－*5665*
Methylergometrine Maleate　C－*5668*
Methylergometrine Maleate Tablets
　C－*5672*
Methyl Parahydroxybenzoate　C－*4088*,
　C－*86*
Methylprednisolone　C－*5702*
Methylprednisolone Succinate　C－*5708*
Methyl Salicylate　C－*2076*
Methyltestosterone　C－*5687*
Methyltestosterone Tablets　C－*5691*
Meticrane　C－*5653*
Metildigoxin　C－*5675*
Metoclopramide　C－*5728*
Metoclopramide Tablets　C－*5731*
Metoprolol Tartrate　C－*5747*
Metoprolol Tartrate Tablets　C－*5751*
Metronidazole　C－*5765*
Metronidazole Tablets　C－*5768*
Metyrapone　C－*5658*
Mexiletine Hydrochloride　C－*5601*
Miconazole　C－*5546*

Miconazole Nitrate　C－*5549*
Microcrystalline Cellulose　C－*2999*
Micronomicin Sulfate　C－*5541*
Midecamycin　C－*5571*
Midecamycin Acetate　C－*5574*
Miglitol　C－*5530*
Miglitol Tablets　C－*5535*
Migrenin　C－*5538*
Minocycline Hydrochloride　C－*5577*
Minocycline Hydrochloride for Injection
　C－*5589*
Minocycline Hydrochloride Granules
　C－*5585*
Minocycline Hydrochloride Tablets
　C－*5582*
Mitiglinide Calcium Hydrate　C－*5560*
Mitiglinide Calcium Tablets　C－*5566*
Mitomycin C　C－*5486*
Mitomycin C for Injection　C－*5491*
Mizoribine　C－*5553*
Mizoribine Tablets　C－*5557*
Monobasic Calcium Phosphate Hydrate
　C－*6194*
Montelukast Sodium　C－*5867*
Montelukast Sodium Chewable Tablets
　C－*5882*
Montelukast Sodium Granules　C－*5887*
Montelukast Sodium Tablets　C－*5877*
Morphine and Atropine Injection
　C－*5859*
Morphine Hydrochloride Hydrate
　C－*5849*
Morphine Hydrochloride Injection
　C－*5857*
Morphine Hydrochloride Tablets
　C－*5855*
Morphine Sulfate Hydrate　C－*5863*
Mosapride Citrate Hydrate　C－*5832*
Mosapride Citrate Powder　C－*5839*
Mosapride Citrate Tablets　C－*5836*
Moutan Bark　D－*935*
Mucoadhesive Tablets　A－*72*
Mukoi-Daikenchuto Extract　D－*633*
Mulberry Bark　D－*604*
Mupirocin Calcium Hydrate　C－*5594*

Mupirocin Calcium Ointment   C – 5599

N

Nabumetone   C – 3818
Nabumetone Tablets   C – 3823
Nadolol   C – 3792
Nafamostat Mesilate   C – 3805
Naftopidil   C – 3809
Naftopidil Orally Disintegrating Tablets
   C – 3816
Naftopidil Tablets   C – 3813
Nalidixic Acid   C – 3830
Naloxone Hydrochloride   C – 3843
Naphazoline and Chlorpheniramine Solu-
   tion   C – 3802
Naphazoline Hydrochloride   C – 3797
Naphazoline Nitrate   C – 3800
Naproxen   C – 3825
Nartograstim for Injection (Genetical Re-
   combination)   C – 3841
Nartograstim (Genetical Recombination)
   C – 3834
Nasal Dry Powder Inhalers   A – 123
Nasal Liquids and Solutions   A – 124
Nasal Preparations   A – 123
Nateglinide   C – 3784
Nateglinide Tablets   C – 3789
Natural Aluminum Silicate   C – 1898
Nelumbo Seed   D – 1060
Neostigmine Methylsulfate   C – 3966
Neostigmine Methylsulfate Injection
   C – 3970
Nicardipine Hydrochloride   C – 3848
Nicardipine Hydrochloride Injection
   C – 3853
Nicergoline   C – 3891
Nicergoline Powder   C – 3897
Nicergoline Tablets   C – 3895
Niceritrol   C – 3887
Nicomol   C – 3867
Nicomol Tablets   C – 3871
Nicorandil   C – 3872
Nicotinamide   C – 3863
Nicotinic Acid   C – 3856

Nicotinic Acid Injection   C – 3861
Nifedipine   C – 3916
Nifedipine Delayed–release Fine Granules
   C – 3927
Nifedipine Extended–release Capsules
   C – 3922
Nifedipine Fine Granules   C – 3924
Nilvadipine   C – 3959
Nilvadipine Tablets   C – 3963
Nitrazepam   C – 3900
Nitrendipine   C – 3904
Nitrendipine Tablets   C – 3908
Nitrogen   C – 3242
Nitroglycerin Tablets   C – 3911
Nitrous Oxide   C – 57
Nizatidine   C – 3876
Nizatidine Capsules   C – 3880
Noradrenaline   C – 3979
Noradrenaline Injection   C – 3984
Norethisterone   C – 3986
Norfloxacin   C – 4005
Norgestrel   C – 3989
Norgestrel and Ethinylestradiol Tablets
   C – 3992
Nortriptyline Hydrochloride   C – 3997
Nortriptyline Hydrochloride Tablets
   C – 4002
Noscapine   C – 3972
Noscapine Hydrochloride Hydrate
   C – 3975
Notopterygium   D – 261
Nuphar Rhizome   D – 571
Nutmeg   D – 782
Nux Vomica   D – 952
Nux Vomica Extract   D – 957
Nux Vomica Extract Powder   D – 959
Nux Vomica Tincture   D – 961
Nystatin   C – 3782

O

Ofloxacin   C – 1242
Ointments   A – 148
Olive Oil   D – 142
Olmesartan Medoxomil   C – 1265

Olmesartan Medoxomil Tablets C − 1272

Olopatadine Hydrochloride C − 1276

Olopatadine Hydrochloride Tablets C − 1280

Omeprazole C − 1246

Omeprazole Delayed-release Tablets C − 1251

Ophiopogon Root D − 806

Ophthalmic Liquids and Solutions A − 113

Ophthalmic Ointments A − 119

Ophthalmic Solution C − 3716

Opium Alkaloids and Atropine Injection C − 240

Opium Alkaloids and Scopolamine Injection C − 245

Opium Alkaloids Hydrochlorides C − 235

Opium Alkaloids Hydrochlorides Injection C − 239

Opium Ipecac Powder D − 20

Opium Tincture D − 18

Orally Disintegrating Films A − 70

Orally Disintegrating Tablets A − 34

Orange Oil D − 146

Orange Peel Syrup D − 751

Orange Peel Tincture D − 752

Orciprenaline Sulfate C − 1261

Orengedokuto Extract D − 127

Oriental Bezoar D − 338

Orodispersible Tablets A − 34

Otsujito Extract D − 134

Oxapium Iodide C − 1181

Oxaprozin C − 1184

Oxazolam C − 1176

Oxethazaine C − 1227

Oxprenolol Hydrochloride C − 1230

Oxybuprocaine Hydrochloride C − 1220

Oxybutynin Hydrochloride C − 44

Oxycodone Hydrochloride Hydrate C − 1188

Oxydol C − 1215

Oxygen C − 2122

Oxymetholone C − 1223

Oxytetracycline Hydrochloride C − 1199

Oxytocin C − 1205

Oxytocin Injection C − 1212

Oyster Shell D − 962

Ozagrel Sodium C − 1234

Ozagrel Sodium for Injection C − 1240

Ozagrel Sodium Injection C − 1238

P

Panax Japonicus Rhizome D − 659

Pancreatin C − 4192

Pancuronium Bromide C − 4195

Panipenem C − 4046

Panipenem and Betamipron for Injection C − 4053

Pantethine C − 4206

Papaverine Hydrochloride C − 4058

Papaverine Hydrochloride Injection C − 4062

Paraffin C − 4100

Paraformaldehyde C − 4108

Parenteral Infusions A − 91

Parnaparin Sodium C − 4132

Paroxetine Hydrochloride Hydrate C − 4165

Paroxetine Hydrochloride Tablets C − 4173

Patches A − 153

Pazufloxacin Mesilate C − 4034

Pazufloxacin Mesilate Injection C − 4040

Peach Kernel D − 741

Peanut Oil D − 1022

Pellets A − 93

Pemirolast Potassium C − 5275

Pemirolast Potassium for Syrup C − 5281

Pemirolast Potassium Ophthalmic Solution C − 5282

Pemirolast Potassium Tablets C − 5279

Penbutolol Sulfate C − 5376

Pentazocine C − 5358

Pentobarbital Calcium C − 5368

Pentobarbital Calcium Tablets C − 5373

Pentoxyverine Citrate　C－5362

Peony Root　D－468

Peplomycin Sulfate　C－5260

Peplomycin Sulfate for Injection
　C－5265

Perilla Herb　D－609

Peritoneal Dialysis Agents　A－101

Perphenazine　C－5303

Perphenazine Maleate　C－5311

Perphenazine Maleate Tablets　C－5314

Perphenazine Tablets　C－5308

Pethidine Hydrochloride　C－5212

Pethidine Hydrochloride Injection
　C－5217

Petroleum Benzin　C－2664

Peucedanum Root　D－569

Pharbitis Seed　D－301

Phellodendron, Albumin Tannate and
　Bismuth Subnitrate Powder　D－112

Phellodendron Bark　D－100

Phenethicillin Potassium　C－4600

Phenobarbital　C－4604

10％ Phenobarbital Powder　C－4613

Phenobarbital Tablets　C－4610

Phenol　C－4624

Phenol and Zinc Oxide Liniment
　C－4635

Phenolated Water　C－4633

Phenolated Water for Disinfection
　C－4634

Phenol for Disinfection　C－4631

Phenolsulfonphthalein　C－4638

Phenolsulfonphthalein Injection
　C－4642

L–Phenylalanine　C－4588

Phenylbutazone　C－4592

Phenylephrine Hydrochloride　C－4596

Phenytoin　C－4575

Phenytoin Powder　C－4585

Phenytoin Sodium for Injection
　C－4586

Phenytoin Tablets　C－4583

Phytonadione　C－4548

Picrasma Wood　D－775

Pills　A－162

Pilocarpine Hydrochloride　C－4487

Pilocarpine Hydrochloride Tablets
　C－4490

Pilsicainide Hydrochloride Hydrate
　C－4471

Pilsicainide Hydrochloride Capsules
　C－4474

Pimaricin　C－4430

Pimozide　C－4437

Pindolol　C－4510

Pinellia Tuber　D－835

Pioglitazone Hydrochloride　C－4226

Pioglitazone Hydrochloride Tablets
　C－4232

Pioglitazone Hydrochloride and Glime-
　piride Tablets　C－4234

Pioglitazone Hydrochloride and Met-
　formin Hydrochloride Tablets
　C－4242

Pipemidic Acid Hydrate　C－4398

Piperacillin Hydrate　C－4402

Piperacillin Sodium　C－4408

Piperacillin Sodium for Injection
　C－4413

Piperazine Adipate　C－4415

Piperazine Phosphate Hydrate　C－4418

Piperazine Phosphate Tablets　C－4421

Pirarubicin　C－4447

Pirenoxine　C－4477

Pirenzepine Hydrochloride Hydrate
　C－4481

Piroxicam　C－4494

Pitavastatin Calcium Hydrate　C－4285

Pitavastatin Calcium Orally Disintegrat-
　ing Tablets　C－4297

Pitavastatin Calcium Tablets　C－4292

Pivmecillinam Hydrochloride　C－4376

Pivmecillinam Hydrochloride Tablets
　C－4380

Plantago Herb　D－485

Plantago Seed　D－482

Platycodon Fluidextract　D－250

Platycodon Root　D－244

Pogostemon Herb　D－165

Polaprezinc　C－5428

英名索引　　I -161

Polaprezinc Granules　C - 5433
Polygala Root　D - 147
Polygonatum Rhizome　D - 98
Polygonum Root　D - 159
Polymixin B Sulfate　C - 5474
Polyoxyl 40 Stearate　C - 2554
Polyporus Sclerotium　D - 687
Polysorbate 80　C - 5460,　C - 109
Poria Sclerotium　D - 878
Potash Soap　C - 1375
Potassium Bromide　C - 2401
Potassium Canrenoate　C - 1498
Potassium Carbonate　C - 3121
Potassium Chloride　C - 1138
Potassium Clavulanate　C - 1592
Potassium Guaiacolsulfonate　C - 1564
Potassium Hydroxide　C - 2521
Potassium Iodide　C - 5904
Potassium Permanganate　C - 1352
Potassium Sulfate　C - 6145
Potato Starch　C - 3465
Povidone　C - 5410
Povidone-Iodine　C - 5418
Powdered Acacia　D - 29
Powdered Agar　D - 242
Powdered Alisma Tuber　D - 653
Powdered Aloe　D - 36
Powdered Amomum Seed　D - 505
Powdered Atractylodes Lancea Rhizome
　D - 603
Powdered Atractylodes Rhizome
　D - 865
Powdered Calumba　D - 377
Powdered Capsicum　D - 717
Powdered Cellulose　C - 3006,　C - 59
Powdered Cinnamon Bark　D - 295
Powdered Clove　D - 670
Powdered Cnidium Rhizome　D - 567
Powdered Coix Seed　D - 1013
Powdered Coptis Rhizome　D - 123
Powdered Corydalis Tuber　D - 85
Powdered Cyperus Rhizome　D - 328
Powdered Dioscorea Rhizome　D - 451
Powdered Fennel　D - 55
Powdered Gambir　D - 10

Powdered Gardenia Fruit　D - 434
Powdered Gentian　D - 307
Powdered Geranium Herb　D - 314
Powdered Ginger　D - 512
Powdered Ginseng　D - 796
Powdered Glycyrrhiza　D - 231
Powdered Ipecac　D - 761
Powdered Japanese Angelica Root
　D - 730
Powdered Japanese Gentian　D - 1047
Powdered Japanese Valerian　D - 194
Powdered Japanese Zanthoxylum Peel
　D - 443
Powdered Longgu　D - 1041
Powdered Magnolia Bark　D - 335
Powdered Moutan Bark　D - 940
Powdered Opium　D - 11
Powdered Oyster Shell　D - 964
Powdered Panax Japonicus Rhizome
　D - 662
Powdered Peach Kernel　D - 745
Powdered Peony Root　D - 474
Powdered Phellodendron Bark　D - 108
Powdered Picrasma Wood　D - 778
Powdered Platycodon Root　D - 248
Powdered Polygala Root　D - 150
Powdered Polyporus Sclerotium　D - 689
Powdered Poria Sclerotium　D - 881
Powdered Processed Aconite Root
　D - 889
Powdered Rhubarb　D - 624
Powdered Rose Fruit　D - 79
Powdered Scutellaria Root　D - 96
Powdered Senega　D - 559
Powdered Senna Leaf　D - 586
Powdered Smilax Rhizome　D - 426
Powdered Sophora Root　D - 278
Powdered Sweet Hydrangea Leaf
　D - 25
Powdered Swertia Herb　D - 595
Powdered Tragacanth　D - 770
Powdered Turmeric　D - 61
Powders　A - 52
Powders for Cutaneous Application
　A - 135

Pranlukast Hydrate   C − 4818

Pranoprofen   C − 4789

Prasterone Sodium Sulfate Hydrate
    C − 4774

Pravastatin Sodium   C − 4794

Pravastatin Sodium Fine Granules
    C − 4802

Pravastatin Sodium Solution   C − 4806

Pravastatin Sodium Tablets   C − 4799

Prazepam   C − 4778

Prazepam Tablets   C − 4783

Prazosin Hydrochloride   C − 4785

Precipitated Calcium Carbonate
    C − 3124

Precipitated Calcium Carbonate Tablets
    C − 3127

Precipitated Calcium Carbonate Fine
    Granules   C − 3129

Prednisolone   C − 4944

Prednisolone Acetate   C − 4961

Prednisolone Sodium Phosphate
    C − 4965

Prednisolone Sodium Succinate for Injec-
    tion   C − 4958

Prednisolone Succinate   C − 4955

Prednisolone Tablets   C − 4952

Preparations for Cutaneous Application
    A − 133

Preparations for Dialysis   A − 100

Preparations for Gargles   A − 75

Preparations for Inhalation   A − 107

Preparations for Injection   A − 79

Preparations for Nasal Application
    A − 123

Preparations for Ophthalmic Application
    A − 113

Preparations for Oral Administration
    A − 31

Preparations for Oro−mucosal Application
    A − 71

Preparations for Otic Application
    A − 121

Preparations for Rectal Application
    A − 126

Preparations for Syrups   A − 64

Preparations for Vaginal Application
    A − 131

Preparations Related to Crude Drugs
    A − 157

Prepared Glycyrrhiza   D − 465

Primer F   B − 1240

Primer R   B − 1240

Primidone   C − 4822

Probenecid   C − 5102

Probenecid Tablets   C − 5105

Probucol   C − 5078

Probucol Fine Granules   C − 5085

Probucol Tablets   C − 5083

Procainamide Hydrochloride   C − 4976

Procainamide Hydrochloride Tablets
    C − 4980

Procainamide Hydrochloride Injection
    C − 4982

Procaine Hydrochloride   C − 4970

Procaine Hydrochloride Injection
    C − 4974

Procarbazine Hydrochloride   C − 4988

Procaterol Hydrochloride Hydrate
    C − 4984

Processed Aconite Root   D − 883

Processed Ginger   D − 218

Prochlorperazine Maleate   C − 4996

Prochlorperazine Maleate Tablets
    C − 5001

Progesterone   C − 5004

Progesterone Injection   C − 5008

Proglumide   C − 4993

L−Proline   C − 5144

Prolonged Release Injections   A − 94

Promethazine Hydrochloride   C − 5122

Propafenone Hydrochloride   C − 5049

Propafenone Hydrochloride Tablets
    C − 5054

Propantheline Bromide   C − 5056

Propiverine Hydrochloride   C − 5060

Propiverine Hydrochloride Tablets
    C − 5064

Propranolol Hydrochloride   C − 5087

Propranolol Hydrochloride Tablets
    C − 5093

Propylene Glycol　C－5073
Propyl Parahydroxybenzoate　C－4084,
　C－83
Propylthiouracil　C－5067
Propylthiouracil Tablets　C－5071
Protamine Sulfate　C－5021
Protamine Sulfate Injection　C－5025
Prothionamide　C－5026
Protirelin　C－5037
Protirelin Tartrate Hydrate　C－5041
Prunella Spike　D－157
Pueraria Root　D－167
Pullulan　C－4915
Pullulan Capsules　C－1334
Pump Sprays for Cutaneous Application
　A－146
Purified Dehydrocholic Acid　C－3383
Purified Gelatin　C－2975
Purified Glucose　C－4714
Purified Lanolin　D－1026
Purified Shellac　C－2980
Purified Sodium Hyaluronate　C－4215
Purified Sodium Hyaluronate Injection
　C－4220
Purified Sodium Hyaluronate Ophthalmic
　Solution　C－4223
Purified Water　C－2507
Purified Water in Containers　C－2509
Pyrantel Pamoate　C－4452
Pyrazinamide　C－4444
Pyridostigmine Bromide　C－4467
Pyridoxal Phosphate Hydrate　C－4456
Pyridoxine Hydrochloride　C－4460
Pyridoxine Hydrochloride Injection
　C－4465
Pyroxylin　C－4499
Pyrrolnitrin　C－4501

Q

Quercus Bark　D－934
Quetiapine Fumarate　C－1567
Quetiapine Fumarate Fine Granules
　C－1577
Quetiapine Fumarate Tablets　C－1573

Quinapril Hydrochloride　C－1522
Quinapril Hydrochloride Tablets
　C－1527
Quinidine Sulfate Hydrate　C－1531
Quinine Ethyl Carbonate　C－1536
Quinine Hydrochloride Hydrate
　C－1539
Quinine Sulfate Hydrate　C－1544

R

Rabeprazole Sodium　C－5995
Ranitidine Hydrochloride　C－5967
Rape Seed Oil　D－774
Rebamipide　C－6232
Rebamipide Tablets　C－6237
Red Ginseng　D－321
Rehmannia Root　D－452
Reserpine　C－6197
Reserpine Injection　C－6207
0.1％ Reserpine Powder　C－6206
Reserpine Tablets　C－6203
Retinol Acetate　C－6209
Retinol Palmitate　C－6214
Rhubarb　D－615
Ribavirin　C－6082
Ribavirin Capsules　C－6089
Riboflavin　C－6111
Riboflavin Butyrate　C－6120
Riboflavin Powder　C－6118
Riboflavin Sodium Phosphate　C－6124
Riboflavin Sodium Phosphate Injection
　C－6129
Ribostamycin Sulfate　C－6107
Rice Starch　C－3458
Rifampicin　C－6092
Rifampicin Capsules　C－6103
Rikkunshito Extract　D－1029
Rilmazafone Hydrochloride Hydrate
　C－6168
Rilmazafone Hydrochloride Tablets
　C－6175
Ringer's Solution　C－6177
Risperidone　C－6037
Risperidone Fine Granules　C－6046

Risperidone Oral Solution   C - 6049
Risperidone Tablets   C - 6043
Ritodrine Hydrochloride   C - 6071
Ritodrine Hydrochloride Injection
   C - 6079
Ritodrine Hydrochloride Tablets
   C - 6076
Rose Fruit   D - 77
Rosin   D - 1062
Rosuvastatin Calcium   C - 6336
Rosuvastatin Calcium Tablets   C - 6348
Roxatidine Acetate Hydrochloride
   C - 6291
Roxatidine Acetate Hydrochloride Ex-
   tended-release Tablets   C - 6295
Roxatidine Acetate Hydrochloride Ex-
   tended-release Capsules   C - 6297
Roxatidine Acetate Hydrochloride for In-
   jection   C - 6301
Roxithromycin   C - 6303
Roxithromycin Tablets   C - 6308
Royal Jelly   D - 1080
Ryokeijutsukanto Extract   D - 1051

S

Saccharated Pepsin   C - 1486
Saccharin   C - 2043
Saccharin Sodium Hydrate   C - 2047
Safflower   D - 317
Saffron   D - 421
Saibokuto Extract   D - 404
Saikokeishikankyoto Extract   D - 15
Saikokeishito Extract   D - 389
Saireito Extract   D - 412
Salazosulfapyridine   C - 2055
Salbutamol Sulfate   C - 2087
Salicylated Alum Powder   C - 2070
Salicylic Acid   C - 2060
Salicylic Acid Adhesive Plaster
   C - 2069
Salicylic Acid Spirit   C - 2065
Salvia Miltiorrhiza Root   D - 655
Santonin   C - 2126
Saponated Cresol Solution   C - 1694

Saposhnikovia Root and Rhizome
   D - 918
Sappan Wood   D - 608
Sarpogrelate Hydrochloride   C - 2091
Sarpogrelate Hydrochloride Tablets
   C - 2095
Sarpogrelate Hydrochloride Fine Gran-
   ules   C - 2098
Saussurea Root   D - 995
Schisandra Fruit   D - 367
Schizonepeta Spike   D - 281
Scopolamine Butylbromide   C - 4687
Scopolamine Hydrobromide Hydrate
   C - 2542
Scopolia Extract   D - 1069
Scopolia Extract and Carbon Powder
   D - 1077
Scopolia Extract and Ethyl Aminoben-
   zoate Powder   D - 1074
Scopolia Extract and Tannic Acid Sup-
   positories   D - 1079
Scopolia Extract Powder   D - 1071
Scopolia Rhizome   D - 1063
Scutellaria Root   D - 91
Semi-solid Preparations for Oro-mucosal
   Application   A - 77
Semi-solid Preparations for Rectal Appli-
   cation   A - 130
Senega   D - 555
Senega Syrup   D - 561
Senna Leaf   D - 579
ʟ-Serine   C - 2987
Sesame   D - 363
Sesame Oil   D - 365
Sevoflurane   C - 2958
Shakuyakukanzoto Extract   D - 477
Shimbuto Extract   D - 544
Shosaikoto Extract   D - 514
Shoseiryuto Extract   D - 525
Silodosin   C - 2477
Silodosin Orally Disintegrating Tablets
   C - 2489
Silodosin Tablets   C - 2485
Silver Nitrate   C - 2412
Silver Nitrate Ophthalmic Solution

英名索引　I-165

C - 2414
Silver Protein　C - 5044
Silver Protein Solution　C - 5047
Simple Ointment　D - 658
Simple Syrup　C - 3153
Simvastatin　C - 2495
Simvastatin Tablets　C - 2501
Sinomenium Stem and Rhizome
　D - 902
Sitagliptin Phosphate Hydrate　C - 2242
Sitagliptin Phosphate Tablets　C - 2250
Sivelestat Sodium for Injection
　C - 2363
Sivelestat Sodium Hydrate　C - 2359
Smilax Rhizome　D - 424
Sodium Acetate Hydrate　C - 2040
Sodium Aurothiomalate　C - 1548
Sodium Benzoate　C - 443
Sodium Bicarbonate　C - 3131
Sodium Bicarbonate and Bitter Tincture
　Mixture　D - 498
Sodium Bicarbonate Injection　C - 3135
Sodium Bisulfite　C - 354
Sodium Borate　C - 5381
Sodium Bromide　C - 2405
Sodium Carbonate Hydrate　C - 3139
Sodium Chloride　C - 1148
10% Sodium Chloride Injection
　C - 1152
Sodium Chromate (^{51}Cr) Injection
　C - 1795
Sodium Citrate Hydrate　C - 1587
Sodium Citrate Injection for Transfusion
　C - 1590
Sodium Cromoglicate　C - 1796
Sodium Fusidate　C - 4670
Sodium Hydroxide　C - 2525
Sodium Iodide　C - 5909
Sodium Iodide (^{123}I) Capsules
　C - 5911
Sodium Iodide (^{131}I) Capsules
　C - 5912
Sodium Iodide (^{131}I) Solution　C - 5913
Sodium Iodohippurate (^{131}I) Injection
　C - 5915

Sodium Iotalamate Injection　C - 508
Sodium L-Lactate Ringer's Solution
　C - 3943
Sodium L-Lactate Solution　C - 3940
Sodium Lauryl Sulfate　C - 5951
Sodium Pertechnetate (^{99m}Tc) Injection
　C - 1301
Sodium Picosulfate Hydrate　C - 4263
Sodium Polystyrene Sulfonate　C - 5456
Sodium Pyrosulfite　C - 4485
Sodium Risedronate Hydrate　C - 6052
Sodium Risedronate Tablets　C - 6058
Sodium Salicylate　C - 2072
Sodium Starch Glycolate　C - 3469
Sodium Sulfate Hydrate　D - 914
Sodium Thiosulfate Hydrate　C - 3225
Sodium Thiosulfate Injection　C - 3228
Sodium Valproate　C - 4144
Sodium Valproate Extended-release Tab-
　lets A　C - 4151
Sodium Valproate Extended-release Tab-
　lets B　C - 4155
Sodium Valproate Syrup　C - 4158
Sodium Valproate Tablets　C - 4149
Solid Dosage Forms for Cutaneous Ap-
　plication　A - 134
Soluble Tablets　A - 34
Sophora Root　D - 275
Sorbitan Sesquioleate　C - 3031
D-Sorbitol　C - 3040
D-Sorbitol Solution　C - 3045
Soybean Oil　D - 644
Spectinomycin Hydrochloride Hydrate
　C - 2578
Spectinomycin Hydrochloride for Injec-
　tion　C - 2581
Spiramycin Acetate　C - 2566
Spirits　A - 163
Spironolactone　C - 2571
Spironolactone Tablets　C - 2576
Sprays for Cutaneous Application
　A - 141
Sprays for Oro-mucosal Application
　A - 76
Stearic Acid　C - 2547

Stearyl Alcohol   C – 2546

Sterile Purified Water in Containers
　C – 2510

Sterile Water for Injection in Containers
　C – 2515

Streptomycin Sulfate   C – 2560

Streptomycin Sulfate for Injection
　C – 2564

Sublingual Tablets   A – 72

Sucralfate Hydrate   C – 2536

Sucrose   C – 4019

Sulbactam Sodium   C – 2600

Sulbenicillin Sodium   C – 2642

Sulfadiazine Silver   C – 2618

Sulfamethizole   C – 2623

Sulfamethoxazole   C – 2630

Sulfamonomethoxine Hydrate   C – 2634

Sulfisoxazole   C – 2638

Sulfobromophthalein Sodium   C – 2646

Sulfobromophthalein Sodium Injection
　C – 2649

Sulfur   C – 498

Sulfur and Camphor Lotion   C – 501

Sulfur, Salicylic Acid and Thianthol
　Ointment   C – 503

Sulindac   C – 2583

Sulpiride   C – 2605

Sulpiride Capsules   C – 2611

Sulpiride Tablets   C – 2609

Sulpyrine Hydrate   C – 2612

Sulpyrine Injection   C – 2616

Sultamicillin Tosilate Hydrate   C – 2587

Sultamicillin Tosilate Tablets   C – 2593

Sultiame   C – 2596

Suppositories for Rectal Application
　A – 126

Suppositories for Vaginal Use   A – 132

Suspensions   A – 57

Suxamethonium Chloride for Injection
　C – 2535

Suxamethonium Chloride Hydrate
　C – 2529

Suxamethonium Chloride Injection
　C – 2533

Sweet Hydrangea Leaf   D – 22

Swertia and Sodium Bicarbonate Powder
　D – 598

Swertia Herb   D – 589

Synthetic Aluminum Silicate   C – 1894

Syrups   A – 64

T

Tablets   A – 33

Tablets for Oro-mucosal Application
　A – 71

Tablets for Vaginal Use   A – 131

Tacalcitol Hydrate   C – 3057

Tacalcitol Lotion   C – 3061

Tacalcitol Ointment   C – 3063

Tacrolimus Capsules   C – 3073

Tacrolimus Hydrate   C – 3067

Talampicillin Hydrochloride   C – 3102

Talc   C – 3106

Taltirelin Hydrate   C – 3110

Taltirelin Orally Disintegrating Tablets
　C – 3117

Taltirelin Tablets   C – 3114

Tamoxifen Citrate   C – 3098

Tamsulosin Hydrochloride   C – 3091

Tamsulosin Hydrochloride Extended-re-
　lease Tablets   C – 3096

Tannic Acid   C – 3159

Tapes   A – 153

Tartaric Acid   C – 2409

Taurine   C – 3054

Tazobactam   C – 3075

Tazobactam and Piperacillin for Injection
　C – 3080

Teabags   A – 166

Teceleukin for Injection (Genetical Re-
　combination)   C – 3369

Teceleukin (Genetical Recombination)
　C – 3355

Tegafur   C – 3299

Teicoplanin   C – 3285

Telmisartan   C – 3430

Telmisartan and Amlodipine Besilate
　Tablets   C – 3438

Telmisartan and Hydrochlorothiazide

Tablets   C - 3446
Telmisartan Tablets   C - 3436
Temocapril Hydrochloride   C - 3404
Temocapril Hydrochloride Tablets
   C - 3410
Temozolomide   C - 61
Temozolomide Capsules   C - 67
Temozolomide for Injection   C - 72
Teprenone   C - 3392
Teprenone Capsules   C - 3396
Terbinafine Hydrochloride   C - 3413
Terbinafine Hydrochloride Cream
   C - 3424
Terbinafine Hydrochloride Solution
   C - 3421
Terbinafine Hydrochloride Spray
   C - 3422
Terbinafine Hydrochloride Tablets
   C - 3418
Terbutaline Sulfate   C - 3425
Testosterone Enanthate   C - 3338
Testosterone Enanthate Injection
   C - 3340
Testosterone Propionate   C - 3342
Testosterone Propionate Injection
   C - 3346
Tetracaine Hydrochloride   C - 3371
Tetracycline Hydrochloride   C - 3374
Thallium (^{201}Tl) Chloride Injection
   C - 1147
Theophylline   C - 3294
Thiamazole   C - 3176
Thiamazole Tablets   C - 3180
Thiamine Chloride Hydrochloride
   C - 3188
Thiamine Chloride Hydrochloride Powder
   C - 3195
Thiamine Chloride Hydrochloride Injection   C - 3196
Thiamine Nitrate   C - 3198
Thiamylal Sodium   C - 3181
Thiamylal Sodium for Injection
   C - 3186
Thianthol   C - 3207
Thiopental Sodium   C - 3214

Thiopental Sodium for Injection
   C - 3218
Thioridazine Hydrochloride   C - 3221
L-Threonine   C - 3737
Thrombin   C - 3772
Thymol   C - 3261
Tiapride Hydrochloride   C - 3170
Tiapride Hydrochloride Tablets
   C - 3174
Tiaramide Hydrochloride   C - 3201
Tiaramide Hydrochloride Tablets
   C - 3205
Ticlopidine Hydrochloride   C - 3229
Ticlopidine Hydrochloride Tablets
   C - 3235
Timepidium Bromide Hydrate   C - 3257
Timolol Maleate   C - 3266
Tinctures   A - 166
Tinidazole   C - 3245
Tipepidine Hibenzate   C - 3249
Tipepidine Hibenzate Tablets   C - 3254
Titanium Oxide   C - 2108
Tizanidine Hydrochloride   C - 3238
Toad Cake   D - 573
Tobramycin   C - 3577
Tobramycin Injection   C - 3582
Tocopherol   C - 3510
Tocopherol Acetate   C - 3520
Tocopherol Calcium Succinate   C - 3516
Tocopherol Nicotinate   C - 3524
Todralazine Hydrochloride Hydrate
   C - 3549
Tofisopam   C - 3568
Tokakujokito Extract   D - 702
Tokishakuyakusan Extract   D - 732
Tolbutamide   C - 3729
Tolbutamide Tablets   C - 3732
Tolnaftate   C - 3724
Tolnaftate Solution   C - 3727
Tolperisone Hydrochloride   C - 3734
Tosufloxacin Tosilate Hydrate   C - 3528
Tosufloxacin Tosilate Tablets   C - 3535
Tragacanth   D - 768
Tramadol Hydrochloride   C - 3612
Tranexamic Acid   C - 3598

Tranexamic Acid Capsules　C－3605
Tranexamic Acid Injection　C－3607
Tranexamic Acid Tablets　C－3603
Tranilast　C－3583
Tranilast Capsules　C－3588
Tranilast Fine Granules　C－3590
Tranilast for Syrup　C－3593
Tranilast Ophthalmic Solution　C－3596
Trapidil　C－3609
Trehalose Hydrate　C－3741
Trepibutone　C－3744
Triamcinolone　C－3624
Triamcinolone Acetonide　C－3631
Triamterene　C－3636
Triazolam　C－3618
Tribulus Fruit　D－463
Trichlormethiazide　C－3652
Trichlormethiazide Tablets　C－3657
Trichomycin　C－3662
Trichosanthes Root　D－216
Triclofos Sodium　C－3646
Triclofos Sodium Syrup　C－3650
Trientine Hydrochloride　C－3640
Trientine Hydrochloride Capsules
　　C－3643
Trihexyphenidyl Hydrochloride
　　C－3671
Trihexyphenidyl Hydrochloride Tablets
　　C－3675
Trimebutine Maleate　C－3705
Trimetazidine Hydrochloride　C－3694
Trimetazidine Hydrochloride Tablets
　　C－3698
Trimethadione　C－3690
Trimetoquinol Hydrochloride Hydrate
　　C－3701
Troches　A－71
Tropicamide　C－3765
Troxipide　C－3758
Troxipide Fine Granules　C－3763
Troxipide Tablets　C－3761
L-Tryptophan　C－3667
Tulobuterol　C－3275
Tulobuterol Hydrochloride　C－3281
Tulobuterol Transdermal Tapes

　　C－3279
Turmeric　D－58
Turpentine Oil　D－696
L-Tyrosine　C－3270

U

Ubenimex　C－807
Ubenimex Capsules　C－811
Ubidecarenone　C－5900
Ulinastatin　C－818
Uncaria Hook　D－675
Unseiin Extract　D－71
Urapidil　C－814
Urea　C－3956
Urokinase　C－834
Ursodeoxycholic Acid　C－825
Ursodeoxycholic Acid Granules　C－832
Ursodeoxycholic Acid Tablets　C－829
Uva Ursi Fluidextract　D－69

V

Valaciclovir Hydrochloride　C－4091
Valaciclovir Hydrochloride Tablets
　　C－4098
L-Valine　C－4112
Valsartan　C－4116
Valsartan and Hydrochlorothiazide Tab-
　　lets　C－4125
Valsartan Tablets　C－4123
Vancomycin Hydrochloride　C－4199
Vancomycin Hydrochloride for Injection
　　C－4204
Vasopressin Injection　C－4042
Verapamil Hydrochloride　C－5285
Verapamil Hydrochloride Injection
　　C－5292
Verapamil Hydrochloride Tablets
　　C－5290
Vinblastine Sulfate　C－4514
Vinblastine Sulfate for Injection
　　C－4519
Vincristine Sulfate　C－4505
Vitamin A Oil　C－4302

英名索引   I-169

Voglibose   C-5388
Voglibose Orally Disintegrating Tablets
  C-105
Voglibose Tablets   C-5393
Voriconazole   C-5436
Voriconazole for Injection   C-5445
Voriconazole Tablets   C-5443

W

Warfarin Potassium   C-6375
Warfarin Potassium Tablets   C-6388
Water   C-2505
Water for Injection   C-2511
Weak Opium Alkaloids and Scopolamine
  Injection   C-248
Wheat Starch   C-3454
White Beeswax   D-985
White Ointment   C-3847
White Petrolatum   C-6371, C-127
White Shellac   C-2984
White Soft Sugar   C-4015
Whole Human Blood   C-4304
Wine   C-4700
Wood Creosote   D-987

X

Xylitol   C-1502

Xylitol Injection   C-1506

Y

Yellow Beeswax   D-983
Yellow Petrolatum   C-6370, C-125
Yokukansan Extract   D-1014
Yokukansankachimpihange Extract
  D-42

Z

Zaltoprofen   C-2080
Zaltoprofen Tablets   C-2085
Zidovudine   C-2264
Zinc Chloride   C-1134
Zinc Oxide   C-2101
Zinc Oxide Oil   C-3273
Zinc Oxide Ointment   C-30
Zinc Oxide Starch Powder   C-29
Zinc Sulfate Hydrate   C-6136
Zinc Sulfate Ophthalmic Solution
  C-6139
Zolpidem Tartrate   C-3033
Zolpidem Tartrate Tablets   C-3038
Zonisamide   C-3015
Zonisamide Tablets   C-3020
Zopiclone   C-3022
Zopiclone Tablets   C-3028

INDEX NOMINUM

A

Achyranthis Radix   D – 341
Aconiti Radix Processa   D – 883
Aconiti Radix Processa et Pulverata
   D – 889
Adeps Lanae Purificatus   D – 1026
Adeps Suillus   D – 771
Agar   D – 239
Agar Pulveratum   D – 242
Akebiae Caulis   D – 992
Alismatis Tuber   D – 649
Alismatis Tuber Pulveratum   D – 653
Aloe   D – 31
Aloe Pulverata   D – 36
Alpiniae Fructus   D – 999
Alpiniae Officinarum Rhizoma   D – 1049
Amomi Semen   D – 502
Amomi Semen Pulveratum   D – 505
Anemarrhenae Rhizoma   D – 664
Angelicae Acutilobae Radix   D – 723
Angelicae Acutilobae Radix Pulverata
   D – 730
Angelicae Dahuricae Radix   D – 856
Apilac   D – 1080
Araliae Cordatae Rhizoma   D – 755
Arctii Fructus   D – 361
Arecae Semen   D – 875
Armeniacae Semen   D – 264
Artemisiae Capillaris Flos   D – 45
Artemisiae Folium   D – 152
Asiasari Radix   D – 399
Asparagi Radix   D – 700
Astragali Radix   D – 87
Atractylodis Lanceae Rhizoma   D – 599
Atractylodis Lanceae Rhizoma Pulver-
   atum   D – 603

Atractylodis Rhizoma   D – 859
Atractylodis Rhizoma Pulveratum
   D – 865
Aurantii Fructus Immaturus   D – 257
Aurantii Pericarpium   D – 747

B

Belladonnae Radix   D – 893
Benincasae Semen   D – 710
Benzoinum   D – 39
Bezoar Bovis   D – 338
Bufonis Crustum   D – 573
Bupleuri Radix   D – 382

C

Calumbae Radix   D – 375
Calumbae Radix Pulverata   D – 377
Cannabis Fructus   D – 981
Capsici Fructus   D – 712
Capsici Fructus Pulveratus   D – 717
Cardamomi Fructus   D – 523
Carthami Flos   D – 317
Caryophylli Flos   D – 667
Caryophylli Flos Pulveratus   D – 670
Cassiae Semen   D – 299
Catalpae Fructus   D – 254
Cera Alba   D – 985
Cera Carnauba   D – 214
Cera Flava   D – 983
Chrysanthemi Flos   D – 251
Cimicifugae Rhizoma   D – 535
Cinnamomi Cortex   D – 289
Cinnamomi Cortex Pulveratus   D – 295
Cistanchis Herba   D – 779
Citri Unshiu Pericarpium   D – 690
Clematidis Radix   D – 42

ラテン名索引　I -171

Cnidii Monnieri Fructus　D - 24
Cnidii Monnieris Fructus　D - 481
Cnidii Rhizoma　D - 563
Cnidii Rhizoma Pulveratum　D - 567
Codonopsis Radix　D - 739
Coicis Semen　D - 1010
Coicis Semen Pulveratum　D - 1013
Condurango Cortex　D - 378
Coptidis Rhizoma　D - 116
Coptidis Rhizoma Pulveratum　D - 123
Corni Fructus　D - 437
Corydalis Tuber　D - 81
Corydalis Tuber Pulveratum　D - 85
Crataegi Fructus　D - 427
Creosotum Ligni　D - 987
Crocus　D - 421
Curcumae Longae Rhizoma　D - 58
Curcumae Longae Rhizoma Pulveratum
　D - 61
Curcumae Rhizoma　D - 162
Cyperi Rhizoma　D - 326
Cyperi Rhizoma Pulveratum　D - 328

D

Digenea　D - 978
Dioscoreae Rhizoma　D - 448
Dioscoreae Rhizoma Pulveratum
　D - 451
Dolichi Semen　D - 900

E

Eleutherococci Senticosi Rhizoma
　D - 456
Ephedrae Herba　D - 966
Epimedii Herba　D - 48
Eriobotryae Folium　D - 873
Eucommiae Cortex　D - 767
Euodiae Fructus　D - 353

F

Fel ursi　D - 1004
Foeniculi Fructus　D - 52

Foeniculi Fructus Pulveratus　D - 55
Forsythiae Fructus　D - 1057
Fossilia Ossis Mastodi　D - 1038
Fossilia Ossis Mastodi Pulveratum
　D - 1041
Fritillariae Bulbus　D - 802
Fructus Hordei Germinatus　D - 804

G

Gambir　D - 7
Gambir Pulveratum　D - 10
Gardeniae Fructus　D - 429
Gardeniae Fructus Pulveratus　D - 434
Gastrodiae Tuber　D - 698
Gentianae Radix　D - 303
Gentianae Radix Pulverata　D - 307
Gentianae Scabrae Radix　D - 1042
Gentianae Scabrae Radix Pulverata
　D - 1047
Geranii Herba　D - 310
Geranii Herba Pulverata　D - 314
Ginseng Radix　D - 784
Ginseng Radix Pulverata　D - 796
Ginseng Radix Rubra　D - 321
Glehniae Radix Cum Rhizoma　D - 833
Glycyrrhizae Radix　D - 221
Glycyrrhizae Radix Praeparata　D - 465
Glycyrrhizae Radix Pulverata　D - 231
Gummi Arabicum　D - 26
Gummi Arabicum Pulveratum　D - 29
Gypsum Exsiccatum　D - 553
Gypsum Fibrosum　D - 552

H

Hedysari Radix　D - 542
Houttuyniae Herba　D - 499
Hydrangeae Dulcis Folium　D - 22
Hydrangeae Dulcis Folium Pulveratum
　D - 25

I

Imperatae Rhizoma　D - 912

I-172　ラテン名索引

Ipecacuanhae Radix　D-756
Ipecacuanhae Radix Pulverata　D-761

K

Kasseki　D-189
Koi　D-315

L

Leonuri Herba　D-1001
Lilii Bulbus　D-855
Linderae Radix　D-63
Lithospermi Radix　D-460
Longan Arillus　D-1037
Lonicerae Folium Cum Caulis　D-799
Lycii Cortex　D-458
Lycii Fructus　D-273

M

Magnoliae Cortex　D-331
Magnoliae Cortex Pulveratus　D-335
Magnoliae Flos　D-539
Malloti Cortex　D-5
Mel　D-823
Menthae Herba　D-826
Mori Cortex　D-604
Moutan Cortex　D-935
Moutan Cortex Pulveratus　D-940
Myristicae Semen　D-782

N

Nelumbinis Semen　D-1060
Notopterygii Rhizoma　D-261
Nupharis Rhizoma　D-571

O

Oleum Arachidis　D-1022
Oleum Aurantii　D-146
Oleum Cacao　D-154
Oleum Camelliae　D-695
Oleum Caryophylli　D-672

Oleum Cinnamomi　D-297
Oleum Cocois　D-1002
Oleum Eucalypti　D-1007
Oleum Foeniculi　D-56
Oleum Maydis　D-753
Oleum Menthae Japonicae　D-830
Oleum Olivae　D-142
Oleum Rapae　D-774
Oleum Ricini　D-851
Oleum Sesami　D-365
Oleum Sojae　D-644
Oleum Terebinthinae　D-696
Ophiopogonis Radix　D-806
Opium Pulveratum　D-11
Oryzae Fructus　D-329
Ostreae Testa　D-962
Ostreae Testa Pulverata　D-964

P

Paeoniae Radix　D-468
Paeoniae Radix Pulverata　D-474
Panacis Japonici Rhizoma　D-659
Panacis Japonici Rhizoma Pulveratum
　D-662
Perillae Herba　D-609
Persicae Semen　D-741
Persicae Semen Pulveratum　D-745
Peucedani Radix　D-569
Pharbitidis Semen　D-301
Phellodendri Cortex　D-100
Phellodendri Cortex Pulveratus　D-108
Picrasmae Lignum　D-775
Picrasmae Lignum Pulveratum　D-778
Pinelliae Tuber　D-835
Plantaginis Herba　D-485
Plantaginis Semen　D-482
Platycodi Radix　D-244
Platycodi Radix Pulverata　D-248
Pogostemi Herba　D-165
Polygalae Radix　D-147
Polygalae Radix Pulverata　D-150
Polygonati Rhizoma　D-98
Polygoni Multiflori Radix　D-159
Polyporus　D-687

ラテン名索引　I－*173*

Polyporus Pulveratus　D－*689*
Poria　D－*878*
Poria Pulveratum　D－*881*
Prunellae Spica　D－*157*
Pruni Cortex　D－*114*
Puerariae Radix　D－*167*

Q

Quercus Cortex　D－*934*

R

Rehmanniae Radix　D－*452*
Resina Pini　D－*1062*
Rhei Rhizoma　D－*615*
Rhei Rhizoma Pulveratum　D－*624*
Rosae Fructus　D－*77*
Rosae Fructus Pulveratus　D－*79*

S

Sal Mirabilis　D－*914*
Sal Mirabilis Anhydricus　D－*916*
Salviae Miltiorrhizae Radix　D－*655*
Saposhnikoviae Radix　D－*918*
Sappan Lignum　D－*608*
Saussureae Radix　D－*995*
Schisandrae Fructus　D－*367*
Schizonepetae Spica　D－*281*
Scopoliae Rhizoma　D－*1063*
Scutellariae Radix　D－*91*
Scutellariae Radix Pulverata　D－*96*
Senegae Radix　D－*555*
Senegae Radix Pulverata　D－*559*
Sennae Folium　D－*579*
Sennae Folium Pulveratum　D－*586*
Sesami Semen　D－*363*
Sevum Bovinum　D－*260*

Sinomeni Caulis et Rhizoma　D－*902*
Smilacis Rhizoma　D－*424*
Smilacis Rhizoma Pulveratum　D－*426*
Sophorae Radix　D－*275*
Sophorae Radix Pulverata　D－*278*
Strychni Semen　D－*952*
Swertiae Herba　D－*589*
Swertiae Herba Pulverata　D－*595*

T

Tinctura Amara　D－*279*
Tragacantha　D－*768*
Tragacantha Pulverata　D－*770*
Tribuli Fructus　D－*463*
Trichosanthis Radix　D－*216*

U

Uncariae Uncis Cum Ramulus　D－*675*
Uvae Ursi Folium　D－*65*

V

Valerianae Fauriei Radix　D－*191*
Valerianae Fauriei Radix Pulverata
　D－*194*

Z

Zanthoxyli Piperiti Pericarpium　D－*440*
Zanthoxyli Piperiti Pericarpium Pulver-
　atum　D－*443*
Zingiberis Rhizoma　D－*506*
Zingiberis Rhizoma Processum　D－*218*
Zingiberis Rhizoma Pulveratum　D－*512*
Ziziphi Fructus　D－*646*
Ziziphi Semen　D－*446*

第十八改正

日本薬局方　第一追補

解説書

—条文・注・解説—

定　価（本体 40,000 円＋税）

令和 5 年　3 月 31 日　第 1 刷発行

本書は令和 4 年 12 月 12 日付 厚生労働省 告示・公布に基づいて発行しております.

編　　　　者
著作権所有者　　日本薬局方解説書編集委員会

発　行　者
出版権所有者　　株式会社　廣　川　書　店

代表者　廣　川　治　男

東京都文京区本郷 3 丁目 27 番 14 号
電　話　〔03〕3815–3651（代表）
http://www.hirokawa-shoten.co.jp/

© 2023

本書の複製はいかなる形式においてもこれを禁ずる.

ISBN978-4-567-01547-9